OSTWALDS KLASSIKER
DER EXAKTEN WISSENSCHAFTEN
Band 292

Michael Faraday
22.9.1791 - 25.8.1867

OSTWALDS KLASSIKER DER EXAKTEN WISSENSCHAFTEN
Band 292

Experimental-Untersuchungen über Elektricität

In drei Bänden
Erster Band

von
Michael Faraday

Einleitung von
Friedrich Steinle

Deutsche Übersetzung
S. Kalischer

Verlag Harri Deutsch

Bibliografische Information Der Deutschen Bibliothek

Die Deutsche Bibliothek verzeichnet diese Publikation in der Deutschen Nationalbibliografie; detaillierte bibliografische Daten sind im Internet über <http://dnb.ddb.de> abrufbar.

ISBN 3-8171-3292-1

Die Druckvorlage wurde freundlicherweise von der Bibliothek des Instituts für Geschichte der Naturwissenschaften der Johann Wolfgang Goethe-Universität Frankfurt am Main zur Verfügung gestellt.

1. Auflage 2004
Druck: Rosch-Buch Druckerei GmbH, Scheßlitz
Printed in Germany

Inhalt

Einleitung

Michael Faraday und seine „Experimental Researches in Electricity"

von
Friedrich Steinle

> „Faraday is, and must always remain, the father of that enlarged science of electro-magnetism"
> (J.C. Maxwell, 1873)[1]

Kaum etwas hat die Entwicklung von Elektrizität und Magnetismus im 19. Jahrhundert so stark geprägt wie die Arbeiten Michael Faradays. Maxwell selbst, dessen Name hier gleichrangig zu nennen wäre, hat sich wesentlich und ausdrücklich auf Faraday gestützt. Faradays Entdeckungen haben neue Forschungsfelder eröffnet und die großmaßstäbliche Verwendung von Elektrizität ermöglicht, seine begrifflichen Innovationen den Gang der theoretischen Entwicklung in völlig neue Bahnen gelenkt. Die wichtigsten seiner zahlreichen Einzelaufsätze fasste er selbst unter dem Titel „Experimental Researches in Electricity" in Buchform zusammen, und es ist keine Übertreibung, wenn man diese drei Bände als das wichtigste Werk der Elektrizitäts- und Magnetismusforschung im zweiten Drittel des 19. Jahrhunderts bezeichnet. Sie werden hier im Nachdruck der deutschen Übersetzung von 1889-91 erstmals wieder leicht zugänglich gemacht. In der Einleitung soll es, neben Skizzen zur Person Faradays, den Eigenheiten und der Bedeutung seiner Arbeiten, vor allem um eine knappe Übersicht zu diesem durchaus monumentalen Text gehen.

---

1 Maxwell, J. C., „Scientific Worthies I. - Faraday", *Nature* 8 (1873), 397-9, hier 398.

Michael Faraday: ein aussergewöhnlicher Werdegang

Im frühen 19. Jahrhundert gab es das typische Berufsbild eines Naturforschers noch nicht, und gerade in England war Naturforschung immer noch häufig eine Sache von finanziell unabhängigen „Gentlemen of science", die in der Royal Society of London ihre Forschungsergebnisse austauschten.[2] Wenngleich Faraday nicht der einzige war, der andere Wege nahm, so fällt doch selbst bei aller Varietät sein Werdegang besonders auf. 1791 als eines von vier Kindern eines zeitweilig arbeitslosen Grobschmiedes im Westen Londons geboren, erhielt er nur eine elementare Schulbildung. Während seiner Lehre als Buchbinder frönte er ausgedehnter Lektüre, vor allem naturwissenschaftlicher Werke. Er schloss sich der „City Philosophical Society" an, einer Gruppierung ähnlich gesinnter Jugendlicher, die naturwissenschaftliche Themen gemeinsam behandelten. Nach einer kurzen Zeit der Berufsausübung bemühte er sich um eine Anstellung in der Naturforschung. Dass dieser sehr ungewöhnliche und wenig erfolgversprechende Schritt letzlich erfolgreich war, hatte mit Faradays Talent und mit Zufällen gleichermaßen zu tun. Die Royal Institution of London, bei der Faraday eine Anstellung fand, war eine private Stiftung und ursprünglich als Volksbildungseinrichtung intendiert gewesen, hatte sich aber zu einem Treffpunkt der oberen Mittelschicht entwickelt.[3] Ihr Erfolg gründete sich wesentlich auf die didaktische und rhetorische Brillanz des Chemikers Humphry Davy. Faraday hatte mit geschenkten Eintrittskarten an Davys Vorlesungen teilgenommen, durch die Zusendung ausgearbeiteter Mitschriften wurde Davy auf Faradays Begabung aufmerksam und stellte ihn wenig später für die zufällig freigewordene Stelle als Laborassistent ein.

---

2 S. etwa Cardwell, D. S. L. (1957), *The organisation of science in England*. London, oder Morrell, J. & Thackray, A. (1981), *Gentlemen of science: Early years of the British Association for the Advancement of Science*. Oxford.

3 Näheres zur Royal Institution in Berman, M. (1978), *Social Change and Scientific Organization: The Royal Institution, 1799-1844*. Ithaca, NY: Cornell University Press. James, F.A.J.L., (Hg.) (2002), *The common purposes of life: science and society at he Royal Instituion of Great Britain. Aldershot, Ashgate*.

Schon wenig später begleitete Faraday Davy auf einer eineinhalbjährigen Reise durch Europa (ab Oktober 1813), auf der er die Bekanntschaft vieler Forscher auf dem Kontinent machte, jedoch in seinen Erwartungen hinsichtlich der moralischen Qualitäten von Naturforschern ernüchtert wurde.[4] In den folgenden Jahren arbeitete er, neben der Laborassistenz, auch an der Herausgabe des wissenschaftlichen Hausjournals der Royal Institution mit und eignete sich autodidaktisch das ganze Gebiet der Chemie an, theoretisch und experimentell gleichermaßen. Die Royal Institution bot dazu beste Ressourcen: neben einer gut ausgestatteten Bibliothek gab es ein Forschungslabor, das Davy zu einem der besten in ganz Europa entwickelt hatte. Faraday veröffentlichte kleinere Aufsätze zu chemischen Themen und nahm kommerzielle Aufträge für chemische Analysen an. 1821 wurde er an der Royal Institution zum Hausmeister und -verwalter ernannt, die in diesem Zuge bereitgestellte größere Wohnung ermöglichte ihm die Heirat mit Sarah Barnard, und schließlich legte er sein Bekenntnis zur religiösen Sekte der Sandemanier ab, wie Sarah schon zuvor – drei Schritte, die in ihrer Bedeutung kaum überschätzt werden können.

Die Entdeckung der elektromagnetischen Rotation, die Faraday im selben Jahr gelang, verschaffte ihm erstmals internationale Bekanntheit. In den Folgejahren arbeitete er, stark durch Aufgaben an der Royal Institution in Anspruch genommen, vornehmlich auf dem Gebiet der chemischen Analytik. Seine Entdeckung der Verflüssigung von Gasen (1823) trug wesentlich dazu bei, dass er 1823 zum korrespondierenden Mitglied der Académie des Sciences und 1824 zum Fellow der Royal Society ernannt wurde. 1825 wurde er zum Direktor der Labors der Royal Institution befördert, 1827 erschien die einzige von ihm jemals verfasste Monographie: ein Handbuch für das Arbeiten im chemischen Labor[5]. Im Zuge der zunehmenden Verantwortlichkeiten an der Royal Institution begann er, in großem Umfang öffentliche Vorträge über wissenschaftliche Themen zu halten und nahm überdies eine gut dotierte Lehrtätigkeit an der Königlichen Militärakademie in Woolwich bei

---

4 Sein Reisetagebuch wurde vor wenigen Jahren veröffentlicht: Bowers, B. & Symons, L. (1991), *„Curiosity Perfectly Satisfied": Faraday's Travels in Europe 1813-1825*. London: Peter Peregrinus.

London an. 1833 wurde er auf eine Stiftungsprofessur in Chemie („Fullerian Professor“) an der Royal Institution berufen. Im Alter von Anfang 40 Jahren hatte Faraday eine konsolidierte Stellung innerhalb der wissenschaftlichen Welt erreicht. Wohlbekannt und akzeptiert, stand er in Kontakt mit Forschern innerhalb und außerhalb Großbritanniens; dazu kamen große Erfolge in seiner Lehr- und Vortragstätigkeit. Die finanzielle Knappheit und die existenziellen Sorgen waren endgültig beseitigt: Faraday sollte sein ganzes Leben hindurch an der Royal Institution verbleiben.

Dass Faraday in den 1840er und -50er Jahren der vielleicht populärste Wissenschaftler Englands war, hing wesentlich mit seiner Vortragsarbeit an der Royal Institution zusammen. Er organisierte neue Vortragsreihen und trat häufig auch selbst als Vortragender auf, u.a. zur Tunnelbautechnik unter der Themse oder zur astronomischen Fotografie. Aus seinen beliebten Vortragsreihen für Jugendliche ging u.a. die „Naturgeschichte einer Kerze“ hervor, eines seiner meistpublizierten und -übersetzten Werke. Zu seiner Zuhörerschaft zählten bisweilen Mitglieder des britischen Königshauses. Als einer der wenigen Wissenschaftler ist er auf einer Banknote – der britischen 20 £-Note – porträtiert, bezeichnend genug, als Vortragender. Mit solcherlei Kontakten, als Mitglied vieler gelehrter Gesellschaften und Empfänger vieler Ehrungen, kann er durchaus als Teil des wissenschaftlichen „Establishments“ der Jahrhundertmitte gelten.

Diese „Vom Tellerwäscher zum Millionär“ -Entwicklung Faradays trägt allerdings dadurch besondere Züge, dass er sich vom Leben der gehobenen Mittel- und Oberschicht, mit der er als Vortragender und Manager zu tun hatte, im privaten Bereich zeitlebens deutlich abhob. Hier war er fast ausschließlich auf den kleinen Kreis der Sandemanischen Sekte beschränkt, die den zu weltlich und hohl erscheinenden

---

5 Faraday, M. (1827), *Chemical manipulation; being instructions to students in chemistry, on the method of performing experiments of demonstration and research with accuracy and success*. London: Phillips. Sehr rasch ins Deutsche übersetzt: Faraday, M. (1828), *Chemische Manipulation oder das eigentlich Practische der sichern Ausführung chemischer Arbeiten und Experimente*. Weimar: Verlag des Landes-Industrie-Comptoirs.

Lebensweisen der anglikanischen Staatskirche ein Leben nach dem unmittelbaren Gebot der Bibel entgegensetzen wollte. So wurde etwa die Teilnahme an anglikanischen Gottesdiensten strikt vermieden; in der Gemeinde gab es keine Priester, wichtige Entscheidungen wurden in einem Gremium von Ältesten getroffen, dem auch Faraday zweimal angehörte. Im Gegensatz zur britischen Gesellschaft der Zeit spielten Standesunterschiede keine Rolle: außer der Aristokratie waren alle Bevölkerungskreise vertreten. Das Leben der Faradays war durch solche Bindungen wesentlich geprägt. Faraday nahm Predigt und soziale Aufgaben sehr ernst und ließ gar, um einen Kranken pflegen zu können, eine angekündigte Abendvorlesung ausfallen. Anders als in seiner wissenschaftlichen Arbeit konnte er hier Isolation nicht ertragen. Sein Freund, Biograph und Nachfolger an der Royal Institution, John Tyndall, charakterisierte, trotz seiner eigenen, ganz areligiösen Grundhaltung, die Bedeutung von Faradays religiösem Leben sehr treffend: „I think that a good deal of Faraday's weekday strength and persistency might be referred to his Sunday Exercises. He drinks from a fount which refreshes his soul for the week".[6]

Der Elektromagnetismus

Im Sommer 1820 löste die Bekanntgabe einer neuen Entdeckung durch den dänischen Forscher Hans-Christian Ørsted in ganz Europa große Aufregung und eine Welle von Forschungsarbeiten aus. Ørsted hatte erstmals eine Wirkung des Galvanismus auf Magnete bemerkt – eine Magnetnadel wurde durch einen in die Nähe gebrachten stromführenden Draht aus ihrer Nord-Süd-Position abgelenkt – und damit ein weiterer Zusammenhang verschiedener Naturkräfte aufgewiesen.[7] Der

6 Tagebuch Tyndalls vom 24. Oktober 1852: RI MS JT/2/6, S. 164, mit freundlicher Genehmigung der Royal Institution of Great Britain.

7 Ørsteds als Privatdruck versandter Aufsatz: *Experimenta circa effectum Conflictus electrici in Acum magneticam* wurde rasch übersetzt und in wissenschaftlichen Journalen gedruckt, etwa: „Versuche über die Wirkung des elektrischen Conflicts auf die Magnetnadel", *Annalen der Physik (Gilbert)* 66 (1820), (11. Stück [November]): 295-304.

Befund wurde von am deutschen Idealismus orientierten Forschern freudig begrüßt, war doch hier ein weiterer Hinweis auf die vermutete Verwandschaft oder gar Einheitlichkeit verschiedener Naturkräfte gegeben. Zugleich aber widersetzte er sich eklatant einer Erfassung in den traditionellen Begriffen von Anziehung und Abstoßung, die unabhängig von spezielleren theoretischen Vorstellungen allem Nachdenken über Naturvorgänge selbstverständlich zu Grunde gelegt wurden. Besonders stark wurde die damit gegebene Herausforderung in Paris empfunden: dort waren diese Begriffe in Form von rein entfernungsabhängigen Fernkräften mathematisch präzisiert worden und bildeten die Grundlage des Programms der Mathematisierung der Naturforschung. Der wesentliche Vertreter der Laplaceschen Physik[8] – Jean Baptiste Biot – machte sich zusammen mit seinem damaligen Assistenten Felix Savart sofort an Messungen und stellte als Resultat ein Kraftgesetz vor (1820), das bis heute unter dem Namen der beiden bekannt ist. Allerdings musste er dabei die zunächst unüberschaubare und rätselhafte räumliche Komplexität der elektromagnetischen Wirkungen weitgehend ignorieren. Sein schärfster Konkurrent André-Marie Ampère griff hier deutlich weiter aus; dementsprechend hatte das von ihm noch vor Biot vorgestellte Kraftgesetz eine kompliziertere Form. Ampère entdeckte überdies die Wechselwirkung zweier stromdurchflossener Leiter und machte sie zur Grundlage seiner Theorie der „Elektrodynamik".[9] In Halle machte sich der Professor für Chemie und Physik (und Herausgeber des viel gelesenen *Journal für Chemie und Physik*), Johann S. C. Schweigger, sofort an experimentelle Untersuchungen und schlug vor, den Effekt durch mehrmaliges Herumführen des Drahtes zu verstärken und diesen „Multiplikator" als Messinstrument für den Effekt der galvanischen Batterie zu verwenden. Ein ganz ähnliches Instrument wurde unter dem Namen „Kondensator" von dem Berliner Medizinstudenten

8 Für diese Schule s. Fox, R. (1974), The Rise and Fall of Laplacian Physics", *Historical Studies in the Physical Sciences* 4: 89-136.

9 Ampère, A.-M. (1820), „Mémoire sur l'Action mutuelle entre deux courants électriques, entre un courant électrique et un aimant ou le globe terrestre, et entre deux aimants", *Annales de Chimie et de Physique* 15 (1820): 59-76 und 170-218, und Ampère, A.-M. (1826), *Théorie des phénomènes électro-dynamiques, uniquement déduite de l'expérience*. Paris: Mequinon-Marvis.

Johann Christian Poggendorff vorgeschlagen, der durch den Akademiker Paul Erman zu seinen Arbeiten angeregt worden war. Humphry Davy und William Hyde Wollaston in London, David Brewster in Edinburgh, James Cumming in Cambridge, Thomas Seebeck in Berlin, Tobias Mayer in Göttingen, Ludwig Wilhelm Gilbert in Leipzig, Charles Pictet und Charles Gaspard de la Rive in Genf, François Arago in Paris, Jacob Berzelius in Stockholm, Guiseppe Gazzeri und Cosimo Ridolfi in Florenz, Pietro Configliachi in Pavia – schon diese Auswahl von Namen und Orten verdeutlicht, wie stark die Forschungsaktivitäten zu der Ørstedschen Entdeckung in Europa waren. Binnen Jahresfrist war Ørsteds Bericht in 5 Sprachen übersetzt und in mindestens 11 Journalen abgedruckt worden, eine Flut von daran anknüpfenden Forschungsarbeiten erschienen. Ein solcher Widerhall war allenfalls vergleichbar mit demjenigen, den 20 Jahre zuvor Voltas Erfindung der nach ihm benannten Säule – der ersten elektrischen Batterie – hervorgerufen hatte. Obgleich sich Ørsteds Befund als leicht nachvollziehbar erwies, äußerten viele ihr Befremden über seine Eigenheiten und artikulierten den Eindruck, dass hier ein ganz neues Forschungsfeld eröffnet worden sei.[10]

Veranlasst durch die Nachfrage eines Freundes, veröffentlichte Faraday im Sommer 1821 anonym einen umfassenden Überblick zum Elektromagnetismus, zu dessen Erarbeitung er systematisch alle Experimente nachvollzogen hatte. Davon ausgehend untersuchte er die elektromagnetischen Bewegungen in asymmetrischen Konstellationen und entdeckte einen spektakulären Effekt – eine elektromagnetische Rotationsbewegung. Überdies bemerkte er, dass sich auch die komplexeren Bewegungen auf diesen „einfachen Fall“ der Rotation eines Drahtes um einen Magnetpol „zurückführen“ ließen. Das war eine kühne Behauptung, zumal er sich als Neuling damit in direkten Konflikt zu etablierten Autoritäten wie Biot und Ampère stellte.[11] In den darauf folgenden Jahren konnte Faraday auf Grund anderer Verpflichtungen das Thema nicht weiter bearbeiten, berichtete aber im Journal der Royal

---

10 Für einen Überblick zur Rezeption von Ørsteds Ergebnis s. Steinle, F. (im Druck für 2004), *Explorative Experimente. Ampère, Faraday und die Ursprünge der Elektrodynamik*. Stuttgart: Franz Steiner Verlag, Kap. 2.

Institution regelmäßig darüber. Erneut aufgreifen konnte er es erst 10 Jahre später, und wieder gelang ihm gleich zu Anfang eine spektakuläre Entdeckung: die des lange und von vielen gesuchten elektromagnetischen Induktionseffektes. Nun entschied sich Faraday, das Resultat in den prestigiösen *Philosophical Transactions* der Royal Society zu veröffentlichen, und gab dem Aufsatz den Titel „Experimental Researches in Electricity".[12] Dieser Anfangserfolg, aber auch die vielen Fragen, die die Entdeckung aufwarf, trugen wohl dazu bei, dass Faraday nun an dem Thema blieb – für die nächsten 25 Jahre sollten Elektrizität und Magnetismus seine hauptsächlichen Forschungsgebiete bleiben. Seine Resultate machte er in einer fortlaufenden Reihe von Aufsätzen bekannt, allesamt unter demselben Haupttitel, aber stets mit spezifizierenden Untertiteln. Der letzte dieser Aufsätze, die „30. Reihe", wurde 1856 gedruckt, 24 Jahre nach dem ersten. Für den größten Teil dieser Zeitspanne hatte Faraday eine unbestrittene Spitzenstellung in der Forschung zu Elektrizität und Magnetismus inne. In drei Etappen – 1839, 1844, und 1855 – fasste Faraday seine Aufsätze in Sammelbände zusammen. Die deutsche Übersetzung dieser Sammelbände liegt hier in einem Nachdruck vor.

---

11 Diese Arbeiten sind im zweiten Band der vorliegenden Ausgabe abgedruckt: S. 115-147 und 265-297. Für eine Diskussion s. etwa Gooding, D. C. (1990), *Experiment and the making of meaning: Human agency in scientific observation and experiment*. Dordrecht: Kluwer, ch. 4 & 5, oder Steinle, F. (1995), „Looking for a ‚simple case': Faraday and electromagnetic rotation", *History of Science* 33: 179-202, oder Steinle, F. (im Druck für 2004), *Explorative Experimente. Ampère, Faraday und die Ursprünge der Elektrodynamik*. Stuttgart: Franz Steiner Verlag, Kap. 6.

12 *Philosophical Transactions* 122 (1832), 125-162.

Die „Experimental Researches in Electricity“: Eine Übersicht

Die „Experimental Researches in Electricity“ (kurz: ERE) bilden einen sehr dichten Text, in dem detaillierte Beschreibungen von Experimenten und Instrumenten und weitgehende begriffliche Erwägungen oft in jähem Wechsel zur Sprache kommen. Schon dem damaligen und erst recht dem heutigen Leser sind sie deswegen, und auf Grund ihrer Fülle, schwer zugänglich. Um den Einstieg in die Lektüre zu erleichtern, soll in den folgenden Abschnitten eine überblickshafte Darstellung wesentlicher Themen gegeben werden, die Faraday bearbeitet hatte. Der Schwerpunkt liegt dabei auf dem Werk und seinen inhaltlichen Linien; für das hier nur knapp angerissene historische Umfeld sei auf die in den Fußnoten und am Schluss angegebene Literatur verwiesen.

Elektromagnetische Induktion. Wie schon erwähnt, bildete der elektromagnetische Induktionseffekt den Gegenstand des 1. und 2. Aufsatzes. Der neue Effekt hatte verwirrende Eigenheiten und war mit traditionellen Mitteln nicht gesetzmäßig formulierbar. Faraday unternahm nach verschiedenen Versuchen den gewagten Schritt, die schon lange bekannten, aber nie als besonders bedeutsam angesehenen Linien, die sich mit Eisenfeilspänen um Magnete zeigten („magnetische Kurven“), als Referenzsystem einzuführen (§ 114). Damit ließ sich zunächst nur eine bestimmte Klasse von Induktionseffekten in ein Gesetz fassen, das er aber schon wenig später durch Einführen der Vorstellung von beweglichen „magnetischen Kurven“ (§ 238) auf alle Induktionseffekte überhaupt erweitern konnte. Mit diesem einheitlichen Induktionsgesetz (§ 231) ließen sich viele zuvor rätselhafte Effekte verständlich machen. Der Aufsatztext weist einige Spuren der manchmal turbulenten und keinesfalls geradlinigen Entwicklung auf; am deutlichsten wird das in Bezug auf den sog. „elektrotonischen Zustand“. Faraday hatte zunächst einen solchen Zustand des von der Induktion betroffenen Drahtes postuliert, um den nur vorübergehenden Charakter des Induktionseffektes zu erfassen, und ihm einen ganzen Abschnitt im Aufsatz gewidmet. In der weiteren Arbeit wurde ihm klar, dass er gerade durch die Verallgemeinerung des Induktionsgesetzes diese Annahme nicht mehr benötigte. Sein erster Aufsatz stand zu diesem Zeitpunkt schon kurz vor dem Druck, so konnte Faraday den besagten Abschnitt nicht mehr herausnehmen, sondern nur noch in einer Fußnote gleich zu Anfang darauf verweisen, dass die ganze Spekulation hinfällig sei, die dann auf den folgenden (immerhin sieben) Textseiten ausgearbeitet wurde![13] Nach der Entdeckung des Induktionseffektes etwa war ihm überdies klar, dass hier eine neue und unvergleichlich stärkere Elektrizitätsquelle vorlag. Ihre technische Ausgestaltung verfolgte er aber nicht weiter, sondern konzentrierte sich auf die Erarbeitung der grundlegenden Naturgesetze – das sollte zeitlebens für seine Arbeit charakteristisch bleiben. Schon 1832 stellte der junge Instrumentenbauer Antoine-Hyppolite Pixii in Paris den ersten elektromagnetischen Generator vor.

In der schnell anschließenden 3. Reihe ging es Faraday um die Frage, ob man denn so verschiedene Effekte wie sie durch den Zitterrochen, die Elektrisiermaschine, Temperaturdifferenzen, chemische Wirkungen und nun Induktion hervorgebracht wurden, zu Recht unter einem gemeinsamen Namen – Elektrizität – summieren dürfe. Das Problem hatte schon andere vor ihm beschäftigt und war nicht abschließend beantwortet. Faraday unternahm breite experimentelle Untersuchungen und zog aus den in einer Tabelle zusammengestellten Resultaten (§ 360) den Schluss, dass es sich tatsächlich in all diesen Fällen um ein und dieselbe Naturkraft handle. Diese Arbeit gab ihm den Anstoß zu einer allgemeineren Untersuchung von unterschiedlichen Leitungsvorgängen, etwa in Festkörpern und Flüssigkeiten (4. Reihe). Charakteristisch genug, befasste er sich ausführlich gerade mit den Übergängen zwischen diesen verschiedenen Zuständen und formulierte das allgemeine Gesetz, dass die Leitfähigkeit von flüssigen Stoffen beim Erstarren verloren gehe, und dass die meisten festen Stoffe beim Schmelzen leitfähig werden (§ 394, 412).

---

13 S. 15, Fußnote 2, dann ausführlicher in der 2. Reihe, § 231. Für eine Diskussion s. Steinle, F. (1996), „Work, Finish, Publish? The formation of the second series of Faraday's ‚Experimental Researches in Electricity' ", *Physis* 33: 141-220.

Elektrochemie. Die Frage der elektrochemischen Zersetzung, die hierbei ins Blickfeld rückte,[14] war denn auch Gegenstand einer sehr ausführlichen Untersuchung, die ihn über ein Jahr lang beschäftigte und in vier Aufsätzen (5. bis 8. Reihe) ihren Niederschlag fand. In ausführlichem Experimentieren und nicht weniger umfassender Sichtung der bestehenden Auffassungen, insbesondere von Grotthus und Davy,[15] entwickelte er eine eigene Theorie, bei der er deutlicher als andere vor ihm betonte, dass die „Pole" im wesentlichen als Begrenzungen der Flüssigkeiten anzusehen seien, die eigentlichen Zersetzungsvorgänge aber im Innern der Flüssigkeit stattfinden müssen (etwa § 524). Der elektrische Strom oder, vorsichtiger, das „Agens, welches in dem, was wir elektrischen Strom nennen, ... vorhanden ist" bildet dabei wesentlich eine „Achse" der wirkenden Kräfte (§ 517). Für Faradays Untersuchungen bildete dementsprechend die Kontaktfläche Metall – Flüssigkeit eine entscheidende Rolle, an der ja die Gasbildung stattfindet. Um elektrochemische Effekte von solchen zu unterscheiden, die an diesen Flächen auch ohne Elektrizität auftreten, stellte Faraday umfangreiche Untersuchungen an (6. Reihe), in der u.a. die allgemeine katalytische Wirkung des Platins ausführlich behandelt wird.

Damit vergewisserte er sich seiner elektrochemischen Befunde so weit, dass er sie in der 7. Reihe in einer neuen Anordnung zusammenfassen konnte. Gleich zu Beginn wagte er sich mit einem weitreichenden Vorschlag hervor (§ 661-677): Ihm war im Laufe seiner Arbeiten deutlich geworden, wie sehr die bisherige Terminologie auf dem Felde, insbesondere die Rede von „Polen," stets spezifische theoretische Vorstellungen nahe legte, insbesondere von anziehenden und abstoßenden Kräften, Vorstellungen, die sich als unpassend für die Formulierung von Gesetzen erwiesen, in jedem Fall aber hypothetisch waren und vor allem der Forschungsarbeit die nötige Unbefangenheit nahmen. Um dem entgegenzuwirken, schlug er deshalb vor, statt von „Polen" künftig

---

14 S. dazu James, Faraday A. J. L. (1989), „Michael Faraday's First Law of Electrochemistry: How Context Develops New Knowledge", in J. T. Stock & M. V. Orna (Hg.), *Electrochemistry, Past and Present,* Washington DC: American Chemical Society, 32-49.

15 Für eine Übersicht s. die klassische Darstellung von Ostwald, W. (1896), *Elektrochemie: ihre Geschichte und Lehre*. Leipzig: Veit & Co.

von „Elektroden" zu sprechen, (in Form von „Anode" oder „Kathode"), diejenigen Körper, die sich durch Elektrizität zersetzen lassen, als „Elektrolyte" zu bezeichnen (dementsprechend auch „Elektrolyse", „elektrolytisch"), und die Körper, die sich innerhalb der Flüssigkeit bewegen, als „Ionen", in Form von „Anionen" oder „Kationen". All diese Vorschläge hatte er im Austausch mit zwei Freunden entwikkelt:[16] dem Cambridger Philosophen, Altertumswissenschaftler und Naturwissenschaftler William Whewell, und dem Arzt Whitlock Nickol; dabei haben stets die Ziele möglichst großer Einfachheit und Unbelastetheit von Hypothesen im Vordergrund gestanden.[17] Im Anschluss daran formulierte er die nach ihm benannten Gesetze der Elektrolyse: das erste, besagte, dass die Menge des zersetzten Stoffes nur von der Menge des durchgegangenen Stromes abhängt (§ 704, 732). Entscheidend war hier das „nur": Es hatte einen immensen experimentellen Aufwand gekostet, zu zeigen, dass eben andere Faktoren wie Größe und Material der Elektrode, Intensität und Ursprung der Elektrizität, Natur des Lösungsmittels usw. keine Rolle spielten. Umgekehrt konnte Faraday auf Grund gerade dieses Ergebnisses nun vorschlagen, die Menge der zersetzten Substanz als Maß für die Menge der Elektrizität zu verwenden – in einer Zeit, in der die Quantifizierung der Elektrizität sowohl begrifflich als auch experimentell noch weitgehend im Dunkeln tappte, war das ein entscheidender Schritt, über dessen Bedeutung sich Faraday wohl bewusst war (§ 739).

Die bis heute als „zweites Faradaysches Gesetz" bezeichnete Regel, wonach die von gleichen Elektrizitätsmengen abgeschiedenen Stoffe einander chemisch äquivalent sind, wurde von ihm als das Gesetz von der „festen chemischen Action" der Elektrizität eingeführt (§ 783, 806, 807, ...) und ausführlich für zahlreiche Stoffklassen aufgewiesen. Das kulminierte in einer Tabelle der Äquivalentzahlen von Ionen (wir würden von Atom-/ Molekulargewichten sprechen), für die Faraday einen detaillierten Abgleich zwischen chemischen und elektrochemischen

---

16 Ross, S. (1961), „Faraday consults the scholars: the origins of the terms of electrochemistry", *Notes and Records oft the Royal Society of London* 16: 187-220.

17 Brief von Faraday an Whewell vom 24. April 1834 (= Nr. 711 im Band 2 der vierbändigen *Correspondence*, s. Literaturverzeichnis am Schlus).

Verfahren durchgeführt hatte (§ 846). Seine breite Erfahrung in präziser chemischer Analytik kam ihm hier wesentlich zugute. Zu den dabei unmittelbar aufscheinenden Perspektiven auf einen evtl. atomistischen Aufbau von Materie *und* Elektrizität gleichermaßen, skizzierte er einige Überlegungen, hielt sich aber von abschließenden Folgerungen zurück (§ 852-874).

In der 8. Reihe schließlich wandte er sich vor dem Hintergrund seiner vorigen Ergebnisse der notorisch ungelösten Frage nach dem Ursprung der elektromotorischen Kraft in der Voltaischen Batterie zu. In einem detaillierten Argumentationsgang zeigte er, wie diese Aktion elektrochemisch verstanden werden konnte und sich umgekehrt daraus Rückschlüsse für die Handhabung und Verbesserung der Batterie ziehen ließen. Eine Fortsetzung fanden diese Überlegungen in der 10. Reihe, die in unmittelbarem Anschluss erarbeitet, aber erst mit einem Jahr Verzögerung gedruckt wurde. Gewissermaßen in diese Reihe elektrochemischer Arbeiten eingeschoben stellte Faraday eine Untersuchung der eigenartigen Effekte vor, die sich beim Unterbrechen eines Stromkreises ergaben, der eine Spule enthielt, aber ohne Spule eben nicht auftraten (9. Reihe). Er war dem systematisch nachgegangen und zu einem Verständnis der Befunde als spezielle Induktionseffekte gelangt, nämlich als Selbstinduktionseffekte der Spule (§ 1092). Dieser damit erstmals entworfene Begriff blieb seither zentraler Bestandteil aller Elektrizitätsforschung und -technik.

Diese ersten 10 Aufsätze entstanden innerhalb von ca. drei Jahren (1831-1834) mit einem Arbeitsaufwand, der nicht weniger monumental war als die Ergebnisse. Einige der Themen waren durchaus zu einem Abschluss gekommen. Nicht zuletzt damit mag es zu tun haben, dass nun eine längere Pause eintrat. Wohl stellte Faraday seine Ergebnisse einem breiteren Publikum vor, etwa in Vorträgen an der Royal Institution, die eigentliche Forschungsarbeit aber ruhte.

Elektrostatik. Erst gegen Ende 1835 sind in Faradays Labortagebuch wieder elektrische Experimente verzeichnet. Er hatte sich nun ein neues Thema vorgenommen: die Elektrostatik. Das war insofern gewagt, als hier die Mathematisierung und Formalisierung am weitesten fortgeschritten war, in der Faraday keinerlei Ausbildung besaß.[18] Nicht zuletzt deshalb dauerte es einige Zeit, bis er im November 1837 einen ersten Aufsatz vorlegte, dem dann allerdings rasch drei andere folgten (11. bis 14. Reihe). Als Resultat dieser Arbeiten nahm sich das Feld der Elektrostatik grundlegend anders aus als zuvor, zumindest für Faraday. Ausgangspunkt war das Phänomen der (elektrostatischen) Induktion, insbesondere die Frage, ob ein Körper elektrisch geladen werden könne, ohne dass zugleich andere in der Umgebung ebenfalls elektrische Veränderungen erfuhren (etwa § 1169). Unter den zahlreichen Apparaten und Experimenten, die er hierzu konstruierte, war auch der berühmt gewordene sog. „Faradaysche Käfig“: ein großer, ganz mit Metall überzogener Holzkasten, in den sich Faraday hineinsetzen konnte, um zu prüfen, ob er darin isolierte Körper elektrisch aufladen konnte – mit negativem Ergebnis (§1173). Sehr ausführlich verwendete er das empfindlichste Messinstrument der Elektrizitätsforschung – die Coulombsche Torsionswaage – und einen Apparat, den wir heute als Kugelkondensator bezeichnen würden (Tafel VII des ersten Bandes). Die Ergebnisse seiner aufwändigen Messreihen konnte er nur durch die Annahme einer „Induktion auf gekrümmten Linien“ kohärent formulieren, die er (fälschlicherweise, wie sich später zeigte) für unvereinbar mit der traditionellen Fernwirkungstheorie hielt und durch den Begriff der „Induktionslinie“ (später „elektrische Kraftlinie“) zu präzisieren suchte (§ 1231). Ebenso bemerkte er beim Variieren des zwischen den Kondensatorschalen liegenden Materials eine komplexe Abhängigkeit des Induktionseffektes vom Material, der er schließlich durch den Begriff der „spezifischen Induktionskapazität“ Rechnung trug (§ 1252, 1296) – heute sprechen wir von der „relativen Dielektrizitätskonstante“.

---

18 Poisson, S. D. (1812), „Mémoire sur la distribution de l'eléctricité à la surface des corps conducteurs“, *Mémoires de la Classe des Sciences Mathématiques et Physiques de l'Institut Imperial de France* 12 (1811): 1-92 und 163-274. S. dazu Grattan-Guiness, I. (1990), *Convolutions in French Mathematics, 1800-1840*. Basel: Birkhäuser, Kap. 7.6.4. Arnold, D.H. (1983-84), „The ‚Mécanique physique‘ of Siméon Denis Poisson: the evolution and isolation in France of his approach to physical theory (1800-1840)“, *Archive of History of Exact Sciences* 28 & 29: 243-367, 37-94, 287-307. Garber, E. (1990), „Siméon-Denis Poisson: Mathematics versus Physics in Early Nineteenth-Century France“, in E. Garber (Hg.), *Beyond History of Science: Essays in Honor of Robert E. Schonfield*. London & Toronto: Associated University Presses, 156-76.

Für einen weiten Bereich von Materialien konnte er numerische Werte angeben. Seine Ergebnisse schienen ihm überdies darauf hinzuweisen, dass diese Induktionsvorgänge mit Polarisationszuständen der Moleküle des Dielektrikums zu tun hatten (etwa § 1295-1306).

Diese begrifflichen Klärungen und Neuschöpfungen waren alles andere als naheliegend oder einfach, zumal selbst die für uns heute so grundlegend erscheinenden Begriffe wie Strom, Spannung und Ladung immer noch sehr unscharf waren. Georg Simon Ohms Arbeiten von 1826 waren in England gerade so wenig rezipiert worden wie anderswo,[19] überdies waren sie nicht direkt auf die Verhältnisse in der Elektrostatik anwendbar. Nach einer systematischen Untersuchung der verschiedenen Typen von Entladungs- und Leitungsvorgängen in Gasen, Flüssigkeiten, Metallen und anderen festen Materialien (12. und 13. Reihe) präsentierte Faraday schließlich eine vereinheitlichende Auffassung von Elektrostatik, Elektrochemie und Elektromagnetismus (14. Reihe), die wohl geeignet war, ein völlig neues Licht auf diese Gebiete zu werfen. Im Zentrum stand der Begriff einer mit Material und Aggregatzustand variierenden Polarisation; zugleich wurde der Begriff der elektrischen Ladung grundsätzlich verschoben und verschärft (§ 1167-1684). Faraday stellte eine Analogie zwischen elektromagnetischen Wirkungen und der elektrostatischen Induktion her und griff dazu seine alte Spekulation über einen möglichen elektrotonischen Zustand wieder auf (§ 1729), allerdings nicht ohne den spekulativen Charakter ausdrücklich zu betonen.

Erster Abschluss. Dass Faraday nach der 14. Reihe einen gewissen Abschluss erreicht sah, wird daran deutlich, dass er nun die bis dato erschienenen Aufsätze in Buchform zusammenbinden ließ und sie damit leichter verfügbar und durch Beigabe eines detaillierten Registers auch leichter zugänglich machte. Der 1839 erschienene Band enthielt in

---

19 Ohm, G. S. (1827), *Die galvanische Kette: mathematisch bearbeitet*. Berlin: Riemann.
Caneva, K.L. (1978), „From Galvanism to Electrodynamics: The Transformation of German Physics and Its Social Contxt“, *Historical Studies in the Physical Sciences* 9: 63-159.

dichter Darstellung wahre Pionierarbeit auf drei wesentlichen Feldern: Induktion, Elektrochemie/ Batterietheorie und Elektrostatik. Der Umstand, dass er im Original nicht als „1. Band" o.ä. gekennzeichnet war, deutet darauf hin, dass Faraday zur Zeit der Drucklegung offenbar nicht daran gedacht hatte, die Aufsatzreihe weiter fortzusetzen. In deutlich geringerem Umfang als zuvor tat er das dann aber doch: Im Herbst 1838 legte er einen kurzen Aufsatz vor, in dem es um Experimente zu den elektrischen Effekten des Zitteraals ging (15. Reihe), und ein Jahr später zwei Aufsätze zur Theorie der Batterie (16. und 17. Reihe) – ein unerschöpfliches und notorisch unklares Terrain, in dem Faraday nun sehr viel schärfer für die chemische Theorie und gegen die Kontakttheorie argumentierte. Danach allerdings gingen die Forschungsaktivitäten noch stärker zurück. Bis auf eine 1843 vorgelegte Untersuchung zu der bei Reibung von Dampf an verschiedenen Materialien erzeugten Elektrizität (18. Reihe), unternahm Faraday keine Forschungsarbeiten zur Elektrizität mehr. Das hatte u.a. mit einem nachhaltigen Erschöpfungszustand zu tun, dem er durch wiederholte Aufenthalte an der See zu begegnen suchte.

Stattdessen veröffentlichte er einen weiteren Sammelband – den zweiten Band der „Experimental Researches", der sich im Vergleich mit dem ersten allerdings eher wie eine Nachlese ausnahm. Die vier seither erschienenen Aufsätze nahmen eher wenig Raum ein. Stattdessen nahm Faraday zahlreiche kleinere Arbeiten hinzu, die in den Jahren bis 1844 an anderen Orten als den *Philosophical Transactions* erschienen und teilweise schon damals mehr von historischem als systematischem Interesse waren, wie etwa seine Prioritätsverfechtung für den Rotationseffekt (S. 144-147) und für den Induktionseffekt (S. 148-183). Besonders interessant sind dabei die Arbeiten, mit denen Faraday im Sommer 1821 seinen ersten Einstieg in das Feld genommen hatte (S. 115-143). Kalischer hat in die Übersetzung überdies eine Arbeit aufgenommen, die Faraday selbst nicht im Band hatte: sein Erstlingswerk, den „Historical Sketch of Electromagnetism" (S. 265-297), in dem er zwar im wesentlichen einen Überblick über den Stand des Feldes im Sommer 1821 gab, in dem aber zugleich seine eigenen Forschungsauffassungen und -interessen schon deutlich sichtbar wurden, wie er es in einer kurzen Notiz auch selbst vermerkte (S. 143). Als der Band 1844 erschien, sah es nicht so aus, als ob Faraday nochmals an vergleichbar große Themen wie zuvor gehen wollte.[20]

Magneto-optischer Effekt und Diamagnetismus. Doch die Forschung holte ihn wieder ein. Angeregt durch einen Austausch mit dem damals 21-jährigen William Thomson (später geadelt und als Lord Kelvin bekannt) griff Faraday im August 1845 die Laborarbeit wieder auf und wandte sich abermals einem neuen Thema zu: der Frage einer möglichen Wirkung von Magnetismus auf Licht.[21] Trotz dieses Themenwechsels behielt er den Titel seiner bewährten Reihe bei und legte in dichter Folge drei weitere Aufsätze vor (19. bis 21. Reihe). Die Resultate waren nicht weniger spektakulär als zuvor bei der Elektrizität. Wieder stellte Faraday gleich zu Anfang einen neuen Effekt vor: den magneto-optischen Effekt, heute oft „Faraday-Effekt" genannt, bei dem sich die Polarisationsebene eines durch einen Kristall laufenden Lichtbündels dreht, wenn in der Nähe ein starker Magnet eingeschaltet wird (§ 2150-2161). Von diesem Effekt ausgehend, stellte Faraday weitgreifende Überlegungen zum Zusammenhang von Licht, Magnetismus und Elektrizität an (§ 2221-2242). Nachdem er nun magnetische Eigenschaften auch in anderen als den zuvor als „magnetisch" bekannten Materialien bemerkt hatte, bemühte er sich darum, diese auch mit den traditionellen Verfahren der Magnetismusforschung aufzuweisen, insbesondere der Ablenkung in der Nähe starker Magnete – eine Forschungsidee, die ihn zur (Wieder-) Entdeckung der bald als diamagnetisch bezeichneten Effekte führte (20. Reihe). Diamagnetische Körper richten sich zwischen zwei starken Magnetpolen senkrecht zu deren Verbindungslinie aus, ganz im Gegensatz zu den „gewöhnlich" magnetischen Körpern. Dass etwa Wismut von starken Magnetpolen abgestoßen wird, war schon zuvor beobachtet (wie Faraday erst jetzt lernte), aber nie weiter verfolgt worden. Wie schon die Wirkung auf Licht konnte Faraday die diamagnetische Eigenschaft bei sehr vielen Mate-

20 Auch er selbst hatte offenbar ernste Zweifel, s. seine *Correspondence,* (Band 3), Briefe Nr. 1417, 1511, 1663 aus den Jahren 1842 bis 1844.

21 Für eine genauere Untersuchung des Hintergrundes s. Frank A.J.L James in *Correspondence,* Band 3, S. xxxvi und die dort angegebenen Briefe.

rialien nachweisen (§ 2280). Er ordnete verschiedene Substanzen in einer kontinuierlichen Reihe an, je nachdem wie stark sie diamagnetisches bzw. traditionell magnetisches Verhalten zeigten, zunächst für Metalle (§ 2399), dann für weitere Materialklassen (§ 2424). Nur bei Gasen und dem Vakuum konnte er gar kein magnetisches Verhalten feststellen und ordnete sie deshalb als Nullpunkt dieser nach zwei Richtungen ausgedehnten Reihe ein (§ 2416).

Das diamagnetische Verhalten war in den traditionellen Begriffen von Magnetpolen nur schwer formulierbar. In einem weiteren Aufsatz, zwei Jahre später (22. Reihe, 1848), ging Faraday deshalb ausführlich der Frage nach einer eventuellen Polarität der diamagnetischen Körper nach, insbesondere bei Kristallen. Auch in äußerst empfindlichen Experimenten konnte er aber keinerlei Anziehung oder Abstoßung von Kristallen in der Nähe von starken Magnetpolen bemerken, sondern stets nur eine Ausrichtung in bestimmte Vorzugsrichtungen (§ 2550ff). Die Frage nach dem Verhältnis dieser Effekte zu denen des traditionellen, in Termen von Polarität formulierten Magnetismus, blieb offen. Im Zusammenhang mit diesen Arbeiten sprach Faraday zum ersten Mal von einem „magnetischen Feld" als der zwischen zwei Magnetpolen festzustellenden, in ihrer Intensität mit dem Ort variierenden magnetischen Wirkung (§ 2463).[22]

Magnetismus und Feldtheorie. Das ungelöste Problem der Polarität gab schließlich den Auftakt zu der letzten, abermals sehr dichten Folge von Forschungsarbeiten und -aufsätzen in den Jahren 1850 bis 1851, die schließlich in eine Neuordnung der magnetischen Effekte insgesamt mündete (23. bis. 29. Reihe). Mit großem experimentellen Aufwand, und in Reaktion auf eine Arbeit von Wilhelm Weber (der seinerseits durch Faraday zur Beschäftigung mit dem Thema angeregt worden war),[23] untersuchte er, ob für Wismut und andere diamagnetische Sub-

22 S. auch § 2465, 2572, 2583. In einer Überschrift verwendete er den Terminus erstmals bei § 2615ff, ab dann selbstverständlich und häufig. In seinem *Diary* findet sich der Begriff schon deutlich früher verwendet: erstmals am 7. November 1845: § 7979. S. dazu Gooding, D. C. (1981), „Final steps to the field theory: Faraday's study of magnetic phenomena, 1845-1850", *Historical Studies in the Physical Sciences* 11 (2): 231-75.

stanzen doch die Annahme einer polaren Struktur notwendig war, oder ob nicht das einfachere Gesetz einer (unstrukturierten) Tendenz ausreichte, in Gebiete schwächerer magnetischer Intensität auszuweichen (23. Reihe). Da in diesen Experimenten das jeweils umgebende Medium deutlich ins Spiel kam, wandte er sich nochmals der Frage nach evtuellen magnetischen Eigenschaften von Gasen zu (25. Reihe), die er zunächst ja negativ beantwortet hatte. Bei seiner erneuten Untersuchung stellte er starke diamagnetische Eigenschaften des Sauerstoffs fest. Das wirkte sich unmittelbar auf seine Untersuchungsmethoden aus und machte überdies eine neue Festlegung des Nullpunktes zwischen diamagnetischen und eigentlich „magnetischen" Substanzen erforderlich, die er nun um der terminologischen Klärung willen als „paramagnetisch" bezeichnete (§ 2789-2790).[24]

Die zwischenliegende 24. Reihe nahm eine bemerkenswerte Ausnahmestellung ein, da es hier um ein ganz anderes Thema ging: um eine mögliche Verbindung zwischen Schwerkraft und Elektrizität. Aus seiner Vermutung, dass alle Naturkräfte miteinander wechselwirkten, hatte Faraday nie einen Hehl gemacht; dass er sie aber gerade zu diesem Zeitpunkt mit Hinblick auf die Schwerkraft experimentell untersuchte, ist verwunderlich, zumal ihn ganz andere Fragen intensiv beschäftigten. Die entscheidende Rolle spielte hier wohl ein größerer experimenteller Aufbau, mit dem er die diamagnetische Polarität untersucht hatte (§ 2643ff), und der sich, wie er Gewahr wurde, ohne große Veränderung auch für die Frage nach einem möglichen Einfluss der Schwerkraft verwenden ließ (§ 2712). Faraday nutzte die Gunst der Stunde, oder des Vorhandenseins einer relativ komplexen Apparatur, um einer Frage nachzugehen, für die er zu diesem Zeitpunkt sonst sicherlich keine Forschungen angestrengt hätte – ein schönes Beispiel für die immer wieder zu beobachtende Eigendynamik von Instrumenten und Apparaturen. Und obgleich er keine Wechselwirkung zwischen Schwerkraft und

---

23 Weber, W. (1848), „Ueber die Erregung und Wirkung des Diamagnetismus nach den Gesetzen inducirter Ströme", *Annalen der Physik* 73: 241-56.

24 Wiederum hatte er sich für die Terminologie mit Whewell beraten: *Correspondence*, Briefe Nr. 1797 und 1798 vom Dezember 1845.

Elektrizität feststellen konnte, hielt er auch dieses negative Resultat für wichtig genug, um es zu veröffentlichen.

Im ersten Teil der 26. Reihe unternahm er eine Zusammenfassung und Bewertung der bisherigen Ergebnisse und schlug nichts weniger als eine komplette Neufassung der magnetischen Begrifflichkeit vor. *Alle* magnetischen Wirkungen, so die Grundidee, ließen sich in Begriffen von magnetischen Kraftlinien und einer für jedes Material spezifischen Kenngröße, dem sog. Leitungsvermögen formulieren – das galt für das Bewegungsverhalten von Probekörpern in Magnetfeldern, für die gegenseitige Wirkung solcher Körper aufeinander, und für den sogenannten Kristallmagnetismus gleichermaßen. Polarität stellte sich dabei nicht mehr wie bisher als ein fundamentaler, sondern als ein abgeleiteter Begriff dar, der nur für eine spezielle Klasse magnetischer Effekte hilfreich war. An seine Stelle trat eben der Begriff der Kraftlinie, mit den ihr eigenen Tendenzen, sich in Längsrichtung zu verkürzen, in radialer Richtung aber abstoßende Wirkung auszuüben. Die Leitideen konnte Faraday in graphischen Darstellungen sehr prägnant zum Ausdruck bringen (§ 2807, 2821, 2831). Überdies führte er in Analogie zur Elektrizität auch für die magnetische Kraft eine Unterscheidung zwischen Quantität und Intensität ein (§ 2870). Das war in der Tat ein großer Wurf, der auf eine vollständige Neuorientierung der magnetischen Begriffe hinauslief. Im zweiten Teil des Aufsatzes und der anschließenden 27. Reihe wandte Faraday diese Begrifflichkeit sehr ausführlich auf ein weiteres Erscheinungsfeld an: den atmosphärischen Magnetismus. Auf die grundsätzlichen Fragen, insbesondere die nach der genauen Bestimmung des Begriffes der magnetischen Kraftlinien und der Neufassung des Polaritätsbegriffes, kam er in den beiden folgenden Aufsätzen zurück (28. und 29. Reihe, s. insbesondere § 3154ff). Auch der Frage, wie sich quantitative Verhältnisse in Messverfahren fassen und durch Kraftlinien darstellen ließen, galten umfangreiche Untersuchungen (29. Reihe insgesamt).

Bei alledem betonte Faraday, magnetische Kraftlinien vor allem als „Ausdruck der Natur, Beschaffenheit, Richtung und relativen Größe der magnetischen Kräfte“ zu verstehen, ohne damit Behauptungen über die „physikalischen Ursachen“ der Erscheinungen zu verbinden (§ 3074-3075). Gegen Ende allerdings fügte er vorsichtig, und ausdrücklich als mit anderem Status bezeichnet, die Vermutung an, dass die Kraftlinien doch, über ein bloßes Darstellungsmittel hinausgehend, einen „wahren" Ausdruck der physikalischen Verhältnisse darstellten (§ 3174-3176). Wesentliches Argument war dabei ihr weitaus größerer Anwendungsbereich als ihn die Begrifflichkeit von Polen oder die traditionellen Theorien magnetischer Fluida hatten (§ 3075, 3174). Ausführlicher stellte er diese Argumentation in einem weiteren Aufsatz dar, den er in die fortlaufenden Paragrafenzählung der „Experimental Researches" einordnete, aber wegen des ihm als zu spekulativ erscheinenden Inhaltes nicht in den *Philosophical Transactions*, sondern dem weniger prestigiösen, aber viel gelesenen *Philosophical Magazine* veröffentlichte (S. 371-400). Es ist auch unter methodischem Aspekt charakteristisch und bemerkenswert, wie scharf Faraday hier zwischen Argumenten für die Validität der magnetischen Kraftlinien als universellem Darstellungsmittel einerseits und für ihre physikalische Realität andererseits unterschied. Das erste schien ihm durch die erfolgreiche Verwendung so gut gesichert, dass keine weiteren Begründungen nötig waren, das zweite dagegen erforderte einen ganz anderen Typ von Überlegungen, zu dem er sich erst jetzt sicher genug fühlte – 20 Jahre, nachdem er erstmals von „magnetic curves" sehr erfolgreich Gebrauch gemacht hatte. Seine nun vorgebrachten Argumente formulierte er vor dem Hintergrund und in Ansehung einer für uns im wörtlichen Sinne unvorstellbaren Anzahl an empirischen Befunden, die er eben mit Hilfe dieses begrifflichen Instrumentes ordnen und gesetzmäßig formulieren konnte, und es ist bezeichnend, dass in seiner Argumentation auch tatsächlich Befunde aus dem gesamten zwischenliegenden Zeitraum verwendet wurden (etwa § 3174).

Mit diesen Aufsätzen hatte Faraday eine ähnlich fundamentale Umstrukturierung, wie er sie in den späten 1830er Jahren für die Elektrizität geleistet hatte, nun auch für den Magnetismus präsentiert, oder, besser gesagt, für den neuen, aus Elektrizität und Magnetismus gemeinsam gebildeten und nun auch erstmals mit einer einheitlichen Begrifflichkeit erfassten Bereich. Mit Abschluss der 29. Reihe war ein inhaltlicher Abschluss erreicht, und Faraday stellte nun einen weiteren Sammelband seiner Aufsätze zusammen, in den er außer den Aufsätzen in den *Philosophical Transactions* wiederum viele andere hinzunahm, die in inhaltlicher Beziehung standen. Die Themen waren weit gestreut, von der Ausbreitung elektrischer Signale in Telegrafendrähten (ein Problem, zu dessen Lösung er wesentliches beigetragen hatte), über Erwiderungen auf Reaktionen auf seine Arbeiten, bis zu Überlegungen zu den Konsequenzen, die aus seinen erfolglosen Versuchen zu einem Einfluss der Schwere zu ziehen waren. Besonders wichtig ist dabei ein weiterer Aufsatz im *Philosophical Magazine*, in dem er wie schon einmal die Paragrafenzählung der ERE weiterführte (S. 486-520) und in dem er allgemeine Themen seiner nun herausgeformten elektromagnetischen Begrifflichkeit behandelte.

In der hier reproduzierten deutschen Übersetzung hat Kalischer noch weitere Dokumente hinzugenommen (ab S. 534): die späte und letzte Reihe der ERE (30. Reihe, 1855), in der es um Kristallmagnetismus und den Einfluss der Temperatur auf magnetische Erscheinungen geht, dazu Auszüge aus Briefen von und an Faraday und einige spätere Aufsätze, auch zu eher technischen Themen wie Leuchtturmbefeuerung und elektrischen Webstühlen. Diese Aufsätze können allerdings die Breite solcher, in ganz andere Richtung gehender Aktivitäten Faradays nur andeuten – eine wirkliche Dokumentation würde ohne weiteres einen Band ähnlicher Größenordnung füllen.

Faradays Arbeitsweise

Das zentrale Element in Faradays Arbeiten war das Experiment. Zeitlebens führte er ein Labortagebuch, in dem er alle Versuche chronologisch verzeichnete und durchnummerierte. Es umfasste schließlich an die 20.000 Einträge und war ihm ständiges Arbeitsmittel. Häufig notierte er Querverweise auf Experimente, die er Jahre zuvor durchgeführt hatte; nach und nach legte er thematische Indices und Überindices an.[25] Es gibt in der Geschichte der Wissenschaften nicht viele Beispiele für solch einen beweglichen Umgang mit riesigen Datenmengen. Seit Ende der 1820er Jahre hatte er einen technischen Mitarbeiter, den ehemaligen Sergeant Anderson; davon abgesehen arbeitete er stets allein.

25 Tweney, R. (1991), „Faraday's notebooks: the active organization of creative science", *Physics Education* 26: 301-6.

Auch in seiner reichen Korrespondenz äußerte er sich nur selten zu unfertigen, ihm unausgereift erscheinenden Überlegungen. Das allmähliche Herausarbeiten seiner Begrifflichkeit ging in einer Art Selbstdialog vonstatten, in dem er sich alle ihm in den Sinn kommenden Einwände vorlegte und in weiteren Experimenten bearbeitete. Dass er keine akademischen Schüler heranbildete, ist vor diesem Hintergrund nicht verwunderlich.

Nicht nur der schiere Umfang der Experimente war ungewöhnlich, sondern auch Faradays begrifflich-theoretischer Umgang damit. Zeitlebens misstraute er vorschnellem Theoretisieren und bestand auf möglichst breiter empirischer Grundlegung. Es ging ihm darum, in breitem Variieren von Versuchsanordnung, Materialien und Prozeduren die Bedingungen ausfindig zu machen, unter denen ein bestimmter Effekt stattfand. Wenn sich zum Formulieren von Regularitäten die bestehenden Begriffe als unzureichend erwiesen, hatte Faraday weniger Scheu als andere, sie in Frage zu stellen und sich auf die Suche nach angemesseneren zu machen. Zentral waren Versuchsanordnungen, die nur noch die unbedingt notwendigen Bedingungen aufwiesen: aus diesen „einfachen" oder „elementaren" Fällen ließen sich durch Modifikation und Überlagerung die komplizierten gewissermaßen „ableiten". Mit einem solchen „Erklären" durch Einordnen in ein Netzwerk von immer enger verzahnten Naturgesetzen unterschied sich Faraday von einem Erklärungsideal, das auf die hinter den Erscheinungen verborgenen „Hebel und Schrauben" des Naturmechanismus zielte, wie es der junge Herrmann Helmholtz 1853 ausdrücken sollte. Keinesfalls lehnte Faraday Überlegungen zu mikroskopischen Prozessen grundsätzlich ab; er wies ihnen aber entschieden einen nachgeordneten Rang in der Forschungsarbeit zu.

Ähnlich war Faradays Haltung gegenüber der Quantifizierung und Mathematisierung. Die bisweilen vorgebrachte Meinung, dass Faraday grundsätzlich etwas gegen Quantifizierung gehabt habe, entpuppt sich in Anbetracht seiner umfassenden und meisterhaften Verwendung der besten Messverfahren der Zeit (Elektrochemie, Elektrostatik) als einigermaßen abwegig. Wohl sah er in einer verfrühten Mathematisierung (und das ist etwas anderes als Quantifizierung) die Gefahr einer vorzeitigen begrifflichen Verfestigung und Einengung; Ampères Elektrodynamik bot ihm hier ein markantes Beispiel. Seine Zurückhaltung hatte mit seiner fehlenden Ausbildung in Mathematik zu tun, aber ebenso mit seiner Überzeugung, dass die Begriffe, mit denen ein Feld behandelt wurde, und die schließlich auch die Grundlage für jede Mathematisierung bilden mussten, erst und vor allem aus einem breiten empirischen (und das heißt experimentellen) Überblick über das Feld gewonnen werden mussten. Wie die Suche nach den verborgenen Ursachen musste auch die Mathematisierung erst in einem zeitlich nachgeordneten Schritt erfolgen.

Faradays Forschungsansatz war insbesondere durch die Konsequenz und Ausdauer einzigartig, mit der er ihn über Jahrzehnte hindurch unbeirrbar durchführte, obwohl er in wesentlichen Fragen isoliert stand. Die Auswahl seiner Forschungsthemen war in außerordentlichem Maße durch das Bestreben geprägt, über das Feld insgesamt einen empirischen Überblick zu gewinnen, möglichst allgemeine Gesetze zu formulieren, und dazu gegebenenfalls auch die vorhandenen Begriffe und Klassifizierungen zu revidieren. Erwägungen zur praktischen Verwertbarkeit spielten demgegenüber eine bemerkenswert geringe Rolle: der schon erwähnte Fall des elektromagnetischen Generators ist durchaus charakteristisch. Auch Karrierefragen spielten für die Wahl seiner Themen keine erkennbare Rolle, zumindest nicht ab den frühen 1830er Jahren. Dass sich Faraday das im Gegensatz zu vielen anderen ‚leisten' konnte, hatte wesentlich mit seiner ungewöhnlichen persönlichen und beruflichen Situation zu tun. Seine Existenzgrundlage an der Royal Institution war nicht an seine Forschung, sondern an seine erfolgreiche Öffentlichkeitsarbeit geknüpft. Sie bot auch die Grundlage für die dauerhaft exzellente Ausstattung des Labors, die ihm ihrerseits gestattete, weitgehend unabhängig von Einschränkungen der Ressourcen seinen Themen nachzugehen. Damit konnte er nicht nur diese Themen unabhängig vom Tagesgeschehen wählen, sondern auch Phasen der Nichtanerkennung ohne existentielle Befürchtungen durchstehen. Hinzu kam seine spezifische Auffassung von der Aufgabe der Wissenschaft und ein besonderes, durch seine religiöse Lebenseinstellung geprägtes Forschungsethos. Weniger handelte es sich dabei um spezifische Inhalte oder Denkvorgaben – für eigentlich theologische Fragen interessierte er sich nie – sondern um die Grundstimmung, in der er Forschung betrieb, um seine außergewöhnlich hohe Bereitschaft zur Selbstkritik, seine Zurückhaltung bei der Theoriebildung, seine Offenheit für Unerwartetes, kurz: um die von ihm ausdrücklich eingeforderte „Bescheidenheit" bei der Naturforschung.[26]

Faraday und die Elektrodynamik

Faraday bestimmte für zwei Jahrzehnte die Forschungsthemen in Elektrizität und Magnetismus. Mit Induktionseffekt, Elektrolysegesetzen, spezifischer Induktionskapazität, magneto-optischem Effekt, Diamagnetismus, und Neuklassifizierung des Magnetismus stellte er regelmäßig neue und spektakuläre Befunde vor, seine Zeitgenossen reagierten – ein solch krasses Bild ist für diesen Zeitraum nur wenig überzeichnet. Diese Reaktionen allerdings waren in charakteristischer Weise zwiespältig. Seine experimentellen Entdeckungen wurden stets enthusiastisch begrüßt und rasch akzeptiert, ebenso sein Nachweis der Identität der verschiedenen Elektrizitäten und die Gesetze der Elektrolyse. Ganz andere Reaktionen allerdings gab es auf seine begrifflichen Innovationen, insbesondere den Begriff der magnetischen und elektrischen Kraftlinien. Häufig war es einfach Schweigen, bisweilen aber auch ausdrückliches Unverständnis und Missfallen. Selbst William Thomson, mit dem Faraday später ein freundschaftliches Verhältnis pflegte, hatte zunächst „disgust" über Faradays begriffliche Analysen geäußert.[27] Und der Leipziger Physikprofessor Wilhelm Weber nannte selbst noch 1846, als er seine Induktionstheorie vorlegte, Faraday nur als Entdecker des Induktionseffektes, erwähnte aber seinen begrifflich-theoretischen Ansatz mit keinem Wort – das war ein bewusster Affront gegenüber einer als nicht diskussionswürdig angesehenen Begrifflichkeit.[28]

---

26 Faraday, M. (1854), „Observations on Mental Education", in *Lectures on Education Delivered at the Royal Institution of Great Britain*. London, 39-88.

27 Zitiert bei Smith, C. & Wise, M. N. (1989), *Energy and Empire: A biographical study of Lord Kelvin*. Cambridge: Cambridge University Press, S. 213.

28 Weber, W. (1846), *Elektrodynamische Maassbestimmungen*. Leipzig: Weidmann'sche Buchhandlung.

In den 1840er Jahren begann sich der mathematisierende Zugang zu Elektrizität und Magnetismus auf breiter Front in ganz Europa durchzusetzen – mathematische Erfassung wurde geradezu definierendes Merkmal der sich nun als Disziplin herausbildenden Physik.[29] Der Elektromagnetismus bot hier allerdings besondere Schwierigkeiten.[30] Ampères Elektrodynamik, ganz auf den traditionellen Begriff der Anziehung und Abstoßung zwischen punktförmigen Kraftzentren gegründet, behandelte eigentlich nur die Wechselwirkung von Strömen. Der Elektromagnetismus, insbesondere der Induktionseffekt, der sich technisch sofort als zentral herausgestellt hatte, konnte so nicht erfasst werden. In den 1840er Jahren griff Weber Ampères Ansatz auf und entwickelte ein erweitertes Kraftgesetz. Allerdings stieß er damit sofort auf grundsätzliche Einwände: Herrmann Helmholtz, damals noch junger Militärarzt in Potsdam, betonte die Unvereinbarkeit der Weberschen Annahme geschwindigkeitsabhängiger Kräfte mit dem gerade formulierten Energieprinzip. Nicht mit diesen Schwierigkeiten, aber dafür mit sehr begrenzter Leistungsfähigkeit ausgestattet war eine zweite Linie der Mathematisierung, wie sie von Franz Ernst Neumann und seiner Schule in Königsberg verfolgt wurde, und deren zentrales mathematisches Instrument eine Potentialfunktion war.[31] In beiden Fällen spielte Faradays Begriff der Kraftlinie keinerlei Rolle – mit traditionellen mathematischen Verfahren ließ er sich nicht fassen.

---

29 Jungnickel, C. & McCormack, R. (1986), *The Intellectual Mastery of Nature. Theoretical Physics from Ohm to Einstein. Vol. 1: The Torch of Mathematics 1800-1870*. Chicago: University of Chicago Press, Olesko, K. M. (1995), „The meaning of precision: the exact sensibility in early nineteenth century Germany", in N. M. Wise (Hg.), *The Values of Precision*. Princeton: Princeton University Press, 103-34.

30 Darrigol, O. (2000), *Electrodynamics from Ampère to Einstein*. Oxford: Oxford University Press.

31 Neumann, F. E. (1848), *Ueber ein allgemeines Princip der mathematischen Theorie inducirter elektrischer Ströme. Vorgelesen in der Berliner Akademie der Wissenschaften am 9. August 1847*. Berlin: Reimer. S. auch Olesko, K. M. (1991), *Physics as a calling : discipline and practice in the Königsberger Seminar for physics*. Ithaca; New York: Cornell University Press.

Das war anders bei dem dritten Weg zur Mathematisierung der Elektrodynamik, der durch den schottischen Physiker James Clerk Maxwell ab den 1860er Jahren betrieben wurde. Maxwell nahm als einer der ganz wenigen auch Faradays theoretische Ansprüche ernst und erkannte die enorme Leistungskraft der neuen Begrifflichkeit. Er setzte sich ausdrücklich zum Ziel, für Faradays Begriff der Kraftlinie eine mathematische Darstellung zu finden und bediente sich dazu mechanischer Modellvorstellungen, die er an die qualitativen Anforderungen des Kraftlinienbegriffes anpasste, ohne die Realität der mechanischen Prozesse zu behaupten.[32] Das Resultat – das Maxwellsche System von gekoppelten Integral- oder Differentialgleichungen – ist bis heute der Kern der elektrodynamischen Feldtheorie. Bemerkenswert genug, stimmte die Maxwellsche Feldtheorie einzigartig gut mit den empirischen Befunden überein, ohne dass er dazu selbst irgendwelche Experimente ausführen musste. Die Faradayschen Begriffe, das betonte Maxwell wiederholt, waren so stark empirisch gesättigt, dass es genügte, ihnen einen möglichst getreuen mathematischen Ausdruck zu geben, um ein ungeheuer weites Feld von Erscheinungen abzudecken. Gegen Ende des Jahrhunderts setzte sich die Feldtheorie, wenn auch modifiziert, gegenüber der Fernwirkungstheorie endgültig durch. Der Feldbegriff, so aufwendig von Faraday erarbeitet, ist seither zentraler und unproblematischer Bestandteil der Physik geworden.

Es ließe sich wohl vorstellen, ja ist wahrscheinlich, dass Effekte wie die elektromagnetische Induktion oder die magneto-optische Wirkung früher oder später auch von anderen entdeckt worden wären; die entsprechenden Fragen lagen gewissermaßen „in der Luft“. Für Faradays Begriffe der Kraftlinie und des Feldes allerdings galt das nicht. Den Feldbegriff bildete er in einer Umgebung massiven Unverständnisses in einem einzigartigen Alleingang aus, der sich schon allein durch die Fundierung auf zehntausende von Experimenten von allem anderen in der Wissenschaftsgeschichte abhebt. Es ist völlig unklar, ob jemand mit weniger innerer und äußerer Stabilität, weniger breiter Übersicht über

---

32 Maxwell, J. C. (1855/56), „On Faraday‘s Lines of Force“, *Transactions of the Cambridge Philosophical Society* 10: 27ff, oder Maxwell, J. C. (1873), *A Treatise on Electricity and Magnetism*. Oxford: Clarendon Press.

ein gigantisches Feld von Experimenten, weniger Reserviertheit gegenüber vorschneller Verallgemeinerung, weniger Überzeugung von der moralischen, gar religiösen Verpflichtung der Wissenschaft gegenüber der Natur – kurzum jemand anders als Faraday in seiner spezifischen Situation – eine solche Entwicklung hätte leisten können. Nicht von ungefähr betonte Maxwell immer wieder diese Verpflichtung an Faraday. Überdies wandte sich gerade Helmholtz in den 1870er Jahren von dem Programm der Reduktion auf die „verborgenen Mechanismen" ab und rückte stattdessen eine systematische Phänomenologie – wenn auch mathematisch formuliert – in den Vordergrund.[33] Der entscheidende Auslöser für diese Wendung war Helmholtz' Einsicht in die Tragkraft der Faradayschen, auf eine ganz andere Weise an der Empirie entwikkelten Entwürfe. Ohne jemals selbst philosophisch tätig gewesen zu sein, hat Faraday durch seine Arbeit ein bis heute herausforderndes Exempel an eine Philosophie der wissenschaftlichen Methode gestellt.

Die deutschen Übersetzungen der „Experimental Researches"

Die herausragende Bedeutung von Faradays „Experimental Researches in Electricity" war schon von Anfang an für die Zeitgenossen unübersehbar. Johann Christian Poggendorff, Herausgeber der einflussreichen *Annalen der Physik,* ließ Faradays Aufsätze stets direkt nach Erscheinen in deutscher Übersetzung drucken, und Wilhelm Ostwald nahm diese Übersetzungen schon früh in die Reihe der „Klassiker der Naturwissenschaften" auf.[34] Da Poggendorff die letzte (30.) Nummer von Faradays Aufsätzen nicht übersetzt hatte, taucht sie auch in der bisherigen Ausgabe der „Klassiker" nicht auf. Einige Jahre später wurden die drei von Faraday selbst zusammengestellten Sammelbände durch S. Kalischer nochmals insgesamt ins Deutsche übersetzt und 1889-91 bei Julius Springer gedruckt. Kalischer fügte überdies noch Arbeiten hinzu,

33 Schiemann, G. (1997), *Wahrheitsgewissheitsverlust: Hermann von Helmholtz' Mechanismus im Anbruch der Moderne; eine Studie zum Übergang von klassischer zu moderner Naturphilosophie*. Darmstadt: Wissenschaftliche Buchgesellschaft.

34 Ostwalds Klassiker Nr. 81, 86, 87, 126, 128, 131, 134, 136, 140.

die nach 1855 erschienen und deshalb in Faradays drei eigenen Bänden nicht aufgenommen waren: insbesondere die 30. Nummer der „Experimental Researches“, und einige andere Aufsätze. Die beiden deutschen Übersetzungen – Poggendorff und Kalischer – unterscheiden sich in der Vollständigkeit, in der historischen Perspektive (Poggendorff arbeitete ‚zeitnah‘, Kalischer bezog schon Faradays eigene Retrospektive mit ein), in der Güte der Übersetzung (Kalischer traf an einigen Stellen, Faradays Intentionen genauer als Poggendorff, auch das historisch verständlich), und darin, dass Kalischer die von Faraday angelegten Inhaltsregister zu jedem Band übernehmen und erweitern konnte – das ist bei der Masse des Stoffes ein wichtiges Hilfsmittel. Die Entscheidung des Verlages, die Kalischer-Übersetzung nachzudrucken, wird deshalb die Handhabung des Werkes deutlich erleichtern.

Im nachgedruckten Text gibt es dreierlei Arten von Fußnoten: Solche, die Faraday selbst in seinen Originalarbeiten in den *Philosophical Transactions* angebracht hat, solche, die er bei der Sammelausgabe hinzugesetzt hat, und solche, die von Kalischer zur deutschen Übersetzung hinzugefügt wurden. Zwischen den beiden ersten Typen hat schon Faraday in der Sammelausgabe keinen typographischen Unterschied gemacht, das hat auch Kalischer so übernommen und diese Fußnoten einheitlich auf jeder Seite mit fortlaufenden Nummern bezeichnet. Eine Unterscheidung ist also nur auf Grund von inhaltlichen Kriterien oder durch Hinzuziehung weiterer Quellen möglich. Die von Kalischer hinzugefügten Anmerkungen allerdings sind mit *, ** usw. bezeichnet und damit deutlich erkennbar.

Weiterführende Literatur

Die Literatur zu Faraday ist in den letzten Jahren stark angewachsen, sowohl was die ohnehin schon ungewöhnlich gute Verfügbarkeit von Quellenmaterial angeht, als auch weiterführende Studien. Im folgenden soll nur auf wichtige Quellenwerke und Biografien verwiesen werden.

Quellen

Faraday, M. (1827), *Chemical manipulation; being instructions to students in chemistry, on the method of performing experiments of demonstration and research with accuracy and success*. London: Phillips.

Faraday, M. (1839-55), *Experimental Researches in Electricity.* 3 vol's. 1839, 1844, und 1855. London: Taylor (diverse Nachdrucke).

Faraday, M. (1859), *Experimental Researches in Chemistry and Physics*. London: Taylor & Francis (Nachdruck 1990: London: Taylor & Francis).

Martin, T., (Hg.) (1932-6), *Faraday's Diary. Being the various philosophical notes of experimental investigation made by Michael Faraday, DCL, FRS, during the years 1820-1862 and bequeathed by him to the Royal Institution of Great Britain.* London, G.Bell & Sons.

James, Faraday A. J. L., (Hg.) (1991), *The Correspondence of Michael Faraday.* London, Institution of Electrical Engineers. Band 1 (1991), Band 2 (1993), Band 3 (1996), Band 4 (1999) (wird fortgesetzt).

Bowers, B. & Symons, L. (1991), *'Curiosity Perfectly Satisfied:' Faraday's Travels in Europe 1813-1825.* London: Peter Peregrinus.

Tweney, R. & Gooding, D., (Hg.) (1991), *Michael Faraday's 'Chemical Notes, Hints, Suggestions and Objects of Pursuit' of 1822.* IEE History of Technology. London, Peter Peregrinus.

Biografien

Bence Jones, H. (1870), *The life and letters of Faraday.* London: Longmans, Green.

Williams, L. P. (1965), *Michael Faraday: A Biography.* London: Chapman & Hall.

Cantor, G. N. (1991), *Michael Faraday: Sandemanian and Scientist. A study of Science and religion in the nineteenth century.* Basingstoke: Macmillan.

Cantor, G. N., Gooding, D. C. & James, F. A. J. L. (1991), *Faraday.* London: Macmillan.

Lemmerich, J. (1991), *Michael Faraday 1791-1867, Erforscher der Elektrizität*. München: Beck.

Vorwort des Uebersetzers.

Bei der immer wachsenden Bedeutung, welche Faraday's Anschauungen über Elektricität und Magnetismus in theoretischer wie in praktischer Hinsicht gewinnen, glaubte ich mit einer deutschen Ausgabe der *Experimental Researches in Electricity* kein unnützes Werk zu thun. Meine ursprüngliche Absicht, Poggendorff's Uebertragung des grösseren Theiles der *Researches*, welche in den Jahrgängen 1832—1857 der *Annalen* enthalten ist, meiner Arbeit zu Grunde zu legen, musste ich fallen lassen, und ich konnte meinen lange gehegten Plan nicht anders als durch eine völlig neue Uebersetzung zur Ausführung bringen. Gleichzeitig hoffe ich aber den Fachgenossen auch dadurch einen kleinen Dienst zu erweisen, dass ich mich nicht auf die *Researches* beschränke, sondern auch die anderen, in Journalen zerstreuten, kleinen Arbeiten Faraday's, welche dort keinen Platz gefunden haben, an geeigneter Stelle einreihe und somit eine vollständige Sammlung der Arbeiten Faraday's über diesen Zweig der Naturwissenschaft darbiete.

Die Uebersetzung der *Researches* ist nach der in drei Bänden vorliegenden Ausgabe, deren erster 1839, deren folgende 1844 und 1855 erschienen sind, in der jedoch die dreissigste und letzte Reihe noch nicht enthalten ist, angefertigt. Es ist kaum nöthig zu sagen, dass ich mich in der Wiedergabe des Originals der grössten Treue befleissigt habe, denn nur so kann die Uebersetzung den Zweck erfüllen, den sie naturgemäss haben soll. Ueber Einzelnheiten geben die Anmerkungen Aufschluss, die auch den Text erläuternde historische Notizen bringen und geeigneten Orts die späteren Forschungen berücksichtigen.

Auch bei der Anfertigung des Registers glaubte ich mich im Wesentlichen an das Original halten zu sollen, wo die Unterabtheilungen desselben nicht immer alphabetisch, sondern mehr sachlich geordnet sind; doch habe ich einerseits die zahlreichen überflüssigen Wiederholungen desselben möglichst zu vermeiden, andererseits es hier und da zu vervollständigen gesucht.

Berlin, den 6. Februar 1889.

Dr. S. Kalischer.

Vorwort des Verfassers.

Verschiedene Umstände haben mich veranlasst, die Vierzehn Reihen der Experimental-Untersuchungen über Elektricität, welche während der letzten sieben Jahre in den Philosophical Transactions erschienen sind, zu einem Bande zusammenzufassen. Der Hauptgrund war mein Wunsch, diese gesammelten Abhandlungen nebst einem Index denjenigen, welche ein Interesse daran haben, zu einem mässigen Preise zugänglich zu machen.

Der Leser wird mir hoffentlich die Gerechtigkeit widerfahren lassen, sich gegenwärtig zu halten, dass dieser Band nicht als ein einheitliches Ganzes, sondern stückweise geschrieben wurde, dass die älteren Abhandlungen zur Zeit ihrer Abfassung selten irgend einen bekannten Zusammenhang hatten mit denen, welche etwa folgen sollten. Hätte ich das Werk von Neuem zu schreiben, so würde ich ihm vielleicht eine erheblich andere Gestalt gegeben haben, aber in sachlicher Hinsicht hätte ich nicht viel zu ändern gehabt. Allein es würde dann nicht als ein treuer Abdruck oder als eine treue Darstellung des Ganges und der Resultate der ganzen Untersuchung gelten können, die allein ich zu geben wünschte.

Wohl darf ich meine grosse Befriedigung darüber ausdrücken, dass, wie ich finde, die einzelnen, im Laufe von sieben Jahren verfassten Theile so gut mit einander harmoniren. Dies wäre nichts Besonderes, wenn dieselben bloss bereits vor ihrer Niederschrift wohl bekannte Gegenstände behandelten; allein da jede Abhandlung den Anspruch erhebt, eine neue Entdeckung oder eine Berichtigung hergebrachter Ansichten zu enthalten, so bin ich selbst überrascht von der Uebereinstimmung und der allgemeinen Genauigkeit, welche sie mir darzubieten scheinen.

Die wenigen Aenderungen, welche ich im Text vorgenommen habe, sind allesammt typographischer oder stylistischer Natur, und selbst die grössten haben nur den Zweck, den Sinn zu erläutern, nicht zu ändern. Vielfach habe ich sowohl zur Berichtigung von Irrthümern als auch zum Zwecke der Erläuterung Fussnoten hinzugefügt, wie zu den Artikeln 59, 360, 439, 521, 522, 555, 598, 657, 883, die zur Unterscheidung von den ursprünglichen Anmerkungen der *Untersuchungen* das Datum *Dec. 1838* tragen.

Das Datum einer wissenschaftlichen Abhandlung, welche den Anspruch erhebt, eine Entdeckung zu enthalten, ist häufig von bedeutender Wichtigkeit, und es ist sehr zu beklagen, dass es viele sehr werthvolle, für die Geschichte und die Fortschritte der Wissenschaft wesentliche Mittheilungen giebt, für welche dasselbe nicht zu ermitteln ist. Dies kommt daher, dass jene Abhandlungen selbst kein Datum tragen, und die Journale, in denen sie erscheinen, eine ungenaue Datirung ergeben, d. h. eine ältere als der Publication entspricht. Um die auf solche Weise hervorgerufene Verwirrung zu illustriren, darf ich auf die Note zu Ende der Ersten Reihe verweisen. Diese Umstände veranlassten mich, an die Spitze eines jeden Blattes ein Datum zu setzen, und zwar glaubte ich berechtigt zu sein, das von dem Secretär der Royal Society beim Eingange einer jeden Abhandlung verzeichnete Datum zu wählen. Ein Autor hat wohl kein Recht, ein früheres Datum für sich in Anspruch zu nehmen, als durch irgend einen öffentlichen Act oder amtlich bestätigt worden ist.

Ehe ich schliesse, gestatte ich mir auf einige Arbeiten zu verweisen: Zunächst auf meine eigenen Abhandlungen über Elektromagnetische Rotationen in dem Quarterly Journal of Science, 1822, XII, 74, 186, 283, 416, und auf meinen Brief über Magnetoelektrische Induction in den Annales de Chimie, LI, p. 404. Dieselben hätten, dem darin behandelten Gegenstande entsprechend, eine passende Stelle in diesem Bande gefunden, aber derselbe würde alsdann nicht ein einfacher Wiederabdruck der „Experimental-Untersuchungen“ aus den Philosophical Transactions geblieben sein.*)

Ferner möchte ich mit Bezug auf die Vierte Reihe, Ueber ein neues Gesetz der Elektricitätsleitung, auf Franklin's Versuche über die Nichtleitung des Eises verweisen, dessen Aeusserungen hierüber von Bache eigens zusammengestellt worden sind (Journal of the Franklin Institute, 1836, XVII, 183). Diese von mir nicht erwähnten Untersuchungen anticipiren zwar keineswegs den Ausdruck des von mir aufgestellten Gesetzes über den allgemeinen Erfolg der Verflüssigung von Elektrolyten, dürfen aber doch niemals vergessen werden, wenn man die Anwendbarkeit dieses Gesetzes auf Wasser im Auge hat.

Besonderen Werth lege ich auf die Erwähnung zweier Abhandlungen, welche sich als Berichtigungen oder Kritiken einiger Abschnitte der Experimental-Untersuchungen darstellen. Die erste rührt von Jacobi (Philosophical Magazine, 1838, XIII, 401) her und bezieht sich auf die Möglichkeit, einen Funken bei Schliessung eines aus einem einzigen Plattenpaare bestehenden Elements hervorzubringen (915). Es ist eine vorzügliche Arbeit, und wiewohl ich die Versuche nicht wiederholt habe, so bringt mir doch die Beschreibung derselben die Ueberzeugung bei, dass ich im Irrthum war. Die zweite, eine Arbeit des ausgezeichneten Physikers Marianini (Memorie della Società Italiana in Modena, XXI, 205), bildet eine kritische und experi-

---

*) Die Abhandlungen haben bekanntlich im II. Bande der *Researches* Aufnahme gefunden. D. Ü.

mentelle Prüfung der VIII. Reihe und der Frage, ob metallischer Contact einen Theil der Elektricität der Volta'schen Säule hervorbringt oder nicht. Ich sehe zwar bisher keinen Grund, meine Meinung zu ändern, allein die Arbeit ist so werthvoll, geht so geradeaus auf die Frage ein, und der Gegenstand selbst ist von so grosser Wichtigkeit, dass ich die Absicht habe, bei der nächsten Gelegenheit die Untersuchung von Neuem aufzunehmen und womöglich die Beweisführung nach der einen oder anderen Seite völlig unwiderleglich zu machen.

Anderen Stücken dieser Untersuchungen ist die Ehre einer kritischen Beachtung von Seiten mehrerer Physiker zu Theil geworden. Ich bin ihnen Allen zu Dank verpflichtet und habe manche ihrer Berichtigungen in den Fussnoten anerkannt. In anderen Fällen habe ich mich freilich von dem Gewicht ihrer Bemerkungen nicht überzeugen können, allein die Zeit und der Fortschritt der Wissenschaft wird solche Streitfragen am besten zum Austrag bringen. Es wäre zwar nicht aufrichtig von mir, zu sagen, dass ich wünsche, dass mir Irrthümer nachgewiesen werden, aber ich habe die tiefe Hoffnung, dass der Fortschritt der Wissenschaft in den Händen so vieler ihrer jetzigen eifrigen Förderer uns immer neue und neue Einsichten gewähren und Gesetze von immer allgemeinerer Anwendung offenbaren wird, so dass ich selbst zu der Ansicht gelangen werde, dass das, was in diesen Experimental-Untersuchungen niedergeschrieben und erläutert worden ist, nur noch der Geschichte der Wissenschaft angehört.

Royal Institution, März 1839.

Michael Faraday.

Inhalt.

ERSTE REIHE.

§ 1. Ueber die Induction elektrischer Ströme. — § 2. Ueber die Erregung von Elektricität durch Magnetismus. — § 3. Ueber einen neuen elektrischen Zustand der Materie. — § 4. Ueber Arago's magnetische Erscheinungen.

[Gelesen am 24. November 1831.]

1. Die der Spannungselektricität eigenthümliche Fähigkeit, einen entgegengesetzt elektrischen Zustand in ihrer Nähe hervorzurufen, bezeichnet man allgemein mit dem Namen Induction*). Da derselbe in die wissenschaftliche Sprache aufgenommen worden ist, so wird er auch passend in demselben allgemeinen Sinne gebraucht werden können für die Fähigkeit elektrischer Ströme, in ihnen unmittelbar benachbarten Körpern einen eigenthümlichen, letzteren bis dahin fremden Zustand hervorzurufen. In diesem Sinne will ich mich hier dieses Ausdruckes bedienen.

2. Gewisse Inductionswirkungen elektrischer Ströme sind bereits erkannt und beschrieben worden: so die der Magnetisirung, ferner diejenigen, welche in Ampère's Versuchen bei Annäherung einer Kupferscheibe an eine flache Spirale und in den von ihm wiederholten überraschenden Versuchen Arago's mit Elektromagneten auftraten**), und vielleicht noch einige andere. Allein es war unwahrscheinlich, dass hiermit die Inductionswirkungen elektrischer Ströme erschöpft sein sollten, besonders deshalb, weil die bisher

---

*) Diese Definition ist offenbar nicht correct; denn nicht jene Fähigkeit, sondern die *Wirkung* selbst nennt man Induction. Allein Faraday's Worte: The power which electricity of tension possesses of causing an opposite electrical state etc. lassen keinen anderen Sinn zu. D. Ü.

**) Ampère hängte nahe über eine Kupferscheibe eine Spirale oder eine Doppelspirale (double spirale électrodynamique) anstatt zweier vertical hängender Magnete, in welcher Form Colladon den Arago'schen Versuch wiederholt hatte, und leitete durch die Spirale einen Strom. Wurde nun die Scheibe in Rotation versetzt, so folgte die Spirale der Bewegung derselben. (Bulletin des Sciences mathématiques. VI. p. 211. 1826.) Faraday nennt eine Spirale schlechthin „Elektromagnet" (S. Anm. zu Art. 57).

Um des historischen Interesses willen sei bemerkt, dass Ampère bereits am 16. Sept. 1822 der Akademie eine Beobachtung über Induction von Strömen in geschlossenen Leitern durch einen benachbarten Strom mitgetheilt hat (la production du courant électrique dans un circuit métallique fermé, par l'influence d'un conducteur placé très-près de ce circuit, mais sans communication avec lui. (Mém. de l'Acad. roy. des Sc. Paris. T. V. p. 283.) D. Ü.

bekannten fast nur beim Eisen sich zeigen, und somit eine unbegrenzte Anzahl von Körpern übrig blieb, auf welche, obschon sie der Induction der Spannungselektricität zweifellos unterworfen sind, eine Inductionswirkung der strömenden Elektricität bisher nicht nachgewiesen worden ist.

3. Ob man nun ferner Ampère's schöne Theorie annimmt oder eine andere, oder welchen Vorbehalt man hierbei macht, so wäre es doch höchst befremdend, dass ein elektrischer Strom, der ja eine seiner Intensität entsprechende magnetische Wirkung in einer zu seiner Bahn senkrechten Richtung ausübt, in guten, innerhalb seiner Wirkungssphäre befindlichen Leitern weder einen Strom induciren noch sonst eine merkliche, an Kraft diesem gleichwerthige Wirkung hervorbringen sollte.

4. Diese Erwägungen und die daraus geschöpfte Hoffnung, Elektricität durch gewöhnlichen Magnetismus hervorzurufen, haben mich zu verschiedenen Zeiten angeregt, Versuche anzustellen zur Erforschung der Inductionswirkungen elektrischer Ströme. Endlich bin ich zu positiven Resultaten gelangt, und ich sehe nicht nur meine Hoffnung erfüllt, sondern glaube auch den Schlüssel zur vollständigen Erklärung der magnetischen Erscheinungen Arago's gefunden und einen neuen Zustand entdeckt zu haben, welcher wahrscheinlich in einigen der wichtigsten Wirkungen elektrischer Ströme eine grosse Rolle spielt.

5. Die Resultate will ich nicht in der Reihenfolge, wie sie erlangt worden sind, sondern solchermassen beschreiben, dass sie den klarsten Ueberblick über das Ganze gewähren.

§ 1. Induction elektrischer Ströme.

6. Ein etwa sechsundzwanzig Fuss langer Kupferdraht von $^1/_{20}$ Zoll Durchmesser wurde um einen Holzcylinder in Form einer Spirale gewickelt, deren einzelne Windungen durch einen dazwischengelegten dünnen Zwirnsfaden vor gegenseitiger Berührung geschützt wurden. Diese Spirale wurde mit Kaliko bedeckt, und ein zweiter Draht in gleicher Weise darüber gewickelt. So wurden zwölf Spiralen von durchschnittlich siebenundzwanzig Fuss Drahtlänge, sämmtlich in derselben Richtung gewunden, übereinandergelegt. Die Enden der ersten, dritten, fünften, siebenten, neunten und elften dieser Spiralen wurden mit einander verbunden, so dass sie eine einzige Spule bildeten; in ähnlicher Weise wurden die anderen unter sich verbunden, so dass im Ganzen zwei eng in einander eingeschlossene Spulen von je hundertundfünfzig Fuss Drahtlänge erhalten wurden, die in demselben Sinne gewunden waren, ohne sich irgendwo zu berühren.

7. Eine dieser Spulen wurde mit einem Galvanometer verbunden, die andere mit einer gut präparirten*) Volta'schen Säule von zehn vierquadrat-

---

*) Faraday sagt: „well charged", was nichts Anderes bedeutet, als dass die Säule sich in gutem Zustande befand, d. h. die Metallflächen rein und die Säure oder die Erregungsflüssigkeit überhaupt von geeigneter Concentration war. Da

zölligen Plattenpaaren, mit Doppelplatten von Kupfer, allein es konnte nicht die geringste Ablenkung der Galvanometernadel wahrgenommen werden.

8. Eine ähnliche zusammengesetzte Spirale von sechs Lagen Kupferdraht und sechs Lagen weichen Eisendrahtes wurde nun hergestellt. Die Drahtlänge der letzteren betrug zweihundertundvierzehn Fuss, die der ersteren zweihundertundacht Fuss. Aber gleichviel ob der Batteriestrom durch die Kupferspirale oder durch die Eisenspirale hindurchgesandt wurde, es konnte keine Wirkung auf die andere Spirale am Galvanometer wahrgenommen werden.

9. Bei diesem und einigen ähnlichen Versuchen zeigte sich keinerlei Unterschied in der Wirkung zwischen Eisen und anderen Metallen.

10. Ein zweihundertunddrei Fuss langer Kupferdraht wurde um eine breite Holzrolle gewickelt und zwischen den Windungen desselben ein zweiter gleichfalls zweihundertunddrei Fuss langer Draht, durch dazwischengelegten Zwirnsfaden vor gegenseitiger Berührung geschützt. Eine dieser Spiralen wurde mit einem Galvanometer verbunden und die andere mit einer kräftigen Batterie von hundert vierquadratzölligen Plattenpaaren, die Kupferplatten wiederum doppelt. Wurde nun die Kette geschlossen, so zeigte sich eine plötzliche, aber sehr schwache Wirkung am Galvanometer, und dasselbe trat ein im Moment der Unterbrechung des Stromes. Aber so lange der Strom ununterbrochen durch die eine Spirale hindurchging, konnte weder am Galvanometer noch sonst eine Inductionswirkung auf die andere Spirale wahrgenommen werden, obschon von der grossen Stärke der Batterie die Erwärmung der ganzen mit ihr verbundenen Spirale und die Helligkeit des Entladungsfunkens, wenn er zwischen Kohlen übersprang, Zeugniss ablegte.

11. Eine Wiederholung der Versuche mit einer Batterie von hundertundzwanzig Plattenpaaren brachte keine anderen Wirkungen hervor; aber es wurde hierbei, wie schon früher, festgestellt, dass die geringe Ablenkung der Nadel im Moment des Stromschlusses stets in einer und derselben Richtung erfolgte und die gleich geringe Ablenkung im Moment der Stromunterbrechung in der entgegengesetzten Richtung. Dieselben Wirkungen wurden auch bei Anwendung der zuerst genannten Spiralen erzielt (6, 8).

12. Die Resultate, welche ich um diese Zeit mit Magneten erhalten hatte, führten mich zu der Annahme, dass der durch den einen Draht hindurchgehende Strom in der That einen ähnlichen Strom in dem anderen Draht inducirt, dessen Dauer aber nur eine augenblickliche ist, dass er mehr den Charakter einer elektrischen Welle, wie sie bei der Entladung einer Leydener Flasche entsteht, als den eines galvanischen Stromes an sich trage, und dass er deshalb, obschon er das Galvanometer kaum beeinflusste, dennoch im Stande sein würde, eine Stahlnadel zu magnetisiren.

---

jene Ausdrucksweise längst ausser Gebrauch gekommen ist und auch nicht zu der von Faraday entwickelten chemischen Theorie der Volta'schen Säule passt, so glaubte ich, statt jenes häufig wiederkehrenden Ausdruckes andere nicht misszuverstehende Wendungen gebrauchen zu sollen. D. Ü.

13. Diese Erwartung bestätigte sich; denn als das Galvanometer durch einen spiralförmig um eine enge Glasröhre, in welche eine Stahlnadel eingeführt wurde, gewundenen Draht ersetzt, der inducirende Stromkreis wie früher hergestellt (7, 10), und die Nadel vor Unterbrechung des Stromes entfernt wurde, erwies dieselbe sich magnetisch.

14. Wurde zuerst der Stromkreis hergestellt, eine unmagnetische Nadel in den engen Hohlraum der als Indicator dienenden Spirale (13) gesteckt, und nun der Strom unterbrochen, so war die Nadel anscheinend ebenso stark magnetisirt wie vorher, aber ihre Polarität war entgegengesetzter Art.

15. Dieselben Wirkungen erfolgten bei Anwendung der grossen, früher beschriebenen, zusammengesetzten Spiralen (6, 8).

16. Wurde die unmagnetische Nadel in die Indicator-Spirale gebracht, ehe der inducirende Draht mit der Batterie verbunden ward und darin bis nach Unterbrechung des Stromes gelassen, so zeigte sie geringen oder gar keinen Magnetismus; die erste Wirkung war demnach durch die zweite nahezu aufgehoben worden (13, 14). Der beim Schliessen der Batterie inducirte Strom erwies sich stets von grösserer Wirkung als der beim Oeffnen inducirte Strom, und wenn daher der Stromkreis mehrmals hintereinander abwechselnd geschlossen und unterbrochen wurde, während die Nadel in der Indicator-Spirale verblieb, so war sie schliesslich nicht ganz unmagnetisch, aber sie war so magnetisirt, als ob der beim Schliessen inducirte Strom allein auf sie gewirkt hätte. Dieser Erfolg beruht am Ende in einer (sogenannten) Ansammlung*) an den Polen der ungeschlossenen Säule, wodurch der Strom bei der ersten Schliessung stärker wird als nachher im Moment der Unterbrechung.

17. Wenn der aus der Spirale oder dem der Induction unterworfenen Drahte und dem Galvanometer oder der letzteres ersetzenden Spirale gebildete Kreis nicht vollständig geschlossen war, *ehe* die Verbindung zwischen der Batterie und dem inducirenden Drahte hergestellt oder unterbrochen wurde, so war keinerlei Wirkung am Galvanometer wahrzunehmen. Ebensowenig trat eine magnetisirende Kraft auf, wenn zuerst der Batteriestrom geschlossen und dann der der Induction unterworfene Draht mit der Indicator-Spirale verbunden wurde. Wurde jedoch bei Fortdauer der letzteren Verbindungen der Batteriestrom unterbrochen, so wurde die Nadel in der Spirale magnetisch, aber auf die als zweite genannte Art (14), d. h. die Polarität derselben zeigte einen Strom an von derselben Richtung wie die des Batteriestromes, oder von derjenigen Richtung, die der beim Verschwinden des Batteriestromes inducirte Strom immer hatte.

18. Bei den vorstehenden Versuchen waren die Drähte nahe bei einander festgelegt, und wenn man die Inductionswirkung herbeiführen wollte,

---

*) Zu dem von Faraday gebrauchten Ausdruck „accumulation“ ist offenbar „freier Elektricität“ zu ergänzen. D. Ü.

wurde die Verbindung des inducirenden Drahtes mit der Batterie hergestellt. Da man jedoch hätte vermuthen können, dass die eigenthümliche Wirkung lediglich auf den Act des Schliessens und Oeffnens beschränkt sei, so wurde die Induction auf einem anderen Wege hervorgerufen. Ein einige Fuss langer Draht wurde in einem weiten Zickzack, in Form eines W, auf einer Seite eines breiten Brettes ausgespannt, ein anderer Draht von genau derselben Gestalt auf einem zweiten Brett, so dass die Drähte, einander nahe gebracht, sich in allen Punkten hätten berühren können, wenn nicht ein Blatt dicken Papiers dazwischen gelegt worden wäre. Einer dieser Drähte wurde mit dem Galvanometer, der andere mit einer Volta'schen Batterie verbunden. Wurde nun der erste Draht gegen den zweiten hin bewegt und ihm nahe gebracht, so wurde die Nadel abgelenkt, wurde er darauf entfernt, so schlug die Nadel nach der entgegengesetzten Seite aus. Erfolgte die Annäherung und Entfernung der Drähte in Uebereinstimmung mit den Schwingungen der Nadel, so wurden die letzteren bald sehr beträchtlich; hörten aber die Bewegungen der Drähte gegen einander auf, so nahm die Nadel bald wieder ihre Ruhelage ein.

19. Bei Annäherung der Drähte war die Richtung des inducirten Stromes *entgegengesetzt* der des inducirenden Stromes; wurden sie von einander entfernt, so war der inducirte Strom dem inducirenden *gleichgerichtet*. Blieben die Drähte an ihrer Stelle, so wurde kein Strom inducirt (54).

20. Wenn in den vom Galvanometer (10) und seiner Spirale oder dem Drahte gebildeten Kreis eine kleine Volta'sche Säule eingeschaltet wurde, welche eine dauernde Ablenkung von 30^0 bis 40^0 hervorrief, und dann die Batterie von hundert Plattenpaaren mit dem inducirenden Drahte verbunden wurde, so erfolgte wie vorher (11) eine augenblickliche Wirkung, aber unmittelbar darauf nahm die Galvanometernadel wieder ihre frühere Lage ein, trotzdem die Verbindung des inducirenden Drahtes mit der Kette fortdauerte, und so geschah es immer, in welchem Sinne auch die Schliessung hergestellt werden mochte (33).

21. Hieraus geht hervor, dass benachbarte Ströme von gleicher oder entgegengesetzter Richtung keine dauernde Inductionswirkung auf einander ausüben und weder ihre Stärke noch ihre Spannung beeinflussen.

22. Ich vermochte weder mittelst der Zunge noch durch einen Funken oder durch Erwärmung eines dünnen Drahtes oder eines Kohlenstückes einen Nachweis für den Durchgang der Elektricität durch den Inductionsdraht zu erlangen; ebenso wenig erhielt ich chemische Wirkungen, obschon die Herstellung und Unterbrechung der Verbindungen mit Metallsalz- oder anderen Lösungen wechselsweise mit der Schliessung und Unterbrechung der Kette erfolgte, so dass nicht etwa eine Inductionswirkung durch eine darauf folgende, ihr entgegengesetzte, vernichtet werden konnte (13, 16).

23. Das Ausbleiben einer Wirkung in diesem Falle hat jedoch nicht den Grund, dass der Inductionsstrom nicht durch Flüssigkeiten hindurchgehen könne, sondern liegt wahrscheinlich an seiner kurzen Dauer und geringen Intensität; denn als in den Inductionskreis (20) zwei grosse, in Salzwasser getauchte, durch einen Tuchlappen vor gegenseitiger Berührung geschützte Kupferplatten eingeschaltet wurden, trat die Wirkung am Galvanometer oder in der Indicator-Spirale nach wie vor auf. Der inducirte Strom konnte auch durch eine Volta'sche Säule hindurchgehen (20). Wurde jedoch die Menge der eingeschalteten Flüssigkeit auf einen Tropfen reducirt, so gab das Galvanometer keine Wirkung an.

24. Versuche, ähnliche Wirkungen mittelst gewöhnlicher durch Drähte fortgeleiteter Elektricität zu erhalten, ergaben zweifelhafte Resultate. Eine der bereits beschriebenen (6) ähnliche, aus acht Spiralen zusammengesetzte Spule wurde in der Weise angewandt, dass vier derselben mit ihren gleichliegenden Enden untereinander verknüpft und die Enden der so erhaltenen Spule mit der kleinen, eine unmagnetische Nadel enthaltenden Magnetisirungsspirale (13) verbunden wurden. Die übrigen vier Spiralen wurden in ähnlicher Weise angeordnet, aber ihre Enden mit einer Leydener Flasche verbunden. Nach erfolgter Entladung erwies sich die Nadel magnetisch; aber wahrscheinlich war ein Theil der Entladungselektricität direct durch die kleine Spirale hindurchgegangen und hatte so die Nadel magnetisirt. Es war in der That kein Grund zu der Annahme, dass Elektricität von so grosser Spannung, wie die einer Leydener Flasche, nicht die isolirenden Schichten durchsetzen und sich durch alle Metalltheile ausbreiten sollte.

25. Indessen folgt hieraus nicht, dass die Entladung gewöhnlicher Elektricität durch einen Draht nicht ähnliche Erscheinungen wie die Volta-Elektricität verursachen könne; allein da es unmöglich erscheint, die bei Beginn der Entladung von den gleichen und entgegengesetzten beim Aufhören derselben ausgeübten Wirkungen (16) von einander zu trennen, insofern diese Vorgänge bei gewöhnlicher Elektricität gleichzeitig stattfinden, so ist kaum zu hoffen, dass der Versuch in dieser Gestalt jene zur Wahrnehmung bringen werde.

26. Aus Vorstehendem ist erwiesen, dass Volta'sche Ströme gewissermassen ähnliche Inductionswirkungen hervorbringen wie die Spannungselektricität, obschon, wie sich später zeigen wird, manche Unterschiede zwischen ihnen obwalten. Das Resultat ist die Erregung anderer Ströme (aber nur von momentaner Dauer), welche dem inducirenden Strome parallel sind oder parallel zu werden streben. Aus der Polarität der in der Indicator-Spirale magnetisch gewordenen Nadel (13, 14) und den Ablenkungen der Galvanometernadel (11) ergab sich, dass die Richtung des durch Schliessung des inducirenden Stromes erregten Inductionsstromes stets jenem entgegengesetzt ist, dass aber der Oeffnungsinductionsstrom dem inducirenden gleichgerichtet ist (19). Um Weitschweifigkeit zu vermeiden, schlage ich für diese Wirkung des Stromes einer Volta'schen Batterie die

Bezeichnung *Volta-elektrische Induction* vor. Die Eigenschaften des secundären Drahtes, nachdem der erste Inductionsstrom darin abgelaufen ist, und während der Batteriestrom durch den ihm benachbarten inducirenden Draht hindurchzufliessen fortfährt (10, 18), stellen einen eigenthümlichen elektrischen Zustand dar, auf dessen Betrachtung wir später (60) zurückkommen werden. Alle diese Resultate wurden mit einem aus einem einzigen Plattenpaare bestehenden Volta'schen Apparate erhalten.

§ 2. Erregung von Elektricität durch Magnetismus.

27. Aus einem runden Stabe weichen Eisens von $^7/_8$ Zoll Dicke wurde ein Ring von sechs Zoll äusserem Durchmesser geschmiedet. Um einen Theil des Ringes wurden drei Spiralen von je vierundzwanzig Fuss langem Kupferdraht von $^1/_{12}$ Zoll Dicke gewickelt und in der früher beschriebenen Weise (6) übereinandergelegt, von dem Eisenringe sowohl als auch von einander isolirt; die Spiralen nahmen etwa neun Zoll der Länge des Ringes ein und konnten einzeln oder mit einander verbunden benutzt werden; sie sind (Taf. I, Fig. 1) mit A bezeichnet. Um einen anderen Theil des Ringes wurde ein Spiralenpaar B von zusammen etwa sechzig Fuss langem Kupferdraht in demselben Sinne wie die Spirale A gewickelt. Zwischen den Enden der Spiralensysteme blieb ein Zwischenraum von einem halben Zoll unbedeckten Eisens.

28. Die Spirale B wurde mittelst Kupferdrähten mit einem drei Fuss von dem Ringe entfernten Galvanometer verbunden. Die Spiralen A wurden zu einer einzigen Spule combinirt und ihre Enden mit einer Batterie von zehn vierquadratzölligen Plattenpaaren verbunden. Das Galvanometer wurde augenblicklich abgelenkt, uud zwar weit stärker als in den früheren Fällen, in denen bei zehnfacher Batteriestärke Spiralen *ohne Eisen* angewandt wurden (10). Allein die Wirkung war bei ununterbrochenem Stromschluss keine dauernde, sondern die Nadel kehrte bald in ihre Ruhelage zurück, unbekümmert um die vorhandene elektromagnetische Anordnung. Bei Unterbrechung des Batteriestromes erfuhr die Nadel abermals eine starke Ablenkung, aber in entgegengesetzter Richtung wie in dem ersten Falle.

29. Wurde B ausgeschaltet, das Galvanometer mit einer der drei Spiralen A verbunden (27), und durch die beiden anderen, zu einer Spule combinirt, der Batteriestrom (28) hindurchgesandt, so traten ähnliche, nur noch kräftigere Wirkungen auf.

30. Je nach der Richtung des Batteriestromes erfolgte die Ablenkung der Galvanometernadel bald in dem einen bald in dem anderen Sinne, welcher beim Oeffnen der Kette stets entgegengesetzt war der Richtung der beim Schliessen hervorgerufenen Ablenkung. Die Ablenkung zeigte, dass der beim Schliessen des Batteriestromes erregte Inductionsstrom dem ersteren entgegengesetzt gerichtet, beim Oeffnen ihm gleichgerichtet war. Ein

Schliessen oder Oeffnen der Spirale B oder des Galvanometerkreises überhaupt übte keine Wirkung auf das Galvanometer aus. Ebensowenig verursachte eine Fortdauer des Batteriestromes eine Ablenkung der Galvanometernadel. Da die obigen Resultate allen diesen und einigen ähnlichen, mit gewöhnlichen Magneten angestellten, späterhin darzulegenden Versuchen gemeinsam sind, so brauchen sie nicht von Neuem besonders beschrieben zu werden.

31. Bei Anwendung einer Batterie von hundert Plattenpaaren (10) und dieses Ringes erfuhr das Galvanometer beim Schliessen und Oeffnen der Kette einen so starken Antrieb, dass die Nadel sich schnell vier- oder fünfmal im Kreise herumdrehte, ehe der Luftwiderstand und der Erdmagnetismus ihre Bewegung auf blosse Schwingungen zurückführen konnte.

32. Wurden die Enden der Spirale B aus Kohle gebildet, so konnte beim Schliessen der Batterie durch A ein kleiner *Funke* wahrgenommen werden. Dieser Funke konnte nicht herrühren von einer etwaigen Ausbreitung eines Theiles des Batteriestromes durch das Eisen hindurch zur Spirale B, da bei fortdauerndem Batterieschluss das Galvanometer seine Ruhelage durchaus wieder einnahm (28). Beim Oeffnen der Kette wurde ein Funke nur selten gesehen. Ein dünner Platindraht kam durch diesen Inductionsstrom nicht in's Glühen; allein ich glaube allen Grund zu der Annahme zu haben, dass dieser Effect durch Anwendung eines stärkeren primären Stromes oder einer wirkungsvolleren Anordnung der Spiralsysteme erzielt werden könnte.

33. Durch die Spirale B und das Galvanometer wurde ein schwacher Strom gesandt, welcher eine Ablenkung der Nadel von 30⁰ bis 40⁰ bewirkte, und darauf die Batterie von hundert Plattenpaaren mit A verbunden. Nachdem nun die erste Wirkung vorüber war, kehrte die Nadel des Galvanometers wiederum in genau die Lage zurück, welche sie früher unter dem Einflusse des schwachen durch die Windungen des ersteren hindurchgesandten Stromes eingenommen hatte. Dies geschah, gleichviel in welchem Sinne der Batteriestrom kreiste, was wiederum beweist (20), dass ein dauernder Einfluss der Ströme auf einander in Bezug auf ihre Stärke und Spannung nicht stattfindet.

34. Es wurde nun eine Anordnung getroffen, mittelst welcher die früheren Versuche über Voltainduction (6—26) mit den gegenwärtigen combinirt werden konnten. Um einen hohlen Cylinder aus Pappe wurde ein System von Spiralen, gleich den früher beschriebenen (6) aus acht Lagen von zusammen 220 Fuss langem Kupferdraht bestehend, gewickelt; vier derselben wurden unter sich und mit dem Galvanometer verbunden (7), und durch die vier dazwischenliegenden, ebenfalls unter sich verbundenen Spiralen der Strom der Batterie von hundert Plattenpaaren hindurchgesandt. Eine Wirkung auf das Galvanometer war kaum merklich (11), trotzdem Magnete durch den Inductionsstrom hergestellt werden konnten (13). Wurde jedoch ein Cylinder weichen Eisens von $^7/_8$ Zoll Dicke und zwölf

Zoll Länge in die mit den Spiralen umwickelte Papprröhre eingeführt, so wirkte der Inductionsstrom mächtig auf das Galvanometer, und im Einzelnen traten alle bereits beschriebenen Erscheinungen auf (30). Er besass auch augenscheinlich eine grössere magnetisirende Kraft als ohne gleichzeitige Gegenwart des Eisencylinders.

35. Die Ersetzung des Eisencylinders durch einen Kupfercylinder hatte keine Wirkung, die nicht auch durch Anwendung der Spiralen allein hervorgebracht worden wäre. Der Eisencylinder war nicht so wirkungsvoll wie die oben beschriebene Ringanordnung (27).

36. Aehnliche Erfolge wurden nun mittelst *gewöhnlicher Magnete* erzielt. Die die eben beschriebene Spule (34) zusammensetzenden Spiralen wurden sämmtlich mittelst zweier, je fünf Fuss langer Kupferdrähte mit dem Galvanometer verbunden, und der Eisencylinder conaxial in den Hohlraum der ersteren hineingesteckt; zwei Stabmagnete von je vierundzwanzig Zoll Länge wurden einerseits mit ihren ungleichnamigen Polen in Berührung gebracht, so dass sie einem Hufeisenmagnet glichen, andererseits an die Enden des Eisencylinders angelegt, um ihn vorübergehend in einen Magnet zu verwandeln (Fig. 2); durch Aufhebung der Berührung der Magnete oder durch Umkehrung derselben konnte nach Belieben der Magnetismus des Eisencylinders vernichtet oder umgekehrt werden.

37. Bei Herstellung des magnetischen Contactes wurde die Nadel abgelenkt und nahm, wenn die Magnete an dem Eisencylinder angelegt blieben, ihre ursprüngliche Lage wieder ein; wurde dieser Contact aufgehoben, so wich die Nadel wiederum aus, aber nach der entgegengesetzten Richtung wie im ersten Falle, und kehrte alsbald wieder in ihre Gleichgewichtslage zurück. Die Umkehr der magnetischen Contacte hatte auch eine Umkehr im Sinne der Ausweichungen der Nadel zur Folge.

38. Bei Herstellung des magnetischen Contactes war die Richtung des inducirten Stromes, wie die Ablenkung der Nadel zeigte, entgegengesetzt der eines Stromes, welcher einen Magnet von derselben Polarität erregt haben würde, die der Eisencylinder durch Anlegen der Stabmagnete wirklich annahm. Wenn beispielsweise die bezeichneten und unbezeichneten Pole wie in Fig. 3 angeordnet waren, so hatte der Strom in der Spirale die daselbst abgebildete Richtung, wo P das zum positiven Pole der Batterie führende oder gegen die Zinkplatten gekehrte Drahtende vertritt, N den negativen Draht. Solch ein Strom würde den Eisencylinder in entgegengesetztem Sinne magnetisirt haben wie die Berührung der Pole A und B, und ein solcher Strom kreist in entgegengesetzter Richtung wie die Ströme, welche nach Ampère's schöner Theorie einen Magnet in der in der Figur dargestellten Lage constituiren[1]).

---

[1]) Es wird von Vielen für sehr schwierig angesehen, die relative Lage eines elektrischen Stromes und eines Magnets sich gegenwärtig zu halten, trotz der drei oder vier Gedächtnissregeln, welche von Ampère und Anderen ersonnen worden

39. Da man vermuthen könnte, dass in allen vorstehenden Versuchen dieses Abschnittes der momentane Inductionsstrom nur die Folge einer besonderen, mit dem Entstehen des Magnetismus verknüpften Wirkung, aber nicht der blossen Annäherung des Magnets wäre, so wurde folgender Versuch angestellt. Alle gleichliegenden Enden der Spule (34) wurden mittelst Kupferdraht vereint, und die beiden resultirenden Enden mit dem Galvanometer verbunden. Der weiche Eisencylinder (34) wurde entfernt und durch einen cylindrischen Magnet von dreiviertel Zoll Durchmesser und acht und ein halb Zoll Länge ersetzt. Dieser Magnet wurde conaxial mit einem Ende in die Spule gebracht (Fig. 4) und dann, nachdem die Galvanometernadel zur Ruhe gekommen war, plötzlich in jene hineingeschoben; augenblicklich wurde die Nadel abgelenkt, und zwar in derselben Richtung, als wenn der Magnet erst nach einem der beiden vorhergehenden Verfahren (34, 36) gebildet worden wäre. Blieb der Magnet in der Spirale, so nahm die Nadel wieder ihre frühere Lage ein, und beim Herausziehen desselben wurde sie nach der entgegengesetzten Seite abgelenkt. Diese Wirkungen waren nicht bedeutend, aber wenn das Einschieben und Herausziehen des Magnets in der Art erfolgte, dass die der Nadel ertheilten Impulse sich jedesmal addirten, so konnte sie in Schwingungen von 180^0 und darüber versetzt werden.

40. Bei diesem Versuche darf der Magnet nicht ganz durch die Spirale gesteckt werden, da sonst noch eine zweite Wirkung erfolgt. Wurde der Magnet eingeführt, so wich die Galvanometernadel in einer bestimmten Richtung aus, wurde er darauf ganz hindurchgeschoben oder herausgezogen, so erfuhr die Nadel eine der ersteren entgegengesetzte Ablenkung. Wurde der Magnet auf einmal ganz durch die Spirale geschoben, so wich die Nadel aus, blieb dann plötzlich stehen und wich darauf im entgegengesetzten Sinne aus.

41. Wenn eine Spirale wie die oben beschriebene (34) in der Ost-West-Lage (oder in irgend einer anderen constanten Richtung) sich befindet, und ein Magnet ebenfalls in der Ost-West-Richtung gehalten wird, mit dem bezeichneten Pole stets nach einer und derselben Richtung weisend,

---

sind. Ich gestatte mir die folgende vorzuschlagen, welche eine sehr einfache und zweckmässige Anwendung in unseren Breiten ermöglicht. Der Beobachter denke sich abwärts in Richtung der Inclinationsnadel oder nach dem Erdpole blickend und in Richtung der Bewegung eines Uhrzeigers oder einer rechtsdrehenden Schraube; Ströme von solcher Richtung um eine Nadel geführt, würden sie gleichartig mit der Inclinationsnadel magnetisiren oder würden selbst einen Elektromagnet von ähnlichen Eigenschaften bilden; in die Nähe eines Magnets gebracht, würden sie ihn in demselben Sinne zu richten streben, oder umgekehrt würden sie unter dem Einflusse eines so gelegenen Magnets in jene Lage sich begeben; sie würden die Richtung der nach Ampère's Theorie den Magnet umkreisenden Ströme haben. Hält man sich also die Lage der Inclinationsnadel und die Bewegung eines Uhrzeigers gegenwärtig, so kann jede relative Lage eines Stromes und eines Magnets hieraus ohne Weiteres abgeleitet werden.

so wird die Nadel stets in demselben Sinne abgelenkt, gleichviel durch welches Ende der Spirale der Magnet hineingeschoben wird, oder welcher Pol demgemäss zuerst in dieselbe eintritt; ebenso ist auch beim Herausziehen des Magnets, gleichviel in welcher Richtung es erfolgt, der Sinn der Ablenkung der gleiche, aber entgegengesetzt dem beim Hineinschieben.

42. Diese Wirkungen sind einfache Folgen des später (114) darzulegenden *Gesetzes.*

43. Die Vereinigung der acht einzelnen Spiralen zu einer einzigen langen Rolle ergab keine so starke Wirkung wie die oben beschriebene Anordnung. Auch bei Anwendung einer einzigen der acht Spiralen war die Wirkung erheblich geringer. Alle Sorgfalt wurde aufgeboten, um eine directe Wirkung des inducirenden Magnets auf das Galvanometer zu verhüten, und man überzeugte sich, dass die Bewegung des Magnets in derselben Richtung und in gleichem Grade an der Aussenseite der Spirale keine Wirkung auf das Galvanometer ausübte.

44. Die Königliche Gesellschaft besitzt ein grosses, früher dem Dr. Gowin Knight gehöriges magnetisches Magazin, welches ich mit Erlaubniss des Präsidenten und des Vorstandes im Verfolg dieser Versuche benutzen durfte. Dasselbe befindet sich gegenwärtig in der Obhut von Christie in Woolwich, in dessen Hause ich, Dank seiner Freundlichkeit, arbeiten durfte, und dem ich überdies meinen Dank für seinen Beistand bei allen mit den Magneten angestellten Versuchen und Beobachtungen ausspreche. Dieser Magnet ist aus ungefähr 450 Stabmagneten zusammengesetzt, von denen jeder fünfzehn Zoll lang, einen Zoll breit und einen halben Zoll dick ist, und die in einem Kasten so angeordnet sind, dass sie an einem Ende desselben zwei äussere Pole darbieten (Fig. 5). Diese Pole ragten in horizontaler Richtung sechs Zoll aus dem Behälter hervor, bei einer Höhe von zwölf Zoll und einer Breite von drei Zoll, und standen neun Zoll von einander ab. Um einen Cylinder weichen Eisens von dreiviertel Zoll Durchmesser und zwölf Zoll Länge, welcher quer über die Pole gelegt ward, abzureissen, war ein Gewicht von nahezu hundert Pfund erforderlich. Der Pol zur Linken in der Figur ist der bezeichnete.[1])

45. Das bei allen Versuchen mit diesem Magnet benutzte Galvanometer war etwa acht Fuss von demselben entfernt und den Polen nicht gerade gegenüber aufgestellt, sondern etwa 16^0 bis 17^0 seitlich von ihnen. Dasselbe wurde zwar durch das Anlegen und Abreissen des weichen Eisens von den Polen in geringem Masse beeinflusst, allein alle etwa hieraus sich ergebenden Beobachtungsfehler konnten leicht und sorgfältig vermieden werden.

---

[1]) Um Missverständnisse zu vermeiden, bemerke ich, dass ich unter dem bezeichneten Pol den nach Norden weisenden verstehe; ich werde gelegentlich auch von Nord- und Südende der Nadel sprechen, ohne damit Nord- und Südpole zu meinen. Manche betrachten als wahren Nordpol der Nadel den nach Süden pointirenden, aber bei uns wird dieser häufiger Südpol genannt.

46. Die durch diesen Magnet ausgeübten elektrischen Wirkungen waren wahrhaft überraschend. Wurde ein dreizehn Zoll langer weicher Eisencylinder in den Hohlraum der mit dem Galvanometer verbundenen zusammengesetzten Spirale (39) gesteckt und an die Pole des Magnets angelegt (Fig. 5), so durchschoss die Spirale ein so kräftiger elektrischer Strom, dass die Nadel mehrere Male im Kreise herum wirbelte.[1])

47. Trotz dieser grossen Kraft nahm die Nadel bei Fortdauer des Contactes ihre ursprüngliche Lage wieder ein, gleichviel in welcher Lage sich die Spirale befand (30); wurde aber der Eisencylinder von dem Magnet abgerissen, so wirbelte die Nadel in entgegengesetzter Richtung herum mit gleicher Gewalt wie vorher.

48. Ein Kupferstreifen wurde in Form einer Hülse, durch dazwischengelegtes Papier vor Berührung geschützt, *einmal* um den Eisencylinder herumgelegt und seine Ränder mit den Enden des Galvanometerdrahtes verbunden. Sobald der Eisencylinder an den Magnet angelegt wurde, zeigte sich am Galvanometer eine starke Wirkung.

49. Die Spiralen sowohl als auch die Hülse wurden bei Seite gelassen, und der Galvanometerdraht nur um eine Seite des Eisencylinders quer herübergelegt (Fig. 6), und auch jetzt erfolgte eine starke Wirkung auf die Nadel, sobald der magnetische Contact hergestellt oder unterbrochen wurde.

50. Wurde die Spirale mit ihrem Eisenkern gegen die Magnetpole hinbewegt, *ohne dieselben zu berühren*, so traten ebenfalls kräftige Wirkungen auf. Wenn die ausschliesslich aus Kupferdraht bestehende Spirale ohne den Eisenkern dem Magnet genähert oder zwischen die Pole gelegt wurde (44), so wurde die Nadel um 80^0, 90^0 und darüber aus ihrer Gleichgewichtslage abgelenkt. Die Inductionswirkung war natürlich um so grösser, je mehr die Spirale, mit oder ohne Eisenkern, sich dem Magnet genähert hatte; aber im Uebrigen waren die Wirkungen gleich, ob die Spirale u. s. w. zur Berührung mit dem Magnet gebracht wurde oder nicht, d. h. es fand keine dauernde Wirkung auf das Galvanometer statt, und diejenige, welche die Annäherung zur Folge hatte, war die Umkehrung der bei der Entfernung auftretenden Wirkung (30).

51. Wenn an Stelle des Eisencylinders ein Kupferbolzen in die Spirale hineingesteckt wurde, so ergab sich keine grössere Wirkung als mit der letzteren allein, aber durch einen dicken Eisendraht wurde die magnetoelektrische Induction beträchtlich erhöht.

52. Für die Richtung des Stromes bei allen diesen Versuchen mit der Spirale gilt dasselbe, was bereits früher (38) in Betreff des mit den schwächeren Stabmagneten erhaltenen Stromes gesagt wurde.

53. Eine Spirale, bestehend aus vierzehn Fuss langem Kupferdraht,

---

[1]) Ein in der Mitte mit Draht umwickelter weicher Eisenstab, etwa von der Form des Ankers eines Hufeisenmagnets, bietet ein bequemes Mittel dar, um, wenn er neben einen Magnet gelegt wird, einen kurzen, aber deutlichen Strom zu erhalten.

übte eine starke Wirkung auf das mit ihr verbundene Galvanometer aus, wenn sie dem bezeichneten Pole in Richtung der Axe genähert wurde; der inducirte Strom war entgegengesetzt gerichtet dem nach Ampère's Theorie den Magnetpol umkreisenden Strome (38) oder dem Strome eines Elektromagnets von gleicher Polarität. Beim Entfernen der Spirale wurde ein Strom von umgekehrter Richtung inducirt.

54. Durch eine ähnliche Spirale wurde ein Strom von achtzig vierzölligen Plattenpaaren geleitet, so wie zur Herstellung eines Elektromagnets. Als ihr nun die andere, mit dem Galvanometer verbundene Spirale (53) genähert wurde, zeigte die Ablenkung der Nadel einen Strom in letzterer an, welcher dem in der ersteren, mit der Batterie verbundenen Spirale kreisenden Strome entgegengesetzt gerichtet war (18, 26). Beim Fortziehen der letzteren wich die Nadel nach der anderen Seite aus.

55. Auch in einfachen Drähten wurden bei ihrer Annäherung in gewissen Richtungen gegen den Magnetpol Ströme inducirt, ebenso, aber von umgekehrter Richtung, bei der Entfernung. Bei derartigen Versuchen dürfen die Dräthe nicht in anderen Richtungen entfernt werden als in denen die Annäherung stattgefunden hat, weil sonst gelegentlich verwickelte und unregelmässige Wirkungen auftreten, deren Ursache sich aus dem vierten Theile dieser Abhandlung klar ergeben wird.

56. Alle Versuche, chemische Wirkungen durch den Inductionsstrom zu erzielen, schlugen fehl, obwohl die schon früher erwähnten (22) und alle sonst erdenklichen Vorsichtsmassregeln beachtet wurden. Ebensowenig trat eine Empfindung an der Zunge auf, noch gelang es Froschschenkel in Zuckung, oder Kohle oder einen dünnen Draht in's Glühen (133) zu versetzen. Als ich jedoch die Versuche mit einem Professor Daniell gehörigen, armirten Magneteisenstein, welcher etwa dreissig Pfund trug, mit mehr Musse in dem Königlichen Institut wiederholte, gerieth ein Frosch in sehr *heftige Zuckungen*, so oft der Anker an den Magnet angelegt wurde. Beim Abreissen konnten anfänglich die Zuckungen nicht hervorgerufen werden; aber da ich vermuthete, dass die Wirkung nur deshalb ausblieb, weil das Abreissen verhältnissmässig langsam erfolgte, wurde letzteres durch einen Schlag bewerkstelligt, und nun gerieth der Frosch in heftige Zuckung. Je plötzlicher die Berührung oder die Trennung erfolgt, desto heftiger ist die Zuckung. Ich glaube auch eine *Empfindung* auf der Zunge und ein *Aufblitzen* vor den Augen wahrgenommen zu haben, aber eine chemische Zersetzung habe ich nicht nachweisen können.

57. Die mannigfaltigen Versuche dieses Abschnittes beweisen, wie ich glaube, auf das Vollständigste die Erregung von Elektricität durch gewöhnlichen Magnetismus. Dass ihre Intensität*) sehr gering, ihre Quantität klein

*) Faraday versteht bekanntlich unter *Intensität (intensity) eines elektrischen Stromes*, was wir als Spannung oder elektromotorische Kraft bezeichnen, während er für das, was wir Intensität des Stromes nennen, den Ausdruck *quantity* gebraucht. Da, sobald man dies weiss, ein Missverständniss unmöglich ist, so habe ich geglaubt, mich streng an Faraday's Sprachgebrauch halten zu sollen. D. Ü.

ist, kann nicht Wunder nehmen, wenn man bedenkt, dass sie, gleich der Thermoelektricität, gänzlich innerhalb der Metallsubstanz entsteht und auf sie, kraft der Leitungsfähigkeit derselben, beschränkt ist. Aber ein Agens, welches Metalldrähte in der beschriebenen Weise leiten, welches beim Durchgange durch dieselben die charakteristischen magnetischen Wirkungen und die Kraft eines elektrischen Stromes offenbart, welches einen Frosch reizen und in Zuckungen versetzen kann, und welches endlich bei der Entladung durch Kohle einen Funken (32) giebt[1]), kann nichts Anderes als Elektricität sein. Da all diese Wirkungen durch Elektromagnete mit Eisenkern*) (34) hervorgebracht werden können, so werden ohne Zweifel solche Vorrichtungen wie die Magnote von Moll, Henry, Ten Eyck und Anderen, von denen einer zweitausend Pfund trägt**), zu diesen Versuchen mit Nutzen anzuwenden sein; in diesem Falle dürfte es gelingen, nicht nur hellere Funken zu erhalten, sondern auch Drähte zum Glühen zu bringen und, wenn der Strom durch Flüssigkeiten hindurchgeht, chemische Wirkung zu erzeugen. Die Wahrscheinlichkeit, solche Wirkungen zu erzielen, wird noch grösser, wenn die im vierten Paragraphen zu beschreibenden magnetoelektrischen Vorrichtungen durch die Kräfte solcher Apparate erregt werden.

58. Die Aehnlichkeit, ja die fast vollkommene Gleichheit der Wirkung gewöhnlicher Magnete einerseits und Elektromagnete oder Volta'scher Ströme andererseits ist in überraschender Uebereinstimmung mit Ampère's Theorie und zugleich eine Bestätigung derselben und liefert gewichtige Gründe zu der Annahme, dass die Wirkung in beiden Fällen dieselbe sei. Da jedoch eine sprachliche Unterscheidung noch nothwendig ist, so schlage ich vor, die in Rede stehende Wirkung gewöhnlicher Magnete, *magnetoelektrische* oder *magnelektrische* Induction zu nennen (26).

59. Der einzige recht augenfällige Unterschied, welcher zwischen der voltaelektrischen und der magnetoelektrischen Induction zu bestehen scheint, ist der, dass die erstere ganz plötzlich auftritt, die letztere aber eine merkliche Zeit braucht; allein selbst bei dem gegenwärtigen Stande der Forschung giebt es Umstände, welche anzudeuten scheinen, dass dieser Unter-

---

[1]) Ueber eine Methode, einen Funken mittelst eines gewöhnlichen Magnets zu erhalten, die ich sehr erfolgreich gefunden habe, siehe Philosophical Magazine Juni 1832 p. 5. Im Novemberheft desselben Journals von 1834 vol. V. p. 349 findet sich eine Methode, den magnetoelektrischen Funken zu erhalten, die im Princip noch einfacher ist, und wobei man der Benutzung von weichem Eisen gänzlich überhoben ist. — Dec. 1838.

[Die hier citirten Arbeiten sind im zweiten Bande der Researches wiedergegeben.] D. Ü.

*) Faraday sagt „ferruginous electro-magnets", indem er, wie bereits bemerkt, hier und an anderen Stellen unter Elektromagnet schlechthin eine Spirale, ein Solenoid versteht. Erst in der neunten Reihe gebraucht er das Wort in der heutigen Bedeutung. D. Ü.

**) Es ist der Elektromagnet von Ten Eyck gemeint, welcher nach der Angabe in Sill. Journ. of Sc. 1831, XX, 203, 2000 bis 2062 Pfund trug. D. Ü.

schied durch fernere Untersuchungen seinen principiellen Charakter verlieren werde (68).[1])

§ 3. *Neuer elektrischer Zustand der Materie.*[2])

60. Während ein Draht der voltaelektrischen oder magnetoelektrischen Induction unterworfen ist, scheint er sich in einem eigenthümlichen Zustande zu befinden; denn er widersteht der Bildung eines elektrischen Stromes in sich, während in seinem gewöhnlichen Zustande unter jener Bedingung ein Strom aufgetreten wäre; wird der Draht jener Einwirkung entzogen, so hat er die Fähigkeit, einen Strom hervorzubringen, eine Fähigkeit, welche er unter gewöhnlichen Umständen nicht besitzt. Dieser elektrische Zustand der Materie ist bisher nicht beobachtet worden, aber er äussert wahrscheinlich einen sehr wichtigen Einfluss in manchen, wenn nicht in den meisten durch elektrische Ströme hervorgebrachten Erscheinungen. Aus Gründen, welche sich alsbald ergeben werden (71), habe ich nach Berathung mit mehreren gelehrten Freunden gemeint, ihn als *elektrotonischen* Zustand bezeichnen zu dürfen.

61. Dieser Zustand bietet, so lange er besteht, keine der bekannten elektrischen Erscheinungen dar; ich habe auch nicht finden können, dass die Materie in diesem Zustande sonst irgend welche besonderen Eigenschaften besitzt oder Kräfte äussert.

62. Sie zeigt weder anziehende noch abstossende Wirkungen. Dies beweisen die mannigfachen Versuche, welche mit kräftigen Magneten einerseits und den Metallen, wie Kupfer, Silber und überhaupt unmagnetischen Substanzen andererseits angestellt wurden; denn diese Substanzen müssten, insofern sie Leiter der Elektricität sind, diesen Zustand angenommen haben, nichtsdestoweniger konnten keine Aeusserungen anziehender oder abstossender Kräfte wahrgenommen werden. Ich brachte im Vacuum befindliche Kupfer- und Silberscheiben, welche an einer Torsionswage äusserst empfindlich aufgehängt waren, in die Nähe der Pole sehr kräftiger Magnete, ohne die geringste Anziehung oder Abstossung beobachten zu können.

63. Ich hängte ferner einen schmalen Streifen von Goldblatt ganz in der Nähe eines Kupferstabes auf und brachte die Enden Beider mittelst Quecksilber in Contact. Dieselben befanden sich im Vacuum, während

[1]) Ueber weitere wichtige Erscheinungen, bei denen die Induction elektrischer Ströme zu Tage tritt, siehe nunmehr die neunte Reihe, 1048—1118. — Dec. 1838.

[2]) Nachdem dieser Abschnitt vor der Königlichen Gesellschaft gelesen und darüber berichtet worden ist, und in Folge eines von mir an Hachette gerichteten Briefes auch die Französische Akademie davon Kenntniss genommen hat, fühle ich mich verpflichtet, ihn als einen Theil dieser Abhandlung stehen zu lassen, obschon spätere (in den Artikeln 73, 76, 77 angedeutete) Forschungen über die diese Erscheinungen beherrschenden Gesetze mich überzeugt haben, dass dieselben auch ohne Zuhilfenahme des elektrotonischen Zustandes vollkommen erklärt werden können. Meine Ansichten hierüber werden in der zweiten Reihe dieser Untersuchungen mitgetheilt werden. — M. F.

Metallstäbe, die mit den Enden dieser Vorrichtung in Verbindung waren, durch die Seitenwände des Gefässes in die Luft ragten. Ich bewegte alsdann in der Nähe dieser Vorrichtung kräftige Magnete in verschiedenen Richtungen, während der metallische Kreis bald durch Drähte geschlossen bald unterbrochen wurde, allein ich habe niemals eine Bewegung des Goldblattes wahrnehmen können, ebensowenig gegen den Magnet hin wie gegen den seitlich aufgestellten Kupferstab, welcher, insofern Induction in Betracht kommt, sich in demselben Zustande befinden musste, wie jenes.

64. Wohl hat man bisweilen zu finden geglaubt, dass unter solchen Umständen anziehende und abstossende Kräfte auftreten, d. h. dass solche Körper schwach magnetisch werden; allein die oben beschriebenen Erscheinungen, im Verein mit dem Zutrauen, das wir mit Recht zu Ampère's Theorie des Magnetismus hegen, lassen die Deutung solcher Beobachtungen in Zweifel ziehen. Denn wenn der Magnetismus in der Anziehung elektrischer Ströme beruht, und wenn starke Ströme, die durch voltaelektrische wie magneteloektrische Induction anfänglich erregt werden, augenblicklich und also ihrer Natur nach wieder verschwinden (12, 28, 47), und hiermit zugleich auch ihre magnetischen Wirkungen auf die Galvanometernadel ein Ende haben, so kann man kaum erwarten, dass irgend welche Substanzen, die nicht, wie Eisen, Nickel und einige andere Körper, in jener besonderen Beziehung zum Magnetismus stehen, magnetische Anziehungskräfte zeigen werden. Es ist vielmehr wahrscheinlich, dass die schwachen, permanenten Wirkungen, welche man beobachtet hat, von Spuren von Eisen oder vielleicht von einer anderen unbekannten Ursache, die nichts mit Magnetismus zu thun hat, herrühren*).

65. Jener eigenthümliche Zustand äussert weder eine verzögernde noch eine beschleunigende Wirkung auf elektrische Ströme, welche unter diesen Umständen durch Metalle hindurchgehen (20, 33). Auch konnte keine Wirkung auf den inducirenden Strom selbst wahrgenommen werden; denn wenn Metallmassen, Drähte, Spiralen u. s. w. auf alle mögliche Weise zur Seite eines Drahtes oder einer Spirale, durch welche ein am Galvanometer gemessener Strom (20) hindurchging, aufgestellt wurden, so konnte nicht die geringste dauernde Aenderung in den Angaben des Instrumentes bemerkt werden. Ein in dem vorausgesetzten besonderen Zustande befindliches Metall leitet also die Elektricität in allen Richtungen wie unter gewöhnlichen Umständen, oder mit anderen Worten, seine Leitungsfähigkeit erleidet hierdurch keine wahrnehmbare Aenderung.

66. Alle Metalle nehmen den besonderen Zustand an. Dies beweisen die vorstehenden Experimente für Eisen und Kupfer (9), und für Gold, Silber, Zinn, Blei, Zink, Antimon, Wismuth, Quecksilber u. s. w. die in dem vierten Paragraphen (132) zu beschreibenden, leicht anzustellenden Versuche. Hinsichtlich des Eisens ergeben die Versuche das merkwürdige Resultat, dass

*) Der Para- und Diamagnetismus zahlreicher anderer, ja aller Körper ist erst 1845 durch Faraday selbst als sichere Thatsache festgestellt worden. D. Ü.

diese Inductionserscheinungen vollkommen unabhängig sind von seinem gewöhnlichen magnetischen Verhalten.

67. Dieser Zustand ist ganz und gar der Erfolg der Induction; er hört auf, sobald die inducirende Kraft entfernt wird. Der Zustand ist derselbe, mag er durch in der Nähe vorübergeleitete Volta'sche Ströme (26), oder durch Entstehung von Magnetismus (34, 36), oder durch blosse Annäherung eines Magnets (30, 50) hervorgerufen werden, und er fügt zu den von Ampère gegebenen Beweisen für die Identität der in diesen verschiedenen Vorgängen wirksamen Agentien ein neues, gewichtiges Argument hinzu. Er tritt wahrscheinlich vorübergehend auf beim Ueberspringen eines gewöhnlichen elektrischen Funkens (24) und dürfte sich am Ende auch in schlechten Leitern mittelst schwacher elektrischer Ströme oder anderer Mittel hervorrufen lassen (74, 76).

68. Die Annahme des Zustandes scheint augenblicklich zu erfolgen (12), und es ist schwerlich eine merkliche Zeit zu seiner Ausbildung erforderlich. Der am Galvanometer nachweisbare *Unterschied* in der Zeit zwischen voltaelektrischer und magnetoelektrischer Induction (59) lässt sich vielleicht folgendermassen erklären. Wenn ein Volta'scher Strom durch einen von zwei parallelen Drähten, wie wir sie z. B. in der hohlen Spirale (34) haben, geleitet wird, so erregt er in dem anderen einen Strom, dessen Dauer nur so kurz ist als die zur Fortführung des ersteren erforderliche Zeit, welche, wie die Erfahrung lehrt, unmerklich klein ist. Der Vorgang wird noch plötzlicher zu sein scheinen, weil an den Polen der Batterie, vor Schliessung derselben, eine Kraftanhäufung stattfindet, und daher der erste Abfluss der Elektricität in den Schliessungsdraht grösser ist als später nach vollständig erfolgtem Stromschluss. Der Inductionsdraht wird in demselben Moment in entsprechendem Grade elektrotonisch, sinkt jedoch unmittelbar darauf auf den Zustand herab, in welchem ihn der fortdauernde Strom erhalten kann, aber diese Abschwächung wird Ursache eines dem ersteren entgegengesetzten Inductionsstromes. Die Folge davon ist, dass die erste inducirte elektrische Welle mehr derjenigen einer Flaschenentladung gleicht, als es sonst der Fall sein würde.

69. Wenn aber der Eisencylinder in die Spirale gesteckt wird (34), ehe die Kette geschlossen wird, so kann man sich vorstellen, dass der Batteriestrom unzählige ihm gleichgerichtete Ströme im Eisen inducirt, wodurch dieses eben zu einem Magnet wird. Hierzu bedarf es aber, wie die Erfahrung lehrt, einiger Zeit; denn selbst weiches Eisen nimmt nicht augenblicklich das Maximum des Magnetismus an, vielleicht weil die Ströme im Eisen sich successiv ausbilden oder in bestimmter Weise anordnen. Da nun aber der Magnet ebenso wie der Batteriestrom inducirend wirkt, so wird durch das Zusammenwirken Beider die Dauer der Induction, ehe das Maximum erreicht wird, verlängert, und demnach besteht auch die ablenkende Kraft länger und lange genug, um die Trägheit der Galvanometernadel zu überwinden.

70. In allen Fällen, wo geradlinige oder spiralförmige Drähte dem Magnet genähert oder von ihm entfernt werden (50, 55), dauert der inducirte Strom in der einen oder anderen Richtung so lange als das Annähern oder Entfernen; denn während dieser Zeit steigt der elektrotonische Zustand an oder fällt ab, und dieser Aenderung entspricht jedesmal eine Elektricitätserregung; doch ist dies kein Einwand gegen die Ansicht, dass die Annahme des elektrotonischen Zustandes augenblicklich erfolgt.

71. Dieser Zustand scheint ein Spannungszustand zu sein und kann als *gleichwerthig* einem elektrischen Strome angesehen werden, wenigstens dem gleich, welcher beim Entstehen oder Aufhören des Zustandes inducirt wird. Indessen darf der Strom selbst, welcher zu dem ersteren oder letzteren Zeitpunkte auftritt, nicht als ein Mass des Spannungsgrades, bis zu welchem der elektrotonische Zustand angewachsen ist, betrachtet werden. Denn da die Leitungsfähigkeit des Metalles ungeändert bleibt (65) und die Elektricitätserregung nur einen Moment dauert (die Annahme sowie das Aufhören des besonderen Zustandes findet augenblicklich statt (68)), so kann die Elektricität, welche durch lange Drähte fortgeleitet wird, die ihr einen ihrer grossen Länge und ihrem kleinen Querschnitt entsprechenden Widerstand entgegensetzen, nur ein sehr kleiner Theil der im Moment des Auftretens des Zustandes in der Metallmasse wirklich entwickelten Menge sein. Isolirte Spiralen und Metalltheile nehmen den Zustand augenblicklich an, und doch war keine Spur von Elektricität in ihnen zu entdecken, wie schnell sie auch mit dem Elektrometer in Contact gebracht werden mochten, nachdem sie der Induction durch einen Batteriestrom oder einen Magnet ausgesetzt waren. Ein einziger Wassertropfen oder ein Stückchen feuchtes Papier (23, 56) reichte hin, die Ausbreitung des Stromes durch die Leiter zu hemmen, indem die erregte Elektricität rückwärts durch die Metallmasse zu ihrem Gleichgewichtszustande zurückkehrte und folglich sich der Beobachtung entzog.

72. Die Spannung in diesem Zustande ist daher wahrscheinlich verhältnissmässig sehr gross. Allein ob sie gross oder klein ist, so ist es doch kaum denkbar, dass sie überhaupt vorhanden sein könnte, ohne eine Gegenwirkung auf den inducirenden Strom auszuüben und irgend eine Art von Gleichgewicht herbeizuführen. Man konnte vermuthen, dass hierdurch der ursprüngliche Strom eine Verzögerung erleiden würde, allein ich vermochte noch keine Bestätigung hierfür aufzufinden noch auch sonst irgend welche Wirkungen wahrzunehmen, die ich einer solchen Rückwirkung hätte zuschreiben können.

73. Alle Resultate begünstigen die Idee, dass der elektrotonische Zustand den kleinsten Theilchen und nicht der Masse des der Induction ausgesetzten Drahtes oder Körpers als solcher zukommt, und in dieser Beziehung unterscheidet er sich von der durch Spannungselektricität bewirkten Induction. Ist dies der Fall, so kann der Zustand vielleicht auch in Flüssigkeiten, und sogar in Nichtleitern bestehen, ohne dass ein elektrischer Strom wahrnehmbar wäre, indem der Strom selbst am Ende nur eine accidentielle Erscheinung ist, die ihr Dasein der Leitungsfähigkeit und der momentan in Folge der neuen Anordnung der Theilchen auftretenden treibenden Kraft verdankt. Selbst bei gleicher Leitungsfähigkeit können doch die elektrischen Ströme, die bisher den einzigen Nachweis von der Existenz dieses Zustandes darbieten, verschieden sein, weil in den Theilchen selbst Verschiedenheiten in Zahl, Grösse und elektrischem Verhalten u. s. w. obwalten. Einzig und allein die Erkenntniss der Gesetze, welche diesen neuen Zustand beherrschen, würde uns befähigen, das wahre elektrische Verhalten irgend einer besonderen Substanz und die daraus sich ergebenden Resultate vorauszusagen.

74. Der elektrische Strom, welcher den elektrotonischen Zustand in einem benachbarten Drahte erregt, ruft denselben wahrscheinlich in seinem eigenen Leitungsdrahte hervor; denn wenn ein Draht durch einen Strom in seiner Nähe in den elektrotonischen Zustand versetzt ist, so hindert dieser durchaus nicht den Durchgang eines Stromes durch ersteren (62). Wenn daher der Strom, statt durch den primären, durch den secundären Draht geleitet wird, so ist es nicht wahrscheinlich, dass seine inducirende Wirkung auf diesen geringer sein würde, sie dürfte im Gegentheil grösser sein, weil die Entfernung zwischen dem wirksamen Agens und der seiner Einwirkung ausgesetzten Substanz sehr erheblich verringert wäre. Die Enden eines Kupferbolzen wurden mit einem Galvanometer und mit den Polen einer Batterie von hundert Plattenpaaren verbunden, so dass der Strom durch ersteren hindurchgehen musste; darauf wurde die Kette plötzlich geöffnet und nun beobachtet, ob das Galvanometer einen Rückstrom durch den Kupferbolzen, der der Entladung seines vorausgesetzten elektrotonischen Zustandes zuzuschreiben wäre, irgend erkennen lasse. Allein keine derartige Wirkung war wahrzunehmen und sie liess sich auch gar nicht erwarten, und zwar aus zwei Gründen. Da nämlich erstens das Aufhören der Induction und die Entladung des elektrotonischen Zustandes nicht nacheinander, sondern gleichzeitig stattfindet, so würde der Rückstrom lediglich dem Ausgleich des letzten Antheils des inducirenden Stromes entsprechen und daher keine Aenderung in seiner Richtung zeigen; nimmt man aber an, dass doch zwischen den beiden Vorgängen ein Zeitintervall liege, und dass der letzte Strom thatsächlich verschieden sei von dem vorhergehenden, so würde er doch seiner kurzen Dauer und seines plötzlichen Verlaufes wegen (12, 26) auf diese Weise nicht erkennbar sein.

75. In der Vorstellung, dass ein Draht durch den in ihm selbst fliessenden Strom elektrotonisch wird, liegt, glaube ich, keine grössere Schwierigkeit als darin, dass es durch äussere Ströme geschieht, besonders wenn man erwägt, dass dieser Zustand und Ströme sich offenbar nicht stören (62, 71). Das gleichzeitige Bestehen der Leitungsfähigkeit und des elektrotonischen Zustandes findet sein Analogon darin, dass, wenn Ströme durch Magnete geleitet werden, bekanntermassen diese sowohl als auch die dem Magnet immanenten Ströme alle ihre besonderen Eigenschaften bewahren und ihre Wechselwirkungen ausüben.

76. Was in Bezug auf die Metalle geltend gemacht wurde, das lässt sich auch auf Flüssigkeiten und alle anderen Leiter ausdehnen und führt zu dem Schluss, dass sie durch elektrische Ströme, die durch sie hindurchgeleitet werden, in den elektrotonischen Zustand versetzt werden. Würde sich dies bestätigen, so würde derselbe auch ohne Zweifel von Bedeutung sein für die Volta'sche Zersetzung und die Ueberführung der Elemente zu den Polen. In dem elektrotonischen Zustande scheinen die gleichartigen Theilchen eine regelmässige, aber erzwungene elektrische Anordnung in Richtung des Stromes angenommen zu haben, deren Entspannung in unzersetzbaren Substanzen einen Rückstrom verursacht; in zersetzbaren Stoffen aber reicht dieser Zwangszustand vielleicht hin, um zu bewirken, dass ein elementares Theilchen sich von dem mit ihm vereinigten, gegen welches es sich in einer gezwungenen Lage befindet, trennt und sich mit einem ähnlichen benachbarten Theilchen, in Bezug auf welches es sich in einem mehr natürlichen Zustande befindet, verbindet, indem zugleich die erzwungene elektrische Anordnung entladen oder entspannt wird, so als ob es von der Induction befreit worden wäre. Da jedoch der ursprüngliche Volta'sche Strom fortdauert, so wird der elektrotonische Zustand alsbald wieder von Neuem angenommen und damit zugleich auch die erzwungene Anordnung der verbundenen Theilchen, um sofort durch Ueberführung elementarer Theilchen entgegengesetzter Art in umgekehrten, aber dem Strome parallelen Richtungen wieder entladen zu werden. Ja, es scheint, als ob die von Wollaston[1]) nachgewiesenen Verschiedenheiten zwischen gewöhnlicher und Volta-Elektricität, wo es sich darum handelt, chemische Zersetzung hervorzubringen, aus den Umständen erklärt werden können, welche mit der Induction der Elektricität aus diesen beiden Quellen (25) zusammenhängen. Da ich mir jedoch die Erforschung dieses Gegenstandes vorbehalten habe, um zunächst die gegenwärtigen Untersuchungen zu verfolgen, so enthalte ich mich (so sehr ich mich auch dazu versucht fühle) weiterer Speculationen.

77. Marianini hat eine von ihm entdeckte besondere Eigenschaft an Oberflächen von Metallscheiben beschrieben, wonach dieselben, wenn ein elektrischer Strom durch sie hindurchgegangen ist, während sie mit feuchten Leitern im Contact waren, fähig werden, einen Strom in umgekehrter Richtung zu liefern, eine Erscheinung, von welcher Marianini eine glückliche Anwendung zur Erklärung der Vorgänge in Ritter's Säulen gemacht hat[2]). A. de la Rive erwähnt ebenfalls der Eigenschaft, welche metallische Leiter erlangen, wenn sie, in eine Flüssigkeit getaucht, für einige Zeit mit

---

[1]) Philosophical Transactions, 1801. p. 247.

[2]) Annales de Chimie et de Physique, XXXVIII, 5.

den Polen einer Volta'schen Säule verbunden werden, dass sie nämlich nach Trennung von derselben, in jener Flüssigkeit verbleibend, selbst einen elektrischen Strom liefern[1]). A. van Beek zählt Fälle auf, in denen das elektrische Verhalten eines Metalles zu einem anderen, mit dem es sich im Contact befindet, nach der Trennung bestehen bleibt, ebenso wie die damit verknüpften entsprechenden chemischen Wirkungen[2]). Diese Zustände und Ergebnisse scheinen verschieden zu sein von dem elektrotonischen Zustande und seinen Manifestationen, aber eine Entscheidung über die wahre Beziehung der ersteren zu letzteren wird erst mit der Erweiterung unserer Kenntniss all dieser Erscheinungen möglich sein.

78.*) Zu Anfang dieser Abhandlung (2) habe ich Veranlassung genommen, ein vor der gegenwärtigen Untersuchung angestelltes Experiment von Ampère, als auf der Induction elektrischer Ströme beruhend, zu erwähnen, und bin dann zu Schlüssen gelangt, welche die Richtigkeit des Experimentes in Zweifel zu ziehen scheinen (62 etc.). Ich bin es daher Ampère schuldig, mich genauer darüber auszulassen. Wenn man (sagt Ampère) durch einen spiralförmigen Draht, der eine an einem Seidenfaden aufgehängte Kupferscheibe umgiebt, einen starken Strom leitet und zugleich der Kupferscheibe einen kräftigen Magnet nähert, so dreht dieselbe sich augenblicklich, um genau die Gleichgewichtslage einzunehmen, in welche die Spirale selbst sich gedreht haben würde, wenn sie frei beweglich wäre. Ich war nicht im Stande, diese Wirkung noch überhaupt irgend eine Bewegung zu erhalten; indess kann man das *letztere* negative Resultat vielleicht der kurzen Dauer des Stromes zuschreiben, welche nicht hinreichte, die Trägheit der Scheibe zu überwinden (11, 12). Wenn es Ampère gelungen ist, eine Bewegung hervorzubringen, so hat er dies vielleicht nur der überlegenen Empfindlichkeit und Kraft seines elektromagnetischen Apparates zu verdanken, oder am Ende hat er nur die dem Aufhören der Action entsprechende Bewegung erhalten. Allein meine Ergebnisse führen alle dazu, den Sinn des von Ampère aufgestellten Satzes, „dass ein elektrischer Strom die Elektricität von neben ihm befindlichen Leitern in einer der seinigen gleichen Richtung zu bewegen sucht," umzukehren, denn sie zeigen, dass der erregte Strom die entgegengesetzte Richtung hat (26, 53); sie zeigen ferner, dass die Wirkung momentan ist, dass sie auch durch magnetische Induction hervorgerufen wird und dass sie gewisse andere ungewöhnliche Erscheinungen im Gefolge hat.

79. Die momentane Dauer der bisher beschriebenen Inductionserscheinungen bildet den völlig ausreichenden Grund für die Unsicherheit und das Misslingen der bisher angestellten Versuche, Elektricität durch Magnetis-

---

[1]) Annales de Chimie, XXVIII. 190.

[2]) Ibid. XXXVIII. 49.

*) Vgl. zu diesem wie dem folgenden Artikel die Anmerkung am Schlusse der dritten Reihe. D. Ü.

mus zu erregen, oder chemische Zersetzung oder Umsetzung hierdurch zu erhalten.[1])

80. Sie giebt auch, wie es scheint, eine vollständige Erklärung sowohl der merkwürdigen, von Arago beobachteten Wechselwirkungen zwischen Metallen und Magneten, wenn die einen oder die andern in Bewegung begriffen sind (20), als auch der meisten von Sir John Herschel, Babbage, Harris und Anderen bei Wiederholung seiner Versuche erlangten Resultate, und begründet vollkommen den zunächst unerklärlich scheinenden Umstand, dass dieselben Metalle und Magnete im Zustande der Ruhe nicht aufeinander wirken. Diese Ergebnisse, welche übrigens das bequemste Mittel gewähren, Elektricität durch Magnetismus zu erhalten, will ich nun beschreiben.

§ 4. Erklärung der von Arago entdeckten magnetischen Erscheinungen.

81. Wird eine Kupferscheibe dicht neben einer Magnetnadel oder einem Magnet, welcher so aufgehängt ist, dass er in einer zu ersterer parallelen Ebene rotiren kann, in Umdrehung versetzt, so sucht der Magnet

---

[1]) Im Lycée, No. 36, vom 1. Januar findet sich ein langer und etwas voreiliger Artikel, welcher sich bemüht, die Priorität französischer Naturforscher für meine Untersuchungen nachzuweisen. Er sieht dabei jedoch die irrigen Resultate von Fresnel und Ampère*) für wahr an und schliesst nun, dass meine Ergebnisse gleich jenen falsch seien. Ich nehme trotzdem hier nur zu dem Zwecke Notiz davon, um Fresnel meine Ehrerbietung in weit höherem Masse zu beweisen, als eine theilweise Vorwegnahme der vorliegenden Untersuchungen verdient hätte. Dieser grosse Naturforscher stellte zu gleicher Zeit mit mir und fünfzig anderen Leuten Versuche an, welche, wie die gegenwärtige Abhandlung beweist, das erwartete Resultat nicht liefern konnten. Er liess sich im Augenblick täuschen und veröffentlichte seine scheinbar von Erfolg begleitete Untersuchung. Als er jedoch seine Versuche mit grösserer Sorgfalt wiederholte, konnte er keinen Beweis für ihre Richtigkeit finden, und bei dem ebenso hohen und rein wissenschaftlichen Interesse, einen Irrthum zu beseitigen, als eine Wahrheit zu entdecken, nahm er seine frühere Behauptung zurück. Berzelius' Verhalten gegenüber der vormaligen Thorerde**) ist ein anderes Beispiel dieser hohen Aufrichtigkeit, und da es an Gelegenheiten nicht fehlt, so könnte das Ansehen der Wissenschaft nur gewinnen, wenn solche Beispiele häufiger befolgt würden. — 10. Februar 1832.

---

*) Fresnel hatte geglaubt eine galvanische Wasserzersetzung erhalten zu haben, lediglich dadurch, dass die Enden einer einen Magnet umgebenden Spirale (von Eisendraht) in Wasser tauchten. Es galt den Versuch, ob ein ruhender Magnet in einer ihn umgebenden Spirale einen Strom errege; allein Fresnel erkannte bald die Unzuverlässigkeit der von ihm anfänglich erhaltenen scheinbar positiven Resultate (Ann. de Chim. et de Phys. 1820. Vol. XV, p. 219). Fresnel's Versuch schloss sich übrigens an einen Versuch von Ampère an, der zuweilen — nicht immer — die Ablenkung einer Magnetnadel beobachtete, wenn er derselben einen zu einer Spirale, die theilweise einen Magnet umgab, gehörigen Drahtkreis näherte. (Ibid. p. 219. Fussnote u. p. 222.) D. Ü.

**) Berzelius hatte vor seiner Entdeckung der wirklichen Thorerde eine andere Erde dafür gehalten und als solche beschrieben und gestand später seinen Irrthum freimüthig ein. (Cf. Pogg. Ann. 1829. Bd. XVI, p. 387). D. Ü.

der Bewegung der Scheibe zu folgen; wird umgekehrt der Magnet in Umdrehung versetzt, so sucht die Scheibe seiner Bewegung zu folgen, und die Wirkung ist so stark, dass mehrere Pfund schwere Magnete oder Scheiben auf diese Weise im Kreise herum geführt werden können. Befinden Magnet und Scheibe sich relativ zu einander in Ruhe, so ist nicht die geringste anziehende oder abstossende oder sonst eine Wirkung zwischen ihnen wahrnehmbar (62). Dies ist das von Arago entdeckte Phänomen, welches, seiner Angabe nach, nicht bloss bei allen Metallen, sondern auch bei anderen festen Körpern, bei Flüssigkeiten und selbst bei Gasen, also bei allen Substanzen auftritt (130).

82. Babbage und Sir John Herschel, welche diese Versuche in England gemeinschaftlich wiederholten[1]), konnten die Wirkungen nur bei Metallen und Kohle von besonderer Beschaffenheit (aus Gasretorten), also ausschliesslich bei sehr guten Elektricitätsleitern erhalten. Sie schreiben dieselben dem vom Magnet in der Scheibe inducirten Magnetismus zu: jeder Magnetpol rufe in dem ihm zunächst liegenden Theil der Scheibe einen entgegengesetzten Pol und um diesen herum, mehr diffus, eine ihm gleichartige Polarität hervor (120). Die wesentliche Bedingung für die Erzeugung der Rotation des aufgehängten Magnets sei die, dass die unter demselben in Umdrehung versetzte Substanz ihren Magnetismus nicht augenblicklich, sondern in merklicher Zeit annimmt und verliert (124). Diese Theorie, nach welcher die Wirkung von einer Anziehungskraft herrührt, hat nicht die Zustimmung des Entdeckers der Erscheinung, Arago's, gefunden noch auch diejenige Ampère's, welcher dagegen geltend macht, dass, wenn der Magnet und das Metall sich in Ruhe befinden, jede Anziehung fehlt (62, 126), obschon der inducirte Magnetismus doch wohl bestehen bleibt, und welcher, auf Grund seiner mit einer Inclinationsnadel angestellten Versuche, die Wirkung als eine abstossende auffasst (125).

83. Als es mir gelungen war, mittelst der früher beschriebenen Methoden (36, 46) Elektricität durch Magnetismus zu erregen, hoffte ich, den Arago'schen Versuch zu einer neuen Elektricitätsquelle zu machen und eine neue, auf der Induction durch den Erdmagnetismus beruhende Elektrisirmaschine construiren zu können. Von solcher Hoffnung angeregt, stellte ich zahlreiche Experimente mit dem Magnet der Königlichen Gesellschaft an. Dieselben wurden in Christie's Hause ausgeführt, und ich hatte mich hierbei stets seiner Unterstützung zu erfreuen. Da manche derselben im Laufe der Untersuchung durch vollkommenere Anordnungen überflüssig wurden, so werde ich mir die Freiheit nehmen, sie in der Reihenfolge aufzuführen, in welcher sie, wie ich glaube, am ehesten zu der Ansicht über die Natur der Erscheinungen leiten, welche mir als die richtige erscheint.

84. Der Magnet ist bereits beschrieben worden (44). Um die Pole zu verstärken und sie einander näher zu bringen, wurden zwei etwa sechs

---

1) Philosophical Transactions 1825. p. 467.

oder sieben Zoll lange, einen Zoll breite und einen halben Zoll dicke Eisen- oder Stahlstäbe quer über die Pole gelegt (Fig. 7), und da sie durch eine Schnur am Abgleiten gehindert waren, so konnte ihr Abstand beliebig variirt werden. Zuweilen wurden zwei Stäbe von weichem Eisen benutzt, welche so gebogen waren, dass, wenn sie über die Pole gelegt wurden, ihre zwei kleineren Pole vertical übereinander standen, und nach Belieben der eine oder der andere der obere sein konnte.

85. Eine auf einer Messingaxe befestigte Kupferscheibe von zwölf Zoll Durchmesser und etwa $^1/_5$ Zoll Dicke, wurde so an einem Gestell angebracht, dass sie sich in verticaler oder horizontaler Richtung drehen konnte, während sie mit ihrem Rande mehr oder weniger weit zwischen die Magnetpole hineinragte (Fig. 7). Der Rand der Scheibe war sorgfältig amalgamirt, um einen guten, aber gleitenden Contact zu erhalten, und ein Theil der Axe war in ähnlicher Weise behandelt.

86. Gegen den Rand der Kupferscheibe (85) oder anders gestalteter Platten, welche weiterhin beschrieben werden sollen (101), wurden kupferne oder bleierne Ableiter oder Collectoren von etwa vier Zoll Länge, $^1/_3$ Zoll Breite und $^1/_5$ Zoll Dicke angelegt. Das eine Ende derselben war zur Erzielung eines genaueren Anschlusses an den etwas convexen Rand der Scheiben ein wenig ausgehöhlt und dann amalgamirt worden, von den anderen Enden dieser Leiterstücke führten durch Umwickelung mit ihnen verbundene Kupferdrähte von $^1/_{16}$ Zoll Dicke zum Galvanometer.

87. Das zwar roh gearbeitete, aber doch hinreichend empfindliche Galvanometer bestand aus mit Seide übersponnenem Kupferdraht von sechzehn bis achtzehn Windungen. Zwei magnetisirte Nähnadeln waren mittelst eines trockenen Strohhalmes so mit einander verbunden, dass sie in einem Abstande von etwa einem halben Zoll einander parallel, aber in entgegengesetzter Lage sich befanden, und dieses System wurde an einem Faden von ungesponnener Seide so aufgehängt, dass die untere Nadel zwischen, die obere über den Multiplicatorwindungen schwebte. Die letztere war die bei weitem stärker magnetisirte und bestimmte die Richtung des Systems unter Einfluss des Erdmagnetismus. Fig. 8 veranschaulicht die Richtung des Galvanometerdrahtes und der Nadeln bei Einstellung des Instrumentes in den magnetischen Meridian. Die Drahtenden sind, um weiterhin bequem von ihnen reden zu können, mit A und B bezeichnet; S und N sind das Süd- und Nordende der Nadel für den Fall, dass sie nur unter dem Einfluss des Erdmagnetismus stände, N ist also der bezeichnete Pol (44). Das ganze Instrument war mit einer Glasglocke bedeckt und in der früher erwähnten Entfernung von dem grossen Magnet und in derselben relativen Lage aufgestellt (45).

88. Nun wurde die Kupferscheibe wie in Fig. 7 aufgestellt, so dass sie etwa die Hälfte des ungefähr einen halben Zoll betragenden Abstandes der zwei kleinen Magnetpole einnahm. Einer der Galvanometerdrähte wurde zwei-

oder dreimal lose um die Messingaxe der Scheibe geschlungen, der andere mit dem Ableiter (86) verbunden, welcher selbst mit dem unmittelbar zwischen den Magnetpolen liegenden amalgamirten Randtheile vermittelst der Hand in Contact gehalten wurde. Unter diesen Umständen blieb das Galvanometer vollkommen ruhig; sobald aber die Scheibe gedreht wurde, gab das Galvanometer einen Ausschlag, und bei schneller Drehung der Scheibe stieg die Ablenkung auf 90^{0} und darüber.

89. Bei dieser Vorrichtung war es schwierig, einen an allen Punkten des Scheibenrandes gleichförmigen, guten Contact mit dem Ableiter zu erzielen, und nicht minder, wenigstens in den anfänglichen Versuchen, die Rotationsgeschwindigkeit constant zu erhalten. Beide Umstände hatten zur Folge, dass die Nadel fortwährend hin und her zitterte, aber trotzdem konnte der Sinn der Ablenkung oder allgemein die Richtung, um welche die Nadel vibrirte, ohne Schwierigkeit erkannt werden. Als späterhin die Versuche mit grösserer Sorgfalt angestellt wurden, erfuhr die Nadel eine dauernde Ablenkung von nahezu 45^{0}.

90. Hier war somit der Beweis geliefert, dass ein dauernder elektrischer Strom durch gewöhnliche Magnete hervorgebracht werden kann (57).

91. Wurde, unter sonst gleichbleibenden Umständen, die Drehungsrichtung der Scheibe umgekehrt, so wurde die Galvanometernadel ebenso stark wie vorher, aber nach der entgegengesetzten Seite abgelenkt; der erregte elektrische Strom war also dem früheren entgegengerichtet.

92. War der Ableiter ein wenig rechts oder links von seiner früheren Stelle gegen den Rand der Scheibe angelegt, wie die punktirten Linien der Fig. 9 andeuten, so entstand auch jetzt ein Strom in derselben Richtung wie vorher (88, 91), ja selbst dann, wenn der Ableiter nach der einen oder anderen Seite hin einen Winkelabstand von 50^{0} bis 60^{0} von den Magnetpolen hatte. Die Richtung des Stromes war, wie das Galvanometer zeigte, dieselbe, mochte der Ableiter auf der einen oder anderen Seite derjenigen Stellung sich befinden, bei welcher der Strom die grösste Intensität hatte, aber mit der Zunahme des Winkelabstandes des Ableiters von jenem Punkte wurde der Strom allmählich schwächer. Bei gleichem Winkelabstande des ersteren von den Magnetpolen war der Strom augenscheinlich von gleicher Stärke, so dass er in dieser Beziehung von der Rotationsrichtung nicht beeinflusst wurde; bei umgekehrter Drehungsrichtung der Scheibe jedoch war auch die Stromrichtung umgekehrt, während im Uebrigen sich Alles gleich blieb.

93. Hob man die Scheibe, so dass sie über die Magnetpole hervorragte (*a*, Fig. 10), so traten ganz dieselben Wirkungen von derselben Ordnung und Intensität auf wie vorher; wurde sie noch höher gehoben, so dass die Pole bei *c* lagen, so waren die Wirkungen auch jetzt dem Anscheine nach von gleicher Stärke wie in den ersten Fällen.

94. Wurde der Ableiter gegen den Rand der Scheibe angelegt und festgehalten, um sich mit ihr zu drehen, so wich die Nadel schon bei einer Drehung um nur wenige Grade aus und zeigte einen ebensolchen Strom an, wie wenn die Scheibe in derselben Richtung gedreht worden wäre, der Ableiter aber stillgestanden hätte.

95. Wurde die Verbindung des Galvanometers mit der Axe aufgehoben und seine beiden Drahtenden mit zwei Ableitern verbunden, welche beide sich gegen den Rand der Kupferscheibe lehnten, so traten ebenfalls elektrische Ströme auf, die zwar anscheinend complicirter, aber doch in vollkommener Uebereinstimmung mit den obigen Resultaten waren. So hatte der Strom, wenn die Ableiter gegen ihre Stellung in Fig. 11 ein wenig verschoben wurden, wie in Fig. 12, die entgegengesetzte Richtung, wie im ersteren Falle; der Grund ist der, dass in diesem Falle das Galvanometer die Differenz zwischen einem starken Strom durch A und einem schwachen durch B, im anderen Falle die Differenz eines schwachen Stromes durch A und eines starken Stromes durch B (92) anzeigte, und daher die Ablenkungen entgegengesetzte waren.

96. So war denn auch, abgesehen von vorübergehenden Wirkungen in Folge von Unregelmässigkeiten des Contactes, bei gleichem Abstande der Ableiter von den Magnetpolen, wie in Fig. 13, kein Strom am Galvanometer wahrnehmbar, in welcher Richtung auch die Scheibe gedreht werden mochte, weil in diesem Falle durch beide gleiche Ströme in gleicher Richtung gingen. Wurden jedoch die beiden Ableiter mit dem einen, und die Axe mit dem anderen Drahtende des Galvanometers verbunden (Fig. 14), so gab dieses einen der Rotationsrichtung entsprechenden Strom an (91), indem nun zwei Ableiter übereinstimmend und in demselben Sinne wirkten wie das früher angewandte eine Contactstück (88).

97. Alle diese Wirkungen erhielt man auch, wenn die Scheibe sich in der Nähe nur eines Poles befand, und sie waren von derselben Richtung u. s. w., aber keineswegs von der gleichen Stärke.

98. Alle Sorgfalt wurde aufgeboten, um diese Resultate unabhängig zu machen von dem Erdmagnetismus und von der Wechselwirkung zwischen dem Magnet und den Galvanometernadeln. Die Contacte wurden in Punkten des magnetischen Aequators der Scheibe und in anderen Punkten derselben hergestellt; die Scheibe wurde horizontal, und die Pole vertical gestellt, und noch für andere Vorsichtsmassregeln wurde Sorge getragen. Dass nun eine Störung der bezeichneten Art nicht vorhanden war, ergab sich leicht daraus, dass jede Wirkung ausblieb, wenn, während sonst Alles unverändert blieb, die Scheibe von den Polen oder die Pole von der Scheibe entfernt wurden.

99. Die *Beziehung des erregten elektrischen Stromes* zu dem Magnetpole, der Rotationsrichtung der Scheibe etc. etc., lässt sich folgendermassen formuliren: Befindet sich der unbezeichnete Pol (44, 84) unterhalb des Randes der Scheibe und dreht sich diese horizontal in Richtung einer rechtsdrehenden Schraube, so ist die Elektricität, welche am Rande der Scheibe, dem Pole zunächst, abgenommen werden kann, positiv. Da man sich den Erdpol als den unbezeichneten vorstellen kann, so lässt sich diese Beziehung zwischen der Rotation, dem Pole und der entwickelten Elektricität leicht im Gedächtniss behalten. Oder wenn in Fig. 15 der Kreis die in Richtung der Pfeile rotirende Scheibe darstellt, und *a* den unter derselben befindlichen unbezeichneten Pol, so ist die in *b* und den benachbarten Punkten angesammelte Elektricität positiv, während sich im Centrum *c* und seiner Umgebung negative Elektricität sammelt (88). Die Ströme in der Scheibe gehen also vom Centrum bei den Magnetpolen vorbei nach der Peripherie.

100. Liegt der bezeichnete Pol oberhalb der Scheibe, während sonst Alles ungeändert bleibt, so ist die Elektricität in *b*, Fig. 15, ebenfalls positiv; liegt er unterhalb, oder der unbezeichnete Pol oberhalb der Scheibe, so hat die Elektricität das entgegengesetzte Vorzeichen. Wird in einem dieser Fälle die Rotationsrichtung umgekehrt, so ist auch das Vorzeichen der Elektricität das umgekehrte.

101. Es ist nun klar, dass die rotirende Scheibe nur eine andere Form des einfacheren Versuches bildet, welcher darin besteht, dass man ein Metallstück in geradliniger Richtung zwischen den Magnetpolen hindurchführt, und dass in diesem Falle elektrische Ströme entstehen werden, senkrecht zur Richtung der Bewegung und diese am Orte des Magnetpoles oder der Magnetpole durchkreuzend. Dies beweist zur Genüge folgender einfacher Versuch: Ein zwischen die Magnetpole gestellter Kupferstreifen, ein fünftel Zoll dick, einen und einen halben Zoll breit und zwölf Zoll lang, gegen dessen amalgamirte Ränder zwei mit dem Galvanometer verbundene Contactstücke angelegt waren, wurde zwischen diesen in Richtung des Pfeiles hindurchgezogen, Fig. 16; augenblicklich wurde die Galvanometernadel abgelenkt, mit ihrem Nord- oder bezeichneten Ende nach Ost, hiermit anzeigend, dass durch den Draht A negative und durch B positive Elektricität eintrat; und da der bezeichnete Pol oberhalb lag, so ist dieses Resultat in vollkommener Uebereinstimmung mit der mittelst der rotirenden Scheibe erhaltenen Wirkung (99).

102. Bei umgekehrter Bewegung des Streifens bewies die Ablenkung der Magnetnadel nach der anderen Seite, dass nun auch der Strom die entgegengesetzte Richtung hatte.

103. Um den Charakter des elektrischen Stromes in verschiedenen Theilen des bewegten Kupferstreifens, die in verschiedener Relation zu den inducirenden Polen stehen, kennen zu lernen, wurde nur ein Collector (86) an die nahe dem Pole befindliche zu untersuchende Stelle angelegt, während der andere mit dem Ende des Streifens, als der neutralsten Stelle, verbunden wurde. Die Resultate sind in Fig. 17—20 dargestellt, wobei der bezeichnete Pol oberhalb des Streifens zu denken ist. In Fig. 17 tritt positive Elektricität durch B ein, in Fig. 18 aber auf der entgegengesetzten Seite, bei gleicher Bewegungsrichtung des Streifens, negative Elektricität;

bei umgekehrter Bewegungsrichtung, wie in Fig. 20, tritt durch B positive Elektricität ein, und wenn bei der ersten Anordnung der Fig. 17 die Bewegung die umgekehrte, durch Fig. 19 angedeutete Richtung hat, so tritt durch B negative Elektricität ein.

104. Wurden die Streifen seitwärts von den Magnetpolen fortgezogen, so dass sie ganz ausserhalb der die Pole verbindenden Geraden kamen, wie in Fig. 21, so traten dieselben Wirkungen, wenn auch nicht mit gleicher Stärke, auf.

105. Wenn die Magnetpole sich berührten, während der Kupferstreifen in der Nähe der Berührungsstelle zwischen den Ableitern hindurchgezogen wurde, so war die Wirkung sehr gering. Standen die Pole nur um die Dicke eines Kartenblattes von einander ab, so war der Effect zwar etwas grösser, aber immer noch sehr schwach.

106. Wurde ein ein achtel Zoll dicker, zwischen den Magnetpolen befindlicher amalgamirter Kupferdraht zwischen den Ableitern hindurchgezogen (101), so rief er eine sehr erhebliche, wenn auch keine so grosse Wirkung wie die Kupferstreifen hervor.

107. Wurden die Ableiter beständig gegen irgend welche bestimmte Stellen der Kupferstreifen gehalten und mit diesen zwischen den Polen bewegt, so waren die Wirkungen den bereits beschriebenen gleich und in Uebereinstimmung mit denen der rotirenden Scheibe (94).

108. Wurden die Ableiter gegen die Enden der Streifen angelegt, und diese in einer zu ihrer Längenausdehnung senkrechten Richtung zwischen den Polen bewegt, so ergaben sich dieselben Wirkungen (Fig. 22). Ob man annimmt, dass die dem Ende zugekehrten Theile der Streifen lediglich als Leiter wirken, oder dass auch in ihnen ein ihrer Entfernung und der Stärke des Magnets entsprechender elektrischer Strom erregt wird, die Resultate standen jedenfalls mit den früheren in Uebereinstimmung. Die Wirkung war eben so stark, wie beim Anlegen der Ableiter gegen die Seiten des Streifens (101).

109. Auch wenn man bloss einen das Galvanometer in sich schliessenden Draht zwischen den Polen bewegte, wurde ersteres beeinflusst, und wenn man ihn hin und her zog, so dass die der Nadel ertheilten abwechselnd entgegengesetzten Impulse in Uebereinstimmung waren mit der Schwingungsrichtung derselben, so wuchs ihr Ausschlag auf 20^0 bis 30^0 zu beiden Seiten des magnetischen Meridians an.

110. Verband man die Enden des Metallstreifens mit dem Galvanometer und bewegte ersteren zwischen den Magnetpolen in Richtung seiner Längenausdehnung (wie in Fig. 23) nach der einen oder anderen Seite, so trat keine Einwirkung auf das Galvanometer ein; sobald aber die Bewegung quer zu jener Richtung stattfand, wurde die Nadel abgelenkt.

111. Diese Wirkungen ergaben sich auch bei Anwendung von *Elektromagnetpolen*, gleichviel ob dieselben durch Kupferspiralen allein oder in Gemeinschaft mit Eisenkernen (34, 54) gebildet waren. Die Wirkung war der Richtung nach in beiden Fällen genau dieselbe, aber erheblich grösser mit Benutzung von Eisenkernen als ohne sie.

112. Wurde eine flache Spirale, mit ihrer Seitenfläche voraus, zwischen den Polen hindurchgeführt, so trat eine sonderbare Wirkung auf das Galvanometer ein: die Nadel wich zuerst stark aus, blieb dann plötzlich stehen, wie wenn sie gegen ein festes Hinderniss stiesse, und kehrte unmittelbar darauf um. Die Spirale mochte von oben nach unten oder von unten nach oben geführt werden, so war doch die Bewegungsrichtung der Nadel dieselbe, und nachdem sie plötzlich stehen geblieben war, kehrte sie um. Drehte man aber die Spirale in einem Halbkreise herum, so waren die Bewegungen der Nadel von entgegengesetzter Richtung, hörten wieder plötzlich auf und kehrten dann um. Diese Doppelwirkung rührt davon her, dass die beiden Hälften der Spirale (zu beiden Seiten einer durch den Mittelpunkt, senkrecht zur Bewegungsrichtung gehenden Geraden) in entgegengesetztem Sinne wirken, und der Grund, wesshalb die Nadel nach derselben Seite auswich, ob die Spirale in der einen oder anderen Richtung an den Polen vorbei geführt wurde, ist der, dass bei einer Aenderung der Bewegungsrichtung auch die Richtung der Windungen der sich nähernden Hälfte der Spirale geändert ist. Diese Wirkungen, so seltsam sie auch im ersten Augenblick erscheinen, lassen sich unmittelbar auf die Wirkung einfacher Drähte zurückführen (40, 109).

113. Obschon die Versuche mit der rotirenden Scheibe, den Drähten und Metallstreifen zuerst mit Hülfe des grossen Magnets der Königlichen Gesellschaft gelungen waren, so vermochte ich sie doch später mit einem Paar zwei Fuss langer, einen und einen halben Zoll breiter und einen halben Zoll dicker Magnetstäbe, und nachdem die Empfindlichkeit des Galvanometers (87) etwas erhöht worden war, mit dem überraschendsten Erfolge zu wiederholen. Elektromagnete mit Eisenkern wie diejenigen von Moll, Henry u. A. (57) sind sehr wirksam. Bei Anstellung dieser Versuche mit verschiedenen Substanzen ist es sehr wesentlich, dass man thermoelektrische Wirkungen (hervorgerufen durch Berührung mit den Fingern u. s. w.) vermeide oder wenigstens schätze und in Betracht ziehe. Sie lassen sich durch ihre Beständigkeit und ihre Unabhängigkeit von den Magneten und der Bewegungsrichtung leicht von anderen unterscheiden.

114. Die Beziehung zwischen dem Magnetpole, der Bewegung des Drahtes oder Metalles und der Richtung des Stromes, d. h. *das Gesetz*, welches die Elektricitätserregung durch magnetoelektrische Induction beherrscht, ist an sich sehr einfach, obwohl etwas schwer zu formuliren. Wenn in Fig. 24 PN einen horizontalen Draht darstellt, welcher so an dem bezeichneten Magnetpole vorbeigeführt wird, dass die Richtung seiner Bewegung zusammenfällt mit der von unten nach oben gehenden krummen Linie; oder wenn seine Bewegung, parallel mit sich selbst, tangential zu der Curve, aber in allgemeiner Richtung der Pfeile erfolgt; oder wenn er in anderen Richtungen an dem Pole vorbeigeht, doch so, dass er die magnetischen Curven[1]) in derselben allgemeinen Richtung oder auf derselben Seite schneidet, an der sie von dem Drahte geschnitten würden, wenn er sich längs der punktirten Curve bewegte: dann geht der elektrische Strom im Drahte von P nach N. Bewegt er sich in entgegengesetzter Richtung, so geht der elektrische Strom von N nach P. Wird andererseits der Draht in verticaler Stellung, P'N' der Figur, in ähnlichen Richtungen herumgeführt, welche mit der punktirten horizontalen Curve insofern zusammenfallen, als sie die magnetischen Curven auf derselben Seite schneiden, wie diese, so ist der Strom von P' nach N' gerichtet. Denkt man sich den Draht tangential zur krummen Oberfläche des cylindrischen Magnets und um diese Oberfläche herum in irgend eine andere Lage geführt, oder den Magnet selbst um seine Axe gedreht, so dass der Draht zu irgend einer gegenüberliegenden Stelle tangential wird, und bewegt man nun den Draht in den angegebenen Richtungen, so geht der elektrische Strom von P nach N, oder bei entgegengesetzt gerichteter Bewegung von N nach P, so dass die Bewegungen des Drahtes am Pole vorbei auf zwei einander direct entgegengesetzte zurückgeführt werden können, von denen die eine einen Strom von P nach N, die andere von N nach P zur Folge hat.

115. Dasselbe gilt in Bezug auf den unbezeichneten Magnetpol, nur dass, wenn er an die Stelle des in der Figur gedachten tritt, und die Drähte in Richtung der Pfeile bewegt werden, der elektrische Strom von N nach P, und bei umgekehrter Bewegungsrichtung von P nach N gehen würde.

116. Demnach hängt die Richtung des durch Bewegung eines Metalles in der Nähe eines Magnets erregten elektrischen Stromes gänzlich ab von der Beziehung des Metalles zur resultirenden magnetischen Kraft oder zu den magnetischen Curven und lässt sich in populärer Weise folgendermassen festsetzen: Es sei AB (Fig. 25) ein cylindrischer Magnet, A der bezeichnete, B der unbezeichnete Pol; quer über dem Magnet liege eine silberne Messerklinge PN, mit ihrer Schneide aufwärts und mit ihrer gezeichneten oder gekerbten Seite dem Pole A zugekehrt: in welcher Richtung oder Lage man nun auch diese Klinge, mit ihrer Schneide voraus, sei es um den bezeichneten, sei es um den unbezeichneten Pol, bewege, so wird der elektrische Strom von P nach N gehen, vorausgesetzt dass die von der Klinge geschnittenen, von A ausgehenden Curven die gekerbte, die von B herkommenden die ungekerbte Seite derselben treffen. Wird andererseits die Klinge mit ihrem Rücken voraus bewegt, so geht bei jeder möglichen Lage und Richtung der Strom von N nach P, wenn in Bezug auf die durchschnittenen Curven dasselbe gilt wie in dem ersteren Falle. Es lässt sich leicht ein kleines

---

[1]) Unter magnetischen Curven verstehe ich die, auf welche Art auch immer durch benachbarte Pole modificirten, magnetischen Kraftlinien, wie sie durch Eisenfeilicht sich darstellen lassen, oder diejenigen Curven, zu denen eine sehr kleine Magnetnadel sich tangential stellen würde.

Modell construiren, in welchem ein Holzcylinder den Magnet, irgend ein platter Gegenstand die Klinge und ein durch ein Loch in diesem hindurchgehender, die Enden des Cylinders verbindender Faden die magnetischen Curven darstellt; hiermit kann man sich leicht bei jeder möglichen Richtung das Resultat veranschaulichen.

117. Wenn der der Induction ausgesetzte Draht an einem Elektromagnetpole, z. B. an einem Ende einer von einem elektrischen Strome durchflossenen Kupferspirale (34) vorbeigeführt wird, so hat der Strom in dem Drahte bei der Annäherung die gleiche und beim Entfernen entgegengesetzte Richtung mit dem in den ihm zunächst gelegenen Theilen oder Seiten der Windungen.

118. Alle diese Resultate zeigen, dass das Vermögen, elektrische Ströme zu induciren, von einer resultirenden magnetischen Kraft oder Axe im Umkreise um dieselbe ausgeübt wird, ebenso wie auch ein elektrischer Strom in seinem Umkreise Magnetismus erzeugt, und dieser von jenem abhängt.

119. Die beschriebenen Versuche beweisen sämmtlich, dass, wenn ein Metallstück (und dasselbe gilt vielleicht von allen leitenden Substanzen (213)) vor einem einzelnen Pole oder zwischen ungleichnamigen Polen eines Magnets oder nahe vor Elektromagnetpolen, die Magnetisirungsspirale mag einen Eisenkern enthalten oder nicht, bewegt wird, das Metall durchkreuzende elektrische Ströme, senkrecht zur Richtung der Bewegung erregt werden, welche Ströme demnach sich in Arago's Versuchen der Richtung der Radien nähern. Wenn ein einfacher Draht sich wie die Speiche eines Rades nahe bei einem Magnetpole bewegt, so geht ein elektrischer Strom durch ihn von einem Ende zum anderen. Denken wir uns ein Rad mit sehr vielen solchen Speichen, nach Art der Kupferscheibe (85) nahe bei dem Pole rotirend, so wird durch jede Speiche beim Vorübergang vor dem Pole ein Strom fliessen. Denkt man die Speichen sich seitlich berührend, so erhält man eine Scheibe, in welcher die Stromrichtungen dieselben sein werden, lediglich modificirt durch den Zwangszustand, in den die nun in metallischen Contact getretenen Theilchen möglicherweise gerathen.

120. Nun, nachdem die Existenz dieser Ströme erwiesen ist, lassen sich die von Arago entdeckten Erscheinungen erklären ohne die Annahme, dass in der Kupferscheibe ein demjenigen, dem sie sich nähert, entgegengesetzter Pol, und um ihn herum diffus eine der des ersteren gleichartige Polarität entstehe (82); weder ist es wesentlich, dass die Scheibe ihren Zustand in endlicher Zeit erlange und verliere, noch scheint die Annahme einer Abstossungskraft als Ursache der Rotation (82) nothwendig.

121. Die Wirkung ist genau von derselben Art wie die elektromagnetischen Rotationen, welche ich das Glück hatte vor einigen Jahren zu entdecken.[1]) Gemäss den damaligen, seitdem vielfach bestätigten Ver-

---

[1]) Quarterly Journal of Science, vol. XII. pp. 74. 186. 416. 283.
[Diese Abhandlungen sind im zweiten Bande der Researches enthalten. D. Ü.]

suchen, wird ein bezeichneter Pol N (Fig. 26), der sich in der Nähe eines mit einer Volta'schen Batterie verbundenen Drahtes PN zwischen demselben und dem Beobachter befindet, sich in einer zum Drahte tangentialen Richtung, d. h. nach rechts bewegen, wenn die positive Elektricität von P nach N strömt, der Draht dagegen tangential zur Linken, wie die Pfeilrichtungen andeuten. Genau dieses findet bei der Rotation einer Scheibe unterhalb eines Magnetpoles statt; denn ist N (Fig. 27) ein bezeichneter Pol oberhalb der kreisförmigen Scheibe, und rotirt diese in Richtung des Pfeiles, so strömt alsbald die positive Elektricität von den centralen Theilen in Richtung der Radien am Pole vorbei zu den jenseits dieses Poles (99, 119) liegenden Theilen der Peripherie *a*, und diese Ströme stehen demnach genau in derselben Beziehung zu ihm, wie der Strom im Drahte PN (Fig. 26), und daher dreht sich auch der Pol nach rechts.

122. Bei umgekehrter Rotationsrichtung der Scheibe sind auch die elektrischen Ströme umgekehrt gerichtet (91), und daher dreht sich der Pol nach links. Nimmt man einen entgegengesetzten Pol, so bleiben die Wirkungen dieselben, d. h. von derselben Richtung, weil nun zwar die elektrischen Ströme den früher erwähnten entgegengesetzt gerichtet sind, aber da mit diesen zugleich auch der Pol dem früheren entgegengesetzt ist, so bleibt der schliessliche Effect ungeändert. Welche Lage auch die Magnetaxe haben mag, wenn nur der Pol derselbe und an derselben Seite der Scheibe bleibt, so hat der erregte elektrische Strom, gemäss dem bereits aufgestellten Gesetze (114 etc.), dieselbe Richtung, und so lässt sich jeder Umstand in Bezug auf die Richtung der Bewegung erklären.

123. Diese Ströme *entladen sich oder gleichen sich rückwärts aus* in den zu beiden Seiten und vom Orte des Poles entfernter liegenden Theilen der Scheibe, wo die magnetische Induction natürlich schwächer ist, und wenn man vermittelst Collectoren einen Strom nach dem Galvanometer hin ableitet (88), so ist die Ablenkung desselben nur eine Wiederholung der von demselben Strome oder einem Theile desselben auf den über der Scheibe selbst befindlichen Magnet ausgeübten Rotationswirkung.

124. Unter dem soeben aufgestellten Gesichtspunkte habe ich zu sagen gewagt, es sei nicht nothwendig, dass die Scheibe ihren Zustand in endlicher Zeit erlange oder verliere (120); denn selbst wenn der Strom sich unmittelbar *vor* der grössten Annäherung an den verticalen Magnetpol vollständig ausbilden könnte, anstatt dass er ein wenig vor oder hinter demselben zu Stande kommt, so würde die relative Bewegung des Poles und der Scheibe doch dieselbe bleiben, da die resultirende Kraft thatsächlich tangential und nicht direct*) wirkt.

125. Es ist jedoch möglich, (obwohl für die Rotation nicht nothwendig), dass der Strom in der Scheibe *Zeit* braucht, ehe er ein Maximum

*) „Direct", wie Faraday sagt, bedeutet natürlich, in Richtung der Verbindungslinie. D. Ü.

erreicht. In diesem Falle würde die Resultirende aller Kräfte dem Magnet voraus sein, wenn die Scheibe sich in Rotation befindet, und hinter ihm zurückbleiben, wenn er selbst rotirt, wofür manche bei Anwendung einfacher Elektromagnetpole auftretende Wirkungen zu sprechen scheinen. Die Tangentialkraft kann in zwei andere zerlegt werden, in eine parallel zur Rotationsebene und eine zu dieser senkrechte; die erstere würde die Kraft sein, welche die Scheibe bei der Drehung des Magnets, oder den Magnet bei der Drehung der Scheibe in Rotation versetzt; die letztere würde eine Abstossungskraft sein, und sie ist es wahrscheinlich, deren Wirkungen Arago gleichfalls entdeckt hat (82).

126. Der auffallende und bisher so unerklärlich erscheinende Umstand bei diesem Vorgange, dass alle diese Erscheinungen aufhören, sobald der Magnet und das Metall zur Ruhe kommen, erhält nun seine vollkommene Erklärung (82), denn in diesem Falle verschwinden zugleich die die Bewegung verursachenden elektrischen Ströme.

127. All die von Babbage und Herschel beschriebenen Erscheinungen [1]), welche die Unterbrechung der Continuität der Metallmasse zur Folge hat, insbesondere die Abnahme der Wirkung, finden nun ihre natürliche Erklärung, ebenso wie die Wiederherstellung der Wirkung zu ihrer früheren Stärke, wenn die Ausschnitte mit solchen metallischen Substanzen ausgefüllt werden, welche, obschon sie Elektricitätsleiter sind, doch einen sehr geringen Einfluss auf Magnete ausüben. Es lassen sich nun auch neue Arten von Zertheilungen der Scheibe erdenken, welche die Wirkung fast völlig vernichten würden. Wenn man z. B. aus einer Kupferscheibe (81) einen Ring von einer ein fünftel oder ein sechstel des Durchmessers betragenden Breite vom Rande aus herausgeschnitten hat und ihn dann wieder ansetzt, doch so, dass zwischen den Theilen ein Zwischenraum von Papierdicke (Fig. 29) gelassen wird, und wenn man mit der so hergerichteten Scheibe den Arago'schen Versuch so anstellt, dass der Schnitt stets dem Pole gerade gegenüber bleibt, so ist klar, dass die durch den Magnet erregten Ströme eine beträchtliche Störung erleiden und somit die Scheibe wahrscheinlich einen grossen Theil ihrer sonstigen Wirkung einbüssen würde [2]).

Ein elementares Resultat dieser Art erhielt ich bei Anwendung zweier dicker Kupferstücke von der in Fig. 28 abgebildeten Gestalt. Zwei ähnliche Ränder wurden amalgamirt und aneinandergelegt, und als nun das Ganze zwischen den Polen des Magnets in einer zu diesen Rändern parallelen Richtung hindurchgeführt wurde, ging ein Strom durch die an den äusseren Ecken befestigten Drähte, und das Galvanometer erfuhr eine starke Ablenkung; als aber ein Stück Papier dazwischen gelegt wurde, ergab eine Wiederholung des Versuches keine wahrnehmbare Wirkung.

---

[1]) Philosophical Transactions, 1825, p. 481.

[2]) Dieser Versuch ist wirklich mit dem hier erörterten Erfolge von Christie angestellt und in den Philosophical Transactions von 1827, p. 82, mitgetheilt worden.

128. Ein Einschnitt dieser Art würde die magnetische Induction von der gewöhnlichen Art, wie sie im Eisen auftritt, nicht sonderlich stören können.

129. Die von Arago mittelst gewöhnlicher Magnete erhaltene Rotation oder Ablenkung der Nadel vermochte Ampère auch mit Elektromagneten zu erzielen. Dies steht in vollster Uebereinstimmung mit den in dieser Abhandlung niedergelegten Resultaten bezüglich der voltaelektrischen und magnetoelektrischen Induction. Und als ich an Stelle gewöhnlicher Magnetpole (111) flache Kupferspiralen, durch welche elektrische Ströme geleitet wurden, anwandte, bald eine einzige an einer Seite, bald zwei an den gegenüberliegenden Seiten der rotirenden Scheibe, konnte ich die inducirten Ströme von der Scheibe ableiten und deren Vorhandensein am Galvanometer nachweisen.

130. Die oben angegebene Ursache der Rotation bei dem Arago'schen Versuche, nämlich die Erregung elektrischer Ströme erscheint vollkommen zureichend in allen Fällen, wo Metalle und vielleicht auch andere Leiter in Betracht kommen; allein was solche Körper, wie Glas, Harz und vor Allem Gase betrifft, so erscheint es unmöglich anzunehmen, dass in ihnen elektrische Ströme entstehen, die diese Wirkungen hervorbringen könnten. Dennoch hat Arago die in Rede stehenden Wirkungen mit diesen und allen untersuchten Substanzen erhalten (81). Babbage und Herschel konnten sie nur bei Metallen und bei Kohle von hoher Leitungsfähigkeit (82) wahrnehmen. Harris hat ihr Auftreten in Holz, Marmor, Quaderstein und erhitztem Glase beobachtet, erhielt jedoch keine Wirkung mit Schwefelsäure und gesättigter Lösung von Eisenvitriol, obschon diese Substanzen die Elektricität besser leiten als jene.

131. Künftige Untersuchungen werden ohne Zweifel diese Schwierigkeiten heben und entscheiden, ob die beregte Hemm- oder Zugwirkung stets gleichzeitig mit den elektrischen Strömen vorhanden ist [1]). Dass die Wirkung in Metallen nur bei gleichzeitiger Existenz der Ströme, d. h. während der Bewegung (82, 88) auftritt, sowie die Erklärung der von Arago beobachteten Abstossung (82, 125), sind gewichtige Gründe, sie aus dieser Ursache herzuleiten, aber möglicherweise ist sie mit anderen combinirt, welche zuweilen allein in Thätigkeit sind.

132. Im Kupfer, Eisen, Zinn, Zink, Blei, Quecksilber, welches zu diesem Zwecke sich in einer Glasröhre befand, und in allen untersuchten Metallen traten elektrische Ströme auf, wenn sie zwischen den Magnetpolen hindurchgeführt wurden. Auch die in Gasretorten sich ablagernde dichte Kohle gab einen Strom, aber gewöhnliche Kohle nicht; ebensowenig konnte ich mit Salzwasser, Schwefelsäure, Salzlösungen u. s. w., mochten sie in Gefässen in Rotation versetzt, oder, in Röhren eingeschlossen, zwischen den Polen hindurchgeführt werden, irgend eine Wirkung wahrnehmen.

---

[1]) Versuche, welche ich seitdem angestellt habe, überzeugen mich, dass diese besondere Wirkung stets von elektrischen Strömen herrührt, und sie liefern zugleich ein Mittel, wodurch dieselbe von gewöhnlichem Magnetismus oder einer anderen, auch mechanischen oder zufälligen, ähnliche Wirkungen hervorbringenden Ursache unterschieden werden kann (254).

133. Niemals vermochte ich eine Empfindung auf der Zunge zu erhalten vermittelst der Drähte, welche mit den gegen die Ränder der rotirenden Scheibe (88) oder der Metallstreifen (101) schleifenden Ableitern verbunden waren. Ich war auch nicht im Stande einen dünnen Platindraht zum Glühen zu bringen, einen Funken zu erzeugen oder einen Frosch in Zuckungen zu versetzen; ebensowenig gelang es mir chemische Wirkungen durch die auf solche Weise erregte Elektricität zu erzielen (22, 56).

134. Da der elektrische Strom in der rotirenden Kupferscheibe nur einen kleinen Raum einnimmt, indem er bei den Polen vorbeigeht und sich zu beiden Seiten in verhältnissmässig sehr geringen Entfernungen von denselben ausgleicht (123); und da er in einer dicken Metallmasse von höchster Leitungsfähigkeit, die daher seine Entstehung und Entladung ausserordentlich erleichtert, existirt, und da trotzdem beträchtliche Ströme entnommen und durch dünne Drähte von vierzig, fünfzig, sechzig, ja hundert Fuss Länge geleitet werden können, so ist klar, dass der in der Scheibe selbst vorhandene Strom sehr stark sein muss, wenn die Rotation schnell und der Magnet kräftig ist. Dies wird auch zum Ueberfluss noch bewiesen durch die grosse Leichtigkeit, mit welcher ein zehn bis zwölf Pfund schwerer Magnet der Bewegung der Scheibe folgt, so dass er den Aufhängungsfaden stark tordirt.

135. Zwei rohe Versuche machte ich in der Absicht, *magnetoelektrische Maschinen* zu construiren. Einmal wurde aus einer dicken Kupferplatte ein Ring von anderthalb Zoll Breite und zwölf Zoll äusserem Durchmesser herausgeschnitten und so aufgestellt, dass er zwischen den Magnetpolen rotiren konnte, im Grunde also ein dem früher benutzten Streifen (101) ähnliches Gebilde, aber ein Streifen ohne Ende. Die inneren und äusseren Ränder wurden amalgamirt und an jeden derselben, dicht bei den Polen, ein Ableiter angelegt. Der erregte elektrische Strom war, der Angabe des Galvanometers zufolge, nicht stärker, wenn überhaupt so stark, wie der von der kreisförmigen Scheibe abgeleitete (88).

136. In dem anderen Falle wurden kleine dicke Scheiben aus Kupfer oder anderem Metall von einem halben Zoll Durchmesser nahe den Polen in schnelle Rotation versetzt, wobei jedoch die Drehungsaxe ausserhalb der die Pole verbindenden Geraden lag; die erregte Elektricität wurde von Ableitern, die gegen die Ränder schleiften, gesammelt (86). Es wurden zwar Ströme erhalten, aber von viel geringerer Stärke als mit der kreisförmigen Scheibe.

137. Das letztere Experiment ist den von Barlow mit einer rotirenden, dem Einflusse des Erdmagnetismus unterworfenen Eisenkugel angestellten analog.[1]) Die hierbei auftretenden Erscheinungen sind von Babbage und Herschel auf dieselbe Ursache zurückgeführt worden, welche in dem Arago'schen Versuche als wirkend betrachtet wird[2]); aber es wäre von Interesse zu wissen, inwieweit sich die Ablenkung der Nadel durch

---

1) Philosophical Transactions, 1825. p. 317.

2) Ibid. 1825. p. 485.

einen bei diesem Versuche vielleicht entstehenden elektrischen Strom erklären lasse. Das blosse Hin- und Hergehen eines mit dem Galvanometer verbundenen Kupferdrahtes dicht bei den Magnetpolen, sechs bis sieben Mal isochron mit den Schwingungen der Nadel vollführt, war hinreichend, diese um einen Bogen von 60° bis 70° abzulenken. Die Rotation einer Kupferkugel könnte vielleicht jenen Punkt entscheiden und selbst auf die von Christie erhaltenen, mehr beständigen, obschon einigermassen analogen Wirkungen Licht werfen.

138. Die früher gemachte Bemerkung in Bezug auf das Eisen (66), die Unabhängigkeit zwischen seinem gewöhnlichen magnetischen Verhalten und den hier beschriebenen Erscheinungen der magnetoelektrischen Induction in diesen und anderen Metallen ist durch mehrere Ergebnisse der in diesem Abschnitte aufgeführten Art vollauf bestätigt worden. Wenn ein dem früher erwähnten Kupferstreifen (101) ähnlicher Streifen aus Eisen zwischen den Magnetpolen hindurchgeführt wurde, so gab er einen elektrischen Strom, wie ersterer, wenn auch von zweifellos geringerer Stärke, und bei den die Induction durch elektrische Ströme betreffenden Versuchen (9) war qualitativ kein Unterschied zwischen Eisen und anderen Metallen bemerkbar. Die Kraft einer Eisenscheibe, einen Magnet mit sich fortzuführen oder die magnetische Wirkung zu hemmen, muss also sorgfältig unterschieden werden von der ähnlichen Kraft solcher Metalle, wie Silber, Kupfer etc. etc., insofern als beim Eisen der bei weitem grössere Theil der Wirkung von dem herrührt, was man gewöhnliche magnetische Action nennt. Es unterliegt keinem Zweifel, dass die von Babbage und Herschel zur Erklärung der Arago'schen Phänomene angenommene Ursache als die wahre anzusehen ist, insofern Eisen in Betracht kommt.

139. Die sehr geringen Wirkungen, welche, nach den von Harris bestätigten Erfahrungen dieser Forscher, Wismuth und Antimon bei ihrer Bewegung auf den darüber aufgehängten Magnet ausüben, scheinen zunächst nicht in Uebereinstimmung mit der Leitungsfähigkeit dieser Metalle zu sein; fernere Untersuchungen müssen darüber entscheiden, ob dies der Fall ist oder nicht (73). Diese Metalle zeichnen sich durch ihre krystallinische Structur aus und haben wahrscheinlich in verschiedenen Richtungen ein verschiedenes Leitungsvermögen, und es ist nicht unwahrscheinlich, dass die Wirkung einer aus heterogen zusammengehäuften Krystallen bestehenden Masse annähernd derjenigen einer wirklichen Zertheilung gleichkommt (127); es wäre auch möglich, dass die elektrischen Ströme an den Grenzen ähnlicher Krystallgruppen plötzlicher abgelenkt würden und sich so leichter und vollständiger innerhalb der Masse ausgleichen[1]).

[1]) Inzwischen war ich im Stande, diese Verschiedenheiten zu erklären und für mehrere Metalle zu beweisen, dass die Wirkung der Leitungsfähigkeit entspricht; denn ich habe mittelst magnetoelectrischer Induction Ströme erhalten, deren Stärke proportional war der Leitungsfähigkeit der untersuchten Substanzen (211).

Royal-Institution,
November 1831.

Bemerkung. — Da zwischen der Lesung und dem Druck der vorstehenden Abhandlung ein langer Zeitraum liegt, so sind Berichte über die Versuche vielfach verbreitet und durch einen von mir an Hachette gerichteten Brief auch in Frankreich und Italien bekannt geworden. Die Uebersetzung dieses Briefes (die einige Fehler enthält) wurde in der Pariser Akademie der Wissenschaften am 26. December 1831 vorgelesen. Ein Abdruck desselben in *Le Temps* vom 28. December gelangte bald an Nobili und Antinori, welche sogleich selbst Versuche anstellten und einige der in meinem Briefe erwähnten Resultate erhielten, andere jedoch nicht, oder in Folge der Kürze meines Berichtes nicht verstanden. Ihre Ergebnisse haben Nobili und Antinori in einer vom 31. Januar 1832 datirten Abhandlung zusammengefasst und in der das Datum von November 1831 tragenden Nummer der *Antologia* (so ist es wenigstens in dem mir von Nobili gütigst zugesandten Sonderabdruck der Abhandlung) veröffentlicht. Es ist klar, dass diese Arbeit damals nicht gedruckt sein konnte, und obschon Nobili meinen Brief, gleichsam als Text zu seinen Experimenten, seiner Abhandlung einverleibt hat, so hat doch jene Rückdatirung Manche, welche von Nobili's Versuchen nur durch Referate gehört hatten, zu der Annahme verleitet, dass seine Resultate älter seien als die meinigen, während sie doch von diesen abhängen*).

Unter diesen Umständen sei es mir gestattet zu bemerken, dass ich über diesen Gegenstand schon vor mehreren Jahren Versuche angestellt und deren Resultate veröffentlicht habe. (Siehe Quarterly Journal of Science Juli 1825, p. 338)**). Auch ist Folgendes ein Auszug aus meinem Beobachtungsjournal vom 28. November 1825: „Versuche über Induction mittelst Schliessungsdrahtes einer Volta'schen Batterie; — Die Batterie bestand aus vier Trögen, zehn Plattenpaaren, neben einander angeordnet — die Pole durch einen etwa vier Fuss langen Draht verbunden, parallel zu ihm, nur durch zwei Papierdicken von ihm getrennt, lag ein anderer ähnlicher Draht, dessen Enden mit dem Galvanometer verbunden waren: — es zeigte sich keine Wirkung etc. etc. etc. Eine Induction durch den Schliessungsdraht war auf keine Weise nachweisbar.“ Der Grund, wesshalb dies damals misslang, ist nun klar (79). — M. F. April 1832.

---

*) Weiteres hierüber findet sich in dem Wiederabdruck der Abhandlung von Nobili und Antinori im II. Bande der Researches. D. Ü.

**) Die Notiz ist im II. Bande der Researches wieder abgedruckt. D. Ü.

ZWEITE REIHE.

DIE BAKER-VORLESUNG.

§ 5. Magnetoelektrische Induction durch die Erde. — § 6. Kraft und Richtung der magnetoelektrischen Induction im Allgemeinen.

(Gelesen am 12. Januar 1832.)

§ 5. Magnetoelektrische Induction durch die Erde.

140. Nachdem die in der vorhergehenden Abhandlung beschriebenen hauptsächlichen Thatsachen entdeckt worden waren, und das auf die Richtung bezügliche *Gesetz* der magnetoelektrischen Induction festgestellt worden war (114), war es nicht schwer vorherzusehen, dass die Erde dieselbe Wirkung wie ein Magnet ausüben würde, und vielleicht bis zu einem Grade, dass man sie mit Vortheil bei der Construction neuer Elektrisirmaschinen würde benutzen können. Nachstehendes sind einige der bei Verfolgung dieses Gesichtspunktes erhaltenen Resultate.

141. Die früher beschriebene hohle Spirale (6) wurde durch acht Fuss lange Drähte mit dem Galvanometer verbunden, und der weiche Eisencylinder (34), nachdem er, um jede Spur von Magnetismus zu beseitigen, zur Rothgluth erhitzt und dann langsam abgekühlt worden war, in die Spirale gesteckt und so darin festgelegt, dass er zu beiden Seiten gleich weit herausragte. Dieses System wurde in die Richtung der Inclinationsnadel gestellt und dann (während die Magnetnadel vollkommen ruhig war) so umgekehrt, dass das untere Ende nach oben, das Ganze jedoch wieder in dieselbe Richtung zu liegen kam; augenblicklich wurde die Nadel abgelenkt. Als diese in ihre Ruhelage zurückgekehrt war, wurde die Spirale mit ihrem Eisenkern abermals umgekehrt, und nachdem dies zwei bis dreimal so wiederholt worden war, dass die Umkehrungen in Uebereinstimmung mit den Schwingungen erfolgten, betrug der schiessliche Ausschlag der Nadel 150° bis 160°.

142. Die Richtung der Ablenkung der Nadel blieb dieselbe, gleichviel in welcher Richtung das anfänglich obere Ende, das mit A bezeichnet sein mag, (B sei also das untere Ende) in die umgekehrte Lage gelangte, ob rechts herum oder links herum oder in einer anderen Bahn. Ebenso bewirkte, wenn B das obere Ende war, die Umkehrung der Spirale mit ihrem Eisenkern, in welcher Richtung dieselbe auch erfolgte, stets dieselbe, der im ersteren Falle jedoch entgegengesetzte Ablenkung der Nadel.

143. Wurde die Spirale mit ihrem Eisenkern aus einer gegebenen Lage umgekehrt, so war die Wirkung so, wie wenn ein mit seinem bezeichneten Pol abwärts gerichteter Magnet von oben in die umgekehrte Spirale eingeführt worden wäre. Wenn beispielsweise B oben wäre, so würde durch die von oben her erfolgende Einführung eines solchen Magnets das bezeichnete Ende der Galvanometernadel nach West ausweichen. Dieselbe Wirkung ergab sich, wenn B unten war, der weiche Eisenkern sich an seiner bestimmten Stelle befand, und das Ganze umgekehrt wurde.

144. Der weiche Eisenstab für sich, wenn er aus der Spirale herausgenommen und in verschiedenen Richtungen in einer Entfernung von vier Fuss vom Galvanometer umgekehrt wurde, brachte nicht die geringste Wirkung auf dasselbe hervor.

145. Diese Erscheinungen sind die nothwendige Folge der inducirenden Kraft des Erdmagnetismus, wodurch der Eisencylinder zu einem Magnet wird, und zwar wird sein abwärts gerichtetes Ende der bezeichnete Pol. Dieser Versuch ist dem analog, wo zwei Stabmagnete zur Magnetisirung desselben Cylinders in derselben Spirale benutzt wurden (36), und die Umkehrung der Lage in dem vorliegenden Versuche ist gleichwerthig der Umkehrung der Pole in jenem. Aber das Resultat ist nicht minder ein Beispiel der Elektricitätserregung durch den Erdmagnetismus.

146. Die Spirale wurde nun allein dauernd in der Inclinationsrichtung gehalten, und dann der weiche Eisencylinder hineingeschoben, sogleich wurde die Galvanometernadel abgelenkt; als sie zurückkehrte, wurde der Cylinder herausgezogen, und indem man diese beiden Operationen isochron mit den Schwingungen der Nadel wiederholte, erstreckten sich letztere bald über einen Bogen von 180^0. Die Wirkung war genau dieselbe wie diejenige bei Anwendung eines cylindrischen Magnets, dessen bezeichneter Pol nach unten wies, und die Bewegungsrichtung u. s. w. war in vollkommener Uebereinstimmuug mit den Resultaten, welche in früheren Versuchen mit einem solchen Magnet erhalten wurden (39). Als ein Magnet in dieser Lage angewandt wurde, waren die Ablenkungen derselben Art, nur stärker. Wurde die Spirale senkrecht zur Inclinationsrichtung gestellt, so übte das Einschieben oder Herausziehen des weichen Eisencylinders keine Wirkung auf die Nadel aus. Bei jeder anderen zur Inclinationsrichtung geneigten Lage erhielt man gleichartige Wirkungen, die an Grösse in dem Maasse zunahmen als die Lage der Spirale sich der Inclinationsrichtung näherte.

147. Der cylindrische Magnet übte seine beträchtliche Wirkung auf das Galvanometer nur aus beim Hineinschieben in die Spirale oder beim Herausziehen, aber die Ablenkung ist keineswegs eine dauernde (39), vielmehr kehrt die Nadel in ihre ursprüngliche Lage zurück, auch wenn der Magnet in der Spirale verbleibt. Wurde aber der Versuch der Umkehrung (mit dem Magnet) in Richtung der Inclinationsnadel (141) wiederholt, so wurde die Nadel ebenso stark beeinflusst wie zuvor; dies beweisst, dass die Störung des Magnetismus durch die inducirende Kraft der Erde im Stahlmagnet nahezu, wenn nicht ebenso gross ist und ebenso rasch erfolgt wie im weichen Eisen. Auf diesem Wege werden magnetoelektrische Vorrichtungen sich wahrscheinlich sehr nützlich zeigen zum Nachweis von Störungen magnetischer Kräfte in Fällen, wo andere Mittel hierzu nicht anwendbar sind; denn es ist nicht die gesammte magnetische Kraft, welche den sichtbaren Effect hervorruft, sondern nur die von den störenden Ursachen herrührende Differenz.

148. Diese günstigen Resultate liessen mich hoffen, die directe magnetoelektrische Induction der Erde zur Wahrnehmung bringen zu können, und die Erreichung dieses Zieles ist mir schliesslich auf mannigfache Weise gelungen. Wurde die eben erwähnte Spirale (141, 6), ohne Eisen- oder Stahlcylinder, in die Richtung der Inclinationsnadel gestellt und dann umgekehrt, so war eine schwache Wirkung am Galvanometer zu beobachten. Wiederholte man die Umkehrung zehn bis zwölf Mal in solchen Perioden, dass die ablenkenden Kräfte der in der Spirale erregten elektrischen Ströme das Bewegungsmoment der Nadel verstärkten (39), so führte letztere bald Schwingungen von 80^0 bis 90^0 aus. Hier sind also, ohne Anwendung einer eisenhaltigen Substanz, direct durch die inducirende Kraft des Erdmagnetismus in einem Metalle, welches keine der gewöhnlichen magnetischen Erscheinungen zeigt, elektrische Ströme erregt worden. Der Versuch entspricht in jeder Beziehung den bei Annäherung derselben Spirale an einen oder beide Pole eines kräftigen Magnets hervorgerufenen Erscheinungen (50).

149. Geleitet von dem bereits ausgesprochenen Gesetze (114), erwartete ich nun, dass alle elektrischen Erscheinungen der rotirenden Metallscheibe sich ohne einen sonstigen Magnet, lediglich durch die Erde würden hervorbringen lassen. Die so oft erwähnte Scheibe (85) wurde demnach so aufgestellt, dass sie in einer horizontalen Ebene rotiren konnte. Die magnetischen Curven der Erde (114, Anmerkung) d. h. die Inclinationsrichtung schnitt diese Ebene in einem Winkel von etwa 70^0; diese Lage konnte als der Senkrechten nahe genug angesehen werden, um zu erwarten, dass die magnetoelektrische Induction hinlänglich zur Wirkung gelangen würde, um einen elektrischen Strom zu erregen.

150. Dem Gesetze (114, 121) gemäss mussten bei der Rotation der Scheibe die Ströme in Richtung der Radien in *allen* Theilen der Scheibe fliessen, entweder vom Centrum zur Peripherie oder von der Peripherie zum Centrum, je nach der Rotationsrichtung der Scheibe. Der eine der Galvanometerdrähte wurde daher mit der Axe der Scheibe in Contact gebracht, der andere mit einem Sammler oder Ableiter aus Blei verbunden (86), welcher selbst gegen den amalgamirten Rand der Scheibe angelegt wurde. Rotirte die Scheibe, so erfolgte eine deutliche Wirkung auf die Galvanometernadel; bei umgekehrter Rotationsrichtung wich auch die Nadel nach der entgegengesetzten Seite aus, und wenn man die Wirkung der Scheibe in Uebereinstimmung setzte mit den Schwingungen der Nadel, so betrug der Ausschlag bald die Hälfte des Kreises.

151. Welcher Theil des Scheibenrandes auch immer mit dem Ableiter in Contact gebracht wurde, der elektrische Strom war derselbe, wenn nur die Rotationsrichtung dieselbe blieb.

152. Erfolgte die Rotation der Scheibe im Sinne einer *rechtsdrehenden Schraube* oder eines Uhrzeigers, so ging der elektrische Strom (150) vom Centrum nach der Peripherie, bei einer im Sinne einer *linksdrehenden Schraube* stattfindenden Rotation von der Peripherie zum Centrum. Diese Richtungen sind denen gleich, welche auftraten, wenn der unbezeichnete Pol eines Magnets sich unmittelbar unter der rotirenden Scheibe befand (99).

153. Befand sich die Scheibe im magnetischen Meridian oder in einer anderen mit der Inclinationsrichtung *zusammenfallenden* Ebene, so übte ihre Rotation keine Wirkung auf das Galvanometer aus. Betrug jedoch ihre Neigung zu dieser Richtung nur wenige Grade, so trat bei der Rotation Elektricität auf. Stand sie z. B. aufrecht in einer zum magnetischen Meridian senkrechten Ebene, und war demnach ihre eigene Ebene um etwa 20^0 zur Richtung der Inclinationsnadel geneigt, so wurde ein elektrischer Strom erregt, dessen Stärke mit ihrer Neigung zunahm und, bei gegebener Rotationsgeschwindigkeit, ein Maximum erreichte, wenn sie zur Inclinationsrichtung senkrecht stand.

154. Es ist gewiss überraschend zu sehen, dass die rotirende Kupferscheibe so zu einer *neuen Elektrisirmaschine* wird, und merkwürdige Resultate ergeben sich bei einem Vergleiche mit der gewöhnlichen Maschine. In dieser steht die Substanz der Scheibe obenan in der Reihe der Nichtleiter, in jener ist sie der vollkommenste Leiter; bei ersterer ist die Isolation wesentlich, bei letzterer schädlich. In Bezug auf die zu gewinnenden Elektricitätsmengen steht die metallische Maschine nicht ganz derjenigen, deren Scheibe gläsern ist, nach, denn erstere kann einen constanten, die Galvanometernadel ablenkenden Strom hervorbringen, was letztere nicht vermag. Freilich hat die Stärke jenes Stromes bisher nicht so gesteigert werden können, um ihn zu seinen sonst bekannten Anwendungen nutzbar zu machen, aber Alles berechtigt zu der Erwartung, dass dies in der Folge erreicht werden wird, und wahrscheinlich auf mehrfache Weise. Wie schwach auch der Strom erscheinen mag, er ist doch so stark, wenn nicht stärker, als irgend ein thermoelektrischer Strom, denn er kann durch Flüssigkeiten hindurchgehen (23), das Nervensystem reizen und bringt bei Anwendung eines Elektromagnets Funken hervor (32).

155. Eine ein fünftel Zoll dicke Kupferscheibe von nur anderthalb Zoll Durchmesser wurde am Rande amalgamirt, und in ein quadratisches Stück Tafelblei (Kupfer wäre besser gewesen) von derselben Dicke ein kreisrundes Loch geschnitten, in welches die Scheibe lose hineinpasste; ein wenig Quecksilber vervollständigte den metallischen Contact zwischen der Scheibe und dem sie umgebenden Ringe, welcher mit dem einen Galvanometerdraht verbunden wurde, während der andere in ein mit Quecksilber gefülltes, auf dem oberen Ende der Kupferaxe der kleinen Scheibe befestigtes Metallschälchen tauchte. Bei der Rotation der Scheibe in einer horizontalen Ebene wurde die Galvanometernadel abgelenkt, obschon allein die Erde den wirkenden Magnet bildete, und der Radius der Scheibe nur drei viertel Zoll betrug, der Strom also in einem nur kleinen Raum erregt wurde.

156. Als ein Magnetpol unter die rotirende Scheibe gestellt wurde, konnte eine dauernde Ablenkung der Galvanometernadel erzielt werden.

157. Wandte man, anstatt der bisher benutzten dünnen Kupferdrähte (86), solche von einem sechstel Zoll Dicke an, so wurden weit kräftigere Wirkungen erhalten, und vielleicht würden sich dieselben noch weiter haben steigern lassen, wenn der Multiplicator, anstatt aus vielen Windungen dünnen Drahtes, aus wenigen Windungen dicken Drahtes bestanden hätte.

158. Ich habe die Absicht, einen Apparat von der Form herzustellen, dass mehrere Scheiben über einander angebracht werden; die Scheiben sollen abwechselnd an den Rändern und den Mittelpunkten durch Quecksilber metallisch verbunden und abwechselnd in entgegengesetzter Richtung in Rotation versetzt werden, d. h. die erste, dritte, fünfte, u. s. w. rechts herum, und die zweite, vierte, sechste, u. s. w. links herum; das ganze System soll so aufgestellt werden, dass die Scheiben zur Inclinationsrichtung senkrecht stehen oder die magnetischen Curven kräftiger Magnete am directesten schneiden. Der elektrische Strom würde in der einen Scheibenreihe vom Centrum zur Peripherie, in der anderen, zu beiden Seiten der ersteren, von der Peripherie zum Centrum, und so würde die gemeinsame Wirkung des Systems einen stärkeren Gesammtstrom erzeugen.

159. Ich war indessen mehr darauf bedacht, neue Thatsachen und neue Beziehungen der magnetoelektrischen Induction zu entdecken, als die Wirkung der bereits gewonnenen zu erhöhen, überzeugt, dass letztere ihre volle Entwickelung späterhin finden werden.

---

160. In meiner vorigen Abhandlung wies ich darauf hin, dass wahrscheinlich die magnetoelektrische Induction der Erde (137), sei es ausschliesslich, sei es theilweise, von Einfluss ist auf die bei der Rotation von Eisenkörpern von Christie und Barlow[1]) und besonders auf die von Letzterem bei schneller Rotation einer Eisenkugel beobachteten Erscheinungen, welche dieser Physiker auf eine Aenderung in der gewöhnlichen Vertheilung des

1) Christie, Phil. Trans. 1825. pp. 58. 347, etc. Barlow, Phil. Trans. 1825. p. 317.

Magnetismus in der Kugel zurückführte. Ich sprach auch die Vermuthung aus, dass die Rotation einer Kupferkugel es ermöglichen würde, die von elektrischen Strömen herrührenden von den durch blosse Aenderung in der Anordnung des Magnetismus verursachten Wirkungen zu trennen, und so Licht werfen würde auf die wahre Natur der Erscheinungen.

161. In Erwägung des früher aufgestellten Gesetzes (114) schien es unmöglich, dass eine Metallkugel unter natürlichen Verhältnissen rotiren könnte, ohne dass elektrische Ströme in ihrer Masse entständen, welche rings um die rotirende Kugel in einer zur Rotationsebene senkrechten Ebene kreisten, vorausgesetzt, dass die Rotationsaxe nicht mit der Richtung der Inclinationsnadel zusammenfiele; diese Ströme, so schien es, würden am stärksten sein, wenn die Rotationsaxe senkrecht zur Richtung der Inclinationsnadel wäre, denn in diesem Falle würden alle Theile der Kugel, welche unter einer durch ihren Mittelpunct gehenden, zur Inclinationsrichtung senkrechten Ebene liegen, bei der Bewegung die magnetischen Curven in der einen, alle über jener Ebene liegenden Theile dieselben in der anderen Richtung schneiden. In diesen bewegten Theilen würden also Ströme von einem Rotationspol zum anderen gehen; da aber die Richtung der oberen entgegengesetzt wäre derjenigen der unteren Ströme, so würden sie vereint eine continuirliche Circulation der Elektricität ergeben.

162. Da die elektrischen Ströme in der Kugel nirgends unterbrochen sind, so erwartete ich kräftige Wirkungen und bemühte mich, sie mit einem einfachen Apparate zu erhalten. Die von mir benutzte Kugel, welche von einer alten Elektrisirmaschine herrührte, war von Messing, hohl, dünn (zu dünn) und hielt vier Zoll im Durchmesser. In dieselbe wurde ein Messingdraht eingeschraubt, und die Kugel entweder am Drahte mit der Hand bewegt, oder bisweilen, um grössere Gleichförmigkeit zu erzielen, mit ihrem Drahte auf ein ausgekerbtes Stück Holz gelegt und ebenfalls mit der Hand in Bewegung gesetzt. Ruhend wies die Kugel keine Anzeichen von Magnetismus auf.

163. Zum Nachweis der Ströme wurde eine Doppelnadel benutzt, die folgendermassen hergestellt ward: Eine Nähnadel, deren Kopf und Spitze abgebrochen ward, wurde magnetisirt und in der Mitte durchbrochen; beide magnetisirten Hälften wurden an einen trockenen Strohhalm senkrecht zu demselben so befestigt, dass sie etwa vier Zoll von einander abstanden; beide lagen in einer und derselben Ebene, aber ihre gleichnamigen Pole nach entgegengesetzten Richtungen. Der Strohhalm wurde an einem sechs Zoll langen Faden von ungesponnener Seide, und dieser an einen Stift befestigt, welcher durch einen Kork in der Mündung einer cylindrischen Flasche hindurchging. Das System, vor Luftströmungen völlig geschützt, wurde durch den Erdmagnetismus nur wenig beeinflusst, war aber doch sehr empfindlich gegen magnetische und elektrische Kräfte, die in die Nähe der einen oder anderen Nadel gebracht wurden.

164. Das Nadelpaar wurde parallel zur Ebene des magnetischen Meridians eingestellt, und die Kugel neben der Glasflasche westlich von den Nadeln in solcher Höhe angebracht, dass ihr Mittelpunkt mit der oberen Nadel in einer Horizontalen sich befand, während ihre Axe in der Ebene des magnetischen Meridians senkrecht zur Inclinationsrichtung lag. Als nun die Kugel in Rotation versetzt wurde, erfolgte augenblicklich eine Einwirkung auf die Nadel und ebenso, aber im entgegengesetztem Sinne, bei Umkehrung der Rotation. Rotirte die Kugel von Ost nach West, so wich der bezeichnete Pol östlich aus, und bei entgegengesetzter Rotationsrichtung westlich, oder gegen die Kugel hin. War die Kugel östlich von den Nadeln aufgestellt, so befolgten die Ablenkungen den gleichen Gang, d. h. wenn die Kugel von Ost nach West rotirte, so ging der bezeichnete Pol nach Ost (oder gegen die Kugel hin) und bei entgegengesetzt gerichteter Rotation ging er nach West.

165. Als die Nadeln durch Tordiren des Anfhängungsfadens in eine zur Ebene des magnetischen Meridians senkrechte Lage gebracht wurden, und die Kugel um die nun parallel zu den Nadeln liegende Axe in Rotation versetzt wurde, war die Einwirkung auf die Nadel so wie vorher, und die Art der Ablenkung zeigte, dass die Einwirkung lediglich von den in der Messingkugel auftretenden elektrischen Strömen herrührte.

166. Betrachtet man den oberen Theil der rotirenden Kugel als einen über dem unbezeichneten Erdpol von Ost nach West sich bewegenden Draht, so muss der elektrische Strom in ihm von Nord nach Süd gehen (99, 114, 150); betrachtet man ebenso den unteren Theil als einen über denselben Pol von West nach Ost sich bewegenden Draht, so muss der elektrische Strom von Süd nach Nord gehen, und daher wird der Kreislauf der Elektricität in einer in unseren Breiten von Ost aufwärts nach West rotirenden Metallkugel oben von Nord nach Süd und unten zurück nach Nord stattfinden. Diese Ströme sind nun aber gerade diejenigen, welche erforderlich sind, um in den obigen Versuchen der Nadel die angegebenen Richtungen zu ertheilen, so dass die Uebereinstimmung der Theorie, welche zu den Versuchen hinleitete, mit diesen selbst eine vollkommene ist.

167. Auch bei beträchtlicher Neigung der Rotationsaxe fand eine Einwirkung der rotirenden Kugel auf die Magnetnadel statt, und erst bei kleinem Winkel der ersteren mit der Inclinationsrichtung verschwanden die Wirkungen selbst auf diesen Apparat (153). Ist die Axe der rotirenden Kugel parallel zur Inclinationsrichtung, so bietet sie offenbar einen der Kupferscheibe analogen Fall, und die Elektricität der einen Art kann dann am Aequator, die der anderen an den Polen der Kugel gesammelt werden.

168. Ein Strom in einer solchen Kugel wie die oben beschriebene (161) müsste eine Nadel nach derselben Richtung ablenken, gleichviel ob diese rechts oder links von der Kugel und ihrer Rotationsaxe sich befände, dagegen müsste er sie nach entgegengesetzter Richtung treiben, wenn sie über oder unter der Kugel läge, denn dann wird oder müsste der Strom in entgegengesetztem Sinne auf die Nadel wirken. Diese Erwartung erfüllte sich, als man die Kugel unterhalb der in der Flasche eingeschlossenen Magnetnadel rotiren liess. Rotirte die Kugel von Ost aufwärts nach West, so ging der bezeichnete Pol der Nadel nicht ostwärts, sondern westwärts, und bei der von West aufwärts nach Ost stattfindenden Rotation ging er ostwärts.

169. Die so mittelst einer Messingkugel erhaltenen Ablenkungen sind genau von derselben Richtung, wie die, welche Barlow bei der Rotation einer Eisenkugel beobachtet hat, und da das Eisen ebenso wie irgend ein anderes Metall die Erscheinungen der magnetoelektrischen Induction unabhängig von seinem besonderen magnetischen Verhalten (132*) darbietet, so ist es unmöglich, dass in diesen Versuchen nicht elektrische Ströme aufgetreten und wirksam gewesen sein sollen. Welcher Antheil der Gesammtwirkung dieser Ursache zuzuschreiben sei, das muss einer eindringenderen Erforschung all dieser Phänomene zu entscheiden überlassen bleiben.

170. Diese Resultate in Verbindung mit dem früher aufgestellten allgemeinen Gesetze (114) führten mich zu einem Versuche von ausserordentlicher Einfachheit, dessen Ergebniss dennoch der Erwartung vollkommen entsprach. Die Ausschliessung aller fremdartigen Umstände und jeglicher Complicirtheit des Apparates, und die völlige Bestimmtheit der Angaben machen diesen einzigen Versuch zu einem Inbegriff fast aller Thatsachen der magnetoelektrischen Induction.

171. Ein etwa acht Fuss langer, ein zwanzigtsel Zoll dicker Kupferdraht wurde an die Enden des Galvanometerdrahtes befestigt, so dass er den Galvanometerkreis in sich schloss, und dann erst in die Gestalt eines Rechteckes oder vielmehr einer Schlinge gebogen, deren oberer Theil über das Galvanometer hin und her bewegt wurde, während der untere nebst dem damit verbundenen Galvanometer fest blieb (Tafel II. Fig. 30). Bewegte man diese Schlinge von der Rechten zur Linken über das Galvanometer hin, so wurde die Nadel augenblicklich abgelenkt, und bei der Rückkehr der ersteren schlug diese nach der entgegengesetzten Seite aus. Wiederholte man diese Bewegungen der Schlinge in Uebereinstimmung mit den Schwingungen der Nadel (39), so betrug die Amplitude derselben bald 90^0 und darüber.

172. Um die Beziehung des im Drahte erregten elektrischen Stromes zu seiner Bewegung zu erfassen, denke man sich die Galvanometerwindungen fort und den rechteckig geformten Draht mit seiner unteren Seite horizontal und in der Ebene des magnetischen Meridians liegend, und eine der Richtkraft der Erde unterworfene Nadel über der Mitte dieser Seite aufgehängt (Fig. 30). Bewegte sich nun die obere Seite des Rechteckes von West nach Ost in

---

*) Dieser Hinweis ist offenbar irrthümlich, und es ist wohl 138 gemeint. D. Ü.

die durch die punktirte Linie dargestellte Lage, so wich der bezeichnete Pol der Magnetnadel nach West aus; der elektrische Strom ging demnach in dem unter der Nadel liegenden Theile des Drahtes von Nord nach Süd und in dem bewegten oder oberen Theile des Parallelogramms von Süd nach Nord. Führte man den oberen Theil des Rechteckes von Ost nach West über das Galvanometer hin, dann ging der bezeichnete Pol nach Ost, der elektrische Strom war also von umgekehrter Richtung wie der vorige.

173. War das Rechteck in einer Ost-West-Ebene aufgestellt und die Magnetnadel, sei es durch Torsion des Aufhängungsfadens, sei es durch einen Richtmagnet, in eine derselben parallele Lage gebracht, so waren die Erscheinungen im Allgemeinen dieselben. Bewegte man den oberen Theil des Rechteckes von Nord nach Süd, so wich der bezeichnete Pol der Nadel nach Nord aus, und nach Süd, wenn ersterer in der entgegengesetzten Richtung bewegt wurde. Dieselbe Wirkung trat ein, wenn die Bewegung des Drahtes in irgend einem anderen Azimuth in Bezug auf die Inclinationsrichtung erfolgte: die Richtung entsprach stets dem obigen Gesetze (114) und auch den Richtungen, welche mit der rotirenden Kugel erhalten wurden (164).

174. Es ist bei diesen Versuchen nicht nothwendig, das Galvanometer oder die Nadel aus ihrer ursprünglichen Lage zu entfernen, es genügt völlig, den Draht da, wo er das Instrument verlässt, so zu biegen, dass der obere Theil in der verlangten Richtung bewegt werden kann.

175. Der bewegliche Theil des Drahtes wurde nun *unter* dem Galvanometer angebracht, so dass er die Inclinationsrichtung durchkreuzen konnte. Die Einwirkung auf das Instrument erfolgte wie früher und in derselben Richtung, d. h. wenn die Bewegung unter dem Instrumente von West nach Ost geschah, so ging der bezeichnete Pol der Nadel, wie zuvor, nach West. Dies musste natürlich eintreten, denn wenn der Draht die Inclinationsrichtung in einem bestimmten Sinne schneidet, so muss auch ein Strom von einer bestimmten Richtung in ihm inducirt werden.

176. Wenn in Fig. 31 *d p* parallel zur Inclinationsrichtung ist und BA den oberen Theil des Rechteckes (171) darstellt, welcher mit dem an ihm sitzenden Pfeile *c* in einer zur Inclinationsrichtung senkrechten Ebene liegt, dann muss, wie auch BA mit dem daran sitzenden Pfeile über *d p* als eine Axe bewegt wird, wenn er in Richtung des Pfeiles fortrückt, ein elektrischer Strom von B nach A gehen.

177. Wurde der bewegliche Theil des Drahtes aufwärts oder abwärts parallel zur Inclinationsrichtung geführt, so erfolgte keine Einwirkung auf das Galvanometer. Hatte aber die Bewegungsrichtung eine geringe Neiguug zur Richtung der Inclinationsnadel, so trat Elektricität auf und erreichte ein Maximum, wenn die Richtung der Bewegung zu jener senkrecht war.

178. Gleich starke Wirkungen erfolgten bei der Bewegung des Drahtes, wenn er in andere Formen gebogen war, besonders als man ihm, anstatt einer rechteckigen, die Gestalt einer doppelten Kettenlinie gab und die beiden einzelnen Curven oder Hälften des an einer Seite des Galvanometers angebrachten Drahtes gleichzeitig in entgegengesetzten Richtungen schwingen liess; ihre Einwirkungen auf das Galvanometer addirten sich in diesem Falle, doch liessen sich alle diese Resultate auf die oben beschriebenen zurückführen.

179. Je länger der bewegte Draht, und je grösser die Bahn ist, in der er sich bewegt, desto grösser ist die Wirkung auf das Galvanometer.

180. Bei der Leichtigkeit, mit welcher unter dem Einflusse von Magneten elektrische Ströme in bewegten Metallen entstehen, wird man fortan darauf bedacht sein müssen, bei Versuchen mit Metallen und Magneten stets Vorsichtsmassregeln gegen solche Einwirkungen zu treffen. In Anbetracht der Allgegenwart des magnetischen Einflusses der Erde ist es eine dem Geiste als etwas ganz Ausserordentliches erscheinende Folgerung, dass schwerlich ein Metall in Contact mit anderen, sei es dass diese selbst ruhen, sei es dass sie mit verschiedenen Geschwindigkeiten oder in verschiedenen Richtungen in Bewegung sind, sich bewegen könne, ohne dass elektrische Ströme in ihnen auftreten. Wahrscheinlich finden sich unter den Theilen von Dampfmaschinen oder anderen metallenen Maschinen zufällig eigenthümliche magnetoelektrische Combinationen, welche Wirkungen hervorbringen, die niemals beobachtet, oder, wenn bemerkt, noch niemals verstanden worden sind.

---

181. Erwägt man die eben beschriebenen Wirkungen der magnetoelektrischen Induction der Erde, so ist es fast unmöglich sich des Gedankens zu erwehren, dass ähnliche, aber unendlich stärkere Wirkungen von der Erde, als einem Magnet, in Folge ihres täglichen Umlaufs auf ihre eigene Masse hervorgebracht werden mögen. Man könnte meinen, dass wenn in unseren Breiten ein Metallstab auf der Erdoberfläche parallel zum magnetischen Meridian läge, ihn in Folge seiner Fortführung von West nach Ost (172) durch die Rotation der Erde ein elektrischer Strom von Süd nach Nord zu durchlaufen suchen würde; in einem anderen Stabe, der in derselben Richtung liegend mit jenem durch Drähte verbunden wäre, würde der Strom sich jedoch nicht ausgleichen können, weil er die gleiche Tendenz zu einem Inductionsstrome derselben Richtung hätte. Wenn aber der letztere Stab von Ost nach West fortgeführt würde, was einer Verzögerung der ihm durch die Erdrotation ertheilten Bewegung gleichkommt (172), dann würde der in dem ersten Stabe von Süd nach Nord gehende elektrische Strom in Folge seiner gleichzeitigen Entladung in dem zweiten erkennbar sein.

182. Nimmt man an, dass aus der Rotation der Erde sich die Tendenz ergiebt, durch magnetoelektrische Induction Ströme in ihrer eigenen Masse zu erregen, so würden dieselben, dem Gesetze (114) und den Versuchen gemäss, wenigstens auf der Oberfläche von dem der Aequatorialebene benachbarten Theilen in entgegengesetzten Richtungen nach den Polen fliessen, und wenn man Collectoren am Aequator und an den Polen der Erdkugel anbrächte, wie es bei der rotirenden Kupferscheibe (150) und auch bei Magneten (220) geschah, so würde negative Elektricität am Aequator und positive an beiden Polen (222) aufgefangen werden. Aber ohne Ableiter oder eine ihnen gleichwerthige Vorrichtung würden diese Ströme offenbar nicht auftreten können, da sich ihnen kein Weg zur Entladung darböte.

183. Ich hielt es nicht für unmöglich, dass in Bezug auf die Intensität des Stromes, welcher durch magnetoelektrische Induction erregt oder zu erregen gesucht wird, gewisse natürliche Unterschiede zwischen den Körpern obwalten möchten, welche, indem man dieselben einander entgegenstellt, zur Erscheinung gebracht werden könnten, besonders da Arago, Babbage, Herschel und Harris sämmtlich grosse Unterschiede in der Fähigkeit, eine Rotationsbewegung unter Einfluss eines Magnets anzunehmen oder ihm zu ertheilen, aufgefunden haben, und nicht nur zwischen Metallen und anderen Substanzen, sondern auch zwischen den Metallen selbst (130). Ich nahm daher zwei je einhundertundzwanzig Fuss lange Drähte, einen von Eisen, den anderen von Kupfer, verband ihre Enden mit einander und spannte sie in Richtung des magnetischen Meridians aus, so dass sie zwei nahezu parallele Gerade bildeten, die sich nur an ihren Enden berührten. Darauf schnitt ich den Kupferdraht in der Mitte durch und untersuchte ihn an einem empfindlichen Galvanometer, jedoch ohne eine Spur von einem elektrischen Strome zu entdecken.

184. Dank dem Wohlwollen Seiner Königlichen Hoheit des Präsidenten der Gesellschaft, erhielt ich von Sr. Majestät die Erlaubniss, Versuche an dem See in den Gärten des Kensington-Palastes anzustellen, um in ähnlicher Weise Wasser und Metall zu vergleichen. Dieser See, welcher von der Chelsea Company mit Wasser versehen wird, hat ein künstliches Becken; es fliesst keine Quelle in ihm, und er bot mir, was ich suchte, nämlich eine gleichförmige Masse ruhigen, reinen Wassers mit Ufern, die sich nahezu von Ost nach West und von Nord nach Süd erstrecken.

185. Zwei vollkommen reine, blanke Kupferplatten von je vier Quadratfuss Oberfläche wurden an die Enden eines Kupferdrahtes gelöthet und nord-südlich zu einander in's Wasser getaucht, während der sie verbindende Draht am Ufer auf dem Grase lag. Die Platten hatten in gerader Linie einen Abstand von etwa vierhundertundachtzig Fuss von einander, der Draht war wahrscheinlich sechshundert Fuss lang. Dieser Draht wurde darauf in der Mitte durchschnitten und vermittelst zweier Quecksilberschälchen mit einem empfindlichen Galvanometer verbunden.

186. Anfänglich wurden Anzeichen von elektrischen Strömen erhalten; als dieselben jedoch durch Umkehrung des Contactes oder auf andere Weise näher untersucht wurden, ergab sich, dass sie von anderen Ursachen herrührten als derjenigen, nach welcher ich suchte. Eine geringe Temperaturdifferenz, eine minimale Menge des zur Amalgamirung der Drähte verwandten Quecksilbernitrats, welche in das zur Erhaltung der beiden Quecksilberschälchen auf gleicher Temperatur dienende Wasser gelangt war, reichte hin, elektrische Ströme zu erzeugen, welche auf das Galvanometer einwirkten, trotzdem sie einen Weg von nahezu fünfhundert Fuss durch das Wasser zurückzulegen hatten. Waren diese und andere störende Ursachen ausgeschlossen, so trat keine Wirkung ein, und es schien daher, dass zwei einander so unähnliche Substanzen, wie Wasser und Kupfer, wenn sie die magnetischen Curven der Erde mit gleicher Geschwindigkeit schneiden, sich in ihren Wirkungen vollkommen neutralisiren.

187. Fox in Falmouth hat einige hochwichtige Resultate in Bezug auf die Elektricität der Metallgänge in den Gruben von Cornwall erhalten, welche in den Philosophical Transactions[1]) veröffentlicht worden sind. Ich habe diese Abhandlung in der Absicht studirt, zu ermitteln, ob sich irgend eine dieser Erscheinungen mit Wahrscheinlichkeit auf magnetoelektrische Induction zurückführen lasse, allein ich glaube es nicht, obschon ich mir keine ganz bestimmte Meinung zu bilden vermochte. Wurden parallele, von Ost nach West laufende Gänge verglichen, so hatte der elektrische Strom *in den Drähten* im Allgemeinen die Richtung von Nord nach Süd; wurde der Vergleich zwischen Theilen an der Oberfläche und in einiger Tiefe angestellt, so ging der Strom in den Drähten von oben nach unten. Sollte also in der Stärke der durch magnetoelektrische Induction erregten Ströme ein natürlicher Unterschied zwischen verschiedenen Substanzen, oder zwischen Substanzen, die in verschiedenen Lagen sich mit der Erde bewegen, vorhanden sein, welcher bei Zunahme der der Einwirkung unterworfenen Massen in die Erscheinung träte, dann könnten die Drähte und Gänge, an denen Fox seine Versuche angestellt hat, vielleicht als Entlader der Elektricität der zwischen ihnen eingeschlossenen Schichtmassen gewirkt haben, und die Stromrichtungen wären in Uebereinstimmung mit den oben beobachteten.

188. Wiewohl die in einem wenige Fuss langen Drahte durch magnetoelektrische Induction erhaltene Elektricität nur von geringer Intensität ist und bisher ausschliesslich in Metallen und in Kohle von besonderer Modification beobachtet worden ist, so vermag sie doch durch Kochsalzlösung zu gehen (23); und da eine Verlängerung der der Einwirkung unterworfenen Substanz eine Zunahme der Intensität zur Folge hat, so hoffte ich, durch grosse, strömende Wassermassen Wirkungen zu erhalten, obschon ruhiges Wasser keine ergab. Ich stellte daher (wie es mir gestattet war) Versuche an der Waterloo Brücke an, indem ich einen neunhundertundsechzig Fuss langen Kupferdraht über die Brustwehr ausspannte und von den Enden vermittelst anderer Drähte zwei grosse daran befestigte Platten herabhängen liess, so dass diese unter Wasser tauchten und Draht nebst

---

[1]) 1830. p. 399.

nebst Wasser einen geschlossenen Kreis bildeten. Da nun das Wasser mit den Gezeiten ab- und zuströmte, so hoffte ich, Ströme, analog denen mit der Messingkugel, zu erhalten (161).

189. Ich erhielt beständig Ablenkungen am Galvanometer, aber sie waren ganz unregelmässig und mussten daher von anderen Ursachen als den gesuchten hergeleitet werden. Der verschiedene Grad der Reinheit des Wassers an dieser und jener Seite des Flusses, der Temperaturunterschied, kleine Differenzen in den Platten, in dem benutzten Löthmittel, in dem mehr oder weniger vollkommenen, durch Zusammenflechten oder auf andere Weise hergestellten Contact, all dies übte der Reihe nach seinen Einfluss aus, und obschon ich die Versuche auch bloss an dem durch die Hauptbogen der Brücke strömenden Wasser anstellte, Platinplatten anstatt der Kupferplatten benutzte und alle möglichen Vorsichtsmassregeln traf, so konnte ich dennoch während der dreitägigen Versuchsdauer keine befriedigenden Resultate erlangen.

190. Es scheint ein der Theorie nach nothwendiger Schluss zu sein, dass in fliessendem Wasser elektrische Ströme auftreten müssen. Denn denkt man sich beispielsweise eine Linie von Dover nach Calais durch die See und zurück durch den Meeresboden nach Dover gezogen, so schneidet dieselbe einen geschlossenen Kreis leitender Substanz aus, dessen einer Theil, wenn das Wasser im Canal auf- oder abwärts strömt, die magnetischen Curven der Erde schneidet, während der andere relativ in Ruhe ist. Dies wäre eine andere Form des Versuches mit dem Drahte (171), nur mit schlechteren Leitern. Indess hat man allen Grund anzunehmen, dass elektrische Ströme in der Hauptrichtung des genannten Kreises in dem einen oder anderen Sinne fliessen, je nachdem das Wasser im Canal zu- oder abströmt. Es ist nicht unwahrscheinlich, dass, wo die Breitenausdehnung des strömenden Wassers ausserordentlich wächst, die Wirkung merklich werde, und so mag vielleicht der Golfstrom, in Folge von ihn durchkreuzenden, durch magnetoelektrische Induction der Erde erregten elektrischen Strömen einen merklichen Einfluss auf die Linien der magnetischen Variation ausüben[1]).

191. Obwohl bisher positive Resultate einer Wirkung der Erde auf Wasser und wässerige Lösungen nicht erhalten worden sind, so bleibt dennoch, da die bisherigen Versuche nur einen sehr beschränkten Umfang haben, und da Flüssigkeiten bei Anwendung künstlicher Magnete doch einen Strom liefern (23), (denn Uebertragung eines Stromes beweist, dass er erregt werden kann (213)), die Annahme, dass die Erde diese Ströme in ihrer eigenen Masse (181), in Folge ihrer täglichen Umdrehung, inducirt,

---

[1]) Der Theorie nach müsste ein Schiff oder Boot, das unter nördlichen oder südlichen Breiten auf dem Wasser dahingleitet, von elektrischen Strömen, senkrecht zu seiner Bewegungsrichtung durchkreuzt werden, und ähnliche Ströme müssten auftreten, wenn das Wasser an dem vor Anker liegenden Schiffe vorbeifliesst.

in hohem Grade wahrscheinlich (222, 223); und wenn man bedenkt, dass die bewegten Massen auf einer Strecke von Tausenden von Meilen die magnetischen Curven durchkreuzen und dabei von ihnen in verschiedenen Richtungen im Innern ihrer Masse sowohl als auch an der Oberfläche geschnitten werden, so ist es wohl möglich, dass die Elektricität zu einer beträchtlichen Intensität anwächst.

192. Kaum wage ich, selbst in der hypothetischsten Form, zu fragen, ob das Nord- und Südlicht nicht am Ende eine Entladung von Elektricität sei, die, so nach den Polen hingedrängt, von dort auf natürlichen und bestimmten Wegen über der Erde zu den Aequatorialgegenden zurückzukehren strebt. Dass die Erscheinung in sehr hohen Breiten nicht auftritt, spricht keineswegs gegen diese Annahme, und es ist bemerkenswerth, dass Fox, welcher die Abweichungen der Magnetnadel während eines Nordlichtes in Falmouth beobachtete, über die Richtung diejenigen Angaben macht, welche mit der vorstehenden Ansicht übereinstimmen. Er constatirt, dass bei Nacht alle Abweichungen gen Ost erfolgten[1]), und so müsste es sein, wenn elektrische Ströme unter der Nadel im Innern der Erde von Süd nach Nord, oder in dem Raume über ihr von Nord nach Süd gingen.

§ 6. *Allgemeine Bemerkungen und Erläuterungen über Kraft und Richtung der magnetoelektrischen Induction.*

193. Bei ihrer Wiederholung und Abänderung des Arago'schen Versuches richteten Babbage, Herschel und Harris ihre Aufmerksamkeit auf die Unterschiede in der Stärke der Wirkung auf den Magnet, welche diese Physiker unter den Metallen und anderen Substanzen beobachtet hatten. Diese Unterschiede waren sehr gross[2]) und liessen mich hoffen, durch mechanische Combinationen verschiedener Metalle zu wichtigen Resultaten zu gelangen (183). Daher wurden folgende Versuche angestellt in der Absicht, einen derartigen Unterschied in der Wirkung der Metalle womöglich aufzufinden.

194. Ein mit Baumwolle übersponnener Mützendraht aus weichem Eisen wurde an seinen Enden frei gelegt, und das eine Ende mit dem einen blanken Ende eines Kupferdrahtes auf einer Strecke von achtzehn bis zwanzig Zoll wie ein Seil zusammengedreht, und so ein inniger Contact zwischen ihnen herbeigeführt. Die übrigen Theile der Drähte wurden auseinandergebogen und ihre Enden mit dem Galvanometer verbunden. Der Eisendraht war etwa zwei Fuss lang, und seine Verlängerung zum Galvanometer hin bestand aus Kupferdraht.

195. Der zusammengedrehte Kupfer- und Eisendraht (deren Berührung nur am Ende stattfand) wurde alsdann zwischen die Pole eines

1) Philosophical Transactions, 1831, p. 202.
2) Ibid. 1825, p. 472; 1831, p. 78.

kräftigen Hufeisenmagnets (Fig. 32) gebracht, allein nicht der geringste Effect war am Galvanometer zu beobachten, obschon die Vorrichtung geeignet schien, eine etwaige elektrische Differenz zwischen den beiden Metallen hinsichtlich ihrer Wirkung auf den Magnet aufzuweisen.

196. Ein weicher Eisencylinder wurde in der Mitte mit Papier umhüllt, und das zusammengedrehte Ende der genannten Drahtcombination spiralförmig herumgewickelt, während die Enden A und B mit dem Galvanometer verbunden blieben. Darauf wurde der Eisencylinder in Berührung mit den Polen eines kräftigen Magnets von dreissig Pfund Tragkraft gebracht, aber das Galvanometer gab kein Anzeichen von Elektricität. Jede Vorsicht wurde angewandt, die Wirkung bei Herstellung und Aufhebung des Contactes anzuhäufen, aber dennoch war keine Spur eines Stromes zu beobachten.

197. Kupfer und Zinn, Kupfer und Zink, Zinn und Zink, Zinn und Eisen, Zink und Eisen wurden in ähnlicher Weise (194) mit einander untersucht, aber es trat nicht das geringste Anzeichen eines elektrischen Stromes auf.

198. Zwei flache Spiralen, die eine von Kupfer, die andere von Eisen, von je achtzehn Zoll Drahtlänge, wurden mit einander und mit dem Galvanometer verbunden und dann einander so gegenübergestellt, dass ihre Windungen entgegengesetzte Richtung hatten. Aber auch hier war kein Anzeichen von Elektricität am Galvanometer wahrnehmbar, als sie dem Magnetpole (53) genähert wurden. Wurde eine Spirale gedreht, so dass nun die Windungen in beiden gleiche Richtung hatten, so war die Wirkung auf das Galvanometer sehr kräftig.

199. Die früher beschriebene (8) zusammengesetzte Spirale von Kupfer und Eisen wurde zu einer Doppelspirale so angeordnet, dass die eine nur aus Eisen von zweihundertundvierzehn Fuss, die andere nur aus Kupfer von zweihundertundacht Fuss Drahtlänge bestand. Die beiden gleichliegenden Enden AA der Kupfer- und Eisenspirale wurden mit einander und die Enden BB jeder der beiden Spiralen mit dem Galvanometer verbunden, so dass, wenn man einen Magnet nach dem Centrum hin einführte, die in Eisen und Kupfer inducirten Ströme in entgegengesetzten Richtungen laufen müssten. Wurde indess ein Magnet hineingesteckt, oder ein darin befindlicher Eisenstab durch Berührung mit Polen magnetisirt, so zeigte sich keine Wirkung auf die Nadel.

200. Eine etwa vierzehn Zoll lange Glasröhre wurde mit starker Schwefelsäure gefüllt, und ein zwölf Zoll langes, zu einem Bündel gebogenes Ende eines Kupferdrahtes in die Röhre gesteckt, so dass er einen guten Contact mit der Oberfläche der Flüssigkeit bildete, und der übrige aus der Röhre austretende Theil des Drahtes zum Galvanometer geführt. Ein ähnlich gebogener Draht wurde in das andere Ende der Schwefelsäure getaucht und gleichfalls mit dem Galvanometer verbunden, so dass bei diesem

Experiment die Säure und der Kupferdraht in demselben Parallelismus zu einander standen, wie in dem früheren (194) Eisen und Kupfer. Allein auch als dieses System zwischen die Pole des Magnets gebracht wurde, war nicht die leiseste Wirkung am Galvanometer wahrzunehmen.

201. Aus diesen Versuchen geht hervor, dass wenn verschiedenartige, zu einem Kreise vereinigte Metalle in einer in jedem Betracht gleichen Weise der magnetoelektrischen Induction ausgesetzt werden, sie in Bezug auf die Ströme, die in ihnen auftreten oder aufzutreten suchen, genau gleiche Eigenschaften darbieten. Dasselbe scheint auch für Flüssigkeiten und wahrscheinlich für alle Substanzen zu gelten.

202. Es schien jedoch unmöglich, dass diese Resultate ein Ausdruck für die relative inducirende Kraft des Magnets auf die verschiedenen Metalle sein könnten; denn dass der Effect in gewisser Beziehung zur Leitungsfähigkeit steht, schien eine nothwendige Folgerung (139) zu sein, da man gefunden hat, dass die Wirkung rotirender Scheiben auf Magnete im Allgemeinen in Beziehung steht zur Leitungsfähigkeit der angewandten Substanz.

203. In den Rotationsversuchen (81) entsteht und entladet sich der Strom in derselben Substanz, mag sie gut oder schlecht leiten; aber in dem eben beschriebenen Versuche konnte der im Eisen erregte Strom nur durch das Kupfer, und der im Kupfer erregte nur durch Eisen sich fortpflanzen, d. h., vorausgesetzt, dass in den Metallen, proportional ihrer Leitungsfähigkeit, Ströme von ungleicher Stärke erregt würden, so hätte der stärkere Strom durch den schlechteren, und der schwächere durch den besseren Leiter zu gehen.

204. Es wurden daher Versuche angestellt, in denen verschiedene Metalle, von einander isolirt, zwischen die Pole des Magnets gebracht, während ihre entgegengesetzten Enden mit demselben Ende des Galvanometerdrahtes verbunden wurden, so dass die entstehenden und zum Galvanometer fortgeleiteten Ströme entgegengesetzt gerichtet sein mussten. Bei Anwendung beträchtlicher Längen verschiedener Drähte wurden schwache Ablenkungen erhalten.

205. Um völlig befriedigende Resultate zu erlangen, wurde ein neues Galvanometer construirt, welches aus zwei von einander unabhängigen Spiralen aus mit Seide übersponnenem Kupferdraht von je achtzehn Fuss Drahtlänge bestand. Diese Spiralen waren an Gestalt und Windungszahl genau gleich und wurden so neben einander aufgestellt, dass ein kleiner Zwischenraum zwischen ihnen blieb, in dem, genau wie bei dem früheren Instrument (87), eine Doppelnadel, an einem Seidenfaden aufgehängt, schweben konnte. Wenn durch die Spiralen, die mit K und L bezeichnet sein mögen, Ströme von gleicher Richtung hindurchgesandt wurden, so wirkten sie mit der Summe, und wenn sie einander entgegengerichtet waren, mit der Differenz ihrer Kräfte auf die Nadel.

206. Die zusammengesetzte Spirale (199, 8) wurde nun durch die Enden A und B der Eisenwindungen mit den Enden A und B des Multiplicators K und durch die Enden A und B der Kupferwindungen mit den Enden B und A des Multiplicators L verbunden, so dass die in jenen beiden Spiralen erregten Ströme in entgegengesetzten Richtungen durch die Multiplicatoren K und L gehen mussten. Beim Hineinstecken eines kleinen cylindrischen Magnets in die Spiralen erfolgte eine starke Ablenkung der Galvanometernadel. Wurde die Eisenspirale ausgeschaltet, so verursachte der Magnet mit der Kupferspirale allein eine noch stärkere Ablenkung in derselben Richtung; wurde die Eisenspirale wieder eingeschaltet, die Verbindung mit der Kupferspirale aber aufgehoben, so bewirkte der Magnet eine mässige Ablenkung in entgegengesetzter Richtung. Demnach war es klar, dass der durch einen Magnet in einem Kupferdraht inducirte elektrische Strom weit stärker ist als der durch denselben Magnet in einem gleichen Eisendraht inducirte Strom.

207. Um jeden Fehler auszuschliessen, welcher daraus entstehen konnte, dass, vielleicht wegen grösserer Nähe oder anderer Umstände, der eine Multiplicator stärker auf die Nadel wirkte als der andere, wurden die Enden der Eisen- und Kupferspirale in Bezug auf die Multiplicatoren K und L vertauscht, so dass derjenige, in welchem sich vorher der Strom aus der Kupferspirale fortpflanzte, nun den Strom aus der Eisenspirale fortzuleiten hatte, und umgekehrt, aber es offenbarte sich dieselbe Ueberlegenheit des Kupfers wie in dem früheren Falle. Jene Vorsichtsmassregel wurde auch bei allen übrigen sogleich zu beschreibenden Versuchen mit anderen Metallen angewandt.

208. Ich nahm alsdann Drähte von Eisen, Zink, Kupfer, Zinn und Blei von demselben Durchmesser (sehr nahe ein zwanzigstel Zoll) und verglich genau gleiche, nämlich sechzehn Fuss betragende Längen derselben paarweise folgendermassen mit einander: Die Enden des Kupferdrahtes wurden mit den Enden A und B des Multiplicators K und die des Zinkdrahtes mit den Enden A und B des Multiplicators L verbunden. Der mittlere Theil jedes Drahtes wurde dann um einen mit Papier umhüllten Cylinder weichen Eisens, welcher lang genug war, um die Pole des Daniell gehörenden Hufeisenmagnets (56) (Fig. 33) zu verbinden, sechsmal herumgewickelt, so dass die einander gleichen Kupfer- und Zinkspiralen von je sechs Windungen den Cylinder an zwei von einander und von den Magnetpolen gleich weit entfernten Stellen umgaben; die Spiralen waren jedoch entgegengesetzt gewunden und mussten daher die Ströme in entgegengesetzter Richtung durch die Multiplicatoren K und L hindurchsenden.

209. Die Herstellung und Aufhebung des Contactes zwischen dem weichen Eisenstab und den Magnetpolen hatte eine starke Einwirkung auf das Galvanometer zur Folge, welche sich, unter Beibehaltung derselben Richtung, noch steigerte, als der Zinkdraht ausgeschaltet wurde. Unter

Beobachtung aller oben erwähnten (207) und sonstigen Vorsichtsmassregeln, zeigte es sich auf das Untrüglichste, dass der durch den Magnet im Kupfer inducirte Strom weit stärker war als der im Zink.

210. In ähnlicher Weise wurde Kupfer mit Zinn, Blei und Eisen verglichen, — es übertraf sie alle und mehr noch, als das Zink es that. Ebenso wurde Zink mit Zinn, Blei und Eisen verglichen, und der Versuch ergab, dass der im Zink auftretende Strom stärker war als der in einem der letzteren Metalle. Eisen wiederum zeigte sich dem Zinn und Blei überlegen, dann folgte Zinn in der Reihe und zuletzt Blei.

211. Die Reihenfolge dieser Metalle ist demnach: Kupfer, Zink, Eisen, Zinn, Blei, also genau diejenige, welche sie hinsichtlich ihrer elektrischen Leitungsfähigkeit, und welche sie auch, mit Ausnahme des Eisens, in den Versuchen über Rotationsmagnetismus von Babbage, Herschel, Harris u. A. bilden. Beim Eisen tritt in diesen letzteren Versuchen noch die mit seinen gewöhnlichen magnetischen Relationen zusammenhängende Kraft hinzu, und daher kann aus solchen Experimenten seine Stellung hinsichtlich der magnetoelektrischen Wirkung der gegenwärtig untersuchten Art nicht ermittelt werden, wohl aber kann dies nach der oben angegebenen Methode zuverlässig geschehen [1]).

212. Es muss noch bemerkt werden, dass in diesen Versuchen nicht die von verschiedenen Metallen herrührende Gesammtwirkung erhalten worden ist; denn von den jeden Stromkreis bildenden vierunddreissig Fuss Draht bestanden in beiden je achtzehn Fuss, nämlich die Multiplicatoren, aus Kupfer, und da die resultirende Stromstärke von dem ganzen Kreise abhängt, so musste hierdurch der Unterschied zwischen den Metallen, welcher aufgetreten wäre, wenn jeder der Kreise durchweg aus derselben Substanz bestanden hätte, vermindert erscheinen. Im vorliegenden Falle beträgt der erhaltene Unterschied wahrscheinlich nicht mehr als die Hälfte von dem, der sich gezeigt haben würde, wenn jeder Kreis in seiner Gesammtheit aus einem und demselben Metalle bestanden hätte.

213. Diese Resultate scheinen zu beweisen, dass die durch magnetoelektrische Induction erregten Ströme der Leitungsfähigkeit der Körper proportional sind. Dass sie *genau* proportional und gänzlich abhängig sind von der Leitungsfähigkeit, wird, wie ich glaube, durch die vollkommene Neutralisirung bewiesen, welche zu constatiren ist, wenn zwei Metalle oder andere Substanzen, wie Säure, Wasser, etc. etc. (201, 186) einander entgegenwirken. Der schwache Strom, welcher in dem schlechteren Leiter aufzutreten sucht, kann sich in dem besseren Leiter leichter fortpflanzen,

---

[1]) Christie, der als Berichterstatter diese Abhandlung vor ihrer Vollendung in Händen hatte, fühlte die Schwierigkeit (202) und stellte zu seiner eigenen Beruhigung Versuche mit Eisen und Kupfer und dem grossen Magnet (44) an, wobei er zu denselben Schlussfolgerungen kam, wie ich selbst. Die beiden Versuchsreihen waren vollkommen unabhängig von einander, und Keiner von uns Beiden wusste von des Anderen Vorgehen.

während die Intensität des stärkeren Stromes, der in dem letzteren sich zu entwickeln sucht, durch den Widerstand des ersteren geschwächt wird, und die Erzeugungs- und Widerstandskräfte halten sich so vollkommen das Gleichgewicht, dass sie sich gegenseitig völlig neutralisiren. Da nun der Widerstand umgekehrt proportional ist der Leitungsfähigkeit, so muss die Tendenz zur Erzeugung eines Stromes in directem Verhältniss zu derselben stehen, wenn jenes vollkommene Gleichgewicht erreicht werden soll.

214. Die Ursache der Gleichheit der Wirkung unter den angegebenen verschiedenen Umständen, wo grosse Strecken von Draht (183) oder von Draht und Wasser (184) mit einander in Verbindung gesetzt waren, welche doch so verschiedene Wirkungen auf den Magnet ausüben, ist nun klar und einfach.

215. Die Wirkungen einer rotirenden Substanz auf eine Magnetnadel oder einen Magnetstab sollten, überall wo gewöhnlicher Magnetismus nicht in's Spiel kommt, in directem Verhältniss zu ihrer Leitungsfähigkeit stehen, und ich wage nun vorherzusagen, dass sich dies als zutreffend erweisen wird, und dass in allen Fällen, wo Nichtleiter scheinbar jene besondere Einwirkung ausüben, die Bewegung von irgend einer störenden Ursache gewöhnlicher Art herrührt, wie beispielsweise von mechanischer Uebertragung der Bewegung durch die Theile des Apparates oder auf andere Weise (wie in dem von Harris angegebenen Falle[1]), oder auch von gewöhnlichen magnetischen Attractionen. Um die letzteren Wirkungen von denen der inducirten Ströme zu unterscheiden, habe ich eine sehr vollkommene Methode gefunden, welche ich alsbald beschreiben werde (243).

216. Ich habe allen Grund zu glauben, dass ein Magnetstab oder eine Magnetnadel ein ausgezeichnetes Mittel zur Messung der Leitungsfähigkeit der in ihrer Nähe rotirenden Substanzen sein dürfte; denn ich habe durch sorgfältige Experimente gefunden, dass, wenn ein constanter elektrischer Strom hintereinander durch eine Folge von gleich starken Drähten von Kupfer, Platin, Zink, Silber, Blei und Zinn geleitet wird, die Ablenkung der Nadel bei allen gleich ist. Man muss sich erinnern, dass auf Körper, die in einer Horizontalebene rotiren, der Erdmagnetismus einwirkt. Da die Wirkung alle Theile der Scheibe gemeinsam trifft, so mag sie in diesen Fällen nicht störend sein, aber in manchen Versuchen und Berechnungen mag sie doch einen bedeutenden Einfluss ausüben.

---

217. Ein anderer Punkt, den ich aufzuklären bemüht war, betraf die Frage, ob es wesentlich sei oder nicht, dass der bewegliche Theil des Drahtes beim Durchschneiden der magnetischen Curven zu Stellen von grösserer oder geringerer magnetischer Kraft gelange, oder ob, trotzdem

[1]) Philosophical Transactions, 1831, p. 68.

stets Curven von gleicher magnetischer Intensität geschnitten würden, die blosse Bewegung zur Erregung des Stromes hinreichend sei. Dass Letzteres zutrifft, ist bereits durch mehrere Versuche über magnetoelektrische Induction der Erde bewiesen worden. So traten die Ströme in der Kupferscheibe (149), in der rotirenden Kugel (161, etc.), ebenso wie diejenigen, welche durch den bewegten Draht gingen (171), sämmtlich unter solchen Umständen auf, dass die magnetische Kraft im ganzen Verlaufe der Versuche dieselbe bleiben musste.

218. Um diesen Punkt in Bezug auf einen gewöhnlichen Magnet aufzuklären, wurde eine Kupferscheibe auf dem mit Papier bedeckten Ende eines cylindrischen Magnets festgekittet, Magnet und Scheibe gemeinsam in Rotation versetzt, und (mit dem Galvanometer verbundene) Collectoren mit dem Umfange und dem centralen Theile der Kupferscheibe in Contact gebracht. Die Galvanometernadel wich wie in früheren Fällen aus, und die *Richtung* ihrer Bewegung war *dieselbe,* wie wenn die Scheibe allein rotirt hätte und der Magnet fest geblieben wäre. Auch in der Grösse der Ablenkung war kein merklicher Unterschied vorhanden. Demnach verursacht das Rotiren des Magnets keinen Unterschied in den Resultaten, denn ein rotirender und ein feststehender Magnet bringen dieselbe Wirkung auf die bewegte Scheibe hervor.

219. Ein an einem Ende geschlossener Kupfercylinder wurde nun so über den Magnet geschoben, dass er ihn zur Hälfte wie eine Kappe umhüllte, vor Berührung durch dazwischengelegtes Papier geschützt und gut befestigt. Dieses System liess ich dann in einer engen Flasche mit Quecksilber schwimmen, so dass der untere Rand des Kupfercylinders das flüssige Metall berührte. Einer der Galvanometerdrähte tauchte in das Quecksilber, der andere in eine kleine Höhlung in der Mitte der Endfläche der Kupferhülle. Als nun der Magnet mit dem an ihm befestigten Cylinder rotirte, ging ein starker Strom durch das Galvanometer und in derselben Richtung, als wenn der Cylinder allein in Rotation, und der Magnet in Ruhe gewesen wäre. Die Resultate waren also dieselben wie mit der Scheibe (218).

220. Dass die Metallmasse des Magnets selbst den Cylinder, die Scheibe oder den Draht, insofern sie in Bewegung sind, ersetzen könnte und zugleich die Erscheinungen der magnetoelektrischen Induction in einer auffallenden Form darbieten würde, schien eine unausweichliche Folgerung zu sein. Ich liess daher einen in der Mitte beider Enden mit einer kleinen Höhlung zur Aufnahme eines Quecksilbertropfens versehenen cylindrischen Magnet in Quecksilber, das in einer engen Flasche enthalten war, aufrecht schweben, tauchte den einen Galvanometerdraht in das Quecksilber der Flasche und den anderen in den in der Höhlung am oberen Ende der Axe befindlichen Quecksilbertropfen. Als nun der Magnet durch einen Schnurlauf in Rotation versetzt wurde, zeigte die Galvanometernadel augenblicklich das Vorhandensein eines starken elektrischen Stromes an, dessen Richtung bei umgekehrter Rotationsrichtung ebenfalls umgekehrt war. Die Richtung des Stromes war dieselbe, wie wenn der Kupfercylinder (219) oder ein Kupferdraht um den festen Magnet in der Richtung rotirt hätte, welche der Magnet selbst befolgt hatte. Hieraus ergiebt sich eine *eigenartige Unabhängigkeit* zwischen dem Magnetismus und dem Stabe, in welchem er seinen Sitz hat.

221. In dem vorstehenden Experiment reichte das Quecksilber etwa bis zur Mitte des Magnets, aber auch wenn die Menge desselben bis auf ein achtel Zoll von dem oberen Ende vermehrt oder um ebenso viel bis zu demselben Abstande vom unteren Ende vermindert wurde, traten dieselben Erscheinungen auf, und der elektrische Strom hatte *dieselbe Richtung.* Allein in diesen äussersten Fällen schien die Wirkung nicht so stark zu sein wie bei dem bis zur Mitte oder bis zu einem Zoll von dem einen oder anderen Ende reichenden Stande des Quecksilberniveaus. Der Magnet war acht und einen halben Zoll lang und drei viertel Zoll im Durchmesser.

222. Kehrte man den Magnet um und liess ihn in derselben Richtung, d. h. hier wie dort im Sinne einer rechtsdrehenden Schraube oder in beiden Fällen umgekehrt, rotiren, so entstand ein entgegengesetzt gerichteter Strom. Erfolgte jedoch die Bewegung des Magnets dauernd in einer, in Bezug auf seine *eigene* Axe unverändert bleibenden Richtung, dann war die an beiden Polen gesammelte Elektricität gleichartig und entgegengesetzt der am Aequator oder in dessen Nähe oder den ihm entsprechenden Theilen aufgefangenen. Wird der Magnet parallel der Erdaxe, mit seinem unbezeichneten Pol gegen den Polarstern hin gehalten und in Rotation versetzt, so dass die Theile an seiner Südseite, in Uebereinstimmung mit der Erdbewegung, von West nach Ost gehen, so kann man an den Enden des Magnets positive und in seiner Mitte negative Elektricität sammeln.

223. Das blosse Umherdrehen des Magnets in der Luft, dessen Ende und Aequatorialtheile mit den Galvanometerdrähten in Contact standen, reichte hin, einen elektrischen Strom zu erregen und, bei sehr grosser Empfindlichkeit des Galvanometers, die Nadel abzulenken.

224. Versuche wurden ferner mit einem ähnlichen Magnet angestellt, um zu ermitteln, ob an den centralen oder axialen Theilen, die ja bei der Rotation dieselbe Winkelgeschwindigkeit haben wie die übrigen Theile, ein Rückstrom auftritt (259), was ich übrigens nicht für möglich hielt.

225. In einem cylindrischen Magnet von sieben Zoll Länge und drei viertel Zoll Durchmesser wurde an einem Ende in Richtung der Axe ein drei Zoll tiefes Loch von einem viertel Zoll Durchmesser gebohrt. In dieses wurde ein an beiden Enden mit Papier umhüllter und amalgamirter Kupfercylinder eingesetzt und durch etwas Quecksilber am Boden der

Höhlung sein Contact mit der Mitte des Magnets hergestellt; an den Seiten durch Papier isolirt, ragte er etwa einen viertel Zoll über den Stahlcylinder hinaus. Ueber den Kupferstab wurde eine bis zum Papier reichende Federspule geschoben, so dass sie ein Schälchen zur Aufnahme des zur Vervollständigung des Stromkreises erforderlichen Quecksilbers bildete. Auch das obere Ende des Magnets war mit einem hohen Papierrande umgeben, und in den so gebildeten Zwischenraum Quecksilber geschüttet, welches indess mit dem Quecksilber in der Spule nur durch den Magnet selbst und den Kupferstab in metallischem Contact stand (Fig. 34). In diese beiden Quecksilber-Abtheilungen tauchten die Galvanometerdrähte A und B; ein etwa durch sie gehender Strom musste also seinen Weg entweder den Magnet abwärts nach seinen äquatorialen Theilen und dann aufwärts zum Kupfer oder umgekehrt nehmen.

226. Wenn bei dieser Anordnung die Rotation im Sinne einer rechtsdrehenden Schraube erfolgte, so wich das bezeichnete Ende der Galvanometernadel nach West aus, hiermit anzeigend, dass durch das Instrument der Strom von A nach B ging, und folglich von B durch den Magnet und den Kupferstab nach A (Fig. 34).

227. Der Magnet wurde nun, wie früher (219), in die Flasche mit Quecksilber gestellt (Fig. 35), der Draht A mit der Axe des Kupfercylinders in Berührung gelassen, Draht B aber in das Quecksilber der Flasche getaucht, also, anstatt mit dem polaren Ende, mit den äquatorialen Theilen des Magnets in metallische Communication gesetzt. Bei der Rotation im Sinne einer rechtsdrehenden Schraube wurde die Galvanometernadel in derselben Richtung wie früher abgelenkt, jedoch weit stärker. Dennoch waren offenbar die Theile des Magnets von der Mitte bis zum Pole aus dem Stromkreise ausgeschlossen.

228. Darauf wurde Draht A mit dem Quecksilber am Ende des Magnets in Verbindung gesetzt, während Draht B mit dem Quecksilber in der Flasche in Contact blieb (Fig. 36), so dass nun der Kupfercylinder ausgeschaltet war, und der Magnet abermals im Sinne einer rechtsdrehenden Schraube in Rotation gesetzt. Dies verursachte wiederum dieselbe Ablenkung der Nadel, der Strom war also eben so stark wie in dem letzteren Versuche (227) und stärker als in dem ersteren (226).

229. Hieraus geht hervor, dass in der Mitte des Magnets keine Entladung des Stromes stattfindet, denn der nun frei circulirende Strom nimmt seinen Weg aufwärts durch den Magnet, während er in dem ersteren Experiment (226) abwärts ging. In der That war dort lediglich der einer kleinen, vom Ende des Drahtes B im Quecksilber bis zum Drahte A sich erstreckenden Scheibe gleichwerthige Theil des bewegten Metalles wirksam, d. h. derjenige, welcher sich mit einer von dem übrigen Kreise verschiedenen Winkelgeschwindigkeit bewegte (258), und für diesen Theil ist die Richtung des Stromes in Uebereinstimmung mit den sonstigen Resultaten.

230. In den beiden letzten Experimenten sind es die *Seitentheile* des Magnets oder des Kupferstabes, welche sich in relativer Bewegung zu den übrigen Theilen des Kreises, d. h. zu den Galvanometerdrähten, befinden, und da sie ausgedehnter sind, mehr Curven schneiden oder sich mit grösserer Geschwindigkeit bewegen, so bringen sie die grössere Wirkung hervor. In dem scheibenförmigen Theile ist die Richtung des inducirten Stromes überall dieselbe, nämlich vom Umfang zum Mittelpunkt.

---

231. Das Gesetz, demzufolge der in Körpern, welche in Bezug auf Magnete in Bewegung sind, inducirte elektrische Strom als abhängig von der Durchschneidung der magnetischen Curven durch das Metall dargestellt wurde (114), hat nunmehr eine präcisere und bestimmtere Fassung gewonnen (217, 220, 224) und scheint auch mit dem in dem ersten Abschnitte der vorigen Abhandlung (26) behandelten Gegenstand in ursächlichem Zusammenhang zu stehen; und da hierdurch die Wirkungen ihre völlige Begründung finden, so macht es die Annahme eines besonderen Zustandes, den ich den elektrotonischen zu nennen mir gestattet habe (60), überflüssig.

232. Wenn ein elektrischer Strom durch einen Draht geht, so ist dieser an allen seinen Theilen von magnetischen Curven umgeben, deren Intensität sich mit ihrem Abstande vom Drahte verringert, und welche man sich als Ringe vorstellen kann, die in Ebenen liegen, welche senkrecht zu dem Draht oder vielmehr zu dem in ihm fliessenden Strome stehen. Diese Curven, obschon von anderer Gestalt, sind doch vollkommen analog denjenigen, welche zwischen zwei gegenüberliegenden ungleichnamigen Magnetpolen existiren, und wenn ein zweiter Draht dem vom Strome durchlaufenen parallel genähert wird (18), so durchschreitet er magnetische Curven von genau derselben Art wie diejenigen, welche er beim Hindurchführen zwischen entgegengesetzten Magnetpolen (109) in einer bestimmten Richtung durchschneiden würde; wenn er sich dagegen von dem inducirenden Drahte entfernt, so schneidet er die denselben umgebenden Curven in derselben Weise, wie wenn er sich zwischen denselben Magnetpolen in der anderen Richtung bewegt hätte.

233. Geht durch den Draht NP (Fig. 40) ein elektrischer Strom von P nach N, so mag der punktirte Ring eine ihn umgebende magnetische Curve darstellen; die Richtung derselben ist derart, dass, wenn kleine Magnetnadeln tangential zu ihr gestellt werden, sie sich wie in der Figur richten, wo *n* und *s* die Nord- und Südenden bedeuten (44. Anmerkung).

234. Unterbricht man aber eine Weile den elektrischen Strom und lässt statt seiner die Nadeln durch Magnetpole richten, so müssen diese, wenn die Nadeln dieselbe Lage einnehmen sollen wie unter Einfluss des Stromes, so wie in Fig. 41 angeordnet werden, wo der bezeichnete und unbezeichnete

Pol *a b* über dem Drahte die den Polen *a'b'* unter dem Drahte entgegengesetzte Lage haben. In solcher Lage haben also die magnetischen Curven zwischen den Polen *a b* und *a'b'* dieselbe allgemeine Richtung wie die entsprechenden Theile der ringförmigen magnetischen Curve, welche den von einem elektrischen Strome durchflossenen Draht NP umgiebt.

235. Wird nun der zweite Draht *p n* (Fig. 40) dem primären, von einem Strome durchlaufenen Drahte genähert, so wird er unendlich viele magnetische Curven schneiden, welche die in der Figur angedeutete Richtung haben und folglich den Curven zwischen den Magnetpolen *a b* (Fig. 41) gleichgerichtet sind, und er wird diese vom Strome herrührenden Curven in derselben Weise schneiden, wie die magnetischen Curven, wenn er von oben zwischen die Pole hindurch nach unten geführt würde. Bei einer solchen Durchschneidung würde aber der Magnet in dem Drahte einen elektrischen Strom in Richtung von *p* nach *n* induciren (114), und da die Curven eine gleiche Anordnung haben, so muss die Durchschneidung der von dem Strome im Drahte NP herrührenden magnetischen Curven denselben Effect zur Folge haben. Dies ist nun wirklich der Fall, denn bei der Annäherung ist der inducirte Strom dem primären entgegengerichtet (19).

236. Wird der Draht *p'n'* von unten nach oben geführt, so geht er in entgegengesetzter Richtung zwischen den Magnetpolen hindurch, aber in diesem Falle liegen auch die Magnetpole selbst umgekehrt (Fig. 41), und daher (114) behält der inducirte Strom die frühere Richtung. Aus ebenso zulänglichen und einleuchtenden Gründen hat er auch, wenn er durch den Einfluss der vom Strome herrührenden Curven erzeugt wird, die gleiche Richtung.

237. Bleibt der secundäre Draht in der Nähe des primären in Ruhe, so entsteht kein Inductionsstrom in ihm, weil er keine magnetischen Curven schneidet. Wird er jedoch von dem primären Drahte entfernt, so schneidet er die magnetischen Curven in einer der früheren entgegengesetzten Richtung (235), und daher wird auch ein Strom von entgegengesetzter Richtung, also von gleicher Richtung mit dem primären Strome inducirt (19). Dieselbe Wirkung würde eintreten, wenn man den Draht in umgekehrter Richtung zwischen den einen oder den anderen Polen hindurchführen würde (Fig. 41), da er dann die dort vorhandenen Curven in entgegengesetztem Sinne schnitte als zuvor.

238. In den ersten Versuchen (10, 13) befanden sich der inducirende und der der Induction ausgesetzte Draht in einem festen Abstande von einander, während durch den ersteren ein elektrischer Strom hindurchgeschickt wurde. In solchen Fällen muss man sich die magnetischen Curven selbst in Bewegung (wenn ich diesen Ausdruck gebrauchen darf) und den der Induction ausgesetzten Draht durchschneidend vorstellen, und zwar von dem Moment, da sie mit dem Entstehen des Stromes sich auszubreiten beginnen, bis die magnetische Kraft des Stromes ein Maximum erreicht hat. Da dieselben sich vom Drahte nach aussen hin verbreiten, so stehen sie zu dem ruhenden, der Iuduction ausgesetzten Drahte in derselben Beziehung, als wenn *dieser* sich in entgegengesetzter Richtung quer durch die Curven oder gegen den stromführenden Draht bewegt hätte. Daher war in diesen Fällen der Schliessungsinductionsstrom dem primären entgegengesetzt gerichtet (17, 235). Oeffnet man den Batteriestrom, so kann man sich vorstellen, dass die magnetischen Curven (die ein blosser Ausdruck für Anordnung magnetischer Kräfte sind) sich zusammenziehen und gegen den verschwindenden elektrischen Strom hin zurückkehren, also in entgegengesetzter Richtung den Draht kreuzen und somit einen dem ersteren entgegengesetzt gerichteten Strom induciren.

239. Wenn bei Versuchen mit gewöhnlichen Magneten nicht fertige Magnete gegen die Drähte bewegt werden, sondern der Magnetismus erst in deren Nähe entsteht (27, 36), so muss man sich in ähnlicher Weise eine progressive Ausbreitung der magnetischen Curven denken. Hierbei sind die Wirkungen gleich denen, welche bei Bewegung der Drähte in der einen Richtung auftreten, während die Vernichtung des Magnetismus der Bewegung des Drahtes in entgegengesetzter Richtung entspricht.

240. Wenn man, anstatt einen Draht einem anderen geradlinigen, stromführenden Drahte so zu nähern oder von ihm zu entfernen, dass er die magnetischen Curven schneidet (235), eine Scheibe in der Nähe des Drahtes und mitten in den Curven rotiren lässt, so müssen continuirliche elektrische Ströme in ihr inducirt werden, und bei solcher Lage, dass eine Linie vom Drahte zum Mittelpunkte der Scheibe auf dieser wie auf jenem senkrecht steht, muss der inducirte Strom, dem Gesetze (114) zufolge, die Scheibe von der einen Seite zur anderen, rechtwinklig zur Richtung des inducirenden Stromes durchkreuzen.

241. Durch einen einfachen Metalldraht von einem zwanzigstel Zoll Durchmesser wurde ein Strom geleitet, und eine kleine Kupferscheibe von anderthalb Zoll Durchmesser dicht unter ihm, jedoch ohne ihn zu berühren, in Rotation versetzt (Fig. 39). An gegenüberliegenden Randstellen der Scheibe schleiften Collectoren, welche durch Drähte mit dem Galvanometer verbunden waren. Bei der Rotation der Scheibe in dem einen Sinne wurde die Nadel nach der einen Seite und bei Umkehrung der Rotationsrichtung nach der anderen Seite abgelenkt, ganz in Uebereinstimmung mit den vorausgesehenen Resultaten.

242. Somit sind die Gründe, welche mich veranlasst haben, einen besonderen Zustand in dem Drahte anzunehmen (60), hinfällig geworden, und obschon ich es für unwahrscheinlich halte, dass ein ruhender Draht in der Nähe eines anderen, durch den ein starker Strom geht, sich ganz indifferent zu diesem verhalte, so wüsste ich doch keine bestimmte *Thatsache,* welche den Schluss rechtfertigte' dass er sich in einem besonderen Zustande befinde.

---

243. Indem ich über die Natur der Ursache nachdachte, von welcher in diesen Aufsätzen die Wechselwirkung zwischen Magneten und bewegten Metallen hergeleitet wurde (120), und indem ich sie mit der bisher angenommenen verglich, wonach ein wenn auch schwacher Magnetismus, gleich dem des Eisens, inducirt werden sollte, fiel mir eine Methode ein, welche zu einer völligen experimentellen Entscheidung zwischen den beiden Ansichten dienen könnte (215).

244. Keine der bekannten Kräfte wirkt in solcher Richtung wie die zwischen einem elektrischen Strome und einem Magnetpole bestehende Kraft; diese ist eine tangentiale, während alle anderen Fernkräfte in Richtung der Verbindungslinie wirken. Wenn daher ein Magnetpol an einer Seite einer rotirenden Scheibe ihrer Bewegung folgt, weil er der von eben dem elektrischen Strome, welchen er selbst verursacht hat, auf ihn ausgeübten Tangentialkraft gehorcht, so müsste ein gleicher Pol an der entgegengesetzten Seite der Scheibe ihn sofort dem Einflusse dieser Kraft entziehen; denn die Ströme, welche durch die Wirkung beider Pole erregt werden, haben entgegengesetzte Richtung, oder vielmehr, es würde in diesem Falle kein Strom entstehen, oder es würden keine magnetischen Curven geschnitten werden (114), und der Magnet müsste daher in Ruhe bleiben. Wenn dagegen die Wirkung des Nordpols eines Magnets die wäre, in dem ihm nächsten Theile der Kupferscheibe Südmagnetismus und sonst überall diffus Nordmagnetismus hervorzurufen (82), wie es beim Eisen in der That der Fall ist, dann müsste ein zweiter Nordpol an der entgegengesetzten Seite der entsprechenden Stelle der Scheibe die Wirkung verdoppeln, statt sie zu vernichten, und ebenso auch die Tendenz des Magnets, sich mit der Scheibe zu bewegen.

245. Eine dicke Kupferscheibe (85) wurde daher auf einer rotirenden Axe befestigt und ein Magnetstab an einer geflochtenen Seidenschnur aufgehängt, so dass sein bezeichneter Pol über dem Rande der Scheibe hing, durch ein dazwischengelegtes Blatt Papier von derselben getrennt. Als die Scheibe in Rotation versetzt wurde, gehorchte der Magnet augenblicklich ihrer Bewegung und folgte ihrer Richtung. Nun wurde ein zweiter Magnet von gleicher Grösse und Stärke an dem ersteren befestigt, so dass sein bezeichneter Pol *unter* dem Rande der Kupferscheibe hing, in entsprechender Lage und in gleichem Abstande von demselben wie der obere Magnet (Fig. 37). Nachdem auch hier ein Papierschirm dazwischengeschoben worden, wurde die Scheibe in Rotation versetzt, allein die Pole verhielten sich ganz indifferent zu dieser Bewegung, obwohl jeder von ihnen einzeln der Rotationsbewegung gefolgt wäre.

246. Drehte man einen der Magnete um, so dass zu beiden Seiten der Platte *entgegengesetzte* Pole lagen, so war die Wechselwirkung zwischen den Polen und dem bewegten Metall ein Maximum.

247. Hängte man einen Magnet so auf, dass seine Axe in gleichem Niveau mit der Scheibe lag und der eine oder der andere Pol dem Rande derselben zugekehrt war, so verursachte ihre Rotation keine Bewegung des Magnets. Die durch Induction bedingten elektrischen Ströme würden in diesem Falle sich in verticaler Richtung durch die Scheibe, ihrer Dicke nach, auszubilden suchen, sich aber so nicht entladen können, oder höchstens nur bis zu einem solchen Grade, dass die Wirkungen unmerklich blieben; dagegen würde gewöhnliche magnetische Induction, wie sie in einer Eisenscheibe wirklich stattfindet, bei solcher Lage sich in gleichem, wenn nicht stärkerem Maasse ausbilden (251).

248. Was ferner die Elektricitätserregung in diesen Fällen anbetrifft, so gilt dies, dass allemal, wenn die Magnete unter dem Einflusse der Scheibe in Bewegung kamen, Ströme auftraten, wenn ersteres jedoch nicht geschah, so fehlten auch diese. Ein bezeichneter Pol eines langen Stabmagnets wurde unter den Rand der Scheibe gestellt, gegen deren Axe und Rand, wie in früheren Fällen (Fig. 38), mit dem Galvanometer verbundene Collectoren (86) angelegt wurden. Beim Rotiren der Scheibe ging ein kräftiger Strom durch das Instrument. Wurde dann noch der unbezeichnete Pol eines ähnlichen Magnets, dem vorigen gegenüber, oberhalb der Scheibe aufgestellt, so dass ungleichnamige Pole sich oberhalb und unterhalb der Scheibe befanden, so war bei der Rotation derselben der elektrische Strom stärker als vorher. Wurde nun der eine Magnet umgekehrt, so dass über der Scheibe sowohl als auch unter ihr bezeichnete Pole lagen, so trat bei der Rotation der ersteren kaum ein Strom auf. Durch Ajustirung des Abstandes der Pole, entsprechend ihrer relativen Stärke, konnte man es schliesslich dahin bringen, dass ihre Inductionswirkung sich so vollkommen neutralisirte, dass auch bei der schnellsten Bewegung keine Elektricität auftrat.

249. Ich verglich dann weiter die Wirkung gleichnamiger und ungleichnamiger Pole auf Eisen und Kupfer, indem ich mich zu diesem Zwecke des Arago'schen Versuches in der ihm von Sturgeon gegebenen, sehr geeigneten Form bediente. Dieselbe besteht darin, dass eine kreisförmige, in verticaler Ebene auf einer horizontalen Axe sitzende Scheibe entweder mit einem kleinen Gewichte am Rande beschwert oder excentrisch angebracht wird, so dass sie wie ein Pendel schwingen kann. Die Magnetpole werden an der Seite und am Rande dieser Scheiben aufgestellt und die Anzahl der Schwingungen, welche erforderlich sind, um den Schwingungsbogen auf eine constante Grösse zu bringen, notirt. In der Beschreibung dieses Apparates heisst es zu Anfang[1]), dass entgegengesetzte Pole die grösste, gleichnamige aber keine Verzögerung herbeiführten, und doch wird bald darauf die Wirkung als gleichartig mit der im Eisen erzeugten angesehen.

250. Ich hatte zwei solcher Scheiben hergerichtet, die eine von Kupfer, die andere von Eisen. Die Kupferscheibe für sich machte im Mittel aus mehreren Versuchen sechzig Schwingungen, ehe der Schwingungsbogen

---

1) Edinb. Phil. Journal, 1825, p. 124.

von einer festen Marke auf eine andere reducirt war. Stellte man entgegengesetzte Pole an entsprechenden Stellen zu beiden Seiten der Scheibe auf, so wurden die Schwingungen auf fünfzehn reducirt, während dieselben, wenn gleichnamige Pole an Stelle der ersteren angewandt wurden, auf fünfzig stiegen, und auf zweiundfünfzig, als die Magnete durch zwei ebenso grosse Holzstücke ersetzt wurden. Bei Anwendung gleichnamiger Pole trat also gar keine oder eine geringe magnetische Wirkung ein (die Verzögerung war in diesem Falle vielmehr Folge einer Luftdämpfung), während sie bei ungleichnamigen Polen den grösstmöglichen Werth hatte. Wenn ein Pol dem Rande der Scheibe gegenübergestellt wurde, so fand keine Verzögerung statt.

251. Die Eisenscheibe für sich machte zweiunddreissig Schwingungen, ehe der Schwingungsbogen um eine gewisse Grösse abgenommen hatte. Stellte man dem Rande der Scheibe (247) einen Magnetpol gegenüber, so sank die Anzahl der Schwingungen auf elf und bei einem Abstande von einem halben Zoll vom Rande auf fünf.

252. Wurde der bezeichnete Pol an einer Seite der Eisenscheibe in einer bestimmten Entfernung aufgestellt, so betrug die Anzahl der Schwingungen nur fünf, und als der bezeichnete Pol eines zweiten Magnets auf der andern Seite der Scheibe in derselben Entfernung (250) aufgestellt wurde, so nahmen die Schwingungen bis auf zwei ab. Wurde letzterer jedoch in der gleichen Lage durch einen unbezeichneten Pol ersetzt, so stiegen die Schwingungen auf zweiundzwanzig. Entfernte man den stärkeren der beiden ungleichnamigen Pole ein wenig von der Scheibe, so nahmen die Schwingungen auf einunddreissig zu, erreichten also nahezu den ursprünglichen Werth, sanken jedoch bei *gänzlicher* Entfernung desselben auf fünf bis sechs.

253. Nichts kann demnach klarer sein, als dass beim Eisen und den anderen Körpern, in denen gewöhnliche magnetische Induction stattfindet, *ungleichnamige* Pole an entgegengesetzten Seiten des Scheibenrandes ihre Wirkungen aufheben, während *gleichnamige* Pole sie erhöhen; auch ein einziger Pol vor dem Rande übt eine Wirkung aus. Beim Kupfer dagegen, sowie bei den Substanzen, welche den gewöhnlichen magnetischen Einwirkungen nicht zugänglich sind, heben umgekehrt *gleichnamige* Pole an entgegengesetzten Seiten der Scheibe ihre Wirkung auf, während *ungleichnamige* sie verstärken, und ein einziger Pol vor dem Rande gar keine Wirkung ausübt.

254. Nichts kann die gänzliche Unabhängigkeit der von Arago mit Metallen erhaltenen Wirkungen von denen der gewöhnlichen magnetischen Kräfte vollständiger darthun, und daher wird fortan die Anwendung zweier Pole bei verschiedenen in Bewegung begriffenen Substanzen, welche überhaupt scheinbar magnetisch beeinflusst werden, ein Mittel zur Erkennung der Natur dieser Einwirkung darbieten. Wenn ungleichnamige Pole einen grösseren Effect hervorbringen als ein einziger Pol, so wird derselbe elektrischen Strömen zuzuschreiben sein, geben dagegen gleichnamige Pole einen grösseren Effect als ein einziger, so ist derselbe *nicht* elektrischer

Natur; das Agens ist dann nicht gleich demjenigen, welches in Metallen und Kohle bei ihrer Bewegung wirksam ist, und man wird wahrscheinlich in den meisten Fällen finden, dass es auch nicht magnetischer Natur sei, sondern dass die Wirkung das Resultat zufälliger Ursachen sei, welche man nicht vorausgesehen und deshalb nicht ausgeschlossen hat.

255. Durch diese Untersuchungen dürfte erwiesen sein, dass es in der That nur sehr wenige Körper giebt, welche gleich dem Eisen magnetisch sind. Ich habe oft nach Anzeichen dieser Eigenschaft in den gewöhnlichen Metallen und anderen Substanzen gesucht, und einmal, um über Arago's Einwand (82) Aufklärung zu erhalten, sowie in der Hoffnung, das Auftreten von Strömen in Metallen bei plötzlicher Annäherung eines Magnets zu ermitteln, hängte ich eine Kupferscheibe an einem einzigen Seidenfaden in einem vorzüglichen Vacuum auf und bewegte dicht an der Aussenseite der Flasche kräftige Magnete wie ein Pendel hin und her, das so vibrirte, wie es die Scheibe hätte thun sollen, allein es zeigte sich keine Bewegung; und nicht bloss kein Anzeichen von gewöhnlichen magnetischen Eigenschaften, sondern auch keines *eines elektrischen Stromes* trat bei Annäherung und Entfernung des Magnets auf. Ich wage daher die Substanzen in Bezug auf ihr magnetisches Verhalten in drei Klassen einzutheilen: Die erste bilden diejenigen, welche, wie Eisen, Nickel u. s. w. auch in Ruhe eine Einwirkung erleiden, diejenigen also, welche gewöhnliche magnetische Eigenschaften besitzen; zur zweiten Klasse gehören diejenigen, welche bei ihrer Bewegung eine Einwirkung erfahren, es sind Elektricitätsleiter, in denen durch die inducirende Kraft der Magnete elektrische Ströme erregt werden; die Körper der dritten Klasse endlich verhalten sich gegen Magnete vollkommen indifferent, mögen sie in Ruhe oder in Bewegung sein*).

---

256. Obschon es zu einer genauen Ermittelung der Art der Wirkung zwischen einem Magnet und Metall, welche in relativer Bewegung begriffen sind, noch weiterer Untersuchung, und wahrscheinlich recht eingehender, experimenteller wie mathematischer Forschung bedürfen wird, so erscheinen doch einige Resultate hinlänglich klar und einfach, um einen ziemlich allgemeinen Ausdruck für sie zu gestatten. — Wenn ein begrenzter Draht sich so bewegt, dass er eine magnetische Curve schneidet, so tritt eine Kraft in Action, welche einen elektrischen Strom durch ihn hindurchzutreiben sucht, aber dieser Strom kann nicht zur Erscheinung kommen, wenn nicht an den Enden des Drahtes eine Vorkehrung zu seiner Entladung und somit zu seiner Erneuerung getroffen wird.

257. Wenn ein zweiter Draht sich in derselben Richtung wie der erste bewegt, so wird auf ihn dieselbe Kraft ausgeübt, und er ist demnach unfähig den Zustand des ersten zu ändern; denn zwischen hinter

*) Vgl. oben Anmerk. zu Art. 64. D. Ü.

einander verbundenen Substanzen scheinen keine derartigen natürlichen Unterschiede obzuwalten, dass, wenn erstere sich unter gleichen Umständen in Bezug auf einen Magnet bewegen, die eine einen stärkeren elektrischen Strom in dem ganzen Kreise hervorzubringen vermöchte als eine andere (201, 214).

258. Bewegt sich jedoch der zweite Draht mit einer anderen Geschwindigkeit oder in einer anderen Richtung, dann finden Verschiedenheiten in der Kraftwirkung statt, und wenn die Enden mit einander verbunden werden, so geht ein elektrischer Strom durch die Drähte.

259. Denken wir uns nun eine Metallmasse oder einen in sich geschlossenen Draht, deren sämmtliche Theile in Bezug auf einen Magnetpol, als einen Wirkungsmittelpunkt, (welcher Ausdruck, wiewohl er vielleicht nicht streng richtig ist, hier der Bequemlichkeit halber gestattet sein mag), in derselben Richtung und mit derselben Winkelgeschwindigkeit durch magnetische Curven von constanter Intensität sich bewegen, so werden keine elektrischen Ströme erregt. Dieser Punkt ist bei Massen, die dem Erdmagnetismus unterworfen sind, leicht zu beobachten und auch in Bezug auf kleine Magnete zu erweisen; bei Rotation derselben, und bei unverändert bleibender Anordnung der Metalle entsteht kein Strom.

260. Wenn ein Theil des Drahtes oder Metalles die magnetischen Curven schneidet, während der andere fest ist, so entstehen Ströme. Alle mit dem Galvanometer erhaltenen Resultate sind mehr oder weniger von dieser Natur, indem die Galvanometerenden den festen Theil bilden. Selbst die mittelst der Erde in dem Drahte und dem Galvanometer (170) erhaltenen Ströme können, ohne dass das Ergebniss falsch aufgefasst wäre, als hierher gehörig betrachtet werden.

261. Erfolgt die Bewegung aller Theile des Metalles in Bezug auf den Magnetpol in derselben Richtung aber mit verschiedener Winkelgeschwindigkeit, so entstehen Ströme. Dies ist der Fall in Arago's Versuch und auch bei dem der Erdinduction ausgesetzten Drahte (172), wenn er sich von West nach Ost bewegte.

262. Wird der Magnet nicht gerade gegen den Apparat hin oder von ihm fort bewegt, sondern seitlich, so gleicht der Fall dem letzten.

263. Durchkreuzen verschiedene Theile die magnetischen Curven in entgegengesetzten Richtungen, dann ist bei gleichen Geschwindigkeiten der Effect ein Maximum.

264. Alldies sind in der That nur Variationen einer einfachen Bedingung, nämlich, dass nicht sämmtliche Theile der Masse die Curven in derselben Richtung und mit derselben Winkelgeschwindigkeit durchkreuzen. Sie sind jedoch Darstellungsformen derselben, welche ich, wenn man sie sich in Gedanken gegenwärtig hält, beim Vergleiche der einzelnen Erscheinungen auf ihren Zusammenhang mit den allgemeinen Ergebnissen sehr nützlich gefunden habe.

Royal Institution,
21. December 1831.

DRITTE REIHE.

§ 7. Identität der verschiedenen Quellen entstammenden Elektricität. — § 8. Massbeziehung zwischen gewöhnlicher und Volta'scher Elektricität.

[Gelesen am 10. und 17. Januar 1833.]

§ 7. Identität der verschiedenen Quellen entstammenden Elektricität.

265. Der Fortgang der elektrischen Untersuchungen, welche ich die Ehre hatte der Königlichen Gesellschaft vorzulegen, hat mich zu einem Punkte geführt, wo es für den weiteren Verfolg meiner Forschungen wesentlich ist, keinen Zweifel an der Identität oder der Verschiedenheit der durch verschiedene Mittel erregten Elektricität übrig zu lassen. Es ist wohl wahr, dass Cavendish[1]), Wollaston[2]), Colladon[3]) und Andere der Reihe nach einige der gewichtigsten Bedenken gegen die Anerkennung der Identität der gewöhnlichen, thierischen und Volta'schen Elektricität beseitigt haben, und ich glaube, dass die meisten Naturforscher diese Elektricitäten als im Wesentlichen identisch betrachten; aber andererseits ist es ebenso wahr, dass die Richtigkeit der Wollaston'schen Versuche bestritten worden ist[4]), und dass in der That auch einer derselben, welcher von mehreren Experimentatoren als Beleg für chemische Wirkung angesehen wurde (336, 346), in Wirklichkeit keinen eigentlichen Beweis für chemische Zersetzung durch gewöhnliche Elektricität bildet (309, 327). Es ist auch Thatsache, dass manche Physiker immer noch einen Unterschied zwischen Elektricität verschiedenen Ursprungs annehmen, oder mindestens zweifeln, dass ihre Identität nachgewiesen sei. Sir Humphry Davy zum Beispiel hält es in seiner Abhandlung über den Zitterrochen[5]) für wahrscheinlich, dass thierische

---

[1]) Phil. Trans. 1776, p. 196.

[2]) Ibid. 1801. p. 434.

[3]) Annales de Chimie, 1826, p. 62, etc.

[4]) Phil. Trans. 1832, p. 282, Anmerkung.

[5]) Phil. Trans. 1829, p. 17. „Gewöhnliche Elektricität wird auf Nichtleitern erregt und von guten und schlechten Leitern leicht fortgeführt. Volta'sche Elektricität wird mittelst Combinationen guter und schlechter Leiter erregt und pflanzt sich nur in guten oder nicht allzu schlechten Leitern fort. Magnetismus, Falls er eine Form der Elektricität ist, kommt lediglich guten Leitern zu und in seinen Modificationen einer besonderen Klasse von ihnen[1]). Thierische Elektricität hat

---

[1]) Ritchie hat gezeigt, dass dies nicht der Fall ist, Phil. Trans. 1832, p. 294.

Elektricität als eine besondere Art sich erweisen würde, und indem er sie der gewöhnlichen Elektricität, der Volta'schen Elektricität und dem Magnetismus gegenüberstellt, sagt er: „Bei Erforschung der verschiedenen Modificationen oder Eigenthümlichkeiten der Elektricität in diesen verschiedenen Formen dürften sich Unterschiede feststellen lassen etc." In der That brauche ich nur auf den letzten Band der Philosophical Transactions hinzuweisen, um zu zeigen, dass die Frage noch keineswegs als abgeschlossen betrachtet wird.[1])

266. Obwohl man demnach im Allgemeinen den Eindruck von der Identität der Elektricitäten hat, so sind doch offenbar die Beweise hierfür noch nicht hinlänglich klar und bestimmt, um die Billigung all derer, welche ein massgebendes Urtheil über diesen Gegenstand haben, zu erlangen. Die Frage schien mir sehr viel Analogie mit der von Sir H. Davy so schön gelösten zu besitzen, — nämlich der, ob Voltaelektricität die nach ihrer Einwirkung auf die wässerige Lösung sich zeigenden Säure und Alkali in allen Fällen lediglich ausscheide oder in manchen Fällen deren Bildung veranlasse. Dieselbe Nothwendigkeit, welche ihn antrieb, den zweifelhaften Punkt, welcher die Ausbildung seiner Ansichten hinderte und die Strenge seiner Schlüsse zerstörte, zur Entscheidung zu bringen, hat auch mich gezwungen, zu ermitteln, ob gewöhnliche und Volta'sche Elektricität identischer oder verschiedener Natur seien. Ich habe mich überzeugt, dass sie identisch sind, und hoffe, dass die Versuche, welche ich

---

ihren Sitz ausschliesslich in schlechten Leitern, welche Organe lebender Thiere bilden, etc."

1) Phil. Trans. 1832, p. 259. Davy hat bei seinen Versuchen über den Zitterrochen dieselben Wirkungen erhalten, welche auch gewöhnliche und Volta-Elektricität ausüben, und sagt, dass jener in seinem magnetischen und chemischen Verhalten nichts wesentlich Eigenthümliches darbiete, — p. 274; aber bald darauf, p. 275, sagt er, dass einige Differenzpunkte vorhanden seien, und nachdem er sie aufgezählt, fügt er hinzu: „Wie sind diese Unterschiede zu erklären? Lassen sie sich auf ähnliche Weise erklären, wie Cavendish es in seiner Theorie des Zitterrochens versucht hat, oder sollen wir nach Analogie mit den Sonnenstrahlen annehmen, dass die elektrische Kraft, mag sie durch die gewöhnliche Maschine oder durch die Volta'sche Batterie oder durch den Zitterrochen geweckt werden, keine einfache Kraft sei, sondern eine Combination von Kräften, welche auf mannigfache Weise zusammengesetzt auftreten und so alle uns bekannten verschiedenen Arten von Elektricität hervorrufen?"

Auf Seite 279 desselben Bandes der Transactions beginnt Ritchie's Abhandlung, aus welcher Folgendes wiedergegeben werden mag: „Gewöhnliche Elektricität verbreitet sich auf der Oberfläche des Metalles; — Volta'sche Elektricität existirt innerhalb des Metalles. Freie Elektricität wird auf der Oberfläche des dünnsten Goldblättchens ebenso kräftig geleitet wie auf massivem Metall von derselben Oberfläche; — Voltaelektricität erfordert eine gewisse Metalldicke zu ihrer Leitung", p. 280; ferner, „die angenommene Analogie zwischen gewöhnlicher und Volta'scher Elektricität, deren Spuren man seit Erfindung der Säule so eifrig verfolgte, fehlt in diesem Falle vollständig, wiewohl man glaubte, dass er die treffendste Aehnlichkeit darbiete." p. 291.

mitzutheilen habe, und die aus ihnen sich ergebenden Beweise der Aufmerksamkeit der Königlichen Gesellschaft werth gefunden werden dürften.

267. Die mannigfaltigen Phänomene der Elektricität lassen sich zum Zwecke der Vergleichung in zwei Klassen ordnen, in die mit der Spannungselektricität verknüpften und in die der strömenden Electricität angehörigen Erscheinungen. Diese Eintheilung mache ich gegenwärtig, nicht um sie als eine wissenschaftlich begründete gelten zu lassen, sondern lediglich aus Bequemlichkeit. Die Wirkung der Spannungselektricität besteht übrigens in Anziehung oder Abstossung in merklichen Entfernungen. Als Wirkungen der strömenden Elektricität oder der elektrischen Ströme sind zu betrachten: Erstens, Wärmeentwicklung; zweitens, Magnetismus; drittens, chemische Zersetzung; viertens, physiologische Erscheinungen; fünftens, Funken. Im Folgenden beabsichtige ich, Elektricität verschiedenen Ursprungs, insbesondere gewöhnliche und Volta'sche Elektricität, nach ihrer Fähigkeit, diese Wirkungen hervorzubringen, zu vergleichen.

I. Volta'sche Elektricität.

268. *Spannung.* — Untersucht man die Enden einer Volta'schen Batterie von 100 Plattenpaaren mit einem gewöhnlichen Elektrometer, so findet man bekanntlich das eine Ende positiv, das andere negativ: an einem und demselben Ende stossen die Goldblättchen sich ab, an entgegengesetzten Enden ziehen sie sich an, selbst wenn eine Luftschicht von einem halben Zoll und darüber dazwischen liegt.

269. Dass gewöhnliche Elektricität sich aus Spitzen mit Leichtigkeit in die Luft entladet, dass sie stark verdünnte und auch erhitzte Luft, wie z. B. eine Flamme, leicht durchdringt, rührt von ihrer hohen Spannung her. Ich suchte daher nach ähnlichen Wirkungen bei der Entladung von Voltaelektricität, indem ich das Galvanometer oder chemische Wirkung, die in dem weiterhin zu beschreibenden Apparate erzeugt wurde (312, 316), zum Nachweis für den Durchgang der Elektricität benutzte.

270. Die zu meiner Verfügung stehende Volta'sche Batterie war aus 140 vierquadratzölligen Plattenpaaren, mit doppelten Kupferplatten, zusammengesetzt. Sie war völlig isolirt und brachte an einem Goldblatt-Elektrometer eine Divergenz von etwa einem drittel Zoll hervor. Ich bemühte mich, diese Batterie durch feine, sehr sorgfältig angeordnete und einander nahe Spitzen sowohl in Luft als auch in einem evacuirten Recipienten zu entladen, konnte aber weder vermittelst magnetischer noch chemischer Action Anzeichen eines Stromes erhalten. Hierin zeigte sich jedoch kein Unterschied zwischen gewöhnlicher und Volta'scher Elektricität. Denn wenn eine Leydener Batterie (291) bis zu dem Grade geladen war, dass sie am Goldblatt-Elektrometer denselben Ausschlag erzeugte, so war die Entladung durch die Spitzen ebenfalls nicht stark genug, um eine magnetische oder chemische Thätigkeit in's Spiel zu setzen. Dies misslang jedoch nicht deshalb, weil die gewöhnliche Elektricität nicht fähig wäre, diese beiden Wirkungen hervorzubringen (317, 310), sondern weil, wenn sie von so geringer Intensität ist, die zur Sichtbarmachung der Wirkungen erforderliche Menge (welche ausserordentlich gross ist (371, 375)) nicht in geeigneter Zeit hindurchgehen kann. In Verbindung mit den übrigen späterhin zu gebenden Identitätsbeweisen ergiebt auch das Verhalten der Spitzen keine Verschiedenheit, sondern vielmehr Identität der Volta'schen und gewöhnlichen Elektricität.

271. Da gewöhnliche Elektricität sich mit weit grösserer Leichtigkeit durch erhitzte Luft als durch Spitzen entladet, so hoffte ich, dass auch Volta'sche Elektricität sich auf diesem Wege entladen würde. Ich construirte daher folgenden Apparat (Tafel III, Fig. 46). AB ist ein isolirter Glasstab, auf welchem zwei Kupferdrähte, C, D, gut befestigt sind; an diese wurden zwei dünne Platindrähte gelöthet, deren Enden bei *e* einander so nahe als möglich gebracht wurden, ohne sich zu berühren; der Kupferdraht C wurde mit dem positiven Pole einer Volta'schen Batterie verbunden, und der Draht D mit einer Zersetzungszelle (312, 316), welche mit dem negativen Pole der Batterie communicirte. Zu diesen Versuchen wurden nur zwei Tröge oder zwanzig Plattenpaare benutzt.

272. In diesem Zustande fand keine Zersetzung bei *a* statt, wenn aber die Platinenden bei *e* durch den Rand einer Spiritusflamme zu heller Rothgluth gebracht wurden, so trat Zersetzung ein; alsbald erschien Jod bei *a*, und der Uebergang von Elektricität durch die erhitzte Luft war somit festgestellt. Wurde die Temperatur der Spitzen *e* mittelst eines Löthrohres gesteigert, so ging die Entladung noch ungehinderter von Statten, und Zersetzung trat augenblicklich ein. Mit Entfernung der Wärmequelle hörte der Strom sogleich auf. Wurden die Drahtenden einander parallel möglichst nahe gestellt, ohne sich zu berühren, so traten die Wirkungen vielleicht noch schneller ein als vorher. Ebenso wurden sie bei Anwendung einer grösseren Volta'schen Batterie (270) leichter erhalten.

273. Vertrat ein Galvanometer die Stelle der Zersetzungszelle, so erhielt man alsbald schwache Ablenkungen, wenn die Spitzen *e* erhitzt wurden, als die Nadel nach einer Seite schwang, und während der Zeit ihrer Rückkehr die Flamme fortgenommen war (302). Also war auch auf diese Weise der Durchgang des Stromes durch erhitzte Luft erwiesen, indess war das benutzte Instrument unter diesen Umständen nicht so empfindlich wie die chemische Action.

274. Diese in der vorliegenden Form bisher nicht bekannten oder erwarteten Wirkungen sind nur besondere Fälle der durch Luft zwischen Kohlenspitzen, als Polen einer kräftigen Batterie, stattfindenden Entladung, wenn dieselben nach der Berührung allmählich von einander getrennt werden. Der Durchgang durch erhitzte Luft erfolgt hier genau so wie bei gewöhnlicher Elektricität, und Sir H. Davy giebt an, dass die Entladung der

Batterie der Royal Institution durch eine mindestens vier Zoll lange Strecke hindurch erfolgte.[1]) Im luftleeren Recipienten könnte die Elektricität eine Strecke von nahezu einem halben Zoll *durchsetzen*, und die vereinte Wirkung der Verdünnung und Erhitzung befähigte die eingeschlossene Luft, die Elektricität durch eine Strecke von sechs bis sieben Zoll zu leiten.

275. Die augenblickliche Ladung einer Leydener Batterie durch die Pole eines Volta'schen Apparates ist ebenfalls ein Beweis von der Spannung und auch von der Menge der durch letzteren entwickelten Elektricität.[2]) Sir H. Davy sagt: „Wenn die beiden Leiterenden des Apparates mit einer Leydener Batterie verbunden wurden, das eine mit der inneren, das andere mit der äusseren Belegung, so lud sich die Batterie augenblicklich, und nach Fortnahme der Drähte und Herstellung der geeigneten Verbindungen konnte man einen Schlag oder einen *Funken* erhalten, auch reichte die allerkürzeste Berührung aus, um die Ladung in ihrer vollen Stärke zu erneuern."

276. *In Bewegung. — I. Wärmeentwickelung.* — Die Wärmeentwickelung in Drähten und Flüssigkeiten durch den Volta'schen Strom ist eine ganz allgemein bekannte Thatsache.

277. *II. Magnetismus.* — Keine Thatsache ist den Physikern besser bekannt als die Fähigkeit des Volta'schen Stromes, nach *gewissen Gesetzen* die Magnetnadel abzulenken und Magnete herzustellen, und keine Wirkung kann charakteristischer sein für einen elektrischen Strom.

278. *III. Chemische Zersetzung.* — Die chemische Wirkungsfähigkeit des Volta'schen Stromes und deren Abhängigkeit von *gewissen Gesetzen* ist ebenfalls vollkommen bekannt.

279. *IV. Physiologische Wirkungen.* — Die Fähigkeit des Volta'schen Stromes, wenn er stark ist, das ganze Animalsystem zu erschüttern und in Zuckungen zu versetzen, und wenn er schwach ist, die Zunge und die die Augen zu afficiren, ist sehr charakteristisch.

280. *V. Funken.* — Der glänzende Lichtstern bei der Entladung einer Volta'schen Batterie ist Allen als das schönste künstlich zu erzeugende Licht bekannt.

---

281. Dass diese Wirkungen in fast unendlichem Maasse variirt, bald die einen gesteigert, bald die andern geschwächt werden können, ist allgemein anerkannt, ohne dass man an der Identität der Natur der in ihrer Wirkung so verschiedenen elektrischen Ströme Zweifel hegt. Die schöne Erklärung dieser Variationen durch Cavendish's schöner Theorie von Quantität und Intensität bedarf gegenwärtig keiner Stütze mehr, da sie nicht in Zweifel gezogen werden dürfte.

---

[1]) Elements of Chemical Philosophy, p. 153.

[2]) Ibid. p. 154.

282. Die späterhin zu machenden Vergleiche zwischen Drähten, durch welche einerseits Volta'sche, andererseits gewöhnliche Elektricität geleitet wird, sowie gewisse Ansichten über den Zustand eines die Pole eines Volta'schen Apparates verbindenden Drahtes oder anderen Leiters machen es nothwendig, eine Definition aufzustellen von dem, was ein Volta'scher Strom heisst, im Gegensatze zu irgend einem möglichen besonderen, nicht progressiven, sondern bleibenden, in einer gewissen Anordnung bestehenden Zustande, welchen der Draht oder die Elektricität in ihm möglicherweise annimmt. Wenn man zwei isolirte Volta'sche Trogapparate, PN, P'N', Fig. 42, symmetrisch aufstellt und die Enden NP' durch einen Draht verbindet, so übt dieser auf eine über ihm aufgehängte Nadel keine Wirkung aus; verbindet man aber auch die Enden PN' durch einen Draht, so wird die Nadel augenblicklich abgelenkt und verharrt in dieser Lage, so lange die Kette geschlossen bleibt. Wenn nun die Wirkung der Elemente bloss darin bestände, eine besondere Anordnung in dem Drahte, sei es seiner eigenen Theilchen, sei es der Elektricität, zu veranlassen, wenn also diese Anordnung seinen elektrischen und magnetischen Zustand ausmachte, sò müsste im Drahte NP' *vor* der Verbindung von P und N' eine ähnliche Anordnung stattfinden wie nachher, und er müsste die Nadel abgelenkt haben, wenn auch weniger stark, vielleicht nur halb so weit wie nach vollständiger Schliessung des Kreises. Sind dagegen die magnetischen Wirkungen von einem Strome bedingt, so ist klar, warum sie *ganz und gar nicht* vor der Schliessung des Kreises auftreten konnten, weil eben vorher kein Strom existirte.

283. Unter *Strom* verstehe ich irgend ein Fortschreitendes, sei es nun ein elektrisches Fluidum oder zwei in entgegengesetzter Richtung sich bewegende Fluida, oder bloss Schwingungen, oder, noch allgemeiner gesprochen, fortschreitende Kräfte. Unter *Anordnung* verstehe ich eine örtliche, nicht progressive Vertheilung von Partikeln, oder Fluidis oder Kräften. Noch viele andere Gründe liessen sich für die Ansicht, dass ein *Strom* etwas Anderes sei als eine *Anordnung,* geltend machen, allein ich vermeide ängstlich jede unnöthige Auslassung, die Anderen sofort einfallen wird.

II. Gewöhnliehe Elektricität.

284. Unter gewöhnlicher Elektricität verstehe ich diejenige, welche durch die gewöhnliche Elektrisirmaschine, aus der Atmosphäre, durch Druck oder Spaltung von Krystallen, sowie durch eine Menge anderer Operationen erhalten werden kann, und deren charakteristische Merkmale eine grosse Intensität ist, sowie Anziehungs- und Abstossungsvermögen, nicht bloss merkliche, sondern auf beträchtliche Entfernungen hin.

285. *Spannung.* — Die durch gewöhnliche Elektricität auf merkliche Entfernungen ausgeübten Anziehungen und Abstossungen sind bekanntlich in manchen Fällen so stark, dass sie die ähnlichen Erscheinungen der auf andere Weise erregten Elektricität fast unendlich übertreffen. Aber dennoch sind diese Anziehungen und Abstossungen genau von derselben Natur wie die bereits unter der Rubrik *Spannung, Volta'sche Elektricität* (268) erwähnten, und der graduelle Unterschied zwischen ihnen ist nicht grösser als er sich oft zwischen Fällen von gewöhnlicher Elektricität für sich zeigt. Ich halte es für unnöthig, auf die Beweise für die wesentliche Einerleiheit dieser beiden Fälle umständlich einzugehen. Sie sind sehr zahlreich, gelten allgemein als zutreffend und liegen gleichsam auf der Hand. Ich werde daher überall, wo in anderen Fällen, die ich zu vergleichen beabsichtige, die Dinge so liegen, mich mit dem blossen Hinweise auf die Aehnlichkeit begnügen und mich nur über solche Fälle näher auslassen, in denen die grosse Frage, ob Verschiedenheit oder Identität, noch aufrecht erhalten ist.

286. Die Entladung gewöhnlicher Elektricität durch erhitzte Luft ist eine wohlbekannte Thatsache. Der parallele Fall hinsichtlich der Volta'schen Elektricität ist bereits beschrieben worden (272, etc.).

287. *In Bewegung. — I. Wärmeentwickelung.* Die Wärmeentwickelung gewöhnlicher Elektricität bei ihrem Durchgange durch Drähte oder andere Körper ist sehr wohl bekannt. Die Uebereinstimmung zwischen ihr und der Volta'schen Elektricität ist in dieser Beziehung eine vollständige. Harris hat nach diesem Princip ein sehr schönes und empfindliches Instrument construirt und beschrieben[1]), mit welchem die durch die Entladung einer kleinen Menge gewöhnlicher Elektricität in einem Drahte producirte Wärme leicht zu zeigen ist, und auf das ich behufs experimentellen Nachweises in einem späteren Abschnitte dieser Abhandlung Gelegenheit haben werde zurückzukommen (344).

288. *II. Magnetismus.* — Volta'sche Elektricität besitzt ausserordentliche und starke magnetische Kräfte. Ist gewöhnliche Elektricität identisch mit ihr, so muss sie dieselben Kräfte haben. Hinsichtlich der Magnetisirung von Nadeln und Stäben verhält sie sich der Volta'schen Elektricität gleich, wie denn auch die *Richtung* der Magnetisirung in beiden Fällen dieselbe ist, dagegen hat sich die Fähigkeit gewöhnlicher Elektricität, die Magnetnadel abzulenken, als so gering erwiesen, dass man bald dieselbe geleugnet, bald zur Hebung dieser Schwierigkeit hypothetisch Unterscheidungen ersonnen hat.[2])

289. Colladon in Genf nimmt an, dass der Unterschied sich daraus erklären dürfte, dass man in allen bisher über diesen Punkt angestellten Versuchen unzulängliche Mengen gewöhnlicher Elektricität angewandt habe, und in einer 1826 vor der Akadamie der Wissenschaften gelesenen Abhandlung[3]) beschreibt er Versuche, wonach es ihm gelungen ist durch eine Batterie,

---

[1]) Philosophical Transactions, 1827, p. 18. Edinburgh Transactions, 1831. Harris on a New Electrometer, etc. etc.

[2]) Demonferrand's Manuel d'Electricité dynamique, p. 121.

[3]) Annales de Chimie, XXXIII. p. 62.

mit Hilfe von Spitzen, Ablenkungen an einem empfindlichen Galvanometer zu erhalten und somit Identität in dieser Beziehung festzustellen. Arago, Ampère und Savary haben, wie in dem Aufsatze erwähnt ist, der erfolgreichen Wiederholung der Versuche beigewohnt. Allein da von anderer Seite eine Bestätigung nicht erfolgt ist, Arago, Ampère und Savary selbst (soviel ich weiss) ihre Gutheissung der Resultate nicht veröffentlicht haben, und da diese von Anderen nicht haben erhalten werden können, so sind Colladon's Schlussfolgerungen angezweifelt oder bestritten worden, und es war daher für mich ein Punkt von Wichtigkeit, ihre Richtigkeit festzustellen oder sie aus der Reihe experimentell zugestandener Ergebnisse gänzlich zu beseitigen. Ich bin so glücklich, sagen zu können, dass meine Resultate diejenigen Colladon's vollkommen bestätigen, und ich würde keine Veranlassung gehabt haben, sie zu beschreiben, wären sie nicht so wesentlich als Beweise für die Richtigkeit der endlichen und allgemeinen Schlussfolgerungen, welche ich in Betreff der magnetischen und chemischen Wirkung der Elektricität zu ziehen im Stande war (360, 366, 367, 377 etc.).

290. Die Scheibe der von mir benutzten Elektrisirmaschine hatte fünfzig Zoll im Durchmesser und zwei Paare von Reibzeugen; ihr erster Conductor bestand aus zwei Messingcylindern, die durch einen dritten verbunden waren, deren Gesammtlänge zwölf Fuss, und deren mit der Luft in Berührung stehende Oberfläche ungefähr 1422 Quadratzoll betrug. Bei guter Erregung erhielt man bei einer einmaligen Umdrehung der Scheibe zehn bis zwölf einen Zoll lange Funken von den Conductoren. Funken oder Blitze von zehn bis vierzehn Zoll Länge konnten mit Leichtigkeit aus den Conductoren gezogen werden. Jede mässig ausgeführte Umdrehung der Maschine erforderte etwa $^4/_5$ Secunde.

291. Die elektrische Batterie bestand aus fünfzehn gleichen Flaschen. Sie waren vom Boden ab acht Zoll hoch belegt und hatten einen Umfang von dreiundzwanzig Zoll, so dass die auf beiden Seiten belegte Glasoberfläche einer jeden vierundachtzig Quadratzoll betrug, wozu noch die Belegung des Bodens kommt, welcher aus dickerem Glase bestand und je etwa fünfzig Quadratzoll Oberfläche hatte.

292. Ein gutes *Ableitungssystem* wurde hergestellt durch Verbindung mittelst eines hinlänglich dicken Drahtes mit den metallenen Gasröhren des Hauses, sowie mit denen der öffentlichen Gasanstalt von London und endlich mit den metallenen Wasserröhren Londons. Es diente seinem Zwecke in so wirksamer Weise, dass es Elektricität von schwächster Spannung, selbst die eines einzigen Volta'schen Bechers augenblicklich fortleitete, und es war für manche Versuche wesentliche Bedingung.

293. Das Galvanometer war eines der früher beschriebenen (87, 205), nur dass die Glasglocke, welche es bedeckte und die Nadel trug, innen und aussen mit Stanniol belegt war, bis auf den oberen Theil (er blieb unbelegt, um die Bewegungen der Nadel erkennen zu lassen), welcher mit einem Drahtnetzgehäuse bedeckt war, von dem zahlreiche feine Spitzen hervorragten. Wenn dieses Gehäuse und die beiden Belegungen mit dem Ableitungssystem (292) verbunden waren, so konnte eine mit der Maschine während ihrer stärksten Thätigkeit verbundene isolirte Spitze oder Kugel jedem Theile des Galvanometers bis auf einen Zoll genähert werden, ohne die Nadel desselben durch gewöhnliche elektrische Anziehung oder Abstossung zu beeinflussen.

294. Im Anschluss an diese Vorsichtsmassregeln muss ich bemerken, dass der Magnetismus der Galvanometernadel beim Durchgang eines elektrischen Schlages durch das Instrument sehr leicht gestört, geschwächt, ja selbst umgekehrt werden kann. Wenn die Nadel beim Durchgange des Schlages schief, in ungünstiger Stellung zu den Windungen des Galvanometers steht, so sind Wirkungen dieser Art sicher zu erwarten.

295. Mit Hilfe der verzögernden Kraft schlechter Leiter, zu dem Zwecke angewandt, die *Intensität* zu verringern, ohne die *Quantität* zu ändern, hoffte ich anfangs, die gewöhnliche Elektricität mehr die Merkmale und Eigenschaften der Volta'schen Elektricität annehmen zu sehen, als ihr gemeinhin zugeschrieben wird.

296. Die Belegung und die Hülle des Galvanometers wurden zuerst mit dem Ableitungssystem (292) verbunden; das Ende B (87) des Galvanometerdrahtes wurde mit der äusseren Belegung der Batterie, beide alsdann mit der Ableitung, und das Ende A des Galvanometerdrahtes vermittelst eines vier Fuss langen feuchten Fadens mit einem Entlader verbunden, und endlich, nachdem die Batterie (291) durch etwa vierzig Umdrehungen der Maschine positiv geladen war, wurde sie durch den Entlader, den Faden und das Galvanometer hindurch entladen. Augenblicklich gerieth die Nadel in Bewegung.

297. Während die Nadel ihre Schwingung in der einen Richtung ausführte und zurückkehrte, arbeitete die Maschine und lud die Batterie von Neuem, und wenn die Nadel wieder in der ersten Richtung schwang, so wurde die Entladung abermals durch das Galvanometer geleitet. Wiederholte man dieses Spiel einige Male, so erstreckten sich die Schwingungen bald über einen Bogen von mehr als 40^0 zu beiden Seiten der Ruhelage.

298. Dieser Effect konnte nach Belieben erhalten werden; er änderte sich auch anscheinend weder der Richtung noch dem Grade nach, wenn man anstatt des langen dünnen Fadens eine kurze dicke Schnur oder selbst vier solcher Schnüre anwandte. Mit einem empfindlicheren Galvanometer konnte man durch eine einmalige Entladung der Batterie eine vorzügliche Schwingung der Nadel hervorrufen.

299. Bei Umkehrung der Galvanometerverbindungen, so dass die Entladung von B nach A ging, wurde die Nadel in gleichem Maasse, nur in entgegengesetzter Richtung abgelenkt.

300. Die Ablenkungen hatten dieselbe Richtung, wie wenn ein Volta'scher Strom durch das Galvanometer gegangen wäre, d. h. die positiv geladene Oberfläche der elektrischen Batterie entsprach dem positiven Ende des Volta'schen Apparates (268), und die negative Oberfläche der ersteren dem negativen Ende des letzteren.

301. Die Batterie wurde nun ausgeschaltet, und die Verbindungen so angeordnet, dass der Strom von dem ersten Conductor durch den gegen ihn gehaltenen Entlader, die feuchte Schnur und die Galvanometerwindungen zu dem Ableitungssystem (292) gehen konnte, durch welches er sich endlich zerstreute. Dieser Strom konnte in jedem Augenblick unterbrochen werden, indem man den Entlader entfernte, oder die Maschine anhielt, oder den ersten Conductor durch einen anderen Entlader mit dem Ableitungssystem verband, und ebenso konnte er augenblicklich wiederhergestellt werden. Die Nadel war so ajustirt, dass, wenn sie mit mässiger Geschwindigkeit in kleinen Bogen schwang, sie eine fünfundzwanzig Schlägen einer Uhr entsprechende Zeit gebrauchte, um den Bogen in der einen, und natürlich ebensoviel Zeit, um ihn in der anderen Richtung zu durchlaufen.

302. Bei dieser Anordnung und in der Ruhelage der Nadel wurde der Strom direct von der Maschine während fünfundzwanzig Uhrschläge durch das Galvanometer geschickt, dann ebenso lange unterbrochen, wieder fünfundzwanzig Uhrschläge lang hindurch geleitet, abermals ebenso lange unterbrochen, und so fort. Die Nadel begann alsdann deutliche Schwingungen zu machen, und nachdem dieses alternirende Spiel mehrmals wiederholt worden war, nahm die Schwingung bis zu 40^0 und darüber zu.

303. Wechselte man die Richtung des durch das Galvanometer gehenden Stromes, so änderte sich auch der Sinn der Ablenkung der Nadel. In allen Fällen hatte die Bewegung der Nadel dieselbe Richtung wie diejenige, welche bei Anwendung einer elektrischen Batterie oder eines Volta'schen Trogapparates auftrat (300).

304. Ich ersetzte nun die feuchte Schnur durch einen Kupferdraht, so dass die Elektricität der Maschine nur durch Drähte ging, welche direct mit dem Ableitungssystem communicirten, wobei die Galvanometerspirale den einen der zur Entladung benutzten Drähte bildete. Die Wirkungen waren genau dieselben wie vorher (302).

305. Anstatt, um den Durchgang der Elektricität durch das System einzuleiten, den Entlader mit seinem Ende in Contact mit dem Conductor zu bringen, wurden an ersterem vier Spitzen befestigt, welche, wenn der Strom hindurchgehen sollte, ungefähr zwölf Zoll von dem Conductor entfernt gehalten und, wenn er unterbrochen werden sollte, fortgezogen wurden. Indem ich dann, abgesehen von dieser Abänderung, wie vorher (302) operirte, erfuhr die Nadel eine starke Ablenkung, in vollkommener Uebereinstimmung mit den früheren Resultaten. Vermittelst Spitzen hatte Colladon in allen Fällen seine Entladung bewerkstelligt.

306. Endlich liess ich die Elektricität durch einen evacuirten Recipienten gehen, in welchem sie das nordlichtähnliche Phänomen darbot, und dann durch das Galvanometer zur Erde; auch jetzt wirkte sie ablenkend auf die Nadel und anscheinend mit der gleichen Kraft wie vorher.

307. Aus allen diesen Versuchen geht hervor, dass ein Strom gewöhnlicher Elektricität, mag er durch Wasser oder Metall oder verdünnte Luft oder mittelst Spitzen durch atmosphärische Luft hindurchgehen, im Stande ist, die Nadel abzulenken. Die einzige Bedingung hierfür ist offenbar, ihm zu dieser Wirkung Zeit zu lassen. Er verhält sich also thatsächlich in jeder Hinsicht ebenso magnetisch wie ein Volta'scher Strom, und in dieser Eigenschaft existirt kein Unterschied.

308. Unvollkommene Leiter, wie Wasser, Salzlösung, Säuren etc. etc. dürften sich für diese Zwecke noch besser eignen als andere Entladungsarten, wie die durch Spitzen oder Kugeln; denn vermittelst der ersteren erfolgt die Entladung einer kräftigen Batterie in einem schwachen Funken oder vielmehr einem continuirlichen Strome, und sie bringen keine oder nur geringe Gefahr mit sich, den Magnetismus der Nadeln zu stören (294).

309. *III. Chemische Zersetzung.* Die chemische Wirkung der Volta'schen Elektricität ist für dieses Agens charakteristisch, aber doch nicht charakteristischer als es die *Gesetze* sind, nach welchen die bei der Zersetzung frei gewordenen Substanzen sich an den Polen ordnen. Wollaston zeigte[1]), dass die gewöhnliche Elektricität ihr in diesen Wirkungen gleiche und „dass beide wesentlich eins seien"; allein er vermengte mit seinen Beweisen einen Versuch, welcher wohl Aehnlichkeit, aber nicht mehr als dies, mit einem Falle Volta'scher Zersetzung hat, was er auch selbst zum Theil hervorhob. Aber dennoch hat man sich, einerseits zum Beweise des Vorhandenseins einer der der Säule gleichen elektrochemischen Zersetzung, andererseits zur Begründung der Zweifel gegen die ganze Abhandlung, gerade auf diesen Versuch häufiger berufen, als auf die vielen anderen und entscheidenden Versuche, welche er ausführlich angiebt.

310. Ich nehme mir die Freiheit, meine Resultate kurz zu beschreiben und so mein Zeugniss demjenigen Wollaston's über die Identität der Volta'schen und gewöhnlichen Elektricität in Betreff der chemischen Wirkung hinzuzufügen, nicht bloss um die Wiederholung der Versuche zu erleichtern, sondern auch um einige neue Folgerungen in Bezug auf chemische Zersetzung daran zu knüpfen (376, 377).

311. Ich wiederholte zunächst Wollaston's viertes Experiment[2]), in dem die Enden besponnener Silberdrähte in einen Tropfen Kupfersulphat tauchten. Beim Durchgang der Maschinenelektricität durch diese Vorrichtung bedeckte sich das Ende, in welches die Elektricität aus dem Tropfen eintrat, mit metallischem Kupfer. Hundert Umdrehungen der Maschine brachten einen zweifellosen Effect hervor, bei zweihundert Umdrehungen machte sich der-

---

1) Philosophical transactions, 1801, p. 427, 434.

2) Ibid., 1801, p. 429.

selbe stark bemerkbar. Immerhin war die zersetzende Wirkung sehr schwach; es schied sich nur sehr wenig Kupfer ab, und von dem anderen Pole ging keine wahrnehmbare Spur Silber in die Lösung.

312. Eine viel geeignetere und wirksamere Anordnung zum Zwecke chemischer Zersetzungen durch gewöhnliche Elektricität ist die folgende. Auf eine Glasplatte (Fig. 43), welche oberhalb eines weissen Papierblattes, nicht unmittelbar darauf, liegt, um störende Schatten zu vermeiden, bringe man zwei Stücke Stanniol, *a*, *b*, verbinde das eine derselben mittelst eines isolirten Drahtes *c*, oder eines Drahtes und einer Schnur (301), mit der Maschine, und das andere *g* mit dem Ableitungssystem (292) oder dem negativen Conductor, und stelle darauf, wie in Figur 43, zwei dünne Platindrähte, gebogen wie in Figur 44, so dass der Teil *d f* nahezu aufrecht steht, während das Ganze auf den drei Stützpunkten *p*, *e*, *f* ruht; die Enden *p*, *n* sind dann die Pole der Zersetzungszelle. Auf diese Weise erhält man beliebig kleine Berührungsflächen, kann die Verbindung momentan unterbrechen und wiederherstellen und die der Einwirkung ausgesetzten Substanzen mit grösster Leichtigkeit untersuchen.

313. Auf dem Glase wurde ein dicker Strich mit der Kupfersulphatlösung gezogen und die Enden *p* und *n* hineingestellt. Das Stanniolstück *a* wurde, um ein Ueberspringen von Funken zu vermeiden, mittelst eines Drahtes und einer feuchten Schnur mit dem positiven Conductor der Maschine verbunden; zwanzig Umdrehungen der Maschine hatten eine so beträchtliche Kupferausscheidung an dem Ende *n* zur Folge, dass dasselbe wie Kupferdraht aussah, bei *p* trat keine wahrnehmbare Aenderung auf.

314. Ein grosser Tropfen eines durch schwefelsauren Indigo tiefblau gefärbten Gemenges aus gleichen Theilen Salzsäure und Wasser wurde auf das Glas gebracht, Fig. 43, und *p* und *n* einander gegenüber darin eingetaucht. Bei einer einzigen Umdrehung der Maschine entstand rings um *p* eine weisse Stelle, in Folge frei gewordenen Chlors; bei *n* war auch nach zwanzig Umdrehungen keine derartige Wirkung sichtbar, aber bei *p* war so viel Chlor in Freiheit gesetzt worden, dass beim Umrühren des Tropfens das Ganze farblos wurde.

315. Ein Tropfen Jodkaliumlösung, mit Stärke gemengt, wurde in dieselbe Lage bei *p* und *n* gebracht; bei Umdrehung der Maschine wurde bei *p* Jod entbunden, bei *n* aber nicht.

316. Eine weitere Verbesserung dieses Apparates besteht darin, dass man ein Stück Filtrirpapier mit der zu untersuchenden Lösung tränkt und es auf das Glas unter die Enden *p* und *n* bringt; das Papier hält die an dem betreffenden Ende in Freiheit gesetzte Substanz zurück, macht durch seine eigene Weisse jede Farbenveränderung sichtbar und gestattet auch die Berührungspunkte zwischen ihm und den Poldrähten bis zur äussersten Grenze zu nähern. Ein Stück mit Jodkaliumlösung und Stärke oder Jodkalium allein befeuchtetes Papier liefert unter gewissen Vorsichtsmassregeln (322) ein ganz erstaunliches Reagens für elektrochemische Wirkung, und wenn es in der angegebenen Lage dem Einflusse des elektrischen Stromes ausgesetzt wird, so zeigt sich schon nach einer halben Umdrehung der Maschine freies Jod bei *p*. Bei dieser Anordnung und bei Anwendung von Jodkaliumpapier ist chemische Action bisweilen eine empfindlichere Probe für elektrische Ströme als das Galvanometer (273). Dies ist beispielsweise der Fall, wenn die vom Strome durchlaufenen Körper schlechte Leiter sind, oder wenn die in einer gegebenen Zeit entwickelte oder durchgelassene Elektricitätsmenge sehr klein ist.

317. Ein Stück mit einer Lösung von Kochsalz oder Natriumsulphat befeuchtetes Lackmuspapier wurde bei *p* rasch geröthet, ein ähnliches, mit Salzsäure befeuchtetes Stück bei *p* sehr bald gebleicht. Bei *n* trat keine derartige Wirkung auf.

318. Ein Stück Curcumapapier, mit einer Lösung von Natriumsulphat befeuchtet, wurde nach zwei bis drei Umdrehungen der Maschine bei *n* geröthet und nach zwanzig bis dreissig Umdrehungen war eine reichliche Menge Alkali entwickelt. Drehte man das Papier herum, so dass der Fleck unter *p* zu liegen kam, und setzte die Maschine in Thätigkeit, so verschwand bald das Alkali, und die Stelle wurde gelb, während ein brauner alkalischer Fleck an der Stelle unter *n* auftrat.

319. Brachte man zugleich ein Stück Lackmuspapier und ein Stück Curcumapapier, beide mit einer Lösung von Natriumsulphat befeuchtet, auf das Glas, so dass *p* auf dem Lackmuspapier und *n* auf dem Curcumapapier stand, so reichte eine sehr geringe Anzahl von Umdrehungen der Maschine hin, um das Freiwerden von Säure an dem ersteren, und von Alkali an dem letzteren zu zeigen, genau so wie es durch die Wirkung eines voltaelektrischen Stromes geschieht.

320. Alle diese Zersetzungen erfolgten gleich gut, ob die Elektricität von der Maschine durch Wasser oder bloss durch Draht zur Zinnfolie *a* ging, ob directer *Contact* mit dem Conductor stattfand, oder ob daselbst Funken übersprangen, vorausgesetzt dass die Funken nicht so gross waren, um auch zwischen *p* und *n* oder gegen *n* den Uebergang der Elektricität in Form von Funken zu veranlassen, und ich sehe keinen Grund zu glauben, dass, in Hinsicht wirklicher elektrochemischer Zersetzung durch Maschinenelektricität, diese beim Uebergang in Funkenform vom Conductor oder an einer anderen Stelle ihrer Bahn, in Folge ihrer Spannung mehr zu leisten vermag, als wenn sie bloss in einem regelmässigen Strom übergeht.

321. Endlich wurde der Versuch auch zu folgender Form erweitert, in welcher er die vollständigste Analogie zwischen gewöhnlicher und Volta'scher Elektricität darbietet. Drei aus Lackmus- und Curcumapapier zusammengesetzte (319) und mit einer Lösung von Natriumsulphat getränkte Stücke wurden nebst Platindrähten wie in Fig. 45 angeordnet. Der Draht *m* wurde mit dem ersten Conductor der Maschine, der Draht *t* mit dem

Ableitungssystem verbunden, und die Drähte *r* und *s* schlossen mittelst der feuchten Papiere den Stromkreis. Sie waren so gebogen, dass sie in je drei Punkten *n*, *r*, *p* und *n*, *s*, *p* auflagen, und zwar mit den Punkten *r* und *s* auf der Glasplatte und mit den übrigen auf den Papieren; die drei Enden *p*, *p*, *p* ruhten auf dem Lackmuspapier und die anderen drei *n*, *n*, *n* auf dem Curcumapapier. Wenn nun die Maschine auch nur kurze Zeit in Thätigkeit war, so trat an *allen* den Polen oder Enden *p*, *p*, *p*, durch welche die Elektricität in die Lösung eintrat, Säure, und an den Polen *n*, *n*, *n*, durch welche die Elektricität die Lösung verliess, Alkali auf.

322. In allen Versuchen über elektrochemische Zersetzung mittelst der Elektrisirmaschine und befeuchteter Papiere (316) muss man stets folgende erhebliche Fehlerquelle beachten und ausschliessen. Springt ein Funke über befeuchtetes Lackmus- und Curcumapapier, so wird das erstere (vorausgesetzt dass es empfindlich und nicht zu alkalisch ist) geröthet, und beim Uebergange von mehreren Funken wird die Röthung intensiv. Springt die Elektricität ein wenig vom Drahte ab über die Oberfläche des feuchten Papiers, ehe sie die zu ihrer Fortleitung ausreichende Masse und Feuchtigkeit findet, so erstreckt sich die Röthung so weit als die Verzweigungen der Elektricität. Kommen solche Verästelungen am Ende *n* auf dem Curcumapapier vor, so *verhindern* sie das Auftreten des rothen Fleckes, den das sonst dort gebildete Alkali hervorrufen würde; Funken oder Verästelungen von den Enden *n* röthen ebenfalls das Lackmuspapier. Wenn ein mit einer Jodkaliumlösung befeuchtetes Papier (das ein erstaunlich empfindliches Reagens für elektrochemische Wirkung ist) Funken oder Verästelungen, oder selbst einem schwachen, durch die Luft entweder von *p* oder von *n* ausgehenden Elektricitätsstrome ausgesetzt wird, so wird augenblicklich Jod frei.

323. Diese Wirkungen darf man nun nicht mit denen der eigentlichen elektrochemischen Kräfte gewöhnlicher Elektricität verwechseln und muss sie, wenn letztere beobachtet werden sollen, sorgfältig vermeiden. Es dürfen daher keine Funken an irgend einer Stelle der Bahn überspringen, noch auch darf die Intensität der Elektricität so gross sein, um zwischen den Platindrähten und den feuchten Papieren anders als durch Leitung übergehen zu können; denn wenn sie durch die Luft hindurchschlägt, so tritt die eben (322) erwähnte Wirkung ein.

324. Diese Wirkung rührt von der Bildung von Salpetersäure, durch Verbindung des Sauerstoffs und Stickstoffs der Atmosphäre, her, und ist in Wirklichkeit nur eine andere empfindliche Form des schönen Versuches von Cavendish. Die so gebildete Säure, wiewohl an Menge gering, befindet sich doch in einem Zustande starker Concentration und bringt daher die genannten Effecte hervor; sie röthet also das Lackmuspapier, verhindert das Auftreten von Alkali am Curcumapapier oder wirkt auf das Jodkalium ein und setzt Jod in Freiheit.

325. Als ich über einem mit einer Lösung von kaustischem Kali getränkten, sehr schmalen Streifen Lackmuspapier in seiner Längsrichtung einen elektrischen Funken durch die Luft überspringen liess, vermochte ich das Alkali nach und nach zu neutralisiren, so dass schliesslich das Papier geröthet wurde; nach dem Trocknen fand ich, dass sich durch diesen Vorgang Kaliumnitrat gebildet und so das Papier in Zündpapier umgewandelt hatte.

326. Lackmuspapier oder weisses, mit einer concentrirten Lösung von Jodkalium befeuchtetes Papier liefert also ein sehr einfaches, schönes und bequemes Mittel, um Cavendish's Versuch über die Bildung von Salpetersäure aus der Atmosphäre zu illustriren.

327. Ich habe bereits Veranlassung genommen, ein Experiment von Wollaston zu erwähnen (265, 309), auf welches sowohl von den Gegnern als auch von den Anhängern seiner Ansichten über die Identität von Volta'scher und gewöhnlicher Elektricität zu viel Gewicht gelegt wird. Wollaston überzog dünne Drähte mit Glas oder anderen isolirenden Substanzen, so dass nur das Ende oder ein Querschnitt der Drähte entblösst blieb und fand, als er Elektricität durch zwei solcher Drähte, deren bedeckte Enden in Wasser tauchten, hindurchgehen liess, dass das Wasser allein durch den Maschinenstrom, ohne dass Funken auftraten, zersetzt wurde, und dass von den Enden zwei, ganz den durch Volta'sche Elektricität erzeugten gleichende Gasströme aufstiegen, die sich als ein Gemenge von Sauerstoff und Wasserstoff erwiesen. Indess hebt Wollaston selbst hervor, dass der Effect verschieden ist von dem der Volta'schen Säule, insofern als hier an *jedem* Pole zugleich Sauerstoff und Wasserstoff auftraten; er nennt ihn „eine sehr angenährte *Nachahmung* der galvanischen Phänomene", fügt jedoch hinzu, dass in der That die Aehnlichkeit keine vollständige ist, und wagt nicht, die in seiner Abhandlung correct niedergelegten Principien durch ihn zu begründen.

328. Dieses Experiment ist nichts mehr und nichts weniger als eine verfeinerte Form der 1797 von Pearson[1]) und vorher, 1789 oder noch früher, von Paets van Troostwyk und Deiman angestellten Versuche. Dieses Experiment jemals als Beweis einer wahren elektrochemischen Zersetzung anzuführen, verbietet offenbar genugsam der Umstand, dass das *Gesetz*, welches die Ueberführung und endliche Stellung der frei gewordenen Körper regelt (278, 309), hier ohne Einfluss ist. Das Wasser wird an beiden Polen unabhängig von einander zersetzt, und die an den Drähten entwickelten Sauerstoff- und Wasserstoffgase bilden die Elemente des den Augenblick vorher an jener Stelle existirenden Wassers. Dass die Pole, oder vielmehr die Spitzen, was die Zersetzung betrifft, in keiner Abhängigkeit von einander stehen, ergiebt sich daraus, dass, wenn man eine derselben durch einen

---

1) Nicholson's Journal, 4to. Vol. 1. pp. 241, 299, 349.

Draht oder den Finger ersetzt, diese Aenderung am anderen Pole gar keine Störung hervorruft, obschon sie an dem abgeänderten Pole jede Wirkung hemmt. Dies lässt sich beobachten, wenn man die Maschine einige Zeit dreht; denn wiewohl von dem unverändert gelassenen Ende Gasblasen in solcher Menge aufsteigen, dass sie den für die übrige Communication benutzten Draht gänzlich bedecken könnten, wenn sie sich an ihn anlegen könnten, so tritt doch an jenem Drahte nicht eine einzige Gasblase auf.

329. Ich habe gewichtige Gründe, anzunehmen, dass, wo elektrochemische Zersetzung stattfindet, die *Menge* der zersetzten Substanz nicht der Intensität, sondern der Quantität der durchgegangenen Elektricität (320) proportional ist. Hierfür werde ich in einem späteren Abschnitte dieses Aufsatzes (375, 377) einige Beweise beizubringen in der Lage sein. Allein bei dem eben betrachteten Versuch ist dies nicht der Fall. Wenn die Elektricität von der Maschine zwischen einem bestimmten Spitzenpaar in Funken übergeht, so wird eine gewisse Menge Gas entwickelt, lässt man die Funken kürzer werden, so wird weniger Gas entbunden, und wenn gar keine Funken überspringen, so wird kaum eine merkliche Menge Gas in Freiheit gesetzt. Ersetzte man das Wasser durch eine Lösung von Natriumsulphat, so wurde selbst bei kräftigen Funken kaum eine merkliche Menge Gas erhalten, und durch den blossen Strom fast nichts, und doch war in allen diesen Fällen die Elektricitätsmenge in einer gegebenen Zeit die nämliche.

330. Ich will nicht läugnen, dass gewöhnliche Elektricität in einem solchen Apparate Wasser in analoger Weise wie die Volta'sche Säule zersetzen könne; ich glaube sogar gegenwärtig, dass sie es kann. Aber, wenn der Effect, den ich allein als den wahren betrachte, erhalten wurde, so war die entwickelte Gasmenge so klein, dass ich nicht festzustellen vermochte, ob, wie es sein sollte, Sauerstoff an dem einen, und Wasserstoff an dem anderen Draht auftrat. Von den beiden Gasströmen schien der eine reichlicher zu sein als der andere, und wenn man den Apparat herumdrehte, so gab doch die Seite, die in Beziehung zur Maschine dieselbe blieb, den stärksten Strom. Nahm ich eine Lösung von Natriumsulphat statt des reinen Wassers (329), so waren diese kleinen Ströme auch noch zu beobachten, aber die Mengen waren so gering, dass nach halbstündiger Arbeit der Maschine ich an keinem der beiden Pole eine Gasblase erhalten konnte, die grösser gewesen wäre als ein Sandkörnchen. Wenn der Schluss, den ich in Betreff des Betrages der chemischen Action gezogen habe (377), richtig ist, so muss dies auch so sein.

331. Ich bin um so eifriger bemüht gewesen, den wahren Werth dieses Versuches, als eines Beweises für elektrochemische Action, festzustellen, als ich Gelegenheit haben werde, mich in Fällen angeblicher chemischer Wirkung durch magnetoelektrische und andere elektrische Ströme (336. 346) und auch sonst darauf zu berufen. Aber hiervon abgesehen, kann nun kein Zweifel obwalten, dass Wollaston mit seiner allgemeinen Schlussfolgerung im Rechte war, und dass in der That Volta'sche wie gewöhnliche Elektricität chemische Zersetzungskräfte besitzen, die von gleicher Natur sind und von demselben Anordnungsgesetze beherrscht werden.

332. *IV. Physiologische Wirkungen.* — Die Fähigkeit des gewöhnlichen elektrischen Stromes, das Animalsystem zu erschüttern und in Zuckungen zu versetzen, und, wenn er schwach ist, auf die Zunge und die Augen einzuwirken, kann als gleich angesehen werden mit der ähnlichen Eigenschaft der Volta'schen Elektricität, wenn man nur die Intensität der einen und die Dauer der anderen Elektricität berücksichtigt. Wenn man in die Bahn des Stromes gewöhnlicher Elektricität aus einer Batterie (291), die durch acht bis zehn[1]) Umdrehungen einer gut wirkenden Maschine (290) geladen ist, einen feuchten Faden einschaltet und die Entladung mittelst Platinspatel durch die Zunge oder das Zahnfleisch gehen lässt, so ist die Wirkung auf die Zunge und die Augen genau der eines momentanen schwachen Volta'schen Stromes gleich.

333. *V. Funken.* — Der schöne Lichtblitz bei Entladung gewöhnlicher Elektricität ist wohl bekannt. Er wetteifert an Glanz mit dem bei der Entladung Volta'scher Elektricität auftretenden Lichte, wenn er es nicht gar erheblich übertrifft, allein er dauert nur einen Augenblick und ist von einem scharfen, dem einer schwachen Explosion ähnlichen Geräusche begleitet. Doch hat es, insbesondere unter gewissen Umständen, keine Schwierigkeit zu erkennen, dass es derselbe Funke sei, wie der einer Volta'schen Batterie. Das Auge kann keinen Unterschied zwischen einem Volta'schen und einem gewöhnlichen elektrischen Funken wahrnehmen, wenn man sie bloss in Intervallen zwischen amalgamirten Metallflächen und durch dieselbe Luftstrecke überspringen lässt.

334. Wurde die Leydener Batterie (291) durch eine feuchte Schnur entladen, welche in irgend einem Theile der Bahn, entfernt von der Stelle, wo der Funke überspringen musste, eingeschaltet war, so war der Funke gelblich, flammend und hatte eine merklich längere Dauer, als wenn die Feuchtigkeit nicht eingeschaltet war; er war ungefähr drei viertel Zoll lang, von geringem oder keinem Geräusche begleitet und hatte seinen gewöhnlichen Charakter zum Theil verloren und sich dem des Volta'schen Funkens genähert. Wurde die durch die Feuchtigkeit verzögerte Elektricität zwischen Kohlenstücken entladen, so war er auf beiden Kohlenflächen ausserordentlich lichtstark und glänzend und glich an Helligkeit der Volta'schen Entladung an solchen Flächen. Wurde die Elektricität ohne jenes verzögernde Mittel durch Kohle entladen, so war er an beiden Flächen hell (in dieser Beziehung dem Volta'schen Funken gleichend), aber sein Geräusch war laut, scharf und gellend.

---

[1]) Oder selbst durch dreissig bis vierzig.

335. Ich habe, wie ich glaube, in Uebereinstimmung mit der Meinung aller Physiker angenommen, dass die atmosphärische Elektricität von derselben Natur sei wie die gewöhnliche Elektricität (284), und ich könnte mich daher auf gewisse bekannte Angaben über chemische Wirkungen der ersteren berufen, zum Beweise, dass die letztere die Zersetzungskraft mit der Volta'schen Elektricität gemein habe. Allein der Vergleich, welchen ich zu ziehen im Begriffe bin, ist viel zu streng, als dass ich mir die Anwendung dieser Angaben gestatten dürfte, ohne mich von ihrer Richtigkeit völlig überzeugt zu haben; doch habe ich auch kein Recht, sie zu verschweigen, da sie, wenn sie richtig sind, festsetzen, was ich auf unzweifelhafte Grundlage zu stellen bemüht bin, und dann die Priorität vor meinen Ergebnissen haben.

336. Bonijol in Genf[1]) soll einen sehr empfindlichen Apparat zur Wasserzersetzung durch gewöhnliche Elektricität construirt haben. Bei Verbindung eines isolirten Blitzableiters mit seinem Apparate erfolgte eine continuirliche und rasche Wasserzersetzung, selbst wenn die atmosphärische Elektricität nicht sehr kräftig war. Der Apparat ist nicht beschrieben, aber da erwähnt wird, dass der Draht einen sehr kleinen Durchmesser habe, so scheint er von ähnlicher Construction wie der Wollaston'sche zu sein (327), und da dieser keinen Fall eigentlicher, polarer elektrochemischer Zersetzung liefert (328), so ist Bonijol's Resultat kein Beweis für die Identität gewöhnlicher und Volta'scher Elektricität hinsichtlich chemischer Action.

337. Auf derselben Seite der Bibliothèque Universelle heisst es, Bonijol habe *Kali* und auch Chlorsilber zersetzt, indem er die Substanzen in sehr enge Röhren brachte und Funken einer Elektrisirmaschine überspringen liess. Hierin liegt offenbar keine Analogie mit Fällen wahrer Volta'scher Zersetzung, in denen die Zersetzung durch Elektricität nur dann erfolgt, wenn diese durch den ihrem Einflusse ausgesetzten Körper *geleitet* wird, während die Zersetzung, nach den gewöhnlichen Gesetzen, aufhört, wenn sie in Funken übergeht. Diese Wirkungen sind wahrscheinlich theilweise analog denen auf das Wasser in Pearson's oder Wollaston's Apparat und sind vielleicht Folge der Einwirkung einer sehr hohen Temperatur auf kleine Mengen der Substanz oder stehen im Zusammenhang mit den in freier Luft erhaltenen Resultaten (322). Da Stickstoff unter dem Einflusse des elektrischen Funkens sich direct mit Sauerstoff verbinden kann (324), so ist es nicht unmöglich, dass er diesen sogar dem Kali entzogen habe, zumal da reichlich Kali in Berührung mit den wirksamen Bestandtheilen vorhanden war, um die gebildete Salpetersäure zu binden. Wie verschieden auch alle diese Vorgänge von eigentlichen, polaren electrochemischen Zersetzungen sein mögen, sie sind doch hochwichtig und wohl der Untersuchung werth.

338. Barry theilte vergangenes Jahr der Königlichen Gesellschaft eine

---

[1]) Bibliothèque Universelle, 1830, tome XLV, p. 213.

Abhandlung mit[1]), welche in ihren Einzelnheiten so entschieden ist, dass es scheinen könnte, als ob hiermit die Identität gewöhnlicher und Volta'scher Elektricität in Bezug auf chemische Action völlig bewiesen wäre; allein bei näherer Prüfung erheben sich doch bedeutende Schwierigkeiten gegen die Vereinbarung gewisser Vorgänge mit den übrigen. Er benutzte zwei Röhren, durch deren geschlossenes Ende ein Draht nach innen ging, wie sie gewöhnlich zu Volta'schen Zersetzungen angewandt werden, füllte die Röhren mit einer mit Veilchensyrup gefärbten Lösung von Natriumsulphat und verband sie durch eine Portion derselben Lösung auf gewöhnliche Art mit einander. Der Draht in der einen Röhre wurde durch einen *Goldfaden* mit der Schnur eines isolirten elektrischen Drachens, und der Draht in der anderen Röhre durch einen ebensolchen *Goldfaden* mit der Erde verbunden. Alsbald trat Wasserstoff in der mit dem Drachen verbundenen Röhre auf, und Sauerstoff in der anderen, und in zehn Minuten ward die Flüssigkeit in der ersteren Röhre durch entbundenes Alkali grün und in der anderen roth durch frei gewordene Säure. Die einzige Angabe über die Stärke oder Intensität der atmosphärischen Elektricität findet sich in der Aeusserung, „beim Anfassen der Schnur fühlte man die gewöhnlichen Schläge".

339. Dass die Elektricität in diesem Falle nicht der einer bekannten Quelle entstammenden gewöhnlichen Elektricität gleicht, zeigen mehrere Umstände. Wollaston war nicht im Stande, mit einer solchen Vorrichtung durch gewöhnliche Elektricität eine Wasserzersetzung zu erzielen und die Gase in *getrennten* Gefässen zu erhalten; auch ist keinem der vielen Physiker, welche solchen Apparat benutzt haben, eine derartige Zersetzung, weder des Wassers noch eines neutralen Salzes vermittelst der Maschine gelungen. Ich versuchte es vor Kurzem mit der grossen Maschine (290), welche bei voller Wirksamkeit in einer Viertelstunde siebenhundert Umdrehungen machte, ohne eine merkliche Wirkung zu erzielen, obschon die Schläge, welche sie gegeben haben würde, weit kräftiger und zahlreicher sein mussten, als die, welche man ohne alle Gefahr der Schnur eines elektrischen Drachens entnehmen könnte. Aus dem später anzustellenden Vergleiche (371) wird man ersehen, dass, wenn gewöhnliche Elektricität die Wirkung hervorgebracht hätte, ihre Menge von furchtbarer Grösse gewesen sein müsste und offenbar weit grösser als die, welche durch einen Goldfaden zur Erde geleitet werden konnte und dabei bloss die „gewöhnlichen Schläge" ertheilte.

340. Dass die Elektricität augenscheinlich der Volta'schen Elektricität nicht analog war, ergiebt sich daraus, dass nur die „gewöhnlichen Schläge" erhalten wurden und nichts von jener schrecklichen Empfindung, welche eine Volta'sche Batterie erregt, selbst wenn ihre Spannung so gering ist,

---

[1]) Philosophical Transactions, 1831, p. 165.

dass sie nicht durch eine Luftschicht von einem achtel Zoll hindurchzuschlagen vermag.

341. Es erscheint wohl möglich, dass die Luft in der Umgebung des Drachens und der Schnur, wiewohl ihr elektrischer Zustand nur hinreichte, die „gewöhnlichen Schläge" zu geben, sich doch, nachdem die Elektricität ihr entzogen worden, von Neuem laden und so den Strom unterhalten konnte. Die Schnur war 1500 Fuss lang und bestand aus zwei Doppelfäden. Aber wenn man bedenkt, wie ungemein gross die so gesammelte Menge sein musste (371, 376), so erscheint die Erklärung sehr zweifelhaft. Ich verband das positive Ende einer sehr kräftigen, isolirten Volta'schen Batterie von zwanzig vierquadratzölligen Plattenpaaren, mit doppelten Kupferplatten, mit dem Ableitungssystem (292) und den negativen Pol mit einem dem Barry'schen ähnlichen Apparate, welcher mit einem drei Zoll tief in den feuchten Erdboden gesteckten Draht communicirte. Die so hergerichtete Batterie bewirkte, soweit ich's zu beurtheilen vermochte, der Darstellung von Barry entsprechend, schwache Zersetzungen. Ihre Intensität war demnach weit geringer als die der Elektricität der Drachenschnur, aber ihre unausgesetzt durch das Ableitungssystem strömende Quantität war unbegrenzt. Sie gab keine Schläge, welche mit den „gewöhnlichen Schlägen" einer Drachenschnur zu vergleichen wären.

342. Es wäre sehr wichtig, Barry's Experiment zu wiederholen und zu verificiren. Bestätigt es sich, so wäre es, soviel ich weiss, der erste verbürgte Fall einer wahren elektrochemischen Zersetzung des Wassers durch gewöhnliche Elektricität und lehrte eine Form des elektrischen Stromes kennen, welche sowohl in Hinsicht der Quantität als auch der Intensität genau in der Mitte steht zwischen dem Strome der gewöhnlichen Elektrisirmaschine und dem der Volta'schen Säule.

III. Magnetoelektricität.

343. *Spannung.* — Die durch gewöhnliche elektrische Spannung bewirkten Anziehungen und Abstossungen sind an der durch magnetoelektrische Induction erregten Elektricität sicher beobachtet worden. Pixii ist es gelungen, mittelst eines Apparates von eleganter Construction und kräftiger Wirkung[1]) die Goldblättchen eines Elektrometers zu starker Divergenz zu bringen.[2])

344. *In Bewegung. I. Wärmeentwickelung.* — Der durch magnetoelektrische Induktion erregte Strom kann wie gewöhnliche Elektricität einen Draht erwärmen. Im Juni dieses Jahres hatte ich im Verein mit Harris, Daniell, Duncan und Anderen das Vergnügen, der British Association of Science zu Oxford einen Versuch vorzuführen, zu welchem der grosse Magnet des

---

1) Annales de Chimie, L. p. 322.

2) Ibid. LI. p. 77.

Museums, Harris' neues Elektrometer (287) und die in meiner ersten Abhandlung (34) beschriebene, magnetoelektrische Spirale zur Benutzung standen. Die letztere hatte die an einem anderen Orte beschriebene[1]) Abänderung erfahren, um bei Herstellung oder Unterbrechung des Contactes mit dem Magnet einen elektrischen Funken zu geben. Die Enden der Spirale, die so angeordnet waren, dass ihre gegenseitige Berührung aufgehoben ward, wenn der Funke überspringen sollte, standen mit dem Elektrometerdraht in Verbindung, und es zeigte sich, dass jedesmal, wenn der magnetische Contact hergestellt oder unterbrochen wurde, die Luft in dem Instrumente sich ausdehnte, zum Beweise, dass gleichzeitig die Temperatur des Drahtes sich erhöht hatte.

345. *II. Magnetismus.* — Diese Ströme sind durch ihre magnetische Kraft entdeckt worden.

346. *III. Chemische Zersetzungen.* — Ich habe mich vielfach, aber ohne Erfolg bemüht, chemische Zersetzung durch Magnetoelektricität zu erhalten. Vergangenen Juli erhielt ich einen anonymen (inzwischen veröffentlichten[2]) Brief, worin ein magnetoelektrischer Apparat beschrieben wird, durch welchen Wasser zersetzt worden sein sollte. Da darin der Ausdruck „belegte Spitzen" gebraucht ist, so vermuthe ich, dass es Wollaston's Apparat (327 etc.) gewesen sei, in welchem Falle die Resultate kein Beweis einer polaren elektrochemischen Zersetzung sein würden. Neuerdings hat Botto einige Resultate, zu denen er gelangt ist, veröffentlicht[3]), allein in ihrer gegenwärtigen Darstellung sind sie nicht überzeugend. Der von ihm benutzte Apparat war anscheinend der Wollaston'sche, dessen Angaben nur trügerisch sind (327 etc.). Da Magnetoelektricität Funken hervorbringen kann, so liessen sich die Wirkungen dieses Apparates vorhersehen. Der bereits erwähnte Apparat von Pixii (343) hat jedoch in seinen eigenen[4]) wie in Hachette's[5]) Händen entscheidende chemische Resultate geliefert, so dass die Kette der Beweise nun durch dieses Glied vervollständigt ist. Durch jenen wurde Wasser zersetzt, und Sauerstoff und Wasserstoff in getrennten Röhren gewonnen, gemäss dem die voltaelektrische und maschinenelektrische Zersetzung beherrschenden Gesetze.

347. *IV. Physiologische Wirkungen.* — Schon in den ersten Versuchen mit diesen Strömen wurde ein Frosch in Zuckungen versetzt (56). Die anfangs nur in geringer Stärke erhaltene Empfindung auf der Zunge, und der Lichtblitz vor den Augen (56) sind inzwischen durch kräftigere Apparate gesteigert worden, so dass sie sogar unangenehm wurden.

348. *V. Funken.* — Der schwache Funken, welchen ich zuerst mit

---

1) Phil. Mag. and Annals, 1832, Vol. XI. p. 405.
2) Lond. and Edinb. Phil. Mag. and Journ. 1832, vol. I. p. 161.
3) Ibid. 1832, vol. I. p. 441.
4) Annales de Chimie LI. p. 77.
5) Ibid. LI. p. 72.

diesen Strömen erhielt (32), ist von Nobili und Antinori und Anderen auf mannigfache Weise verstärkt worden, so dass an seiner Identität mit dem gewöhnlichen elektrischen Funken kein Zweifel übrig bleibt.

IV. Thermoelektricität.

349. Was die Thermoelektricität (jene schöne von Seebeck entdeckte Form der Elektricität) betrifft, so sind die Bedingungen ihres Auftretens derart, dass man nicht erwarten kann, sie wie gewöhnliche Elektricität auf einen einigermassen hohen Grad von Spannung zu bringen; daher hat man von ihr auch nicht die von einem solchen Zustande herrührenden Wirkungen zu erwarten. Alles, was sich in Betreff ihrer Analogie mit den bereits erörteten Elektricitäten sagen lässt, ist, glaube ich, Folgendes: —

Spannung. Die bei einem gewissen Grade von Spannnng auftretenden Anziehungen und Abstossungen sind nicht beobachtet worden. *In Strömung. I. Wärmeentwickelung.* Es ist mir nicht bekannt, dass ihre Fähigkeit, die Temperatur zu erhöhen, beobachtet worden sei. *II. Magnetismus.* Durch ihre magnetischen Kräfte ist sie entdeckt worden und am besten zu erkennen. *III. Chemische Zersetzung* ist durch sie nicht erhalten worden. *IV. Physiologische Wirkungen.* Nobili hat gezeigt[1],) dass diese Ströme im Stande sind, Froschschenkel zur Contraktion zu bringen. *V. Funken.* Funken sind noch nicht bemerkt worden.

350. Nur diejenigen Wirkungen sind schwach oder bleiben gänzlich aus, welche von einem gewissen hohen Grade von Intensität abhängen, und gewöhnliche Elektricität, auf einen ähnlichen Grad von Intensität reducirt wie Thermoelektricität, kann auch keine anderen Wirkungen hervorbringen als diese.

V. Thierische Elektricität.

351. Das Studium der Experimente von Walsh[2]), Ingenhouss[3]), Cavendish[4]), Sir H. Davy[5]) und Dr. Davy[6]) hat bei mir keinen Zweifel an der Identität der Elektricität des Zitterrochens und der gewöhnlichen und Volta'schen Elektricität zurückgelassen, und ich nehme an, dass auch Andere so wenig daran zweifeln, dass ich wohl mit Recht verzichten darf, auf die principiellen Beweise dieser Identität umständlich einzugehen. Die von Sir H. Davy erhobenen Zweifel sind durch seinen Bruder, Dr. Davy, beseitigt worden, indem des Letzteren Resultate denen des Ersteren entgegengesetzt sind. Gegenwärtig lassen sich die Beweise folgendermassen zusammenstellen:

---

1) Bibliothèque Universelle, XXXVII, 15.
2) Philosophical Transactions, 1773, p. 461.
3) Ibid. 1775, p. 1.
4) Ibid. 1776, p. 196.
5) Ibid. 1829, p. 15.
6) Ibid. 1832, p. 259.

352. *Spannung.* — Von Spannung herrührende merkliche Anziehungen und Abstossungen sind nicht beobachtet worden.

353. *In Bewegung.* I. *Wärmeentwickelung;* bisher nicht beobachtet; ich hege wenig oder keinen Zweifel, dass Harris' Elektrometer sie nachweisen würde (287, 359).

354. II. *Magnetismus.* — Vollkommen deutlich. Nach Dr. Davy[1]) lenkt der Strom die Magnetnadel ab und magnetisirt, was die Richtung betrifft, nach demselben Gesetze, welchem die Ströme gewöhnlicher und Volta'scher Elektricität gehorchen.

355. III. *Chemische Zersetzung.* — Ebenfalls deutlich, und obwohl Dr. Davy sich eines Apparates von ähnlicher Construction wie der Wollaston'sche (327) bedient hatte, so kann doch im vorliegenden Falle kein Irrthum obwalten, da die Zersetzungen polare und von wirklichem elektrochemischen Charakter waren. Aus der Richtung der Magnetnadel ergab sich, dass die Unterseite des Fisches negativ und die Oberseite positiv war, und die chemischen Zersetzungen gingen so vor sich, dass an dem mit der Unterseite verbundenen Drahte Silber und Gold ausgeschieden wurde, aber nicht an dem anderen, und wenn diese Drähte aus Stahl oder Silber bestanden und in Kochsalzlösung tauchten, so entwickelte sich Gas (Wasserstoff?) am negativen, aber nicht am positiven Drahte.

356. Ein anderer Grund für die elektrochemische Natur der Zersetzung ist der, dass ein mit *Drähten,* welche mit Siegellack überzogen sind, versehener Wollaston'scher Apparat höchstwahrscheinlich selbst in der ihm eigenen Weise Wasser nicht zersetzt haben würde, wenn nicht die Intensität der Elektricität gross genug gewesen wäre, um an einer Stelle der Bahn Funken zu erzeugen, der Zitterrochen aber vermochte keinen merklichen Funken hervorzubringen. Ein dritter Grund ist der, dass, je reiner das Wasser in Wollaston's Apparat, desto reichlicher die Zersetzung ist, und ich habe gefunden, dass, was mittelst einer Maschine und Drahtspitzen bei destillirtem Wasser vollkommen gelang, gänzlich fehlschlug, wenn das Wasser durch Zusatz von Natriumsulphat, Kochsalz oder anderen Salzen gut leitend gemacht wurde. Allein Davy benutzte zu seinen Versuchen mit dem Zitterrochen *starke* Lösungen von Salz, Silbernitrat und Bleiessig mit Erfolg und zweifelsohne mit besserem Erfolge als schwächere Lösungen.

357. IV. *Physiologische Wirkungen.* — Dieselben sind so charakteristisch, dass durch sie die eigenthümlichen Kräfte des Zitterrochens und des Gymnotus überhaupt entdeckt worden sind.

358. V. *Funken.* — Der elektrische Funken ist bisher noch nicht beobachtet worden, wenigstens glaube ich's nicht; aber vielleicht thue ich besser, die Aussagen hierüber anzuführen. Humboldt, indem er die von Fahlberg in Schweden erhaltenen Resultate erwähnt, sagt: „Dieser Forscher

---

[1]) Philosophical Transactions, 1832, p. 260.

hat einen elektrischen Funken gesehen, wie Walsh und Ingenhouss in London vor ihm, als er den Gymnotus an die Luft brachte und die Leitungskette durch zwei, eine Linie von einander abstehende auf Glas geklebte Goldblättchen unterbrach.[1]) Ich weiss jedoch nicht, wo sich ein Bericht über eine solche Beobachtung von Walsh oder Ingenhouss findet, ebensowenig wie ich die von Fahlberg zu ermitteln vermag.*) Humboldt selbst konnte keinen Lichteffect wahrnehmen.

Ferner sagt Leslie in seiner der siebenten Ausgabe der Encyclopädia Britannica, Edinb. 1830, p. 622 vorangeschickten Dissertation über den Fortschritt der mathematischen und physikalischen Wissenschaften: „Aus einem in London gezeigten gesunden Exemplar“ von *Silurus electricus*, es ist aber wohl der *Gymnotus* gemeint, „hat man in einem dunkeln Raume lebhafte Funken gezogen“; er sagt jedoch nicht, dass er selbst, noch, wer sie gesehen habe, und ich vermag einen sonstigen Bericht über dieses Phänomen nicht aufzufinden, weshalb die Angabe mir zweifelhaft bleibt[2]).

359. Zum Schlusse dieser Uebersicht über die elektrischen Eigenschaften des Zitterrochens kann ich nicht unterlassen darauf hinzuweisen, eine wie ungemein grosse Menge von Elektricität, absolut genommen, dieses Thier bei jeder Anstrengung in Umlauf versetzen muss. Es ist zweifelhaft, ob irgend eine gewöhnliche Elektrisirmaschine bisher im Stande war, in einer angemessenen Zeit so viel Elektricität zu liefern, um wahre elektrochemische Wasserzersetzung zu bewirken (330, 339), und doch hat der vom Zitterrochen gelieferte Strom es vermocht. Auch die magnetischen Wirkungen (296, 371) legen für dieses erstaunliche Verhältniss Zeugniss ab. Diese Umstände deuten darauf hin, dass der Zitterrochen die Kraft behält (wahrscheinlich auf dem von Cavendish beschriebenen Wege), die Elektricitätsentwickelung eine merkliche Zeit zu unterhalten, so dass seine successiven Entladungen vielmehr mit denen einer Volta'schen, in ihrer Wirkung intermittirenden Anordnung als mit denen einer mehrmals hintereinander ge- und entladenen Leydener Batterie Aehnlichkeit haben. In Wirklichkeit besteht jedoch kein *principieller Unterschied* zwischen diesen beiden Fällen.

360. Der *allgemeine Schluss*, welcher, wie ich glaube, aus dieser Summe von Thatsachen gezogen werden muss, ist der, dass *alle Elektricität, welcher Quelle sie auch entstammen mag, ihrem Wesen nach identisch ist.* Die fünf aufgeführten Formen oder Arten von Phänomenen

---

[1]) Edinburgh Phil. Journal, II. p. 249.

*) Wie Poggendorff bemerkt, findet sich die Nachricht von Fahlberg's Versuchen in Gilbert's Annalen Bd. XIV, p. 420 und die von Walsh's in einem Briefe von Le Ray an Rozier in dessen Observations sur la physique etc. 1776. T. II. D. Ü.

[2]) Brayley, welcher mir diese Angaben mittheilte und ausgedehnte Kenntnisse über die hierher gehörigen Thatsachen besitzt, kennt keinen weiteren Bericht über dieselben.

unterscheiden sich nicht in ihrem Wesen, sondern nur dem Grade nach, und in dieser Beziehung variiren sie je nach den veränderlichen Bedingungen von Quantität und Intensität[1]), welche bei fast jeder der Elektricitätsarten unter sich nach Belieben eben so stark verändert werden können, als sie sich von Art zu Art ändern.

Tabelle über die experimentell festgestellten Wirkungen, welche die Elektricitäten verschiedenen Ursprungs gemein haben.[2])

	Physiologische Wirkungen.	Magnetische Ablenkung.	Magnetisirung.	Funken.	Wärmeentwickelung.	Wahre chemische Wirkung.	Anziehung und Abstossung.	Entladung durch heisse Luft.
1. Volta'sche Elektricität . .	×	×	×	×	×	×	×	×
2. Gewöhnliche Elektricität.	×	×	×	×	×	×	×	×
3. Magnetoelektricität	×	×	×	×	×	×	×	
4. Thermoelektricität	×	×	+	+	+	+		
5. Thierische Elektricität . .	×	×	×	+	+	×		

§ 8. Maassbeziehung zwischen gewöhnlicher und Volta'scher Elektricität.[3])

361. Nachdem ich die Identität hinlänglich sichergestellt glaubte, ging meine nächste Bemühung dahin, ein gemeinsames Maass oder eine bekannte

---

1) Der Ausdruck *Quantität* in Bezug auf Elektricität ist wohl verständlich genug definirt, dagegen ist es schwieriger, den Ausdruck *Intensität* streng zu definiren; ich gebrauche beide in ihrer gewöhnlichen und anerkannten Bedeutung.

2) Viele in dieser Tabelle ursprünglich bestandene Lücken können nun ausgefüllt werden. So hat Botto vermittelst *Thermoelektricität* Magnetisirungen und polare chemische Zersetzung erzielt; Antinori erhielt Funken, und neulich hat Watkins, wenn es nicht gar schon früher geschehen ist, die Erwärmung eines Drahtes in Harris' Thermoelektrometer beobachtet. Was die *thierische Elektricität* betrifft, so haben Matteucci und Linari vom Zitterrochen, und ich selbst neuerdings vom Gymnotus Funken erhalten. Dr. Davy hat den Wärmeeffect des Zitterrochen-Stromes beobachtet. Ich habe daher in die betreffenden Spalten anders geformte Kreuze als die in der ursprünglichen Tabelle enthaltenen gesetzt. Es bleiben demnach nur noch fünf Lücken, zwei unter der Rubrik *Anziehung* und *Abstossung,* und drei unter der Rubrik *Entladung durch heisse Luft;* allein wiewohl diese Wirkungen noch nicht erzielt worden sind, so muss man doch, seitdem der ihnen entsprechende *Funke* erhalten worden, mit Nothwendigkeit auf ihre Möglichkeit schliessen. Denn wenn eine Entladung durch kalte Luft stattfindet, so muss auch die Intensität, welche das einzige noch hinzutretende Erforderniss zur Hervorbringung der übrigen Wirkungen ist, vorhanden sein. — 13. Dec. 1838.

3) Eine fernere Beleuchtung dieses Gegenstandes findet sich 855—873 in Reihe VII. — Dec. 1838.

Quantitätsbeziehung zwischen der durch eine Elektrisirmaschine erregten und der Elektricität einer Volta'schen Säule zu erhalten, nicht bloss um ihre Identität zu bestätigen (378), sondern auch um gewisse allgemeine Sätze zu erweisen (366, 377 etc.) und die Forschungsmethoden zu erweitern und hierzu die chemischen Kräfte dieses wunderbaren und subtilen Agens zu verwerthen.

362. Die erste zu erledigende Frage war die, ob dieselbe, unter verschiedenen Umständen durch das Galvanometer gesandte absolute Quantität gewöhnlicher Elektricität stets dieselbe Ablenkung der Nadel hervorbringe. An dem Galvanometer wurde daher eine willkürliche Scala angebracht, deren Theilung ungefähr je 4^0 betrug, und das Instrument wie bei früheren Versuchen (296) aufgestellt. Die Maschine (290), Batterie (291) und die anderen Theile des Apparates wurden gehörig in Stand gesetzt und während der Versuchszeit so nahe als möglich in demselben Zustande erhalten. Die Versuche wurden so variirt, dass man jede Aenderung in dem Zustande des Apparates erkennen und die etwa nothwendigen Correctionen anbringen konnte.

363. Zunächst wurden von den fünfzehn Batterieflaschen nur acht benutzt, welche durch etwa vierzig Umdrehungen der Maschine vollständig geladen werden konnten. Sie wurden nun durch dreissig Umdrehungen der Maschine geladen und durch das Galvanometer entladen, während eine dicke, etwa zehn Zoll lange feuchte Schnur in den Kreis eingeschaltet war. Die augenblicklich erfolgende Ablenkung der Nadel betrug fünf und einen halben Theilstrich nach der einen Seite vom Nullpunkt aus, und sie vollführte auch nach der anderen Seite eine Schwingung von fast genau $5^1/_2$ Theilstrichen.

364. Nun wurden die sieben übrigen Flaschen den acht vorigen hinzugefügt und sämmtliche fünfzehn Flaschen durch dreissig Umdrehungen der Maschine geladen. Ein Henley'sches Elektrometer stand nicht ganz halb so hoch wie früher, aber als die Entladung durch das Galvanometer ging, wurde die Nadel sofort aus ihrer Ruhelage abgelenkt und erreichte *genau* denselben Theilstrich wie im vorigen Falle. Diese Versuche mit acht und mit fünfzehn Flaschen wurden abwechselnd mehrmals mit stets demselben Erfolge wiederholt.

365. Es wurden ferner mit der gesammten Batterie, deren (durch fünfzig Umdrehungen der Maschine bewirkte) Ladung durch das Galvanometer geleitet wurde, Versuche angestellt, jedoch so modificirt, dass die Ladung zuweilen bloss durch einen feuchten Faden, zuweilen durch eine dünne mit destillirtem Wasser getränkte Schnur von achtunddreissig Zoll Länge, zuweilen durch eine zwölfmal dickere, aber nur zwölf Zoll lange, mit verdünnter Säure (298) getränkte Schnur ging. Durch die dicke Schnur ging die Ladung auf einmal durch, durch die dünne brauchte sie eine merkliche Zeit und durch den Faden zwei bis drei Secunden, ehe das

Elektrometer gänzlich herabsank. Die Intensität des Stromes muss daher in diesen drei Fällen sehr verschieden gewesen sein, und doch war die Ablenkung der Nadel in allen nahezu dieselbe. Wenn sich ein Unterschied zeigte, so bestand er darin, dass die Anwendung der dünnen Schnur und des Fadens die grösste Ablenkung zur Folge hatte, und wenn, wie Colladon meint, eine seitliche Ableitung durch die Seidenumspinnung des Multiplicators stattfindet, dann muss es so sein, weil in den letzten Fällen die Intensität schwächer, und damit die seitliche Ableitung geringer wird.

366. Hieraus folgt: *wenn dieselbe absolute Quantität der Elektricität durch das Galvanometer geht, so ist, welches auch ihre Intensität sein mag, die ablenkende Kraft auf die Magnetnadel gleich.*

367. Darauf wurde die Batterie von fünfzehn Flaschen durch sechzig Umdrehungen der Maschine geladen und wie vorher durch das Galvanometer entladen. Die Nadel wurde nun sehr nahe bis zum elften Theilstrich abgelenkt, doch war die Theilung nicht so genau, um mich zu überzeugen, dass der Bogen genau doppelt so gross war wie im vorhergehenden Falle, obwohl es dem Auge so schien. Das Wahrscheinliche ist, dass *die ablenkende Kraft eines elektrischen Stromes direct proportional ist der absoluten Quantität der durchgegangenen Elektricität,* welches auch ihre Intensität sein mag.[1])

368. Ritchie hat gezeigt, dass in dem Falle, wo die Intensität der Elektricität dieselbe blieb, die Ablenkung der Magnetnadel sich direct wie die Quantität der durch das Galvanometer gegangenen Elektricität verhielt.[2]) Harris hat nachgewiesen, dass der *Wärme*effect gewöhnlicher Elektricität in Metalldrähten derselbe ist bei gleich bleibender Quantität der Elektricität, welche Intensität sie im Uebrigen auch haben mag.[3])

369. Demnächst suchte ich eine *Volta'sche* Vorrichtung herzustellen, mit welcher eine der eben beschriebenen (367) gleiche Wirkung erzielt werden könnte. Ein Platin- und ein Zinkdraht, welche durch dasselbe Loch eines Zieheisens gezogen waren und ein achtzehntel Zoll im Durchmesser hielten, wurden auf einem Träger befestigt, so dass ihre unteren Enden in einem Abstande von fünf sechzehntel Zoll einander parallel herabhingen, während die oberen Enden mit den Galvanometerdrähten fest verbunden waren. Nach mannigfachen Vorversuchen mit verdünnter Säure wurde schliesslich eine Mischung von einem Tropfen concentrirter Schwefelsäure mit vier Unzen destillirten Wassers zur Norm genommen.

---

1) Der grosse und allgemeine Werth des Galvanometers, als eines wirklichen Messinstrumentes für die continuirlich oder intermittirend hindurchgehende Elektricität muss aus diesen beiden Schlussfolgerungen einleuchten. In der ihm von Ritchie gegebenen Form mit Glasfäden (Siehe Philosophical Transactions, 1830, p. 218, und Quarterly Journal of Science, Neue Reihe, Vol. 1. p. 29) scheint es wahrlich auf diesem Gebiete nichts mehr zu wünschen übrig zu lassen.

2) Quarterly Journal of Science, Neue Reihe, Vol. 1. p. 33.

3) Plymouth Transactions, pag. 22.

Endlich wurde die Zeit notirt, welche die Nadel brauchte, um von rechts nach links oder von links nach rechts zu schwingen; sie war gleich siebzehn Schlägen meiner Uhr, die einhundertundfünfzig in einer Minute gab. Das Ziel dieser Vorbereitungen war, einen Volta'schen Apparat herzustellen, welcher beim Eintauchen in eine gegebene Säure während einer gegebenen Zeit, die viel geringer war als die, welche die Nadel zum Schwingen in einer Richtung brauchte, die gleiche Ablenkung derselben hervorbringen sollte, wie die Entladung gewöhnlicher Elektricität der Batterie (363, 364). Nachdem nun ein neues Stück Zinkdraht in die gehörige Lage gegen den Platindraht gebracht war, wurden die vergleichenden Versuche angestellt.

370. Als der Zink- und Platindraht fünf achtel Zoll tief in die Säure eintauchten und während acht Uhrschläge darin blieben (um hierauf rasch herausgezogen zu werden), wich die Nadel aus und ging auch nach dem Herausziehen des Volta'schen Apparates aus der Säure noch einige Zeit in derselben Richtung weiter. Die Ablenkung betrug fünf und einen halben Theilstrich, und alsdann kehrte sie um und vollbrachte eine gleich grosse Schwingung nach der anderen Seite. Dieser Versuch wurde mehrmals und stets mit demselben Erfolge wiederholt.

371. Man kann daher, bloss von der *magnetischen Kraft* zu urtheilen, es für jetzt (376) als eine Annäherung ansehen, dass zwei Drähte, der eine von Platin, der andere von Zink, von je einem achtzehntel Zoll Durchmesser, welche in einem Abstande von fünf sechzehntel Zoll in eine aus einem Tropfen Vitriolöl und vier Unzen destillirten Wassers bestehende, auf etwa 60^0 [15^0,5 C.] temperirte Säure tauchen, und deren andere Enden mit einem achtzehn Fuss langen und einem achtzehntel Zoll dicken Kupferdraht (nämlich mit den Galvanometerwindungen) verbunden sind, in acht Schlägen meiner Uhr oder in $^8/_{150}$ Minute ebenso viel Elektricität liefern als die durch dreissig Umdrehungen der in vorzüglicher Wirksamkeit befindlichen Maschine (363, 364) geladene elektrische Batterie. Trotz dieses scheinbar ungeheuren Missverhältnisses, sind die Resultate doch in völligem Einklang mit den Wirkungen, welche bekanntermassen bei Variationen der Intensität und Quantität des elektrischen Fluidums auftraten.

372. Um auch eine Beziehung zur *chemischen Action* aufzufinden, wurden die Drähte nun fünf achtel Zoll tief in die Säure getaucht und darin gelassen, und die Nadel beobachtet, sobald sie eine feste Lage angenommen hatte; sie stand, soweit das unbewaffnete Auge es entscheiden konnte, an dem Scalentheil $5^1/_3$. Man kann daher sagen, dass eine dauernde Ablenkung von dieser Grösse einen constanten Volta'schen Strom angiebt, welcher in acht Schlägen meiner Uhr (369) ebenso viel Elektricität liefert als die durch dreissig Umdrehungen der Maschine geladene Batterie.

373. Folgendes ist eine Auswahl aus vielen auf chemische Action bezüglichen Anordnungen und Resultaten. Ein Platindraht von einem zwölftel Zoll Durchmesser und zweihundertundsechzig Gran Gewicht wurde an einem Ende eben gemacht, so dass es eine regelmässige Kreisfläche von demselben Durchmesser wie der Draht bildete. Er wurde dann abwechselnd mit dem Conductor der Maschine oder mit dem Volta'schen Apparat (369) verbunden, so dass er stets den positiven Pol bildete und zugleich senkrecht stand, um mit seinem ganzen Gewicht auf dem benutzten Reagenzpapier zu ruhen. Das aus vier auf einander gelegten Stücken bestehende und allemal in gleichem Maasse mit einer Normallösung von Jodkalium (316) benetzte Reagenzpapier selbst lag auf einem Platinspatel, welcher entweder mit dem Ableitungssystem (292) oder mit dem negativen Drahte des Volta'schen Apparates verbunden war.

374. Wurde der Platindraht mit dem ersten Conductor der Maschine und der Spatel mit dem Ableitungssystem verbunden, so war die bei zehn Umdrehungen der Maschine auftretende zersetzende Kraft derart, dass ein blasser runder Jodfleck, dessen Durchmesser gleich dem des Drahtes war, erzeugt wurde; bei zwanzig Umdrehungen wurde der Fleck dunkler und nach dreissig dunkelbraun und vertiefte sich bis zur zweiten Papierlage. Der Unterschied in der Wirkung, welcher ein Mehr oder Minder von zwei bis drei Umdrehungen hervorbrachte, war leicht zu erkennen.

375. Draht und Spatel wurden darauf mit dem Volta'schen Apparat (369) verbunden und zugleich das Galvanometer in den Kreis eingeschaltet. Der Volta'sche Apparat tauchte in ein stärkeres, aus Salpetersäure und Wasser bestehendes Säuregemisch ein und brachte eine bleibende Nadelablenkung von $5^1/_3$ Scalentheilen (372) hervor, während die benetzte vierfache Papierlage ihre frühere Stelle einnahm.[1]) Indem nun das Drahtende von Punkt zu Punkt auf dem Reagenzpapier verschoben wurde, konnte die Wirkung des Stromes während fünf, sechs, sieben oder einer anderen Anzahl von Uhrschlägen (369) beobachtet und mit der der Maschine verglichen werden. Eine mehrmalige wechselsweise Wiederholung der vergleichenden Versuche ergab das constante Resultat, dass der Normalstrom der Volta'schen Elektricität während acht Uhrschläge in seiner chemischen Wirkung gleich war dreissig Umdrehungen der Maschine; achtundzwanzig Umdrehungen reichten sichtlich hierzu nicht aus.

376. Hieraus folgt, dass der acht Uhrschläge dauernde Elektricitätsstrom der Volta'schen Normalbatterie hinsichtlich der *magnetischen Ablenkung* (371) sowohl als auch der *chemischen Kraft* gleich war dem durch dreissig Umdrehungen der Maschine erregten Strome.

377. Es folgt auch für diesen Fall elektrochemischer Zersetzung und es gilt wahrscheinlich in allen Fällen, dass die *chemische wie die magnetische Kraft* (366) *direct proportional ist der absoluten Quantität der durchgegangenen Elektricität.*

---

[1]) Natürlich konnte bei Einschiebung des schlechten Leiters die Kraft der Volta'schen Batterie nur durch eine Compensation auf ihrer Höhe erhalten werden.

378. Hieraus ergiebt sich, wenn es deren überhaupt noch bedarf, eine weitere Bestätigung der Identität gewöhnlicher und Volta'scher Elektricität, und dass die Unterschiede von Intensität und Quantität völlig hinreichen, um die scheinbar verschiedenen Eigenschaften zu erklären.

379. Die Erweiterung, welche ich den gegenwärtigen Forschungen in Bezug auf die die Theorie der elektrochemischen Zersetzung constituirenden Thatsachen und Ansichten zu geben vermochte, werde ich nebst einigen anderen Punkten der Elektricitätslehre der Königlichen Gesellschaft alsbald in einer folgenden Reihe dieser Untersuchungen unterbreiten.

Royal Institution,
15. Dec. 1832.

Bemerkung. — Ich lege Werth darauf und bin ermächtigt, dieser Abhandlung die Berichtigung eines von mir in der ersten Reihe dieser Experimentaluntersuchungen Ampère zugeschriebenen Irrthums folgen zu lassen. Bei Erwähnung seines Versuches über die Induction elektrischer Ströme (78) sprach ich von einer Scheibe, anstatt von einem Kreise oder Ringe zu reden. Ampère bediente sich eines Ringes oder eines sehr kurzen Cylinders, welcher aus einem zu einem Kreise gebogenen Kupferstreifen gebildet war, und er theilt mir mit, dass mit einer solchen Vorrichtung die Bewegung sehr leicht zu erhalten sei. Ich bezweifelte nicht, dass Ampère die von ihm beschriebene Bewegung erhalten habe, sondern mein Missverständniss bezog sich bloss auf die Form des von ihm benutzten beweglichen Leiters, und insofern habe ich sein *Experiment* unrichtig wiedergegeben.

In demselben Artikel führte ich als eine Angabe Ampère's an, die Scheibe drehe sich so, „dass sie genau die Gleichgewichtslage einnehme, in welche die Spirale selbst sich gedreht haben würde, wenn sie frei beweglich wäre"; ferner sagte ich, dass meine Ergebnisse dahin führen, den Sinn des „von Ampère aufgestellten Satzes, *dass ein elektrischer Strom die Elektricität neben ihm befindlicher Leiter in einer der seinigen gleichen Richtung zu bewegen suche*", umzukehren. Ampère theilt mir in einem soeben von ihm erhaltenen Briefe mit, dass er bei Beschreibung des Versuches jede Angabe über die Richtung des inducirten Stromes durchaus vermieden habe, und hiervon habe ich mich auch durch Einsicht in die von ihm citirten Stellen überzeugt. Ich habe ihm daher mit den obigen Angaben Unrecht gethan und lege Werth darauf, meinen Irrthum zu berichtigen.

Allein um nicht der Leichtfertigkeit bei Abfassung jener Sätze geziehen zu werden, will ich kurz die Gründe angeben, welche mein Missverständniss verschuldet haben. Anfänglich schlug der Versuch fehl. Als er etwa ein Jahr später in Gemeinschaft mit A. de la Rive in Genf mit Erfolg wiederholt wurde, beschrieb dieser Physiker die Resultate[1]) und bemerkt, dass der zu einem Kreise gebogene und als beweglicher Leiter benutzte Kupferstreifen „zuweilen sich zwischen die Schenkel des (Hufeisen-) Magnets hinbewegte, zuweilen abgestossen wurde, *je nach* der Richtung des Stromes in den umgebenden Leitern."

Ich war gewohnt, mich auf Demonferrand's *Manuel d'Electricité Dynamique,* als auf ein Werk, das in Frankreich Autorität geniesst und die zur Zeit seiner Veröffentlichung bekannten allgemeinen Ergebnisse und Gesetze dieses Zweiges der Wissenschaft in wohlgeordneter Form enthält, zu berufen. Bei Be-

---

[1]) Bibliothèque Universelle, XXI, p. 48.

schreibung dieses Experimentes sagt der Verfasser, S. 173: „der bewegliche Ring dreht sich, um eine Gleichgewichtslage einzunehmen, wie es ein Leiter thun würde, in welchem der Strom in *derselben Richtung* wie in der Spirale fliessen würde", und fügt in demselben Paragraphen hinzu: „Es ist demnach erwiesen, *dass ein elektrischer Strom die Elektricität neben ihm befindlicher Leiter in einer der seinigen gleichen Richtung zu bewegen sucht.*" Dies sind die in meiner Abhandlung (78) angeführten Worte.

Ein nach meinem unglückseligen Briefe an Hachette, aber vor der Drucklegung meiner Aufsätze geschriebener Artikel im Lycée vom 1. Januar 1832, Nr. 36, bespricht die Richtung der inducirten Ströme und bemerkt, dass „ein Elementarstrom von einer dem entsprechenden Theile des erzeugenden Stromes gleichen Richtung entstehen" müsse. Ein wenig später heisst es: „man muss daher durch den Einfluss eines Magnets oder eines Stromes in einem Metalldrahte Ströme von *derselben Richtung* erhalten. Ampère *war so völlig überzeugt, dass dies die Richtung der Inductionsströme sein müsse,* dass er es unterliess, sich selbst gelegentlich seines Experimentes in Genf dessen zu versichern."

Die präcisen Angaben in Demonferrand's Manuel, die mit der Darstellung in De la Rive's Abhandlung, (die ich jetzt jedoch nur dahin zu verstehen habe, dass, wenn der inducirende Strom geändert wird, auch die Bewegung des Ringes sich ändere), übereinstimmten und in keinem Widerspruch mit irgend einer der von Ampère selbst herrührenden Aeusserungen über das Experiment standen, waren es, welche mich bei Abfassung meines Aufsatzes zu dem Glauben verleiteten, dass das, was ich angab, Ampère's erklärte Meinung sei, und die erwähnte, vor Drucklegung meines Aufsatzes erschienene Nummer des Lycée konnte eine Vermuthung, dass ich im Irrthum sei, nicht aufkommen lassen.

Daher das Missverständniss, in das ich unabsichtlich verfiel. Ich bin stolz darauf, es aufzuklären und dem Scharfsinn und der Genauigkeit, welche Ampère, soweit ich die Dinge zu beurtheilen vermag, in allen von ihm durchforschten Wissenschaftszweigen aufweist, volle Gerechtigkeit widerfahren zu lassen.

Endlich heisst es in meiner Anmerkung zu Artikel 79, dass das Lycée Nr. 36 „die irrthümlichen Resultate Fresnel's und Ampère's für wahr ansieht", etc. Indem ich von Ampère's irrigen Resultaten sprach, meinte ich die im Lycée selbst beschriebenen und angeführten Resultate, aber *nun,* da die Aeusserung über die Richtung des inducirten Stromes von jenen zu trennen ist, darf ihnen auch die Bezeichnung *irrthümlich* nicht länger anhaften.

29. April 1833. M. F.

VIERTE REIHE.

§ 9. Ueber ein neues Gesetz der Elektricitätsleitung. — § 10. Ueber Leitungsvermögen im Allgemeinen.

Eingegangen am 24. April. — Gelesen am 23. Mai 1833.

§ 9. Ueber ein neues Gesetz der Elektricitätsleitung. [1])

380. In Verfolg meiner Untersuchungen über elektrochemische Zersetzung, welche ich der Königlichen Gesellschaft noch vorzulegen haben werde, bin ich auf Wirkungen eines bisher nicht beachteten, ganz *allgemeinen Gesetzes* der Elektricitätsleitung gestossen, und obwohl dieselben mich von dem gesuchten Ziele fern hielten, so boten sie mir doch für die augenblickliche Enttäuschung eine reiche Entschädigung durch das neue und wichtige Interesse, welches sie einem ausgedehnten Theile der Elektricitätslehre verleihen.

381. Ich wandte Eis und erstarrte Kältemischungen entweder als Querwände der zu zersetzenden Substanz oder als wirkliche Pole einer Volta'schen Batterie an, in der Hoffnung, gewisse Elemente bei ihrer Wanderung verfolgen und auffangen zu können, sah mich jedoch plötzlich in meinem Vorgehen gehemmt, da ich fand, dass das Eis unter diesen Bedingungen die Elektricität nicht leitet, dass, sobald auch nur eine dünne Eisschicht in den Kreis einer sehr kräftigen Volta'schen Batterie eingeschaltet war, die Fortleitung der Elektricität gehemmt war, und alle Zersetzung aufhörte.

382. Anfänglich, während des Frostwetters gegen Ende Januar 1833, wurden die Versuche mit natürlichem Eise angestellt, aber die Resultate waren wegen der Unvollkommenheit der Einrichtungen unsicher, und es wurde folgende einwandsfreiere Versuchsform gewählt.

383. Ich liess an einem Ende offene Zinngefässe anfertigen, welche fünf Zoll hoch waren und nach den beiden anderen Dimensionen fünf viertel Zoll und drei achtel bis fünf achtel Zoll maassen. In ihrer Mündung wurden mittelst Kork Platinstreifen befestigt, ohne dass sie die Zinngefässe berührten. An erstere waren Kupferdrähte angelöthet, durch welche dieselben, wenn nöthig, leicht mit einer Volta'schen Säule verbunden werden konnten. Darauf wurde destillirtes Wasser, welches drei Stunden lang im

---

[1]) In Bezug auf dieses Gesetz siehe die weiteren Betrachtungen in 910, 1358, 1705, — Dec. 1838.

Sieden erhalten worden war, in die Zinngefässe gegossen und durch eine Kältemischung von Salz und Schnee zum Gefrieren gebracht, so dass zwischen dem Platin und Zinn sich reines, durchsichtiges Eis befand; diese Metalle endlich wurden mit den Enden des Volta'schen Apparates in Verbindung gesetzt und zugleich ein Galvanometer in den Kreis eingeschaltet.

384. Beim ersten Versuche war der ganz in Wasser oder Eis getauchte Platinpol drei und einen halben Zoll lang und sieben achtel Zoll breit, und da das Gefäss vier achtel Zoll Weite hatte, so betrug die mittlere Dicke der dazwischenliegenden Eisschicht nur einen viertel Zoll, die Berührungsfläche derselben mit beiden Polen aber nahezu vierzehn Quadratzoll. Das Gefäss blieb auch, nachdem das Wasser gefroren war, noch in der Kältemischung, während der Contact des Zinns und Platins mit den Enden einer wohlhergerichteten, aus zwanzig Paaren vierzölliger Platten und doppelten Kupferplatten bestehenden Volta'schen Batterie hergestellt wurde. Es erfolgte nicht die geringste Ablenkung der Galvanometernadel.

385. Als die Kältemischung von dem Zinngefässe entfernt, und dieses vom Boden aus erwärmt wurde, um das Eis zu schmelzen, während die Verbindung mit der Batterie gleichzeitig unterhalten blieb, trat zunächst eine Bewegung der Nadel nicht ein, vielmehr erfolgte Leitung erst, als der Schmelzprocess so weit vorgerückt war, dass ein Theil des den Platinpol berührenden Eises verflüssigt ward, dann aber in so wirksamer Weise, dass die Nadel eine dauernde Ablenkung von nahezu 70^0 erfuhr.

386. Bei einem anderen Versuche steckte ein fünf Zoll langer und sieben achtel Zoll breiter Platinspatel vier Zoll tief in dem Eise, dessen zwischen den beiden Metallflächen liegende Schicht nur drei sechzehntel Zoll dick war, die jedoch ebenso vollkommen isolirte wie die frühere.

387. Auch als etwas Wasser auf das Eis des Gefässes gegossen wurde, erfolgte keine Leitung, obschon offenbar flüssiges Wasser vorhanden war. Dies hat seinen Grund darin, dass die kalten Metalle das mit ihnen in Berührung stehende Wasser zum Gefrieren brachten und so den flüssigen Theil desselben isolirten, und man kann das Leitungsunvermögen des Eises ermessen, wenn man sieht, eine wie dünne Schicht hinreicht, den Durchgang des Batteriestromes zu verhindern. Schmolzen Theile dieser dünnen Schicht an *beiden* Metallen, so trat Leitung ein.

388. Als das Zinngefäss erwärmt, und das Eisstück fortgenommen wurde, zeigte es sich, dass ein Kork nachgegeben hatte, und daher ein Rand des Platins mit der inneren Oberfläche des Zinngefässes fast in Berührung gekommen war, aber trotz der ausserordentlichen Dünne der Eisschicht an dieser Stelle war keine merkliche Menge von Elektricität hindurchgegangen.

389. Diese Versuche wurden mehrmals mit demselben Erfolge wiederholt. Zuletzt wurde eine kräftige Batterie von fünfzehn Trögen oder einhundertundfünfzig vierzölligen Platten benutzt, aber auch in diesem Falle ging keine merkliche Menge von Elektricität durch die Eisschicht.

390. Es schien anfangs, als ob zuweilen Abweichungen von diesen Ergebnissen eintraten, allein sie liessen sich stets auf störende Umstände zurückführen. Das Wasser muss in jedem Falle gut gefroren sein; denn es ist zwar nicht nothwendig, dass das Eis von Pol zu Pol reiche, da eine Schicht um einen Pol völlig hinreicht, die Leitung aufzuheben, aber wenn etwas Wasser flüssig bleibt, so genügt das blosse unvermeidliche Aussetzen des Apparates an die Luft oder die Annäherung der Hände, um auf der *oberen Fläche* des Wassers und Eises eine von Platin zum Zinn sich erstreckende flüssige Schicht zu erzeugen, und dann tritt Leitung ein. Wenn ferner die zur Festhaltung des Platins benutzten Korke feucht oder durchtränkt sind, so muss man durch geeignete Anwendung von Kälte Sorge tragen, dass das Wasser in ihnen gefriere, denn sonst würde, Falls ihre mit dem Zinn in Berührung stehende Fläche durch die Hantierung sich ein wenig erwärmte, dieser Theil leiten, und da das Innere ohnehin leitend wäre, so würde der Strom hindurchgehen. Das Wasser muss rein sein, nicht bloss, um nicht verwickelte Resultate zu liefern, sondern auch um zu verhüten, dass sich eine kleine Menge concentrirter Salzlösung bilde, welche flüssig bliebe und das Eis durchsetzte oder in die durch Contraction entstehenden Risse eindränge und ein dem Eise selbst fremdes Leitungsvermögen aufwiese.

391. In einem Falle war ich überrascht, zu finden, dass, nachdem viel Eis geschmolzen war, die Leitungsfähigkeit doch nicht wiederhergestellt war; allein ich erkannte, dass ein Kork, welcher den Draht eben dort hielt, wo er mit dem Platin vereinigt war, so tief in das Eis tauchte, dass er mit dem Eise selbst den Contact des Platins mit den geschmolzenen Theilen verhinderte, während ich ihn längst hergestellt glaubte.

392. Das Isolationsvermögen des Eises hält der Elektricität von hoher Intensität nicht Stand. Als ein divergirendes Goldblattelektrometer mit einem mit dem Platin verbundenen Drahte, das Zinngefäss mit der Hand oder einem anderen Drahte berührt wurde, wurde das Elektrometer augenblicklich entladen (419).

393. Wiewohl nun Elektricität von so geringer Intensität, dass sie das Elektrometer nicht zur Divergenz zu bringen vermag, dennoch (obschon in sehr beschränkter Menge (419)) durch Eis gehen kann, so ist darum doch die zur Vergleichung sich darbietende Relation von Wasser und Eis zu der Elektricität des Volta'schen Apparates nicht weniger überraschend oder weniger wichtig in ihren Folgen.

394. Da ich's nicht für wahrscheinlich hielt, dass dieses *Gesetz von der Erhaltung der Leitungsfähigkeit im flüssigen Zustande und dem Verluste derselben beim Gefrieren* ein dem Wasser eigenthümliches sei, suchte ich alsbald seine Wirksamkeit in anderen Fällen zu ermitteln und fand, dass es ein ganz allgemeines ist. Zu diesem Zwecke wurden Substanzen ausgewählt, welche bei gewöhnlicher Temperatur fest, aber leicht schmelzbar sind, und deren Zusammensetzung, aus anderen, mit der elektrochemischen Action im Zusammenhang stehenden Gründen, erwarten liess, dass sie im geschmolzenen Zustande das Wasser hinsichtlich der Leitung würden ersetzen können. Als Elektricitätsquelle wurde eine Volta'sche Batterie von zwei Trögen oder zwanzig vierzölligen Plattenpaaren (384) angewandt, und ein Galvanometer in den Kreis eingeschaltet, um zu erkennen, ob ein Strom vorhanden sei oder nicht.

395. Als zwei mit den Polen der Batterie verbundene Platindrähte in eine geringe Menge über einer Spirituslampe auf einem Bruchstück einer Florentiner Flasche geschmolzenen Chlorbleies eingeführt wurden, trat sofort eine kräftige Wirkung ein, das Galvanometer wurde sehr stark abgelenkt, und das Chlorid rasch zersetzt. Nach Entfernung der Lampe hörte in dem Augenblicke, da das Chlorid erstarrt war, der Strom mit den ihn begleitenden Wirkungen völlig auf, wiewohl die Platindrähte in dem Chlorid nicht mehr als $^1/_{16}$ Zoll von einander abstanden. Bei erneuter Erwärmung ging der Strom augenblicklich wieder hindurch, sobald die Schmelzung soweit vorgeschritten war, dass flüssige Masse die Pole verband.

396. Wurde das Chlorid geschmolzen, während nur ein Draht darin steckte, und darauf die Flüssigkeit mit dem anderen berührt, so bildete sich, da dieser kalt war, an seinem Ende ein kleiner Knopf von erstarrter Masse, und der Strom ging nicht hindurch; nur wenn der Draht so heiss wurde, dass er mit der flüssigen Masse in Berührung kommen konnte, erfolgte Leitung, die alsdann sehr gut war.

397. Die entsprechenden Versuche mit Chlorsilber und Kaliumchlorat ergaben genau dieselben Resultate.

398. Sobald in diesen Fällen der Strom hindurchging, trat Zersetzung der Substanzen ein; doch beabsichtige ich, den elektrochemischen Teil dieses Gegenstandes im Zusammenhange mit allgemeineren Ansichten in einer späteren Abhandlung zu besprechen.[1])

399. Andere Substanzen, welche nicht auf Glas geschmolzen werden konnten, wurden mittelst Lampe und Löthrohr auf Platin, das mit einem Pole der Batterie verbunden war, geschmolzen und darin ein mit dem anderen Pole verbundener Draht eingetaucht. Auf diese Weise zeigten Chlornatrium, Natriumsulphat, Bleioxyd, Gemenge von Kalium- und Natrium-

[1]) Sir H. Davy wusste bereits 1801, dass „trockener Salpeter, trockenes Aetzkali und Aetznatron den galvanischen Strom leiten, wenn sie durch starke Hitze verflüssigt werden" (Journals of the Royal Institution, 1802, p. 53), aber er erkannte nicht das allgemeine Gesetz, dessen Entwickelung ich mir zur Aufgabe gestellt habe. Es ist bemerkenswerth, dass er noch elf Jahre später sagen konnte: „Es sind ausser den Wasser enthaltenden keine Flüssigkeiten bekannt, welche fähig wären, das Verbindungsmittel zwischen dem Metall oder den Metallen des Volta'schen Apparates zu bilden." Elements of Chemical Philosophy, p. 169.

carbonat etc. etc. genau dieselben eben beschriebenen Erscheinungen; im flüssigen Zustande leiteten sie und wurden zersetzt, im festen, auch wenn sie heiss waren, isolirten sie den Batteriestrom, selbst wenn vier Tröge angewandt wurden.

400. Zuweilen waren die Substanzen in kurze gebogene Röhren von grünem Glase gebracht und die Platinpole von beiden Seiten in die geschmolzene Masse hineingesenkt. Auch in diesen Fällen wurden im Allgemeinen die den oben genannten gleichen Resultate erhalten, aber zugleich der Vortheil erreicht, dass die schliessliche Anordnung der Elemente der leitenden und Zersetzung erfahrenden Substanz beobachtet werden konnte. So gaben die Jodide von Kalium und Blei an dem positiven Pole Jod und an dem negativen Kalium, beziehentlich Blei. Chloride von Blei und Silber gaben am positiven Pol Chlor und Metall am negativen. Salpeter und Kaliumchlorat gaben Sauerstoff etc. am positiven und Kali oder selbst Kalium am negativen Pole.

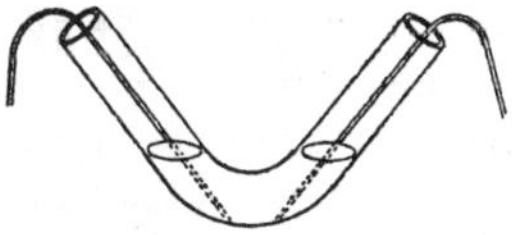

401. Für Substanzen, welche eine sehr hohe Temperatur zu ihrer Schmelzung erfordern, wurde noch eine andere Anordnung getroffen. Ein Ende eines mit dem einen Batteriepole verbundenen Platindrahtes wurde zu einem kleinen Ringe gebogen, wie es Berzelius für Löthrohrversuche vorschreibt, und ein wenig Salz, Glas oder andere Substanzen in diesem Ringe mittelst des gewöhnlichen Löthrohres oder in manchen Fällen auch mittelst des Knallgasgebläses geschmolzen. Wenn dann der von dem Ringe gehaltene Tropfen durch und durch heiss und flüssig war, wurde mit ihm ein Platindraht von dem anderen Batteriepole her in Berührung gebracht und der Erfolg beobachtet.

402. Die folgenden, in chemischer Hinsicht verschiedenen Klassen angehörigen Substanzen mannigfacher Art zeigen sich diesem Gesetze unterthan. Die Liste dürfte sich ohne Zweifel ausserordentlich erweitern lassen, allein ich hatte nicht Zeit, mehr zu thun, als das Gesetz durch eine hinlängliche Anzahl von Beispielen zu bestätigen.

Zuerst *Wasser.*

Von *Oxyden*: Kali, Bleioxyd, Antimonglas, Antimonoxydul, Wismuthoxyd.

Chloride von Kalium, Natrium, Barium, Strontium, Calcium, Magnesium, Mangan, Zink, Blei, Antimon, Silber, Kupferchlorür und Zinnchlorür.

Jodide von Kalium, Zink, Blei, Quecksilber, ferner Zinnjodür; *Fluor*kalium; *Cyan*kalium, *Schwefelcyan*kalium.

Sauerstoffsalze. Kaliumchlorat; Nitrate von Kalium, Natrium, Barium, Strontium, Blei, Kupfer und Silber; Sulphate von Natrium und Blei, und schwefelsaures Quecksilberoxydul; phosphorsaure Salze von Kalium, Natrium, Blei, Kupfer, glasige Phosphorsäure oder saurer phosphorsaurer Kalk; Carbonate von Kalium und Natrium, gemengt und einzeln; Borax, borsaures Blei und borsaures Zinnoxyd; chromsaures Kalium, doppeltchromsaures Kalium, chromsaures Blei; Kaliumacetat.

Sulphide. Schwefelantimon, Schwefelkalium, durch Reduction des Kaliumsulphats mittelst Wasserstoff hergestellt; gewöhnliches Schwefelkalium.

Kieselsaures Kalium; mineralisches Chamäleon.

403. Es ist von hohem Interesse, bei denjenigen der angeführten Substanzen, welche vor dem Schmelzen erweichen, zu beobachten, in welchem Stadium sie das Leitungsvermögen erlangen, und bis zu welchem Grade es durch vollkommene Verflüssigung sich erhöht. Erhitzte man beispielsweise borsaures Blei auf Glas über der Lampe, so wurde es weich wie Syrup, aber es leitete noch nicht und wurde erst leitend, als es mittelst des Löthrohres in helle Rothgluth versetzt wurde. In vollkommen flüssigem Zustande leitete es sehr gut.

404. Ich will hiermit nicht leugnen, dass die Zunahme der Leitungsfähigkeit beim Erweichen in diesen Fällen theilweise wahrscheinlich von der Temperaturerhöhung herrührte (432. 445); allein ich kann nicht zweifeln, dass sie zum weit grösseren Theil dem Einflusse des oben dargelegten allgemeinen Gesetzes zuzuschreiben sei, welches in diesen Fällen nicht plötzlich, sondern allmählich in Wirksamkeit trat.

405. Folgende Substanzen erlangen beim Uebergang in den flüssigen Zustand kein Leitungsvermögen:

Schwefel, Phosphor, Jodschwefel, Zinnjodid, Operment, Realgar, Eisessig, Gemenge von Margarin- und Oelsäure, künstlicher Kampher, Coffeïn, Zucker, Fettwachs, Stearin aus Kokosnussöl, Wallrath, Kampher, Naphthalin, Harz, Sandarachharz, Schellack.

406. Zinnchlorid, Arsenchlorür und Arsenchlorürhydrat zeigten im flüssigen Zustande keine am Galvanometer wahrnehmbare Leitungsfähigkeit, noch auch wurden sie zersetzt.

407. Einige der obigen Substanzen sind als Ausnahmen von dem in den vorhergehenden Fällen geltenden allgemeinen Gesetze recht merkwürdig, nämlich Operment, Realgar, Essigsäure, künstlicher Kampher, Zinnjodid und die Chlorüre von Zinn und Arsen. Ich werde Gelegenheit haben, auf dieselben in der Abhandlung über elektrochemische Zersetzung zurückzukommen.

408. Borsäure wurde mittelst einer Knallgasflamme (401) auf die erreichbar höchste Temperatur gebracht, ohne eine durch das Galvanometer erkennbare Leitungsfähigkeit zu erlangen und eine sichtbare Volta'sche Zersetzung zu erleiden. Sie schien ein ebenso schlechter Leiter zu sein wie Luft. Grünes Bouteillenglas, ebenso erhitzt, nahm ebenfalls kein durch das Galvanometer wahrnehmbares Leitungsvermögen an. Flintglas wurde bei hoher Temperatur ein wenig leitend und zersetzte sich, beides um so mehr, je mehr der Gehalt des Glases an Kali oder Bleioxyd zunahm. Gläser, welche einerseits aus Borsäure, andererseits aus Bleioxyd oder Kali bestehen, zeigen die Erlangung der Leitungsfähigkeit beim Schmelzen und die sie begleitende Zersetzung sehr deutlich.

409. Ich war vielfach bemüht, den Grundversuch mit Schwefelsäure von etwa 1,783 specifischem Gewicht anzustellen, welche so viel Wasser enthält, dass sie hierdurch die Fähigkeit erlangt, bei 40^0 F. zu krystallisiren; allein es war mir unmöglich, sie in dem Zustande zu erhalten, dass ich sicher sein konnte, das Ganze selbst bei 0^0 F. zum Gefrieren zu bringen. Ein zehntausendstel Wasser mehr oder weniger als nothwendig würde beim Abkühlen des Ganzen Veranlassung geben, dass ein Theil nicht erstarrungsfähiger Flüssigkeit sich absonderte, in den Zwischenräumen der festen Masse zurückgehalten würde und die Theilungsebene befeuchtete, so dass hierdurch die correcte Beobachtung der von der gänzlichen Erstarrung und der folgenden Verflüssigung bedingten Erscheinung unmöglich gemacht wäre.

410. Der Grad der Leitungsfähigkeit der Substanzen, welche dieselbe beim Uebergang in den flüssigen Zustand erlangen, ist im Allgemeinen ein sehr hoher. Wasser ist der Körper, welcher die schwächste Leitungsfähigkeit annimmt; in viel höherem Maasse thuen es die verschiedenen Oxyde, Chloride, Sauerstoffsalze etc. etc. Ich hatte nicht Zeit, die Leitungsfähigkeit dieser Substanzen zu messen, aber sie ist augenscheinlich hundertmal grösser als die des reinen Wassers. Die erhöhte Leitungsfähigkeit, welche dem Wasser bekanntlich durch Zusatz von Salzen ertheilt werden kann, scheint in erheblicherem Grade von dem hohen Leitungsvermögen dieser Substanzen im flüssigen Zustande herzurühren, in welchen Zustand sie hier nicht durch Wärme, sondern durch Lösung im Wasser übergehen.[1])

411. Ob das Leitungsvermögen dieser verflüssigten Körper eine Folge ihrer Zersetzung ist oder nicht (413), oder ob Leitung und Zersetzung wesentlich mit einander zusammenhängen oder nicht, dürfte für die wahrscheinliche Richtigkeit der vorstehenden Annahmen von keinem Belang sein.

412. Diese *allgemeine Erlangung von Leitungsfähigkeit*, sobald die Körper aus dem festen in den flüssigen Zustand übergehen, bietet ein neues und überraschendes Merkmal dar, dessen Dasein bisher, soviel ich weiss, nicht vermuthet worden ist, und scheint innig verknüpft zu sein mit einigen Eigenschaften und Relationen der materiellen Theilchen, welche ich nun kurz andeuten will.

413. In fast allen bisher beobachteten Fällen, in denen dieses Gesetz gilt, waren die untersuchten Substanzen nicht bloss zusammengesetzte, sondern bestanden aus solchen Elementen, welche sich bekanntermaassen an den entgegengesetzten Polen anordnen, also Substanzen, welche durch den elektrischen Strom *zersetzt* werden konnten. Wenn Leitung stattfand, trat auch Zersetzung ein, und mit der Zersetzung hörte auch die Leitung auf, und es entstand daher die interessante und wichtige Frage, ob, wo das Gesetz

---

[1]) Siehe einen Zweifel über diesen Punkt, 1356. — Dec. 1838.

Geltung behält, die Leitung selbst nicht eine Folge nicht nur der Zersetzbarkeit, sondern des Zersetzungsactes selbst sei. Und an diese Frage reiht sich die andere, ob die Erstarrung die Leitung nicht bloss dadurch vernichtet, dass sie die Theilchen durch die Cohäsionskraft an ihren Ort fesselt und ihre schliessliche Trennung in der für die Zersetzung nothwendigen Weise verhindert.

414. Andererseits jedoch giebt es eine Substanz (und vielleicht noch mehrere) das *Quecksilberjodid*, welches, wie die anderen (400) untersucht, im festen Zustande isolirte und beim Uebergang in den flüssigen leitend wurde, und dennoch schien es in dem letzteren Falle keine Zersetzung zu erleiden.

415. Wiederum giebt es Substanzen, welche aus Elementen zusammengesetzt sind, von denen man erwarten sollte, dass sie sich an den entgegengesetzten Polen der Säule abscheiden würden und insofern daher zur Zersetzung geeignet seien, und welche dennoch nicht leiten. Zu diesen gehören Jodschwefel, Zinkjodid, Zinnchlorid, Arsenchlorür, Arsenchlorürhydrat, Essigsäure, Operment, Realgar, künstlicher Kampher u. s. w.; von diesen darf man vielleicht annehmen, dass die Zersetzung durch die Leitungsfähigkeit bedingt sei und nicht diese von jener. Die wahre Beziehung jedoch zwischen Leitung und Zersetzung derjenigen Körper, welche dem allgemeinen Gesetze unterworfen sind, dessen Feststellung den Gegenstand dieses Aufsatzes bildet, kann nur durch eine weit ausgedehntere Reihe von Beobachtungen, als ich bisher zu liefern im Stande war, ermittelt werden.[1])

416. Die Beziehung, welche unter dem Gesichtspunkte dieses Gesetzes zwischen der Elektricitätsleitung und Wärmeleitung besteht, ist sehr merkwürdig und scheint eine naturgemässe Abhängigkeit zwischen beiden in sich zu schliessen. Wenn ein fester Körper flüssig wird, verliert er fast völlig seine Wärmeleitungsfähigkeit, erlangt dagegen in hohem Masse die Fähigkeit, Elektricität zu leiten; kehrt er jedoch in den festen Zustand zurück, so erlangt er wieder sein Wärmeleitungsvermögen, verliert aber die Fähigkeit der Elektricitätsleitung. Wenn also diese Eigenschaften auch nicht unvereinbar sind, so stehen sie doch in einem sehr starken Gegensatz, da die eine verloren geht, wenn die andere erlangt wird. Wir dürfen vielleicht hoffen, künftig den physikalischen Grund dieser sehr auffälligen Beziehung zwischen den beiden Leitungsfähigkeiten einzusehen, welche beide in directem Zusammenhange mit der Molecularconstitution der betreffenden Substanzen zu stehen scheinen.

417. Die Erlangung der Leitungsfähigkeit und Zersetzbarkeit durch Verflüssigung verspricht neue Mittel und grosse Erleichterungen für Volta'sche Zersetzung. So können nun Körper, wie Oxyde, Chloride, Cyanide, Sulphocyanide, Fluoride, gewisse glasige Mischungen etc. etc., unter neuen Um-

---

[1]) Siehe 679, etc. etc. — Dec. 1838.

ständen der Wirkung der Volta'schen Batterie ausgesetzt werden, und in der That war ich bereits im Stande, durch zehn Plattenpaare Kochsalz, Chlormagnesium, Borax etc. etc. zu zersetzen, und Natrium, Magnesium, Bor etc. in isolirtem Zustande zu erhalten.

§ 10. Ueber Leitungsvermögen im Allgemeinen.[1])

418. Es ist hier nicht meine Absicht, in eine Prüfung aller mit dem Leitungsvermögen zusammenhängender Umstände einzutreten, sondern nur gewisse Thatsachen und Beobachtungen mitzutheilen, welche durch neue Untersuchungen zu dem Grundstock unserer Kenntnisse dieses Zweiges der Elektricitätslehre hinzugekommen sind.

419. In erster Linie war ich darauf bedacht, eine Vorstellung über die Leitungsfähigkeit des Eises und fester Salze für Elektricität von hoher Spannung (392) zu gewinnen, um eine Vergleichung zwischen ihr und der beträchtlichen Zunahme dieser Fähigkeit in Folge der Verflüssigung anstellen zu können. Zu diesem Zwecke wurde der Conductor der zu ausgezeichneter Wirksamkeit gebrachten grossen Elektrisirmaschine (290) mit einem empfindlichen Goldblattelektrometer und zugleich mit dem im Eise eingeschlossenen Platin (383), und das Zinngefäss mit dem Ableitungssystem (292) in Verbindung gesetzt. Bei mässigem Drehen der Maschine trennten sich die Goldblättchen ein wenig, bei raschem Drehen gingen sie fast zwei Zoll auseinander. Bei diesem Versuche hatte das Zinngefäss eine Weite von $^5/_8$ Zoll, und da das Platin, wie sich nach Beendigung des Versuches zeigte, sehr nahe in der Mitte des Eises steckte, so betrug die mittlere Dicke des letzteren $^5/_{16}$ Zoll und seine Berührungsfläche mit dem Zinn und Platin vierzehn Quadratzoll (384). Dennoch war es unter diesen Umständen nur eben im Stande, die geringe Menge Elektricität, welche diese Maschine liefern konnte (371), zu leiten, selbst wenn ihre Spannung gross genug war, die Goldblättchen zwei Zoll weit aus einander zu treiben; kein Wunder also, dass es keinen merklichen Theil der Elektricität der Volta'schen Batterie (384) zu leiten vermochte, welche, obwohl sie die der Maschine an Quantität fast unendlich übertraf, doch eine so niedrige Spannung hatte, dass sie am Elektrometer nicht wahrnehmbar war.

420. In einem anderen Versuche war der Zinnkasten nur $^4/_8$ Zoll weit, und das Platin im Eise, wie sich später fand, nicht ganz $^1/_8$ Zoll von einer Seite des Zinngefässes entfernt. Wurde dieses in die Bahn der von der Maschine gelieferten Elektricität (419) eingeschaltet, so konnten die Goldblättchen nicht mehr als $^1/_2$ Zoll weit aus einander getrieben werden; die Dünne des Eises begünstigte die Elektricitätsleitung und liess

---

[1]) Mit diesem § vergleiche 983, Reihe VIII, und die damit verknüpften Resultate. — Dec. 1838.

dieselbe Menge Elektricität, wiewohl von viel geringerer Spannung, in derselben Zeit hindurch.

421. Jodkalium wurde geschmolzen und nach dem Erkalten in die Bahn des von der Maschine gelieferten Stromes eingeschaltet, und zwar wurden zwei ungefähr $^1/_4$ Zoll dicke Stücke, von je etwa $^1/_2$ Quadratzoll Fläche zu jeder Seite, auf Platinplatten gelegt, deren eine mit der Maschine und dem Elektrometer (419), deren andere mit dem Ableitungssystem verbunden, während die beiden Stücke ein in zwei Punkten auf ihnen ruhender dünner Platindraht verband. Beim Drehen der Elektrisirmaschine war es möglich, die Blättchen des Elektrometers um etwa $^2/_3$ Zoll aus einander zu treiben.

422. Da die Berührung des Platins mit dem Salz nur in den zwei Punkten stattfand, so zeigt dieses Resultat, dass dasselbe ein weit besserer Leiter ist als Eis; da aber die Goldblättchen doch divergirten, so ist ebenso einleuchtend, einem wie grossen Hinderniss die Leitung selbst der geringen von der Maschine gelieferten Elektricitätsmenge durch diesen Körper im festen Zustande begegnet, im Vergleich mit den enormen Quantitäten von sehr geringer Spannung, welche derselbe im flüssigen Zustande hindurchlässt.

423. Um diese Resultate mit anderen, mittelst des Volta'schen Apparates erhaltenen zu vergleichen, wurde eine Batterie von hundertundfünfzig vierquadratzölligen Plattenpaaren sorgfältig aufgebaut; sie functionirte gut, ertheilte starke Schläge; die Entladung hatte ihren Weg von Kupfer zu Kupfer *durch* eine $^4/_{10}$ Zoll dicke Luftschicht zu nehmen, und das früher benutzte Goldblattelektrometer konnte um beinahe $^1/_4$ Zoll zur Divergenz gebracht werden.

424. Das angewandte Eisgefäss (420) war $^1/_2$ Zoll weit; da die Berührungsfläche des Eises mit dem Zinn und Platin nahezu vierzehn Quadratzoll betrug, so war das Ganze gleichwerthig einer vollkommen in Contact stehenden Eisplatte von sieben Quadratzoll Fläche an jeder Seite und nur $^1/_4$ Zoll Dicke. Während des Versuches befand sich das Gefäss in einer Kältemischung.

425. Die Anordnung der Bahn des elektrischen Stromes war folgende. Der positive Pol der Batterie war mittelst eines Drahtes mit dem Platinstreifen im Eise verbunden, und wie dieser mit dem Eise, so stand das Eis mit der Zinnumhüllung in Contact; die Zinnhülle communicirte durch einen Draht mit einem Stück Stanniol, auf welchem ein Ende eines gebogenen Platindrahtes ruhte (312), dessen anderes, zur Zerlegung dienendes Ende*) auf einem mit Jodkaliumlösung befeuchteten Papier (316) auflag,

*) Mit diesen Worten ist Faraday's im Folgenden sehr häufig wiederkehrender Ausdruck, the decomposing end, oder, the decomposing wire, wiedergegeben, da der naheliegende Terminus, Elektrode, erst in der siebenten Reihe eingeführt wird. D. Ü.

welches selbst auf einem mit dem negativen Ende der Batterie verbundenen Platinspatel lag. Alle Theile dieser Vorrichtung zwischen dem Eisgefässe und dem zur Zerlegung dienenden Drahtende, einschliesslich dieser beiden, waren isolirt, so dass keine Elektricität durch letzteres gehen konnte, ohne auch das erstere durchsetzt zu haben.

426. Unter diesen Umständen sah man einen blassbraunen Jodfleck unter der zur Zerlegung dienenden Platinspitze langsam sich bilden, zum Beweise, dass das Eis ein wenig von der durch eine Volta'sche Batterie, für deren Intensität die Angabe des Elektrometers ein Maass bildete, gelieferten Elektricität zu leiten vermochte. Aber offenbar war die Batterie, trotz der enormen Menge Elektricität, welche sie liefern konnte, unter diesen Umständen ein gegenüber der Elektrisirmaschine sehr untergeordneter Apparat, denn diese konnte so viel Elektricität durch das Eis senden, als dieses fortleiten konnte, indem sie von weit grösserer Intensität, d. h. im Stande war, die Blättchen des Elektrometers einen halben Zoll und darüber aus einander zu treiben (419, 420).

427. Der zur Zerlegung dienende Draht und die Jodkaliumlösung wurden nun ausgeschaltet und durch ein sehr empfindliches Galvanometer (205) ersetzt; es war fast völlig astatisch, so dass es zu einer Hin- und Her-Schwingung etwa dreiundsechzig Schläge einer in der Minute hundertundfünfzig Schläge gebenden Uhr brauchte. Es zeigte sich ein ebenso schwacher Strom wie vorher; die Galvanometernadel wurde abgelenkt, aber der Contact musste drei- oder viermal unterbrochen und wieder hergestellt werden (297), ehe der Effect mit Entschiedenheit hervortrat.

428. Ich schaltete das Galvanometer aus, verband zwei Platinstreifen mit den Enden der Drähte und brachte die Zunge zwischen sie, so dass die ganze Ladung der Batterie, soweit das Eis den Durchgang gestattete, durch die Zunge gehen konnte. Wenn ich auf dem steinernen Fussboden stand, fühlte ich einen Schlag, u. s. w., aber wenn ich isolirt war, vermochte ich keine Empfindung wahrzunehmen. Ich glaube, ein Frosch würde überhaupt nicht afficirt worden sein.

429. Nun wurden an Stelle des Eises andere feste Körper den Versuchen unterworfen, zu welchem Zwecke sie statt der Jodkaliumlösung unter das Ende des zur Zerlegung dienenden Drahtes gebracht wurden (425). So wurde beispielsweise ein Stück trockenen Jodkaliums auf den mit dem negativen Pol der Batterie verbundenen Spatel gebracht und darauf das Ende des mit dem positiven Pol der Batterie communicirenden, zur Zerlegung dienenden Drahtes gestellt. Einen braunen Jodfleck sah man sehr langsam entstehen, zum Beweise, dass ein wenig Elektricität hindurchging, so dass in dieser Hinsicht das Resultat übereinstimmt mit denen, welche bei Anwendung der Elektrisirmaschine erhalten wurden (421). Wurde gleichzeitig mit dem Jodid ein Galvanometer in den Kreis eingeschaltet, so konnte die Wirkung des Stromes auf dieses nur schwierig wahrgenommen werden.

430. Ein Stück vorher geschmolzenen und dann wieder erstarrten Kochsalzes, in den Stromkreis gebracht, reichte hin, die Wirkung auf das Galvanometer fast gänzlich aufzuheben. Geschmolzenes und dann erkaltetes Chlorblei hatte denselben Erfolg. Die Leitungsfähigkeit dieser Körper im flüssigen Zustande ist sehr gross (395, 402).

431. Diese mit der Elektrisirmaschine und der Volta'schen Batterie erhaltenen Wirkungen stimmen unter einander und mit dem in dieser Abhandlung (394) niedergelegten Gesetze überein, und nicht minder mit der in der dritten Reihe dieser Untersuchungen aufgestellten Ansicht von der Identität der verschiedenen Quellen entstammenden Elektricität (360).

432. Die Wirkung der Wärme, die Leitungsfähigkeit mancher Substanzen, insbesondere für Elektricität von hoher Spannung zu steigern, ist wohl bekannt. Mir ist neulich ein überraschender Fall dieser Art für Elektricität von niedriger Spannung, oder die der Volta'schen Säule, vorgekommen, welcher in directem Gegensatz zu dem von Sir Humphry Davy[1]) beobachteten und beschriebenen Einfluss der Wärme auf metallische Körper steht.

433. Die diese Erscheinung zeigende Substanz ist Schwefelsilber. Es wurde dargestellt durch Schmelzen eines Gemenges von gefälltem Silber und sublimirtem Schwefel, Abfeilen des Silbers von der Aussenseite der Schmelzmasse, Zusetzen einer weiteren Menge Schwefel zu dem pulverisirten Sulphid und abermaliges Schmelzen in einer Röhre aus grünem Glase unter Ausschluss des Luftzutrittes während dieser Procedur. Nachdem von dem Sulphid wiederum die Aussenfläche mittelst einer Feile oder eines Messers entfernt worden war, wurde es als frei von ungebundenem Silber angesehen.

434. Wurde nun ein $^1/_2$ Zoll dickes Stück dieses Sulphids zwischen Platinstreifen gebracht, welche mit den Polen einer Volta'schen Batterie von zwanzig vierzölligen Plattenpaaren verbunden waren, in deren Kreis ein Galvanometer eingeschaltet war, so erfuhr die Nadel eine geringe Ablenkung und zeigte somit die Existenz einer schwachen Leitungsfähigkeit an. Als ich die Platinpole nebst dem Sulphid mit der Hand gegen einander presste, nahm die Leitungsfähigkeit zu in dem Maasse, wie das Ganze warm wurde. Bei Einwirkung einer Lampe auf das zwischen den Polen befindliche Sulphid nahm die Leitungsfähigkeit rasch mit der Erwärmung zu, und schliesslich sprang die Galvanometernadel in eine feste Lage über, und das Sulphid leitete nun sichtlich wie ein Metall. Fiel die Wärme nach Entfernung der Lampe ab, so kehrten sich die Erscheinungen um, die Nadel begann zuerst ein wenig zu vibriren, verliess dann allmählich

---

[1]) Philosophical Transactions, 1821, p. 431.

ihre Querrichtung und kehrte schliesslich fast völlig in die Lage zurück, welche sie ohne den Durchgang eines Stromes durch das Galvanometer eingenommen haben würde.

435. Zuweilen, wenn der Contact mit den Platinpolen gut, die Batterie frisch angestellt und die Anfangstemperatur nicht zu niedrig war, reichte der Batteriestrom für sich aus, die Temperatur des Sulphids zu erhöhen, und dann nahm auch ohne Anwendung äusserer Wärme zugleich mit der Temperatur die Leitungsfähigkeit des letzteren zu, bis die Abkühlung der Luft der Wirkung eine Grenze setzte. In solchen Fällen war es im Allgemeinen nöthig, das Ganze eigens abzukühlen, um die umgekehrte Folge der Erscheinungen hervorzurufen.

436. Zuweilen nahmen auch die Wirkungen von selbst ab und stellten sich nicht eher wieder von Neuem her, als bis das Sulphid mit einer frischen Fläche an den positiven Pol gelegt wurde. Dies war die Folge einer eigenthümlichen Zersetzung, auf welche ich in dem Abschnitt über elektrochemische Zersetzung zurückzukommen Veranlassung haben werde, und liess sich bequem vermeiden dadurch, dass ich die Enden zweier Platindrähte in die entgegengesetzten Enden einer in einem Glasrohre geschmolzenen Menge Schwefelsilber steckte und diese Vorrichtung zwischen die Pole der Batterie brachte.

437. Das heisse Schwefelsilber leitet gut genug, um, wie ein Metall, mit Kohle, u. s. w. u. s. w. einen hellen Funken zu geben.

438. Das natürliche graue Schwefelsilber und das Rothgültigerz zeigen dieselben Erscheinungen. Das natürliche geschmeidige Schwefelsilber bietet genau dieselben Erscheinungen dar wie das künstliche.

439. Ich kenne keinen anderen Körper, welcher gleich dem Schwefelsilber, so lange er heiss ist, hinsichtlich der Leitungsfähigkeit für Elektricität von niedriger Spannung den Metallen zur Seite gestellt werden kann und umgekehrt beim Erkalten Einbusse an diesem Vermögen erleidet, während diese im Gegentheil eine Zunahme desselben erfahren. Wahrscheinlich werden sich jedoch noch mehrere finden, wenn man nach ihnen suchen wird.[1])

440. Eisensulphür, Schwefelkies, Arsenikkies, Kupferkies, graues künstliches Schwefelkupfer, künstliches Schwefelwismuth und künstliches Schwefelzinn leiten in der Kälte sämmtlich mehr oder weniger den Volta'schen Strom, und einige von ihnen geben, gleich den Metallen, Funken, andere eignen sich zu dieser starken Wirkung nicht. Sie schienen im erhitzten Zustande nicht besser zu leiten als vorher, aber ich hatte nicht Zeit, auf eine genauere Untersuchung dieses Punktes einzugehen. Fast alle erwärmten sich beim Durchgange des Stromes und bieten in dieser Beziehung manche interessante Erscheinungen dar. Das Schwefelantimon ist für einen und denselben Strom weder in der Kälte noch in der Wärme merklich leitend,

---

1) Siehe nun über diesen Gegenstand, 1340, 1341, — Dec. 1838.

gehört aber zu denjenigen Körpern, welche im geschmolzenen Zustande Leitungsfähigkeit erlangen (402). Das Schwefelsilber und vielleicht noch manche andere Substanzen werden im festen Zustande zersetzt; allein die Erscheinungen dieser Zersetzung sollen für den geeigneten Ort in der nächsten Reihe dieser Untersuchungen aufgespart bleiben.

441. Ungeachtet der ausserordentlichen Unähnlichkeit zwischen Schwefelsilber und Gasen oder Dämpfen, kann ich doch nicht umhin, die Wirkung der Wärme auf sie als gleich anzusehen, insofern diese sie alle in die Klasse der Elektricitätsleiter einreiht, wenn auch mit den grossen graduellen Unterschieden, welche eben unter gewöhnlichen Umständen existiren. Werden Gase erwärmt, so nimmt ihre Leitungsfähigkeit sowohl für gewöhnliche als auch für Volta'sche Elektricität zu (271),*) und wahrscheinlich würde ihre Leitungsfähigkeit noch mehr wachsen, wenn man sie gleichzeitig comprimiren und condensiren könnte. Cagniard de la Tour hat gezeigt, dass eine Substanz im flüssigen Zustande, wie beispielsweise das Wasser, sich unter dem Einflusse der Wärme so ausdehnen kann, oder im dampfförmigen Zustande so condensirt werden kann, dass beide Zustände an einem Punkte zusammenfallen, und dass der Uebergang aus dem einen in den anderen so allmählich erfolgt, dass sich keine Grenzlinie feststellen lässt;[1]) dass in der That die beiden Zustände einen einzigen ausmachen, welcher sich uns zu verschiedenen Zeiten in gewissen graduell verschiedenen Eigenschaften und Beziehungen darstellt, — Unterschiede, welche unter gewöhnlichen Umständen so gross sind, dass sie zwei verschiedenen Zuständen gleichkommen.

442. Ich kann gegenwärtig nur vermuthen, dass an dem Punkte, wo der flüssige und gasförmige Zustand zusammenfallen, die Leitungsfähigkeit in beiden gleich ist, dass sie sich aber vermindert, wenn die nach Beseitigung des nothwendigen Druckes sich ausdehnende Substanz in eine verdünntere Form übergeht; in welchem Falle jedoch die dann noch zurückbleibende geringe Leitungsfähigkeit, wie gering sie auch sein mag, sich durch die Einwirkung der Wärme vermuthlich wird steigern lassen.

443. Ich gestatte mir über die Umstände der elektrischen Leitung in Körpern Folgendes zusammenzufassen, jedoch nicht ohne zu befürchten, einige wichtige Punkte übergangen zu haben.[2])

444. Alle Körper, von den Metallen bis zu den Lacken und den Gasen, leiten Elektricität in gleicher Weise, jedoch in sehr verschiedenem Grade.

---

*) Die Frage, ob die Gase leiten, ist in neuerer Zeit vielfach diskutirt worden. Vergl. u. A. Giese, Wied. Ann. XVII, p. 1, 236, 519. 1882. — Nahrwold, Ibid. XXXI, p. 448. 1887 und XXXIV, p. 172, 1888. — Narr, Ibid. XXIII, p. 295. 1888. — Luvini, Lum. électrique, XXIV, p. 457. 1887. Beiblätter, 1887, Heft 10, p. 740. — Die Meinungen sind derart getheilt, dass die Frage noch als eine offene zu bezeichnen ist. D. Ü.

[1]) Annales de Chimie, XXI, pp. 127, 178.

[2]) Siehe nun in Bezug auf diesen Gegenstand, 1320—1342. — Dec. 1838.

445. Die Leitungsfähigkeit nimmt durch Erwärmung in einigen Körpern beträchtlich zu und vermindert sich in anderen, jedoch ohne dass sich gleichzeitig ein wesentlicher elektrischer Unterschied in den Körpern oder in den durch die geleitete Elektricität veranlassten Veränderungen wahrnehmen liesse.

446. Eine zahlreiche Klasse von Körpern, welche im festen Zustande Elektricität von geringer Intensität isoliren, leiten sie im flüssigen Zustande sehr leicht und werden dann durch dieselbe zersetzt.

447. Es giebt jedoch viele flüssige Körper, welche Elektricität von dieser geringen Intensität nicht merklich leiten; es giebt andere, welche sie leiten, ohne zersetzt zu werden; auch ist der flüssige Zustand nicht wesentlich zur Zersetzung.[1]

448. Es ist bis jetzt nur ein Körper entdeckt[2], welcher im festen Zustande einen Volta'schen Strom isolirt, im flüssigen ihn leitet, ohne in diesem Falle zersetzt zu werden (414).

449. Es lässt sich bis jetzt kein strenger elektrischer Unterschied in Bezug auf Leitung ziehen zwischen Körpern, welche man als elementare ansieht, und solchen, welche als zusammengesetzte bekannt sind.

---

[1]) Siehe die nächste Reihe dieser Experimental-Untersuchungen.

[2]) Es ist leicht möglich, dass dieser Fall bei feineren Versuchen künftig verschwindet. (Siehe nun in Bezug auf diese Anmerkung, 1340, 1341. — Dec. 1838.)

Royal Institution,
15. April 1833.

FUNFTE REIHE.

§ 11. Ueber elektrochemische Zersetzung. I. Neue Bedingungen für elektrochemische Zersetzung. II. Einfluss von Wasser bei elektrochemischer Zersetzung. III. Theorie der elektrochemischen Zersetzung.

[Eingegangen am 18. Juni, — Gelesen am 20. Juni 1833.]

§ 11. Ueber elektrochemische Zersetzung.[1])

450. In einer neueren Reihe dieser Untersuchungen (265) habe ich (wenigstens zu meiner eigenen Befriedigung) die Identität der verschiedenen Quellen entstammenden Elektricität bewiesen und besonders bei den Beweisen von der Einerleiheit der von der gewöhnlichen Elektrisirmaschine und der Volta'schen Batterie gelieferten Elektricitäten verweilt.

451. Der grosse Unterschied der aus diesen beiden Quellen herrührenden Elektricitäten besteht einerseits in der sehr hohen Spannung, welche die mittelst der Maschine erhaltene geringe Menge erreichen kann, andererseits in der ungeheuren Menge (371, 376) bei verhältnissmässig geringer Spannung, welche die Volta'sche Batterie liefern kann; da aber ihre Wirkungen, die chemischen sowohl als auch die magnetischen oder irgend welche anderen, wesentlich gleich sind (360), so schien es begründet, von der Wirkungsart der ersteren auf die der letzteren schliessen zu dürfen, und ich hielt die Folgerung für wahrscheinlich, dass die Anwendung der Elektricität von solcher Intensität, wie sie durch die Maschine geliefert wird, zur Hervorbringung und Erforschung elektrochemischer Zersetzung neue Umstände dieser Wirkung aufdecken, zu neuen Ansichten über die innere Anordnung und die Veränderungen der der Zersetzung unterworfenen Substanzen führen und uns vielleicht wirksame Kraftmittel über bisher unzerlegte Stoffe liefern würde.

452. Um die Gegenstände der verschiedenen Theile dieser Reihe von Untersuchungen besser zu unterscheiden, will ich sie in mehrere Abschnitte theilen.

I. Neue Bedingungen für elektrochemische Zersetzung.

453. Vermöge ihrer Spannung geht die Maschinenelektricität, wie gering auch ihre Menge sein mag, durch jede Strecke von Wasser, Lösungen,

---

[1]) Vergleiche die auf 1047 der Reihe VIII folgende Note. — Dec. 1838.

oder anderen, gleich diesen als Leiter zu classificirenden Substanzen so schnell als sie erregt werden kann hindurch und folglich, in Bezug auf Quantität, so schnell als sie durch weit kürzere Strecken derselben leitenden Substanz gehen würde. Mit der Volta'schen Batterie verhält es sich ganz anders, indem der von ihr gelieferte elektrische Strom in jeder Substanz von erheblicher Länge, insbesondere aber in den oben erwähnten Körpern eine beträchtliche Schwächung erleidet.

454. Ich bemühte mich, die Leichtigkeit, mit welcher der Elektricitätsstrom durch einen Leiter von beliebiger Länge hindurchgeht, zu einer Untersuchung über die in entgegengesetzter Richtung zu den Polen hin erfolgende Fortführung der Elemente einer der Zersetzung unterworfenen Substanz zu benutzen. Die allgemeine Form des zu diesen Versuchen angewandten Apparates ist bereits beschrieben worden (312, 316), sowie auch ein besonderes Experiment (319), bei welchem ein mit einem Stück Curcumapapier zusammenhängendes Stück Lackmuspapier mit einer Lösung von Natriumsulphat angefeuchtet war, und die Spitze des mit der Maschine verbundenen Drahtes (als positiver Pol) auf dem Lackmuspapier, die zum Ableitungssystem (292, 316) führende Auffangspitze, als negativer Pol, auf dem Curcumapapier stand, bei welchem Versuche sehr wenige Umdrehungen der Maschine genügten, um die Entstehung von Säure an dem ersteren und Alkali an dem letzteren zu zeigen, genau wie es durch einen voltaelektrischen Strom geschieht.

455. Die Stücke Lackmus- und Curcumapapier wurden *nun*, jedes für sich, auf eine besondere Glasplatte gelegt und durch eine vier Fuss lange, mit derselben Lösung von Natriumsulphat getränkte isolirte Schnur verbunden, und die Spitzen der zur Zerlegung dienenden Drähte wie vorher auf die Papiere gestellt. Als die Maschine arbeitete, zeigte sich Bildung von Säure und Alkali mit derselben Leichtigkeit wie in dem vorigen Falle, trotzdem die Orte ihres Auftretens vier Fuss von einander entfernt waren. Zuletzt wurde eine siebzig Fuss lange Schnur angewandt. Sie war in der Luft an Seidenfäden isolirt aufgehängt, so dass die Elektricität sie ihrer ganzen Länge nach durchlaufen musste, und genau wie in früheren Fällen fand auch jetzt Zersetzung statt, und Alkali und Säure traten an den gehörigen Stellen an den beiden Enden auf.

456. Dann stellte ich mit Natriumsulphat und Jodkalium Versuche an, um zu ermitteln, ob bei der eben erwähnten so grossen Länge des feuchten Leiters oder der Zersetzung unterworfenen Körpers dieser Effect eine Verminderung erleide; allein mochte die mit dem Ableitungssystem verbundene, zur Zersetzung dienende Spitze mit einem den ersten Conductor unmittelbar berührenden oder mit einem anderen, durch die siebzig Fuss lange Schnur mit jenem verbundenen Curcumapapier in Contact stehen, bei gleicher Anzahl Umdrehungen der Maschine war die Färbung des Alkaliflecks von gleicher Intensität. Dieselben Resultate fanden sich an dem anderen zur

Zerlegung dienenden Draht, ob das Salz oder das Jodid angewandt wurde, und es war demnach vollkommen erwiesen, dass dieser grosse Abstand der beiden Pole auf den Betrag der Zersetzung ohne Einfluss war, vorausgesetzt, dass in beiden Fällen dieselbe *Quantität* von Elektricität hindurchgeleitet wurde (377).

457. Die negative Spitze des Ableitungssystems, das Curcumapapier und die Schnur wurden nun entfernt, die positive Spitze blieb auf dem Lackmuspapier, welches mit einer in der Hand gehaltenen feuchten Schnur berührt wurde. Wenige Umdrehungen der Maschine hatten ebenso leicht wie vorher das Auftreten von Säure am positiven Ende zur Folge.

458. Anstatt das Ende der feuchten Schnur in der Hand zu halten, hängte ich sie in freier Luft an Glas auf. Bei Drehung der Maschine ging die Elektricität vom Conductor durch die Drahtspitze zum Lackmuspapier und von dort durch Vermittelung der Schnur in die Luft, so dass hier (wie beim letzten Versuch) nur ein metallischer Pol vorhanden war; dennoch trat ebenso leicht wie in allen früheren Fällen Säure auf.

459. Wurden diese Versuche mit Elektricität aus dem negativen Conductor wiederholt, so zeigten sich die entsprechenden Wirkungen, mochte man nur einen oder beide zur Zerlegung dienende Drähte benutzen. Die Resultate blieben in Bezug auf die *Richtung* des elektrischen Stromes sich stets gleich.

460. Diese Versuche wurden derart abgeändert, dass nur ein einziger, jedoch nicht mit der Maschine in Verbindung stehender metallischer Pol zur Wirkung gelangte. Mit einer Lösung von Natriumsulphat befeuchtetes Curcumapapier wurde auf Glas gelegt und durch einen zur Zerlegung dienenden Draht (312) mit dem Ableitungssystem (292) verbunden; von jenem hing eine feuchte Schnur herab, dessen unteres Ende einer mit dem positiven ersten Conductor der Maschine verbundenen Spitze gegenüber gehalten wurde. Als die Maschine dann ein paar Umdrehungen machte, trat augenblicklich an der auf dem Curcumapapier ruhenden, mit dem Ableitungssystem verbundenen Spitze Alkali auf. Entsprechende Wirkungen fanden am negativen Conductor der Maschine statt.

461. Diese Fälle sind mehr als hinreichend zum Beweise, dass elektrochemische Zersetzung nicht von der gleichzeitigen Wirkung zweier Metallpole bedingt ist, da auch bei Anwendung eines einzigen Poles Zersetzung erfolgt, und das eine oder das andere Element frei wird und sich zu dem Pole begiebt, je nachdem er positiv oder negativ ist. Als ich über den von dem anderen Element eingeschlagenen Weg und seine schliessliche Stellung nachdachte, hegte ich wenig Zweifel, zu finden, dass dasselbe nach dem anderen Ende gegangen sei, und dass die Luft selbst die Rolle eines Poles übernommen habe, eine Vermuthung, welche sich auf folgende Weise vollkommen bestätigte.

462. Ein nur 0,4 Zoll langes und 0,5 Zoll breites Stück mit Natriumsulphat befeuchtetes Curcumapapier lag auf dem Rande einer Glasplatte gegenüber einer mit dem Ableitungssystem (Taf. IV. Fig. 47) verbundenen Spitze, in einem Abstande von etwa zwei Zoll von derselben; ein auf derselben Glasplatte liegendes Stück Stanniol war mit der Maschine und zugleich durch einen zur Zerlegung dienenden Draht *a* (312) mit dem Curcumapapier verbunden. Wurde die Maschine in Umdrehung versetzt, so ging die Elektricität durch das Ende *p* auf das Curcumapapier über und trat durch das Ende *n* aus. Als nach vierzig bis fünfzig Umdrehungen der Maschine das Ende *n* untersucht wurde, fand man die beiden Enden oder Ecken durch freies Alkali tief gefärbt. (Fig. 48.)

463. Ein ähnliches mit einer Lösung von Natriumsulphat getränktes Stück Lackmuspapier *n* (Fig. 49) wurde nun auf das Ende *a* des Ableitungssystems gelegt und mit seinem Ende einer mit dem Conductor der Maschine verbundenen Spitze *p* gegenüber gestellt. Nachdem die Maschine kurze Zeit gearbeitet hatte, war an den beiden der Spitze zugewandten Ecken, d. h. an den beiden Ecken, zu denen die Elektricität durch die Luft übergetreten war, Säure gebildet worden. Alle Vorsichtsmassregeln waren getroffen, um die Säurebildung in Folge von die Luft durchsetzenden Funken oder Büscheln zu verhüten (322); und so reichen diese wie die hiermit verknüpften Thatsachen überhaupt aus, zu zeigen, dass die Säure wirklich das Ergebniss elektrochemischer Zersetzung war (466).

464. Ein an einem Ende breites und am anderen Ende zugespitztes, mit der Salzlösung befeuchtetes Stück Curcumapapier wurde unmittelbar mit dem Conductor der Maschine verbunden, so dass das zugespitzte Ende einer auf dem Ableitungssystem liegenden Spitze gegenüber stand. Beim Drehen der Maschine trat an dieser Spitze Alkali auf, und selbst als das Ableitungssystem ausgeschaltet wurde und somit die Elektricität vollkommen frei in die Luft entweichen und sich zerstreuen konnte, trat doch da, wo die Elektricität das Curcumapapier verliess, Alkali auf.

465. Nun wurden solche Anordnungen getroffen, dass die zu zersetzende Substanz gar nicht mit Metallen in Berührung kommen, sondern beide Pole (wenn diese Bezeichnung nunmehr gestattet ist) aus Luft bestehen sollten. Ein Stück Curcumapapier *a*, Fig. 50, und ein Stück Lackmuspapier *b*, beide mit Lösung von Natriumsulphat getränkt, wurden so zusammengelegt, dass sie einen feuchten zugespitzten Leiter bildeten, und zwischen zwei Nadelspitzen auf Wachs befestigt, von denen die eine *p* durch einen Draht mit dem Conductor der Maschine, die andere *n* mit dem Ableitungssystem in Verbindung stand. Der Abstand der Spitzen betrug auf jeder Seite etwa einen halben Zoll; die positive Spitze *p* stand dem Lackmuspapier, die negative *n* dem Curcumapapier gegenüber. Wenn die Maschine einige Zeit arbeitete, so konnte bald deutlich Zersetzung wahrgenommen werden, denn die Lackmusspitze *b* wurde durch freie Säure geröthet, und die Curcumaspitze *a* ebenfalls durch das gleichzeitige Auftreten von Alkali.

466. Wurde der Papierleiter herumgedreht, so dass die Lackmusspitze die positive Elektricität ausgab, die Curcumaspitze sie aufnahm, so verschwanden die beiden rothen Flecke, nachdem die Maschine kurze Zeit gedreht worden, und da bei fortdauernder Thätigkeit der Maschine an dem Lackmuspapierende sich kein rother Fleck wieder bildete, so beweist dies, dass in dem ersten Falle (463) die Wirkung nicht etwa von aus der Luft unter dem Einflusse der Büschel oder reiner elektrischer Entladungen gebildeter Salpetersäure (322) herrührte.

467. Betrachtet man das combinirte Lackmus- und Curcumapapier in diesem Versuche als einen von der Maschine oder dem Ableitungssystem unabhängigen Conductor und die schliesslichen Orte der freigewordenen Elemente in Bezug auf diesen Conductor, so sieht man, dass die Säure sich am *negativen* oder auffangenden Ende oder Pole der Vorrichtung, und das Alkali sich an dem *positiven* oder abgebenden Ende ansammelt.

468. Aehnlich zugespitzte Lackmus- und Curcumapapiere, auf Glasplatten liegend, wurden durch eine sechs Fuss lange Schnur verbunden, die ebenso wie die Papiere mit einer Lösung von Natriumsulphat getränkt worden war, und eine mit der Maschine in Verbindung stehende Nadelspitze der Lackmuspapierspitze, eine andere mit dem Ableitungssystem verbundene Nadelspitze der Curcumaspitze gegenüber gebracht. Wenn die Maschine arbeitete, so zeigte sich Säure auf dem Lackmuspapier und Alkali auf dem Curcumapapier; letzteres jedoch nicht so reichlich wie in den früheren Fällen, denn von der Schnur entwich viel Elektricität in die Luft, so dass die an der Curcumaspitze entladene Quantität geringer war.

469. Endlich wurden vier kleine aus Lackmus- und Curcumapapier zusammengesetzte (Fig. 51), mit einer Lösung von Natriumsulphat angefeuchtete Leiter, die in gerader Linie auf Glasstäben in geringem Abstande von einander lagen, zwischen die Spitzen *p* und *n* der Maschine und des Ableitungssystems gebracht, so dass die Elektricität sie alle der Reihe nach durchlaufen musste, indem sie an den Lackmusspitzen *b*, *b* eintrat und an den Curcumaspitzen *a*, *a* austrat. Als ich die Maschine mit solcher Vorsicht drehte, dass Funken und Büschel vermieden wurden (322), bemerkte ich alsbald deutliche Anzeichen von Zersetzung auf all den feuchten Leitern; alle Lackmusspitzen zeigten freie Säure, und alle Curcumaspitzen freies Alkali.

470. Aehnliche Wirkungen wurden mit Jodkalium, essigsaurem Blei, u. s. w. erhalten, da sie jedoch mit den oben angegebenen Resultaten in Uebereinstimmung sind, so sehe ich von einer näheren Beschreibung der Erscheinungen ab.

471. Diese Fälle von elektrochemischer Zersetzung sind ihrer Natur nach genau gleichartig denjenigen, welche unter gewöhnlichen Umständen durch die Volta'sche Batterie bewirkt werden, ungeachtet der grossen Unterschiede in Bezug auf die Gegenwart oder Abwesenheit oder wenigstens die Natur der für gewöhnlich als Pole bezeichneten Theile, sowie auch in Bezug auf die schliessliche Lage der an den elektrischen Grenzflächen ausgeschiedenen Elemente (467). Sie weisen auf eine innere Action der Zersetzung erleidenden Theile hin und scheinen zugleich zu zeigen, dass die Kraft, welche die Trennung der Elemente bewirkt, dort, und nicht an den Polen ausgeübt wird. Die Betrachtung über diesen Punkt will ich jedoch noch kurze Zeit verschieben (493, 518), um vorher eine andere angebliche Bedingung für elektrochemische Zersetzung in Erwägung zu ziehen.[1]

II. Einfluss von Wasser bei elektrochemischer Zersetzung.

472. Es ist die Meinung mehrerer Physiker, dass die Gegenwart von Wasser wesentlich sei für elektrochemische Zersetzung sowie auch für die Elektricitätsentwickelung der Volta'schen Batterie selbst. Da die Zersetzungszelle nichts weiter als eine der Zellen der Batterie ist, in die man dem Zwecke des Versuches eignende Substanzen gebracht hat, so ist es wahrscheinlich, dass, was in dem einen Falle wesentliche Bedingung ist, es mehr oder weniger auch in dem anderen Falle ist. Die Meinung, dass Wasser zur Zersetzung nothwendig sei, gründet sich wohl auf Sir Humphry Davy's Behauptung, dass „ausser den Wasser enthaltenden keine Flüssigkeiten bekannt sind, welche fähig wären, das Verbindungsmittel zwischen den Metallen oder dem Metall des Volta'schen Apparates zu bilden";[2] und ferner, „wenn eine aus *Wasser,* Sauerstoff und unverbrennlichem oder metallischem Stoff bestehende Substanz durch Wärme verflüchtigt und jenen Drähten ausgesetzt wird, so treten ähnliche (Zersetzungs-) Erscheinungen ein."[3]

473. Andere Physiker haben, glaube ich, gezeigt, dass diese Ansicht nicht richtig ist, obschon ich nicht anzugeben weiss, wo der Widerspruch erhoben worden ist. Sir Humphry Davy selbst sagte 1801,[4] dass trockener Salpeter, trockenes Aetzkali und Aetznatron den galvanischen Strom leiten, wenn sie durch starke Hitze verflüssigt werden, allein er muss angenommen haben, dass sie, oder wenigstens der Salpeter keine Zersetzung erleiden,

---

[1]) Aus einer Note zu Sir Humphry Davy's Abhandlung in den Philosophical Transactions, 1807, p. 31, habe ich (seitdem ich diese Resultate erhalten und beschrieben habe) ersehen, dass dieser Physiker bei Wiederholung des Wollaston'schen Versuches der Wasserzersetzung durch gewöhnliche Elektricität (327, 330) sich einer Anordnung bedient hat, welche einigen der von mir beschriebenen einigermassen ähnlich ist. Er tauchte eine mit der Elektrisirmaschine verbundene geschützte Platinspitze in destillirtes Wasser und liess die Elektricität durch feuchte Baumwollfäden aus dem Wasser in die Luft entweichen. Auf diese Weise behauptet er Sauerstoff und Wasserstoff *getrennt* von einander erhalten zu haben. Wäre mir dieser Versuch bekannt gewesen, so hätte er in einer früheren Reihe dieser Untersuchungen (342) angeführt werden müssen; allein er beseitigt keinen der Einwände, welche ich gegen die Anwendung des Wollaston'schen Apparates zum Nachweis wahrer chemischer Action vorgebracht habe (331).

[2]) Elements of Chemical Philosophy p. 169 etc.

[3]) Ibid. pp. 144, 145.

[4]) Journal of the Royal Institution, 1802, p. 53.

denn die obigen Behauptungen hat er elf Jahre später ausgesprochen. Auch that er 1826 die Aeusserung, dass Körper, welche kein Wasser enthalten, wie *geschmolzene Bleiglätte* und *geschmolzenes chlorsaures Kali* geeignet seien, mit Platin und Zink Ketten von erheblicher elektromotorischer Kraft zu bilden;[1]) allein er spricht hier von der *Erzeugung* der Elektricität in der Säule und nicht von ihren Wirkungen, nachdem sie erregt worden, auch geht aus seinen Worten keineswegs hervor, dass er eine Berichtigung seiner früheren unzweideutigen Behauptungen in Bezug auf *Zersetzung* für erforderlich halte.

474. Ich kann mich zur Erledigung dieses Gegenstandes auf die letzte Reihe dieser Experimental-Untersuchungen (380, 402) berufen, woselbst nachgewiesen worden ist, dass es hunderte von Körpern giebt, welche in dieser Hinsicht denselben Einfluss haben wie das Wasser, dass von binären Verbindungen Oxyde, Chloride, Jodide und selbst Sulphide (402) wirksam sind, und dass unter den complicirteren Verbindungen, Cyaniden und Sauerstoffsalzen, viele von ebenso grosser Wirksamkeit sind (402).

475. Wasser ist also in dieser Hinsicht nur eine aus einer sehr zahlreichen Klasse von Substanzen, aber nicht die *einzige* und *wesentliche*, ja es ist hinsichtlich seiner Fähigkeit, zu leiten und Zersetzung zu erleiden, eine der *untergeordnetsten* Substanzen dieser Klasse. Die Gründe, wesshalb man ihm eine Weile einen exclusiven Character beilegte, auf den er so wenig Anspruch hatte, sind einleuchtend, weil nämlich allgemein ein flüssiger Zustand nothwendig ist (394), Wasser aber der *einzige* Körper dieser Klasse ist, welcher bei gewöhnlicher Temperatur im flüssigen Zustande existirt, weil es in überreichem Masse als das Hauptlösungsmittel in der Natur vorkommt und als solches beständig bei physikalischen Untersuchungen gebraucht wird, da es auf die Körper, seien sie gelöst oder ausgeschieden, weniger störend, angreifend oder complicirt wirkt als irgend eine andere Substanz.

476. Die Analogie der Versuchs- oder Zersetzungszelle mit den übrigen Zellen der Volta'schen Batterie macht es nahezu gewiss, dass jede der Substanzen, welche, wie in meinem letzten Aufsatze (402) dargelegt worden ist, im flüssigen Zustande zersetzbar ist, ebenso wirksam, wenn nicht wirksamer als das Wasser wäre, wenn man sie zwischen die Metallplatten der Säule bringen könnte. Sir Humphry Davy fand Bleiglätte und chlorsaures Kali in dieser Weise wirksam[2]). Ich habe mannigfache Volta'sche Combinationen hergestellt und obigen Schluss bestätigt gefunden. Wenn eine der folgenden Substanzen, Salpeter, Kaliumchlorat, Kaliumcarbonat, Natriumsulphat, Chloride von Blei, Natrium, Wismuth, Calcium, Jodblei, Wismuthoxyd, Bleioxyd, im geschmolzenen Zustande zwischen Kupfer und

---

[1]) Philosophical Transactions, 1826, p. 406.

[2]) Ibid. p. 406.

Platin gebracht wurde, so erfolgte eine mehr oder weniger kräftige Action: der elektrische Strom hatte dieselbe Richtung, als wenn Säuren auf die Metalle gewirkt hätten. Lässt man eine dieser Substanzen oder phosphorsaures Natrium auf Platin mit Eisen wirken, so erhält man noch kräftigere Volta'sche Combinationen dieser Art. War die zwischengeschaltete Flüssigkeit Silbernitrat oder Silberchlorid, so trat wohl ebenfalls Volta'sche Action ein, aber der elektrische Strom hatte die umgekehrte Richtung.

III. Theorie der elektrochemischen Zersetzung.

477. Der ausserordentlich schöne Anblick und der Nutzen elektrochemischer Zersetzungen haben dieser Kraftäusserung der Volta'schen Säule ein das an ihren übrigen Eigenschaften übersteigendes Interesse verliehen; denn jene Kraft steht nicht bloss im innigsten Zusammenhange mit der Dauer, wenn nicht gar mit der Erzeugung der elektrischen Phänomene, sondern sie hat uns auch die schönsten Aufschlüsse über die Natur vieler zusammengesetzter Körper gegeben, ist in den Händen Becquerel's ein Mittel zur Bildung von Verbindungen geworden, hat uns viele neue Verbindungen geliefert und erfüllt uns mit der Hoffnung, dass sie, vollständig erkannt, noch mehrere hervorbringen werde.

478. Was man als allgemeine Thatsachen elektrochemischer Zersetzung zu betrachten hat, darin stimmen fast Alle überein, welche über diesen Gegenstand geschrieben haben. Sie bestehen darin, dass die der Zersetzung fähigen und unterworfenen Körper in ihre nächsten oder bisweilen in ihre letzten Bestandtheile zerlegt werden, sobald beide Pole der Säule in geeigneter Weise mit der betreffenden Substanz in Berührung sind; dass diese Bestandtheile an auseinanderliegenden Punkten abgeschieden werden, d. h. an den Polen der Säule, wo sie entweder in Freiheit gesetzt werden oder mit der Substanz der Pole eine Verbindung eingehen, und dass die abgeschiedenen Elemente oder Bestandtheile für einen bestimmten Pol gemäss gewissen wohlbekannten Gesetzen ein für allemal gleichsam determinirt sind.

479. Allein in den Ansichten über die Natur der Action, durch welche diese Wirkungen hervorgebracht werden, weichen die Männer der Wissenschaft erheblich von einander ab, und da es sicher ist, dass ein der Wirklichkeit entsprechendes Verständniss ihrer Wirkungsart uns zu einer besseren Anwendung der Kraft befähigen würde, so liegt in dieser Meinungsverschiedenheit ein starker Antrieb zu weiterer Forschung. Ich hege die Hoffnung, dass die folgenden Untersuchungen nicht als eine Vermehrung dessen, was zweifelhaft ist, sondern als eine wirkliche Bereicherung dieses Wissenschaftszweiges angesehen werden dürften.

480. Es wird nützlich sein, die bisher aufgestellten Ansichten über elektrochemische Zersetzung kurz aufzuführen, um das Widersprechende und Ungenügende, das sie in ihrer gegenwärtigen Gestalt haben, erkennen zu lassen, ehe ich die, wie ich glaube, genauer mit den Thatsachen übereinstimmende Ansicht vorbringe. Ich habe auch gewagt, diese Ansichten einer freimüthigen Kritik zu unterziehen, in dem Vertrauen, bei ihren hochgesinnten Urhebern keinen Anstoss zu erregen, denn ich bin überzeugt, dass, wenn ich Recht habe, sie erfreut sein werden, dass ihre Ansichten als Wegweiser zur Förderung der Wissenschaft gedient haben, und, wenn ich irren sollte, den Eifer, der mich missleitete, entschuldigen werden, da er sich in den Dienst der grossen Sache gestellt hat, deren Gedeihen und Entwickelung ihr eigener Wunsch ist.

481. Grotthus schrieb im Jahre 1805 speciell über Zersetzung von Flüssigkeiten durch Volta'sche Elektricität.[1]) Er betrachtet die Säule als einen elektrischen Magnet, d. h. als ein anziehendes und abstossendes Agens, dessen Pole *anziehende* und *abstossende* Kräfte besitzen. Der Pol, von dem die Harzelektricität ausgeht, zieht Wasserstoff an und stösst Sauerstoff ab, während der, von welchem die Glaselektricität ausgeht, Sauerstoff anzieht und Wasserstoff abstösst, so dass beispielsweise jedes der Elemente eines Wassertheilchens einer anziehenden und einer abstossenden Kraft ausgesetzt ist, die in entgegengesetzten Richtungen wirken, und deren Wirkungscentren in einem reciproken Gegensatze stehen. Die Wirkung einer jeden dieser Kräfte auf ein in der Bahn des elektrischen Stromes liegendes Wassermolecül steht im umgekehrten Verhältniss des Quadrats der Entfernung, in welcher sie ausgeübt wird, und so ergiebt sich (wie behauptet wird) für jedes Molecül eine *constante Kraft.*[2]) Das Auftreten der Elemente in einem Abstande von einander erklärt er aus einer successiven Zersetzung und Wiedervereinigung der dazwischenliegenden Theilchen[3]), und er hält es für wahrscheinlich, dass diejenigen, welche sich an den Polen ausscheiden, sich daselbst mit den beiden Elektricitäten vereinigen und in Folge dessen gasförmig werden.[4])

482. Sir Humphry Davy's berühmte Baker-Vorlesung vom November 1806 über einige chemische Wirkungen der Elektricität beschäftigt sich fast ausschliesslich mit der Betrachtung über *elektrochemische Zersetzungen.* Die Thatsachen sind von höchstem Werthe und nebst den aufgestellten allgemeinen Sätzen männiglich bekannt. Die Darstellung der *Art der Wirkung,* aus welcher sich die Erscheinungen ergeben, ist ganz allgemein gehalten, so allgemein fürwahr, dass wahrscheinlich ein Dutzend genauer Schemata elektrochemischer Action daraus abgeleitet werden könnten, welche, unter sich wesentlich verschieden, dennoch sämmtlich mit der dort gegebenen Darstellung in Einklang wären.

483. Wo Sir Humphry Davy sich speciellerer Ausdrücke bedient,

---

[1]) Annales de Chimie, 1806, tom. LVIII, p. 64.

[2]) Ibid. pp. 66, 67, auch tom. LXIII, p. 20.

[3]) Ibid. tom. LVIII, p. 68; tom. LXIII, p. 20,

[4]) Ibid. tom. LXIII, p. 34.

scheint er die Zersetzungswirkungen auf Anziehungen der Pole zurückzuführen. Dies ist der Fall, wo er von dem „allgemeinen Ausdruck der Thatsachen" spricht, Seite 28, 29 und 30 der Philosophical Transactions von 1807. Ferner spricht er auf Seite 160 der Elements of Chemical Philosophy von den grossen Anziehungskräften der Polflächen, sowie auch von der Wahrscheinlichkeit einer successiven Zersetzung und Wiedervereinigung längs der ganzen Flüssigkeit, in dieser Beziehung mit Grotthus [1]) übereinstimmend, und nimmt an, dass die anziehenden und abstossenden Kräfte sich von den metallischen Oberflächen aus durch die ganze Flüssigkeit verbreiten [2]), indem sie von *einem Theilchen auf ein anderes gleichartiges Theilchen* übertragen werden [3]) und von dem Orte der Pole ab schwächer werden bis zur Mitte, die nothwendig neutral ist [4]). In Bezug auf diese Abnahme der Kraft mit wachsender Entfernung von den Polen giebt er an, dass in einem zehn Zoll langen Bogen von Wasser eine Lösung von Kaliumsulphat in einer Entfernung von vier Zoll vom positiven Pol nicht zersetzt wurde, während sie in ihre Bestandtheile zerfiel, wenn sie nur zwei Zoll von diesem Pole entfernt war. [5])

484. Als Sir Humphry Davy 1826 abermals über diesen Gegenstand schrieb, bemerkte er, dass er an den in der ursprünglichen Abhandlung niedergelegten Fundamenten der Theorie nichts zu ändern finde [6]), und er bedient sich der Ausdrücke Anziehung und Abstossung offenbar in demselben Sinne wie früher. [7])

485. Riffault und Chompré stellten 1807 über diesen Gegenstand Versuche an und kamen zu dem Schluss, dass der Volta'sche Strom auf seinem ganzen Laufe durch den feuchten Leiter Zersetzung bewirke, die nicht bloss vorübergehend sei und von Wiedervereinigung gefolgt werde, wie Grotthus und Davy annehmen, sondern dass die endliche Trennung der Bestandtheile in der *Bahn* des Stromes und anderswo als an den Polen stattfinde. Sie stellten sich vor, dass der *negative* Strom die Säuren, u. s. w. sammele und zum *positiven* Pol hinführe, und der *positive* Strom dieselbe Function für die Basen habe und sie am *negativen* Pol anhäufe. Sie halten gleichfalls die Ströme für *desto stärker*, je näher sie den respectiven Polen sind und behaupten, dass der positive Strom dem negativen an Kraft *überlegen* sei. [8])

486. Biot drückt seine Meinung über die Ursache der Trennung der

---

[1]) Philosophical Transactions, 1807, pp. 29, 30.
[2]) Ibid. p. 39.
[3]) Ibid. p. 29.
[4]) Ibid. p. 42.
[5]) Ibid. p. 42.
[6]) Ibid. 1826, p. 383.
[7]) Ibid. pp. 389, 407, 415.
[8]) Annales de Chimie, 1807, tom. LXIII, p. 83, etc.

Elemente eines zusammengesetzten Körpers sehr vorsichtig aus.[1]) Soweit jedoch die Wirkungen sich einsehen lassen, führt er sie auf entgegengesetzt elektrische Zustände der in der Nähe der beiden Pole befindlichen Theile der zu zerlegenden Substanz zurück: Am positiven Pol ist die Flüssigkeit am stärksten positiv; dieser Zustand wird allmählich schwächer bis zur Mitte, wo die Flüssigkeit neutral oder unelektrisch ist, und von hier bis zum negativen Pol wird sie mehr und mehr negativ.[2]) Wird ein Salztheilchen am negativen Pole zersetzt, so soll das Säurepartikel durch den Pol einen stärker negativ elektrischen Zustand erlangen, als die umgebenden *unzersetzten* Theilchen, und daher von ihnen und von diesem Theile der Flüssigkeit fortgestossen werden gegen den positiven Pol hin, gegen welchen Pol es zugleich durch ihn selbst und die Theilchen der ihn umgebenden positiven *unzersetzten* Flüssigkeit hingezogen werde.[3])

487. Biot scheint die von Grotthus, Davy, etc., etc. erwähnte successive Zersetzung und Wiedervereinigung nicht anzunehmen, aber er scheint zu meinen, dass die Substanz für die Dauer ihrer Ueberführung mit der Elektricität verbunden oder vielmehr behaftet sei[4]), und obschon sie diese Elektricität der umgebenden und sie berührenden unzersetzten Masse mittheilt, dennoch einen kleinen Ueberschuss von der zuerst vom Pole empfangenen Art behalte und vermöge dieser Differenz durch die Flüssigkeit zum entgegengesetzten Pole fortgeführt werde.[5])

488. Diese Theorie enthält die Annahme, dass die Zersetzung an beiden Polen in von einander getrennten und nicht in den dazwischenliegenden Theilen der Flüssigkeit stattfindet. Die letzteren dienen bloss als unvollkommene Leiter, welche, indem sie einen elektrischen Zustand annehmen, die an den Polen stärker elektrisirten Theilchen, kraft einer Folge gewöhnlicher elektrischer Anziehungen und Abstossungen in entgegengesetzten Richtungen hindurchtreiben.[6])

489. A. de la Rive veröffentlichte 1825 eine Abhandlung über eine eingehende Untersuchung dieses Gegenstandes.[7]) Er meint, dass diejenigen, welche die Erscheinungen auf Anziehungskräfte der Pole zurückführen, hiermit mehr einen Ausdruck der allgemeinen Thatsachen als eine Erklärung derselben geben. Er betrachtet die Resultate als das Ergebniss einer wirklichen Verbindung der ganzen oder vielmehr der halben Anzahl der Elemente mit den von den Polen ausgehenden Elektricitäten, eine Folge einer Art von Verwandtschaftsspiel zwischen der Materie und Elektricität.[8])

---

[1]) Précis Elémentaire de Physique, 3me édition, 1824, tom. 1. p. 641.
[2]) Ibid. p. 637.
[3]) Ibid. pp. 641, 642.
[4]) Ibid. p. 636.
[5]) Ibid. p. 642.
[6]) Ibid. pp. 638, 642.
[7]) Annales de Chimie, tom. XXVIII, pp. 190.
[8]) Ibid. pp. 200, 202.

Der vom positiven Pol ausgehende Strom verbindet sich mit dem Wasserstoff oder mit den Basen, die er daselbst vorfindet, und setzt Sauerstoff und Säuren in Freiheit, führt aber die Substanzen, an die er gebunden ist, zum negativen Pol fort, wo er von ihnen, vermöge der eigenthümlichen Natur des Metalles als eines Leiters[1]), getrennt wird und in das Metall eintritt, auf dessen Oberfläche er den Wasserstoff oder die Basen zurücklässt. Ebenso setzt die vom negativen Pol ausgehende Elektricität den Wasserstoff und die Basen, die sie daselbst vorfindet, in Freiheit und verbindet sich mit dem Sauerstoff und den Säuren, welche sie zum positiven Pol fortführt, um sie hier abzusetzen.[2]) In dieser Beziehung stimmt de la Rive's Hypothese mit der von Riffault und Chompré (485) theilweise überein.

490. De la Rive nimmt an, dass die *beiden* Polen angrenzenden Theile der Masse diejenigen sind, welche der Zersetzung unterliegen[3]). Er theilt also nicht die Ansicht Anderer, dass eine successive Zersetzung und Wiedervereinigung in dem ganzen Laufe der Elektricität durch den feuchten Leiter[4]) stattfinde, sondern meint, dass die mittleren Theile ganz und gar ungeändert bleiben und allenfalls lediglich als Leiter der beiden entgegengesetzten Ströme von Elektricität und Substanz dienen, welche an den entgegengesetzten Polen in Freiheit gesetzt wird.[5]) Die Zersetzung eines Wassertheilchens oder eines Salztheilchens kann also an beiden Polen stattfinden, und wenn sie einmal erfolgt ist, so ist sie auch zeitlich beendet, da keine Wiedervereinigung stattfindet, es sei denn, dass man die momentane Verbindung des fortgeführten Theilchens mit der Elektricität als solche ansieht.

491. Die letzte mir bekannte Mittheilung über diesen Gegenstand rührt von Hachette her und trägt das Datum vom October 1832.[6]) Er äussert sich hierüber gelegentlich der Beschreibung der Wasserzersetzung durch magnetoelektrische Ströme (346). Eins der Resultate des Versuches spricht er dahin aus, dass „für die chemische Zersetzung des Wassers die gleichzeitige Wirkung der beiden Elektricitäten, der positiven und negativen, nicht nothwendig ist, wie man angenommen hatte".

492. Es ist mehr als wahrscheinlich, dass manche andere Ansichten über elektrochemische Zersetzung veröffentlicht worden sind, und unter ihnen vielleicht solche, welche von den obigen abweichen und, wären sie mir bekannt, mir selbst die Veröffentlichung meiner eigenen Ansichten überflüssig erscheinen lassen würden. Sollte dies der Fall sein, so be-

---

1) Annales de Chimie, tom. XXVIII, p. 202.
2) Ibid. p. 201.
3) Ibid. pp. 197, 198.
4) Ibid. pp. 192, 199.
5) Ibid. p. 200.
6) Ibid. tom. LI, p. 73.

daure ich meine Unkenntniss derselben und bitte ihre Urheber um Entschuldigung.

---

493. Dass elektrochemische Zersetzung nicht von einer directen Anziehung und Abstossung der Pole (hierunter die metallischen Endigungen der Volta'schen Batterie oder der an einer gewöhnlichen Elektrisirmaschine (312) getroffenen Anordnungen verstanden) auf die sie berührenden oder ihnen benachbarte Elemente abhängt, geht sehr klar aus den in freier Luft angestellten Versuchen (462, 465, etc.) hervor, wo die abgeschiedenen Substanzen nicht an einem der Pole angehäuft, sondern, der Richtung des Stromes gehorchend, an den Enden der zu zersetzenden Substanz in Freiheit gesetzt, ich möchte sagen, ausgestossen werden. Aber trotz der ausserordentlichen Unähnlichkeit in der Beschaffenheit der Luft und Metalle und der fast totalen Verschiedenheit zwischen ihnen in der Art, wie sie die Elektricität leiten und sich mit ihr laden, könnte man vielleicht doch, wenn auch ganz hypothetisch, nunmehr die angrenzenden Luftschichten als die Flächen oder Orte der Attraction ansehen, wie man es sonst von den Metallen voraussetzt. Zur Aufhellung dieser und anderer Punkte bemühte ich mich, eine Anordnung zu treffen, um einen Körper an einer Wasserfläche so gut wie an Luft oder Metall zersetzen zu können, und dies gelang mir unzweideutig auf folgende Weise. Da der Versuch aus sehr natürlichen Gründen zum Gelingen viele Vorsichtsmassregeln erfordert, und ich mich später auf ihn zur Erläuterung der Ansichten, welche ich aufzustellen wagen werde, berufen muss, so muss ich ihn ausführlich beschreiben.

494. Ein vier Zoll hohes Glasgefäss (Fig. 52) von vier Zoll Durchmesser war durch eine quer über dem oberen Theile befestigte Glimmerwand *a* getheilt, die von seinem Rande anderthalb Zoll herabhing und an den Seiten vollkommen wasserdicht war; ein drei Zoll breiter Platinstreifen *b* war in das Glasgefäss an der einen Seite der Scheidewand *a* gestellt und daselbst durch einen unten liegenden Glasklotz festgehalten, so dass von dem Gase, welches sich im Laufe des Versuches an ihm entwickelte, nichts jenseits der Glimmerwand aufsteigen und hier Strömungen in der Flüssigkeit erzeugen konnte. Eine starke Lösung von Magnesiumsulphat wurde vorsichtig, um ein Spritzen zu vermeiden, in das Gefäss gegossen, so dass sie ein wenig über den unteren Rand der Glimmerwand *a* reichte, und dabei mit aller Sorgfalt darauf geachtet, dass an der unbenutzten oder der in der Figur mit *c* bezeichneten Seite der Scheidewand weder das Glas noch der Glimmer oberhalb des Niveaus der Lösung durch Erschütterung derselben benetzt werde. Ein dünnes, sauberes, mit destillirtem Wasser wohl durchnässtes Korkstück wurde darauf behutsam und sanft auf die Lösung an der Seite *c* gelegt und destillirtes Wasser langsam aufgegossen, bis dieses eine Schicht von $^1/_8$ Zoll Dicke über dem Magnesiumsulphat bildete, und nun

Alles einige Minuten sich selbst überlassen, damit alle am Korke haftende Lösung herabsinken oder von dem Wasser, auf dem er nun schwebte, verdrängt werden konnte. Hierauf wurde in derselben Weise wie vorher noch destillirtes Wasser zugesetzt, bis es beinahe den Rand des Glases erreichte. Also nahm die Sulphatlösung den unteren und rechts von der Glimmerwand auch den oberen Theil des Glases ein, während links von der Scheidewand eine anderthalb Zoll dicke Wasserschicht *c d* auf ihr ruhte und mit derselben, in horizontaler Richtung betrachtet, eine vergleichsweise scharf abgegrenzte Berührungsfläche bildete. Ein zweiter Platinpol *e* wurde gerade unter der Oberfläche des Wassers in nahezu horizontaler Lage angebracht und ihm nur eine so geringe Neigung gegeben, dass während der Zersetzung entwickeltes Gas entweichen konnte; der untergetauchte Theil war drei und einen halben Zoll lang, einen Zoll breit und von der Lösung des Magnesiumsulphats durch eine $^7/_8$ Zoll dicke Wasserschicht getrennt.

495. Der letztere Pol *e* wurde nun mit dem negativen Ende einer Volta'schen Batterie von vierzig vierquadratzölligen Plattenpaaren, und der andere Pol *b* mit dem positiven Ende verbunden. Die Wirkung trat ein, und an beiden Polen entwickelte sich Gas, aber in Folge der Dazwischenkunft des reinen Wassers war die Zersetzung im Vergleich mit derjenigen, welche die Batterie in einer homogenen Lösung bewirkt haben würde, sehr schwach. Nach einer kleinen Weile (weniger als eine Minute) zeigte sich auch Magnesia an der negativen Seite, *sie trat jedoch nicht an dem negativen Metallpole, sondern im Wasser* auf, an der Berührungsfläche zwischen der Lösung und dem Wasser, und wenn man in horizontaler Richtung hindurchblickte, so konnte man erkennen, dass sie in dem über der Lösung stehenden Wasser lag, und zwar erstere nicht mehr als $^1/_4$ Zoll überragend, während die Wasserschicht zwischen ihr und dem negativen Pole vollkommen klar war. Bei fortdauernder Wirkung erregten die vom negativen Pole aufsteigenden Wasserstoffblasen in der Wasserschicht eine circulirende Strömung, die in der Mitte auf- und an der Seite herabstieg, wodurch der gerade unter dem Pole liegende Theil der Magnesiawolke nach und nach einen Auftrieb erhielt und das Ansehen gewann, als ob er von jenem angezogen würde. Allein dies war lediglich eine Wirkung der Strömungen und stellte sich erst ein, lange nachdem die eigentlich gesuchten Erscheinungen hinreichend festgestellt waren.

496. Nach einer kleinen Weile wurde die Volta'sche Communication unterbrochen und die Platinpole unter möglichst geringer Erschütterung aus dem Wasser und der Lösung herausgezogen, um die ihnen anhaftende Flüssigkeit zu untersuchen. Der Pol *e* zeigte bei Berührung mit Curcumapapier keine Spur von Alkali, und es konnte nichts als reines Wasser an ihm aufgefunden werden. Der Pol *b*, wiewohl er aus einer viel grösseren Tiefe und Masse der Flüssigkeit kam, gab mit Lackmuspapier, mit der Zunge und anderen Reagentien eine vollkommen deutliche Säurereaction.

Hier waren also durchaus keine alkalischen Salze dazwischengetreten, welche zuerst Zersetzung erlitten und dann durch lediglich chemische Processe die Abscheidung der Magnesia, entfernt von dem Pole, verursacht hätten. Dieser Versuch wurde oftmals und stets mit demselben Erfolge wiederholt.

497. Da man nun bewirken kann, dass die bei elelektrochemischen Zersetzungen abgeschiedenen Substanzen an Luft (465, 469), — welche nach gewöhnlichem Sprachgebrauch nicht leitet und nicht zersetzt werden kann, oder an Wasser (495), welches leitet und zersetzt werden kann, — auftreten, ebenso gut wie an Metallen, welche vorzügliche Leiter, aber unzersetzbar sind, so dürfte wenig Grund vorhanden sein, die Erscheinungen im Allgemeinen von der *Anziehung* oder von anziehenden Kräften der letzteren in der gewöhnlichen Form ihrer Anwendung herzuleiten, da man sich in den ersteren Fällen kaum derartige Anziehungen vorstellen kann.

498. Man könnte sagen, dass in diesen Fällen die Flächen von Wasser oder Luft zu Polen würden, die anziehende Kräfte ausübten, allein welchen anderen Beweis hat man dafür als die Thatsache, dass die abgeschiedenen Substanzen sich dort anhäufen, welche Thatsache aber erst erklärt werden soll und daher nicht selbst als eine Erklärung gelten kann? Oder man könnte sagen, dass jeder Querschnitt des feuchten Leiters, wie in dem vorliegenden Falle der, wo die Lösung und das Wasser sich berühren, als Pol betrachtet werden könne. Allein das scheint mir nicht die Ansicht derjenigen zu sein, welche über diesen Gegenstand geschrieben haben, oder wenigstens nicht die Aller von ihnen, und ist auch unvereinbar mit den von ihnen angenommenen Gesetzen, nach welchen die Kraft mit der Zunahme der Entfernung von den Polen abnimmt.

499. Grotthus z. B. betrachtet die Pole als Mittelpunkte von anziehenden und abstossenden Kräften (481), welche umgekehrt wie das Quadrat der Entfernung variiren, und daher wird, seiner Meinung nach, auf ein irgendwo zwischen den Polen befindliches Theilchen eine constante Kraft ausgeübt. Allein die aus der von ihm angenommenen Combination resultirende Kraft wäre keineswegs constant, vielmehr würde sie offenbar an den Polen am stärksten sein und nach der Mitte hin abnehmen. Grotthus hat jedoch, meinen Versuchen zufolge (502, 505), *in der Thatsache* Recht, dass die auf die Theilchen ausgeübte Kraft an jeder Stelle der Strombahn gleich ist, wenn die Versuchsbedingungen möglichst einfach sind, allein diese Thatsache widerspricht seiner Theorie und, wie ich glaube, allen Theorien, welche die Zersetzung auf eine Anziehungskraft der Pole zurückführen.

500. Sir Humphry Davy, welcher auch von einer *Abnahme* der Kraft mit Zunahme der Entfernung von den Polen spricht[1]) (483), nimmt an, dass wenn auch beide Pole die Zersetzung der Substanzen bewirken, den-

Philosophical Transactions, 1807, p. 42.

noch die Zersetzungskraft nach der Mitte hin *abnehme*. Mit dieser Behauptung tritt er Grotthus entgegen und er führt einen Versuch an, bei welchem Kaliumsulphat, das sich in einem feuchten Leiter von constanter Länge in verschiedenem Abstande von den Polen befand, in der Nähe derselben zersetzt wurde, aber nicht, wenn es von ihnen entfernt war. Dies würde sich auch als eine nothwendige Folge der Theorie ergeben, welche die Pole als Anziehungs- und Abstossungsmittelpunkte betrachtet, allein ich habe jene Angabe durch keine anderen Versuche (505) unterstützt gefunden, und in dem von ihm angeführten rührte die Erscheinung zweifellos von irgend einer der mannigfachen störenden Ursachen her, welche bei solchen Untersuchungen sich einstellen.

501. Ein Glasgefäss war durch eine senkrecht befestigte Platinplatte in zwei Zellen getheilt, darüber wurde ein Glimmeraufsatz angebracht, um das während der Versuche sich entwickelnde Gas aufzufangen, und dann jede Zelle und der Raum unter dem Glimmer mit verdünnter Schwefelsäure gefüllt. Die Pole bildeten zwei Platindrähte, welche in Platinplatten endigten; jeder war in einer Röhre befestigt, indem er durch das obere Ende derselben vermittelst eines luftdicht schliessenden Gelenkstückes hindurchging, so dass er beweglich war, und doch das an ihm entwickelte Gas gesammelt werden konnte. Die Röhren wurden mit der Säure gefüllt, und in jede Zelle eine eingesenkt. Jeder Platinpol hatte eine einer Seite der Platinwand in der Mitte des Glasgefässes gleiche Oberfläche, und die ganze Vorrichtung konnte betrachtet werden als ein zwischen den Polen der Batterie befindlicher zersetzbarer feuchter Leiter, welcher in der Mitte durch ein Platindiaphragma getheilt war. Nöthigenfalls konnte einer der Pole leicht weiter in der Röhre heraufgezogen werden, und dann war das Platindiaphragma nicht mehr in der Mitte des feuchten Leiters. Allein gleichviel, ob dasselbe sich in der Mitte befand oder mehr nach einer Seite hin, es entwickelte sich an ihm stets eine ebenso grosse Menge Sauerstoff und Wasserstoff wie an den beiden äusseren Platten.[1])

502. Lässt man die Drähte eines Galvanometers in Platten enden und taucht diese in verdünnte Säure, welche in einem an beiden Enden durch Pole von gleichem Querschnitt wie die Flüssigkeit mit der Volta'schen Batterie verbundenen Glastrog von regelmässiger rechteckiger Gestalt enthalten ist, so wird ein Theil der Elektricität durch das Instrument gehen und eine gewisse Ablenkung hervorrufen. Und wenn die Platten stets in *demselben Abstande von einander* und von den Seiten der Zelle bleiben, stets einander parallel und gleichförmig in Bezug auf die Flüssigkeit stehen, dann wird das Instrument, mögen jene in der Nähe der Mitte der zu zer-

---

[1]) Diese und ähnliche Versuche erfordern gewisse Vorsichtsmassregeln, die man nur bei Kenntniss der in dem ersten Theil der sechsten Reihe dieser Untersuchungen zu beschreibenden Erscheinungen verstehen und befolgen kann.

setzenden Flüssigkeit oder an einem Ende derselben eingetaucht sein, stets dieselbe Ablenkung und folglich dieselbe elektrische Wirkung erfahren.

503. Es ist ganz klar, dass, wenn die Weite des zu zersetzenden Leiters variirt, wie es stets der Fall ist, wenn bloss Drähte oder Platten als Pole in eine Lösung tauchen oder von ihr umgeben sind, sich kein constanter Ausdruck für die Wirkung auf ein einzelnes in der Bahn des Stromes liegendes Theilchen ergeben kann, noch auch ein brauchbarer Schluss in Bezug auf die vermeintliche Anziehungs- und Abstossungskraft der Pole sich ziehen lässt. Die Kraft wird variiren, je nachdem der Abstand von den Polen sich ändert, je nachdem das Theilchen sich gerade zwischen den Polen oder mehr oder weniger seitwärts befindet, auch je nachdem es den Seiten des Gefässes näher oder ferner liegt, oder die Gestalt des Gefässes selbst sich ändert, und in der That kann man durch Abänderungen in der Form des Apparates die Kraft auf ein einzelnes Theilchen bei gleich bleibender Entfernung desselben vom Pole steigern, schwächen oder constant erhalten, oder auch mit der Zu- oder Abnahme der Entfernung eine Steigerung, Schwächung oder Constanterhaltung der Kraft bewirken.

504. Auf Grund zahlreicher Versuche bin ich dahin gelangt, folgenden allgemeinen Ausdruck für richtig zu halten, obschon ich ihn noch umständlicher zu prüfen beabsichtige und daher seine Genauigkeit gegenwärtig noch nicht als verbürgt angesehen wissen möchte. Die *Summe der chemischen Zersetzung ist constant* für jeden Querschnitt eines der Zersetzung unterliegenden Leiters von gleichförmiger Beschaffenheit, welchen Abstand auch die Pole von einander oder dem Querschnitt haben mögen, oder wie auch der Querschnitt die Ströme durchschneide, sei es senkrecht oder schief, so dass er fast von Pol zu Pol reicht, mag der Querschnitt eben oder gekrümmt oder von noch so unregelmässiger Gestalt sein, vorausgesetzt nur, dass der Elektricitätsstrom in constanter Quantität (377) erhalten bleibt, und dass der Querschnitt durch alle Theile des den zu zersetzenden Leiter durchlaufenden Stromes geht.

505. Ich habe Grund zu glauben, dass man diesen Satz in noch allgemeinerer Form folgendermassen aussprechen darf: *Für eine constante Quantität von Elektricität ist bei jedem der Zersetzung unterliegenden Leiter, bestehe er aus Wasser, Salzlösungen, Säuren, geschmolzenen Körpern u. s. w., auch der Betrag der elektrochemischen Action eine constante Grösse, d. h. stets äquivalent einem als normal angenommenen, auf gewöhnlicher chemischer Affinität beruhenden chemischen Effect.* Ich habe eine Arbeit hierüber nebst mancher anderen in Bereitschaft und werde in der Lage sein, sie in der der nächsten folgenden Reihe dieser Untersuchungen zu bringen.

506. Gegen die Hypothesen, welche in der Anziehung der Pole die Ursache der elektrochemischen Zersetzung sehen, liessen sich noch viele Argumente beibringen. Ich will jedoch lieber zu der Ansicht übergehen, welche mir mit den Thatsachen besser vereinbar erscheint, und nur noch die eine Bemerkung machen, dass wenn die Zersetzung durch die Volta'sche Batterie von der Anziehung der Pole oder der sie umgebenden Theile abhinge derart, dass sie stärker wäre als die gegenseitige Anziehung der getrennten Partikel, hieraus folgen würde, dass die schwächste *elektrische* Anziehung stärker sei als eine sehr starke, wenn nicht gar die stärkste *chemische* Anziehung, wie sie beispielsweise zwischen Sauerstoff und Wasserstoff, Kalium und Sauerstoff, Chlor und Natrium, Säure und Alkali u. s. w. existirt, — eine Folgerung, welche, obschon vielleicht nicht unmöglich, doch bei dem gegenwärtigen Stande dieser Frage sehr unwahrscheinlich ist.

507. Die Ansicht von de la Rive (489) und auch von Riffault und Chompré (485) über die Art, in welcher elektrochemische Zersetzung bewirkt wird, ist sehr verschieden von der bereits betrachteten und wird durch die gegen diese vorgebrachten Argumente oder Thatsachen nicht erschüttert. In der von dem ersteren Physiker gegebenen Darstellung betrachtet, erscheint sie mir jedoch unzulänglich zur Erklärung der von mir beschriebenen Versuche über Zersetzung an Luft- (462, 469) und Wasserflächen (495); denn wenn man auch die physikalischen Differenzen zwischen Metallen und feuchten Leitern, welche de la Rive annimmt, um den Durchgang der an die Substanz gebundenen Elektricität durch die letzteren und den Durchgang der Elektricität allein durch die ersteren, unter gleichzeitiger Abgabe der Substanz an dieselben, zu erklären, einen Augenblick gelten lässt, so ist doch die Analogie zwischen Luft und Metall vom elektrischen Gesichtspunkte aus so gering, dass man, statt der Ersetzbarkeit des letzteren durch die erstere (462), gerade eine umgekehrte Wirkung erwarten sollte. Und selbst dies zugegeben, so würde doch der Versuch mit Wasser (495) mit einem Male Alles umstossen, da der zur Zerlegung dienende Pol nun aus einer Substanz besteht, welcher die Fähigkeit, die vorausgesetzte Verbindung von Elektricität und Substanz durchzulassen, zugestanden wird.

508. Was die Ansichten von Riffault und Chompré (485) betrifft, so steht die Annahme, dass Zersetzung allein in dem *Laufe* des Stromes eintrete, so sehr in Widerspruch mit den wohlbekannten Wirkungen, welche bei den bisher angewandten Formen des Versuches erhalten wurden, dass sie bewiesen werden muss, ehe die darauf beruhende Hypothese berücksichtigt zu werden braucht.

509. Die Betrachtung der verschiedenen Theorien über elektrochemische Zersetzung hat mich einerseits misstrauisch gemacht, andererseits aber doch mir Zuversicht verliehen, sie um eine vermehren zu dürfen, denn erst, als es mir nach reiflicher Ueberlegung schien, dass diejenige, welche ich vorzuschlagen habe, die ungeheure Summe der diesem Wissenschaftszweige zugehörigen Thatsachen erkläre und mit ihnen in Uebereinstimmung sei, und dass keine derselben mit ihr im Gegensatz oder Widerspruch stehe, fühlte ich mich ermuthigt, sie vorzubringen.

510. Dass elektrochemische Zersetzung wesentlich von der *Strömung* der Elektricität bedingt ist, ist wohlbekannt. Ich habe gezeigt, dass in gewissen Fällen (375) die Zersetzung proportional ist der Quantität der durchgehenden Elektricität, welches auch ihre Intensität oder ihr Ursprung sein mag, und dass dasselbe wahrscheinlich in allen Fällen gilt (377), selbst wenn man einerseits grösste Allgemeinheit und andererseits grosse Genauigkeit des Ausdruckes verlangt (505).

511. Indem ich von dem Strome spreche, sehe ich mich genöthigt, noch umständlicher als bei einer früheren Gelegenheit (283) zu sein, da hierin die Ansichten der Physiker sehr verschieden sind, obwohl sie Alle hinsichtlich der Wirkung des Stromes selbst übereinstimmen. Einige Physiker nehmen mit Franklin nur ein elektrisches Fluidum an, und sie müssen allesammt in Bezug auf die allgemeine Gleichförmigkeit und den Character des elektrischen Stromes übereinstimmen. Andere nehmen zwei elektrische Fluida an, und hierbei kommen sonderbare Abweichungen zum Vorschein.

512. Riffault und Chompré zum Beispiel nehmen an, dass der positive wie der negative Strom Zersetzung bewirke, und behaupten, dass der positive Strom *kräftiger* sei als der negative,[1]) indem unter sonst gleichen Umständen salpetersaures Natrium von dem ersteren zersetzt werde, von dem letzteren aber nicht.

513. Hachette behauptet[2]), dass „für die Wasserzersetzung die gleichzeitige Wirkung der Elektricitäten, der positiven und negativen, nicht nothwendig ist, wie man geglaubt hat". Dieser Satz, wenn anders ich seinen Sinn richtig erfasst habe, involvirt, dass man die eine Elektricität unabhängig von der anderen erhalten und zu Zersetzungen verwenden kann.

514. Die Ansicht von de la Rive stimmt bis zu einem gewissen Grade mit derjenigen Hachette's überein, denn er nimmt an, dass die beiden Elektricitäten gesonderte Theile von Wasser zersetzen[3]) (490). An einer Stelle spricht er von den beiden Elektricitäten als von zwei Influenzen, vielleicht weil er es vermeiden wollte, eine entschiedene Meinung über die unabhängige Existenz elektrischer Fluida zu äussern; da aber diese Influenzen mit den in Freiheit gesetzten Elementen vermöge einer Art chemischer Affinität in Verbindung treten und für die Dauer derselben ihren Charakter gänzlich verhüllen, so leidet diese Vorstellung an grosser Unbestimmtheit, da eine solche Art von Verbindung nur denkbar ist zwischen Dingen, die eine unabhängige Existenz haben. Die beiden elementaren, in entgegengesetzten Richtungen von Pol zu Pol sich bewegenden elektrischen Strömungen sollen den gewöhnlichen *Volta'schen Strom* constituiren.

515. Grotthus neigt zu der Meinung, dass die Elemente des Wassers bei ihrer Trennung an den Polen sich mit den Elektricitäten verbinden

---

1) Annales de Chimie, 1807, tom. LXIII, p. 84.
2) Ibid. 1832, tom. LI, p. 73.
3) Ibid. 1825, tom. XXVIII, pp. 197, 201.

und so zu Gasen werden. De la Rive hat genau die umgekehrte Ansicht, derzufolge sie während ihres Durchganges durch die Flüssigkeit mit den Elektricitäten verbunden sind und bei ihrem Freiwerden an den Polen deselektrisirt werden.

---

516. Ich habe unter den mannigfachen Versuchen, welche zur Stütze dieser Ansichten angeführt werden oder mit elektrochemischen Zersetzungen oder elektrischen Strömen in Zusammenhang stehen, nachgeforscht, ob sich darunter einer finde, welcher mehr für die Theorie von zwei Elektricitäten als für die von einer Elektricität spreche, aber ich war nicht im Stande, eine einzige Thatsache zu entdecken, welche hierfür ins Feld geführt werden könnte. Noch weniger vermochte ich vom Standpunkt der Hypothese von zwei Elektricitäten den geringsten Grund zu der Annahme zu erkennen, dass in einem Strome die eine Elektricität kräftiger sein könne als die andere, oder die eine ohne die andere vorhanden sein, oder auch nur im geringsten Masse sich ändern könne, ohne dass eine entsprechende Aenderung der anderen stattfände.[1]) Wenn unter Voraussetzung von zwei Elektricitäten ein Strom der einen ohne die andere erhalten oder der Strom der einen mehr verstärkt oder geschwächt werden könnte als der der anderen, so dürften wir mit Sicherheit eine Veränderung der chemischen oder magnetischen Wirkungen oder beider zugleich erwarten, aber solche Veränderungen sind nicht beobachtet worden. Wenn ein Strom so geleitet wird, dass er in einem Theile seiner Bahn eine chemische, in einem anderen eine magnetische Wirkung ausübt, so findet man stets, dass beide Wirkungen gleichzeitig auftreten. Meines Wissens kennt man keinen Strom, welcher chemisch wirkte und nicht auch magnetisch, oder welcher auf einen Magnet wirkte und nicht *zu gleicher Zeit* chemisch.[2])

517. *Bloss nach den Thatsachen zu urtheilen*, liegt bisher nicht der mindeste Grund vor, das Agens, welches in dem, was wir elektrischen Strom nennen, — gleichviel ob dabei Metalle in Betracht kommen oder geschmolzene Körper oder feuchte Leiter oder selbst Luft, die Flamme und dünne elastische Media — vorhanden ist, als ein zusammengesetztes oder complicirtes anzusehen. Es ist niemals in einfachere oder elementare Agentien aufgelöst worden und lässt sich vielleicht am besten vorstellen als die *Axe einer aus entgegengesetzten, genau gleich grossen aber entgegengesetzt gerichteten Kräften bestehenden Gesammtkraft.*

---

518. Indem ich nun zur näheren Betrachtung der elektrochemischen Zersetzung übergehe, so scheint mir die Wirkung in einer in Richtung

[1]) Siehe nunmehr in Bezug auf diesen Gegenstand 1627—1645. — Dec. 1838.

[2]) Thermoelektrische Ströme bilden natürlich keine Ausnahme, da, wenn sie nicht im Stande sind, chemisch zu wirken, sie überhaupt keine Ströme sind.

des Stromes ausgeübten *inneren Corpuscular-Action* zu beruhen und von einer Kraft herzurühren, welche entweder *der gewöhnlichen chemischen Affinität* der vorhandenen Körper *sich addirt* oder *ihr die Richtung anweist.* Der der Zersetzung unterliegende Körper kann betrachtet werden als eine Masse wirkender Theilchen, von denen alle, die in der Bahn des elektrischen Stromes liegen, zur Endwirkung beitragen; dadurch nun, dass die gewöhnliche chemische Affinität unter dem Einflusse des Stromes in der einen zu seiner Bahn parallelen Richtung gelockert, geschwächt oder theilweise neutralisirt, und in der entgegengesetzten Richtung verstärkt oder begünstigt wird, erhalten die verbundenen Theilchen eine Tendenz, entgegengesetzte Wege einzuschlagen.

519. Diese Ansicht betrachtet den Effect als *wesentlich abhängig* von der *gegenseitigen chemischen Affinität* der Theilchen entgegengesetzter Art. Die Theilchen *a a*, Fig. 53, könnten nicht von einem Pol N zu dem anderen P übergeführt werden oder wandern, fänden sie nicht Theilchen entgegengesetzter Art *b b*, bereit in entgegengesetzter Richtung zu gehen, denn sie werden eben vermöge ihrer gesteigerten Affinität zu diesen Theilchen, und weil gleichzeitig ihre Affinität zu den auf ihrer Bahn hinter ihnen liegenden Theilchen geschwächt ist, vorwärts getrieben; und wenn ein Theilchen *a*, Fig. 54, am Pol anlangt, so wird es ausgeschlossen oder in Freiheit gesetzt, weil das Theilchen *b* von entgegengesetzter Art, mit welchem es den Augenblick vorher in Verbindung war, unter dem hinzutretenden Einflusse des Stromes eine grössere Verwandtschaft zu dem auf seiner Bahn vor ihm liegenden Theilchen *a'* erlangt hat als zu dem Theilchen *a*, zu welchem seine Affinität geschwächt worden ist.

520. Zieht man nun ein einzelnes zusammengesetztes Theilchen in Betracht, so kann man den Fall als einer gewöhnlichen Zersetzung analog ansehen; denn man kann sich denken, dass *a*, Fig. 54, aus der Verbindung *a b* durch die überwiegende Verwandtschaft von *a'* zu *b* ausgetrieben wird, und dass dieses diesen Ueberschuss an Verwandtschaft in Folge der relativen Stellung von *a'b* und *a* zur Richtung der Axe der durch den Strom hinzugetretenen elektrischen Kraft (517) erlangt hat. Allein da alle zusammengesetzten Theilchen auf der Bahn des Stromes, mit Ausnahme derjenigen, welche in wirklicher Berührung mit den Polen sind, gemeinschaftlich wirken und aus elementaren Theilchen bestehen, welche, während sie nach der einen Richtung austreiben, nach der anderen ausgetrieben werden, so wird der Fall complicirter, wenn auch nicht schwieriger zu begreifen.

521. Es wird hier nicht vorausgesetzt, dass die wirkenden Theilchen in einer geraden Linie zwischen den Polen liegen. Die Wirkungslinien, welche man als Repräsentanten der elektrischen Ströme betrachten kann, die eine der Zersetzung unterliegende Flüssigkeit durchlaufen, haben in vielen Versuchen sehr unregelmässige Formen, und selbst in dem einfachsten Falle, wo zwei Drähte oder Spitzen als Pole in einen Tropfen oder in einen grösseren Theil einer Flüssigkeit eintauchen, müssen diese Linien von den Polen aus rasch divergiren, und die Richtung, in welcher die chemische Affinität zwischen den Theilchen die stärkste Abänderung erleidet (519, 520), wird sich mit der Richtung dieser Linien ändern und beständig mit ihnen übereinstimmen. Aber selbst in Hinsicht auf diese Linien oder Ströme wird nicht vorausgesetzt, dass die sich gegenseitig beeinflussenden Theilchen ihnen nothwendig parallel sein müssen, sondern nur, dass sie im Allgemeinen mit ihrer Richtung übereinstimmen. Ich nehme an, dass zwei Theilchen, welche an irgend einer Stelle in einer zu dem elektrischen Stromtheile daselbst senkrechten Linie liegen, in ihren gewöhnlichen chemischen Beziehungen zu einander nicht gestört werden, dass dagegen ihre gegenseitige Verwandtschaft, wenn ihre Verbindungslinie in der einen Richtung zum Strome geneigt ist, erhöht, wenn sie nach der anderen Seite hin neigt, geschwächt wird, und dass die Wirkung ein Maximum hat, wenn jene Linie dem Strome parallel ist.[1])

522. Dass diese Wirkungen, von welcher Beschaffenheit sie auch sein mögen, häufig in schiefen Richtungen stattfinden, geht aus dem Umstande hervor, dass sie sich in vielen Fällen auch auf solche Theilchen erstrecken, welche nicht in gerader Linie zwischen den Polen liegen. Wenn beispielsweise Drähte als Pole in einem eine Lösung enthaltenden Glase angewandt werden, so erfolgen die Zersetzungen und Wiederzusammensetzungen auch rechts und links von der Verbindungslinie der Pole, ja überhaupt, wie viele Versuche beweisen, überall wohin die Ströme gelangen, und sie müssen demnach oftmals zwischen schief zum Strome selbst liegenden Theilchen erfolgen. Und wenn ein die Lösung enthaltendes Metallgefäss den einen Pol, und eine einfache Spitze oder ein Draht den anderen Pol bildet, so müssen die Zersetzungen und Wiederzusammensetzungen häufig noch schiefer gegen die Bahn der Ströme eintreten.

523. Die Theorie, welche ich aufzustellen wagte, fordert (beinahe) das Zugeständniss, dass zwischen den elementaren Theilchen eines der elektrochemischen Zersetzung unterworfenen Körpers eine gegenseitige Beziehung und Einwirkung auf einander besteht, welche sich über die unmittelbar mit einander verbundenen hinaus erstreckt. So nehme ich beispielsweise für Wasser an, dass ein mit einem Sauerstofftheilchen verbundenes Wasserstofftheilchen sich nicht völlig indifferent zu anderen Sauerstofftheilchen verhält, wenngleich diese mit anderen Wasserstofftheilchen verbunden sind, sondern dass es zu ihnen eine Verwandtschaft oder eine Anziehungskraft besitzt, welche, wenn sie auch unter gewöhnlichen Umständen nicht annähernd so gross ist, wie die, vermöge welcher es mit seinen eigenen Sauerstofftheilchen verbunden ist, diese dennoch unter dem in einer bestimmten

---

[1]) In Bezug auf diesen Gegenstand siehe nunmehr, elektrolytische Induction und Entladung, Reihe XII, 1343—1351, etc. — Dec. 1838.

Richtung ausgeübten elektrischen Einflusse sogar übertreffen kann. Diese allgemeine Beziehung von mit einander verbundenen Theilchen zu anderen, mit denen sie nicht in Verbindung stehen, tritt in zahlreichen Vorgängen rein chemischer Natur deutlich genug hervor, insbesondere bei denen, wo nur theilweise Zersetzungen stattfinden, und in Berthollet's Versuchen über den Einfluss der Mengenverhältnisse auf die Affinität, und sie steht sowohl bei festen als auch bei flüssigen Körpern in einem directen Verhältniss und Zusammenhang mit der Cohäsionsanziehung. Es ist bemerkenswerth, dass bei Gasen und Dämpfen, bei denen die Cohäsion verschwindet, gleichermassen auch die elektrischen Zersetzungskräfte scheinbar fehlen*) und ebensowenig auch der chemische Einfluss der Masse zu erkennen ist. Es ist nicht unwahrscheinlich, dass die Unzersetzbarkeit in diesen Fällen daher rührt, dass die gegenseitige Anziehung der Theilchen, welche die Ursache der Cohäsion ist, nicht vorhanden ist.

524. Ich hoffe nun meine Ansicht über die Ursache der elektrochemischen Zersetzung, *soweit diese Ursache gegenwärtig verfolgt und verstanden werden kann*, wenn auch in allgemeinen Ausdrücken, doch deutlich angegeben zu haben. Ich fasse die Wirkungen als aus *inneren*, der in Zersetzung begriffenen Substanz angehörigen Kräften entspringend auf, und nicht aus *äusseren*, wie sie betrachtet werden könnten, wenn sie direct durch die Pole bedingt wären. Ich nehme an, dass die Wirkungen die Folge einer durch den elektrischen Strom veranlassten Modification der chemischen Affinität der vom Strome durchlaufenen oder neben ihm befindlichen Theilchen sind, vermöge welcher deren Wirkungsfähigkeit in der einen Richtung stärker wird als in der anderen, sie demgemäss gezwungen werden, durch eine Reihe folgeweiser Zersetzungen und Wiedervereinigungen in entgegengesetzten Richtungen zu wandern, um schliesslich an den in Richtung des Stromes liegenden Grenzen des in Zersetzung begriffenen Körpers ausgetrieben oder ausgeschieden zu werden, *und dies* in grösseren oder geringeren Mengen, je nach der grösseren oder geringeren Stärke des Stromes (377). Ich glaube daher, dass es wissenschaftlicher und den Thatsachen entsprechender wäre, von einem solchen Körper in Bezug auf den durch ihn gehenden Strom, als in Bezug auf die mit ihm in Berührung stehenden sogenannten Pole zu sprechen, und zu sagen, dass, wenn er in Zersetzung begriffen ist, Sauerstoff, Chlor, Jod, Säuren u. s. w. seinem negativen, brennbare Stoffe, Metalle, Alkalien, Basen u. s. w. seinem positiven Ende zugeführt werden (467). Ich glaube nicht, dass eine Sub-

---

*) In neuerer Zeit wird vielfach eine Art elektrolytischen Verhaltens der Gase angenommen. Vgl. Giese, Wiedem. Ann. XVII. p. 538. 1882. — Elster und Geitel, Ibid. XVI, p. 221. 1882. — Schuster, Nature XXX, p. 230. 1884; Proceedings of the Roy. Soc. Vol. XXXVII, No. 233, p. 317; Naturforscher 1885, p. 37 u. 110. — J. J. Thomson, Phil. Mag. 1883, Vol. XV, p. 477; Beibl. 8. p. 294. D. Ü.

stanz in dem elektrischen Strome zu einem Punkte fortgeführt werden kann, wo sie keine Theilchen, mit denen sie sich verbinden könnte, mehr vorfindet, und ich kann mich auf die oben angeführten Versuche in Luft (465) und Wasser (495) in erster Linie als auf Thatsachen berufen, welche diese Ansichten beleuchten; andere will ich ihnen nun hinzufügen.

525. Um die Abhängigkeit der Zersetzung und der Ueberführung der Elemente von der chemischen Affinität der anwesenden Substanzen zu zeigen, wurden Versuche mit Schwefelsäure in folgender Weise angestellt. Ausser verdünnter Schwefelsäure vom specifischen Gewicht 1021,2 wurde eine Lösung von Natriumsulphat von solcher Concentration hergestellt, dass ein Volumen desselben genau so viel Schwefelsäure enthielt, als ein gleiches Volumen der eben erwähnten verdünnten Säure. Ferner wurde eine Lösung von reinem Natron und eine von reinem Ammoniak bereitet, von solcher Concentration, dass ein Volumen einer jeden derselben durch ein solches der Schwefelsäure genau neutralisirt wurde.

526. Vier Bechergläser wurden, wie in Fig. 55, angeordnet, und in jedes der Gefässe *a* und *b* siebzehn Raumtheile der Schwefelsäure (525), in jedes der Gefässe A und B siebzehn Raumtheile der Natriumsulphatlösung gegossen. Zur Verbindung von *a* mit *b*, sowie von A mit B wandte ich Asbest an, welcher, nachdem er mit Säure gut gewaschen worden, der Wirkung der Volta'schen Säule ausgesetzt, gut mit Wasser gewaschen und durch Pressung getrocknet wurde, in Stücken von möglichst gleichem Gewicht und nicht grösserer Länge als mit ihrem Zweck, eine sichere Verbindung herzustellen, verträglich war. Zwei an die Enden eines Drahtes gelöthete Platinstreifen oder Pole verbanden *b* und A mit einander, und die Bechergläser *a* und B standen durch zwei ähnliche Platinstreifen mit einer Volta'schen Batterie von vierzig vierquadratzölligen Plattenpaaren in Verbindung, und zwar *a* mit dem negativen und B mit dem positiven Pol. Die Verbindung mit der übrigens nicht kräftigen Batterie liess ich über eine halbe Stunde bestehen. Auf diese Weise durfte ich sicher sein, dass ein und derselbe elektrische Strom durch *ab* und AB gegangen, und dass in jedem Augenblick eine gleiche Menge gleich starker Säure seiner Wirkung unterworfen worden war, nur dass sie dort bloss in Wasser gelöst, hier gleichfalls in Lösung, aber zugleich an ein Alkali gebunden war.

527. Beim Oeffnen der Batterie hob man die Asbeststücke heraus und liess die an ihren Enden hängenden Tropfen in die betreffenden Gefässe herabfallen. Hierauf wurden zunächst die Säuren in *a* und *b* mit einander verglichen; zu diesem Zwecke tarirte ich zwei Abdampfschalen und goss die Säure aus *a* in die eine und die aus *b* in die andere; da jedoch die eine ein wenig schwerer war als die andere, brachte ich ein Tröpfchen aus der schwereren in die leichtere, um sie an Gewicht gleich zu machen. Zum Neutralisiren mit der Natronlösung (525) erforderte die Säure in *a* oder in dem negativen Gefässe 15 Theile, und die in *b* oder in dem positiven Gefässe 16,3 Theile Natronlösung. Dass man nicht 34 Theile als Summe erhält, rührt vorzugsweise davon her, dass der Asbest Säure eingesogen hatte; nimmt man jedoch das Mittel, 15,65 Theile, so ergiebt sich, dass ein vierundzwanzigstel der ursprünglich in dem Gefässe *a* enthaltenen Säure unter dem Einflusse des Stromes aus *a* nach *b* übergeführt worden war.

528. Bei Vergleichung der Säuredifferenz in A und B hielt ich die völlige Gewichtsgleichheit nicht für nothwendig, da die Lösung ursprünglIch neutral und demnach auf die Reagenzflüssigkeiten nicht gewirkt hätte, nun aber alle freie Säure in B, und alles freie Alkali in A sein musste. Die Lösung in A erforderte zur Neutralisirung 3,2 Raumtheile der präparirten Säure (525), und die Lösung in B zu ihrer Neutralisirung 3,2 Raumtheile der Natronlösung (525). Da der Asbest den Gläsern ein wenig Säure und Alkali entzogen hatte, so müssen diese Mengen um eben so viel zu klein sein, und demnach ergiebt sich hieraus, dass während der Dauer der elektrischen Action ungefähr ein zehntel der ursprünglich in dem Gefässe A enthaltenen Flüssigkeit nach B übergeführt worden war.

529. In einem zweiten ähnlichen Versuche ging von der gebundenen Säure $^1/_{10}$ bis $^1/_{11}$ aus dem Gefässe A nach B, während von der freien Säure $^1/_{35}$ aus dem Gefässe *a* nach *b* ging. Andere derartige Experimente gaben ähnliche Resultate.

530. Die Verschiedenheit der elektrochemischen Zersetzung, die Ueberführung der Elemente und deren Anhäufung an den Polen, je nachdem die der Wirkung unterworfene Substanz aus Theilchen von mehr oder weniger entgegengesetzter chemischer Affinität besteht, sowie der unmittelbare Einfluss des letzteren Umstandes selbst, alldies tritt in den Fällen deutlich genug hervor, wo *ein und derselbe* elektrische Strom auf *gleiche Mengen* Schwefelsäure einwirkt, jedoch in dem einen Falle ihm nur die verhältnissmässig schwache Affinität des Wassers zu ihr, in dem anderen die stärkere Verwandtschaft des Natrons gegenübersteht. In letzterem Falle war die übergeführte Menge zweiundeinhalbmal bis dreimal so gross wie in dem ersteren, und es geht hieraus ganz klar hervor, dass die Ueberführung erheblich von der gegenseitigen Action der Theilchen der der Zersetzung unterliegenden Körper abhängt[1])

531. Bei einigen dieser Versuche wurde die Säure in den Gefässen *a* und *b* durch Ammoniak neutralisirt, dann zur Trockne verdampft, zur Rothgluth erhitzt, und der Rückstand auf Sulphate untersucht. Hierbei wurde aus *a* stets mehr Sulphat gewonnen als aus *b*; dies zeigt, dass es unmöglich war, Salzbasen (welche vom Asbest, vom Glase oder vielleicht von ursprünglichen Verunreinigungen der Säure herstammten) völlig auszuschliessen, und dass sie beigetragen haben, die Säure nach *b* überzuführen.

---

[1]) Siehe die Note zu 675. — Dec. 1838.

Die Menge war jedoch klein, und vorzugsweise wurde die Säure vermöge ihrer Verwandtschaft zum anwesenden Wasser übergeführt.

532. Ich bemühte mich, gewisse Versuchsanordnungen zu treffen, bei denen Salzlösungen an Wasserflächen zersetzt werden sollten. Anfangs benutzte ich die Wirkung der Elektrisirmaschine auf ein Stück Fliesspapier oder Asbest, das mit der Lösung getränkt war, und mit dessen Enden zwei mit reinem Wasser befeuchtete zugespitzte Stücke Papier in Berührung standen, welche dazu dienten, den elektrischen Strom zu dem mittleren Stücke hin und von ihm fortzuleiten. Allein ich stiess auf viele störende Schwierigkeiten. So konnte nicht verhütet werden, dass das Wasser und die Lösung in den Papierstücken sich an den Berührungspunkten vermischten. Ferner konnte aus dem mit dem Ableitungssystem verbundenen Papier, oder gar, als Ergebniss der elektrischen Action, aus der Luft selbst so viel Säure herstammen, dass sie das an dem positiven Ende der in Zersetzung begriffenen Lösung frei gewordene Alkali neutralisirte, so dass dasselbe hier nicht nur am Erscheinen gehindert, sondern auch wirklich zur metallischen Grenze übergeführt wurde. Und in der That, wenn man die Papierspitzen sich nicht berühren, und die Maschine arbeiten liess, bis Alkali an dem abgebenden oder positiven Ende des mit der Natriumsulphatlösung getränkten Curcumapapiers gebildet war, so brauchte man nur die gegenüberliegende, mit destillirtem Wasser angefeuchtete und mit dem Ableitungssystem verbundene auffangende Spitze auf die braune Spitze des Curcumapapiers zu legen und beide gegen einander zu pressen, um sofort den alkalischen Effect zum Verschwinden zu bringen.

533. Indess ist in dem bereits beschriebenen Experiment mit Magnesiumsulphat (495) ein solcher Fall verwirklicht, und es zeigt sehr deutlich, dass die Schwefelsäure und Magnesia zu ihrer Ueberführung und endlichen Abscheidung genau so viel beitragen, als dieselbe Säure und das Natron in den eben mitgetheilten Resultaten (527 etc.) sich gegenseitig beeinflussen, und dass die Magnesia, sobald sie den Bereich der Säure überschritten hat und keine andere Substanz mehr vorfindet, mit der sie sich verbinden kann, in ihrem natürlichen Zustande erscheint und nicht länger im Stande ist, ihre Wanderung zum negativen Pole fortzusetzen.

---

534. Die Theorie, welche ich aufzustellen wagte, scheint mir sämmtliche hervorragende Züge der elektrochemischen Zersetzung zu erklären.

535. In erster Linie erklärt sie, wesshalb unter gewöhnlichen Umständen die ausgeschiedenen Substanzen *nur an den Polen erscheinen*; denn die Pole sind die Grenzflächen der der Zersetzung unterliegenden Substanz, und ausgenommen an ihnen findet jedes Theilchen andere von entgegengesetzter Tendenz, mit denen es sich verbinden kann.

536. Ferner erklärt sie, wesshalb in vielen Fällen die Elemente oder die ausgeschiedenen Substanzen nicht von den Polen *zurückgehalten* werden, — ein Punkt von nicht geringer Schwierigkeit für diejenigen Theorieen, welche den Zersetzungseffect direct von einer anziehenden Kraft der Pole herleiten. Wenn, der gewöhnlichen Theorie zufolge, ein Stück Platin Kraft genug haben soll, ein Wasserstofftheilchen aus seiner eben noch bestandenen Verbindung mit einem Sauerstofftheilchen zu trennen, so scheint kein ausreichender Grund und keine Thatsache, ausser den eben zu erklärenden, vorhanden zu sein, woraus hervorginge, wesshalb es nicht auch, analog mit allen gewöhnlichen Anziehungskräften, wie der Gravitation, dem Magnetismus, der Cohäsion, der chemischen Affinität u. s. w., das kurz zuvor aus der Ferne und aus einer Verbindung an sich gezogene Theilchen *zurückhalten* sollte. Allein es thut dies nicht, sondern lässt es ungehindert entweichen. Dies rührt auch nicht etwa von der Annahme des gasförmigen Zustandes her, denn Säuren und Alkalien u. s. w. behalten ebenfalls die Freiheit, sich durch die den Pol umgebende Flüssigkeit zu verbreiten und zeigen kein besonderes Bestreben, sich mit diesem zu verbinden oder sich an ihn zu heften. Und obschon es eine Menge von Fällen giebt, in denen eine Verbindung mit den Polen erfolgt, so erklären sie doch nicht diejenigen Fälle, in denen eine Verbindung unterbleibt, und daher kann auch in jener besonderen Wirkung nicht das allgemeine Princip der Zersetzung offenbart sein.

537. Nach der eben von mir gegebenen Theorie aber scheint das Resultat eine natürliche Folge des Vorganges zu sein, dass die abgeschiedenen Substanzen aus der in Zersetzung begriffenen Substanz *ausgetrieben* (518, 519) und nicht *ausgezogen werden durch eine Anziehungskraft,* welche ohne angebbaren Grund auf ein Theilchen zu wirken aufhört, während sie fortfährt, eine Wirkung auf ein anderes Theilchen derselben Art auszuüben; mögen demnach die Pole aus Metall, Wasser oder Luft bestehen, die Substanzen werden dennoch abgeschieden und zuweilen in Freiheit gesetzt, zuweilen gehen sie eine Verbindung mit der Substanz der Pole ein, je nach der chemischen Natur der letzteren, d. h. je nach ihrer chemischen Verwandtschaft zu den Theilchen, welche die der Action unterliegende Substanz entlässt.

538. Die Theorie giebt von der *Ueberführung der Elemente* in einer Weise Rechenschaft, welche mir für jetzt nichts unerklärt zu lassen scheint, und gerade die Erscheinungen der Ueberführung in den zahlreichen Fällen von Zersetzung durch Wärme verflüssigter Körper (380, 402) in Verbindung mit den Versuchen an freier Luft waren es, die mich zu ihrer Ausarbeitung leiteten. Solche Fälle wie die früheren, wo die Einwirkung auf binäre Verbindungen von leichter Zersetzbarkeit stattfindet, sind vielleicht am besten geeignet, die Theorie zu beleuchten.

539. Chlorblei z. B., in einer gebogenen Röhre geschmolzen (400) und mittelst Platindrähte zersetzt, giebt Blei ab, das zu dem sogenannten negativen Pol hingeht, und Chlor, das sich am positiven Pol entwickelt und theils frei entweicht, theils sich mit dem Platin verbindet. Das gebildete Platinchlorid, das in dem Chlorblei löslich ist, unterliegt nun der Zersetzung, und das Platin selbst wird nach und nach durch die in Zersetzung begriffene Substanz fortgeführt und findet sich neben dem Blei am negativen Pol.

540. Jodblei giebt viel Blei am negativen und viel Jod am positiven Pol ab.

541. Ein schönes Beispiel liefert Chlorsilber, besonders wenn zu seiner Zersetzung Pole aus Silberdraht dienen. Schmilzt man es auf einem Stück Glas und bringt die Pole mit ihm in Contact, so wird am negativen Pol viel Silber ausgeschieden und eine gleich grosse Menge am positiven Pol gelöst, da kein Chlor entweicht. Bei vorsichtiger Handhabung lässt sich der negative Draht so aus dem geschmolzenen Kügelchen herausziehen, dass das hier reducirte Silber den Fortsatz des Poles bildet und ein fünf bis sechs Zoll langer Draht oder Faden reducirten Silbers erzeugt wird; gleichzeitig wird das Silber des positiven Drahtes vom Chlor angegriffen und verflüssigt, so dass man den Draht fortwährend einsenken muss in dem Maasse als er wegschmilzt. Bei dem ganzen Versuche treten nur zwei Elemente in Wirkung, Silber und Chlor, und er beleuchtet daher in schöner Weise ihre Wanderung in entgegengesetztem Sinne parallel zu dem elektrischen Strome, welcher während seiner Dauer ihren gegenseitigen Verwandtschaften eine gleichförmige allgemeine Richtung ertheilt (524).

542. Meiner Theorie zufolge wird ein Element oder eine unter den bestehenden Versuchsbedingungen nicht zersetzbare Substanz (zum Beispiel verdünnte Säure oder verdünntes Alkali) nicht übergeführt werden oder von Pol zu Pol wandern, wenn sie nicht in chemischer Relation stehen zu einem anderen Element oder einer anderen Substanz, welche in entgegengesetzter Richtung zu gehen streben; denn sie betrachtet den Effect als wesentlich bedingt von der gegenseitigen Relation solcher Theilchen. Dagegen erfordern die Theorien, welche das Schicksal der Elemente als von Anziehungen und Abstossungen der Pole abhängig betrachten, keine solche Bedingtheit, d. h. es ist kein Grund vorhanden, warum die Anziehung des positiven und die Abstossung des negativen Poles auf ein im Wasser zwischen ihnen gelegenes Theilchen freier Säure (bei gleichen elektrischen Strömen) nicht ebenso stark sein sollten, als wenn das Theilchen vorher an Alkali gebunden gewesen wäre; im Gegentheil hätte man sogar allen Grund, zu erwarten, dass sie, da in jenem Falle keine kräftige chemische Verwandtschaft zu überwinden ist, stärker sein und die Säure schneller an den positiven Pol heranbringen müssten.[1]) Dass dies jedoch

---

[1]) Selbst Sir Humphry Davy nimmt an, dass die Anziehung des Poles von einem Theilchen auf ein anderes der *gleichen* Art übertragen werde (483).

nicht der Fall ist, ist durch die Versuche mit freier und gebundener Säure gezeigt worden (526, 528).

543. Auch de la Rive's Theorie *fordert*, soweit ich sie verstehe, nicht, dass die Theilchen sich in Verbindung befinden müssen; sie nimmt nicht einmal an, dass, wo zwei Reihen von Theilchen vorhanden sind, die sich mit einander verbinden können und an einander vorübergehen, dieselben sich wirklich mit einander verbinden, sondern sie setzt voraus, dass sie als gesonderte Verbindungen von Substanz und Elektricität fortwandern. Aber in Wirklichkeit *kann* die freie Substanz *nicht* wandern, die gebundene *kann* es wohl.

544. Es ist sehr schwierig, unter Lösungen oder Flüssigkeiten Beispiele zu finden, welche diesen Punkt beleuchten könnten, denn es ist eben schwierig, zwei Flüssigkeiten zu finden, welche leiten, sich nicht mischen sollen und bei denen ein aus der einen abgeschiedenes Element nicht in der anderen ein Element finden sollte, mit dem es sich verbinden könnte. *Lösungen* von Säuren oder Alkalien eignen sich hierzu nicht, da sie vermöge einer Anziehung existiren, ja die Zunahme der Löslichkeit eines Körpers in der einen und die Abnahme derselben in der anderen Richtung wird ebenso gut zu einer Ursache der Ueberführung wie eine Modification der Verwandtschaft zwischen den Säuren und Alkalien selbst.[1]) Nichtsdestoweniger bietet die Erfahrung mit dem Magnesiumsulphat (494, 495) ein solches Beispiel dar und zeigt, dass *ein Element oder ein Bestandtheil allein* nicht übergeführt werden oder gegen einen der Pole hin wandern kann.

545. Unter den Metallen im festen Zustande jedoch liefern viele sehr schöne Beispiele der gesuchten Art. Wenn man beispielsweise einen Platinstreifen als positiven Pol in einer Lösung von Schwefelsäure anwendet, so wird der Sauerstoff und auch Säure sich zu ihm begeben, aber diese Substanzen haben keine solche chemische Verwandtschaft zum Platin, um sich mit ihm, selbst unter der durch den Strom hinzutretenden begünstigenden Bedingung (518, 524) zu verbinden, und daher bleibt das Platin unverändert an seinem Orte und hat kein Bestreben zum negativen Pol zu wandern. Ersetzt man aber das Platin durch einen Streifen von Eisen, Zink oder Kupfer, dann kann der Sauerstoff und die Säure sich mit ihnen verbinden, und das Metall (nun zu einem Oxyd geworden) beginnt alsbald nach dem andern Pole hin zu wandern, um sich endlich daselbst abzulagern. Oder wenn, unter Beibehaltung des Platinpoles, die Schwefelsäure durch ein geschmolzenes Chlorid, wie das von Blei, Zink, Silber u. s. w. ersetzt wird, dann findet das Platin ein Element, mit dem es sich verbinden kann und geht auch wirklich eine Verbindung ein, verhält sich alsdann wie andere Elemente bei Volta'scher Zersetzung, wird rasch durch

---

[1]) Siehe die Note zu 675, — Dec. 1838.

die geschmolzene Masse hindurch übergeführt und am negativen Pol ausgeschieden.

546. Ich vermag in den Theorien, welche die elektrochemische Zersetzung auf Anziehungen und Abstossungen der Pole zurückführen, wenig und in de la Rive's Theorie gar keinen Grund zu erkennen, warum denn das Metall des positiven Poles nicht durch den dazwischen liegenden Leiter fortgeführt und am negativen Pol abgesetzt wird, selbst wenn es auf das Element der umgebenden Flüssigkeit nicht chemisch wirken kann. Man kann sich nicht darauf berufen, dass die Cohäsionsanziehung einen solchen Effect verhindere, denn der Erfolg ist kein anderer, wenn der lockerste Platinschwamm den Pol bildet. Auch wenn durch schwefelsaures Eisenoxydul gefälltes Gold sich fein zertheilt in der Lösung befindet, so häuft es sich nicht am negativen Pol an, obwohl doch die Cohäsionsanziehung fast völlig überwunden ist, die Theilchen so zart sind, dass sie Stunden lang schwebend bleiben und vollkommene Freiheit haben, sich beim leisesten Anstoss gegen einen der Pole hin zu bewegen. *Wenn* sie jedoch zu einer anwesenden Substanz durch chemische Verwandtschaft *in Relation stehen*, so werden sie mit Macht gegen den negativen Pol hingetrieben.[1])

547. Zur Stütze dieser Argumente darf ich bemerken, dass bei blossen Gemischen bisher (soviel ich weiss) noch kein Hinstreben einer Substanz zu einem Pole oder eine Neigung, dem elektrischen Strome zu gehorchen, beobachtet worden ist, d. h. eine Substanz, die in einer Flüssigkeit vertheilt ist, aber keine merkliche chemische Verwandtschaft zu ihr oder zu den während der Stromthätigkeit etwa abgeschiedenen Substanzen besitzt, scheint in keinem Falle durch den elektrischen Strom beeinflusst zu werden. Pulverisirte Holzkohle wurde in verdünnter Schwefelsäure vertheilt und mit dieser der Wirkung einer in Platinpolen endigenden Volta'schen Batterie ausgesetzt, allein es liess sich von einer Tendenz der Holzkohle zum negativen Pole nicht das Geringste wahrnehmen. Ferner wurde sublimirter Schwefel in einer ebensolchen Säure vertheilt und der nämlichen Einwirkung unterworfen, wobei ein Silberstreifen als negativer Pol diente, allein der Schwefel zeigte keine Tendenz, zu diesem Pole zu gehen, das Silber lief nicht an, und es trat auch kein Schwefelwasserstoff auf. Die Erfahrung mit Magnesia

---

[1]) Bei Anstellung dieses Versuches muss man die Gegenwart jeglicher Substanz, welche chemisch auf das Gold wirken könnte, sorgfältig ausschliessen. Wiewohl ich das Gold vor dessen Vertheilung in der verdünnten Schwefelsäure mit grösster Sorgfalt gewaschen hatte, erhielt ich doch zuerst Gold am negativen Pol, und dies wiederholte sich, als die Platinpole gewechselt wurden. Die Untersuchung der klaren Lösung in der Zelle nach Ablagerung des Goldes ergab jedoch, dass etwas von diesem Metall in Lösung gegangen war, und auch etwas Chlor fand sich darin. Ich wusch daher das der Volta'schen Einwirkung ausgesetzt gewesene Gold sorgfältig, vertheilte es in andere reine verdünnte Schwefelsäure und fand nun, als es der Wirkung der Säule ausgesetzt wurde, nicht die geringste Tendenz, zum negativen Pol zu gehen.

und Wasser (495, 533), so wie die mit feinvertheilten Metallen in gewissen Lösungen (546) sind von derselben Art; und in der That, Substanzen, welche, wie die Magnesia aus Magnesiumsulphat, den Augenblick vorher mit Macht gegen den Pol hingetrieben wurden, werden mit dem Moment, wo sie ihren freien Zustand annehmen, ganz *indifferent gegen ihn*, gehen an ihm vorbei und verbreiten sich durch die umgebende Flüssigkeit.

548. Es giebt freilich viele Beispiele von unlöslichen Körpern, wie Glas, Bariumsulphat, Marmor, Schiefer, Basalt u. s. w., welche eine Einwirkung erleiden; aber sie bilden keine Ausnahme, denn die von ihnen abgegebenen Substanzen stehen hinsichtlich ihrer chemischen Verwandtschaft in directer und ausgesprochener Beziehung zu denjenigen, welche sie in der umgebenden Lösung vorfinden, so dass diese Zersetzungen sich den gewöhnlichen Vorgängen dieser Gattung anreihen.

---

549. Als eine allgemeine Folgerung lässt sich hinstellen, dass, je directer die Körper hinsichtlich ihrer chemischen Verwandtschaft einander entgegengesetzt sind, desto *leichter* ihre Trennung bei elektrochemischer Zersetzung erfolgt, vorausgesetzt nur, dass nicht andere Umstände, wie Unlöslichkeit, mangelnde Leitungsfähigkeit, Mengenverhältnisse u. s. w. einen störenden Einfluss ausüben. Dies ist für Wasser und Salzlösungen wohl bekannt, und ich habe es in gleichem Maasse für *trockene* Chloride, Jodide Salze u. s. w. richtig gefunden, wenn sie geschmolzen der elektrochemischen Zersetzung unterworfen werden (402). Versucht man daher mittelst der Volta'schen Batterie Körper zu zersetzen, welche noch nicht in einfachere Bestandtheile haben zerlegt werden können, so wird man sich zu erinnern haben, dass der Erfolg am Ende nicht von der Schwäche oder geringen Stärke der Verwandtschaft, durch welche die gesuchten Elemente zusammengehalten werden, sondern gerade vom Gegentheil bedingt ist, und man wird dann auf Verfahrungsweisen bedacht sein, durch welche wir, unter *Beihilfe* von gewöhnlichen chemischen Kräften, begünstigt durch den Zustand der Schmelzung (394, 417), tiefer als gegenwärtig in die Constitution unserer chemischen Elemente einzudringen vermöchten.

550. Einige der schönsten und überraschendsten Fälle von elektrochemischer Zersetzung und *Ueberführung*, welche Sir Humphry Davy in seiner berühmten Abhandlung[1]) beschreibt, sind diejenigen, bei denen Säuren durch Alkalien, und Alkalien oder Erden durch Säuren hindurchwanderten,[2]) und es erregte das grösste Erstaunen, dass so Substanzen, welche die stärksten Verwandtschaften für einander haben, an der Verbindung gehindert wurden, oder dass, wie es heisst, ihre natürliche Verwandt-

---

1) Philosophical Transactions, 1807, p. 1.
2) Ibid. p. 24 etc.

schaft in dem ganzen Stromkreise vernichtet oder zeitweise aufgehoben wurde. Wenn jedoch meine Ansicht über die Vorgänge richtig ist, so wird man das, was wie ein *Wunder* erscheint, in Wirklichkeit als die *wesentliche Bedingung* zur Ueberführung und Zersetzung erkennen und einsehen, dass, je mehr Alkali eine Säure auf ihrem Wege trifft, desto leichter die Ueberführung dieser Säure von Pol zu Pol erfolgt, und vielleicht kann der Unterschied zwischen der von mir aufgestellten Theorie und der früheren nicht besser beleuchtet werden als durch die Auffassungen, welche sich aus ihnen über Thatsachen wie diese ergeben.

551. Die Fälle, in denen Schwefelsäure nicht durch Baryt, und Baryt nicht durch Schwefelsäure fortgeführt werden konnte,[1]) weil sich Bariumsulphat niedergeschlagen hatte, gehören in den Bereich des oben dargelegten Gesetzes (380, 412), demzufolge der flüssige Zustand zur Leitung und Zersetzung allgemein gefordert wird. Indem jene Körper als Bariumsulphat den festen Aggregatzustand annehmen, werden sie der Fähigkeit, Elektricität von so niedriger Spannung wie die der Volta'schen Batterie zu leiten, beraubt, und die Macht der letzteren über sie ist dann fast unendlich geschwächt.

552. Die von mir aufgestellte Theorie steht in sehr befriedigendem Einklang mit der Erfahrung, dass ein Element oder eine Substanz sich zuweilen an dem einen, zuweilen an dem anderen Pole ablagert oder vielmehr ausscheidet. Schwefel liefert ein sehr klares Beispiel eines solchen Vorganges.[2]) Wird Schwefelsäure mittelst der Säule zersetzt, so scheidet sich Schwefel am negativen Pole aus, aber bei der Zersetzung des Schwefelsilbers auf diesem Wege (436) tritt Schwefel am positiven Pole auf, und wenn ein heisser Platinpol angewandt wird, um den im letzteren Falle ausgeschiedenen Schwefel zu verflüchtigen, so ist die Beziehung dieses Poles zum Schwefel genau dieselbe, wie die Beziehung des nämlichen Poles, wenn er in Wasser taucht, zum Sauerstoff. In beiden Fällen wird das Element am Pole in Freiheit gesetzt, aber von diesem nicht festgehalten, sondern geht in Folge seiner Elasticität, Unverbindbarkeit und Unmischbarkeit in die umgebende Flüssigkeit über. Der Schwefel wird offenbar zu diesen entgegengesetzten Richtungen durch seine entgegengesetzten chemischen Beziehungen zu Sauerstoff und Silber bestimmt, und solche Beziehungen sind es eben, auf welche ich allgemein alle elektrochemischen Phänomene zurückgeführt habe. Wo jene fehlen, kann auch keine elektrochemische Action Platz greifen; wo erstere am stärksten sind, ist auch die letztere am lebhaftesten, wo sie umgekehrt sind, kehrt sich zugleich auch die Richtung der Ueberführung der betreffenden Substanz um.

---

[1]) Philosophical Transactions, 1807, p. 25 etc.

[2]) Im Artikel 681 und 757 der Reihe VII findet man Berichtigungen der obigen, den Schwefel und die Schwefelsäure betreffenden Angaben. Es giebt bis jetzt keine wohlverbürgte Thatsache, welche bewiese, dass ein und derselbe Körper nach Belieben direct zu *jedem der beiden* Pole gehen könne. — Dec. 1838.

553. *Wasser* ist als eine derjenigen Substanzen anzusehen, welche zu *jedem* der Pole übergeführt werden kann. Tauchen die Pole in verdünnte Schwefelsäure (527), so geht Säure zum positiven und Wasser zum negativen Pol, tauchen sie aber in verdünnte Alkalilösung, so geht das Alkali zum negativen und Wasser zum positiven Pol.

554. Ein anderer Körper, welcher zu beiden Polen übergeführt werden kann, ist Stickstoff, aber da er zahlreiche Verbindungen bildet, von denen einige zu dem einen, andere zu dem anderen Pole gehen, so habe ich es nicht immer leicht gefunden, die wahren Bedingungen seines Auftretens festzustellen. Eine reine, concentrirte Ammoniaklösung ist ein so schlechter Elektricitätsleiter, dass sie kaum leichter zersetzbar ist als reines Wasser; wenn aber Ammoniumsulphat darin gelöst ist, so geht die Zersetzung sehr gut von Statten, und es entwickelt sich am positiven Pol fast reiner, in einigen Fällen völlig reiner Stickstoff, und am negativen Pol Wasserstoff.

555. Andererseits tritt bei der Zersetzung von Ammoniumnitrat Sauerstoff am positiven, und Wasserstoff, zuweilen im Verein mit Stickstoff am negativen Pol auf. Wendet man geschmolzenes Ammoniumnitrat an, so tritt am negativen Pol Wasserstoff mit etwas Stickstoff gemengt auf. Starke Salpetersäure liefert reichliche Mengen Sauerstoff am positiven, aber kein Gas (nur salpetrige Säure) am negativen Pol; ist die Salpetersäure schwach, so bleibt sie anscheinend ungeändert, und die auftretenden Sauerstoff- und Wasserstoffgase rühren von dem anwesenden Wasser her. Starke Salpetersäure, welche Ammoniumnitrat gelöst enthält, liefert am negativen Pol ein Gas, das zum grösseren Theil aus Wasserstoff besteht, aber daneben ist offenbar etwas Stickstoff vorhanden. Ich glaube, dass in mehreren dieser Fälle etwas Stickstoff am negativen Pol auftrat, ich vermuthe jedoch, dass in allen diesen wie in allen früheren Fällen das Auftreten des Stickstoffs am positiven oder negativen Pol durchaus ein secundärer Effect ist und nicht ein unmittelbares Ergebniss der zersetzenden Kraft des elektrischen Stromes. [1])

---

556. Einige Bemerkungen über das, was man die *Pole* der Volta'schen Batterie nennt, scheinen nun noch erforderlich zu sein. Die Pole sind nur die Flächen oder die Pforten, durch welche die Elektricität in die der Zersetzung unterliegende Substanz eintritt oder aus ihr austritt. Sie begrenzen die Ausdehnung dieser Substanz in der Bahnstrecke des Stromes, sind ihre *Endigungen* in dieser Richtung, und daher gehen die sich ausscheidenden Elemente bis hierher und nicht weiter.

557. In Folge ihrer hohen Leitungsfähigkeit, ihrer Unmischbarkeit mit den gewöhnlich der Einwirkung ausgesetzten Substanzen, ihres starren Zustandes und der Möglichkeit, die sie darbieten, solche zu wählen, welche

[1]) Zum Beweise der Richtigkeit dieser Vermuthung vergleiche 748, 752 etc. — Dec. 1838.

auf die gewöhnlichen Substanzen nicht chemisch wirken, bilden die Metalle besonders vortreffliche Pole.

558. Wasser lässt sich, wenige Fälle ausgenommen (494), nur schwierig als Pol anwenden, da es ein geringes Leitungsvermögen besitzt, sich mit den meisten der Stromwirkung unterliegenden Substanzen vermischt und mit ihnen hinsichtlich der chemischen Affinität allgemein in Beziehung steht. Es besteht aus Elementen, die in ihren elektrischen und chemischen Relationen direct und stark entgegengesetzt sind, jedoch mit einander verbunden einen Körper liefern, dessen Verhalten ein neutraleres ist als das irgend eines anderen. Es giebt nur wenige Substanzen, welche hinsichtlich ihrer chemischen Verwandtschaft nicht zum Wasser oder zu einem seiner Elemente in Beziehung treten, und daher werden das Wasser oder seine Elemente übergeführt, und ersteres begünstigt die Ueberführung der zahllosen Körper, welche im Verein mit ihm in die Bahn des elektrischen Stromes gebracht werden können. Das ist der Grund, warum es so selten vorkommt, dass die abgeschiedenen Substanzen an der oberen Wasserfläche liegen bleiben, und warum also das Wasser nicht den gewöhnlichen Dienst eines Poles leistet.

559. Luft und einige Gase sind jedoch von jenem Uebelstande frei und können daher in manchen Fällen (461 etc.) als Pole angewandt werden, aber ihrer ungemein geringen Leitungsfähigkeit wegen sind sie nicht für den Volta'schen Apparat brauchbar. Hierdurch ist ihre Anwendung beschränkt, denn der Volta'sche Apparat ist bis jetzt der einzige, welcher eine genügende Quantität von Elektricität (371, 376) liefert, um mit Leichtigkeit elektrochemische Zersetzung zu bewirken.

560. Wenn die Pole von den abgeschiedenen Substanzen, sei es nur in Folge ihrer natürlichen oder in Folge ihrer durch den Einfluss des elektrischen Stromes begünstigten Relation (518) zu denselben, eine chemische Einwirkung erleiden, der zufolge sie corrodirt werden, so unterliegen die aufgelösten Antheile ebenso der Ueberführung, wie die Theilchen der ursprünglich der Zersetzung unterworfenen Substanz. Eine unermessliche Reihe von Erscheinungen dieser Art liesse sich zur Stütze meiner Ansicht über die Ursache der elektrochemischen Zersetzung und der Ueberführung und Abscheidung der Elemente anführen. So hat das Platin als positiver und negativer Pol in einer Lösung von Natriumsulphat keine Affinität oder Anziehungskraft zu dem entwickelten Sauerstoff oder Wasserstoff, oder zur Säure oder zum Alkali und daher verbindet es sich weder mit ihnen noch hält es sie fest. Zink jedoch kann sich mit dem Sauerstoff und der Säure verbinden, und als positiver Pol geht es auch die Verbindung ein, und das gebildete Oxyd beginnt alsbald zum negativen Pol hin zu wandern. Bildet Kohle, die sich nicht mit Metallen verbinden kann, den negativen Pol in einer Metalllösung, so geht sie auch mit den auf ihrer Oberfläche aus der Lösung abgeschiedenen Körpern keine Verbindung ein, bildet sie aber den positiven Pol in verdünnter Schwefelsäure, so kann sie sich mit dem hier frei werdenden Sauerstoff verbinden und thut es auch wirklich und bildet mit ihm reichliche Mengen von Kohlensäure und Kohlenoxyd.

561. Die Möglichkeit, eine Auswahl unter den Metallen zu Polen treffen zu können, je nachdem der Pol angegriffen werden soll oder nicht, gewährt häufig einen grossen Vortheil. Der Nutzen des Platins ist ja allgemein bekannt. Für die Zersetzung von Silbersulphid oder einem anderen Sulphide ist Silber als positiver Pol dem Platin vorzuziehen, weil der daselbst sich abscheidende Schwefel sich mit dem Silber verbindet und so die Zersetzung des ursprünglichen Sulphids deutlich erkennen lässt, während er in dem anderen Falle sich vertheilt, und man von seiner Abscheidung am Pole nicht leicht Gewissheit erlangt.

562. Die Wirkungen, welche eintreten, wenn zersetzbare und unzersetzbare leitende Substanzen hinter einander in den Stromkreis eingeschaltet werden, wie z. B. Drähte und Lösungen, oder Luft und Lösungen (465, 469), lassen sich durch die von mir aufgestellte Theorie in der möglich einfachsten Weise erklären. In Folge der Reaction der Bestandtheile einer jeden Portion der zersetzbaren Substanz, afficirt, wie sie sind, durch das Hinzutreten des elektrischen Stromes (524), gehen Portionen der näheren oder entfernteren Bestandteile in der Richtung des Stromes so weit fort, als sie Stoffe entgegengesetzter Art finden, die im Stande sind, ihre Ueberführung zu bewirken und einen gleichen Einfluss von ihnen zu erfahren, und da, wo sie keinen solchen Stoff mehr finden, werden sie in freiem Zustande abgeschieden, nämlich an den Flächen von Metall oder Luft, welche die Ausdehnung der zersetzbaren Substanz in Richtung des Stromes begrenzen.

563. Nachdem ich so meine Theorie über die Art, wie elektrochemische Zersetzung sich vollzieht, dargelegt habe, enthalte ich mich für jetzt, in die vielen allgemeinen Betrachtungen, zu denen sie anregt, einzugehen, indem ich zunächst wünsche, sie der öffentlichen Prüfung und Kritik zu unterbreiten.

Royal Institution,
Juni 1833.

SECHSTE REIHE.

§ 12. *Ueber die Fähigkeit von Metallen und anderen starren Körpern, die Verbindung gasförmiger Substanzen zu veranlassen.*

[Eingegangen am 30. November 1833, — Gelesen am 11. Januar 1834.]

564. Es könnte scheinen, dass das Resultat, zu welchem ich in der vorliegenden Mittheilung gelangt bin, diese als Ganzes ungeeignet mache, einen Theil einer Reihe von Untersuchungen über Elektricität zu bilden, da, so merkwürdig auch die Erscheinungen sind, die Kraft, welche sie hervorbringt, doch nicht als elektrischen Ursprungs anzusehen ist, wenigstens nicht anders als am Ende alle Anziehung kleinster Theilchen dieses subtile Agens zur gemeinsamen Ursache hat. Allein da die Erforschung der Vorgänge elektrischen Untersuchungen entsprungen ist, da jene mit Wirkungen elektrischer Natur in directem Zusammenhange stehen, und da man sie nothwendig kennen und in einer sehr ausgedehnten Reihe von elektrochemischen Zersetzungen berücksichtigen muss (707), so habe ich mich für völlig berechtigt gehalten, sie an dieser Stelle zu beschreiben.

565. Als ich (durch weiterhin zu beschreibende Versuche (705)) bewiesen zu haben glaubte, dass die chemische Action einer bestimmten Quantität von Elektricität eine constante und feste ist, welches auch ihre Intensität sein mag, oder wie man auch die Bedingungen ihres Durchganges durch den der Zersetzung unterworfenen Körper oder durch vollkommenere Leiter variiren mag, bemühte ich mich auf Grund dieses Ergebnisses ein neues Messinstrument zu construiren, welches, seiner Bestimmung gemäss, vorläufig wenigstens als Volta-Elektrometer[1]) bezeichnet werden mag (739).

566. Im Verlaufe der Versuche, das Instrument in Wirksamkeit zu setzen, ward ich zuweilen überrascht, zu finden, dass bei der Zersetzung von Wasser die Gase sich in zu geringer Menge entwickelten, und dass schliesslich Mengen, welche sich entwickelt hatten, gesammelt und gemessen worden waren, thatsächlich verschwanden. Die Umstände, unter denen dieses Verschwinden stattfand, waren folgende. In das obere Ende einer zwölf Zoll langen und drei viertel Zoll Durchmesser haltenden Röhre

---

1) Oder Voltameter. — Dec. 1838.

[Dementsprechend ist im Folgenden stets diese längst allein übliche Bezeichnung gebraucht. D. Ü.]

waren zwei Platinpole hermetisch eingeschmolzen, deren durch das Glas gehende Theile aus Drähten bestanden, die aber unten in Platten endigten, die mit Gold an die Drähte gelöthet waren (Taf. V. Fig. 56). Die Röhre war mit verdünnter Schwefelsäure gefüllt und stand mit dem offenen Ende nach unten in einem mit derselben Flüssigkeit gefüllten Becher, und als die beiden Drähte mit einer Volta'schen Batterie verbunden wurden, entwickelten sich reichliche Mengen Sauerstoff und Wasserstoff, die vier fünftel der Röhre oder 116 Grad der Theilung einnahmen. Trennte man die Röhre von der Volta'schen Batterie, so begann das Volumen des Gases sich alsbald zu verringern, füllte nach etwa fünf Stunden nur noch einen Raum von $13^1/_2$ Theilungsgraden aus und verschwand schliesslich ganz.

567. Aus mannigfachen Versuchen ergab sich, dass ein Entweichen oder eine Lösung der Gase nicht stattgefunden hatte, dass der Effect auch nicht mit einer Wiedervereinigung des Sauerstoffs oder Wasserstoffs, etwa in Folge eines besonderen Zustandes, den *sie selbst* möglicherweise unter den obwaltenden Umständen angenommen haben könnten, zurückzuführen sei, sondern, dass er durch die Einwirkung eines oder beider Pole in der Röhre auf die umgebenden Gase verursacht worden war. Trennte man nach erfolgter Einwirkung auf die verdünnte Schwefelsäure die Pole von der Säure und brachte sie in gesonderte, ein Gemenge von Sauerstoff und Wasserstoff enthaltende Röhren, so zeigte es sich, dass der *positive* Pol die Vereinigung der Gase bewirkte, der negative aber anscheinend nicht (588). Es wurde festgestellt, dass zwischen dem positiven Pol und Sauerstoff oder Wasserstoff allein keine merkliche Wirkung stattfand.

568. Nach diesen Versuchen stellen sich die Erscheinungen dar als die Folge einer vom Platin, nachdem es als positiver Pol einer Volta'schen Säule gedient hat, erlangten Kraft, die Verbindung von Sauerstoff und Wasserstoff bei gewöhnlicher oder gar bei niedriger Temperatur zu verursachen. Dieser Effect ist, soviel ich weiss, völlig neu, und ich verfolgte ihn alsbald, um zu ermitteln, ob er wirklich elektrischer Natur sei, und inwieweit er störend eingreife bei der im vierzehnten Paragraphen*) dieser Untersuchungen durchzuführenden Bestimmung der bei elektrochemischen Zersetzungen auftretenden Mengenverhältnisse.

569. Ich stellte mir mehrere Platinstreifen her (Fig. 57). Sie waren nahezu einen halben Zoll breit und zwei und einen halben Zoll lang; die Dicke betrug bei einigen $^1/_{200}$, bei anderen nur $^1/_{600}$, bei anderen endlich $^1/_{70}$ Zoll. An jeden war ein etwa sieben Zoll langer Platindraht mittelst reinen Goldes angelöthet. Die Glasröhren, welche ich mir herrichtete, hatten etwa neun bis zehn Zoll Länge, fünf achtel Zoll inneren Durchmesser, waren an einem Ende hermetisch verschlossen und mit einer Theilung

*) Hier liegt wohl ein Irrthum vor, da doch in erster Linie der den Hauptbestandtheil der siebenten Reihe bildende § 11, welcher als Fortsetzung der vorhergehenden Reihe erscheint, gemeint sein muss. D. Ü.

versehen. In diese in der pneumatischen Wasserwanne stehende Röhren wurden zwei Volumina Wasserstoff und ein Volumen Sauerstoff gebracht, und nachdem einer der genannten Streifen während einer gegebenen Zeit mit dem positiven oder negativen Pol der Volta'schen Batterie verbunden gewesen oder auf andere Weise präparirt worden war, wurde er durch das Wasser in das in der Röhre befindliche Gas eingeführt, das Ganze alsdann in einem Probirglase (Fig. 58) bei Seite gestellt und längere oder kürzere Zeit sich selbst überlassen, um so den Vorgang beobachten zu können.

570. Das folgende Resultat mag zur Erläuterung der zu untersuchenden Erscheinung dienen. Verdünnte Schwefelsäure vom specifischen Gewicht 1,336 wurde in eine Glasflasche gebracht, in welcher sich auch ein breiter Platinstreifen befand, der mit dem negativen Ende einer mässig starken Volta'schen Batterie von vierzig vierzölligen Plattenpaaren, mit doppelten Kupferplatten, verbunden wurde. Dann wurde einer der oben beschriebenen Platinstreifen (569), der in dieselbe Flasche mit Säure tauchte, fünf Minuten lang mit dem positiven Ende verbunden, darauf von der Batterie getrennt, mit destillirtem Wasser abgewaschen und durch das Wasser der pneumatischen Wanne in eine das Gemenge von Sauerstoff und Wasserstoff enthaltende Röhre (569) eingeführt. Augenblicklich begann das Gasvolumen sich zu verringern, und diese Verminderung ging rascher und rascher vor sich, bis etwa $^3/_4$ des Gemisches verschwunden waren. Das obere Ende der Röhre wurde ganz warm, die Streifen selbst so heiss, dass das zu jenem aufsteigende Wasser in's Sieden gerieth, und in weniger als einer Minute waren ein und ein halb Cubikzoll der Gase verschwunden, indem sie sich unter dem Einflusse des Platins verbunden und in Wasser umgewandelt hatten.

571. Dieser überraschende Einfluss, den das Platin am positiven Pole der Säule erlangt, äussert sich leichter und kräftiger auf Sauerstoff und Wasserstoff als auf irgend ein anderes von mir untersuchtes Gasgemenge. Ein Volumen Stickstoffoxyd, gemengt mit einem Volumen Wasserstoff, wurde in eine Röhre mit einem Streifen, der fünf Minuten lang in der verdünnten Schwefelsäure positiv gemacht worden war (570), gebracht. Innerhalb einer Stunde war keine Wirkung bemerkbar, und erst nach sechsunddreissig Stunden war eine Abnahme von etwa einem achtel des Gesammtvolumens eingetreten. Es hatte also eine Wirkung stattgefunden, aber eine sehr schwache.

572. Auch ein Gemenge von zwei Volumina Stickstoffoxydul und einem Volumen Wasserstoff, das in eine Röhre mit einem ähnlich präparirten Streifen (569, 570) gebracht war, zeigte unmittelbar keine Wirkung, aber nach sechsunddreissig Stunden war nahezu ein Viertel des Gesammtvolumens, d. i. etwa ein halber Cubikzoll verschwunden. Aus einem Vergleiche mit einer anderen Röhre, welche dasselbe Gemenge ohne Platinstreifen enthielt, ging hervor, dass die Volumabnahme zum anderen Theile eine Folge von Absorption der Flüssigkeit, also nur theilweise dem Einflusse des Platins zuzuschreiben war; die Wirkung war jedoch sehr langsam und schwach.

573. Ein Gemenge von einem Volumen ölbildenden Gases und drei Volumina Sauerstoff wurde selbst in mehreren Tagen von einem solchen Platinstreifen nicht beeinflusst (640, 641).

574. Ein Gemenge von zwei Volumina Kohlenoxyd und einem Volumen Sauerstoff blieb ebenfalls von dem präparirten Platinstreifen mehrere Tage hindurch unbeeinflusst (645 etc.).

575. Zu mehreren Versuchen wurde ein Gemenge aus gleichen Raumtheilen Chlor und Wasserstoff mit ähnlich präparirten Platten (570) benutzt. Eine Volumabnahme trat bald ein, aber eine nach sechsunddreissig Stunden vorgenommene nähere Untersuchung ergab, dass fast alles Chlor, hauptsächlich in Folge der Absorption durch das Wasser, verschwunden, während das ursprüngliche Volumen des Wasserstoffs unverändert geblieben war. Eine Verbindung der Gase war also nicht eingetreten.

576. Zur Wirkung der präparirten Platten auf Gemenge von Sauerstoff und Wasserstoff (570) zurückkehrend, fand ich, dass jene Kraft, wiewohl in allen Fällen allmählich abnehmend, doch eine gewisse, je nach den Umständen veränderliche Frist erhalten werden konnte. Wurden die Röhren, welche die Platten enthielten (569), mit neuen Mengen des Gemisches von Sauerstoff und Wasserstoff versehen, sobald die früheren sich verdichtet hatten, so dauerte die Wirkung noch länger als dreissig Stunden fort, und in manchen Fällen liess sich selbst noch nach achtzig Stunden eine langsam vor sich gehende Verbindung beobachten; die Fortdauer der Wirkung hing jedoch grossentheils von der Reinheit der angewandten Gase ab (638).

577. Einige Platten (569) wurden vier Minuten lang in verdünnter Schwefelsäure vom specifischen Gewicht 1,336 positiv gemacht, und nachdem sie mit destillirtem Wasser abgespült worden, wurden zwei von ihnen in eine kleine Flasche eingeschlossen, während die übrigen der Luft ausgesetzt blieben. Die in dem abgeschlossenen Luftraum aufbewahrten Platten hatten ihre Kraft noch nach acht Tagen behalten, während diejenigen, welche der freien Luft ausgesetzt blieben, sie nach zwölf Stunden völlig verloren, und in manchen Fällen, wo Luftströmungen geherrscht hatten, in noch viel kürzerer Zeit.

578. Es wurden nun Platten fünf Minuten lang in Schwefelsäure vom specifischen Gewicht 1,336 positiv gemacht. Nachdem eine derselben acht Minuten lang nach der Trennung von der Batterie in der Säure gelassen war, wirkte sie auf ein Gemenge von Sauerstoff und Wasserstoff mit augenscheinlich unverminderter Stärke. Andere, die vierzig Stunden und selbst acht Tage lang nach der Elektrisirung in der Säure verblieben waren, bewirkten die Verbindung von Sauerstoff mit Wasserstoff ebenso gut wie diejenigen, welche hierzu unmittelbar nach der Elektrisirung dienten.

579. In ähnlicher Weise wurde nun versucht, ob auch eine Lösung von Aetzkali im Stande wäre, die Platinplatten activ zu erhalten. Nachdem sie vierzig Stunden lang in einer solchen Lösung aufbewahrt worden waren, wirkten sie ganz vorzüglich auf Sauerstoff und Wasserstoff, und eine Platte veranlasste eine so rasche Condensation der Gase, dass sie sich stark erhitzte, und ich erwartete, dass ihre Temperatur sich bis zum Glühen steigern würde.

580. Aehnlich präparirte Platten (569), die vierzig Stunden lang in destillirtem Wasser gelassen wurden, wirkten im Vergleich mit den in Säure und Alkali aufbewahrten nur sehr langsam und schwach auf ein Gemenge von Sauerstoff und Wasserstoff. War jedoch die Wassermenge gering, so hatte sich ihre Activität nach drei bis vier Tagen nur sehr wenig abgeschwächt. Da das Wasser in einem Holzgefäss gestanden hatte, wurde ein Theil desselben abermals in ein Glas destillirt, und hierin hielten sich die präparirten Platten lange Zeit unverändert. Präparirte Platten, die mit diesem Wasser in Röhren eingeschlossen waren, zeigten sich, als sie nach vierundzwanzig Tagen herausgenommen wurden, sehr activ gegen ein Gemenge von Sauerstoff und Wasserstoff; andere vermochten noch nach dreiundfünfzigtägigem Verbleiben in dem Wasser die Verbindung der Gase zu veranlassen. Die Röhren waren nur durch Korke verschlossen worden.

581. Der Act der Verbindung schien die Kraft der Platinplatte stets zu schwächen oder anscheinend zu erschöpfen. In den meisten, wenn nicht in allen Fällen nahm freilich die anfangs unmerkliche Verbindung der Gase an Schnelligkeit allmählich zu und steigerte sich zuweilen bis zur Explosion; trat jedoch letztere nicht ein, so nahm die Verbindungsgeschwindigkeit ab, und die Verbindung verlangsamte sich, auch wenn frische Gasmengen in die Röhren eingeleitet wurden, mehr und mehr, um schliesslich ganz aufzuhören. Das anfängliche Anwachsen der Verbindungsgeschwindigkeit war theils durch den Abfluss des Wassers von der Platinplatte, wodurch eine innigere Berührung derselben mit dem Gase ermöglicht wurde, bedingt, theils rührte es von der beim Fortschreiten der Verbindung entwickelten Wärme her (630). Aber trotzdem diese Ursachen sich geltend machten, trat immer eine Schwächung und zuletzt Vernichtung der Activität ein. Es darf jedoch nicht unerwähnt bleiben, dass, je reiner die der Action der Platte ausgesetzten Gase waren, desto länger auch die verbindende Kraft der ersteren erhalten blieb. Am längsten hielt sie sich in einem an den Polen der Volta'schen Säule in verdünnter Schwefelsäure entwickelten Gemenge, und in Sauerstoff und Wasserstoff von vollkommener Reinheit würde sie wahrscheinlich ganz ungeschwächt bleiben.

582. Verschiedene Behandlungsweisen der Platinplatte, nachdem sie aufgehört hatte, den positiven Pol der Säule zu bilden, beeinflussten ihre Fähigkeit in sehr sonderbarer Weise. Eine Platte, die vier bis fünf Minuten als positiver Pol in verdünnter Schwefelsäure vom specifischen Gewicht 1,336 gedient hat, wird nach Abspülung mit Wasser sehr gut auf ein Gemenge von Sauerstoff und Wasserstoff wirken und vielleicht anderthalb Cubikzoll Gas in sechs bis sieben Minuten condensiren; wenn man aber dieselbe Platte, anstatt sie bloss abzuspülen, zwölf bis fünfzehn Minuten oder länger im destillirten Wasser liegen lässt, dann wird es selten ausbleiben, dass sie in dem Gemenge von Sauerstoff und Wasserstoff innerhalb einer oder zwei Minuten in's Glühen kommt und die Gase zur Explosion bringt. Manchmal verstrichen acht bis neun, zuweilen sogar vierzig Minuten, ehe die Action eintrat, aber dennoch erfolgte schliesslich Erglühen und Explosion. Diese Wirkung rührt von der Beseitigung einer Säuremenge her, die sonst fest an der Platte haftet.[1])

583. Manchmal wurden die Platinplatten (569), nachdem sie als positiver Pol der Batterie gedient hatten, gewaschen, mit Filtrirpapier oder einem Leinwandtuch getrocknet und darauf abermals gewaschen und getrocknet. Wenn sie hierauf in das Gemenge von Sauerstoff und Wasserstoff eingeführt wurden, dann wirkten sie sichtlich so, als ob diese Behandlung keinen Einfluss auf sie gehabt hätte. Zuweilen wurden die das Gas enthaltenden Röhren einen Augenblick an der Luft geöffnet, und die Platten trocken hineingebracht, allein es war kein Unterschied in der Wirkung wahrnehmbar, nur dass diese eher begann.

584. Ich untersuchte auch, ob die Wärme die Wirksamkeit der präparirten Platten ändert (595). Platten, welche vier Minuten lang in verdünnter Schwefelsäure positiv gemacht waren und, nachdem sie in Wasser wohl abgewaschen worden waren, in der Flamme einer Spirituslampe zur Rothgluth erhitzt wurden, wirkten ganz gut auf ein Gemenge von Sauerstoff und Wasserstoff. Andere, die mittelst des Löthrohres stärker erhitzt wurden, wirkten gleichfalls auf die Gase, aber nicht so kräftig als die ersteren. Hieraus geht hervor, dass die Wärme die am positiven Pol der Säule erlangte Kraft des Platins nicht aufhebt; die gelegentliche Verringerung derselben scheint immer auf andere Ursachen als bloss auf die Wärme zurückführbar zu sein. Wenn beispielsweise die Säure von der Platte nicht gut abgewaschen, oder die benutzte Flamme russig war, oder die Alkohollampe nur mit einem etwas säurehaltigen Spiritus gespeist wurde, oder wenn sich an ihrem Docht etwas Salz oder eine andere fremdartige Substanz befand, dann wurde die Activität der Platte rasch und bedeutend geschwächt (634, 636).

585. Das Platin nahm diese merkwürdige Eigenschaft an, nicht bloss, wenn es in Schwefelsäure vom specifischen Gewicht 1,336, sondern auch wenn es in erheblich schwächerer oder stärkerer, ja selbst in einer so starken Säure, wie das Vitriolöl ist, als positiver Pol gedient hatte. Mit

---

[1]) Zum Beweise hierfür siehe 1038. — Dec. 1838.

gleichem Erfolge wurde concentrirte und verdünnte Salpetersäure, verdünnte Essigsäure, Lösungen von Weinsäure, Citronensäure und Oxalsäure angewandt. In Salzsäure nahmen die Platten wohl auch die Fähigkeit, Sauerstoff und Wasserstoff zur Condensation zu bringen, an, aber in weit geringerem Grade.

586. Platten, die in einer Lösung von Aetzkali positiv gemacht worden waren, übten keine merkliche Wirkung auf das Gemenge von Sauerstoff und Wasserstoff. Dagegen zeigten Platten, die in Lösungen von kohlensaurem Kalium oder Natrium positiv gemacht wurden, eine wenn auch schwache Wirkung.

587. Platten, die in einer neutralen Lösung von Natriumsulphat oder Salpeter oder chlorsaurem, phosphorsaurem oder essigsaurem Kalium oder schwefelsaurem Kupferoxyd innerhalb vier Minuten positiv gemacht wurden, wirkten auf das Gemenge von Sauerstoff und Wasserstoff sehr leicht und kräftig.

588. In Bezug auf die *Ursache* dieser Wirksamkeit des Platins war es sehr wichtig, zu entscheiden, ob der *positive* Pol *ausschliesslich* sie hervorzurufen im Stande war (567), oder ob auch, trotz der vielen entgegenstehenden Erfahrungen, der *negative* Pol, bei Beseitigung etwaiger störender oder hemmender Umstände, dieses Vermögen besitze. Zu diesem Ende wurden drei Platten vier Minuten lang in verdünnter Schwefelsäure vom specifischen Gewicht 1,336 negativ gemacht und nach Abwaschung in destillirtem Wasser in das Gemenge von Sauerstoff und Wasserstoff gebracht. Sie *alle* zeigten sich *activ*, obwohl nicht so stark, als wenn sie positiv gemacht worden wären. Eine jede brachte etwa fünf viertel Cubikzoll der Gase in fünfundzwanzig Minuten zur Verbindung. Alle Wiederholungen des Versuches hatten denselben Erfolg, und wenn die Platten zehn bis zwölf Minuten in destillirtem Wasser gelegen hatten, ehe sie in das Gas eingeführt wurden (582), so war die Wirkung sehr bedeutend beschleunigt.

589. Wenn aber die Säure eine metallische oder eine andere Substanz enthielt, die sich auf der negativen Platte niederschlagen konnte, dann verlor diese Platte ihre Wirkungsfähigkeit auf das Gemenge von Sauerstoff und Wasserstoff.

590. Diese Versuche führten zu der Vermuthung, dass das Vermögen, die Verbindung von Sauerstoff und Wasserstoff zu veranlassen, welches einem Stück Platin dadurch ertheilt werden kann, dass man es zum positiven Pol einer Volta'schen Säule macht, nicht wesentlich abhänge von der Wirkung der Säule, noch von einer während der Verbindung mit ihr etwa erlangten Structur oder Anordnung der Theilchen des Platins, sondern dass es diesem *zu allen Zeiten* zukomme und *immer wirksam* sei, wenn nur seine Oberfläche *vollkommen rein* ist. Und wenn sich auch denken liess, dass das Platin, als *positiver* Pol der Batterie in Säuren, sich unter den für die Reinigung seiner Oberfläche günstigsten Umständen befand, so schien es doch nicht unmöglich, durch gewöhnliche Operationen dasselbe Resultat, wenn auch in weniger ausgezeichnetem Grade, erzielen zu können.

591. Demnach wurde eine Platinplatte (569) durch Reiben mit einem Kork, etwas Wasser und etwas Kohlenfeuerasche auf einer Glastafel gereinigt und nach dem Abwaschen in ein Gemenge von Sauerstoff und Wasserstoff gebracht. Es wirkte anfangs langsam, dann schneller, und in einer Stunde waren anderthalb Cubikzoll verschwunden.

592. Andere Platten wurden mit gewöhnlichem Sandpapier und Wasser gereinigt, andere mit Kreide und Wasser, oder mit Smirgel und Wasser, wieder andere mit Mangansuperoxyd und Wasser und endlich andere mit einem Stück Holzkohle und Wasser. Sie alle wirkten in den Röhren mit Sauerstoff und Wasserstoff und veranlassten die Verbindung der Gase. Die Wirkung war keineswegs so kräftig als die solcher Platten, welche mit der Batterie in Verbindung gestanden hatten, indess waren in Zeiträumen von fünfundzwanzig bis neunundachtzig Minuten doch ein bis zwei Cubikzoll Gas verschwunden.

593. Platten, die mit Kork, Smirgelpulver und verdünnter Schwefelsäure gereinigt wurden, wirkten noch besser. Um die Bedingungen zu vereinfachen, wurde an Stelle des Korkes ein Stück Platinfolie benutzt, und die Wirkung trat auch jetzt ein; dieselbe erfolgte ebenso wie früher, als die Säure durch eine Lösung von *Kali* ersetzt wurde.

594. Diese Resultate beweisen vollkommen, dass die blosse mechanische Reinigung seiner Oberfläche das Platin in den Stand setzt, seine die Verbindung von Sauerstoff mit Wasserstoff bei gewöhnlicher Temperatur bewirkende Kraft zu äussern.

595. Ich untersuchte nun, ob die Wärme im Stande sei, diese Eigenschaft im Platin zu wecken (584). Platten, welche auf das Gemenge von Sauerstoff und Wasserstoff keine Wirkung hatten, wurden in der mit einem Löthrohre angeblasenen Flamme einer frisch gespeisten Spirituslampe erhitzt und nach dem Erkalten in Röhren mit dem Gasgemenge gebracht; anfangs wirkten sie langsam, aber nach zwei bis drei Stunden hatten sie nahezu sämmtliches Gas zur Condensation gebracht.

596. Ein ungefähr einen Zoll breiter und $2^3/_4$ Zoll langer Platinstreifen, welcher zu keinem der vorstehenden Versuche benutzt worden war, wurde, um in eine Röhre eingeführt zu werden, ein wenig gekrümmt und verblieb in dem Gemenge von Sauerstoff und Wasserstoff dreizehn Stunden lang, ohne dass die geringste Einwirkung oder Verbindung der Gase erfolgt wäre. Darauf wurde er aus dem Gase durch das Wasser der pneumatischen Wanne gezogen, mittelst Spirituslampe und Löthrohr zum Rothglühen erhitzt und nach dem Erkalten wieder in *dasselbe* Gasgemenge gebracht. Schon nach wenigen Minuten war eine Volumenveränderung der Gase zu beobachten, und innerhalb funfundvierzig Minuten waren etwa $1^1/_4$ Cubikzoll verschwunden. Auch in vielen anderen Versuchen erlangten

Platinplatten durch Erhitzung das Vermögen, die Verbindung von Sauerstoff und Wasserstoff zu veranlassen.

597. Es geschah jedoch nicht selten, dass erhitzte Platten dieses Vermögen nicht zeigten, selbst wenn sie zwei Stunden in dem Gasgemenge von Sauerstoff und Wasserstoff ungestört verblieben. Zuweilen kam es auch vor, dass eine Platte, die, zur dunkeln Rothgluth erhitzt, eine schwache Wirkung ausübte, dieselbe verlor, wenn sie zur Weissgluth erhitzt wurde, und ein anderes Mal wieder wurde eine Platte, die nach mässiger Erhitzung keine Wirkung äusserte, durch stärkeres Glühen activ.

598. Wiewohl also ihre Wirkung eine unsichere ist, und sie oft die von den Platten am positiven Pol der Säule (584) erlangte Fähigkeit schwächt, so ist doch klar, dass die Wärme indifferentes Platin (595) activ zu machen vermag. Der Grund ihrer gelegentlichen Fehlwirkung scheint darin zu liegen, dass die Oberfläche des Metalls entweder durch etwas, das vorher an ihr haftete und unter der Einwirkung der Wärme sich noch inniger an sie anlegte, oder durch einen der Lampenflamme oder der Luft selbst entstammenden Stoff verunreinigt wurde. Es kommt oft vor, dass eine polirte Platinplatte, wenn sie durch eine Spirituslampe oder ein Löthrohr erhitzt wird, matt und dunkel wird durch irgend etwas, das sich entweder erst bildet, oder auf ihrer Oberfläche sich ablagert, und dies, ja weniger als dies reicht hin, um das Auftreten jener merkwürdigen Kraft, welche den Gegenstand dieser Betrachtung bildet, zu verhindern (634, 636). Platin soll sich auch mit Kohlenstoff verbinden können, und es ist durchaus nicht unwahrscheinlich, dass wenn beim Erhitzen Kohlenstoff oder mit ihm verbundene Substanzen zugegen sind, sich ein Häutchen einer solchen Verbindung bilde und das Auftreten der nur dem *reinen* Platin zukommenden Eigenschaften verhindere.[1])

599. Nun wurde die Wirkung von Alkalien und Säuren, diese Fähigkeit im Platin zu wecken, experimentell näher geprüft. Platinplatten (569), welche auf ein Gemenge von Sauerstoff und Wasserstoff keine Wirkung ausübten, zeigten sich nach dem Auskochen in einer Lösung von kaustischem Kali und Abwaschen zuweilen recht activ gegen die Gase, zu anderen Zeiten aber blieb die Wirkung aus. In dem letzteren Falle kam ich zu dem Resultat, dass die Verunreinigung der Platinfläche nicht von der Art war, dass sie durch die bloss lösende Wirkung des Alkali beseitigt wurde, denn wenn die Platten mit etwas Smirgel und derselben Alkalilösung (592) abgerieben wurden, dann wurden sie activ.

600. Die Wirkung der Säuren war weit beständiger und befriedigender. Eine in verdünnter Salpetersäure gekochte und dann abgewaschene Platin-

---

[1]) Wenn Wärme die Eigenschaft weckt, so ist dies nur eine Folge der Zerstörung oder Verflüchtigung von organischer oder anderer Substanz, durch welche die Platte vorher verunreinigt war (632, 633, 634). — Dec. 1838.

platte wirkte gut auf ein Gemenge von Sauerstoff und Wasserstoff. Andere Platten, die eine halbe bis vier Minuten lang in starker Salpetersäure gekocht nnd dann mit destillirtem Wasser abgewaschen wurden, zeigten sich ebenfalls sehr wirksam, indem sie innerhalb acht bis neun Minuten anderthalb Cubikzoll Gas zur Condensation brachten, wobei die Röhre warm wurde (570).

601. Starke Schwefelsäure erwies sich sehr geeignet, das Platin activ zu machen. Eine Platte (569), die eine Minute lang in derselben erhitzt und dann abgewaschen worden war, wirkte auf das Gemenge von Sauerstoff und Wasserstoff ebenso gut, als wenn sie den positiven Pol einer Volta'schen Säule gebildet haben würde (570).

602. Platten, die nach Erhitzung oder Elektrisirung in Alkali oder nach einer anderen Behandlung sich indifferent zeigten, wurden sogleich activ, wenn sie eine bis zwei Minuten oder auch nur einen Augenblick in heisses Vitriolöl und dann in Wasser eingetaucht wurden.

603. Wenn die in Vitriolöl eingetauchte Platte herausgenommen und zur Verflüchtigung der Säure erhitzt wurde, so wirkte sie nicht, da die Säure Verunreinigung auf der Platte zurückliess.

604. Pflanzensäuren, wie Essig- und Weinsäure, machten indifferentes Platin zuweilen activ, zuweilen nicht. Dies war, wie ich glaube, von der Beschaffenheit der die Platten verunreinigenden Substanzen bedingt, welche eben, wie man wohl voraussetzen darf, von der Art waren, dass sie bald von den Säuren fortgeschafft wurden, bald nicht. Bei schwacher Schwefelsäure traten dieselben Verschiedenheiten auf, aber concentrirte Schwefelsäure (601) verfehlte ihre Wirkung niemals.

605. Abgesehen von der Benutzung der Platte zum positiven Pol in starker Säure, war die vortheilhafteste Behandlung derselben folgende. Die Platte wurde über der Flamme einer Spirituslampe gehalten und, wenn sie heiss geworden, mit einem Stück Aetzkali (kaustischem Kali) gerieben, welches dabei schmolz; der so auf der Oberfläche gebildete Ueberzug von sehr starkem Alkali wurde eine bis zwei Secunden lang in Fluss erhalten,[1]) und die Platte dann zur Ablösung des Alkalis vier bis fünf Minuten in Wasser gehalten, abgeschwenkt und etwa eine Minute lang in heisses starkes Vitriolöl getaucht, von diesem durch destillirtes Wasser befreit und hierin zur Beseitigung der letzten Spuren der Säure (582) zehn bis fünfzehn Minuten lang liegen gelassen. Wenn sie nun in ein Gemenge von Sauerstoff und Wasserstoff gebracht wurde, so ging die Verbindung augenblicklich vor sich und schritt rasch fort; die Röhre wurde warm, das Platin rothglühend, und das übrige Gas entzündete sich. Dieser Vorgang liess sich beliebig oft wiederholen, und so konnte das Maximum der Erscheinung ohne Hilfe der Volta'schen Batterie hervorgerufen werden.

---

[1]) Die Hitze braucht nicht so weit gesteigert zu werden, dass das Alkali das Platin angreift, obwohl, wenn es der Fall ist, die schliessliche Wirkung dadurch nicht gehindert wird.

606. Wenn bei dieser Behandlungsweise die Schwefelsäure durch eine Lösung von Weinsäure oder Essigsäure ersetzt wurde, so erlangte die Platte wohl auch dieselbe Fähigkeit und erzeugte oft eine Explosion des Gasgemenges, allein starke Schwefelsäure war am zuverlässigsten und wirksamsten.

607. Wird Borax oder ein Gemenge von kohlensaurem Kalium und kohlensaurem Natrium auf der Platinplatte geschmolzen, und diese dann in Wasser gut abgewaschen, so erlangt sie wohl auch die Fähigkeit, Sauerstoff und Wasserstoff zur Verbindung zu bringen, aber nur in mässigem Grade; wird sie jedoch nach dem Schmelzprocesse und Abwaschen in die heisse Schwefelsäure getaucht (601), so wird sie sehr activ.

608. Auch mit anderen Metallen ausser Platin stellte ich Versuche an. Gold und Palladium zeigten jene Fähigkeit, wenn sie entweder zum positiven Pol der Volta'schen Batterie gedient hatten (570) oder mit heissem Vitriolöl behandelt worden waren (601). Beim Palladium muss man jedoch die Wirkung der Batterie oder der Säure mässigen, da das Metall unter diesen Umständen bald angegriffen wird. Von Silber und Kupfer war keine Wirkung bei gewöhnlichen Temperaturen zu erhalten.

---

609. Es kann keinem Zweifel unterworfen bleiben, dass die Eigenschaft, Verbindungen zu veranlassen, welche im Platin und in anderen Metallen geweckt werden kann, wenn man sie mit den Polen der Batterie verbindet oder auf mechanischem oder chemischem Wege reinigt, dieselbe ist, welche von Doebereiner[1]) 1823 als eine dem Platinschwamm in so ausgezeichnetem Grade zukommende entdeckt und etwas später, ebenfalls 1823, von Dulong und Thénard[2]) so gut untersucht und erläutert worden ist. Letztere Physiker führen sogar Versuche an, bei denen ein spiralförmiger feiner Platindraht, der mit Salpeter-, Schwefel- oder Salzsäure digerirt worden war, in einen Strahl von Wasserstoffgas gebracht, glühend wurde.[3]) Diese Wirkung kann ich nun durch die beschriebenen Processe (570, 601, 605) sowohl mit Drähten als auch mit Platten nach Belieben hervorbringen; wenn man übrigens einen kleinen Streifen benutzt, der so geschnitten ist, dass er das Glas in wenigen Punkten berührt und doch das Wasser abfliessen lässt (Fig. 59), so ist der Wärmeverlust geringer, das Metall nimmt einigermassen den schwammigen Zustand an, und die Wahrscheinlichkeit eines Misslingens fällt fast völlig fort.

610. Doebereiner führt den Vorgang ganz und gar auf eine elektrische Wirkung zurück. Er denkt sich das Platin mit dem Wasserstoff als ein gewöhnliches Volta'sches Element, worin der Wasserstoff als sehr stark

1) Annales de Chimie, tom. XXIV, p. 93.
2) Ibid. tom. XXIII, p. 440; tom. XXIV, p. 380.
3) Ibid. tom. XXIV, p. 383.

positiv die Stelle des Zinks einer gewöhnlichen Kette vertritt und demnach wie dieser den Sauerstoff anzieht und sich mit diesem verbindet.[1])

611. In ihren beiden ausgezeichneten Experimentalarbeiten zeigen Dulong und Thénard[2]), dass Wärme die Wirkung begünstigt, aber deren Charakter nicht ändert, da Humphry Davy's glühender Platindraht und Doebereiner's Platinschwamm ein und dasselbe Phänomen sei. Sie zeigen, dass *alle* Metalle dieses Vermögen in grösserem oder geringerem Grade besitzen und bei höherer Temperatur selbst solchen Körpern, wie Kohle, Bimsstein, Porzellan, Glas, Bergkrystall u. s. w. zukommt, und dass ein anderer von Davy beobachteter Vorgang, dass Sauerstoff und Wasserstoff sich bei einer unter Rothgluth liegenden Hitze langsam mit einander verbanden, in Wirklichkeit zurückzuführen ist auf jene Eigenschaft des erhitzten Glases, welche es mit den oben genannten Körpern theilt. Sie behaupten, dass Flüssigkeiten die Wirkung nicht zeigen, dass wenigstens Quecksilber bei oder unter seinem Siedepunkt diese Fähigkeit nicht besitzt, dass dieselbe nicht der Porosität zuzuschreiben ist, dass die Wirksamkeit eines und desselben Körpers mit seinem Zustande sehr bedeutend variirt, und dass ausser Sauerstoff und Wasserstoff bei höherer Temperatur auch manche andere Gasgemenge beeinflusst und veranlasst werden, chemisch auf einander zu wirken. Sie halten es für wahrscheinlich, dass Platinschwamm seine Fähigkeit durch die Berührung mit der bei seiner Reduction entwickelten Säure oder durch die Wärme selbst, welcher er dabei ausgesetzt ist, erlange.

612. Dulong und Thénard drücken sich über die Theorie dieses Vorganges mit grosser Vorsicht aus; indem sie jedoch auf die zersetzende Kraft, welche Metalle auf Ammoniak in Temperaturen ausüben, die für sich allein nicht hinreichen, das Alkali zu zersetzen, bemerken sie, dass diejenigen Metalle, welche in diesem Falle am wirksamsten sind, am wenigsten im Stande sind, die Verbindung von Sauerstoff und Wasserstoff zu veranlassen, während Platin, Gold u. s. w., deren Fähigkeit, Ammoniak zu zersetzen, sehr gering ist, eine sehr grosse Kraft auf die Vereinigung der Elemente des Wassers äussern, und dieses Verhalten leitet sie zu der Annahme, dass es einige Gase gebe, welche sich unter dem Einflusse von Metallen zu *vereinigen*, andere dagegen, welche sich zu *trennen* streben, und dass jene Eigenschaft in entgegengesetzten Richtungen mit den verschiedenen Metallen veränderlich sei. Am Schlusse ihrer zweiten Abhandlung bemerken sie, die Wirkung sei derart, dass sie sich mit keiner bekannten Theorie in Zusammenhang bringen lasse, und obschon es sehr bemerkenswerth sei, dass die Wirkungen wie die meisten elektrischen vorübergehend sind, so meinen sie doch, dass die grössere Anzahl der von ihnen beobachteten

---

1) Annales de Chimie, tom. XXIV, pp. 94. 95. Auch Bibliothèque Universelle, tom. XXIV, p. 54.

2) Ibid. tom. XXIII, p. 44; tom. XXIV, p. 380.

Vorgänge durch die Annahme eines rein elektrischen Ursprunges nicht erklärt werden können.

613. Fusinieri, der ebenfalls über diesen Gegenstand geschrieben hat, hat eine Theorie aufgestellt, die er zur Erklärung der Erscheinungen für ausreichend hält.[1]) Er äussert sich über die unmittelbare Ursache folgendermaassen: „Das Platin bewirkt auf seiner Oberfläche eine beständige Erneuerung von *concreten Lamellen* der brennbaren Substanz der Gase oder Dämpfe, welche, indem sie über dasselbe hinwegfliessen, verbrannt werden, entweichen und erneuert werden; diese Verbrennung an der Oberfläche erhöht und unterhält die Temperatur des Metalls.“ Die so zu unwahrnehmbaren Lamellen reducirte brennbare Substanz, deren concrete Theile mit dem Sauerstoff in Berührung stehen, soll sich in einem Zustande befinden, in welchem sie fähig ist, sich bei niedrigeren Temperaturen, als der Gasform entspricht, mit dem Sauerstoff zu verbinden, — ein Zustand, der dem sogenannten status nascens analog sei. Dass brennbare Gase ihren elastischen Zustand verlieren und fest werden, dass sie die Form ausserordentlich dünner, aber starrer Schichten annehmen, wird als durch Thatsachen bewiesen angesehen, von denen einige im Giornale di Fisica von 1824 angeführt werden[2]); und obschon die Theorie verlangt, dass sie diesen Zustand bei hohen Temperaturen annehmen, *solche* Schichten von wässeriger oder anderer Substanz aber unter dem Einflusse der Wärme sich verflüchtigen, so wird dennoch allen Gegengründen gegenüber angenommen, dass die Thatsachen die Schlussfolgerung rechtfertigen.

614. Die Fähigkeit oder Kraft, durch welche ein verbrennliches Gas oder ein verbrennlicher Dampf in Berührung mit einem starren Körper veranlasst wird, seinen elastischen Zustand aufzugeben, um denselben mit einer dünnen Schicht von dem ihm selbst eigenen Aggregatzustande zu überziehen, wird weder für Attraction noch für Affinität gehalten. Sie soll auch fähig sein, flüssige und feste Substanzen in concreten Lamellen auf der Oberfläche des wirkenden starren Körpers auszubreiten, und in einer *Abstossung* bestehen, die von den Theilchen des starren Körpers vermöge der blossen Verdünnung ausgeht, und am stärksten ist, wenn die Verdünnung am vollständigsten ist. Diese Kraft soll eine progressive Ausbreitung haben und am stärksten oder zunächst in der Richtung wirken, in welcher die Dimensionen der verdünnten Masse abnehmen, und dann in Richtung der Winkel oder Ecken, welche etwa aus irgend einer Ursache auf der Oberfläche vorhanden sind. Diese Kraft soll nicht bloss die spontane Ausbreitung von Gasen und anderen Substanzen über die Oberfläche hin verursachen, sondern auch sehr elementarer Natur und ausreichend sein, alle Erscheinungen der Capillarität, der chemischen Affinität,

---

1) Giornale di Fisica etc., 1825, tom. VIII. p. 259.

2) pp. 138, 371.

der Cohäsionsanziehung, der Verdünnung, des Siedens, der Verflüchtigung, der Explosion und anderer Wärmeeffecte, wie der Entzündung, der Verpuffung u. s. w. zu erklären. Sie wird als eine Form der Wärme betrachtet und mit dem Namen *natürliches Caloricum* belegt und wird überdies als das Princip der beiden Elektricitäten und der beiden Magnetismen angesehen.

615. Ich war um so ängstlicher bemüht, einen genauen Abriss von Fusinieri's Ansicht zu geben, als ich mir keine bestimmte Vorstellung von der Kraft, auf welche er die Erscheinungen zurückführt, zu bilden vermag, und weil ich eine nur unvollkommene Kenntniss der Sprache besitze, in welcher die Abhandlung geschrieben ist. Ich muss daher Diejenigen, welche den Gegenstand weiter verfolgen wollen, auf das Original verweisen.

616. Da ich jedoch nicht glaube, dass das Problem gelöst ist, so wage ich es, eine Ansicht mitzutheilen, welche mir ausreichend scheint, den Vorgang nach *bekannten Principien* zu erklären.

617. Ich muss bemerken, dass diese Wirkung, insofern sie das Platin betrifft, nicht von einem besonderen temporären Zustand elektrischer oder anderer Natur herrühren kann; der Umstand, dass die Platten activ gemacht werden können, sowohl wenn sie den positiven oder negativen Pol bilden, als auch wenn sie mit so verschiedenen Substanzen, wie Säuren, Alkalien, Wasser, Holzkohle, Smirgel, Asche oder Glas gereinigt werden, oder auch durch blosse Erhitzung, reicht hin, eine solche Meinung zu wiederlegen. Sie hängt auch nicht davon ab, ob das Metall schwammig und porös, oder dicht und polirt, oder massiv oder dünn ist, denn in jedem dieser Zustände lässt es sich activ machen oder kann ihm seine Activität genommen werden. Die einzige wesentliche Bedingung scheint eine *vollkommen reine* und *metallische Oberfläche* zu sein, denn wenn diese erfüllt ist, so ist das Platin activ, wie auch im Uebrigen seine Form und sein Zustand beschaffen sein mag; und obschon Aenderungen in dieser Hinsicht auf die Schnelligkeit und somit auf die Sichtbarkeit der Vorgänge und die secundären Folgen der Wirkung, wie Erglühen des Metalls und Entzündung der Gase sehr bedeutenden Einfluss haben, so lässt sich doch selbst unter den günstigsten Umständen keine Wirkung erzielen, wenn nicht die Bedingung einer völlig reinen metallischen Oberfläche erfüllt ist.

618. Die Wirkung wird offenbar von den meisten, wenn nicht von allen festen Körpern hervorgebracht, von manchen vielleicht nur in geringem, von Platin aber in sehr hohem Grade. Dulong und Thénard haben in strenger Wissenschaftlichkeit unsere Kenntniss hierüber erweitert, indem sie diese Eigenschaft an allen Metallen und auch an Erden, Glas, Steinen u. s. w. (611) nachwiesen, und es ist hierdurch jeder Gedanke, als sei sie eine bekannte und anerkannte elektrische Wirkung, beseitigt.

619. Alle mit diesem Gegenstande zusammenhängenden Erscheinungen erfüllen mich mit der Ueberzeugung, dass die in Rede stehenden Wirkungen accidentieller und secundärer Natur sind; dass sie bedingt sind von den *natürlichen Eigenschaften* der Elasticität der Gase im Verein mit der Aeusserung einer manchen, besonders aber den festen Körpern in hohem Grade eigenen, und wahrscheinlich allen zukommenden attractiven Kraft, durch welche jene zu einem mehr oder weniger innigen Zusammenschluss gebracht werden, ohne zugleich eine chemische Verbindung einzugehen, wiewohl sie oft den Zustand der Adhäsion annehmen, und welche Kraft zuweilen, wenn die Umstände, wie in den vorliegenden Fällen, sehr günstig sind, die Verbindung der ihrer Attraction gleichzeitig unterworfenen Körper herbeiführt. Ich selbst sehe mich veranlasst, sowohl hinsichtlich der Cohäsionsanziehung als auch der chemischen Affinität anzunehmen (und wahrscheinlich sind viele Andere derselben Meinung), dass die Wirkungssphäre der Theilchen sich über die mit ihnen in unmittelbarem und augenscheinlichem Verein (523) stehenden Partikel hinaus erstrecke, und dass hierdurch oft Effecte von bedeutender Wichtigkeit hervortreten; ich halte auch diese Art von Attraction für eine bestimmende Ursache in Doebereiner's und vielen anderen Erscheinungen ähnlichen Charakters.

620. Körper, welche von Flüssigkeiten benetzt werden, ohne sich mit ihnen chemisch zu verbinden oder sich in ihnen zu lösen, liefern einfache und wohlbekannte Beispiele dieser Art von Attraction.

621. Alle die Körper, welche, ohne im Wasser löslich zu sein und sich mit demselben zu verbinden, hygroskopisch sind und dessen Dampf auf ihrer Oberfläche condensiren, bieten strengere Beispiele derselben Kraft und nähern sich ein wenig mehr den Fällen, welche den Gegenstand dieser Untersuchung bilden. Wird Pulver von Thon, Eisenoxydul oder Eisenoxyd, Manganoxyd, Holzkohle oder selbst Metallen, wie Platinschwamm oder gefälltes Silber in eine wasserdampfhaltige Atmosphäre gebracht, so werden sie alsbald feucht in Folge einer Anziehung, welche den Dampf wohl zur Condensation auf den Substanzen, aber nicht zur Verbindung mit ihnen bringen kann; und wenn die so feucht gewordenen Körper in eine trockene Atmosphäre, z. B. in einen über Schwefelsäure abgesperrten Luftraum gebracht, oder wenn sie erwärmt werden, so geben sie bekanntlich dieses Wasser fast ganz wieder ab, da sie eben nicht eine eigentliche, bleibende Verbindung mit ihm eingegangen sind.[1])

622. Noch bessere Beispiele von der in Rede stehenden Kraft, da sie den zu erklärenden Vorgängen ähnlicher sind, liefert die den Barometer- und Thermometerverfertigern so wohl bekannte Anziehung zwischen Glas und

---

[1]) Ein seinem Umfange nach merkwürdiger Fall einer hygroskopischen, vielleicht von einer sehr schwachen Lösekraft ein wenig unterstützten Action ist mir in Edinburgh vorgekommen. Etwas Torf, der, um gut auszutrocknen, lange Zeit der Atmosphäre in einem geschützten Raume ausgesetzt gewesen war, wurde der Wirkung einer hydraulischen Presse ausgesetzt und lieferte *unter dem blossen* Einfluss des Druckes 54 Procent Wasser.

Luft, denn hier äussert sich die Adhäsion oder Attraction zwischen einem starren Körper und Gasen, also zwischen Körpern von sehr verschiedenen physikalischen Zuständen, die sich nicht mit einander verbinden können und die beide während der Dauer der Einwirkung ihren physikalischen Zustand ungeändert behalten.[1]) Wird Quecksilber in eine Barometerröhre gegossen, so bleibt eine Luftschicht zwischen dem Metall und dem Glase Monate, ja, soviel man weiss, Jahre lang bestehen, denn dieselbe ist niemals anders als durch eigens zu diesem Zwecke angewandte Mittel ausgetrieben worden. Diese bestehen darin, dass man das Quecksilber kocht, oder mit anderen Worten, dass man viel Dampf entwickelt, welcher, indem er mit allen Theilen des Glases und der Quecksilberoberfläche in Berührung kommt, sich allmählich mit der von diesen Flächen angezogenen und an ihnen adhärirenden Luft vermischt, sie verdünnt, fortführt und ihre Stelle einnimmt, und welcher, einer gleichen oder vielleicht grösseren Anziehung unterworfen, sich beim Erkalten zu derselben Flüssigkeit condensirt, welche die Röhre ausfüllt.

623. Fremde Körper, welche bei Krystallisirungen oder Niederschlägen als Kerne wirken und eine Ablagerung der Substanzen auf sich verursachen, wenn sonst keine in der Flüssigkeit stattfindet, scheinen ihre Wirkungen einer Kraft derselben Art zu verdanken, d. h. einer Anziehungskraft, welche sich auf die benachbarten Theilchen erstreckt und diese veranlasst, sich an die Kerne anzulegen, obschon sie nicht stark genug ist, um sie zur chemischen Verbindung mit der Substanz derselben zu bringen.

624. In vielen Fällen scheint das Verhalten von Kernen in Lösungen, und die Wirkung von Körpern in einer Dämpfe von Wasser, Campher oder Jod u. s. w. enthaltenden Atmosphäre dafür zu sprechen, dass diese Anziehung zum Theil eine auswählende sei und sowohl Merkmale der Cohäsionsanziehung als auch der chemischen Affinität an sich trage. Dies ist auch nicht unverträglich, sondern in Uebereinstimmung mit der Auffassung, dass eben die Kraft der Theilchen derart ist, dass sie nicht auf solche Theilchen, die mit jenen sich unmittelbar und eigentlich verbinden können, wirkt, sondern auf solche, die entweder in grösserem Abstande von ihnen liegen oder wegen ihres früheren Zustandes, ihrer physikalischen Constitution oder schwachen Verwandtschaft unfähig sind, mit ihnen eine bestimmte Verbindung einzugehen.

625. Ferner wird sich unter allen Körpern nur von den Gasen erwarten lassen, dass sie, *gemeinschaftlich* dem anziehenden Einflusse des Platins oder anderer starrer Substanzen ausgesetzt, eine *gegenseitige* Einwirkung äussern. Flüssigkeiten, wie Wasser, Alkohol u. s. w. sind zu dicht und verhältnissmässig zu incompressibel, als dass sich erwarten liesse, dass

---

[1]) Fusinieri und Bellani meinen, die Luft bilde in diesen Fällen concrete, starre Schichten. — Giornale di Fisica, tom. VIII, p. 262. 1825.

ihre Theilchen in Folge der Anziehung des Körpers, dem sie adhäriren, einander noch näher kommen würden; dennoch muss die Anziehung (ihren Wirkungen gemäss) die Theilchen denen des benetzten starren Körpers so nahe bringen als sie selbst zu einander sind, und in manchen Fällen überwiegt offenbar die erstere Anziehung. Aber Gase und Dämpfe sind Körper, deren relative Abstände ihrer Theilchen durch äussere Ursachen grossen Aenderungen unterliegen, und wenn sie mit Platin in unmittelbarer Berührung stehen, so mag die Annäherung ihrer Theilchen an die des Metalles sehr gross sein. Bei den oben (621) erwähnten hygroskopischen Körpern reicht sie hin, den Dampf zu verflüssigen, oft aus so verdünnten Atmosphären, dass man ihn ohne diesen Einfluss durch eine mechanische Kraft auf $^1/_{10}$ oder selbst $^1/_{20}$ seines ursprünglichen Volumens comprimiren müsste, um ihn in den flüssigen Zustand überzuführen.

626. Eine andere sehr wichtige und, soviel ich weiss, bisher noch nicht angestellte Betrachtung in Bezug auf diese Wirkung der Körper betrifft den Zustand der Elasticität der Gase, in welchem sie sich der wirkenden Oberfläche gegenüber befinden. Wir haben nur sehr unvollkommene Vorstellungen von dem wirklichen und inneren Verhalten der Theilchen eines Körpers, der im festen, flüssigen und gasförmigen Zustande existirt; aber wenn wir auch, indem wir den gasförmigen Zustand von der gegenseitigen Abstossung der Theilchen oder ihrer Atmosphären herleiten, am Ende im Irrthum sind, jedes Partikelchen als Kern einer Atmosphäre von Wärme, Elektricität oder einem anderen Agens zu denken, so werden wir vermuthlich doch nicht fehlgehen, wenn wir die Elasticität als auf *Gegenseitigkeit* der Wirkung beruhend betrachten. Diese gegenseitige Relation fehlt nun ganz an der Seite, wo die Theilchen des Gases dem Platin am nächsten sind, und wir dürfen *a priori* erwarten, dass die elastische Kraft hier wenigstens zur Hälfte verloren gegangen ist; denn wenn, wie Dalton gezeigt hat, die elastische Kraft der Theilchen eines Gases nicht auf die der Theilchen eines anderen Gases wirken kann, beide Gase vielmehr sich zu einander wie Vacua verhalten, so ist es noch weniger wahrscheinlich, dass die Theilchen des Platins auf die des Gases einen solchen Einfluss ausüben können als diese auf einander.

627. Allein die Verminderung der Kraft auf die Hälfte an der Seite, wo das Gas an das Metall grenzt, ist nur ein unbedeutendes Ergebniss dessen, was mir als nothwendige Folge aus der angenommenen Constitution der Gase hervorzugehen scheint. Eine Gas- oder Dampfatmosphäre, wie dicht oder comprimirt sie auch sein mag, verhält sich einer anderen gegenüber wie ein Vacuum; wenn also etwas Wasser in ein Gefäss gebracht wird, das ein trockenes Gas, etwa Luft, unter einem Druck von hundert Atmosphären enthält, so *entsteigt* dem Wasser eben soviel Dampf als in einem vollkommenen Vacuum. Hier scheinen die Theilchen des Wasserdampfes keine Schwierigkeit zu finden, sich den Lufttheilchen bis zu jedem

Abstande zu nähern, da hier lediglich die Relation zu Theilchen ihrer eigenen Art sich geltend macht; und wenn dem so ist angesichts eines Körpers, welcher gleiche elastische Kraft besitzt, wie jener selbst, um wie viel mehr muss es der Fall sein gegenüber Theilchen, wie denen des Platins oder eines anderen begrenzenden Körpers, welche, abgesehen davon, dass sie nicht dieselbe elastische Kraft besitzen, von ganz anderer Natur sind. Hieraus scheint zu folgen, dass die Theilchen des Wasserstoffs oder eines anderen Gases oder Dampfes, die an das Platin u. s. w. angrenzen, mit ihm derart in Berührung sein müssen, als wenn sie sich im flüssigen Zustande befänden, und daher fast unendlich dichter an ihm anliegen müssen, als sie zu einander stehen, selbst wenn man eine anziehende Wirkung des Metalles auf dieselben nicht voraussetzte.

628. Eine dritte und sehr wichtige Betrachtung zu Gunsten der gegenseitigen Wirkung der Gase unter diesen Umständen betrifft ihre vollkommene Mischbarkeit. Wenn flüssige Körper, die sich mit einander verbinden können, sich auch mit einander mischen können, so *gehen sie eine Verbindung ein*, sobald sie zusammengemischt werden, ohne dass es noch eines anderen bedingenden Umstandes bedürfte; wenn aber zwei Gase wie Sauerstoff und Wasserstoff zusammengebracht werden, so veranlasst die blosse Mischung ihre Verbindung nicht, obwohl gerade jene Elemente mit so kräftiger Affinität für einander ausgestattet sind, dass sie sich unter tausenderlei Umständen mit einander verbinden. Dennoch ist es klar, dass die Theilchen ihrer vollkommenen Vermischung wegen sich in dem für eine Verbindung möglich günstigsten Zustande einer noch hinzutretenden bedingenden Ursache darbieten würden, wie es entweder die negative, die Elasticität an der Oberfläche unterdrückende, vernichtende Wirkung des Platins, oder die positive, die Gastheilchen an der Oberfläche condensirende, einer attractiven Kraft entstammende Wirkung dieses Metalles, oder beide zugleich wären.

629. Obschon es nicht viele gesicherte Fälle von Verbindung durch den Einfluss äusserer Kräfte giebt, so sind deren doch genug, um jede auf diesem Grunde sich erhebende Schwierigkeit zu beseitigen. James Hall fand, dass Kohlensäure und Kalk unter Druck bei Temperaturen verbunden bleiben, bei denen sie mit Aufhebung des Druckes nicht in Verbindung geblieben wären, und ich selbst habe Gelegenheit gehabt, einen Fall von directer Verbindung am Chlor zu beobachten,[1]) welches bei gewöhnlicher Temperatur sich mit Wasser zu einem wohlcharakterisirten krystallinischen Hydrat verbindet, das bei Aufhebung des Druckes sich weder zu bilden noch zu bestehen vermag.

630. Der gesammte Vorgang, in welchem das Platin auf Sauerstoff und Wasserstoff wirkt und sie zur Verbindung bringt, lässt sich diesen

[1]) Philosophical Transactions, 1823. p. 161.

Principien gemäss folgendermassen darstellen. Durch den Einfluss der oben (619 etc.) erwähnten Umstände, nämlich durch den Verlust an elastischer Kraft und durch die Anziehung des Metalles auf die Gase, werden diese, wenn sie sich dem ersteren innig anschliessen, so weit verdichtet, dass sie in die der vorhandenen Temperatur entsprechende Wirkungssphäre ihrer gegenseitigen Verwandtschaft gelangen; durch den Verlust an elastischer Kraft werden sie nicht bloss dem attractiven Einfluss des Metalles noch mehr unterthan, sondern auch in einen für die Verbindung günstigeren Zustand gebracht, indem ihnen ein Theil jener Kraft (auf welcher ihre Elasticität beruht), welche sonst innerhalb der Masse der Gase ihrer Verbindung entgegenarbeitet, entzogen wird. Die Folge ihrer Verbindung ist die Erzeugung von Wasserdampf und eine Temperaturerhöhung. Da jedoch die Anziehung des Platins zu dem gebildeten Wasser nicht grösser ist als zu den Gasen, wenn sie überhaupt auch nur so gross ist (denn das Metall ist kaum hygroskopisch), so diffundirt der Dampf rasch in das übrige Gas, von welchem folglich neue Mengen mit dem Metall in innige Berührung kommen und sich verbinden, und deren Dampf, sowie er gebildet ist, diffundirt ebenfalls, um abermals neuen Gasmengen Platz zu machen, welche nun dieselbe Einwirkung erfahren. In dieser Weise schreitet der Process fort, jedoch beschleunigt durch die Wärmeentwickelung, die ja erfahrungsgemäss die Verbindung im Verhältniss zu ihrer Intensität erleichtert, und so steigert sich allmählich die Temperatur, bis schliesslich Glühen erfolgt.

631. Die Zerstreuung des an der Oberfläche des Platins gebildeten Dampfes, so dass neue Mengen von Sauerstoff und Wasserstoff mit dem Metall in Berührung kommen, bietet dieser Erklärung keine Schwierigkeit. Ich nehme nicht an, dass das Platin selbst sich mit den Gastheilchen verbindet, sondern nur, dass es sie rings um sich her zu innigerem Verein bringt; die zusammengedrängten Theilchen können sich jedoch ebenso frei vom Platin fort bewegen und durch andere ersetzt werden, wie eine Menge dichterer Luft an der Oberfläche der Erde oder am Boden einer tiefen Grube sich bei dem leisesten Impuls in die höheren und dünneren Theile der Atmosphäre begeben kann.

632. Es wird kaum noch nothwendig sein, die Gründe hervorzuheben, wesshalb das Platin diese Wirkung nicht unter gewöhnlichen Umständen zeigt. Es ist dann nicht rein genug (617), und die Gase können dann nicht mit ihm in Berührung kommen und denjenigen Grad von Einwirkung erfahren, welcher nothwendig ist, um ihre Verbindung bei gewöhnlicher Temperatur einzuleiten, und der nur an seiner Oberfläche auf sie ausgeübt wird. In der That, dieselbe Kraft, welche die Verbindung von Sauerstoff und Wasserstoff veranlasst, bewirkt auch unter den Umständen, denen das Platin gewöhnlich ausgesetzt ist, die Verdichtung fremder Substanzen auf seiner Oberfläche, welche diese verunreinigen und sie so lange der Fähigkeit,

Sauerstoff und Wasserstoff zur Verbindung zu bringen, berauben, indem sie den Contact der letzteren mit ihr verhindern (598).

633. Sauberes Platin, worunter ich solches verstehe, welches zum positiven Pol einer Säule gedient hat (570) oder mit Säure behandelt worden ist (605) und darauf zwölf bis fünfzehn Minuten in destillirtem Wasser gelegen hat, zeigt eine *eigenthümliche Reibung*, wenn zwei Stücke gegen einander gerieben werden. Es wird von reinem Wasser leicht benetzt, selbst wenn es abgeschwenkt und durch die Wärme einer Spirituslampe getrocknet worden ist; und wenn es den Pol einer Volta'schen Säule in verdünnter Schwefelsäure bildet, so entwickelt es an allen Stellen seiner Oberfläche kleine Blasen. Allein in seinem gewöhnlichen Zustande zeigt das Platin jene eigenthümliche Reibung nicht; es wird vom Wasser nicht, wie das gereinigte Platin, leicht benetzt, und wenn es zum positiven Pol einer Säule benutzt wird, so giebt es eine Zeit lang grosse Blasen, welche an dem Metall zu kleben oder zu haften scheinen und sich an bestimmten und gesonderten Punkten der Oberfläche entwickeln. Diese Erscheinungen und Vorgänge, ebenso wie der Mangel einer Einwirkung auf Sauerstoff und Wasserstoff sind die Folgen und Anzeichen von der Verunreinigung der Oberfläche.

634. Ich fand auch, dass vollkommen gereinigte Platten durch blosses Liegen an der Luft bald wieder verunreinigt werden, denn nach vierundzwanzig Stunden wurden sie nicht mehr durchweg vom Wasser benetzt, sondern dieses sammelte sich an manchen Stellen der Oberfläche an und liess andere frei, während Platten, welche so lange im Wasser gelegen hatten, nach dem Trocknen (580) benetzt wurden und auch die übrigen Merkmale einer reinen Oberfläche darboten.

635. Aber nicht bloss Platin oder Metalle überhaupt, sondern auch erdige Substanzen verhalten sich so. Bergkrystall und Obsidian liessen sich nicht durchweg benetzen, wurden sie aber mit starkem Vitriolöl befeuchtet, dann mit destillirtem Wasser abgewaschen und darin zur vollständigen Beseitigung der Säure liegen gelassen, so wurden sie durchweg benetzt, sie mochten vorher trocken gewesen oder feucht geblieben sein; wenn sie jedoch nach dem Trocknen vierundzwanzig Stunden der Luft ausgesetzt blieben, dann war ihre Oberfläche so unrein geworden, dass Wasser nicht mehr überall an ihr adhärirte, sondern sich an einzelnen Stellen ansammelte. Abwischen mit einem Tuch (und wenn es noch so rein war) wirkte noch schädlicher als das Liegen an der Luft; es ist, als ob die Oberfläche der Minerale sowohl als auch der Metalle alsbald fettig würde, und dass unter gewöhnlichen Umständen kleine Metalltheilchen auf Wasser schwimmen, rührt eben von einer derartigen Verunreinigung der Oberfläche her. Die grosse Schwierigkeit, die einmal schmutzige oder fettige Oberfläche des Quecksilbers zu reinigen, ist der nämlichen Ursache zuzuschreiben.

636. Aus denselben Gründen erklärt es sich, dass unter gewissen Umständen und besonders durch den Gebrauch jene Fähigkeit der Platinplatten bald verloren geht; Dulong und Thénard haben dasselbe Resultat an dem schwammigen Metall beobachtet[1]), und sicherlich waren Alle, welche Döbereiner's Zündmaschine benutzt haben, in dem gleichen Falle. Lässt man es an der Luft, bringt man es in gewöhnliches destillirtes Wasser, lässt man es auf gewöhnlichen Sauerstoff und Wasserstoff wirken, so kann man in allen diesen Fällen *diejenige* kleine Verunreinigung auffinden, welche, einmal mit der Oberfläche des Platins in Berührung, hier zurückgehalten wird und hinreicht, dessen volle Wirksamkeit auf Sauerstoff und Wasserstoff bei gewöhnlicher Temperatur zu hindern; andererseits reicht eine geringe Temperaturerhöhung aus, diesen Eingriff zu vernichten, so dass die Verbindung alsdann erfolgt.

637. Ich kenne keinen Zustand eines festen Körpers, der für die Hervorbringung dieser Wirkung geeigneter wäre, als der des Platins, welches aus seinem Chlorammonium-Doppelsalz durch Erhitzung erhalten wird. Es hat eine sehr grosse, reine, den mit ihm in Berührung gebrachten Gasen durchaus zugängliche Oberfläche; setzt man es Verunreinigungen aus, so wird das Innere, wie Thénard und Dulong beobachtet haben, durch das Aeussere rein gehalten, und überdies ist es, seines fein vertheilten Zustandes wegen, ein so schlechter Wärmeleiter, dass fast sämmtliche bei der Verbindung der ersten Gasmenge entwickelte Wärme in der Masse der Gase zurückbleibt, wodurch das Bestreben der übrigen Mengen, in Verbindung zu treten, erhöht wird.

---

638. Ich habe nun einige sehr auffällige Störungen, die bei dieser Erscheinung auftreten, zu erwähnen, welche nicht von der Natur oder dem Zustande des Metalles oder anderer wirkenden starren Körper abhängen, sondern von der Gegenwart gewisser Substanzen, welche den der Einwirkung ausgesetzten Gasen beigemengt sind. Da ich oft Veranlassung haben werde, von einem Gemenge von Sauerstoff und Wasserstoff zu sprechen, so bitte ich darunter stets ein Gemenge von einem Volumen Sauerstoff und zwei Volumina Wasserstoff, also von dem Verhältniss, in welchem sie Wasser bilden, zu verstehen. Wo nichts Anderes gesagt ist, war der Wasserstoff immer durch die Einwirkung verdünnter Schwefelsäure auf reines Zink, und der Sauerstoff durch Erhitzen von Kaliumchlorat dargestellt.

639. Auf Gemenge von Sauerstoff und Wasserstoff mit *Luft*, deren Volumen den vierten Theil, die Hälfte, ja selbst zwei Drittheile des letzteren betrug, war die Wirkung in Röhren mit den präparirten Platinplatten (570, 605) fast ebenso gut, als wenn keine Luft zugegen war,

---

[1]) Annales de Chimie, tom. XXIV. p. 386.

die Verzögerung war weit geringer, als man schon in Folge der Verdünnung und der hieraus sich ergebenden Behinderung der Gase, mit den Platten in Berührung zu kommen, hätte erwarten sollen. In drittehalb Stunden war das Gemenge von Sauerstoff und Wasserstoff fast ganz verschwunden.

640. Wurden aber ähnliche Versuche mit *ölbildendem Gase* angestellt (mit Platinplatten, die als positive Pole einer Volta'schen Säule (570) in Säure gedient hatten), so war der Erfolg ein ganz anderer. Ein Gemenge von 29,2 Vol. Wasserstoff und 14,6 Vol. Sauerstoff (also dem Verhältniss, in welchem sie Wasser bilden) wurde mit einem Gemenge von 3 Vol. Sauerstoff und 1 Vol. ölbildenden Gases, so dass dieses nur $^1/_{48}$ des Ganzen ausmachte, zusammengebracht; in diesem Gemenge nun hatte das Platin auch nach fünfundvierzig Stunden keine Wirkung gethan. Das Ausbleiben derselben war nicht von einer mangelhaften Beschaffenheit der Platte verschuldet, denn als diese nun herausgenommen und in ein Gemenge von Sauerstoff und Wasserstoff gebracht wurde, trat die Wirkung augenblicklich ein, so dass innerhalb sieben Minuten eine Explosion der Gase erfolgte. Dieses Resultat wurde mehrmals erhalten, und bei Anwendung grösserer Mengen ölbildenden Gases schien die Hoffnung auf eine Wirkung noch geringer zu sein.

641. In einem Gemenge von neunundvierzig Volumina Sauerstoff und Wasserstoff (638) mit einem Volumen ölbildenden Gases, in das eine wohl präparirte Platinplatte eingeführt wurde, war nach Verlauf von zwei Stunden, während welcher beobachtet wurde, die Verminderung des Gases kaum merklich, allein nach vierundzwanzig Stunden fand man die Röhre in Stücke zersprungen. Die Wirkung war also, wiewohl beträchtlich verzögert, schliesslich doch eingetreten und auf das Höchste gestiegen.

642. In einem Gemenge von neunundneunzig Volumina Sauerstoff und Wasserstoff (638) mit einem Volumen ölbildenden Gases war nach Verlauf von fünfzig Minuten eine schwache Wirkung deutlich zu erkennen, dann beschleunigte sie sich (630) und wurde nach fünfundachtzig Minuten so heftig, dass das Gas explodirte. Dies ist also auch ein schönes Beispiel von der verzögernden Wirkung des ölbildenden Gases.

643. Platten, die mit Alkali und Säure (605) präparirt waren, gaben den eben beschriebenen entsprechende Wirkungen.

644. Aus diesen Versuchen geht vollkommen klar hervor, dass *ölbildendes Gas* selbst in geringen Mengen den sehr merkwürdigen Einfluss hat, unter diesen Umständen die Verbindung von Sauerstoff und Wasserstoff zu hemmen, ohne jedoch die Kraft des Platins zu beeinträchtigen oder irgend zu ändern.

645. Ein anderes überraschendes Beispiel einer ähnlichen Störung bietet das *Kohlenoxyd*, insbesondere im Gegensatz zur *Kohlensäure*, dar. Ein Gemenge von einem Volumen Sauerstoff und Wasserstoff (638) mit vier Volumina Kohlensäure unterlag sogleich der Wirkung einer mit Säure u. s. w. präparirten Platte (605), und in fünfviertel Stunden war nahezu sämmtlicher Sauerstoff und Wasserstoff verschwunden. Noch leichter erfolgte die Wirkung auf Gemenge, die weniger Kohlensäure enthielten.

646. Wenn aber Kohlenoxyd an Stelle der Kohlensäure trat, dann trat gar keine Verbindung ein, und es erfolgte auch nach Verlauf von vierzig bis fünfzig Stunden selbst dann keine Wirkung, wenn das Kohlenoxyd nur ein achtel des ganzen Volumens ausmachte. Die Platten jedoch hatten ihre Wirkungsfähigkeit nicht verloren, denn wenn sie nun in reinen Sauerstoff und Wasserstoff gebracht wurden, dann wirkten sie sogleich und gut.

647. Ein Gemenge von zwei Volumina Kohlenoxyd und einem Volumen Sauerstoff mit neun Volumina Sauerstoff und Wasserstoff (638) wurde von einer Platte, die in Säure positiv gemacht worden war, nicht beeinflusst, obschon sie fünfzehn Stunden darin blieb. Wenn man aber demselben Volumen Kohlenoxyd und Sauerstoff dreiunddreissig Volumina Sauerstoff und Wasserstoff beimengte, so dass das Kohlenoxyd nur $^1/_{18}$ des Ganzen ausmachte, so wirkte die Platte anfangs langsam, aber nach zweiundvierzig Minuten explodirten die Gase.

648. Diese Versuche wurden auf verschiedene Gase und Dämpfe ausgedehnt, deren hauptsächliche Resultate im Folgenden wiedergegeben werden mögen. Sauerstoff, Wasserstoff, Stickstoff und Stickstoffoxydul, zur Verdünnung des Gemenges von Sauerstoff und Wasserstoff angewandt, hinderten die Wirkung der Platten nicht, selbst wenn sie $^4/_5$ des ganzen dieser ausgesetzten Gasvolumens ausmachten. Auch war die Verzögerung in keinem Falle so gross, als man schon in Folge der Verdünnung des Sauerstoffs und Wasserstoffs und ihrer hieraus sich ergebenden mechanischen Behinderung, mit dem Platin in Berührung zu kommen, hätte erwarten sollen. Wie es scheint, lässt sich die Kohlensäure nebst diesen Substanzen in folgender Reihe anordnen, in welcher die am wenigsten störende voransteht: *Stickstoffoxydul*, *Wasserstoff*, *Kohlensäure*, *Stickstoff*, *Sauerstoff*; es ist jedoch möglich, dass die Platten nicht in allen Fällen gleich gut präparirt waren, und dass auch andere Umstände nicht gleich waren, so dass zur genauen Feststellung der Reihenfolge noch weitere Versuche nöthig wären.

649. Fälle von *Verzögerung* liefert der bereits oben beschriebene Einfluss des ölbildenden Gases und des Kohlenoxyds. Gemenge von Sauerstoff und Wasserstoff, die nur $^1/_{16}$ bis $^1/_{20}$ Schwefelwasserstoff oder Phosphorwasserstoff enthielten, schienen anfangs eine geringe Einwirkung von den präparirten Platten zu erleiden, dann aber nicht weiter, obschon sie mit denselben siebzig Stunden in Berührung blieben. Als die Platten herausgenommen wurden, hatten sie ihre Activität gegen reinen Sauerstoff und Wasserstoff völlig eingebüsst; der störende Einfluss dieser Gase war also ganz anderer Art als der der früheren, da sie die Platten dauernd verändert hatten.

650. Ein kleines Stück Kork wurde in Schwefelkohlenstoff getaucht und durch das Wasser in eine Sauerstoff und Wasserstoff (638) enthaltende Röhre gebracht, so dass der Dampf des ersteren sich in den Gasen verbreitete. Eine darin eingeführte Platte schien anfangs ein wenig zu wirken, allein auch nach einundsechzig Stunden war die Volumenverringerung unbedeutend. Als dann dieselbe Platte in ein reines Gemenge von Sauerstoff und Wasserstoff gebracht wurde, wirkte sie sogleich und kräftig, hatte also offenbar von ihrer Wirksamkeit nichts eingebüsst.

651. Ein wenig Aetherdampf, der dem Sauerstoff und Wasserstoff beigemengt wurde, verzögerte die Wirkung der Platte, hinderte sie aber nicht ganz. Ein wenig Dampf der aus Oelgas condensirten Flüssigkeit[1]) verzögerte die Wirkung noch mehr, aber doch nicht ganz so viel, als es ein gleiches Volumen ölbildenden Gases gethan haben würde. In beiden Fällen waren es nur der Sauerstoff und Wasserstoff, die sich mit einander verbanden, während der Aether- und der Oelgas-Dampf unverändert blieben, und in beiden Fällen behielten die Platten ihre Fähigkeit, auf frischen Sauerstoff und Wasserstoff zu wirken.

652. Platinschwamm wurde nun an Stelle der Platten genommen und einem Strome von Wasserstoff, dem verschiedene Gase beigemengt wurden, an der Luft ausgesetzt. Die Resultate waren genau von gleicher Art, wiewohl sie zuweilen in etwas auffälligerer Weise auftraten. So vermochten Gemenge von einem Volumen ölbildenden Gases oder Kohlenoxyds mit drei Volumina Wasserstoff den Platinschwamm nicht zu erhitzen, wenn die Versuche bei gewöhnlicher Temperatur begonnen wurden, aber ein Gemenge von gleichen Volumina Stickstoff und Wasserstoff wirkte sehr gut und verursachte Erglühen. Kohlensäure gab noch auffälligere Resultate. Ein Gemenge von drei Volumina dieses Gases mit einem Volumen Wasserstoff versetzte das Platin *in's Glühen*, und doch wollte das Gasgemenge nicht brennen, wenn man versuchte es an der Ausströmungsöffnung mit einer Kerze anzuzünden. Selbst ein Gemenge von *sieben* Volumina Kohlensäure und *einem* Volumen Wasserstoff bringt auf diese Weise kalten Platinschwamm in's Glühen, und doch, wie um einen Contrast aufzuweisen, der nicht grösser gedacht werden kann, *vermag es in einem Kerzenlicht nicht zu brennen*, bringt dieses vielmehr zum Erlöschen. Im Gegensatz hierzu lassen sich die Gemenge mit Kohlenoxyd oder ölbildendem Gase, die auf das Platin nichts vermögen, mit einer Kerze *entzünden* und brennen ganz gut.

653. Wasserstoff, mit Dampf von Aether oder Oelgasflüssigkeit gemengt, bringt Platinschwamm zum Erglühen. Das Gemenge mit Oelgas

---

1) Philosophical Transactions, 1825, p. 440.

brennt mit einer viel helleren Flamme als das schon erwähnte Gemenge von Wasserstoff mit ölbildendem Gase, wonach es scheint, dass der verzögernde Einfluss der Kohlenwasserstoffe nicht einfach im Verhältniss zur Menge des anwesenden Kohlenstoffs steht.

654. Im Zusammenhang mit diesen Störungen muss ich bemerken, dass Wasserstoff selbst, der aus über glühendes Eisen streichendem Wasserdampf dargestellt war, nach Vermengung mit Sauerstoff der Einwirkung des Platins widerstand. Es hatte sieben Tage über Wasser gestanden und den üblen Geruch gänzlich verloren, allein, bei gewöhnlicher Temperatur gegen Platinschwamm ausströmend, vermochte es dasselbe nicht zum Glühen zu bringen, verband sich auch in einer Röhre weder unter dem Einflusse einer präparirten Platte noch unter dem von Platinschwamm mit Sauerstoff. Ein Gemenge von einem Volumen jenes Gases mit drei Volumina reinen Wasserstoffs und der entsprechenden Menge Sauerstoff erlitt in fünfzig Stunden keine Einwirkung durch die Platten. Ich bin geneigt, dieses Verhalten der Anwesenheit von Kohlenoxyd in jenem Gase zuzuschreiben, habe aber nicht Zeit gefunden, diese Vermuthung auf ihre Richtigkeit zu prüfen. Die Activität der Platten wurde hierbei nicht zerstört (640, 646).

655. Dies sind die allgemeinen Thatsachen dieser merkwürdigen Störungen. Ob nun der Einfluss so kleiner Mengen gewisser Gase zurückzuführen ist auf eine directe Einwirkung auf die Theilchen des Sauerstoffs und Wasserstoffs, welche dieselben weniger geneigt macht, mit einander in Verbindung zu treten, oder auf eine vorübergehende Modification der Platte (denn sie bringen keine wesentliche Veränderung hervor), die entweder dadurch, dass sie dieselbe vermöge einer die des Wasserstoffs überwiegenden Anziehung bekleiden, oder auf andere Weise herbeigeführt wird, das muss weiteren Versuchen zur Entscheidung überlassen bleiben.

---

656. Die Theorie jener Wirkung, welche ich angesichts der ursprünglichen Erscheinungen aufgestellt habe, scheint mir vollkommen ausreichend, sämmtliche Vorgänge durch Zurückführung auf bekannte Eigenschaften der Materie zu erklären und somit die Annahme einer neuen Kraft derselben überflüssig zu machen. Ich habe diesen Gegenstand etwas ausführlich behandelt, weil er mir insofern folgenreich erscheint, als meiner Ueberzeugung nach die Oberflächenwirkung der Materie, sei es zwischen zwei Körpern, sei es die eines Stückes eines und desselben Körpers, sowie die Wirkungen zwischen Theilchen, die nicht in eigentlicher oder fester Verbindung mit einander stehen, täglich wichtiger werden sowohl für unsere Theorien der Chemie als auch für die der mechanischen Physik.[1]) In

[1]) Als ein merkwürdiges Beispiel von dem Einfluss mechanischer Kräfte auf chemische Affinität will ich anführen, dass gewisse Substanzen nicht effloresciren, wenn ihre Oberfläche unverletzt ist, während es sogleich geschieht, wenn die Ober-

allen gewöhnlichen Verbrennungsvorgängen muss offenbar eine derartige Wirkung auf der Oberfläche der Kohle im Feuer und im hellen Theile der Flamme von grossem Einfluss auf die daselbst vor sich gehenden Verbindungen sein..

657. Der bereits erwähnte (626, 627) Zustand der Elasticität der Gase an ihrer Aussenseite steht ohne Zweifel in directem Zusammenhang mit der Wirkung der festen Körper, als Kerne, auf Dämpfe, durch welche diese veranlasst werden, sich besonders auf ihnen zu condensiren, weit eher als innerhalb der Dampfmasse selbst; und bei der wohlbekannten Wirkung der Kerne auf Lösungen ist vielleicht ein ähnlicher Zustand vorhanden (623), denn die Zustände der Theilchen eines in Lösung befindlichen und eines dampfförmigen oder gasförmigen Körpers haben mit einander Aehnlichkeit. Dieser Gedanke führt uns zu der Erwägung, welcher Art denn die respectiven Zustände seien, die an der Berührungsfläche zweier Mengen derselben Substanz von gleicher Temperatur, von denen die eine fest oder flüssig, die andere dampfförmig ist, wie beispielsweise Wasser und sein Dampf, herrschen. Wenn die Ansicht von der Unabhängigkeit der Wirkung, welche ich als eine Folgerung aus Dalton's Sätzen hingestellt habe (626, 627), richtig ist, so müssen, wie es scheint, die den Wassertheilchen zunächst liegenden Dampftheilchen zu diesen in einer ganz anderen Relation stehen als zu irgend einer anderen flüssigen oder festen Substanz, wie beispielsweise zum Quecksilber oder Platin, wenn diese an die Stelle des Wassers treten. Es scheint auch, dass die gegenseitige Beziehung gleichartiger Partikel und das indifferente Verhalten ungleichartiger Theilchen zu einander, was Dalton für Gase und Dämpfe als Thatsache nachgewiesen hat, bis zu einem gewissen Grade auch für feste und flüssige Körper Geltung habe, je nachdem sie mit Dampf ihrer eigenen Substanz oder mit dem anderer Körper in Berührung sind. Wiewohl mir jedoch diese Punkte von grosser Wichtigkeit zu sein scheinen in Hinsicht auf die zwischen verschiedenen Substanzen und deren physischer Constitution im festen, flüssigen oder gasförmigen Zustande bestehenden Beziehungen, so habe ich sie doch noch nicht hinreichend überlegt, um mir hier eine bestimmte Meinung oder Behauptung zu gestatten.[1])

---

fläche verletzt wird. Werden Krystalle von kohlensaurem oder phosphorsaurem oder schwefelsaurem Natrium, deren Oberfläche an keiner Stelle einen Bruch hat, vor äusserer Verletzung geschützt, so effloresciren sie nicht. So konnte ich Krystalle von kohlensaurem Natrium vom September 1827 bis Januar 1833 vollkommen durchsichtig und unverändert aufbewahren, und ebenso Krystalle von schwefelsaurem Natrium vom Mai 1832 bis jetzt, November 1833. Wenn aber die Oberfläche an irgend einer Stelle geritzt oder abgebröckelt wurde, so begann die Efflorescenz daselbst und überzog das Ganze. Die Krystalle hatten nur mit Papier bedeckt in Abdampfschalen gelegen.

[1]) Mit Bezug auf diesen Artikel sowie auf Artikel 626 verweise ich auf eine Berichtigung durch C. Henry in seiner werthvollen Abhandlung über diesen

658. Es giebt viele wohlbekannte Beispiele, dass Substanzen, wie Sauerstoff und Wasserstoff, im *nascirenden* Zustande mit Leichtigkeit wirken und chemische Veränderungen hervorbringen, die sie nicht erzeugen können, wenn sie einmal die Gasform angenommen haben. Solche Fälle treten ganz gewöhnlich an den Polen der Volta'schen Säule ein und lassen sich, wie ich glaube, leicht erklären, wenn man bedenkt, dass jedes solches Theilchen im Moment seiner Abscheidung ganz und gar von Theilchen *anderer* Art umgeben ist, mit denen es in inniger Berührung steht, und dass ihm noch nicht diejenigen Beziehungen und Beschaffenheiten zukommen, welche es in seinem vollentwickelten Zustande besitzt, und die es nur im Vergesellschaftung mit anderen Theilchen seiner eigenen Art annehmen kann. Denn in jenem Moment fehlt ihm noch die Elasticität, und es steht zu den Theilchen, mit denen es in Berührung ist, und zu denen es eine Verwandtschaft hat, in derselben Beziehung, wie die Theilchen von Sauerstoff und Wasserstoff zu einander an der reinen Platinoberfläche (626, 627).

659. Wenn die sonderbaren Verzögerungen, welche gewisse Gase schon bei Gegenwart sehr kleiner Mengen verursachen, andere dagegen selbst in grossen Mengen nicht zur Folge haben (640, 645, 652), von irgend einer Beziehung der beigemengten Gase zur Oberfläche starrer Körper abhängig sind, so stehen sie wahrscheinlich auch im unmittelbaren Zusammenhang mit den merkwürdigen Erscheinungen, welche verschiedene Gase beim Durchgang durch enge Röhren unter niederem Drucke darbieten, und die ich vor mehreren Jahren beobachtet habe.[1]); und diese Wirkung muss, glaube ich, auch von Einfluss sein auf die so hochinteressanten Erscheinungen der Diffusion der Gase, wenigstens in der Form, in welcher sie von Graham 1829 und 1831[2]) und auch von Mitchell in Philadelphia[3]) im Jahre 1830 experimentell untersucht worden sind. Wahrscheinlich würde sich bei Anwendung einer Substanz wie Platinschwamm ein anderes Gesetz für die Diffusion der Gase unter diesen Umständen ergeben haben, als dasjenige, zu welchem man beim Gebrauche von Gyps gelangt ist.

660. Ich hatte die Absicht, diesem Abschnitte einen anderen über die Secundärsäulen von Ritter und über die von Ritter, Van Marum, Yelin, De la Rive, Marianini, Berzelius und Anderen beobachteten eigenthümlichen Eigenschaften der Säulenpole oder der Metalle, durch welche die Elektricität gegangen ist, folgen zu lassen. Es scheint mir, dass alle diese Erscheinungen sich nach bekannten, mit der eben geschlossenen Untersuchung in Zusammenhang stehenden Principien befriedigend erklären lassen und nicht die

---

merkwürdigen Gegenstand. Philosophical Magazine, 1835, vol. VI. p. 365. — Dec. 1838.

1) Quarterly Journal of Science, 1819, vol. VII. p. 106.

2) Quarterly Journal of Science, vol. XXVIII. p. 74, und Edinburgh Transactions, 1831.

3) Journal of the Royal Institution von 1831, p. 101.

Annahme eines neuen Zustandes oder einer neuen Eigenschaft erfordern. Allein da die Versuche, insbesondere die von Marianini, eine sehr sorgfältige Wiederholung und Prüfung erheischen, so sehe ich mich gegenüber der Nothwendigkeit, das Thema der elektrochemischen Zersetzung weiter zu verfolgen, gezwungen, die eben erwähnten Untersuchungen vorläufig aufzuschieben.

Royal Institution,
30. November 1833.

SIEBENTE REIHE.

§ 11. Ueber elektrochemische Zersetzung. Fortsetzung.[1] *IV. Ueber einige allgemeine Bedingungen der elektrochemischen Zersetzung. V. Ueber einen neuen Messapparat für Voltaelektricität. VI. Ueber den primären oder secundären Charakter der bei elektrochemischer Zersetzung abgeschiedenen Körper. VII. Ueber die Bestimmtheit und den Bereich der elektrochemischen Zersetzung. — § 13. Ueber die absolute Quantität der mit den Molecülen oder Atomen der Materie vereinigten Elektricität.*

[Eingegangen am 9. Januar, — Gelesen am 23. Januar, 6. und 13. Februar 1834.]

Einleitung.

661. Die Theorie, welche ich für den wahren Ausdruck der Thatsachen der elektrochemischen Zersetzung halte, und die ich daher in einer früheren Reihe dieser Untersuchungen ausführlich dargelegt habe, steht so sehr in Widerspruch mit den bisher aufgestellten, dass ich die grösste Schwierigkeit finde, die Resultate, wie ich sie auffasse, correct anzugeben, so lange ich mich auf den Gebrauch der Kunstausdrücke beschränke, die in einer gewissen anerkannten Bedeutung üblich sind. Dieser Art ist der Ausdruck *Pol* mit seinen Bezeichnungen positiv und negativ und den damit verknüpften Vorstellungen von Anziehung und Abstossung. In der allgemeinen Ausdrucksweise heisst es, der positive Pol *ziehe* Sauerstoff, Säure u. s. w. *an*, oder vorsichtiger gesprochen, er *bestimme* deren Abscheidung auf seiner Oberfläche, und der negative Pol wirke in gleicher Weise auf Wasserstoff, brennbare Körper, Metalle und Basen. Nach meiner Ansicht jedoch liegt die bestimmende Kraft *nicht* an den Polen, sondern *innerhalb* des in Zersetzung begriffenen Körpers, und Sauerstoff und Säuren werden am *negativen* Ende dieses Körpers frei, während Wasserstoff, Metalle u. s. w. an dem *positiven* Ende desselben abgeschieden werden (518, 524).

662. Um daher Verwirrung und Umschreibung zu vermeiden, und im Interesse einer grösseren Präcision der Ausdrucksweise, als mir sonst möglich wäre, habe ich die Sache mit zwei Freunden reiflich überlegt und mit

---

[1] Vergleiche die auf 1047 folgende Note, Reihe VIII. — Dec. 1838.

ihrem Beistande und ihrer Zustimmung gewisse andere Kunstausdrücke gebildet, die ich zu künftigem Gebrauch vorschlage, und die ich nun definiren will. Die *Pole*, wie sie gewöhnlich genannt werden, sind bloss die Pforten oder Wege, durch welche der elektrische Strom in den der Zersetzung unterworfenen Körper eintritt und aus demselben austritt (556), sie sind demnach, in Berührung mit diesem Körper, die Grenzen seiner Ausdehnung in Richtung des Stromes. Der Name ist allgemein von den Metallflächen gebraucht worden, die mit der zu zersetzenden Substanz in Berührung stehen, ob aber die Physiker ihn ebenso allgemein von Luftflächen (465, 471) und Wasserflächen (493), an denen ich elektrochemische Zersetzung hervorgerufen habe, gebrauchen würden, ist zweifelhaft. An Stelle des Ausdruckes Pol schlage ich nun vor, *Elektrode*[1]) zu gebrauchen, und ich verstehe hierunter die Substanz oder vielmehr die Fläche, bestehe sie aus Luft, Wasser, Metall oder irgend einem anderen Körper, welche die Ausdehnung der zu zersetzenden Substanz in Richtung des elektrischen Stromes begrenzt.

663. Die Flächen, an denen, der gewöhnlichen Ausdrucksweise gemäss, der elektrische Strom in den in Zersetzung begriffenen Körper eintritt und ihn verlässt, sind die wichtigsten Orte der Action und müssen wohl unterschieden werden von den Polen sowohl, mit denen sie meistentheils, als auch von den Elektroden, mit denen sie immer in Berührung stehen. Indem ich nach einer natürlichen Norm für die elektrische Richtung suchte, auf welche ich jene beziehen könnte, und die zugleich ihre Verschiedenheit ausdrücken und von aller Theorie frei sein sollte, glaubte ich sie in der Erde zu finden. Wenn der Magnetismus der Erde von elektrischen Strömen herrührt, die sie umkreisen, so müssen dieselben eine constante Richtung haben, welche nach dem gegenwärtigen Sprachgebrauch von Ost nach West oder, um dem Gedächtniss mehr zu Hilfe zu kommen, mit dem scheinbaren Laufe der Sonne gehen würde. Wenn wir uns nun in irgend einem Falle von elektrochemischer Zersetzung den zu zersetzenden Körper so gestellt denken, dass der Strom durch ihn parallel und in gleicher Richtung mit dem gehe, dessen Existenz in der Erde angenommen wird, dann werden die Flächen, durch welche die Elektricität in die Substanz eintritt und aus ihr austritt, eine unveränderliche Beziehung haben und beständig dieselben Kraftrelationen zeigen. Auf Grund dieser Vorstellung schlagen wir nun vor, die östliche Fläche als *Anode*[2]) und die westliche als *Kathode*[3]) zu bezeichnen. Welche Veränderungen auch unsere Ansichten über die Natur der Elektricität und der elektrischen Wirkung erfahren sollten, so müssten sie doch die eben aufgestellte *natürliche Norm* in Bezug auf jede zu zersetzende Substanz, auf welche man je diese Ausdrücke anwenden würde,

---

[1]) *ἤλεκτρον*, und ὁδὸς *Weg.*
[2]) *ἄνω aufwärts,* und ὁδὸς *Weg;* der Weg vom Sonnenaufgang.
[3]) *κατα abwärts,* und ὁδὸς *Weg;* der Weg zum Sonnenuntergang.

in derselben Richtung und in demselben Betrage beeinflussen, und daher scheint kein Grund zu der Befürchtung vorhanden zu sein, dass dieselben Confusion veranlassen oder irgendwie falsche Auffassungen begünstigen könnten. Die *Anode* ist also die Fläche, an welcher, unserer gegenwärtigen Ausdrucksweise gemäss, der elektrische Strom eintritt; sie bildet das *negative* Ende des zu zersetzenden Körpers, dasjenige, wo Sauerstoff, Chlor, Säuren u. s. w. abgeschieden werden, und sie stösst an die positive Elektrode. Die *Kathode* ist die Fläche, an welcher der Strom den zu zersetzenden Körper verlässt, ist dessen *positives* Ende; an ihr werden brennbare Körper, Metalle, Alkalien und Basen abgeschieden, und sie ist mit der negativen Elektrode in Berührung.

664. Ich werde in diesen Untersuchungen auch Veranlassung haben, Körper nach gewissen, aus ihren elektrischen Actionen hergeleiteten Relationen zu klassificiren (822), und da ich diese so auszudrücken wünsche, dass sie keine hypothetische Ansicht in sich schliessen, so werde ich folgende Bezeichnungen und Kunstausdrücke gebrauchen. Manche Körper werden direct durch den elektrischen Strom zersetzt, so dass ihre Elemente frei werden; diese schlage ich vor, *Elektrolyte*[1]) zu nennen. Wasser ist also ein Elektrolyt. Körper, welche, wie Salpetersäure oder Schwefelsäure, in secundärer Weise zersetzt werden (751, 757), sind in diesem Terminus nicht einbegriffen. Ferner werde ich, anstatt zu sagen *elektrochemisch zersetzt,* mich oft des auf dieselbe Weise abgeleiteten Ausdruckes *elektrolysirt* bedienen und hiermit bezeichnen, dass der in Rede stehende Körper unter dem Einflusse der Elektricität in seine Bestandtheile zerlegt wird; derselbe ist dem Sinne und Laute nach analog dem auf ähnliche Weise gebildeten Ausdruck *analysiren.* Der Terminus *elektrolytisch* ist ohne Weiteres verständlich; Salzsäure ist elektrolytisch, Borsäure nicht.

665. Endlich brauche ich einen Ausdruck zur Bezeichnung derjenigen Körper, welche zu den *Elektroden* oder, wie man sie gewöhnlich nennt, den Polen gehen können. Man bezeichnet häufig Substanzen als *elektronegativ* oder *elektropositiv,* je nachdem sie unter dem vorausgesetzten Einfluss einer directen Anziehung zum positiven oder negativen Pol hingehen. Allein diese Ausdrücke sagen zuviel für die Anwendung, welche ich von ihnen machen müsste; denn wiewohl die ihnen zu Grunde liegenden Vorstellungen möglicherweise richtig sind, so sind sie doch nur hypothetisch und vielleicht auch falsch, und ferner sind sie durch einen zwar sehr unmerklichen, aber, da er sich unausgesetzt geltend macht, doch sehr gefährlichen Einfluss von grossem Nachtheil für die Wissenschaft, weil sie Diejenigen, die sich die Förderung derselben angelegen sein lassen, in die hergebrachten Vorstellungen einengen und einschränken. Zur Unterscheidung dieser Körper

---

[1]) ἤλεκτρον und λύω, *solvo,* wovon das Hauptwort Elektrolyt und das Zeitwort elektrolysiren.

schlage ich vor, diejenigen, welche zur *Anode* des zu zersetzenden Körpers gehen, *Anionen*[1]), und diejenigen, welche zur *Kathode* gehen, *Kationen*[2]) zu nennen, und wenn ich in die Lage komme, von beiden gemeinsam zu reden, so werde ich sie *Jonen* nennen. So ist Chlorblei ein *Elektrolyt*, und wenn es *elektrolysirt* wird, so zerfällt es in zwei *Jonen*, Chlor und Blei, von denen das erstere ein *Anion* und das letztere ein *Kation* ist.

666. Nachdem somit diese Termini wohl definirt sind, hoffe ich durch ihren Gebrauch im Stande zu sein, viele Umschreibungen und Zweideutigkeiten im Ausdruck zu vermeiden. Ich habe nicht die Absicht, mich ihrer häufiger zu bedienen als nothwendig sein wird, denn ich bin vollkommen überzeugt, dass Namen und Wissenschaft zweierlei sind.[3])

667. Es ist wohl zu bemerken, dass ich hier keine Meinung über die Natur des elektrischen Stromes aufstelle, ausser der, welche ich bei früheren Gelegenheiten (283, 517) ausgesprochen habe, und dass, wenn ich von dem Strome rede, als gehe er von den positiven zu den negativen Stellen (663), ich mich hiermit lediglich dem hergebrachten Uebereinkommen anschliesse, welches die Physiker, wenn auch gewissermassen stillschweigend, getroffen haben, um ein constantes, sicheres und bestimmtes Mittel zur Bezeichnung der Richtung der Kräfte dieses Stromes zu haben.

IV. Ueber einige allgemeine Bedingungen der elektrochemischen Zersetzung.

669.*) Von der Zeit der Entdeckung der elektrochemischen Zersetzung bis zur Gegenwart hat man bemerkt, dass diejenigen Elemente, welche in dem gewöhnlichen Spiele der chemischen Verwandtschaft sich einander am directesten entgegengesetzt erweisen und die grösste Anziehungskraft hinsichtlich ihrer Verbindung besitzen, zugleich auch diejenigen sind, welche am leichtesten an den entgegengesetzten Enden der zu zerlegenden Körper abgeschieden werden (549).

670. Hatte sich dieses Resultat schon ergeben, als das Wasser in fast allen Fällen einer solchen Zersetzung für wesentlich galt und zugegen war (472), so ist es jetzt noch weit deutlicher, seitdem es sich herausgestellt hat und bewiesen worden ist, dass Wasser zu diesen Erscheinungen nicht nothwendig ist (474), und dass andere Körper diese Substanz in manchen Wirkungen, die ihr als eigenthümlich zugeschrieben wurden, übertreffen.

671. Wasser stand zufolge seiner Constitution und der Natur seiner Elemente und seiner häufigen Gegenwart bei elektrolytischen Actionen in

---

1) *ἀνιών, aufwärts gehend.* (Neutrum participii.)

2) *κατιών, abwärts gehend.*

3) Seit der Vorlesung dieses Aufsatzes habe ich einige der ursprünglich vorgeschlagenen Bezeichnungen geändert, um nur solche zu gebrauchen, die zugleich einfach in ihrer Natur, klar in ihrer Beziehung und frei von jeder Hypothese seien.

*) Einen Artikel 668 giebt es nicht. D. Ü.

dieser Hinsicht bisher voran. Wiewohl es eine durch sehr kräftige Verwandtschaft gebildete Verbindung ist, so giebt es doch unter dem Einflusse eines sehr schwachen elektrischen Stromes seine Bestandtheile aus, und es ist zweifelhaft, ob in seiner Gegenwart eine Elektrolysirung stattfinden kann, ohne dass es in seine Elemente zerlegt wird.

672. Die verschiedenen Oxyde, Chloride, Jodide und Sauerstoffsalze, welche, wie ich gezeigt habe, im flüssigen Zustande nach demselben Gesetze wie das Wasser durch den elektrischen Strom zersetzbar sind (402), bieten ebenso frappante Beispiele von der bei diesen Zersetzungen sich äussernden Activität der in ihren chemischen Relationen einander direct und stark entgegengesetzten Elemente.

673. Auf der anderen Seite zerfallen Körper, welche durch schwache Verwandtschaften zusammengehalten werden, nur sehr selten. Nehmen wir zum Beispiel Gläser; viele derselben, die aus Kieselsäure, Kalk, Alkali und Bleioxyd bestehen, können nur für wenig mehr als für Lösungen der Substanzen in einander angesehen werden;[1]) und doch scheint geschmolzenes Bouteillenglas gar nicht durch die Volta'sche Säule zersetzt zu werden (408); Flintglas dagegen, das mehr direct entgegengesetzte Substanzen enthält, erleidet unter der Einwirkung derselben einige Zersetzung, und Bleiboratglas, welches eine bestimmte chemische Verbindung ist, giebt unter diesen Umständen seine Bestandtheile leicht aus (408).

674. Allein das Resultat, welches in den angeführten Beispielen so auffallend hervortritt, wird durch andere Fälle, wo man ein ähnliches Ergebniss hätte erwarten sollen, nicht unterstützt. Man könnte sagen, meine eigene Theorie liesse erwarten, dass alle zusammengesetzten Körper unter dem Einflusse des elektrischen Stromes mit demjenigen Grade von Leichtigkeit zerlegt werden müssten, der der Stärke der Verwandtschaft, mit der ihre näheren oder entfernteren Bestandtheile verbunden sind, proportional ist. Ich bin nicht sicher, dass aus der Theorie eine solche Schlussfolgerung sich ergiebt, wenn man aber meinen sollte, dass dieser Einwand sich durch die Thatsachen aufdränge, so zweifle ich nicht, dass er beseitigt werden wird, wenn wir erst eine tiefere Kenntniss und eine präcisere Vorstellung von der Natur der chemischen Verwandtschaft und der Art der Wirkung eines elektrischen Stromes auf dieselbe (518, 524) erlangen. Vor der Hand lässt er sich gegen jede andere Theorie der elektrochemischen Zersetzung ebenso unmittelbar geltend machen als gegen die meinige; denn wenn man, wie es allgemein der Fall ist, zugiebt, dass die Körper sich um so stärker mit einander verbinden, je directer sie in ihren Verwandtschaftskräften einander entgegengesetzt sind, so trifft der Einwand mit gleichem Gewicht jede der betrachteten Theorien der Elektrolysirung und vermehrt diejenigen, welche ich gegen dieselbe erhoben habe.

---

[1]) Philosophical Transactions, 1830, p. 49.

675. Unter den starken Verbindungen, welche nicht zersetzt werden, steht die Borsäure obenan (408). Ferner sind Schwefeljodid und die Chloride von Schwefel, Phosphor und Kohlenstoff unter gewöhnlichen Umständen nicht zersetzbar, obwohl die Natur ihrer Elemente das Gegentheil erwarten liesse. Antimonchlorür (402, 690), die Kohlenwasserstoffe, Essigsäure, Ammoniak und viele andere durch die Volta'sche Säule nicht zersetzbare Körper scheinen durch eine hinlänglich starke Verwandtschaft gebildet zu sein und einen so grossen Gegensatz in der Natur ihrer Elemente anzudeuten, um die Erwartung zu rechtfertigen, dass die Säule sie zerlegen würde, besonders da in manchen Fällen von blosser Lösung (530, 544), wo die Verwandtschaft verhältnissmässig sehr schwach sein muss, eine Zerlegung stattfindet.[1])

676. Man muss jedoch nicht vergessen, dass diese Schwierigkeit sich zum grossen Theil und vielleicht ganz zurückführen lässt auf den Mangel an Leitungsfähigkeit, welcher den Durchgang des Stromes und damit natürlich seine Wirkungen verhindert. Alle bekannten Verbindungen, die im starren Zustande Nichtleiter, im flüssigen aber Leiter sind, werden zersetzt, *vielleicht* mit der einzigen bis jetzt bekannten Ausnahme des Quecksilberjodids (679, 691)[2]), und selbst Wasser, welches seine Elemente beim Durchgang des Stromes so leicht ausgiebt, erleidet, wenn es vollkommen rein ist, kaum eine Aenderung, weil es dann sehr schlecht leitet.

677. Sollte es späterhin bewiesen werden, dass das Ausbleiben der Zersetzung in den Fällen, wo sie chemischen Erwägungen zufolge sehr wohl zu erwarten wäre (669, 672, 674), in gänzlichem oder theilweisem Mangel an Leitungsfähigkeit seinen Grund habe, so würde hiermit zugleich bewiesen sein, dass Zersetzung von Leitung *abhänge*, und nicht diese von jener (413), und in Bezug auf Wasser scheint dies fast völlig entschieden zu sein. Andererseits ist der Schluss fast unabweisbar, dass bei Elektrolyten das Vermögen, die Elektricität durch ihre Masse hindurchzulassen, von ihrer Zersetzbarkeit *abhängt*, indem der Durchgang nur erfolgt, so lange sie zersetzt werden, und proportional ist der Quantität der abgeschiedenen Elemente (821). Ich mag mich jedoch jetzt mit einer experimentellen Discussion dieses Punktes nicht aufhalten.

678. Wenn eine Verbindung aus solchen Elementen besteht, welche bekanntermassen zu den entgegengesetzten Enden der Volta'schen Säule hingehen, so scheinen doch die Mengenverhältnisse derselben in innigem Zusammenhange mit der Zersetzbarkeit oder Unzersetzbarkeit der Verbindung zu stehen. So leitet das Zinnchlorür gut und wird zersetzt (402), das Chlorid aber leitet nicht und wird auch nicht zersetzt (406). Das Zinn-

---

[1]) In Bezug auf Lösung habe ich einige Gründe zu der Annahme, dass sie wohl nicht als eine Ursache der Ueberführung angesehen werden könne, und ich beabsichtige, bei passender Gelegenheit auf diese Betrachtung zurückzukommen.

[2]) Siehe nunmehr 1340, 1341. — Dec. 1838.

jodür wird im flüssigen Zustande zersetzt (402), das Jodid nicht (405). Das geschmolzene Quecksilberjodid wird nicht zersetzt (691), obschon es leitet. Ich vermochte es nicht mit dem Jodür zu vergleichen, da das letztere beim Erhitzen in Quecksilber und Jodid zerfällt.

679. Diese bedeutsamen Verschiedenheiten veranlassten mich, gewisse binäre Verbindungen näher unter dem Gesichtspunkte zu untersuchen, ob sich ein *Gesetz* auffinden lasse, welches die *Zersetzbarkeit* nach irgend einer Beziehung *der Proportionen oder Aequivalente* der Elemente regelt. Unter den eben erwähnten Verbindungen waren nur die niederen Stufen zersetzbar, und unter den Substanzen, welche ich anführte, um die Wirksamkeit und Allgemeinheit des von mir entdeckten Gesetzes der Leitung und Zersetzung darzuthun (402), erweisen sich alle demselben unterworfenen Oxyde, Chloride und Jodide, mit Ausnahme des Antimonchlorürs und Quecksilberjodids (denen vielleicht jetzt noch das Quecksilberchlorid hinzugefügt werden kann), ebenfalls als zersetzbar, während viele höhere Verbindungsstufen derselben Elemente, die dem Gesetze nicht unterliegen, nicht zersetzt werden (405, 406).

680. Die entschiedensten Ausnahmen von diesem allgemeinen Resultat scheinen Körper wie Schwefel-, Phosphor-, Salpeter-, Arsen- und andere Säuren zu bilden.

681. Bei meinen Versuchen mit Schwefelsäure hatte ich keinen Grund zu glauben, dass sie an sich die Elektricität leite oder von ihr zersetzt werde, obschon ich früher dieser Meinung war (552). Sehr concentrirt ist sie ein viel schlechterer Leiter als in Verdünnung.[1]) Wird sie dann der Einwirkung einer kräftigen Batterie ausgesetzt, so erscheint an der *Anode* oder positiven Elektrode Sauerstoff, von dem jedoch viel absorbirt wird (728), und an der *Kathode* oder negativen Elektrode Wasserstoff und Schwefel. Ich fand nun den Wasserstoff immer rein, nicht geschwefelt und in geringerer Menge als der Proportion zu dem vorhandenen Schwefel entsprach, so dass offenbar bei dem Zerlegungsprocess Wasser zersetzt worden sein musste. Ich bemühte mich, den Versuch mit Schwefelsäureanhydrid anzustellen, und diese Säure schien mir im geschmolzenen Zustande weder zu leiten, noch zersetzt zu werden, ich besass jedoch nicht genug von der trockenen Säure, um diesen Punkt sicher entscheiden zu können. Ich glaube, dass das Auftreten von Schwefel bei der Einwirkung einer Säule auf Schwefelsäure die Folge einer secundären Action, und die Säure selbst nicht elektrolysirbar ist (757).

682. Mit der Phosphorsäure ist es, wie ich glaube, ebenso, allein wegen der Schwierigkeit, mit geschmolzener wasserfreier Phosphorsäure zu operiren, war mir eine Entscheidung dieses Punktes unmöglich. Phosphorsäure, die einmal Wasser aufgenommen hat, kann durch blosse Erwärmung

---

[1]) De la Rive.

von demselben nicht befreit werden, und die wasserhaltige Säure verflüchtigt sich in der Hitze. Als Phosphorsäure, auf dem ringförmigen Ende eines Drahtes (401) geschmolzen, der Einwirkung der Volta'schen Säule ausgesetzt wurde, erwies sie sich leitend und wurde zersetzt, allein immer entwickelte sich an der negativen Elektrode Gas, ich glaube Wasserstoff, und der Draht wurde nicht angegriffen, wie es geschehen wäre, wenn Phosphor sich ausgeschieden haben würde. Auch an der positiven Elektrode entwickelte sich Gas. Aus allen diesen Thatsachen schliesse ich, dass das Wasser und nicht die Säure zersetzt wurde.

683. *Arsensäure.* Dieser Körper leitete und wurde zersetzt, allein er enthielt Wasser, und ich war zur Zeit nicht im Stande, durch eigene Untersuchung zu ermitteln, ob sich eine schmelzbare wasserfreie Arsensäure darstellen lasse. Sie bildet also vorläufig keine Ausnahme von dem allgemeinen Ergebniss.

684. Untersalpetersäure, durch Destilliren von Bleinitrat dargestellt und in Berührung mit starker Schwefelsäure gehalten, erwies sich als leitend und langsam zersetzbar. Allein eine nähere Untersuchung machte es sehr wahrscheinlich, dass Wasser zugegen war, und dass hierdurch die Zersetzung und Leitung bedingt war. Ich bemühte mich, ein vollkommen wasserfreies Präparat herzustellen, konnte aber nicht die nöthige Zeit hierzu aufwenden, um ein unzweifelhaftes Resultat zu erhalten.

685. Salpetersäure wird, glaube ich, nicht direct durch den elektrischen Strom zersetzt. Da ich zur Aufhellung des Unterschiedes zwischen primären und secundären Zersetzungsvorgängen das thatsächliche Material brauche, so will ich an dieser Stelle nur darauf verweisen (752).

686. Dass diese Mineralsäuren die Leitung und Zersetzung des Wassers erleichtern, ist kein Beweis, dass sie für sich selbst geeignet sind, diese Wirkungen zu begünstigen und zu erleiden. Borsäure thut dasselbe obwohl sie nicht zersetzbar ist. De la Rive giebt an, dass auch Chlor diese Fähigkeit besitzt, aber da es uns als eine elementare Substanz gilt, so kann dieselbe nicht einer Zersetzbarkeit zugeschrieben werden.

687. *Chlorschwefel* leitet nicht und wird nicht zersetzt. Es besteht aus einfachen Aequivalenten seiner Elemente, bildet aber darum keine Ausnahme von der Regel (679), welche nicht aussagt, dass *alle* aus einfachen Aequivalenten ihrer Elemente bestehenden Verbindungen zersetzbar sind, sondern, dass die zersetzbaren diese Zusammensetzung haben.

688. *Phosphortrichlorid* ist weder leitend noch zersetzbar.

689. *Zweifach-Chlorkohlenstoff* leitet nicht und wird nicht zersetzt. Im Verein mit dieser Substanz unterwarf ich den *Chlorkohlenwasserstoff* aus ölbildendem Gase und Chlor der Wirkung des elektrischen Stromes, aber auch er leitet nicht und zerfällt nicht in seine Elemente.

690. Was die Ausnahmen betrifft (679), so verschwinden einige von ihnen bei näherer Untersuchung. Frisch bereitetes Antimonchlorür (eine

Verbindung von einem Aequivalent Antimon und $1^1/_2$ Aeq. Chlor) wurde in eine Röhre gebracht (Fig. 68) (789) und geschmolzen der Wirkung des Stromes ausgesetzt, wobei die positive Elektrode aus Graphit bestand. Anfangs ging keine Elektricität hindurch, und es war auch kein Anzeichen einer Zersetzung erkennbar, als aber die positive und negative Elektrode in dem Chlorür ganz nahe an einander gebracht wurden, trat eine schwache Wirkung ein, und es ging ein schwacher Strom hindurch. Der Effect war jedoch im Ganzen so gering (wiewohl völlig dem früher aufgestellten Gesetz (394) gehorchend) und der in allen übrigen Fällen eintretenden Zersetzung und Leitung so unähnlich, dass ich ihn der Gegenwart einer kleinen Menge Wasser (zu welchem dieses und mehrere andere Chlorüre eine starke Anziehung haben, und mit dem sie Chlorürhydrate bilden), oder vielleicht eines eigentlichen, aus einfachen Aequivalenten bestehenden Chlorürs zuschreibe (695, 796).

691. *Quecksilberjodid,* auf gleiche Weise untersucht, isolirte zweifellos, so lange es fest war, aber flüssig leitete es, gemäss dem Gesetze der *Leitung im flüssigen Zustande* (402), ein Anzeichen von Zersetzung war jedoch nicht vorhanden. Weder trat Jod an der *Anode,* noch Quecksilber oder eine andere Substanz an der *Kathode* auf. Der Fall bildet also keine Ausnahme von der Regel, dass bloss Verbindungen von einfachen Aequivalenten zersetzbar sind, dagegen ist er eine Ausnahme, und ich glaube, die einzige, von dem Satze, dass alle dem Gesetz der Leitung im flüssigen Zustande unterworfenen Körper zersetzbar sind. Ich neige jedoch zu der Annahme, dass etwas Quecksilberjodür in dem Jodid gelöst geblieben, und die schwache Leitungsfähigkeit der langsamen Zersetzung des ersteren zu verdanken sei. In Folge eines secundären Vorganges würde sich Jodid an der *Anode* bilden, und ebenso würde das Quecksilber an der *Kathode* zur Bildung des Jodürs, als eines secundären Productes, Anlass geben. Diese beiden Körper würden sich mit der flüssigen Masse vermischen, und so würde trotz der ununterbrochenen Zersetzung, keine endliche Abscheidung sichtbar sein.

692. *Quecksilberchlorid* leitete im festen Zustande den Volta'schen Strom nicht, aber wohl im flüssigen. Ich glaube auch, dass es in diesem Falle zersetzt wurde, allein es treten hier störende Umstände auf, welche eine weitere Untersuchung erfordern, ehe sich ein sicherer Schluss ziehen lässt.[1])

693. Gewöhnliches Antimonoxyd wird auch im flüssigen Zustande durch den Volta'schen Strom zersetzt, wiewohl der Process aus anderen Ursachen bald aufhört (402, 801). Dieses Oxyd besteht aus einem Aequivalent Antimon und $1^1/_2$ Aeq. Sauerstoff und bildet daher eine Ausnahme

---

[1]) In Betreff des Quecksilberchlorids und Quecksilberjodids siehe nunmehr 1340, 1341. — Dec. 1838.

von dem allgemeinen Gesetze. Allein bei den Versuchen mit diesem Oxyd und dem Chlorür beobachtete ich Thatsachen, welche mich zu der Vermuthung führten, dass die gewöhnlich als Protoxyd und Protochlorid bezeichneten Verbindungen andere, aus einfachen Proportionen bestehende Verbindungen enthalten, welche die wahren Protoverbindungen seien und für den Fall des Oxyds die oben beschriebene Zersetzung veranlassen dürften.

694. Das gewöhnliche Schwefelantimon wird als die Verbindung des Antimons mit der kleinsten Menge Schwefel und, seinen Proportionen nach, als analog mit dem gewöhnlichen Protoxyd angesehen. Allein ich finde, dass beim Zusammenschmelzen desselben mit metallischem Antimon sich ein neues Sulphid bildet, welches mehr Metall als das erstere enthält und sich, wenn es geschmolzen ist, von dem reinen Metall sowohl als auch von dem gewöhnlichen grauen Sulphid deutlich unterscheiden lässt. In einigen rohen Versuchen betrug das so von dem gewöhnlichen Antimonsulphid aufgenommene Metall halb so viel als das vorher schon darin enthaltene, in welchem Falle das neue Sulphid aus *einfachen* Aequivalenten bestehen würde.

695. Als dieses neue Sulphid in Salzsäure gelöst wurde, schien es mir, dass, wiewohl sich etwas Antimon abschied, das wahre, aus *einfachen* Aequivalenten bestehende Protochlorid sich gebildet hatte, und dass hieraus durch Alkalien u. s. w. das wahre, gleichfalls aus *einfachen* Aequivalenten bestehende Protoxyd erhalten werden könnte. Ich konnte mich jedoch nicht dabei aufhalten, diesen Gegenstand durch eine Analyse genau festzustellen.

696. Ich glaube jedoch, dass ein solches Oxyd existirt, dass es oft in veränderlichen Mengen in dem gewöhnlich als Protoxyd bezeichneten Körper vorhanden ist und die Unsicherheit in dem Resultate der Analyse desselben verschuldet, sowie es zu der oben beschriebenen Zersetzung Veranlassung giebt.[1])

697. Alles in Allem ist es wahrscheinlich, dass alle jene binären Verbindungen elementarer Substanzen, welche, gemäss dem Gesetze der Leitung bei der Verflüssigung (394), zwar nicht im festen, aber wohl im flüssigen Zustande elektrolysirt werden können, aus einfachen Aequivalenten ihrer Elemente bestehen, und am Ende sind Borsäure, Ammoniak, Chloride, Jodide und viele andere directe Verbindungen von Elementen in Folge ihrer Abweichung von dieser Einfachheit der Zusammensetzung unzerlegbar.

698. Bei Salzen und Verbindungen von zusammengesetzten Körpern

---

[1]) In Bezug auf diesen und die drei folgenden sowie auch auf Artikel 801 siehe Berzelius' Berichtigung über die Natur dieses vermeintlichen neuen Sulphids und Oxyds, Phil. Mag. 1836. Vol. VIII. 476; über die wahrscheinliche Erklärung der mit dem Protoxyd erhaltenen Wirkungen vergleiche Art. 1340, 1341. — Dec. 1838.

scheint diese einfache Beziehung nicht mehr zu gelten. Durch Doppeltsulphate der Alkalien konnte ich dies nicht entscheiden, denn so lange die zweite Proportion der Säure da war, wurde auch Wasser mit ihr zurückgehalten. Die geschmolzenen Salze leiteten und wurden zersetzt, aber stets trat Wasserstoff an der negativen Elektrode auf.

699. Durch Erhitzen und schliessliches Schmelzen von phosphorsaurem Natron-Ammoniak wurde doppeltphosphorsaures Natron dargestellt. Geschmolzen, leitete dieses Salz und wurde zersetzt; allein an der negativen Elektrode trat etwas Gas auf, und obwohl ich glaube, dass das Salz selbst elektrolysirt wurde, so bin ich doch nicht ganz sicher, dass gar kein Wasser mehr vorhanden war.

700. Ferner wurde doppeltborsaures Natron dargestellt, das, wie ich glaube, ein einwurfsfreies Beispiel darbietet. Geschmolzen, leitete das Salz und wurde zersetzt, und an beiden Elektroden trat Gas auf; selbst wenn die Borsäure bis zu drei Aequivalenten vermehrt wurde, fand derselbe Vorgang statt.

701. Demnach scheint diese Klasse complicirterer Verbindungen nicht demselben einfachen Gesetze unterworfen zu sein, wie die vorhergehende Klasse binärer Verbindungen. Ob wir Grund finden, sie als blosse Lösungen der Verbindungen von einfachen Aequivalenten in dem Ueberschuss der Säure zu betrachten, ist eine Frage, die nebst einigen scheinbaren Ausnahmen unter den Sulphiden künftiger Untersuchung zur Entscheidung überlassen bleiben muss.

702. Bei allen Untersuchungen dieses Gegenstandes muss man grosse Sorgfalt auf Ausschliessung des Wassers verwenden; denn seine Gegenwart veranlasst so häufig secundäre Wirkungen, dass oft eine elektrochemische Zersetzung stattzufinden scheint, während in Wirklichkeit kein eigentlicher Vorgang dieser Art vorhanden ist (742 etc.).

703. Es ist klar, dass in allen Fällen, wo eine Zersetzung *nicht stattfindet*, *vielleicht* der Mangel an Leitungsfähigkeit (677, 413) daran Schuld ist; allein dies verringert durchaus nicht das Interesse, welches erregt wird, wenn man sieht, eine wie grosse Verschiedenheit der Wirkung durch eine Aenderung, nicht in der Natur der Elemente, sondern bloss in ihren Proportionen herbeigeführt wird, besonders wenn man irgend versucht, die von Sir Humphry Davy[1]) aufgestellte und von Berzelius und anderen hervorragenden Naturforschern näher erörterte schöne Theorie, nach welcher die gewöhnliche chemische Affinität lediglich das Resultat der elektrischen Anziehungen der materiellen Theilchen ist, aufzuhellen und näher zu erklären.

---

1) Philosophical Transactions, 1807, pp. 32, 39, sowie 1826, pp. 387, 389.

V. Ueber einen neuen Messapparat für Voltaelektricität.

704. Gelegentlich meiner Bemühung, die gewöhnliche und Volta'sche Elektricität auf ein Normalmaass zurückzuführen (377), und ebenso bei der Einführung meiner Theorie der elektrochemischen Zersetzung (504, 505, 510) habe ich bereits gesagt, dass die chemische Zersetzungswirkung eines Stromes *constant ist für eine constante Quantität der Elektricität*, wie gross auch im Uebrigen die Verschiedenheiten ihres Ursprungs, ihrer Intensität, in der Grösse der angewandten *Elektroden*, in der Natur der von ihr durchströmten Leiter (oder Nichtleiter (307)) oder in anderen Umständen sein mögen. Die entscheidenden Beweise von der Richtigkeit dieser Angaben sollen alsbald geliefert werden (783 etc.)

705. Von diesem Gesetze ausgehend bemühte ich mich, ein Instrument zu construiren, welches die durch dasselbe strömende Elektricität messen sollte, und das, in die Bahn des zu irgend einem besonderen Versuche angewandten Stromes eingeschaltet, nach Belieben entweder zu einem *vergleichenden Normalmaass* der Wirkung oder zu einem *absoluten Messer* dieses subtilen Agens dienen sollte.

706. Keine Substanz ist unter gewöhnlichen Umständen besser geeignet, die Rolle eines Indicators in einem solchen Instrumente zu spielen, als das Wasser. Denn durch Zusatz von Säuren oder Salzen zu einem besseren Leiter gemacht, wird es mit Leichtigkeit zersetzt; seine Elemente lassen sich in vielen Fällen, ohne Störung durch secundäre Actionen, erhalten und sammeln, und da sie gasförmig sind, so befinden sie sich in dem zur Trennung und Messung günstigsten physikalischen Zustande. Ich werde mich also im Allgemeinen des mit Schwefelsäure angesäuerten Wassers bedienen, obwohl in besonderen Fällen oder Versuchsanordnungen die Anwendung anderer Körper zweckmässig sein mag (843).

707. Die erste Vorsicht, welche bei der Construction dieses Instrumentes erforderlich war, bestand darin, die Wiedervereinigung der abgeschiedenen Gase zu verhüten, welche, wie gezeigt worden ist, die positive Elektrode so leicht bewirkt (571). Zu diesem Ende wurde der Zersetzungsapparat in verschiedenen Formen angewandt. Die erste bestand in geraden Röhren, von denen jede eine Platinplatte mit einem mittelst Gold daran gelötheten, in das geschlossene Ende der Glasröhre eingeschmolzenen Platindraht enthielt (Tafel V, Fig. 60). Die Röhren waren ungefähr acht Zoll lang, 0,7 Zoll im Durchmesser und graduirt. Die Platinplatten waren etwa einen Zoll lang, so breit, als es die Röhren gestatteten, und den Mündungen derselben so nahe gestellt, als es das sichere Auffangen der abgeschiedenen Gase zuliess. In manchen Fällen, wo es erforderlich war, die Gase sich an einer möglichst kleinen Fläche entwickeln zu lassen, bestand das metallische Ende nicht aus einer Platte, sondern aus einem ringförmig gebogenen Drahte (Fig. 61). Um diese Röhren zu Messungen zu benutzen, wurden sie, mit verdünnter Schwefelsäure gefüllt, mit ihrem offenen Ende in eine

Schale mit derselben Flüssigkeit gestellt (Fig. 62) und so gegen einander geneigt, dass ihre Mündungen einander so nahe waren, dass möglichst wenig von der Zersetzungsflüssigkeit zwischen ihnen lag, zugleich in solcher Richtung, dass die Platinplatten sich in Verticalebenen befanden (720).

708. Eine andere Form des Apparates ist in Figur 63 abgebildet. Die Röhre ist in der Mitte gebogen; an dem einen Ende *a*, das geschlossen ist, ist ein Draht mit der Platte befestigt, welche soweit herabreicht, dass sie bei der in der Figur dargestellten Lage der Biegung möglichst nahe sei, dass aber doch alles an ihr entwickelte Gas sich in dem geschlossenen Schenkel der Röhre ansammle. Die Ebene dieser Platte ist ebenfalls vertical (720). Das andere metallische Ende *b* wird, wenn die Zersetzung vor sich gehen soll, eingeführt und der Biegung so nahe gebracht als es möglich ist, ohne dass Gas von demselben nach dem geschlossenen Schenkel des Apparates hinübergehe. Das dort entwickelte Gas konnte frei entweichen.

709. In einer dritten Form enthält der Apparat beide Elektroden in einer und derselben Röhre; der Durchgang der Elektricität und somit auch die Zersetzung erfolgt hier natürlich weit schneller als bei getrennten Röhren. Das erhaltene Gas ist die Summe der an beiden Elektroden entwickelten Mengen, und das Instrument eignet sich besser als die beiden vorigen zur Messung der in gewöhnlichen Fällen durchgelassenen Quantität der Volta'schen Elektricität. Es besteht aus einer geraden, an dem oberen Ende geschlossenen, graduirten Röhre (Fig. 64), durch deren Seiten (in das Glas eingeschmolzene) Platindrähte gehen, an denen zwei Platinplatten innerhalb derselben befestigt sind. Die Röhre ist in eine der Mündungen einer doppelhalsigen Flasche passend eingeschliffen. Wenn die letztere zur Hälfte oder zu zwei Drittheilen mit der verdünnten Schwefelsäure (706) gefüllt ist, so wird diese beim Neigen des ganzen Apparates in die Röhre fliessen und sie ausfüllen. Geht ein elektrischer Strom durch das Instrument, so sammeln sich die an den Platten entwickelten Gase in dem oberen Theile der Röhre an und sind dem Einflusse des Platins, das ihre Wiedervereinigung bewirken könnte, entrückt.

710. Eine fernere Form des Apparates zeigt Fig. 65.

711. Eine fünfte Form ist in Fig. 66 abgebildet. Diese habe ich bei Versuchen, welche mehrere Tage hintereinander fortgesetzt wurden, und wo grosse Mengen des zu messenden Gases zu sammeln waren, ausserordentlich zweckmässig gefunden. Der Apparat wird auf einem schweren Fuss befestigt und hat das Aussehen einer kleinen Retorte, welche beide Elektroden enthält. Der Hals ist eng und lang genug, um das darin auftretende Gas in eine auf einer kleinen pneumatischen Wanne stehende Flasche fortzuleiten. Die Elektrodenkammer, die an dem im Gestell befindlichen Theile hermetisch verschlossen ist, ist fünf Zoll lang und 0,6 Zoll im Durchmesser; der Hals hat etwa neun Zoll Länge und 0,4 Zoll inneren Durchmesser. Die Figur wird die Construction vollkommen veranschaulichen.

712. Es braucht kaum bemerkt zu werden, dass bei allen diesen Apparaten Vorsorge getroffen werden muss, dass sie sowohl als auch die Drähte, welche sie mit einer der Einwirkung desselben elektrischen Stromes ausgesetzten Substanz verbinden, soweit isolirt seien, dass sie die Gewissheit bieten, dass alle durch den einen gegangene Elektricität auch den anderen durchströmt habe.

---

713. Nächst der Vorsicht, die sich vermischenden Gase so aufzufangen, dass sie nicht in Berührung mit dem Platin blieben, war es nothwendig, das Gesetz einer *festen elektrolytischen* Action wenigstens beim Wasser unter allen möglichen Bedingungen zu prüfen, um neben der Ueberzeugung von seiner Giltigkeit zugleich eine Kenntniss von jenen störenden Umständen zu gewinnen, gegen welche man sich praktisch zu schützen habe.

714. Zuerst wurde untersucht, ob und welchen Einfluss die Grösse der Elektroden habe und zu diesem Ende dieselbe unter Anwendung der zuletzt beschriebenen Instrumente (709, 710, 711) mannigfach abgeändert. Das eine derselben hatte Platten von 0,7 Zoll Breite und nahezu vier Zoll Länge, ein anderes Platten von nur 0,5 Zoll Breite und 0,8 Zoll Länge; ein drittes hatte Drähte von 0,02 Zoll Durchmesser und drei Zoll Länge, ein viertes endlich eben solche Drähte von nur einem halben Zoll Länge. Dennoch wurde in allen, wenn man sie, mit verdünnter Schwefelsäure gefüllt, hinter einander schaltete, so dass ein und derselbe elektrische Strom durch alle hindurchging, nahezu dieselbe Menge Gas entwickelt. Die Differenz war bald zu Gunsten des einen, bald zu Gunsten des anderen, aber als allgemeines Resultat ergab sich, dass die grösste Gasmenge an den kleinsten, also an den nur aus Drähten von Platin gebildeten Elektroden auftrat.

715. Aehnliche Versuche mit den einplattigen, sowohl geraden (707) als auch gekrümmten Röhren (708) hatten denselben Erfolg; und wenn diese Röhren mit den vorigen zusammen auf mannigfache Weise so angeordnet wurden, dass durch alle derselbe Elektricitätsstrom hindurchging, so war das Resultat in Bezug auf die Gleichheit der Action an den grossen und kleinen Metallflächen beständig dasselbe. Folgende Zahlen mögen zur Erläuterung dienen. Ein Apparat mit zwei Drähten gab 74,3 Volumina des Gasgemenges, ein anderer mit Platten 73,25 Volumina, während die Summe der Volumina des in zwei getrennten Röhren erhaltenen Sauerstoffs und Wasserstoffs 73,65 Volumina betrug. Bei einem anderen Versuche waren diese Volumina 55,3, 55,3 und 54,4.

716. Es wurde jedoch bei diesen Versuchen beobachtet, dass in einplattigen Röhren (707) an der negativen Elektrode mehr Wasserstoff entwickelt wurde, als dem Sauerstoff an der positiven Elektrode entsprach, und im Allgemeinen auch mehr als dem Sauerstoff und Wasserstoff in

einer doppelplattigen Röhre proportional war. Eine nähere Untersuchung dieser Erscheinungen veranlasste mich, sie nebst den Differenzen zwischen Drähten und Platten (714) auf die Löslichkeit der Gase, besonders der an der positiven Elektrode entwickelten, zurückzuführen.

717. Wenn positive und negative Elektrode gleich grosse Oberfläche haben, so tragen die von ihnen in verdünnter Schwefelsäure aufsteigenden Gasblasen immer einen verschiedenen Charakter an sich. An der positiven Platte sind sie ausserordentlich klein und trennen sich in Folge der vollkommenen Reinheit der Metallflächen (633) augenblicklich von jedem Punkte derselben, der Flüssigkeit geben sie durch ihre Zahl und Kleinheit ein trübes Aussehen, werden von Strömungen leicht abwärts geführt, und daher bieten sie der Flüssigkeit nicht nur grössere Berührungsflächen dar, als es grössere Blasen thun würden, sondern werden auch viel länger in Mengung mit derselben zurückgehalten. Dagegen sind die Blasen an der negativen Fläche, obwohl sie ein doppelt so grosses Volumen bilden als das Gas an der positiven Elektrode, sehr gering an Zahl. Sie steigen nicht so allgemein an jedem Punkte der Oberfläche auf, sondern scheinen an bestimmten Punkten sich zu entwickeln, und wiewohl sie viel grösser sind, so scheinen sie doch an dem Metall zu haften, trennen sich nur schwer von ihm und steigen, einmal losgelöst, sogleich zur Oberfläche der Flüssigkeit. Wenn also Sauerstoff und Wasserstoff unter sonst ähnlichen Umständen gleiche Löslichkeit in Wasser oder gleiches Verbindungsvermögen für dasselbe haben, so geht doch unter den vorliegenden Bedingungen der Sauerstoff bei weitem leichter in Lösung; nimmt man hinzu, dass er, wie wohl bekannt, mit Wasser eine Verbindung eingeht, so kann es nicht überraschen, dass diese Verbindung in kleinen Mengen wirklich an der positiven Elektrode auftritt; und in der That rührt die bleichende Wirkung, welche einige Physiker in einer Lösung, aus welcher Chlor und ähnliche Substanzen sorgfältig ausgeschlossen worden waren, an dieser Elektrode beobachtet haben, wahrscheinlich von dem auf diese Weise gebildeten Wasserstoffsuperoxyd her.

718. Dass bei Anwendung von Drähten mehr Gas erhalten wurde als bei Anwendung von Platten, schreibe ich dem Umstande zu, dass, da in gleichen Zeiten gleiche Mengen entwickelt werden, die Blasen an den Drähten, die sich in Bezug auf jede Stelle der Oberfläche rascher entwickelten, viel grösser sein mussten und daher mit einer viel kleineren Fläche und eine viel kürzere Zeit hindurch mit der Flüssigkeit in Berührung standen, als die an den Platten, wesshalb sie weniger gelöst und in grösserer Menge aufgefangen wurden.

719. Es trat noch eine andere Wirkung, besonders bei Anwendung grosser Platten, ein, welche auch eine Folge und zugleich ein Beweis von der Lösung eines Theiles des daselbst entwickelten Gases war. In dem aufgefangenen Gase fand sich bei näherer Untersuchung eine geringe Menge

Stickstoff. Diesen leite ich von der Gegenwart von Luft her, die in der zur Zersetzung angewandten Säure gelöst war. Es ist eine wohl bekannte Thatsache, dass, wenn durch Wasser oder Lösungen ein nur wenig darin lösliches Gas in Blasen hindurchstreicht, jede sich lösende Menge dieses Gases eine Menge des vorher in der Flüssigkeit enthaltenen Gases verdrängt, und so verhält es sich auch bei den in Rede stehenden Zersetzungen. Der in Lösung gehende Sauerstoff verdrängt einen Theil der Luft oder wenigstens des Stickstoffs, der vorher in der Säure enthalten war, und dieser Vorgang zeigt sich *am bedeutendsten* bei grossen Platten, weil das an ihnen entwickelte Gas sich in dem für die Lösung günstigsten Zustande befindet.

720. In der Absicht, dieser Lösung der Gase soviel als möglich vorzubeugen, gab ich den Elektrodenplatten eine verticale Lage (707. 708), damit die Blasen rasch in die Höhe entweichen und die absteigenden Strömungen in der Flüssigkeit keinen aufsteigenden Gasströmen begegnen sollten. Ich fand, dass diese Vorsichtsmassregel viel zur Erzielung constanter Resultate beiträgt, besonders bei den später zu erwähnenden Versuchen, wo an Stelle der verdünnten Schwefelsäure andere Flüssigkeiten, wie z. B. Kalilösung, angewandt wurde.

721. Die aus der eben erwähnten Löslichkeit entspringenden Unregelmässigkeiten in den Angaben des vorgeschlagenen Messapparates sind jedoch nur klein und können durch Vergleichung der Resultate von zwei oder drei Versuchen nahezu völlig corrigirt werden. Sie können auch fast ganz vermieden werden, wenn man eine Lösung wählt, welche sie möglichst wenig begünstigt (728), und noch mehr, wenn man nur den Wasserstoff sammelt und zur Messung benutzt; denn da dieses Gas weit weniger löslich ist als Sauerstoff, sich doppelt so schnell und in grösseren Blasen (717) entwickelt, so kann man es vollständiger und in grösserer Reinheit erhalten.

722. Aus den vorhergehenden und vielen anderen Versuchen ergiebt sich, dass *Aenderungen in der Grösse der Elektroden keine Aenderung in der auf Wasser ausgeübten chemischen Action einer gegebenen Elektricitätsmenge bewirkt.*

---

723. Der nächste Punkt, in Bezug auf welchen das Princip der constanten elektrochemischen Action geprüft wurde, war die *Abänderung der Intensität.* In erster Reihe wurden die vorstehenden Versuche wiederholt mit Batterien von *gleicher* Plattenzahl, aber mit *starker* und mit *schwacher* Erregungsflüssigkeit. Allein die Resultate waren einander gleich. Dann wurden sie wiederholt mit Batterien, einmal von vierzig, das andere Mal von nur fünf Platten, allein auch jetzt blieben die Resultate sich gleich. *Aenderungen der Intensität,* veranlasst durch Unterschiede in der Stärke der Erregungsflüssigkeit oder in der Anzahl der Plattenpaare, *brachten also keinen Unterschied in der an sich gleichen Action grosser und kleiner Elektroden hervor.*

724. Diese Resultate waren jedoch kein Beweis dafür, dass eine Aenderung in der Intensität des Stromes nicht von einer entsprechenden Aenderung in den elektrochemischen Wirkungen begleitet war, da die Actionen an *allen* Flächen zugleich vermehrt oder vermindert worden sein konnten. Diese Lücke in dem Beweise wird jedoch durch die vorhergehenden Versuche mit Elektroden von verschiedener Grösse vollständig ausgefüllt, denn mit einer Aenderung der Grösse derselben musste auch eine Aenderung in der Intensität eingetreten sein. Die Intensität eines elektrischen Stromes, welcher Leiter von gleicher Natur, Beschaffenheit und Länge durchläuft, verhält sich wahrscheinlich wie die einen gegebenen, zum Strome senkrechten Querschnitt durchlaufende Menge der Elektricität, dividirt durch die Zeit (360, Anmerkung); und wenn daher derselbe Elektricitätsstrom gleichzeitig durch grosse Platten und Drähte hindurchging, die durch eine je gleiche Länge des zu zersetzenden Leiters (714) getrennt waren, so musste die Elektricität hinsichtlich der *Tension* sich zwischen den Platten in einem ganz anderen Zustande befinden als zwischen den Drähten, wiewohl die chemischen Ergebnisse sich gleich blieben.

725. Einen Intensitätsunterschied unter den erwähnten Umständen kann man leicht experimentell nachweisen, wenn man zwei Zersetzungsapparate wie in Fig. 67 anordnet, wo dieselbe Flüssigkeit der zerlegenden Kraft des elektrischen Stromes ausgesetzt ist, der aber im Gefässe A zwischen grossen Platinplatten und im Gefässe B zwischen dünnen Drähten übergeht. Wird nun ein dritter Zersetzungsapparat, wie der in Fig. 66 (711) abgebildete, mit den Drähten *a b*, Fig. 67, verbunden, so wird der Grad der in ihm eintretenden Zersetzung hinreichend gut dazu dienen, den relativen Intensitätszustand der beiden Platten anzuzeigen; und wenn er nun ebenso zur Prüfung des Zustandes der Drähte an *a'b'* angebracht wird, so wird er durch die nun eintretende Steigerung der Zersetzung in ihm zeigen, um wieviel grösser die Intensität hier ist als an den früheren Punkten. Die Verbindung von P und N mit der Volta'schen Batterie muss natürlich während der ganzen Zeit unterhalten bleiben.

726. Eine dritte Versuchsanordnung, bei welcher, um das Princip der gleichen chemischen Action zu prüfen, ein Intensitätsunterschied erzielt wurde, bestand darin, dass drei Voltameter so geschaltet wurden, dass der elektrische Strom, nachdem er durch das eine gegangen war, sich in zwei Theile theilte, die sich, nachdem je einer eins der übrigen Instrumente durchlaufen hatte, wieder vereinigten. Die Summe der Zersetzung in den beiden letzteren Gefässen war stets gleich der Zersetzung in dem ersteren Gefässe. Allein die *Intensität* der verzweigten Stromtheile konnte nicht der des ursprünglichen Stromes gleich sein, folglich *hat eine Aenderung* *der Intensität keinen Einfluss auf das Resultat, wenn die Quantität der Elektricität dieselbe bleibt.* Der Versuch lässt sich eigentlich einfach auf eine Vergrösserung der Elektroden zurückführen (725).

---

727. Der dritte Punkt, in Bezug auf welchen das Princip von der gleichen elektrochemischen Action am Wasser geprüft wurde, war die *Aenderung in der Stärke* der angewandten Lösung. Um das Wasser leitend zu machen, war ihm Schwefelsäure zugesetzt worden (707), und es konnte wohl scheinen, dass diese Substanz, wie viele andere, das Wasser, bei gleich bleibender Quantität der Elektricität, zersetzbarer mache. Allein es liess sich beweisen, dass dies nicht der Fall ist. Es wurde verdünnte Schwefelsäure von verschiedener Stärke in verschiedene Zersetzungsapparate gebracht und gleichzeitig der Wirkung eines und desselben elektrischen Stromes ausgesetzt (714). Geringe Differenzen traten wie früher bald in der einen, bald in der anderen Richtung auf, aber das schliessliche Resultat war, dass *durch dieselbe Elektricitätsmenge in allen diesen Lösungen dieselbe Menge Wasser zersetzt wurde*, obwohl der Gehalt an Schwefelsäure in einigen siebzigmal so gross war als in anderen. Die angewandten Concentrationen hatten ein von 1,495 an abwärts gehendes specifisches Gewicht.

728. Bei Anwendung einer Säure von ungefähr 1,336 specifischem Gewicht waren die Resultate am gleichförmigsten, und Sauerstoff und Wasserstoff (716) traten dann meist constant in dem richtigen Verhältniss zu einander auf. Eine solche Säure lieferte mehr Gas als eine viel schwächere unter Einwirkung desselben Stromes, offenbar weil sie weniger Lösekraft für dasselbe besass. War die Säure sehr stark, so verschwand eine auffallende Menge Sauerstoff. So lieferte ein Gemenge von zwei Theilen starken Vitriolöls mit einem Theil Wasser zweiundvierzig Volumina Wasserstoff, aber nur zwölf Volumina Sauerstoff. Die Wasserstoffmenge war nahezu gleich derjenigen, welche sich aus einer Säure vom specifischen Gewicht 1,232 entwickelte. Ich hatte noch nicht Zeit, die das Verschwinden des Sauerstoffs in diesem Falle bedingenden Umstände eingehend zu prüfen, aber ich glaube, dass es auf die Bildung von Wasserstoffsuperoxyd zurückzuführen sei, die, wie Thénard gezeigt hat, durch die Gegenwart von Säure begünstigt wird.

---

729. Obschon es für den praktischen Gebrauch des in Rede stehenden Instrumentes nicht nothwendig war, so habe ich doch, als eng verknüpft mit der wichtigen Frage der constanten elektrochemischen Action auf Wasser, auch die Wirkungen eines elektrischen Stromes beim Durchgang durch wässerige Lösungen von Säuren, Salzen und anderen ihrer Natur nach ausserordentlich von einander verschiedenen Verbindungen untersucht und gefunden, dass diese zum Erstaunen gleichmässige Resultate liefern. Aber viele von diesen werden, da sie mit einer secundären Action im Zusammenhang stehen, zweckmässiger später beschrieben werden (778).

730. Aus Lösungen von Aetzkali oder Aetznatron, oder Magnesiumsulphat oder Natriumsulphat, die dem elektrischen Strome ausgesetzt wurden, entwickelte sich ebensoviel Sauerstoff und Wasserstoff als aus der verdünnten Schwefelsäure, mit welcher sie verglichen wurden. Der Versuch mit einer Ammoniaklösung, die durch Zusatz von Ammoniumsulphat besser leitend gemacht wurde (554), oder mit einer Lösung von Kaliumcarbonat ergab die Entwickelung einer ebenso grossen Menge *Wasserstoff*, als aus der zum Vergleiche mit ihnen dienenden verdünnten Schwefelsäure in Freiheit gesetzt wurde. Demnach *bringen Aenderungzn in der Natur der Lösung keine Aenderung in der Constanz der elektrolytischen Action auf Wasser hervor.*

731. In Betreff grosser und kleiner Elektroden habe ich bereits gesagt, dass eine Aenderung in der Reihenfolge keine Aenderung in dem allgemeinen Effect zur Folge hat (715). Dasselbe war der Fall bei verschiedenen Lösungen oder verschiedenen Intensitäten; und wie auch die Versuchsbedingungen variirt werden mochten, die Resultate stimmten vorzüglich mit einander überein und bewiesen, dass die elektrochemische Action noch dieselbe war.

---

732. Die vorstehende Untersuchung betrachte ich als einen ausreichenden Beweis für den sehr überraschenden und wichtigen Satz, insofern er das **Wasser** betrifft, *dass, wenn dieses der Einwirkung des elektrischen Stromes unterworfen wird, eine der durchgegangenen Elektricitätsmenge genau proportionale Menge desselben zersetzt wird,* wenn auch die Bedingungen und Umstände, unter die man es bringt, auf tausendfache Weise variirt werden; und dass ferner, wenn man sich gegen die von gewissen secundären Wirkungen herrührenden Störungen (742 etc.), sowie gegen die Lösung oder Wiedervereinigung der Gase und die Entbindung von Luft sichert, *die Producte der Zersetzung mit solcher Genauigkeit gesammelt werden können, dass sie einen ganz vorzüglichen und werthvollen Messer für die an ihrer Entwickelung betheiligte Elektricität bilden.*

733. Die in Fig. 64, 65, 66 (709, 710, 711) dargestellten Formen des Instrumentes werden wahrscheinlich die zweckmässigsten sein, da sie die Menge der Elektricität durch das grösste Volumen der Gase angeben und dem Durchgange des Stromes den geringsten Widerstand entgegensetzen. Die Flüssigkeit, welcher ich nach meinen bisherigen Erfahrungen den Vorzug gebe, ist eine Schwefelsäurelösung von etwa 1,336 bis 1,25 specifischem Gewicht; es ist aber sehr wesentlich, dass dieselbe keine organische Substanz, weder eine Pflanzensäure noch einen anderen Körper enthalte, welcher von dem an den Elektroden entwickelten Sauerstoff oder Wasserstoff eine Einwirkung erleidet (773 etc.) und dadurch deren Menge vermindern oder ihnen andere Gase hinzufügen könnte.

734. In vielen Fällen, in denen das Instrument als *Vergleichsmaass* oder selbst als eigentlicher *Messer* benutzt wird, kann es wünschenswerth sein, nur den Wasserstoff aufzufangen, da er weniger als der Sauerstoff durch Absorption oder aus anderen Gründen verschwindet, und überdies sein Volumen so gross ist, dass die durch ihn erhaltenen Angaben gut und deutlich sind. In solchen Fällen habe ich den Apparat in der ersten und zweiten Form angewandt, Fig. 62, 63 (707, 708); die Angaben waren ganz constant, die Abweichungen viel geringer als mit denjenigen Formen des Apparates, die beide Gase sammelten. Man kann dieselben auch zu vergleichenden Versuchen mit Lösungen benutzen, welche keinen Sauerstoff oder bloss secundäre Resultate seiner Wirkung liefern und daher keine Angaben machen können, wenn die Producte an beiden Elektroden gesammelt werden. Dies ist der Fall bei Anwendung von Lösungen von Ammoniak, Salzsäure, Chloriden, Jodiden, Acetaten oder anderen vegetabilischen Salzen u. s. w.

735. In wenigen Fällen, wo Lösungen von Metallsalzen, welche an der negativen Elektrode leicht reducirt werden, der Einwirkung ausgesetzt sind, kann der Sauerstoff mit Vortheil als Maasssubstanz dienen, wie es zum Beispiel bei Anwendung von Kupfersulphat der Fall ist.

736. Es sind also hauptsächlich zwei Formen des Instrumentes, die ich als Elektricitätsmesser vorschlage, eine, bei welcher beide Gase des zersetzten Wassers aufgefangen werden (709, 710, 711), die andere, bei welcher nur ein Gas, der Wasserstoff, hierzu dient (707, 708). Als *Vergleichsinstrument* (als welches ich nun einen sehr ausgedehnten Gebrauch von demselben machen werde) erfordert es bei der Beobachtung keiner besonderen Vorsicht, soll es aber als *absoluter Messer* dienen, so muss der barometrische Druck und die Temperatur berücksichtigt werden, und die Instrumente müssen nach einer einheitlichen Scala graduirt sein. Hundertstel und kleinere Bruchtheile eines Cubikzolles sind hierzu ganz passend und es dürfte sehr zweckmässig sein, das Hundertstel als die einem **Grade** von Elektricität entsprechende Einheit zu nehmen.

737. Es wird kaum nöthig sein, noch ausführlicher, als es bereits geschehen ist, anzugeben, wie das Instrument anzuwenden sei. Es wird in die Bahn des elektrischen Stromes eingeschaltet, dessen Wirkung sich irgendwo sonst äussern soll, und wenn 60^0 oder 70^0 Elektricität zu messen sind, sei es auf einmal oder in mehreren Theilen, so ist der Strom, er mag stark oder schwach sein, so lange zu unterhalten, bis das Gas in der Röhre jene Anzahl von Theilungen oder Hundertsteln eines Cubikzolles einnimmt. Oder wenn eine zur Hervorbringung eines gewissen Effectes erforderliche Menge gemessen werden soll, so muss man den Eintritt desselben abwarten und dann die Angaben ablesen. Bei genauen Versuchen ist es nothwendig, an dem Gasvolumen eine Correctur wegen etwaiger Aenderungen der Temperatur, des Druckes und besonders wegen der Feuchtigkeit[1]) anzubringen. Hinsichtlich des letzteren Punktes ist das Fig. 66 abgebildete Voltameter am genauesten, weil die Gase über Wasser gemessen werden, während sie sich in den anderen über Säure oder Salzlösungen befinden.

738. Ich habe kein Bedenken getragen, den Ausdruck *Grad* (736) zu gebrauchen, nach Analogie mit der Anwendung desselben auf ein anderes sehr wichtiges imponderables Agens, nämlich die Wärme; und da eine bestimmte Ausdehnung von Luft, Wasser, Quecksilber, u. s. w. zur Messung von Wärme dient, so ist hier von einer bestimmten Gasentwickelung ein ähnlicher Gebrauch für Elektricität gemacht.

739. Das Instrument ist der einzige bisher bekannte *wirkliche Messer* der Volta'schen Elektricität. Denn ohne sich im Geringsten mit der Zeit zu ändern, noch von Aenderungen der Intensität oder sonstigen Veränderungen des Stromes selbst, welcher Art sie auch sein, und welche Ursache sie auch haben mögen, noch auch von Unterbrechungen der Action beeinflusst zu werden, bekundet er mit Genauigkeit die durch ihn hindurchgegangene Elektricitätsmenge und bringt sie zur Anschauung. Ich habe es deshalb **Volta-Elektrometer***) genannt.

740. In vielen Fällen kann ein anderes Verfahren zum Messen von Voltaelektricität mit Vortheil eingeschlagen werden, beruhend auf der Menge von Metallen oder anderen Substanzen, die entweder als primäre oder secundäre Producte abgeschieden werden; ich enthalte mich jedoch, auf die Anwendung derselben einzugehen, bis die Principien, auf denen ihre Constanz beruht, völlig festgestellt sind (791, 843).

741. Mit Hilfe dieses Instrumentes war ich im Stande, die Bestimmtheit der elektrochemischen Action im allgemeinsten Sinne darzuthun, und ich bin überzeugt, dass es von höchstem Nutzen sein wird für die Erweiterung der Wissenschaft, welche diese Untersuchungen an die Hand geben. Ich behaupte nicht, es in allen Einzelnheiten vollkommen gemacht zu haben, sondern die Richtigkeit des Princips und den Nutzen seiner Anwendung erwiesen zu haben.[2])

---

[1]) Eine einfache Tabelle zu Correctionen wegen der Feuchtigkeit findet sich in meiner Chemical Manipulation, Ausgabe von 1830, p. 376, und ich nehme mir die Freiheit, darauf zu verweisen.

*) Siehe Anmerk. zu Art. 565. D. Ü.

[2]) Bereits im Jahre 1811 haben Gay Lussac und Thénard chemische Zersetzung zur Messung der Elektricität der Volta'schen Säule benutzt. Siehe Recherches Physico-chymiques, p. 12. Die Grundsätze und Vorsichtsmassregeln, welche sie, um als genaues Maass zu dienen, erfordert, waren damals natürlich nicht bekannt. — Dec. 1838.

VI. Ueber den primären oder secundären Charakter der an den Elektroden abgeschiedenen Körper.

742. Ehe das *Voltameter* zum Nachweis der Constanz der elektrochemischen Zersetzung als eines *allgemeinen Gesetzes* angewandt werden konnte, war es nothwendig, einen von den Naturforschern bereits erkannten Unterschied in den Producten jener Action, nämlich den primären oder secundären Charakter derselben näher zu untersuchen und, wo möglich, durch eine allgemeine Regel oder einen allgemeinen Grundsatz zu entscheiden, wann sie von der einen, wann von der anderen Art seien. Es wird sich weiterhin zeigen, dass grosse Irrthümer hinsichtlich der elektrochemischen Action und ihrer Ergebnisse daraus entsprungen sind, dass man diese beiden Klassen von Resultaten zusammengewürfelt hat.

743. Wenn eine in Zersetzung begriffene Substanz die durch den elektrischen Strom getrennten Körper unverbunden und unverändert an den Elektroden ausgiebt, so sind sie als primäre Producte zu betrachten, auch wenn sie selbst zusammengesetzt sind. So sind Sauerstoff und Wasserstoff primäre Ergebnisse der Wasserzersetzung, und ebenso verhält es sich mit der Säure und dem Alkali (wiewohl sie selbst zusammengesetzte Körper sind), die aus Natriumsulphat abgeschieden werden. Wenn aber die durch den Strom abgeschiedenen Körper vor ihrem Auftreten an den Elektroden eine Umwandlung erfahren, so geben sie zu secundären Resultaten Anlass, wiewohl die in Freiheit gesetzten Körper in vielen Fällen elementar sind.

744. Diese secundären Resultate entstehen auf zweierlei Weise: zuweilen rühren sie von der gegenseitigen Wirkung zwischen der abgeschiedenen Substanz und der Substanz der Elektrode her, zuweilen von der Wirkung der ersteren auf die Substanzen, welche in dem in Zersetzung begriffenen Körper selbst enthalten sind. Wenn beispielsweise Kohle die positive Elektrode in verdünnter Schwefelsäure bildet, so treten an dieser gelegentlich Kohlenoxyd und Kohlensäure an Stelle des Sauerstoffs auf, und dieser ist es, welcher durch seine Einwirkung auf die Substanz der Elektrode die Entstehung dieser secundären Producte veranlasst. Oder wenn Platin in einer Lösung von Bleinitrat oder Bleiacetat als positive Elektrode dient, so erscheint hier Bleisuperoxyd, welches ebenso wie die vorigen ein secundäres Product ist, aber hier entstanden durch Einwirkung des Sauerstoffs auf eine in der Lösung enthaltene Substanz. Wiederum, wenn Ammoniak mittelst Platinelektroden zersetzt wird, tritt Stickstoff an der *Anode* auf[1]), aber wiewohl ein *elementarer* Körper, erscheint er hier doch in Folge eines secundären Vorganges, durch die chemische Wirkung des daselbst auf elektrischem Wege abgeschiedenen Sauerstoffs auf das Ammoniak der umgebenden Lösung (554). Ebenso, wenn wässerige

---

1) Annales de Chimie, 1804, Tom. LI. p. 167.

Lösungen von Metallsalzen durch den Strom zersetzt werden, sind die an der *Kathode* abgeschiedenen Metalle, wiewohl sie Elemente sind, *stets* secundäre Producte und nicht unmittelbare Ergebnisse der zersetzenden Kraft des elektrischen Stromes.

745. Viele dieser secundären Erzeugnisse sind ausserordentlich werthvoll; hierher gehören beispielsweise all die interessanten Verbindungen, welche Becquerel durch schwache elektrische Ströme erhalten hat; aber ihre Entstehung ist wesentlich chemischer Art, und in der Theorie der elektrolytischen Action müssen sie sorgfältig unterschieden werden von denjenigen Körpern, welche von der directen Wirkung des elektrischen Stromes herrühren.

746. Die Natur der abgeschiedenen Substanzen wird oft zu einem richtigen Urtheil über ihren primären oder secundären Charakter führen, aber zu einer sicheren Feststellung dieses Punktes ist sie allein nicht ausreichend. So heisst es vom Stickstoff, er werde zuweilen von der positiven, zuweilen von der negativen Elektrode angezogen, je nach den Körpern, mit denen er verbunden ist (554, 555), und er wird in solchen Fällen als ein primäres Ergebniss angesehen[1]), allein ich hoffe zu zeigen, dass sein Auftreten an der positiven Elektrode oder richtiger an der *Anode* das Resultat eines secundären Vorganges ist (748). So hat auch Sir Humphry Davy[2]) und mit ihm die grosse Mehrzahl der Chemiker (ich selbst eingeschlossen) das Auftreten von Kupfer, Blei, Zinn, Silber, Gold u. s. w. an der negativen Elektrode, bei der Einwirkung des Volta'schen Stromes auf ihre wässerigen Lösungen, als Beweis für die Anziehung der Metalle, als einer zusammengehörigen Gruppe, durch jene Fläche angesehen, und sie fassen demnach das Metall in jedem Falle als ein primäres Ergebniss auf. Ich hoffe jedoch zu zeigen, dass sie sämmtlich secundäre Ergebnisse sind, blosse Folge einer chemischen Action und kein Beweis für eine Anziehung oder für das über ihre Stellung ausgesprochene Gesetz.[3])

747. Ziehen wir aber das in Betreff des Wassers bereits bewiesene (732) Gesetz von der *constanten elektrochemischen Action* zu Hilfe, welches ich in befriedigender Weise auf alle Körper auszudehnen hoffe (821), und berücksichtigen wir sowohl die *Menge* als auch die *Natur* der in Freiheit gesetzten Körper, so können wir uns ein allgemein richtiges Urtheil über den primären oder secundären Charakter der Resultate bilden; und dieser

---

1) Annales de Chimie, 1804, tom. LI. p. 172.

2) Elements of Chemical Philosophy, pp. 144. 161.

3) Es ist bemerkenswerth, dass man bis zum Jahre 1804 allgemein der Ansicht war, dass die Metalle durch den nascirenden Wasserstoff reducirt werden. Um jene Zeit aber kam durch Hiesinger und Berzelius (Annales de Chimie, 1804, tom. LI. p. 174) die entgegengesetzte Ansicht auf, indem sie behaupteten, dass die Metalle direct durch die Elektricität ausgeschieden werden, welcher Ansicht, wie es scheint, seitdem auch Davy beipflichtete (Philosophical Transactions, 1826. p. 388).

wichtige Punkt, der so wesentlich ist für die Theorie der Elektrolyse, da er entscheidet, welches die der directen Einwirkung des Stromes unterliegenden Theilchen (zum Unterschiede von denen, welche nicht beeinflusst werden), und welches die zu erwartenden Resultate sind, lässt sich mit einem solchen Grade von Sicherheit feststellen, dass zahllose Zweideutigkeiten und zweifelhafte Betrachtungen aus diesen Zweigen der Wissenschaft beseitigt werden.

748. Wenden wir diese Principien auf den Fall von Ammoniak und die vermeintliche Determinirtheit des Stickstoffs für die eine oder andere *Elektrode* (554, 555) an. Eine reine concentrirte Lösung von Ammoniak ist ein ebenso schlechter Leiter und daher ebensowenig zur Elektrolysirung geeignet als reines Wasser, löst man aber darin Ammoniumsulphat, so wird das Ganze leitend; an der *Anode* entwickelt sich *fast,* und zuweilen *völlig* reiner Stickstoff, an der *Kathode* Wasserstoff; das Volumenverhältniss ist schwankend, aber ungefähr ist das Volumen des ersteren zu dem des letzteren wie 1 zu 3 oder 4. Dieses Resultat scheint im ersten Augenblick dafür zu sprechen, dass der elektrische Strom Ammoniak zersetzt habe, und dass der Stickstoff gegen die positive Elektrode hingetrieben worden sei. Allein als die hierbei aufgewandte Elektricität am Voltameter (707, 736) gemessen wurde, zeigte es sich, dass der erhaltene Wasserstoff genau in dem Verhältniss stand, in welchem er sich bei der Wasserzersetzung entwickelt haben würde, während der Stickstoff keinerlei bestimmte oder constante Relation erkennen liess. Als dann bei Vermannigfaltigung der Versuche, bei Anwendung einer stärkeren oder schwächeren Lösung, einer mehr oder weniger kräftigen Batterie, sich ergab, dass das an der *Anode* entwickelte Gas aus einem, sowohl dem Verhältniss als auch der absoluten Quantität nach, veränderlichen Gemenge von Sauerstoff und Stickstoff bestand, während der Wasserstoff an der *Kathode* constant blieb, so konnte kein Zweifel obwalten, dass der Stickstoff an der *Anode* ein secundäres Resultat war, eine Folge der chemischen Einwirkung des durch den elektrischen Strom zu dieser Fläche hin getriebenen nascirenden Sauerstoffs auf das in Lösung befindliche Ammoniak. Es war also das Wasser, das elektrolysirt wurde, nicht das Ammoniak. Ferner giebt das Experiment keine thatsächliche Anzeige von der Tendenz des elementaren Stickstoffs zu einer oder der anderen Elektrode; ich kenne auch keinen Versuch mit Salpetersäure oder anderen Verbindungen des Stickstoffs, welcher zeigte, dass dieses Element die Tendenz habe, unter dem Einfluss des elektrischen Stromes in der einen oder anderen Richtung seiner Bahn fortzugehen.

749. Als ein anderes Beispiel zur Erläuterung der secundären Resultate führe ich die Wirkungen auf eine Lösung von Kaliumacetat an. Bei Anwendung einer sehr concentrirten Lösung entwickelte sich an der *Anode* mehr Gas als an der *Kathode*, nahezu in dem Verhältniss von 4 zu 3, und zwar an der *Anode* ein Gemenge von Kohlenoxyd und Kohlensäure, an der *Kathode* reiner Wasserstoff. Wurde eine weit schwächere Lösung angewandt, so entwickelte sich an der *Anode* weniger Gas als an der *Kathode*, und es enthielt nun Kohlenwasserstoff neben Kohlenoxyd und Kohlensäure. Dieses Auftreten von Kohlenwasserstoff an der positiven Elektrode erscheint als ein ganz anomales, wenn man es als eine unmittelbare Folge der zersetzenden Kraft des Stromes betrachtet. Allein es ist eben so gut wie das Kohlenoxyd und die Kohlensäure lediglich ein *secundäres Ergebniss;* denn nur das Wasser erleidet eine elektrochemische Zersetzung, und es ist der an der *Anode* entbundene Sauerstoff, welcher durch Einwirkung auf die Essigsäure, inmitten der er sich entwickelt, Veranlassung zur Entstehung jener Substanzen giebt, welche schliesslich daselbst erscheinen. Dies wird durch die Untersuchung mit dem Voltameter (707) völlig bewiesen; denn der aus dem Acetat entwickelte Wasserstoff tritt immer in bestimmter, genau im Verhältniss zu der durch die Lösung gegangenen Elektricität stehenden Menge auf, und diese ist gleich der im Voltameter selbst entwickelten Wasserstoffmenge. Dass nun der mit Wasserstoff verbundene Kohlenstoff an der positiven Elektrode auftritt, an der negativen aber nicht, steht in seltsamem Widerspruch mit den Resultaten, welche nach dem allgemein angenommenen Gesetze in Betreff der schliesslichen Orte der Elemente zu erwarten wären.

750. Wenn das in Lösung befindliche Salz ein Bleiacetat ist, so sind die Resultate an beiden Elektroden secundär und können nicht dazu dienen, den Betrag der elektrochemischen Action zu schätzen oder auszudrücken, ausser durch ein weitläufiges Verfahren (843). An Stelle des Sauerstoffs oder auch der eben erwähnten (749) Gase tritt nun Bleisuperoxyd an der positiven, und Blei selbst an der negativen Elektrode auf. Wendet man andere metallische Lösungen an, welche Oxyde enthalten, wie das des Kupfers, in Verbindung mit dieser oder einer anderen zersetzbaren Säure, so erhält man noch complicirtere Resultate, welche, wenn man sie als directe Ergebnisse der elektrochemischen Action ansieht, in ihren Proportionen nur Verworrenheit zeigen, dagegen vollkommen übereinstimmend und einfach sind, wenn man sie als secundäre Resultate betrachtet, und alsdann entsprechen sie auch in ihren Proportionen dem durch die Wirkung einer bestimmten Elektricitätsmenge aus Wasser entwickelten Sauerstoff und Wasserstoff.

751. Ich habe mit vielen Körpern experimentirt, in der Absicht, zu bestimmen, ob die Resultate primäre oder secundäre seien, und war überrascht, zu finden, wieviele von ihnen in gewöhnlichen Fällen der letzteren Klasse angehören, und wie häufig bloss Wasser der elektrolysirte Körper ist, in Fällen, wo man angenommen hat, dass andere Substanzen zersetzt worden wären. Einige dieser Resultate will ich so kurz als möglich mittheilen.

752. *Salpetersäure.* — Sehr concentrirt leitet sie gut und liefert Sauerstoff an der positiven Elektrode. An der negativen Elektrode erscheint kein Gas, hingegen bildet sich hier salpetrige Säure und augenscheinlich auch Stickoxyd, welches, sich lösend, die Säure gelb oder roth färbt und schliesslich sogar durch freiwillige Absonderung ein Aufbrausen veranlasst. Wurde die Säure mit einem ihr gleichen oder grösseren Volumen Wasser verdünnt, so trat an der negativen Elektrode Gas auf. Die Menge desselben variirte mit Aenderungen in der Stärke der Säure oder des Volta'schen Stromes: Säure, aus welcher sich bei Anwendung einer schwachen Volta'schen Batterie kein Gas an der *Kathode* abschied, entwickelte Gas unter dem Einfluss einer stärkeren Batterie, während andererseits die Batterie, welche keine Gasentwickelung in einer starken Säure verursachte, eine solche in einer verdünnteren Säure hervorrief. Das Gas an der *Anode* war stets Sauerstoff, das an der *Kathode* Wasserstoff. Die Messung der producirten Mengen mittelst des Voltameters (707) ergab für Sauerstoff, gleichviel ob er starker oder schwacher Säure entstammte, dasselbe Verhältniss, in welchem er sich aus Wasser entwickelt. Wurde die Säure bis zum specifischen Gewicht 1,24 oder noch weiter verdünnt, so entsprach auch die Wasserstoffmenge derjenigen, in welcher er sich aus Wasser entwickelt. Ich schliesse hieraus, dass nicht die Salpetersäure, sondern nur das Wasser elektrolysirt wird, dass der Sauerstoff an der *Anode* stets ein primäres Resultat ist, dass aber die Producte an der *Kathode* oft secundäre sind und von der Reaction des Wasserstoffs auf die Salpetersäure herrühren.

753. *Salpeter.* — Eine Lösung dieses Salzes liefert sehr veränderliche Resultate, je nach der Gestalt der angewandten Röhre oder je nach der Grösse der Elektroden. Zuweilen erhält man den ganzen Wasserstoff des zersetzten Wassers an der negativen Elektrode, zuweilen nur einen Theil von ihm, weil sich bald secundäre Producte bilden. Die Lösung ist ein vorzüglicher Elektricitätsleiter.

754. *Ammoniumnitrat* in wässeriger Lösung giebt zu sehr verschiedenen und in ihren Proportionen unbestimmten secundären Producten Veranlassung.

755. *Schweflige Säure.* — Reine flüssige schweflige Säure leitet nicht und wird auch nicht durch den elektrischen Strom zersetzt[1]), aber ihre Lösung in Wasser besitzt Leitungsfähigkeit, wird zersetzt und liefert an der *Anode* Sauerstoff und an der *Kathode* Wasserstoff und Schwefel.

756. Eine Lösung von schwefliger Säure, welcher Schwefelsäure zugesetzt worden war, leitete besser. Sie lieferte an beiden Elektroden sehr wenig Gas, an der *Anode* war es Sauerstoff, an der *Kathode* reiner Wasser-

1) Siehe auch De la Rive, Bibliothèque Universelle, tom. XL. p. 205; oder Quarterly Journal of Science, vol. XXVII, p. 407.

stoff. Von der Kathode stieg auch eine weisse, trübe Strömung auf, welche aus feinvertheiltem Schwefel bestand und bald der ganzen Lösung ein milchiges Aussehen gab. Die Gasvolumina standen in keinem regelmässigen Verhältniss zu den Mengen, welche sich im Voltameter aus Wasser entwickelt hatten. Ich schliesse hieraus, dass die schweflige Säure in keinem dieser Fälle durch den elektrischen Strom irgend angegriffen wurde, und dass vielmehr ausschliesslich das vorhandene Wasser elektrochemische Zersetzung erlitt, dass der an der *Anode* aus dem Wasser sich entwickelnde Sauerstoff die schweflige Säure in Schwefelsäure umwandelte, und der an der *Kathode* auf elektrischem Wege abgeschiedene Wasserstoff die schweflige Säure zersetzte, indem er sich mit dem Sauerstoff derselben verband und den Schwefel in Freiheit setzte. Ich schliesse also, dass der Schwefel an der negativen Elektrode nur ein secundäres Resultat war, und in der That verband sich auch kein Bruchtheil desselben mit der kleinen Menge Wasserstoff, welche bei Anwendung schwacher Lösungen von schwefliger Säure entwich.

757. *Schwefelsäure.* — Ich habe bereits meine Gründe angegeben, aus denen ich schliesse, dass Schwefelsäure nicht elektrolysirbar, d. h. nicht direct durch den elektrischen Strom zersetzbar ist, sondern nur in Folge eines secundären Vorganges, welchen der an der *Kathode* entwickelte Wasserstoff veranlasst (681), unter Umständen Zersetzung erleidet. Im Jahre 1800 betrachtete Davy den Schwefel aus der Schwefelsäure als das Resultat der Wirkung des nascirenden Wasserstoffs.[1] Hiesinger und Berzelius jedoch behaupteten im Jahre 1804, er sei das directe Ergebniss der Wirkung der Volta'schen Säule[2], eine Ansicht, welche seitdem auch Davy angenommen zu haben scheint, und die dann überall Aufnahme gefunden hat. Die Aenderung meiner eigenen Ansicht macht eine Berichtigung dessen, was ich in einer früheren Reihe dieser Untersuchungen (552) über die Zersetzung der Schwefelsäure gesagt habe, nothwendig: Ich glaube also nun nicht, dass das Auftreten des Schwefels an der negativen Elektrode ein unmittelbares Ergebniss elektrolytischer Action sei.

758. *Salzsäure.* — Eine starke Lösung lieferte Wasserstoff an der negativen Elektrode und Chlor an der positiven Elektrode; ein Theil desselben wirkte auf das Platin ein und ein anderer Theil wurde gelöst. Eine kleine Gasblase blieb zurück, die jedoch kein Sauerstoff war, sondern wahrscheinlich Luft, die vorher in Lösung gewesen war.

759. Es war von Wichtigkeit, zu entscheiden, ob das Chlor ein primäres Product war, oder ein secundäres, herrührend von der Einwirkung des an der *Anode* aus dem Wasser entwickelten Sauerstoffs auf die Salzsäure, ob also die Salzsäure elektrolysirbar ist, und wenn dies der Fall, ob die Zersetzung eine *bestimmte* war.

---

1) Nicholson's Quarterly Journal, vol. IV. pp. 280. 281.

2) Annales de Chimie, 1804, Tom, LI. p. 173.

760. Die Salzsäure wurde nach und nach verdünnt. Ein Theil derselben, mit sechs Theilen Wasser gemengt, lieferte nur Chlor an der *Anode*, ebenso verhielt sich ein Gemenge von einem Theil Chlor mit acht Theilen Wasser; bei neun Theilen Wasser trat neben Chlor etwas Sauerstoff auf, allein bei diesen Concentrationen hing das Auftreten oder Nichtauftreten des Sauerstoffs theilweise von der Stärke der angewandten Volta'schen Batterie ab. Bei fünfzehn Theilen Wasser entwickelte sich an der *Anode* neben reichlichen Mengen Chlor ein wenig Sauerstoff. Da die Lösung nun die Elektricität schlecht leitete, wurde Schwefelsäure zugesetzt, welche wohl eine rasche Zersetzung veranlasste, aber das Mengenverhältniss des Chlors und Sauerstoffs nicht merklich änderte.

761. Die Salzsäure wurde nun mit dem 100fachen ihres Volumens an verdünnter Schwefelsäure vermischt. Auch jetzt trat eine verhältnissmässig grosse Menge Chlor, mit Sauerstoff gemengt, an der *Anode* auf, und das Resultat blieb dasselbe, gleichviel ob eine Volta'sche Batterie von 40 oder nur von 5 Plattenpaaren gebraucht wurde. Bei Säure von dieser Stärke verhielt sich das Volumen des an der *Anode* entwickelten Sauerstoffs zu dem des Wasserstoffs an der *Kathode* wie 17 zu 64; und daher wären 30 Volumina Chlor aufgetreten, würde es sich nicht in der Flüssigkeit gelöst haben.

762. Was demnächst die Menge der in Freiheit gesetzten Elemente betrifft, so fand sich mit Benutzung des Voltameters, gleichviel ob die stärkste oder die schwächste Salzsäure angewandt wurde, ob Chlor allein oder gemengt mit Sauerstoff an der *Anode* auftrat, die Menge des an der *Kathode* entwickelten Wasserstoffs constant, d. h. sie war genau gleich derjenigen, welche *dieselbe Elektricitätsmenge* aus Wasser entwickelte.

763. Diese Constanz entscheidet nicht, ob die Salzsäure elektrolysirt wird oder nicht, obschon sie beweist, dass, wenn es der Fall ist, die Menge in einem festen Verhältniss zu der aufgewandten Elektricitätsmenge stehen muss. Andere Erwägungen gestatten jedoch diesen Punkt zu entscheiden. Die Analogie zwischen Chlor und Sauerstoff in ihren Relationen zum Wasserstoff ist so gross, dass sie fast die Gewissheit darbietet, dass dieselben, mit diesem Element verbunden, ähnliche Rollen in dem Process der elektrochemischen Zersetzung spielen werden. Beide vereinigen sich mit ihm in einfachen Proportionen oder Aequivalenten, und da die Anzahl der Proportionen in inniger und wichtiger Beziehung zu der Zersetzbarkeit eines Körpers zu stehen scheint (697), so ist die Zusammensetzung der Salzsäure sowohl als die des Wassers die für die Zersetzung günstigste oder vielleicht geradezu nothwendige. Auch aus anderen binären Verbindungen des Chlors, die nichts von jener etwa durch die gleichzeitige Anwesenheit von Sauerstoff bedingten Ungewissheit darbieten, wird das Chlor direct durch den elektrischen Strom an der *Anode* abgeschieden. Dies ist der Fall mit dem Bleichlorid (395), welches sich durchaus mit dem Bleioxyd (402) vergleichen lässt und zu ihm in derselben Beziehung steht, wie die Salzsäure zum Wasser. Die Chloride des Kaliums, Natriums, Bariums u. s. w. stehen in der gleichen Beziehung zu den Oxyden dieser Metalle und liefern unter dem Einflusse des elektrischen Stromes dieselben Resultate (402).

764. Aus allen diesen Versuchen und diesen Betrachtungen schliesse ich, dass Salzsäure durch die unmittelbare Wirkung des elektrischen Stromes zersetzt wird, und dass die abgeschiedenen Mengen, und demnach die chemische Action eine *bestimmte ist für eine bestimmte Menge Elektricität.* Denn wiewohl ich das Chlor an der *Anode* nicht im isolirten Zustande aufgefangen und gemessen habe, so kann doch kein Zweifel obwalten, dass es dem Wasserstoff an der *Kathode* proportional ist, und die Resultate sind daher ausreichend, das allgemeine Gesetz der *constanten elektrochemischen Action* für Salzsäure festzustellen.

765. In Bezug auf die verdünnte Säure (761) schliesse ich, dass ein Theil des Wassers elektrochemisch zersetzt wird, und dass ihm der Sauerstoff entstammt, welcher, dem Chlor beigemengt, an der *Anode* auftritt. Der Sauerstoff *kann* als ein secundäres Resultat angesehen werden, allein ich bin geneigt, zu glauben, dass dem nicht so ist, denn wenn es der Fall wäre, so würde sein Auftreten in grösster Menge aus der stärkeren Säure zu erwarten sein, während gerade das Gegentheil der Fall ist. Diese und andere Erwägungen führen mich zu dem Schluss, dass Salzsäure leichter als Wasser durch den elektrischen Strom zersetzt wird, da, selbst bei einer Verdünnung mit der achtfachen oder neunfachen Menge Wasser, sie allein zersetzt wird, während das Wasser unangegriffen bleibt.

766. *Chloride.* — Lösungen von Chloriden in Wasser, wie beispielsweise die Chloride des Natriums oder Calciums, lieferten an der positiven Elektrode nur Chlor und an der negativen Elektrode Wasserstoff nebst dem Oxyd des Metalls, also Natron oder Kalk. Der Verlauf des Zersetzungsprocesses lässt sich auf zweierlei oder dreierlei Weise betrachten, die alle zu demselben Resultate führen. Am einfachsten ist es vielleicht, das Chlorid als die elektrolysirte Substanz anzusehen, deren Chlor zur *Anode* getrieben und hier in Freiheit gesetzt werde, und deren Metall zur *Kathode* gehe, hier aber kein Chlor mehr vorfindend, auf das Wasser einwirke und so Veranlassung zur Entstehung von Wasserstoff und einem Oxyd, als secundären Resultaten, gebe. Da eine weitere Erörterung mich von wichtigeren Gegenständen abziehen würde und nicht von unmittelbarer Bedeutung ist, so will ich sie im Augenblick unterlassen. Es ist jedoch von *grosser Wichtigkeit,* zu constatiren, dass die Wasserstoffmenge im Voltameter in beiden Fällen eine fest bestimmte war, und wenn die Resultate auch nicht die feste Bestimmtheit der Zersetzung der Chloride beweisen (was anderswo, 789, 794, 814, geschehen wird), so stehen sie doch nicht im Mindesten einem solchen Schluss entgegen, und sie unterstützen das *allgemeine Gesetz.*

767. *Jodwasserstoffsäure.* — Eine Lösung von Jodwasserstoffsäure wird genau in derselben Weise afficirt wie Salzsäure. Ist sie concentrirt, so entwickelt sich an der negativen Elektrode Wasserstoff in fest bestimmtem Verhältniss zu der durchgegangenen Elektricitätsmenge, d. h. in demselben Verhältniss, in welchem er sich aus Wasser entwickelt; an der positiven Elektrode scheidet sich Jod ohne eine Spur von Sauerstoff ab. Ist sie aber verdünnt, so tritt an der *Anode* neben Jod Sauerstoff in kleinen Mengen auf, während das Verhältniss der Wasserstoffmenge an der *Kathode* unverändert bleibt.

768. Ich halte die Zersetzung der Jodwasserstoffsäure in diesem Falle für eine directe, aus Gründen, welche ich bereits in Bezug auf Salzsäure dargelegt habe (763, 764).

769. *Jodide.* — Als eine Lösung von Jodkalium dem Volta'schen Strome ausgesetzt wurde, erschien Jod (ohne Spur von Sauerstoff) an der positiven Elektrode und Wasserstoff nebst freiem Alkali an der negativen Elektrode. Ueber die Art, in welcher die Zersetzung erfolgt, lassen sich hier dieselben Betrachtungen anwenden, wie in Bezug auf die Lösungen der Chloride (766).

770. *Fluorwasserstoffsäure und Fluoride.* — Eine Lösung von Fluorwasserstoffsäure scheint durch den elektrischen Strom nicht zersetzt zu werden, es wurde anscheinend nur das Wasser zersetzt. Die geschmolzenen Fluoride wurden elektrolysirt (417); allein da ich bei diesen Processen *Fluor* im isolirten Zustande erhalten habe, so halte ich es für besser, darüber in einer späteren Reihe dieser Untersuchungen zu berichten, in welcher ich eine vollständigere Darlegung der Resultate zu geben beabsichtigte, als zu dem vorliegenden Gegenstande passend sein würde.[1])

771. *Cyanwasserstoffsäure* in Lösung leitet sehr schlecht. An der *Kathode* wurde Wasserstoff in dem festen Verhältniss (gleich dem aus Wasser) in Freiheit gesetzt, während sich an der *Anode* eine kleine Menge Sauerstoff entwickelte und anscheinend eine Lösung von Cyan entstand. Die Wirkung entsprach durchaus der bei verdünnter Salzsäure oder Jodwasserstoffsäure. Dieselben Resultate ergaben sich, als die Cyanwasserstoffsäure durch Zusatz von Schwefelsäure besser leitend gemacht wurde.

Cyanide. — Bei einer Lösung von Cyankalium war das Resultat genau dasselbe wie bei einem Chlorid oder Jodid. Kein Sauerstoff entwickelte sich an der positiven Elektrode, sondern es bildete sich hier eine braune Lösung. Aus Gründen, welche ich bei Besprechung der Chloride

---

[1]) Ich habe kein Fluor erhalten; meine Vermuthungen, die sich bis zur Ueberzeugung steigerten, schwanden eine nach der anderen, als ich sie einer strengen Prüfung unterwarf. Ich erhielt einige eigenartige Resultate und verweise in Betreff eines derselben auf Artikel 1340. — Dec. 1838.

gegeben habe (766), und weil geschmolzenes Cyankalium an der positiven Elektrode Cyan liefert,[1]) neige ich zu der Meinung, dass das gelöste Cyanid *direct* zersetzt wird.

772. *Ferrocyanwasserstoffsäure* und die *Ferrocyanide*, sowie auch *Sulphocyanwasserstoffsäure* und die *Sulphocyanide* gaben die eben beschriebenen (771) entsprechenden Resultate.

773. *Essigsäure.* — Geschmolzener Eisessig (405) wird durch Elektricität nicht zersetzt, noch leitet er sie. Auch auf Zusatz von etwas Wasser erfolgte kein Anzeichen einer Wirkung, ein grösserer Zusatz von Wasser hatte eine geringe Wirkung zur Folge, etwa wie bei reinem Wasser. Als dann, um ihn besser leitend zu machen, verdünnte Schwefelsäure zugesetzt wurde, entwickelte sich Wasserstoff in dem fest bestimmten Verhältniss an der *Kathode*, und an der *Anode* ein Gemisch einer sehr geringen Menge Sauerstoff mit Kohlensäure und etwas Kohlenoxyd. Hieraus geht hervor, dass Essigsäure nicht elektrolysirbar ist, sondern dass ein Theil derselben durch den an der *Anode* entwickelten Sauerstoff zersetzt wird, und dass so secundäre, mit der Stärke der Säure, der Intensität des Stromes und anderen Umständen veränderliche Producte entstehen.

774. *Acetate.* — Von einem derselben habe ich bereits erwähnt, dass es nur secundäre Resultate in Beziehung zur Essigsäure liefert (749). Bei vielen anderen essigsauren Metallsalzen sind die Resultate an beiden Elektroden secundär (746, 750).

Geschmolzenes, wasserfreies Natriumacetat wird direct zersetzt, es ist, wie ich glaube, ein wahrer Elektrolyt und liefert Natron an der *Kathode* und Essigsäure an der *Anode.* Sie haben jedoch keine sonderliche Beständigkeit, sondern verwandeln sich alsbald in andere Substanzen; Kohle, Natrium-Wasserstoff [sodiuretted hydrogen] u. s. w. werden an der Kathode frei und, soweit ich es unter den Umständen beurtheilen konnte, Essigsäure, gemengt mit Kohlenoxyd, Kohlensäure u. s. w. an der Anode.

775. *Weinsteinsäure.* — Eine reine Lösung von Weinsteinsäure ist ein fast ebenso schechter Leiter als reines Wasser. Durch Zusatz von Schwefelsäure wird es gut leitend, und die Producte an der positiven Elektrode sind primär oder secundär in verschiedenen Verhältnissen, je nach der Stärke der Säure und des elektrischen Stromes (752). Weinsteinsaure Alkalien lieferten an der positiven Elektrode secundäre Producte in grosser Menge. Der Wasserstoff an der negativen Elektrode blieb constant, wenn nicht gewisse Doppelsalze angewandt wurden.

776. In Salzlösungen, die andere vegetabilische Säuren enthielten, wie benzoësaure Salze, Lösungen von Zucker, Gummi u. s. w. in verdünnter

---

[1]) Es ist sehr merkwürdig, hierbei Kohlenstoff mit Stickstoff kräftig gegen die positive Fläche der Volta'schen Batterie getrieben zu sehen, aber dies steht in vollkommener Uebereinstimmung mit der von mir aufgestellten Theorie der elektrochemischen Zersetzung.

Schwefelsäure, Lösungen von Harz, Eiweiss u. s. w. in Alkalien, entstanden, als sie der elektrolytischen Wirkung des Volta'schen Stromes unterworfen wurden, an der positiven Elektrode secundäre Producte in grösserem oder geringerem Betrage.

777. Zum Schlusse dieses Abschnittes der vorliegenden Untersuchungen muss es uns auffallen, dass das Endresultat der Wirkung des elektrischen Stromes auf Substanzen, welche sich zwischen den Elektroden befinden, nicht immer einfach ist, sondern sehr complicirt sein kann. Diese Substanzen können auf zweierlei Art zersetzt werden, entweder durch den directen Einfluss des elektrischen Stromes oder durch die Action von Körpern, welche dieser Strom zu entbinden vermag. Ebenso giebt es zwei Wege, auf denen sich neue Verbindungen bilden können, nämlich entweder durch directe Verbindung der abgeschiedenen Stoffe im Entstehungsmomente (658) mit der Substanz der Elektrode, oder durch ihre Verbindung mit den Körpern, welche in der der Zersetzung unterworfenen Substanz enthalten oder mit ihr vereinigt sind und daher nothwendig an der *Anode* sowohl als auch an der *Kathode* vorhanden sind. Diese Vorgänge können dadurch noch complicirter werden, dass zwei oder mehrere dieser Actionen gleichzeitig und in variabeln Verhältnissen zu einander in's Spiel treten. Allein mit Beachtung der früher dargelegten Grundsätze (747) löst sich diese Complicirtheit grossentheils auf.

778. Wendet man die Körper in *wässerigen* Lösungen an, so sind secundäre Ergebnisse ungemein häufig. Selbst wenn das Wasser nicht in grosser Menge, sondern nur als Verbindungswasser zugegen ist, treten oft secundäre Poducte auf. So ist es z. B. sehr wahrscheinlich, dass bei Sir Humphry Davy's Zersetzung von Kalium- und Natriumhydroxyd ein Theil des erzeugten Kaliums die Folge einer secundären Action war. Auch erklärt sich hieraus das häufige Verschwinden von Sauerstoff und Wasserstoff, welche sonst frei geworden wären, und wenn in einer *wässerigen Lösung* Wasserstoff *nicht* an der *Kathode* erscheint, so ist dies vielleicht immer eine Anzeige, dass hier eine secundäre Action stattgefunden hat. Bisher hat sich meiner Beobachtung noch keine Ausnahme von dieser Regel dargeboten.

779. Secundäre Actionen sind *nicht beschränkt auf wässerige Lösungen* oder auf die Fälle, wo Wasser zugegen ist. So geben beispielsweise viele geschmolzene Cloride (402) bei der Elektrolyse zwischen Platinelektroden Chlor an der *Anode* aus. In vielen Fällen, z. B. bei Anwendung der Chloride von Blei, Kalium, Barium u. s. w., greift das Chlor das Platin an und bildet mit ihm eine Verbindung, die sich löst; bei Anwendung von Zinnchlorür dagegen wirkt das Chlor an der *Anode* nicht auf das Platin, sondern auf das fertige Chlorür und verwandelt dasselbe in Chlorid, welches in Dampfform aufsteigt (790, 804). Dies sind demnach Beispiele von secundären Actionen beiderlei Art, die in Körpern, welche kein Wasser enthalten, vor sich gehen.

780. Die Abscheidung von Bor aus geschmolzenem Borax (402, 417) ist ebenfalls ein Beispiel einer secundären Action, denn Borsäure wird durch Elektricität nicht zersetzt (408), und es war bei den früher beschriebenen Versuchen das an der *Kathode* abgeschiedene Natrium, welches, auf die umgebende Borsäure reagirend, ihr Sauerstoff entzog und das Bor in Freiheit setzte.

781. Secundäre Actionen haben bereits unter Becquerel's Händen viele interessante Ergebnisse geliefert, indem sich so Verbindungen bildeten, welche theils unbekannt, theils künstliche Darstellungen der in der Natur vorkommenden waren.[1]) Wahrscheinlich werden sie sich nach entgegengesetzter Richtung, nämlich durch Darbietung von Fällen analytischer Zerlegung ebenso interessant erweisen. Wahrscheinlich werden wir auch über die Anordnung der Theilchen solcher Körper, wie Pflanzensäuren und Alkaloide und der organischen Verbindungen überhaupt, reichlichen Aufschluss erhalten, wenn wir sie der Einwirkung des Sauerstoffs, Wasserstoffs, Chlors u. s. w. im Momente, da diese an den Elektroden entstehen, aussetzen. Diese Action scheint um so vielverheissender zu sein, als wir über solche Umstände, wie Stärke des Stromes, Grösse der Elektroden, Natur und Concentration des zu zersetzenden Leiters u. s. w. vollkommen gebieten können, von denen sich erwarten lässt, dass sie einen entsprechenden Einfluss auf das Endresultat haben.

782. Es gereicht mir zu grosser Befriedigung, dass die ausserordentliche Mannigfaltigkeit der secundären Resultate nichts aufgewiesen hat, was der Lehre von der constanten und fest bestimmten elektrochemischen Action, zu deren näherer Betrachtung ich nun übergehen will, entgegenstände.

VII. Ueber die Bestimmtheit und den Bereich der elektrochemischen Zersetzung.

783. In der dritten Reihe dieser Untersuchungen, nachdem ich die Identität der aus verschiedenen Quellen stammenden Elektricitäten nachgewiesen und durch Messungen gezeigt hatte, wie ausserordentlich gross die von einem sehr schwachen Volta'schen Apparat gelieferte Elektricität ist (371, 376), habe ich ein aus Versuchen abgeleitetes Gesetz ausgesprochen, welches mir für die Elektricitätslehre überhaupt und für den Elektrochemie genannten Zweig derselben im Besonderen von der höchsten Wichtigkeit zu sein schien. Das Gesetz lautete folgendermassen: *Die chemische Kraft eines elektrischen Stromes ist direct proportional der absoluten Menge der durchgegangenen Elektricität* (377).

784. Im weiteren Verlauf der dann folgenden Untersuchungen hatte ich häufig Anlass, mich auf dieses Gesetz zu berufen, zuweilen unter Um-

---

1) Annales de Chimie, tom. XXXV. p. 113.

ständen, welche für die Wahrheit desselben eine nachdrückliche Bestätigung bildeten (456, 504, 505), und die vorliegende Reihe hat bereits zahlreiche neue Fälle geliefert, in denen es giltig ist (704, 722, 726, 732). Es ist nun meine Absicht, dieses wichtige Princip näher zu betrachten und einige der Consequenzen, zu denen es führt, zu entwickeln. Damit die Beweise entscheidender und anwendbarer seien, werde ich nur solche Fälle von Zersetzung sehr einfacher, aber ihrer Natur nach ganz bestimmter Körper anführen, bei denen Störungen durch secundäre Resultate möglichst wenig stattfinden.

785. In erster Linie betrachte ich das Gesetz als so vollkommen gesichert in Bezug auf die Zersetzung des *Wassers* und unter so mannigfachen Umständen, welche wohl einen Einfluss auf dasselbe hätten ausüben können, dargethan, dass ich wohl mit Recht von weiteren Einzelnheiten dieses Körpers und auch von einer nochmaligen Zusammenfassung der Resultate (732) absehen darf. Ich verweise also auf den ganzen Abschnitt der vorliegenden Reihe dieser Untersuchungen, welcher von dem *Voltameter* handelt (704 etc.).

786. Demnächst betrachte ich das Gesetz in Bezug auf die *Salzsäure* gleichfalls als erwiesen, durch die Versuche sowohl als auch aus den Gründen, welche ich in dem Abschnitte über primäre und secundäre Resultate (758 etc.) in Betreff dieses Körpers angeführt habe.

787. Ich betrachte das Gesetz auch als festgestellt hinsichtlich der *Jodwasserstoffsäure*, auf Grund der in dem vorhergehenden Abschnitte dieser Untersuchungsreihe erwähnten Versuche und Ueberlegungen (767, 768).

788. Wenn auch nicht mit derselben Zuversicht, aber doch gestützt auf die beschriebenen und auf viele andere nicht mitgetheilten Versuche mit Fluorwasserstoffsäure, Cyanwasserstoffsäure, Ferrocyanwasserstoffsäure und Sulphocyanwasserstoffsäure (770, 771, 772), und in Anbetracht der Analogie zwischen diesen Körpern und den Wasserstoffsäuren des Chlors Jods, Broms u. s. w. bin ich der Meinung, dass auch sie dem Gesetze unterworfen sind und zum Beweise desselben dienen.

789. In den vorhergehenden Fällen, mit Ausnahme des ersten, wird das Wasser als unwirksam angesehen. Um jedoch jeden Zweifel, welcher aus der Gegenwart desselben entspringen könnte, zu vermeiden, suchte ich nach Substanzen, welche vollkommen frei von demselben seien, und gestützt auf das rüher dargelegte Leitungsgesetz (380 etc.), fand ich bald eine genügende Anzahl solcher Substanzen, von denen zuerst das *Zinnchlorür* auf folgende Weise der Zersetzung unterworfen wurde. Ein Stück Platindraht, dessen eines Ende zu einem Knöpfchen zusammengerollt war, wurde sorgfältig gewogen und in einer Röhre von Bouteillenglas luftdicht eingeschmolzen, so dass das Knöpfchen sich am Boden innerhalb der Röhre befand (Fig. 68). Die Röhre wurde an einem Platindrahte aufgehängt, um sie durch eine Spiritusflamme erhitzen zu können, und frisch geschmolzenes Zinnchlorür in solcher Menge hineingebracht, dass es, geschmolzen, die Röhre etwa zur Hälfte ausfüllte. Der aus der Röhre hervorragende Draht wurde mit einem Voltameter (711) verbunden, welches seinerseits mit dem negativen Ende einer Volta'schen Batterie in Verbindung stand, und ein mit dem positiven Ende einer Volta'schen Batterie verbundener Draht tauchte in das geschmolzene Chlorür der Röhre; dieser Draht war so gebogen, dass er durch eine Erschütterung, sei es der Hand oder des Apparates, nicht mit der negativen Elektrode am Boden der Röhre in Berührung kommen konnte. Die ganze Vorrichtung ist in Fig. 69 abgebildet.

790. Unter diesen Umständen wurde das Zinnchlorür zersetzt, das an der positiven Elektrode entwickelte Chlor bildete Zinnchlorid (779), welches in Dampfform entwich, und das an der negativen Elektrode abgeschiedene Zinn vereinigte sich mit dem Platin zu einer Legirung, welche bei der Temperatur, der die Röhre ausgesetzt war, schmolz und daher niemals eine metallische Communication durch die ganze Masse des in Zersetzung begriffenen Chlorürs herstellte. Der Versuch wurde solange fortgesetzt, bis das Voltameter eine geeignete Menge Gas geliefert hatte, dann wurde die Batterie geöffnet, die positive Elektrode entfernt und die Röhre mit dem übrig gebliebenen Chlorür erkalten gelassen. Nach dem Erkalten wurde die Röhre zerbrochen; das Chlorür und das Glas liess sich dann leicht von dem Platindraht und der Legirung seines Knopfes trennen. Dieser wurde nach dem Abwaschen gewogen, und seine Gewichtszunahme gab das Gewicht des reducirten Zinns.

791. Ich theile die einzelnen Data eines Versuches mit, um den bei diesem und anderen, deren Resultate ich anzuführen Gelegenheit haben werde, befolgten Gang zu beleuchten. Die negative Elektrode wog ursprünglich 20 Gran, nach dem Versuche wog sie mit der Legirung des Knopfes 23,2 Gran. Das durch den elektrischen Strom an der *Kathode* abgeschiedene Zinn wog also 3,2 Gran. Die Menge des im Voltameter angesammelten Sauerstoffs und Wasserstoffs betrug 3,85 Cubikzoll. Da 100 Cubikzoll Sauerstoff und Wasserstoff in dem Verhältniss, in welchem sie Wasser bilden, etwa 12,92 Gran wiegen, so würde das Gewicht dieser 3,85 Cubikzoll 0,49742 Gran betragen, und dies wäre demnach das Gewicht des Wassers, welches durch denselben Strom zersetzt wurde, der im Stande war, eine solche Gewichtsmenge Zinnchlorür zu zersetzen, die 3,2 Gran Metall liefert. Nun verhält sich $0{,}49742 : 3{,}2 = 9$, das Aequivalentgewicht des Wassers, zu 57,9, welches demnach das Aequivalent des Zinns wäre, wenn der Versuch fehlerfrei ausgeführt, und die elektrochemische Zersetzung *auch in diesem Falle eine festbestimmte wäre.* In manchen chemischen Werken wird das chemische Aequivalent des Zinns zu 58, in anderen zu 57,9 angegeben. Beide Werthe kommen dem Versuchsresultate so nahe, und in dem Versuche selbst liegen so wenig Ursachen zur Abweichung (wie z. B. die in Folge der Absorption des Gases im Voltameter

(716) u. s. w., dass die Zahlen wenig Zweifel an der Zulässigkeit des *Gesetzes der festen Action* in diesen und allen ähnlichen Fällen von elektrochemischer Zersetzung übrig lassen.

792. Nicht oft habe ich eine solche Uebereinstimmung in den Zahlen erhalten wie in dem eben angeführten Falle. Bei vier Versuchen mit dem Zinnchlorür schwankten die im Voltameter entwickelten Gasmengen von 2,05 bis 10,29 Cubikzoll. Das Mittel aus diesen vier Versuchen gab 58,53 für das elektrochemische Aequivalent des Zinns.

793. Das nach dem Versuche übrig gebliebene Chlorid war reines Zinnchlorür, und Niemand wird nur einen Augenblick zweifeln, dass an der *Anode* das Aequivalent Chlor entbunden worden ist und dass sich als secundäres Product Zinnchlorid gebildet hat, welches entwich.

794. Genau in derselben Weise wurde der Versuch mit *Bleichlorid* angestellt, nur dass hierbei die positive Elektrode aus anderem Material bestand. Denn da das an der *Anode* auftretende Chlor kein höheres Bleichlorid bildet, sondern bei Anwendung des Platins direct auf dieses einwirken würde, so würde eine Lösung von Platinchlorid entstehen, und in Folge dessen könnte ein Theil des Platins zur *Kathode* übergeführt werden und so ein unbrauchbares Resultat ergeben. Ich suchte daher nach und fand im Graphit eine Substanz, welche mit Sicherheit in solchen Körpern wie Chloride, Jodide u. s. w. als positive Elektrode benutzt werden kann. Chlor und Jod greifen denselben nicht an, sondern bleiben im freien Zustande, und andererseits übt unter den obwaltenden Umständen der Graphit keine Wirkung auf das geschmolzene Chlorid und Jodid, in das er eintaucht. Selbst wenn sich einige Graphittheilchen durch die Wärme oder durch mechanische Wirkung des entwickelten Gases ablösen sollten, so könnten sie auf das Chlorid keinen schädlichen Einfluss ausüben.

795. Das Mittel aus drei Versuchen gab die Zahl 100,85 für das Aequivalent des Bleies. Das chemische Aequivalent ist 103,5. Den Fehler in meinen Versuchen schreibe ich der theilweisen Lösung des Gases (716) im Voltameter zu, allein die Resultate lassen mir keinen Zweifel, dass das Blei sowohl als das Chlor in diesem Falle in *fest bestimmten Mengen* durch die Wirkung einer gegebenen Elektricitätsmenge (814 etc.) entwickelt werden.

796. *Antimonchlorür.* — Es war bei meiner Bemühung, das elektrochemische Aequivalent des Antimons aus dem Chlorür zu erhalten, dass ich in einem früheren Abschnitt dieser Untersuchungen (690, 693 etc.) auf die Gegenwart von Wasser in jenen Körpern schliessen musste.

797. Ich bemühte mich, mit *Bleioxyd* zu experimentiren, welches durch Schmelzen und Glühen des Nitrats in einem Platintiegel dargestellt worden, stiess aber auf grosse Schwierigkeit, weil diese Substanz eine hohe Temperatur zu ihrer vollkommenen Schmelzung erfordert und selbst die Eigenschaften eines kräftig wirkenden Flussmittels besitzt. Röhren von grünem

Glase erwiesen sich wiederholt als untauglich. Schliesslich schmolz ich das Oxyd in einem kleinen Porcellantiegel, der ganz und gar im Holzkohlenfeuer erhitzt wurde; und da es wesentlich war, dass die Abscheidung des Bleies an der *Kathode* unter der Oberfläche erfolge, so war die negative Elektrode von einer Röhre aus grünem Glase eingehüllt und so an dieselbe angeschmolzen, dass nur der Platinknopf an dem unteren Ende entblösst blieb (Fig. 70). So konnte dieser unter die Oberfläche gebracht und die Berührung des hier reducirten Bleies mit Luft oder Sauerstoff völlig vermieden werden. Als positive Elektrode wurde ein Platindraht angewandt, da dieses Metall von dem hier auftretenden Sauerstoff nicht angegriffen wird. Die Vorrichtung ist in Fig. 71 dargestellt.

798. Bei einem solchen Versuche ergab sich das Aequivalent des Bleies zu 93,17, welche Zahl viel zu klein ist. Dies rührt, glaube ich, daher, dass in Folge des kleinen Zwischenraumes zwischen der positiven und negativen Elektrode in dem Bleioxyd wahrscheinlich etwas Schaum und Blasen des an der *Anode* entwickelten Sauerstoffs hin und wieder das an der *Kathode* reducirte Blei berührten und es wieder oxydirten. Als ich diesen Fehler durch Anwendung einer grösseren Menge Bleiglätte zu vermeiden suchte, hatte die grössere Hitze, welche erforderlich war, um dieselbe in Fluss zu erhalten, eine schnellere Wirkung auf den Tiegel zur Folge, welcher bald durchgefressen wurde, und so ward das Experiment unterbrochen.

799. Bei einem derartigen Versuche benutzte ich Bleiborat (408, 673). Unter dem Einflusse des elektrischen Stromes scheidet sich Blei an der *Anode* und Sauerstoff an der *Kathode* aus, und da die Borsäure bei diesem Processe weder direct (408) noch durch Nebenumstände zersetzt wird, so vermuthete ich, dass das Resultat von dem Bleioxyd herrühre. Das Borat ist kein so heftig wirkendes Flussmittel als das Oxyd, aber es fordert zur vollkommenen Schmelzung eine höhere Temperatur, und wenn es nicht sehr heiss ist, so bleiben die Sauerstoffblasen an der positiven Elektrode haften und verzögern den Durchgang der Elektricität. Ich erhielt für Blei die Zahl 101,29, welche 103,5 so nahe kommt, dass die Action des Stromes sich hiernach als eine fest bestimmte erweist.

800. *Wismuthoxyd.* — Diese Substanz erforderte, wie ich fand, eine zu hohe Temperatur und war ein zu kräftig wirkendes Flussmittel, als dass ich mit demselben hätte experimentiren können, ohne mehr Zeit und Sorgfalt aufzuwenden, als ich augenblicklich vermochte.

801. Das gewöhnliche *Antimonoxyd*, welches aus einem Aequivalent Metall und anderthalb Aequivalenten Sauerstoff besteht, wurde in einer in Platinblech eingehüllten Röhre aus grünem Glase (789), die im Kohlenfeuer erhitzt wurde, der Wirkung des elektrischen Stromes unterworfen. Die Zersetzung begann und ging anfänglich ganz gut von Statten und schien so in Uebereinstimmung mit dem allgemeinen Gesetze (679, 697) zu zeigen, dass diese Substanz solche Elemente und in solchen Proportionen enthält, dass sie der Herrschaft des elektrischen Stromes unterliegt. Ich habe bereits meine Gründe für die Vermuthung angegeben, dass dieser Erfolg von der Anwesenheit eines wahren, aus einfachen Proportionen bestehenden Oxyds herrühre (696, 693). Die Action verringerte sich bald und hörte schliesslich auf, weil sich an der positiven Elektrode ein höheres Metalloxyd bildete. Diese Verbindung, wahrscheinlich Antimonsäure, unschmelzbar und unlöslich in dem Oxyd, bildete eine krystallinische Kruste um die positive Elektrode, und verhinderte so durch ihre isolirende Wirkung den Durchgang der Elektricität. Ob sie zersetzt worden wäre, wenn sie schmelzbar und doch unmischbar wäre, ist zweifelhaft, da sie von der geforderten Zusammensetzung (697) abweicht. Sie war ein ganz natürliches secundäres Product an der positiven Elektrode (779). Beim Oeffnen der Röhre fand sich, dass an der negativen Elektrode ein wenig Antimon abgeschieden worden war, allein in zu kleiner Menge, als dass eine quantitative Bestimmung möglich gewesen wäre.[1])

802. *Bleijodid.* — Mit dieser Substanz kann man in Röhren, die mittelst einer Spirituslampe erhitzt werden (789), experimentiren, ich erhielt jedoch keine guten Resultate, gleichviel, ob ich eine positive Elektrode von Platin oder von Graphit anwandte. Bei zwei Versuchen ergaben sich für Blei die Zahlen 75,46 und 73,45 statt 103,5. Ich schreibe dies der Bildung eines Hyperjodids an der positiven Elektrode zu, welches, indem es sich in dem Jodid löste, mit dem an der negativen Elektrode abgeschiedenen Blei in Berührung kam, dasselbe theilweise auflöste und dadurch selbst wieder in Jodid verwandelt wurde. Solch ein Hyperjodid existirt; in der That ist es sehr selten, dass ein durch Fällung gewonnenes und wohl gewaschenes Jodid geschmolzen werden kann, ohne dass es, in Folge der Anwesenheit jener höheren Verbindungsstufe, reichlich Jod entlässt; auch wenn es aus einer heissen Lösung in Wasser krystallisirt, ist es nicht frei von diesem Körper. Selbst beim blossen Zusammenreiben einer kleinen Menge Jodid mit Jod in einem Mörser bildet sich etwas Hyperjodid; und wiewohl es, wenn es geschmolzen und einige Minuten lang zur dunklen Rothgluth erhitzt wird, zersetzt und gänzlich zu Jodid reducirt wird, so ist damit doch nicht die Möglichkeit ausgeschlossen, dass eine kleine Menge desselben, welches sich in einem grossen Ueberschuss von Jod an der *Anode* bildet, bei der heftigen Strömung in der Flüssigkeit mit der *Kathode* in Berührung gebracht wird.

803. Diese Auffassung des Vorganges wurde durch einen dritten Versuch unterstützt, bei welchem der Abstand der Elektroden bis zu einem drittel Zoll vergrössert wurde, da nun die Störungen beträchtlich geringer

---

[1]) Auf diesen Artikel findet die dem Artikel 696 nunmehr hinzugefügte berichtigende Note Anwendung. — Dec. 1838.

waren, und sich für Blei die Zahl 89,04 ergab, und völlig bestätigt wurde sie durch die Resultate, welche ich in den alsbald (818) zu beschreibenden Fällen von *Ueberführung* erhalten habe.

Die Versuche mit Bleijodid liefern also keine Ausnahme von dem in Rede stehenden *allgemeinen Gesetze,* sondern können im Gegentheil, allgemeinen Erwägungen zufolge, als darin einbegriffen betrachtet werden.

804. *Zinnjodür.* — Diese Substanz leitet im geschmolzenen Zustande (402) und wird durch den elektrischen Strom zersetzt, wobei sich an der *Kathode* Zinn ausscheidet und an der *Anode* als secundäres Product Zinnjodid entsteht*) (779, 790). Die zu seiner Schmelzung erforderliche Temperatur ist zu hoch, als dass zur Wägung geeignete Mengen zu erhalten wären.

805. *Jodkalium* wurde in einer Röhre, wie die in Fig. 68 (789), der elektrolytischen Action ausgesetzt. Die negative Elektrode bestand aus einem Bleikügelchen, und ich hoffte auf diesem Wege das Kalium zurückzuhalten und wägbare und mit den Angaben des Voltameters vergleichbare Resultate zu erzielen. Allein die von der erforderlichen hohen Temperatur herrührende Schwierigkeit, die Einwirkung auf das Glas, die durch die Anwesenheit des Bleies veranlasste Schmelzbarkeit des Platins und andere Umstände verhinderten die Erlangung solcher Resultate. Wie in früheren Fällen wurde das Jodür zersetzt unter Abscheidung von Jod an der *Anode* und von Kalium an der *Kathode.*

806. Bei einigen dieser Versuche wurden mehrere Substanzen hintereinander geschaltet und gleichzeitig durch denselben elektrischen Strom zersetzt, so beispielsweise Zinnchlorür, Bleichlorid und Wasser. Ich brauche nicht zu sagen, dass die Resultate vergleichbar waren, dass Zinn, Blei, Chlor, Sauerstoff und Wasserstoff in *fest bestimmter* und ihren elektrochemischen Aequivalenten entsprechender *Menge* abgeschieden wurden.

---

807. Wenden wir uns nun zu einem Beweise anderer Art von der *festen chemischen Action der Elektricität.* Würden irgend welche Umstände die Mengen der bei den elektrolytischen Actionen sich abscheidenden Substanzen beeinflussen können, so sollte man erwarten, dass sie bei Anwendung von Elektroden von verschiedenem Material und von sehr verschiedenen chemischen Affinitäten für jene Substanzen vorhanden sein würden. Platin vermag sich mit dem aus verdünnter Schwefelsäure an der *Anode* entwickelten Sauerstoff nicht zu verbinden, obwohl dieser sich im status nascens befindet. Kupfer dagegen vereinigt sich augenblicklich mit dem Sauerstoff, sobald der elektrische Strom denselben von dem Wasserstoff trennt, und Zink ist nicht nur im Stande, sich mit ihm zu verbinden, sondern ihn auch ohne

---

*) Im Original ist die Bezeichnung der Elektrode, offenbar in Folge eines Versehens, vertauscht. D. Ü.

Beihilfe der Elektricität dem Wasser zu entziehen, unter gleichzeitiger Entwickelung eines Wasserstoffstromes. Trotzdem wurde in den Fällen, wo diese drei Substanzen als positive Elektroden in drei gleichen Mengen derselben verdünnten Schwefelsäure vom specifischen Gewicht 1,336 angewandt wurden, genau dieselbe Menge Wasser durch den elektrischen Strom zersetzt und genau dieselbe Menge Wasserstoff an den *Kathoden* der drei Lösungen in Freiheit gesetzt.

808. Der Versuch wurde folgendermassen angestellt. Drei Voltameter-Röhren von der Form der Fig. 60 und 62 wurden mit der verdünnten Schwefelsäure gefüllt, und jede von ihnen mit dem offenen Ende nach unten in je eine Schale mit derselben Säure gestellt (707). In die erste Schale tauchte als positive Elektrode eine mit dem positiven Ende einer Volta'schen Batterie verbundene Zinkplatte; der durch ihre directe Einwirkung auf die Säure reichlich entwickelte Wasserstoff konnte frei entweichen. Eine Kupferplatte, welche in die Säure der zweiten Schale tauchte, wurde mit der negativen Elektrode der *ersten*, und eine in die Säure der dritten Schale tauchende Platinplatte mit der negativen Elektrode der *zweiten* Schale verbunden. Die negative Elektrode der dritten Schale wurde mit einem Voltameter (711), und dieses mit dem negativen Ende der Volta'schen Batterie verbunden.

809. Sobald die Kette geschlossen war, begann die *elektrochemische Action* in allen Gefässen. Wasserstoff stieg in offenbar unverminderter Menge von der positiven Zinkelektrode der ersten Schale auf. An der positiven Kupferelektrode der zweiten Schale entwickelte sich kein Sauerstoff, sondern es bildete sich hier Kupfersulphat, während sich an der positiven Platinelektrode der dritten Schale reines Sauerstoffgas entwickelte, und jene selbst unverändert blieb. Aber in *allen* Schalen wurde an den *negativen* Platinelektroden die *gleiche Menge* Wasserstoff frei, und auch im Voltameter entwickelte sich ein gleiches Volumen Wasserstoff, wodurch bewiesen ist, dass der Strom in allen Gefässen eine gleiche Menge Wasser zersetzt hatte. Bei diesem Versuche hatte sich demnach die *chemische Action der Elektricität* als eine *vollkommen feste* erwiesen.

810. Ein ähnlicher Versuch wurde mit Salzsäure, die mit einem dem ihrigen gleichen Volumen Wasser verdünnt war, angestellt. Die drei positiven Elektroden waren Zink, Silber und Platin; das erste vermag *ohne* Hilfe des Stromes Chlor zu entziehen und sich mit ihm zu verbinden; das zweite kann sich mit dem Chlor erst verbinden, nachdem es durch den Strom in Freiheit gesetzt ist, und das dritte widersteht demselben fast gänzlich. Die drei negativen Elektroden bildeten, wie vorher, in den Glasröhren befestigte Platinplatten. Wie bei dem früheren Versuche, so war auch bei diesem die an den *Kathoden* entwickelte Wasserstoffmenge bei allen die gleiche und eben so war auch die im Voltameter entwickelte Menge Wasserstoff gleich gross. Ich habe bereits meine Gründe für die Ansicht angeführt, dass bei diesen Versuchen die Salzsäure direct durch die Elektricität zersetzt wird (764), und die Resultate beweisen, dass die so zersetzten Mengen *vollkommen bestimmt* und proportional der durchgegangenen Elektricitätsmenge sind.

811. Bei diesem Versuche verzögerte das in der zweiten Schale gebildete Chlorsilber, zufolge des früher dargelegten Leitungsgesetzes (394), den Durchgang des elektrischen Stromes, so dass es vier bis fünfmal im Laufe des Versuches entfernt werden musste. Doch entstand hierdurch keine Differenz zwischen den Resultaten dieses und der anderen Gefässe.

812. Die Anwendung von Kohle als positiver Elektrode in Schwefelsäure sowohl als auch in Salzsäure (808, 810) hatte keine Aenderung im Resultat zur Folge. Eine positive Elektrode von Zink in Natriumsulphat oder einer Lösung von Kochsalz gab ebenso constante Resultate.

813. Aehnliche Versuche wurden nun mit Körpern in ganz verschiedenem Zustande angestellt, nämlich mit *geschmolzenen* Chloriden, Jodiden u. s. w. Ich habe bereits einen Versuch mit geschmolzenem Chlorsilber beschrieben, wobei die Elektroden von metallischem Silber waren, und die eine durch Ansatz von Metall dicker und länger wurde, während der anderen Metall entzogen und sie verzehrt und aufgelöst wurde. Dieser Versuch wurde mit zwei abgewogenen Silberdrähten als Elektroden unter Einschaltung eines Voltameters in den Stromkreis wiederholt. Grosse Sorgfalt wurde darauf verwandt, die negative Elektrode so regelmässig und stetig herauszuziehen, dass die Krystalle des reducirten Silbers keine *metallische* Communication unter der Oberfläche des geschmolzenen Chlorids herstellten. Nach Beendigung des Versuches wurde die positive Elektrode wieder gewogen und ihr Verlust bestimmt. Die von der negativen Elektrode nach und nach abgenommenen Portionen des Gemenges von Chlorsilber und Metall wurden behufs Trennung des Chlorids in Ammoniakflüssigkeit digerirt, und das zurückbleibende metallische Silber gewogen; diese an der *Kathode* reducirte war genau gleich der an der *Anode* gelösten Menge, und jede Portion war nahezu völlig das Aequivalent des im Voltameter zersetzten Wassers.

814. Der Umstand, dass das Silber bei der angewandten Temperatur nicht schmilzt, sowie die Ausdehnung und Verästelung seiner Krystalle machen die Anstellung des vorstehenden Versuches schwierig und dessen Resultate unsicher. Ich arbeitete daher mit Bleichlorid in einer Röhre von grünem Glase, deren Form Fig. 72 zeigt. In den Boden einer kleinen Röhre wurde ein gewogener Platindraht, wie oben beschrieben (789), eingeschmolzen, die Röhre in ungefähr einem halben Zoll Abstande vom geschlossenen Ende zu einem Winkel gebogen, und der Theil zwischen dem Knie und dem Ende, nachdem er weich gemacht worden, etwas in die Höhe gedrückt, um eine Brücke oder vielmehr eine Scheidewand zwischen zwei kleinen Vertiefungen oder Mulden *a b* in der Röhre zu erhalten, wie die Figur es zeigt. Diese Vorrichtung wurde, um sie mittelst einer Spirituslampe erhitzen zu können, wie früher an einem Platindraht aufgehängt, und ihr eine solche Neigung gegeben, dass alle Luft während der Schmelzung des Bleichlorids entweichen konnte. Die positive Elektrode bestand aus einem Platindraht, dessen eines Ende zu einem Knopfe zusammengerollt war, an den etwa zwanzig Gran metallischen Bleies angeschmolzen wurden; dieselbe befand sich in einer engen Glasröhre, die hernach zerbrochen wurde; der Draht mit seinem Bleiansatz wurde gewogen und das Gewicht notirt.

815. Nachdem das in die Röhre eingebrachte Bleichlorid sorgfältig geschmolzen war, wurde die Elektrode mit dem Bleiansatz eingeführt, von deren Ende das Metall bald schmolz. Hierauf wurde die Röhre bis *c* mit geschmolzenem Bleichlorid gefüllt, und durch passende Verbindung mit den Leitungsdrähten einer Volta'schen Batterie die in die Mulde *b* tauchende Elektrode zur negativen, und die in die Mulde *a* tauchende Elektrode von geschmolzenem Blei zur positiven gemacht. In den Stromkreis war ein Voltameter eingeschaltet.

816. Sobald die Kette geschlossen war, und der Strom hindurchging, trat Zersetzung ein. An der positiven Elektrode entwickelte sich kein Chlor, aber an *b* liess sich, Dank der Durchsichtigkeit des geschmolzenen Chlorids, die allmähliche Bildung und Vergrösserung eines Knopfes von Legirung beobachten, während man ebenso bemerken konnte, dass das Blei bei *a* nach und nach sich verringerte. Nach einiger Zeit wurde der Versuch unterbrochen, die Röhre nach dem Erkalten zerbrochen, die Drähte mit ihren Knöpfen gereinigt und gewogen und ihre Gewichtsänderung mit der Angabe des Voltameters verglichen.

817. Bei diesem Versuche hatte die positive Elektrode ebenso viel an Blei verloren als die negative gewonnen hatte (795), und Verlust und Gewinn waren sehr nahe das Aequivalent des im Voltameter zersetzten Wassers, da sich für Blei die Zahl 101,5 hieraus ergab. Es geht also aus diesem Beispiele klar hervor, dass eine Abweichung hinsichtlich der festen Action des elektrischen Stromes nicht stattfindet, gleichviel ob während der Dauer des Experimentes eine *starke Affinität* oder *gar keine Affinität* zu der an der *Anode* auftretenden Substanz wirksam ist (807).

818. Ein ähnlicher Versuch wurde mit Bleijodid angestellt, und so jede aus der Bildung von Hyperjodid entspringende Störung vermieden (803). Jod wurde während der ganzen Action nicht entwickelt, und schliesslich war der Verlust an Blei an der *Anode* ebenso gross als die Zunahme desselben an der *Kathode,* dessen Aequivalentzahl sich durch Vergleichung mit dem Resultat im Voltameter zu 103,5 ergab.

819. Ebenso wurde nun das Zinnchlorür dem elektrischen Strome ausgesetzt, natürlich unter Anwendung einer positiven Elektrode von Zinn. Hier bildete sich kein Zinnchlorid (779, 790). Die Untersuchung der beiden

Elektroden zeigte, dass die positive genau ebenso viel verloren als die negative gewonnen hatte, und die Vergleichung mit dem Voltameter ergab für Zinn die Zahl 59.

820. Es ist bei diesen und ähnlichen Experimenten durchaus nothwendig, das Innere der knollenförmigen Ansätze von Legirung an den Enden der Leitungsdrähte zu untersuchen, denn zuweilen sind sie, besonders diejenigen, welche positiv waren, voller Höhlungen und schliessen Mengen des angewandten Chlorids oder Jodids ein, welche beseitigt werden müssen, ehe man das endgiltige Gewicht ermitteln kann. Häufiger als beim Zinn ist dies beim Blei der Fall.

821. Alle diese Thatsachen vereint, steigern, wie ich glaube, bis zur Unwiderleglichkeit den Beweis von der Wahrheit des wichtigen Satzes, den ich zu Anfang aussprach, nämlich, *dass die chemische Kraft eines elektrischen Stromes direct proportional ist der absoluten Menge der durchströmenden Elektricität* (377, 783). Sie beweisen auch, dass dies nicht bloss für eine Substanz, wie Wasser, sondern für alle elektrolytischen Körper im Allgemeinen gilt, und dass ferner die mit irgend *einer Substanz* erhaltenen Resultate nicht bloss unter einander übereinstimmen, sondern auch mit denen, welche *andere Substanzen* ergeben, so dass sich Alles zusammen zu *einer Reihe fester elektrochemischer Actionen* combinirt (505). Ich will hiermit nicht sagen, dass man nicht auf Ausnahmen stossen wird; vielleicht giebt es einige, namentlich unter Substanzen, die nur einer schwachen Verwandtschaft ihre Existenz verdanken, aber ich glaube nicht, dass irgend eine den aufgestellten Satz ernstlich erschüttern werde. Wenn in der wohl erwogenen, wohl geprüften und, ich darf sicherlich sagen, wohl gesicherten Lehre von der Bestimmtheit der gewöhnlichen chemischen Verwandtschaft solche Ausnahmen vorkommen, wie es in Wirklichkeit vielfach der Fall ist, ohne dass sie unser Zutrauen zu dem allgemeinen Ergebniss erschüttern, so dürfen sie auch, Falls sie sich Angesichts der Eröffnung einer neuen Ansicht über elektrochemische Action zeigen, Denen, welche bemüht sind, dieselbe mehr und mehr zu vervollkommnen, nicht als Hemmnisse entgegengestellt werden, sondern man darf sie billig eine Weile bei Seite lassen, in der Hoffnung, dass sie schliesslich ihre vollständige und consequente Erklärung finden werden.

---

822. Die eben aufgestellte und, wie ich glaube, erwiesene Lehre der *festen elektrochemischen Action* führt zu einigen neuen Ansichten über die Beziehungen und Klassificationen der Körper, welche mit dieser Action in Zusammenhang stehen oder ihr unterworfen sind. Einige derselben will ich nun betrachten.

823. In erster Linie können zusammengesetzte Körper in zwei grosse Klassen eingetheilt werden, nämlich in die durch den elektrischen Strom zersetzbaren und in die unzersetzbaren; von den letzteren sind einige Leiter der Volta'schen Elektricität[1]), andere Nichtleiter. Die Zersetzbarkeit der ersteren hängt nicht ausschliesslich von der Natur ihrer Elemente ab, — denn es giebt Körper, die aus denselben zwei Elementen gebildet sind, und von denen der eine zu der einen, der andere zu der anderen Klasse gehört, — sondern wahrscheinlich auch von den Proportionen (697). Es ist ferner bemerkenswerth, dass, mit wenigen oder gar keinen Ausnahmen (414, 691), diese zersetzbaren Körper gerade diejenigen sind, welche dem merkwürdigen, früher beschriebenen Leitungsgesetze (394) unterworfen sind; denn dieses Gesetz erstreckt sich nicht auf die zahlreichen zusammengesetzten schmelzbaren Körper, welche dieser Klasse nicht angehören. Ich habe vorgeschlagen, die dieser Klasse angehörigen Körper, welche eben die zersetzbaren sind, *Elektrolyte* zu nennen (664).

824. Ferner bilden die Substanzen, in welche diese unter dem Einflusse des elektrischen Stromes zerfallen, eine ausserordentlich wichtige allgemeine Klasse. Sie sind verbindbare Körper, stehen in directer Beziehung zu den Fundamentalsätzen der Lehre von der chemischen Verwandtschaft und werden bei der elektrolytischen Action stets in einer festen Proportion abgeschieden. Ich habe vorgeschlagen alle diese Körper im Allgemeinen *Jonen* zu nennen und im Besonderen *Anionen* und *Kationen*, je nachdem sie an der *Anode* oder an der *Kathode* auftreten (665), und die Zahlen, welche die Verhältnisse ausdrücken, in denen sie abgeschieden werden, *elektrochemische Aequivalente.* So sind Wasserstoff, Sauerstoff, Chlor, Jod, Blei, Zinn *Jonen;* [von den fünf letzteren] sind die drei ersteren *Anionen,* die beiden Metalle *Kationen,* und 1, 8, 36, 125, 104, 58 sind nahezu die *elektrochemischen Aequivalente* [der genannten Substanzen.]*)

825. Eine Uebersicht über gewisse bereits festgestellte Punkte in Bezug auf *Elektrolyte,* Jonen und *elektrochemische Aequivalente,* lässt sich in der folgenden allgemeinen Form von Sätzen geben, ohne, wie ich hoffe, einen ernstlichen Fehler einzuschliessen.

826. I. Ein einzelnes, d. h. mit einem anderen nicht verbundenes *Jon* hat keine Tendenz zu dieser oder jener Elektrode zu gehen und verhält sich vollkommen indifferent gegen den durchgehenden Strom, wenn es nicht selbst eine Verbindung elementarer *Jonen* ist und so einer wirklichen Zersetzung unterliegt. Auf diese Thatsache ist grossentheils der

---

[1]) Unter Volta'scher Elektricität verstehe ich hier lediglich Elektricität, die aus einer sehr ergiebigen Quelle stammt, aber sehr geringe Intensität besitzt.

*) Im Texte heisst es nach Aufzählung der *sechs* Elemente: „the three former are *anions*, the two metals are *cations*, and 1, 8, 36, 125, 104, 58 are their *electro-chemical equivalents.*" Ich habe das offenbare Versehen, welches hierin enthalten ist, durch die in eckige Klammern eingeschlossenen zusätzlichen Worte gut zu machen gesucht. — Zur Sache selbst wäre zu bemerken, dass man gegenwärtig unter elektrochemischen Aequivalenten die absoluten Gewichtsmengen versteht, welche in der Zeiteinheit durch die Stromeinheit zersetzt oder abgeschieden werden. D. Ü.

Beweis gegründet, welchen ich zu Gunsten der neuen Theorie der elektrochemischen Zersetzung in einer früheren Reihe dieser Untersuchungen (518 etc.) geführt habe.

827. II. Wenn ein *Jon* in geeigneten Verhältnissen (697) verbunden ist mit einem anderen ihm in seinen gewöhnlichen chemischen Beziehungen sehr entgegengesetzten, d. h. wenn ein *Anion* mit einem *Kation* verbunden ist, dann wird das eine zur *Anode*, das andere zur *Kathode* des in Zersetzung begriffenen Körpers wandern (530, 542, 547).

828. III. Wenn also ein *Jon* zu einer der Elektroden geht, dann muss gleichzeitig ein anderes *Jon* zu der anderen Elektrode gehen, wenngleich es, in Folge secundärer Action, am Ende nicht zum Vorschein kommt (743).

829. IV. Ein direct durch den elektrischen Strom zersetzbarer Körper, also ein *Elektrolyt*, muss aus zwei *Jonen* bestehen und muss sie auch beim Zersetzungsacte ausgeben.

830. V. Aus denselben zwei elementaren *Jonen* kann nur ein *Elektrolyt* zusammengesetzt sein, wenigstens scheint das thatsächlich so zu sein (697) und auf einem Gesetze zu beruhen, dass *die elementaren Jonen nur in einfachen chemischen Aequivalenten, aber nicht in Multiplen derselben zu den Elektroden gehen können.*

831. VI. Ein für sich nicht zersetzbarer Körper, wie Borsäure, ist auch in Verbindung nicht direct durch den elektrischen Strom zersetzbar (780). Er kann die Rolle eines *Jons* spielen und als Ganzes zur *Anode* oder *Kathode* gehen, aber er zerfällt nicht in seine Elemente, ausser unter besonderen Umständen in Folge einer secundären Action. Es ist wohl überflüssig zu bemerken, dass dieser Satz in *keiner Beziehung* steht zu solchen Fällen, wie beispielsweise das Wasser einen darbietet, welches durch die Anwesenheit anderer Körper zu einem besseren Elektricitätsleiter wird und *darum* leichter zersetzt wird.

832. VII. Die Natur der Substanz, aus welcher die Elektrode besteht, vorausgesetzt, dass sie leitet, verursacht keinen Unterschied in der elektrochemischen Zersetzung, weder der Art noch dem Grade nach (807, 813), aber einen bedeutenden Einfluss hat sie in Folge secundärer Action (744) auf den Zustand, in welchem die *Jonen* schliesslich erscheinen. Aus diesem Satze kann man den Vortheil ziehen, dass man solche *Jonen,* welche, im freien Zustande entwickelt, schwerer zu behandeln sein würden, im verbundenen sammelt.[1])

833. VIII. Eine Substanz, welche als Elektrode angewandt sich mit dem an ihr entwickelten *Jon* verbinden kann, ist, wie ich glaube, ebenfalls ein *Jon* und verbindet sich in solchen Fällen in der durch ihr *elektro-*

---

[1]) Oft können die angewandten Elektroden von solcher Art sein, dass sie mit der Flüssigkeit, in welche sie eintauchen, einen Strom erzeugen, welcher dem der Volta'schen Batterie gleich oder entgegengesetzt gerichtet ist, und auf diese

chemisches Aequivalent dargestellten Menge. Alle meine Versuche stimmen mit dieser Anschauung überein, und sie erscheint mir jetzt auch als eine nothwendige Consequenz. Ob bei secundären Actionen, welche nicht durch die Wirkung des *Jons* auf die Substanz der Elektrode, sondern auf die umgebende Flüssigkeit stattfindet (744), dieselbe Consequenz zu ziehen ist, wird sich erst durch eine ausgedehntere Untersuchung feststellen lassen.

834. IX. Zusammengesetzte *Jonen* bestehen nicht nothwendig aus elektrochemischen Aequivalenten einfacher *Jonen.* So sind zum Beispiel Schwefelsäure, Borsäure, Phosphorsäure *Jonen,* aber keine *Elektrolyte,* d. h. sie sind nicht aus electrochemischen Aequivalenten einfacher *Jonen* zusammengesetzt.

835. X. Elektrochemische Aequivalente sind constante Grössen, d. h. dieselbe Zahl, welche das Aequivalent einer Substanz A darstellt, wenn sie sich von einer Substanz B trennt, stellt A auch dar, wenn es sich von einer Substanz C trennt. So ist 8 das elektrochemische Aequivalent des Sauerstoffs, gleichviel ob es sich vom Wasserstoff oder vom Zinn oder vom Blei trennt, und 103,5 ist das elektrochemische Aequivalent des Bleies, es mag sich von Sauerstoff oder von Chlor oder von Jod trennen.

836. XI. Elektrochemische Aequivalente sind den gewöhnlichen chemischen Aequivalenten gleich.

837. Durch den Versuch und die vorstehenden Sätze kann man auf verschiedenen Wegen zu einer Kenntniss der *Jonen* und ihrer elektrochemischen Aequivalente gelangen.

838. In erster Linie können sie direct bestimmt werden, wie es in den vielen eben angeführten Versuchen mit Wasserstoff, Sauerstoff, Blei und Zinn geschehen ist.

839. In zweiter Linie lässt sich aus den Sätzen II. und III. die Kenntniss vieler anderer *Jonen* und auch ihrer Aequivalente ableiten. Als Bleichlorid unter Anwendung von Platinelektroden (395) zersetzt wurde, konnte es nicht zweifelhafter erscheinen, dass Chlor zur *Anode* gegangen war, obschon es sich hier mit dem Platin verband, als bei Benutzung einer positiven Elektrode von Graphit (794), wobei es sich im freien Zustande entwickelte; ebensowenig konnte in beiden Fällen ein Zweifel übrig bleiben, dass auf je 103,5 Theile Blei, die sich an der *Kathode* ausschieden, 36 Theile Chlor an der *Anode* entwickelt wurden, denn der Rest des Bleichlorids blieb unverändert. So auch, wenn in einer Metalllösung ein Volumen Sauerstoff, oder eine diesen in demselben Verhältniss enthaltende secundäre Verbindung an der *Anode* auftrat, konnte kein Zweifel entstehen, dass eine zwei Volumina äquivalente Menge Wasser-

---

Weise oder durch directe chemische Action die Resultate ganz bedeutend trüben. Dennoch bringt der in irgend einer Richtung durch den in Zersetzung begriffenen Körper hindurchgehende elektrische Strom mitten unter allen diesen störenden Einwirkungen seine eigene feste elektrolytische Action hervor.

stoff zur *Kathode* gegangen war, wiewohl es in Folge einer secundären Action dazu gedient hatte, Oxyde von Blei, Kupfer oder anderen Metallen zu reduciren. Auf diese Weise lernen wir aus den in diesen Untersuchungen beschriebenen Experimenten, dass Chlor, Jod, Brom, Flour Calcium, Kalium, Strontium, Magnesium, Mangan u. s. w. *Jonen* sind, und dass ihre *elektrochemischen Aequivalente* gleich sind ihren *gewöhnlichen chemischen Aequivalenten.*

840. Die Sätze IV und V erweitern unsere Mittel, Aufschluss zu erlangen. Denn wenn man findet, dass ein Körper von bekannter chemischer Zusammensetzung zersetzbar ist und man dann die Natur der an einer der Elektroden als primäres oder auch als secundäres Product (743, 777) abgeschiedenen Substanz ermittelt, so lässt sich das elektrochemische Aequivalent aus der bekannten constanten Zusammensetzung der ausgeschiedenen Substanz ableiten. Wenn zum Beispiel geschmolzenes Zinnjodür durch den Volta'schen Strom zersetzt wird (804), so kann man schliessen, dass Jod sowohl als auch Zinn *Jonen* sind, und dass die Proportionen, in denen sie in der geschmolzenen Verbindung vereinigt sind, ihre elektrochemischen Aequivalente ausdrücken. Ebenso ergiebt sich, dass geschmolzenes Jodkalium (840) ein Elektrolyt ist, und dass die chemischen Aequivalente auch die elektrochemischen Aequivalente sind.

841. Wenn Satz VIII sich durch eine ausgedehnte Experimentaluntersuchung bewahrheitet, so wird es nicht bloss dazu beitragen, die mit Hilfe der anderen Sätze erlangten Resultate zu bestätigen, sondern auch reichlichen neuen Aufschluss gewähren.

842. In vielen Fällen werden die durch die Einwirkung des abgeschiedenen *Jons* auf die in der umgebenden Flüssigkeit oder Lösung erhaltenen *secundären Resultate* das elektrochemische Aequivalent liefern. So wurde aus einer Lösung von Bleiacetat und, soweit meine Erfahrung reicht, auch aus anderen Oxydulsalzen, welche der Reductionswirkung des nascirenden Wasserstoffs an der *Kathode* unterworfen waren, das Metall in derselben Menge gefällt, als wenn es ein primäres Product gewesen wäre (vorausgesetzt nur, dass kein freier Wasserstoff entwich), und daher ergab es auch genau die sein elektrochemisches Aequivalent darstellende Zahl.

843. Auf Grund dieses Satzes können secundäre Resultate bisweilen zur Messung des Volta'schen Stromes dienen (706, 740); allein es giebt nicht viele Metalllösungen, welche diesem Zwecke wohl entsprechen, denn wenn das Metall nicht leicht fällbar ist, so wird sich Wasserstoff an der *Kathode* entwickeln und das Resultat fälschen. Wenn sich ein lösliches Superoxyd an der *Anode* bildet, oder wenn das gefällte Metall quer durch die Lösung krystallisirt und die positive Elektrode berührt, so entstehen ebenfalls fehlerhafte Resultate. Ich glaube jedoch, dass einige Salzlösungen, wie die der Acetate von Quecksilber und Zink, sich zu diesem Zwecke geeignet erweisen werden.

844. Nach den ersten Experimentaluntersuchungen zum Erweise der festen chemischen Action der Elektricität, habe ich kein Bedenken getragen, die strengeren Resultate der chemischen Analyse zur Correction der als elektrolytische Ergebnisse erhaltenen Zahlen zu benutzen. Dies darf offenbar in sehr vielen Fällen geschehen, ohne sich gegen die Strenge wissenschaftlicher Untersuchung zu viel Freiheit herauszunehmen. Die Reihe der Zahlen, welche die elektrochemischen Aequivalente darstellen, bleiben nothwendig, ebenso wie die gewöhnlichen Aequivalente chemisch wirkender Körper, der fortdauernden Berichtigung durch den Versuch und vernünftiges Schliessen unterworfen.

845. Ich gebe die folgende kurze Tabelle von *Jonen* und ihren elektrochemischen Aequivalenten mehr als ein Beispiel eines ersten Versuchs, als um dem sehr bald gefühlten Mangel einer vollständigen und vollkommenen Uebersicht dieser Klasse von Körpern abzuhelfen. Im Hinblick auf den ausserordentlichen Nutzen einer solchen Tabelle (wenn sie gut entworfen ist) für die Aufdeckung der innigen Beziehung der gewöhnlichen chemischen Affinität zu den elektrischen Actionen und für die Identificirung beider, die nicht auf phantastischen Vorstellungen, sondern auf einer durch Erfahrung und gesundes Urtheil gewonnenen Ueberzeugung beruhen soll, darf ich die Hoffnung aussprechen, dass man stets bemüht sein wird, sie zu einer Tabelle von *wahren* und nicht *hypothetischen* elektrochemischen Aequivalenten zu machen, denn sonst gehen wir an den Thatsachen vorbei und verlieren die gerade auf unserem Wege liegende Erkenntniss völlig aus dem Auge und Bewusstsein.

846. Nachstehende Aequivalentzahlen beanspruchen keine Genauigkeit für sich, sie sind fast sämmtlich den chemischen Resultaten andererer Naturforscher entnommen, zu denen ich in diesem Punkte mehr Zutrauen haben konnte als zu mir selbst.

847. Tabelle der Jonen.

Anionen.

Sauerstoff	8	Selensäure	64	Weinsäure	66
Chlor	35,5	Salpetersäure	54	Citronensäure	58
Jod	126	Chlorsäure	75,5	Oxalsäure	36
Brom	78,3	Phosphorsäure	35,7	Schwefel (?)	16
Fluor	18,7	Kohlensäure	22	Selen (?)	
Cyan	26	Borsäure	24	Schwefelcyan	
Schwefelsäure	40	Essigsäure	51		

Kationen.

Wasserstoff	1	Cadmium	55,8	Natron	31,3
Kalium	39,2	Cer	46	Lithion	18
Natrium	23,3	Cobalt	29,5	Baryt	76,7
Lithium	10	Nickel	29,5	Strontian	51,8
Barium	68,7	Antimon	64,6?	Kalk	28,5

Strontium	43,8	Kupfer	31,6	Kali	47,2
Calcium	20,5	Wismuth	71	Magnesia	20,7
Magnesium	12,7	Quecksilber	200	Thonerde	(?)
Mangan	27,7	Silber	108	Oxydule überhaupt.	
Zink	32,5	Platin	98,6?	Chinin	171,6
Zinn	57,9	Gold	(?)	Cinchonin	160
Blei	103,5	———		Morphin	290
Eisen	28	Ammoniak	17	Alkaloide überhaupt.	

848. Diese Tabelle könnte ferner in Gruppen solcher Substanzen geordnet werden, die entweder mit einander wirken oder einander ersetzen. So z. B. steht die Wirkung der Säuren und Basen in Relation zu einander, aber sie wirken nicht im Verein mit Sauerstoff, Wasserstoff oder elementaren Substanzen. Es leidet in der That wenig oder gar keinen Zweifel, dass man Behufs genauerer Untersuchung der elektrischen Relationen der materiellen Theilchen diese Eintheilung machen muss. Die erste Gruppe werden wahrscheinlich die einfachen Substanzen nebst Cyan, Schwefelcyan und einem oder zwei anderen zusammengesetzten Körpern bilden, und Säuren und Basen nebst diesen analogen Verbindungen, welche sich als *Jonen* erweisen, die zweite Gruppe. Ob darin alle *Jonen* einbegriffen sein werden, oder ob eine dritte Klasse von complicirteren Resultaten nothwendig sein wird, müssen künftige Versuche entscheiden.

849. Es ist *wahrscheinlich*, aber noch nicht gewiss, dass alle jetzt bekannten elementaren Körper *Jonen* sind. Es giebt einige, wie Kohlenstoff, Phosphor, Stickstoff, Silicium, Bor, Aluminium, von denen es wünschenswerth wäre, sobald als möglich zu entscheiden, ob sie ein Recht auf den Titel eines *Jons* haben. Es giebt auch einige zusammengesetzte Körper, unter ihnen namentlich Thonerde und Kieselsäure, von denen zu wünschen wäre, dass sie alsbald auf Grund einwurfsfreier Versuche classificirt würden. *Möglich* ist es auch, dass alle verbindungsfähigen Körper, zusammengesetzte sowohl als auch einfache, zur Klasse der *Jonen* gehören, aber wahrscheinlich ist es vorläufig nicht. Indess sind die experimentellen Beweise, welche ich habe, so gering im Verhältniss zu denen, welche allmählich über diesen Punkt zusammengetragen werden und ihn stützen müssen, dass ich mich scheue, eine entschiedene Meinung hierüber auszusprechen.

850. Ich kann nicht glauben, mich zu täuschen, wenn ich die Lehre von der festen elektrochemischen Action als eine äusserst wichtige betrachte. Durch ihre Thatsachen berührt sie unmittelbarer und inniger, als es irgend eine frühere Thatsache oder eine Reihe von Thatsachen gethan, die schöne Idee, dass gewöhnliche chemische Affinität eine blosse Consequenz der elektrischen Anziehungen der Theilchen verschiedenartiger Stoffe sei, und sie wird uns wahrscheinlich zu den Mitteln leiten, durch welche wir im Stande sein werden, aufzuhellen, was gegenwärtig noch dunkel ist, und entweder die Wahrheit dieser Idee vollkommen zu erweisen oder darzuthun was etwa an ihre Stelle zu setzen sei.

851. Ein sehr schätzbarer Nutzen der elektrochemischen Aequivalente wird der sein, in zweifelhaften Fällen zu entscheiden, welches das wahre chemische Aequivalent oder die Zahl der Proportionen oder das Atomgewicht einer Substanz sei; denn ich bin so überzeugt, dass die Kraft, welche die elektrochemische Zersetzung und die gewöhnlichen chemischen Anziehungen beherrscht, die nämliche ist, bin so durchdrungen von dem überwältigenden Einfluss jener Naturgesetze, welche die Bestimmtheit der ersteren bedingen, dass ich kein Bedenken trage, zu glauben, dass auch die letzteren diesen unterworfen sein müssen. Unter diesen Umständen kann ich nicht zweifeln, dass wenn man für Wasserstnff die Zahl 1 annimmt und im Interesse der Einfachheit des Ausdruckes kleine Brüche vernachlässigt, die Aequivalentzahl oder das Atomgewicht des Sauerstoffs 8 ist, die des Chlors 36, des Broms 78,4, des Bleies 103,5, des Zinns 59 u. s. w., trotzdem eine sehr hohe Autorität mehrere dieser Zahlen verdoppelt.

§ 13. Ueber die absolute Quantität der mit den Molecülen oder Atomen der Materie vereinigten Elektricität.

852. Die Theorie der festen elektrolytischen oder elektrochemischen Action scheint mir die Frage nach der *absoluten Quantität* der zu verschiedenen Körpern gehörigen Elektricität oder der elektrischen Kraft unmittelbar zu berühren. Es ist vielleicht unmöglich, gegenwärtig über diesen Punkt zu reden, ohne sich über das Gebiet der Thatsachen hinauszuwagen, aber es ist ebenso unmöglich, und es wäre vielleicht unklug, den Gegenstand nicht zu discutiren. Wiewohl wir von dem, was ein Atom sei, nichts wissen, so können wir doch nicht widerstehen, uns die Vorstellung von einem kleinen Theilchen su bilden, welches uns dasselbe veranschaulicht, und wiewohl wir uns in derselben, wenn nicht in grösserer Unkenntniss hinsichtlich der Elektricität befinden, so dass wir nicht im Stande sind zu sagen, ob sie eine besondere Materie sei oder aus mehreren Materien bestehe, ob sie eine blosse Bewegung der gewöhnlichen Materie oder eine dritte Art von Kraft oder Agens sei, so giebt es doch eine ungemein grosse Summe von Thatsachen, welche uns zu der Annahme berechtigt, dass die Atome der Materie irgendwie begabt oder vereinigt seien mit elektrischen Kräften, denen sie ihre hervorragendsten Eigenschaften und unter diesen ihre gegenseitige chemische Affinität verdanken. Seitdem wir gemäss Dalton's Lehre wissen, dass die chemischen Kräfte, unter wie verschiedenartigen Umständen sie sich auch äussern mögen, für jeden Körper fest bestimmte sind, verstehen wir auch, die relative Grösse der Kraft, welche solchen Körpern innewohnt, zu schätzen; und wenn zu dieser Kenntniss die Thatsache hinzukommt, dass die Elektricität, welche wir, wie es scheint, aus ihrem Wohnsitze für eine Weile zu befreien und von Ort zu Ort überzuführen vermögen, *während sie hierbei doch ihre chemische Kraft bewahrt,* gemessen werden kann, und wenn diese

Messungen ergeben, dass *ihre* Action eine fest bestimmte ist, ebenso wie die *irgend welcher Bruchtheile* derselben, die, mit den Partikeln der Materie vereint bleibend, ihnen ihre *chemische Relation* verleihen, so scheinen wir das Band gefunden zu haben, welches die in Freiheit gesetzte Theilmenge mit derjenigen verknüpft, die den Partikeln in ihrem natürlichen Zustande angehört.

853. Nun ist es wunderbar, zu beobachten, wie klein die Menge eines zusammengesetzten Körpers ist, die durch eine gewisse Elektricitätsmenge zersetzt wird. Betrachten wir beispielsweise diese und einige andere Punkte in Bezug auf Wasser. *Ein Gran* zur Erhöhung seiner Leitungsfähigkeit angesäuerten Wassers erfordert zu seiner Zersetzung einen drei und dreiviertel Minuten lang dauernden Strom von solcher Stärke, welche hinreicht, einen $^1/_{104}$ Zoll dicken Platindraht[1]) während dieser ganzen Zeit an freier Luft in Rothgluth zu erhalten und einen sehr glänzenden und beständigen Lichtstern zu geben, wenn der Strom an irgend einer Stelle durch Kohlenspitzen unterbrochen wird. Berücksichtigt man die instantane Entladung der Spannungs-Elektricität, wie sie durch Wheatstone's[2]) schöne Versuche erläutert wird, und bedenkt, was ich früher über die Beziehung zwischen gewöhnlicher und Volta'scher Elektricität (371, 375) ausgesprochen habe, so wird es nicht zu viel gesagt sein, dass die zu jenen Zwecken erforderliche Elektricitätsmenge einem sehr kräftigen Blitzstrahle gleichkommt. Dennoch haben wir dieselbe vollkommen in unserer Gewalt; wir können sie direct entwickeln und nach Belieben anwenden, und wenn sie ihr Werk der Elektrolysirung vollbracht hat, so hat sie nur die Elemente *eines einzigen Grans Wasser* von einander getrennt.

854. Andererseits besteht zwischen der Elektricitätsleitung und Wasser-

---

1) Ich habe die Länge des angewandten Drahtes nicht angegeben, weil der Versuch ergiebt, wie es auch die Theorie erwarten liess, dass sie gleichgiltig ist. Dieselbe in einer gegebenen Zeit hindurchgehende Elektricitätsmenge, welche einen einen Zoll langen Draht von gewissem Durchmesser zur Rothgluht erhitzen kann, vermag auch hundert, tausend Zoll oder jede beliebige Länge desselben Drahtes auf denselben Grad zu erhitzen, vorausgesetzt dass die Abkühlungsbedingungen in allen Fällen an jeder Stelle gleich seien. Dies habe ich mittelst des Voltameters bewiesen. Ich fand, dass, es mochte ein halber Zoll oder acht Zoll auf der constanten Temperatur der dunkeln Rothgluth erhalten werden, in gleichen Zeiten gleiche Mengen Wasser zersetzt wurden. Wenn das einen halben Zoll lange Drahtstück angewandt wurde, so kam bloss der mittlere Theil in's Glühen. Ein dünner Draht kann auch als ein zwar roher aber bequemer Regulator eines Volta'schen Stromes dienen; denn wenn er in den Stromkreis eingeschaltet wird, und die mit ihm verbundenen dickeren Dräthe näher zusammen oder weiter aus einander geschoben werden, so dass das Drahtstück in der Kette merklich auf derselben Temperatur erhalten wird, so bleibt der durchgehende Strom sich nahezu gleich.

2) Literary Gazette, 1. u. 8. März 1833. Philosophical Magazine, 1833, p. 204. L'Institute, 1833, p. 261.

zersetzung eine so innige Beziehung, dass die eine ohne die andere nicht stattfinden kann. Wenn nun die verhältnissmässig geringe Aenderung mit dem Wasser vorgenommen wird, dass es aus dem flüssigen in den festen Zustand übergeht, so hört die Leitung auf und mit ihr die Zersetzung. Ob man annimmt, dass die Leitung von der Zersetzung bedingt sei oder nicht, (413, 703), so ist doch die Beziehung zwischen diesen beiden Functionen gleich innig und unzertrennlich.

855. Erwägt man diese innige und zwiefache Beziehung, nämlich, dass ohne Zersetzung kein Durchgang der Elektricität stattfindet, und dass beim Durchgang einer gegebenen bestimmten Elektricitätsmenge eine ebenso bestimmte und sich gleichbleibende Menge von Wasser oder anderen Substanzen zersetzt wird; erwägt man ferner, dass das Agens ohne Weiteres angewandt wird, um die elektrischen Kräfte der ihrer Einwirkung unterworfenen Körper zu überwinden, so erscheint es als eine wahrscheinliche und fast natürliche Folgerung, dass die durchgegangene Elektricität das *Aequivalent* von der der getrennten Theilchen und daher ihr gleich sei, d. h. wenn die elektrische Kraft, welche die Elemente eines Grans Wasser in Verbindung hält, oder welche bewirkt, dass ein Gran Sauerstoff und Wasserstoff in den richtigen Verhältnissen sich zu Wasser verbinden, in den Zustand eines *Stromes* versetzt werden könnte, so würde derselbe genau gleich sein dem zur Spaltung des Wassers in seine Elemente erforderlichen Strome.

856. Diese Betrachtungsweise unseres Gegenstandes giebt eine fast überwältigende Vorstellung von der ausserordentlichen Menge oder dem Grade von elektrischer Kraft, welche den materiellen Theilchen naturgemäss angehört; dennoch ist sie nicht im geringsten unverträglich mit den Thatsachen, welche man zur Stütze dieses Punktes beibringen kann. Um dies zu erläutern, muss ich einige Worte über die Volta'sche Säule sagen.[1])

857. In der Absicht, die in dieser und den vorhergehenden Reihen dieser Untersuchungen mitgetheilten Resultate späterhin zu einer genaueren Erforschung des Sitzes der Elektricität des Volta'schen Apparates zu benutzen, habe ich mich enthalten, mir eine entschiedene Meinung über diese Frage zu bilden; und ohne irgend behaupten zu wollen, dass metallischer Contact oder der Contact heterogener, zwar leitender, aber nicht metallischer Substanzen nichts mit der Entstehung des Stromes zu thun habe, bin ich doch vollständig der Meinung Davy's, dass dieser

---

[1]) Unter Volta'scher Säule verstehe ich den bisher so genannten Apparat oder eine Anordnung von Metallen zwischen denen sich Wasser, Salzlösung, Säuren oder andere wässerige Lösungen oder zersetzbare Substanzen (476) befinden. Andere Arten elektrischer Apparate dürften künftig erfunden werden, und ich hoffe einen zu construiren, der nicht zur Gruppe der von Volta erfundenen Instrumente gehört.

wenigstens durch chemische Action unterhalten werde, und dass der den Strom constituirende Zufluss fast gänzlich dieser Quelle entstamme.

858. Die Körper, welche zwischen die Metalle der Volta'schen Säule gebracht, diese wirksam machen, *sind sämmtlich Elektrolyte* (476), und es muss sich der Aufmerksamkeit eines Jeden, der sich mit diesem Gegenstande beschäftigt, aufdrängen, dass in jenen (für die Säule so wesentlichen) Körpern Zersetzung und Durchleitung des Stromes so innig verknüpft sind, dass die eine ohne die andere nicht eintreten kann. Das habe ich beim Wasser und in vielen anderen Beispielen (402, 476) mehr als zur Genüge gezeigt. Wenn wir also die Enden einer Volta'schen Batterie durch einen zersetzbaren Körper, wie Wasser, in Verbindung setzen, so haben wir einen durch den Apparat gehenden continuirlichen Strom, und während er in diesem Zustande bleibt, können wir die Stelle, wo die Säure auf die Platten, und die, wo der Strom auf das Wasser wirkt, als reciproke Theile ansehen. In beiden Theilen haben wir die beiden *in Körpern, wie diese, unzertrennlichen* Erscheinungen, nämlich den Durchgang eines Stromes und Zersetzung, und dies gilt ebensowohl für die Batteriezellen als für die Wasserzersetzungszelle; denn bisher hat man noch keine Volta'sche Batterie construirt, bei welcher die chemische Action bloss in einer Verbindung besteht, vielmehr *schliesst dieselbe stets auch Zersetzung ein*, und diese bildet, wie ich glaube, ein wesentliches chemisches Glied.

859. Allein der Unterschied zwischen den beiden Theilen der geschlossenen Kette, nämlich zwischen der Zersetzungs- oder Experimentirzelle und den erregenden Zellen ist einfach dieser. In der ersteren treiben wir den Strom hindurch, aber er ist, wie es scheint, nothwendig von Zersetzung begleitet; in den letzteren veranlassen wir Zersetzungen durch gewöhnliche chemische Actionen (die jedoch selbst elektrischer Natur sind) und haben als Folge den elektrischen Strom; und wie in dem ersteren Falle die von dem Strome abhängige Zersetzung eine bestimmte ist, so ist auch der in letzterem in Gemeinschaft mit der Zersetzung auftretende Strom bestimmt (862 etc.).

860. Wenden wir dies zur Stütze meiner Muthmassung in Betreff der enormen elektrischen Kraft eines jeden Molecüls oder Atoms der Materie an (856). In einer früheren Reihe dieser Untersuchungen über die Maassbeziehung zwischen gewöhnlicher und Volta'scher Elektricität habe ich gezeigt, dass zwei Drähte, der eine von Platin und der andere von Zink von je $^1/_{18}$ Zoll Durchmesser, in einem Abstande von $^5/_{16}$ Zoll von einander bis zu einer Tiefe von $^5/_8$ Zoll in eine Säure getaucht, die aus einem Tropfen Vitriolöl und vier Unzen destillirten Wassers, bei einer Temperatur von 60^0 F., bestand, und an ihrem anderen Ende durch einen achtzehn Fuss langen und $^1/_{18}$ Zoll dicken Kupferdraht verbunden, in etwas mehr als drei Secunden ebenso viel Elektricität lieferten, als eine durch dreissig Umdrehungen einer sehr grossen und kräftigen, in voller Wirksamkeit befindlichen Scheiben-Elektrisirmaschine geladene Leydener Batterie (371). Diese Menge, welche, auf einmal durch den Kopf einer Ratte oder Katze gesandt, hinreichend sein würde, gleich einem Blitzschlage sie zu tödten, wurde durch die Wechselwirkung eines so kleinen Stückes Zinkdrahtes und des mit ihm in Contact stehenden Wassers entwickelt, dass der von beiden erlittene Gewichtsverlust mit unseren empfindlichsten Instrumenten nicht zu bestimmen sein würde, und die Wassermenge, die durch diesen Strom zersetzt worden sein könnte, musste unmerklich gewesen sein, da während jener drei Secunden keine Spur von Wasserstoff an der Oberfläche des Platins auftrat.

861. Welch' ungeheure Menge von Elektricität ist demnach zur Zersetzung eines einzigen Grans Wasser erforderlich! Wir haben bereits gesehen, dass diese Menge ausreichen muss, einen $^1/_{104}$ Zoll dicken Platindraht an freier Luft drei und dreiviertel Minuten in Rothgluth zu erhalten (853), eine Menge, welche fast unendlich grösser ist als diejenige, welche durch den eben erwähnten kleinen Volta'schen Normalapparat erreicht werden konnte (860, 371). Ich habe mich bemüht, mittelst des Gewichtsverlustes eines solchen Drahtes in einer solchen Säure in gegebener Zeit, gemäss einem alsbald zu beschreibenden Principe und Versuche (862), einen Vergleich anzustellen, aber das Verhältniss ist so gross, dass ich mich fast scheue, es zu nennen. Es würde sich ergeben, dass 800000 solcher Ladungen der Leydener Batterie nothwendig wären, die zur Zersetzung eines einzigen Grans Wassers ausreichende Elektricität zu liefern, oder, wenn meine Ansicht richtig ist, eine Elektricitätsmenge, gleich derjenigen, welche von Natur mit den Elementen eines Grans Wasser vereinigt ist und diesen ihre gegenseitige chemische Affinität verleiht.

862. Zum ferneren Beweise dieses mächtigen elektrischen Zustandes der materiellen Theilchen und der *Gleichheit der ihnen angehörigen und der zu ihrer Trennung nothwendigen Elektricitätsmenge* will ich einen Versuch von grosser Einfachheit beschreiben, der ausserordentlich schön ist, wenn man ihn in Bezug auf die Erregung eines elektrischen Stromes und dessen Zersetzungskräfte betrachtet.

863. Eine verdünnte Schwefelsäure, aus einem Maasstheil Vitriolöl und dreissig Maasstheilen Wasser hergestellt, wirkt energisch auf ein Stück Zinkblech in seinem einfachen und gewöhnlichen Zustande, aber, wie Sturgeon gezeigt hat[1]), gar nicht oder kaum, wenn die Oberfläche des Metalles vorher amalgamirt wird; dennoch wirkt das amalgamirte Zink mit Platin kräftig elektromotorisch, indem an letzterem Metall sich Wasserstoff entwickelt, während das Zink sich oxydirt und löst. Die Amalgamirung lässt sich am besten in der Art bewerkstelligen, dass man auf die mit verdünnter Säure benässte Zinkfläche einige Tropfen Quecksilber

1) Recent Experimental Researches, etc. 1830, p. 74 etc.

spritzt und dasselbe mit den Fingern oder mit Werg so verreibt, dass das flüssige Metall sich über die ganze Fläche ausbreitet. Das überflüssige, Tropfen auf dem Zink bildende Quecksilber muss abgewischt werden.[1])

864. Zwei so amalgamirte Zinkstreifen wurden getrocknet und genau gewogen. Die eine, welche wir A nennen wollen, wog 163,1 Gran, die andere B wog 148,3 Gran. Sie waren ungefähr fünf Zoll lang und 0,4 Zoll breit. In eine mit verdünnter Schwefelsäure von der eben genannten Concentration (863) gefüllte irdene pneumatische Wanne wurde eine mit derselben Säure angefüllte Gasflasche umgekehrt[2]), und in diese ein den Zinkstreifen nahezu gleich langer, aber ungefähr dreimal so breiter Platinstreifen gebracht. Auch der Zinkstreifen wurde in die Flasche eingeführt und mit dem Platin in Berührung gebracht, und in demselben Augenblick der Streifen B in die Säure der Wanne gestellt, jedoch ausser Berührung mit einer metallischen Substanz.

865. Sobald die Streifen von Zink und Platin mit einander in Berührung kamen, trat eine starke Wirkung ein. Vom Platin erhob sich Wasserstoff und sammelte sich in der Flasche, aber von *keinem* der Zinkstreifen stieg Wasserstoff oder ein anderes Gas auf. Nach etwa zehn bis zwölf Minuten, nachdem sich genügend Wasserstoff angesammelt hatte, wurde der Versuch abgebrochen; im Verlaufe desselben hatten sich einige kleine Blasen auf dem Streifen B gezeigt, aber keine auf Streifen A. Die Streifen wurden in destillirtem Wasser gewaschen, getrocknet und wieder gewogen. Streifen B wog, wie vorher, 148,3 Gran, hatte also durch directe chemische Einwirkung der Säure keinen Verlust erlitten. Streifen A wog 154,65 Gran, es hatten sich demnach 8,45 Gran desselben während des Versuches oxydirt und gelöst.

866. Das Wasserstoffgas wurde nun über einen Wassertrog gebracht und gemessen; es betrug 12,5 Cubikzoll, bei einer Temperatur von 52^0 [11^0,1 C.] und einem Barometerstand von 29,2 Zoll. Nach den Temperatur-, Druck- und Feuchtigkeitscorrectionen reducirt sich diese Menge auf 12,15453 Cubikzoll trocknen Wasserstoffs von mittlerer Temperatur und mittlerem Druck; rechnet man hierzu noch halb so viel Sauerstoff, welcher zur *Anode*, d. h. zum Zink gegangen sein musste, so ergeben sich 18,232 Cubikzoll als das Quantum Sauerstoff und Wasserstoff, welches sich aus dem durch den elektrischen Strom zersetzten Wasser entwickelte. Nach der früher angenommenen Schätzung des Gewichtes des Gasgemenges (791) beträgt

---

[1]) Der Versuch kann mit reinem Zink angestellt werden, welches, wie die Chemiker wohl wissen, von verdünnter Schwefelsäure nur wenig angegriffen wird im Vergleich mit gewöhnlichem Zink, das hierbei einer Anzahl Volta'scher Actionen unterliegt. Siehe hierüber De la Rive, Bibliothèque Universelle, 1830, p. 391.

[2]) Die Säure wurde über Nacht mit einem kleinen Stück unamalgamirten Zinks stehen gelassen, um etwaiger Luft Zeit zum Entweichen zu lassen und das Ganze auf einen constanten Zustand zu bringen.

dieses Volumen 2,3535544 Gran, und dies ist also das Gewicht des zersetzten Wassers; diese Menge verhält sich zu 8,45, der Menge des oxydirten Zinks, wie 9 zu 32,31. Nimmt man nun 9 zur Aequivalentzahl des Wassers, so ergiebt sich 32,5 als Aequivalentzahl für Zink; die Uebereinstimmung ist nahe genug, um zu zeigen, dass, wie es auch nicht anders sein konnte, für ein Aequivalent oxydirten Zinks ein Aequivalent Wasser zersetzt worden sein musste.[1])

867. Betrachten wir aber, *wie* das Wasser zersetzt wird. Es wird elektrolysirt, d. h. voltaisch zersetzt, und nicht (dem Anscheine nach) in der gewöhnlichen Weise chemischer Zersetzungen; denn der Sauerstoff erscheint an der *Anode* und der Wasserstoff an der *Kathode* des in Zersetzung begriffenen Körpers, und diese standen in vielen Abtheilungen des Versuches über einen Zoll auseinander. Ferner war die gewöhnliche chemische Verwandtschaft unter den obwaltenden Umständen nicht ausreichend, die Zersetzung des Wassers zu bewirken, was dadurch, dass Streifen B unangegriffen blieb, zur Genüge bewiesen wurde; der Volta'sche Strom war also wesentlich. Und um jeden Gedanken auszuschliessen, als ob die chemische Affinität doch nahezu hinreichend gewesen wäre, das Wasser zu zersetzen, und ein schwächerer Elektricitätsstrom unter diesen Umständen den Uebergang des Wasserstoffs zur *Kathode* veranlasst haben könnte, brauche ich nur auf die Resultate zu verweisen, welche ich mitgetheilt habe (807, 813), um zu zeigen, dass die chemische Action an den Elektroden nicht den geringsten Einfluss auf die zwischen ihnen zersetzten *Mengen* von Wasser oder anderen Substanzen hat, sondern dass diese gänzlich von der durchgegangenen Elektricitätsmenge abhängig sind.

868. Was ergiebt sich also als eine nothwendige Folgerung des ganzen Versuches? Nun, dies: dass die chemische Action auf 32,31 Theile oder ein Aequivalent Zink in diesem einfachen Volta'schen Kreise im Stande war, eine solche Menge Elektricität in Form eines Stromes zu entwickeln, dass sie beim Durchgange durch Wasser 9 Theile oder ein Aequivalent dieser Substanz zersetzen konnte; und wenn man die bestimmten Relationen der Elektricität, wie sie in den vorhergehenden Abschnitten dieser Abhandlung auseinandergesetzt wurden, in Erwägung zieht, so beweisen die Resultate, dass die Elektricitätsmenge, welche von Natur mit den materiellen Theilchen vereinigt ist und diesen ihre Verbindungskraft verleiht, in die Form eines Stromes gebracht, fähig ist, diese Theilchen aus ihrem Verbindungszustande zu befreien, oder mit anderen Worten, dass *die Elektricität, welche eine gewisse Menge einer Substanz zersetzt, gleich ist derjenigen, welche bei der Zersetzung derselben Menge entwickelt wird.*

869. Die Harmonie, welche diese Theorie von der bestimmten Entwickelung und der äquivalenten, bestimmten Action der Elektricität ein-

---

[1]) Der Versuch wurde mehrmals mit demselben Erfolge wiederholt.

führt in die verwandten Theorien der bestimmten Proportionen und der elektrochemischen Affinität, ist sehr gross. Ihr zufolge sind die Aequivalentgewichte der Körper einfach diejenigen Mengen derselben, welche gleiche Mengen Elektricität enthalten oder von Natur gleiche elektrische Kräfte besitzen; es ist die **Elektricität,** welche die Aequivalentzahl *bedingt, weil* sie die Verbindungskraft *bedingt.* Aber wenn wir die Atomtheorie und deren Terminologie annehmen, so sind es die in ihrer gewöhnlichen chemischen Action einander äquivalenten Atome der Körper, welche von Natur mit gleichen Mengen Elektricität vereinigt sind. Aber ich muss gestehen, ich bin misstrauisch gegen den Ausdruck *Atom*, denn es ist sehr leicht, von Atomen zu reden, aber sehr schwer, sich eine klare Vorstellung von ihrer Natur zu bilden, insbesondere wenn zusammengesetzte Körper in Betracht kommen.

870. Ich kann nicht umhin, hier an die schöne, ich glaube, von Berzelius (703) in der Entwickelung seiner Ansichten über die elektrochemische Theorie der Affinität ausgesprochene Idee, dass Wärme und Licht, die in Fällen energischer Verbindung entwickelt werden, die Folge einer bei diesem Vorgange stattfindenden elektrischen Entladung sind. Die Idee steht in vollkommener Uebereinstimmung mit der von mir gefassten Ansicht über die mit den materiellen Theilchen vereinigte *Menge* von Elektricität.

871. Bei dieser Darstellung des Gesetzes der festen Action der Elektricität und ihrer entsprechenden festen Proportion in den Körpertheilchen behaupte ich nicht, schon jeden Fall von chemischer oder elektrochemischer Action unter seine Herrschaft gebracht zu haben. Es giebt, besonders in Bezug auf die Theilchen zusammengesetzter Substanzen und die resultirenden elektrischen Kräfte, welche sie besitzen müssen, zahlreiche Punkte theoretischer Natur, welche, wie ich hoffe, mit der Zeit ihre Erklärung finden werden, und ebenso giebt es zahlreiche experimentelle Fälle, wie z. B. die durch schwache Affinitäten gebildeten Verbindungen, die gleichzeitige Zersetzung von Wasser und Salzen u. s. w., welche noch fernerer Untersuchung bedürfen. Allein, welche Resultate in Betreff dieser und vieler anderer Punkte sich auch ergeben mögen, so glaube ich nicht, dass die Thatsachen, welche ich vorgebracht habe, oder die aus ihnen hergeleiteten allgemeinen Gesetze eine ernstliche Aenderung erleiden werden, und sie sind wichtig genug, um ihre Veröffentlichung zu rechtfertigen, obwohl noch Vieles unvollständig und unerledigt bleibt. Es ist in der That ein grosser Vorzug unserer Wissenschaft, *der* **Chemie,** dass jeder Fortschritt derselben, er mag gross oder klein sein, die Forschungsgegenstände nicht erschöpft, sondern die Eingangspforten zu weiterer und reicherer Erkenntniss öffnet, welche Denen, die der leichten Mühe einer Experimentaluntersuchung sich unterziehen, Freude und Nutzen in Fülle gewährt.

872. Die Bestimmtheit der Elektricitätsentwickelung (868) im Verein mit ihrer festen Action beweist, glaube ich, dass der elektrische Strom in der

Volta'schen Säule durch chemische Zersetzung oder vielmehr durch chemische Action, und nicht bloss durch den Contact unterhalten wird. Aber hier, wie sonst (857), ziehe ich es vor, mich einer Meinungsäusserung über die eigentliche Wirkung des Contactes zu enthalten, da ich noch nicht im Stande war, mir darüber klar zu werden, ob er eine Erregungsursache des Stromes ist, oder ob er bloss zur Fortleitung der auf anderem Wege erregten Elektricität von einem Metalle zum anderen nothwendig ist.

873. Giebt man jedoch zu, dass chemische Action die Quelle der Elektricität ist, welch' ein unendlich kleiner Bruchtheil der zur Wirksamkeit gelangenden ist es, den wir in unseren Volta'schen Batterien gewinnen und verwerthen! Ein Zink- und ein Platindraht von $^1/_{18}$ Zoll Durchmesser und ungefähr einem halben Zoll Länge, in verdünnte Schwefelsäure getaucht, die so schwach ist, dass sie unserer Zunge nicht merklich sauer erscheint oder kaum auf unsere empfindlichsten Reagenzpapiere einwirkt, entwickeln in $^1/_{20}$ Minute mehr Elektricität (860), als irgend Jemand auf einmal gern durch seinen Körper gehen lassen möchte. Die chemische Wirkung eines Grans Wasser auf vier Gran Zink kann eine ebenso grosse Elektricitätsmenge entwickeln als ein mächtiges Gewitter (868, 861). Und nicht bloss dies ist richtig, dass diese Menge in Thätigkeit kommt, sondern sie kann auch so geleitet werden, dass sie ihre volle äquivalente Function erfüllt (867 etc.). Kann man daher nicht mit vielem Grunde hoffen und glauben, dass wir durch eine genauere *experimentelle* Erforschung der Principien, welche die Erregung und Wirkung dieses subtilen Agens beherrschen, im Stande sein werden, die Kraft unserer Batterien zu erhöhen oder neue Instrumente zu erfinden, welche die Energie der uns bisher bekannten um das Tausendfache übertreffen?

874. Hier muss ich die Betrachtung der *festen chemischen Action der Elektricität* eine Weile verlassen. Ehe ich jedoch diese Reihe der Experimentaluntersuchungen schliesse, möchte ich in Erinnerung rufen, dass ich in einer früheren Reihe gezeigt habe, dass der elektrische Strom auch *eine fest bestimmte magnetische Action* hat (216, 366, 367, 376, 377), und obschon dieses Resultat nicht weiter verfolgt wurde, so zweifle ich doch nicht, dass der Erfolg, welchen ich in der Eläuterung der chemischen Wirkungen erreicht habe, nicht grösser ist, als ihn eine Untersuchung der magnetischen Erscheinungen haben würde.

Royal Institution,
31. December 1833.

ACHTE REIHE.

§ 14. *Ueber die Elektricität der Volta'schen Säule, ihren Ursprung, ihre Quantität, Intensität und allgemeinen Eigenschaften. I. Ueber einfache Volta'sche Ketten. II. Ueber die zur Elektrolysirung nothwendige Intensität. III. Ueber zusammengesetzte Volta'sche Ketten oder die Volta'sche Batterie. IV. Ueber den Widerstand eines Elektrolyts gegen elektrolytische Action. V. Allgemeine Bemerkungen über die active Volta'sche Batterie.*

Eingegangen am 7. April, — Gelesen am 5. Juni 1834.

I. Ueber einfache Volta'sche Ketten.

875. Die grosse Frage über die Quelle der Elektricität in der Volta'schen Säule hat die Aufmerksamkeit so ausgezeichneter Physiker beschäftigt, dass ein Unbefangener, welcher ihre Fähigkeiten zu schätzen verstände, ohne die Frage studirt zu haben, wahrscheinlich schliessen würde, dass die Wahrheit einigermaassen enthüllt worden sei. Allein wenn er zur Befestigung dieses Eindruckes sich veranlasst fühlte, sich der Arbeit zu unterziehen, die Resultate und Schlussfolgerungen zusammenzutragen, so würde er so viel Widersprechendes in der Beweisführung, so viel Schwankendes in den Meinungen, so viel Abweichendes und Muthmassliches in der Theorie finden, dass er hinsichtlich dessen, was er als die wahre Erklärung der Natur ansehen solle, vollkommen in Zweifel bliebe. Er würde sich genöthigt sehen, selbst die Arbeit der Wiederholung und Prüfung der Thatsachen zu übernehmen, und es vorziehen, sich seines eigenen Urtheils, statt des der Anderen, zu bedienen.

876. Diese Sachlage muss mir bei Denen, welche über diesen Gegenstand nachgedacht haben, zur Rechtfertigung dienen, wenn ich in eine Untersuchung desselben eintrete. Die von mir aufgestellten Ansichten über die feste Action der Elektricität bei Zersetzung der Körper (783) und die Gleichheit der hierbei aufzuwendenden mit der zu überwindenden Kraft (855), die sich nicht auf eine blosse Meinung oder einen allgemeinen Begriff gründen, sondern auf Thatsachen, welche, durchweg neu, in meinen Augen genau und entscheidend waren, befähigten mich, wie ich glaube, die Frage mit vorzüglicheren Mitteln, als es bisher irgend Jemandem möglich war, zu untersuchen und dürften die überlegene Klarheit und die umfassende Intelligenz Anderer aufwiegen. Solche Betrachtungen sind es, die mich annehmen liessen, dass ich zur Entscheidung der Frage beitragen und im Stande sein könnte, einen wichtigen Dienst in der Beseitigung *zweifelhafter Kenntnisse* zu leisten. Eine solche Kenntniss ist das frühe Morgenlicht jeder fortschreitenden Wissenschaft und wesentlich für ihre Entwickelung, aber, wer bemüht ist, das Trügerische in ihr zu bannen und das Wahre in grösserer Klarheit zu enthüllen, ist an seiner Stelle ebenso nützlich und für den allgemeinen Fortschritt der Wissenschaft ebenso nothwendig, als der, welcher zuerst das geistige Dunkel durchbrach und die Bahn zu einer den Menschen bisher unbekannten Wissenschaft eröffnete.

877. Die Gleichheit der den Volta'schen Strom oder das elektrolytische Agens constituirenden Kraft und derjenigen, welche die Elemente der Elektrolyte zusammenhält (855), oder mit anderen Worten, der chemischen Affinität, schien darauf hinzuweisen, dass die Volta'sche Säule selbst bloss eine Art von Aeusserung oder Erscheinung oder Dasein einer *wahren chemischen Action* oder vielmehr ihrer Ursache sei, und ich habe demnach bereits gesagt, dass ich Denen zustimme, welche die *Unterhaltung* der Elektricität von chemischen Kräften herleiten (857).

878. Allein die wichtige Frage, ob sie ursprünglich durch metallischen Contact oder durch chemische Action bedingt ist, d. h. ob der erstere oder die letztere den Strom *hervorbringt* und bestimmt, war mir noch zweifelhaft. Der schöne und einfache Versuch mit amalgamirtem Zink und Platin, den ich nebst den Resultaten ausführlich beschrieben habe (863 etc.), vermochte den Punkt nicht zu entscheiden, denn bei diesem Versuche fand die chemische Wirkung nicht ohne den Contact der Metalle statt, und andererseits ist der metallische Contact ohne chemische Action unwirksam. Daher kann man den einen oder die andere als die *bedingende* Ursache des Stromes ansehen.

879. Ich hielt es zur Entscheidung dieser Frage für wesentlich, Apparat und Experiment in der möglich einfachsten Form in Anwendung zu bringen, damit keine Täuschung aus Unachtsamkeit sich einschleiche. Die wohl bekannte Schwierigkeit, Zersetzung mittelst eines einzigen Plattenpaares zu bewirken, ausgenommen in der dasselbe erregenden Flüssigkeit selbst (863), schien einem solchen Versuche ein unübersteigliches Hinderniss entgegenzustellen. Ich erinnerte mich jedoch der leichten Zersetzbarkeit einer Lösung von Jodkalium (316), und da ich, wenn metallischer Contact nicht *wesentlich* war, keinen theoretischen Grund fand, wesshalb wahre elektrochemische Zersetzung selbst in einem einzigen Elemente nicht stattfinden sollte, so blieb ich dabei und hatte Erfolg.

880. Ein ungefähr acht Zoll langer und einen halben Zoll breiter reiner Zinkstreifen wurde in der Mitte zu einem rechten Winkel gebogen, Tafel VI, Fig. 73 a; ebenso wurde der an einem etwa drei Zoll langen und einen halben Zoll breiten Platinstreifen befestigte Platindraht, wie in der Fig. bei *b*, gebogen, und beide Metallstücke in der durch die Figur dargestellten Art angeordnet, aber zunächst ausserhalb des Gefässes *c*, welches verdünnte Schwefelsäure mit etwas Salpetersäure gemengt enthielt. Bei *x* wurde ein zusammengefaltetes, in einer Jodkaliumlösung befeuchtetes Stück Papier auf das Zink gelegt und mittelst des Endes des Platindrahtes angedrückt. Wurden unter diesen Umständen die Streifen in die Säure des Gefässes *c* getaucht, so fand unmittelbar eine Wirkung bei *x* statt, indem das Jodid zersetzt wurde, und Jod an der *Anode* auftrat (633), d. h. an dem Ende des Platindrahtes.

881. So lange die unteren Enden der Streifen in der Säure blieben, dauerte der Strom fort und ging die Zersetzung bei *x* vor sich. Verschob man das Drahtende auf dem Papier von einem Punkte zu einem anderen, so zeigte es sich, dass die Wirkung sehr kräftig war, und wenn man zwischen das weisse Papier und das Zink ein Stück gleich jenem mit der Jodkaliumlösung befeuchteten Curcumapapiers schob, so trat an der *Kathode*, am Zink, in Proportion zu dem an der *Anode* abgeschiedenen Jod, Alkali auf (663). Die Zersetzung war also eine vollkommen polare und rührte zweifellos von einem elektrischen Strome her, welcher in dem Gefässe vom Zink durch die Säure zum Platin ging und zurück vom Platin durch die Lösung zum Zink, wo das Papier *x* lag.

882. Dass die Zersetzung bei *x* eine wahre elektrolytische Action war, die von einem durch die gegebenen Verhältnisse in dem Gefässe *c* bedingten Strome herrührte, und nicht von einer directen lediglich chemischen Wirkung des Zinks und Platins auf das Jodid, oder von einem *Strome*, welchen etwa die Wirkung der Jodidlösung auf diese Metalle bei *x* hätte erregen können, ergab sich in erster Linie daraus, dass, wenn das Gefäss *c* mit seiner Säure von den Streifen entfernt wurde, die Zersetzung bei *x* völlig aufhörte, und ferner daraus, dass zwar die Zersetzung des Jodids bei *x*, jedoch in *umgekehrter Ordnung* stattfand, wenn man die Metalle innerhalb oder ausserhalb der Säure mit einander verband; denn nun trat Alkali an dem Ende des Platindrahtes auf, und das Jod ging zum Zink, da der Strom dem in dem vorigen Falle entgegengesetzt war und direct durch die Differenz der Wirkung der Lösung in dem Papier auf die beiden Metalle hervorgebracht wurde. Das Jod *verband sich* natürlich mit dem Zink.

883. Wurde der Versuch mit Zinkstücken, deren ganze Oberfläche amalgamirt war (863), angestellt, so ergab sich das Resultat ebenso leicht in derselben Richtung, selbst wenn bloss verdünnte Schwefelsäure in dem Gefässe *c* enthalten war (Fig. 73). Welches Ende des Zinks auch in die Säure tauchte, der Erfolg blieb derselbe, so dass, wenn man für einen Augenblick annehmen konnte, dass das Quecksilber den metallischen Contact herstellte, die Umkehrung des amalgamirten Stückes diesen Einwand nichtig macht. Die Anwendung *unamalgamirten Zinks* beseitigt jede Möglichkeit eines Zweifels.[1])

884. Als ich, in Verfolg anderer Ansichten (930), die Säure in dem Gefässe *c* durch eine Lösung von Aetzkali ersetzte, war das Resultat dasselbe. Die Zersetzung des Jodids ging leicht von Statten, obschon nirgend heterogene Metalle in Contact kamen, und der elektrische Strom hatte *dieselbe Richtung,* wie bei Anwendung von Säure an der Erregungsstelle.

885. Auch eine Kochsalzlösung in dem Glase *c* brachte alle diese Wirkungen hervor.

886. Als ich ein aus Platindrähten hergestelltes Galvanometer in die Bahn des Stromes zwischen den Platinstreifen und die Zersetzungsstelle *x* einschaltete, wurde es abgelenkt und wies Ströme von derselben Richtung nach, wie sie durch die chemische Action dargethan wurden.

887. Eine allgemeine Betrachtung dieser Resultate führt zu sehr wichtigen Schlüssen. In erster Linie beweisen sie auf das Entschiedenste, dass *metallischer Contact zur Erregung des Volta'schen Stromes nicht nothwendig ist.* Ferner zeigen sie eine höchst überraschende Wechselbeziehung zwischen den chemischen Affinitäten der Flüssigkeit, welche den Strom *erregt* und derjenigen, welche durch ihn *zersetzt* wird.

888. Um die Betrachtung zu vereinfachen, wollen wir den Versuch mit amalgamirten Zink wieder aufnehmen. Das so präparirte Metall giebt keine Wirkung, so lange der Strom nicht hindurchgehen kann, auch leitet es keine neue Action ein, sondern beseitigt bloss einen Einfluss, welcher entweder der Erregung oder der Wirkung des zu untersuchenden elektrischen Stromes fremdartig ist (1000), und der, wenn er vorhanden ist, bloss die Resultate zu verwirren geeignet ist.

889. Bringt man zwischen die einen Enden eines amalgamirten Zinkstreifens und eines diesem parallelen Platinstreifens (Fig. 74) einen Tropfen verdünnte Schwefelsäure *y,* so wird an dieser Stelle keine merkliche chemische Wirkung eintreten, wenn die beiden Platten nicht noch irgendwo, etwa bei PZ, durch einen die Elektricität leitenden Körper verbunden werden.

---

1) Das Folgende bietet eine noch überraschendere Modification des obigen elementaren Versuches. Man stelle sich einen zehn oder zwölf Zoll langen und zwei Zoll breiten, vollkommen gereinigten Zinkstreifen her und zwei reine Platinscheiben von etwa $1\frac{1}{2}$ Zoll Durchmesser, tauche drei oder vier Lagen Fliesspapier in eine concentrirte Jodkaliumlösung und lege sie auf das eine Ende des reinen Zinkstreifens und darüber die eine Platinscheibe; ähnliche Papierstreifen oder ein Stück Leinwand, mit einem Gemenge von gleichen Theilen Salpetersäure und Wasser befeuchtet, lege man auf das andere Ende des Zinkstreifens und darüber die andere Platinscheibe. Unter diesen Umständen wird man keine Veränderung an der Jodidlösung wahrnehmen; verbindet man aber die beiden Scheiben durch einen Platindraht (oder irgend einen anderen) eine oder zwei Secunden lang und hebt dann die über dem Jodid liegende ab, so wird man finden, dass die *ganze* untere Fläche durch frei gewordenes Jod tief gefärbt ist. — Dec. 1838.

Ist dieser Körper ein Metall oder Kohle von gewisser Beschaffenheit, so tritt der Strom auf, und da er durch die Flüssigkeit bei *y* circulirt, so erfolgt Zersetzung.

890. Entfernt man nun die Säure bei *y* und bringt einen Tropfen Jodkaliumlösung nach *x* (Fig. 75), so tritt genau dieselbe Reihe von Erscheinungen auf, nur dass, wenn die metallische Communication bei PZ hergestellt wird, die Richtung des elektrischen Stromes der früheren entgegengesetzt ist, wie es durch die Pfeile angedeutet ist, welche die Bahnen der Ströme bezeichnen (667).

891. Nun sind *beide* Lösungen Leiter, aber ihre Leitung steht in wesentlichem Zusammenhange mit einer Zersetzung (858) in einer gewissen festen Ordnung, und daher *zeigt* das Auftreten der Elemente an bestimmten Stellen an, in welcher Richtung ein Strom bei Anwendung dieser Lösungen gegangen ist. Ueberdies finden wir, dass wenn sie sich an den entgegengesetzten Enden der Streifen befinden, wie in den beiden letzten Versuchen (889, 890), und der metallische Contact an den anderen Enden hergestellt wird, die Ströme entgegengesetzte Richtung haben. Wir sind also offenbar im Stande, die Wirkung der beiden Flüssigkeiten gleichzeitig an den entgegengesetzten Enden der Streifen einander entgegenzustellen und jede von ihnen als Leiter für die Entladung des Elektricitätsstromes zu gebrauchen, welchen die andere zu erregen sucht, wir setzen sie also thatsächlich an Stelle des metallischen Contactes und combiniren beide Versuche zu einem (Fig. 76). Unter diesen Umständen findet ein Entgegenwirken der Kräfte statt; Die Flüssigkeit (nämlich die verdünnte Säure), deren stärkere chemische Verwandtschaft zum Zink in's Spiel kommt, überwindet die Kraft der anderen und bestimmt die Bildung und Richtung des elektrischen Stromes, indem sie nicht nur bewirkt, dass der Strom durch die schwächere Flüssigkeit hindurchgeht, sondern in Wirklichkeit die Tendenz, welche die Elemente der letzteren, ohne jene Gegenwirkung, zum Zink und Platin besitzen, umkehrt und dieselben in eine Richtung zwingt, entgegengesetzt derjenigen, welche sie zu befolgen geneigt sind, um dem von ihr selbst erregten Strome freie Bahn zu schaffen. Beseitigt man die dominirende Action bei *y* durch Herstellung des metallischen Contactes, dann erlangt die Flüssigkeit bei *x* wieder ihre Macht, oder wenn man nicht die Metalle bei *y* in Contact bringt, sondern die Verwandtschaften der Lösung daselbst schwächt, während man die bei *x* thätigen verstärkt, so gewinnen die letzteren das Uebergewicht, und die Zersetzungen gehen in umgekehrter Ordnung vor sich.

892. Bevor ich aus dieser gegenseitigen Abhängigkeit und dem Verhalten der chemischen Verwandtschaften zweier getrennter Mengen erregender Flüssigkeiten (916) einen *endgiltigen* Schluss ziehe, will ich die verschiedenen Umstände, unter denen die Reaction des in Zersetzung begriffenen auf die Action des gleichfalls der Zersetzung unterliegenden, den Volta'schen Strom erzeugenden Körpers deutlich hervortritt, noch eingehender untersuchen.

893. Der Nutzen des *Metallcontactes* in einem einzigen Plattenpaare und der Grund seiner grossen Ueberlegenheit über den Contact durch andersartige Stoffe wird nun ganz einleuchtend. Wenn eine amalgamirte Zinkplatte in verdünnte Schwefelsäure taucht, so ist die Kraft, welche die chemische Verwandtschaft zwischen dem Metall und der Flüssigkeit äussert, nicht gross genug, um eine merkliche Wirkung an den Contactflächen auszuüben und durch Oxydation des Metalles Wasserzersetzung zu veranlassen, wiewohl sie ausreichend *ist,* um einen solchen Elektricitätszustand (oder die die chemische Verwandtschaft bedingende Kraft) hervorzurufen, dass ein Strom entstehen würde, falls er eine offene Bahn fände (916, 956), und dieser Strom würde die unter den obwaltenden Umständen zur Zersetzung des Wassers nothwendigen Bedingungen vervollständigen.

894. Nun bietet das vorhandene Platinstück, das zugleich das Zink und die zu zersetzende Flüssigkeit berührt, der Elektricität die erforderliche Bahn. Seine *directe Communication* mit dem Zink ist weit wirksamer als irgend eine Communication zwischen ihm und diesem Metall (d. h. zwischen dem Platin und Zink), die, wie in dem oben beschriebenen Versuche (891), mittelst zersetzbarer Leiter, oder, mit anderen Worten, mittelst *Electrolyte* hergestellt wird, weil *deren* chemische Affinitäten eine entgegensetzte und der der verdünnten Schwefelsäure widerstrebende Wirkung hervorrufen; und wenn auch ihre Wirkung nur schwach wäre, so müsste doch die Verwandtschaft ihrer Bestandtheile überwunden werden, da sie, ohne Zersetzung zu erleiden, nicht zu leiten vermögen, und diese Zersetzung übt *erfahrungsgemäss* eine Rückwirkung auf die Kräfte aus, welche in der Säure den Strom zu erzeugen suchen (904, 910 etc.), und hebt dieselben in vielen Fällen ganz auf. Findet jedoch eine directe Berührung des Zinks mit dem Platin statt, so kommen diese Widerstandskräfte nicht in Thätigkeit, und daher ist die Erregung und Circulation des elektrischen Stromes und die ihn begleitende Zersetzungswirkung ausserordentlich begünstigt.

895. Es ist jedoch klar, dass man eine dieser entgegenstehenden Wirkungen fortlassen und doch einen Elektrolyt zur Schliessung der Kette zwischen dem getrennt in die verdünnte Säure tauchenden Zink und Platin anwenden kann. Denn wenn man in Fig. 73 den Platindraht in metallischem Contact mit dem Zinkstreifen *a* bei *x* erhält und das Platin irgendwo, etwa bei *s*, unterbricht und die Jodidlösung daselbst einschiebt, so dass dieselbe an beiden Seiten mit dem Platin in Berührung ist, so übt dieselbe auf dieses Metall keine chemische Verwandtschaft, oder doch eine auf beiden Seiten gleiche aus. Daher fehlt ihr die Fähigkeit, einen dem von der Wirkung der Säure im Gefässe *c* herrührenden entgegengesetzten Strom hervorzurufen, und es bleibt nur ihr Widerstand gegen die Zersetzung als das von den in der verdünnten Schwefelsäure sich äussernden Affinitäten zu überwindende Hinderniss übrig.

896. Dies ist der Zustand eines einzigen in Wirksamkeit befindlichen

Plattenpaares, wo *metallischer Contact* stattfindet. In solchen Fällen haben die in dem Gefässe *c* herrschenden Affinitäten nur eine Reihe entgegengesetzter Affinitäten zu überwinden, während, wo kein metallischer Contact stattfindet, zwei Reihen entgegenstehender Affinitäten zu besiegen sind (894).

897. Man hat es für schwierig, ja für unmöglich gehalten, Körper durch den Strom eines einzigen Plattenpaares zu zersetzen, selbst wenn dieses so kräftig wirkt, dass es Metallstäbe in Rothgluth versetzt, wie Hare's zu einem einzigen Volta'schen Kreise angeordneter Calorimotor, oder ein einziges Plattenpaar der kräftigen Wollaston'schen Kette. Diese Schwierigkeit entspringt ganz und gar aus dem Widerstreit der den Strom erzeugenden und der zu überwindenden chemischen Verwandtschaft und hängt gänzlich von ihrer relativen Intensität ab. Denn wenn die Summe der Kräfte der einen die Summe der Kräfte der anderen um eine gewisse Grösse übertrifft, so bestimmen die ersteren, die das Uebergewicht haben, den Strom und überwinden die letzteren, so dass die Substanz, in welcher diese sich äussern, ihre Bestandtheile ausgiebt, in völliger Uebereinstimmung sowohl der Richtung als der Menge nach mit dem Gange derjenigen, welche die stärkste und dominirende Wirkung ausüben.

898. Wasser galt allgemein als die Substanz, in deren Zersetzung man ein chemisches Reagenz für den Durchgang eines elektrischen Stromes suchte. Allein ich begann nun den Grund für das Ausbleiben derselben und für eine lange zuvor (315, 316) beim Jodkalium von mir beobachtete Thatsache einzusehen, dass nämlich die verschiedene Leichtigkeit, mit welcher die Körper durch einen gegebenen elektrischen Strom zersetzt werden, dem Zustande und der Intensität ihrer gewöhnlichen chemischen Affinitäten entspricht. Dieser Grund schien in ihrer *Rückwirkung auf die Affinitäten*, welche den Strom zu erzeugen suchen, zu liegen, und es war mir wahrscheinlich, dass es viele Substanzen giebt, die durch den Strom eines einzigen in verdünnte Schwefelsäure getauchten Plattenpaares von Zink und Platin zersetzt werden könnten, obschon Wasser seiner Wirkung widersteht. Ich fand bald, dass das wirklich der Fall ist, und da die Versuche neue und schöne Beweise von der directen Relation und Gegenwirkung der den Elektricitätsstrom erzeugenden und der ihn hindernden chemischen Affinitäten liefern, so will ich sie kurz beschreiben.

899. Der Apparat war wie in Fig. 77 angeordnet. Das Gefäss *v* enthielt verdünnte Schwefelsäure, Z und P sind die Platten von Zink und Platin, *a*, *b* und *c* sind Platindrähte. Die Zersetzungen erfolgten bei *x*, und zuweilen oder eigentlich zumeist war in dem Stromkreis ein Galvanometer bei *g* eingeschaltet; es ist hier nur sein Ort angedeutet, der Kreis bei *g* soll keine Beziehung zur Grösse des Instrumentes ausdrücken. Bei *x* waren die Vorrichtungen verschieden, je nach der Art der zu bewirkenden Zersetzung. Sollte die Wirkung auf einen Flüssigkeitstropfen ausgeübt werden, so wurden bloss die beiden Enden darin eingetaucht;

sollte eine in den Poren von Papier enthaltene Lösung zersetzt werden, so wurde ein Ende mit einem das Papier tragenden Platinstreifen verbunden, während das andere Ende auf dem Papier *e* (Fig, 84) ruhte, oder zuweilen, wie bei Anwendung von Natriumsulphat, trug ein Platinstreifen zwei Papierstücke, auf denen je ein Drahtende ruhte, *c*, Fig. 86. Die Pfeile geben die Richtung des elektrischen Stromes an (667).

900. Ein mit einer Lösung von *Jodkalium* angefeuchtetes Papier an der Unterbrechungsstelle des Stromkreises bei *x* wurde ohne Weiteres zersetzt. Aus der der Zersetzung unterliegenden Substanz schied sich Jod an der *Anode* und Alkali an der *Kathode* aus.

901. Geschmolzenes *Zinnchlorür* an der Stelle *x* wurde ebenfalls leicht zersetzt und lieferte Zinnchlorid an der *Anode* (779) und Zinn an der *Kathode*.

902. Auch geschmolzenes Chlorsilber an der Stelle *x* wurde leicht zersetzt; an der *Anode* entwickelte sich Chlor und an der *Kathode* schied sich metallisches glänzendes Silber aus, entweder in Häutchen auf der Oberfläche der Flüssigkeit oder unter derselben in Krystallen.

903. Mit Schwefelsäure angesäuertes Wasser, Lösungen von Salzsäure und Natriumsulphat, geschmolzener Salpeter und das geschmolzene Chlorid und Jodid des Bleies wurden durch dieses einzige, nur durch verdünnte Schwefelsäure erregte Plattenpaar nicht zersetzt.

904. Diese Versuche beweisen zur Genüge, dass ein einziges Plattenpaar Körper zu elektrolysiren und ihre Bestandtheile zu trennen vermag. Sie zeigen auch in schöner Weise die directe Relation und Gegenwirkung der chemischen Affinitäten an den beiden Wirkungspunkten. In den Fällen, wo die Summe der entgegenwirkenden Affinitäten genügend niedriger war als die Summe der bei *v* wirkenden Affinitäten, fand Zersetzung statt; in den Fällen jedoch, wo jene stärker waren, wurde der Zersetzung widerstanden, und es ging kein Strom über (891).

905. Es ist jedoch klar, dass man die Summe der in *v* wirkenden Affinitäten durch Anwendung anderer Flüssigkeiten an Stelle der verdünnten Schwefelsäure erhöhen kann, in welch letzterem Falle es, wie ich glaube, bloss die Affinität des Zinks zu dem mit Wasserstoff zu Wasser verbundenen Sauerstoff ist, durch deren Aeusserung der elektrische Strom erzeugt wird (919); und die von mir vertheidigte Ansicht führt zu dem Schluss, dass bei einer solchen Verstärkung der Affinitäten Körper, welche in den vorstehenden Versuchen der Zersetzung widerstanden, dieser unterliegen würden, weil der Unterschied zwischen ihren und den so erhöhten wirksamen Affinitäten grösser würde. Diese Erwartung fand in folgender Weise ihre vollständige Bestätigung.

906. Durch Zusatz von etwas Salpetersäure zu der Flüssigkeit im Gefässe *v* erhielt ich eine Mischung, welche ich verdünnte Salpeter-Schwefelsäure nennen werde. Bei einer Wiederholung der Versuche mit dieser Mischung zerfielen alle früher zersetzten Substanzen ebenfalls, und zwar mit noch grösserer Leichtigkeit. Ueberdies aber zerfielen viele, welche vorher der Elektrolysirung widerstanden hatten, in ihre Elemente. So gab eine Lösung von Natriumsulphat, mit der Lackmus- und Curcumapapier getränkt worden war, Säure an der *Anode* und Alkali an der *Kathode* aus; mit Indigo gefärbte Salzsäurelösung lieferte Chlor an der *Anode* und Wasserstoff an der *Kathode*, und Silbernitratlösung Silber an der *Kathode*. Ferner wurden geschmolzener Salpeter und das geschmolzene Jodid und Chlorid des Bleies durch den Strom dieses einzigen Plattenpaares zersetzt, wiewohl es durch den des vorigen nicht geschah (903).

907. Eine Lösung von Bleiacetat wurde durch dieses Paar anscheinend nicht zersetzt, ebensowenig schien anfänglich mit Schwefelsäure angesäuertes Wasser zerlegt zu werden (973).

908. Die Erhöhung der Intensität oder Kraft des durch einen einfachen Volta'schen Kreis erregten Stromes mit der Verstärkung der Kraft der chemischen Action an der Erregungsstelle ist hier deutlich genug. Um dies jedoch unter einen helleren Gesichtspunkt zu stellen und zu zeigen, dass die Zersetzungswirkung in den letzteren Fällen keineswegs bloss von der Fähigkeit, *mehr* Elektricität zu entwickeln, abhängt, wurden Versuche angestellt, bei denen die entwickelte Menge erhöht werden konnte ohne Aenderung in der Intensität der erregenden Ursache. So wurden die Versuche, bei denen verdünnte Schwefelsäure angewandt wurde (899), unter Benutzung grosser Platten von Zink und Platin in der Säure wiederholt, aber auch unter diesen neuen Umständen widerstanden die Körper, welche es früher thaten, der Zersetzung. Andererseits wurden bei Anwendung von Salpeter-Schwefelsäure (906) nur Drähte von Platin und Zink in die erregende Säure getaucht, aber trotz dieser Aenderung wurden nun die Körper, welche einem durch verdünnte Schwefelsäure erregten Strome widerstanden hatten, zersetzt. Beispielsweise liess sich Salzsäure durch ein einziges in verdünnte Schwefelsäure tauchendes Plattenpaar nicht zersetzen; auch eine stärkere Concentrirung der Schwefelsäure oder eine Vergrösserung der Zink- und Platinplatten erhöhte die Wirksamkeit nicht; wurde jedoch zu schwacher Schwefelsäure ein klein wenig Salpetersäure zugesetzt, so vermochte die entwickelte Elektricität, selbst wenn die Metalle nur in Drahtform angewandt wurden, die Salzsäure zu zersetzen, so dass Chlor an der *Anode* und Wasserstoff an der *Kathode* sich abschied. Da dieser Weg, die Intensität des elektrischen Stromes zu verstärken, die von der Vermehrung der Plattenpaare oder selbst die von der Concentration der Säure abhängige Wirkung ausschliesst, so ist er zugleich der Beschaffenheit und Kraft der in Action gesetzten chemischen Verwandtschaften zuzuschreiben und kann principiell und praktisch als von jedem anderen Wege völlig verschieden betrachtet werden.

909. Die directe Beziehung, welche so in dem einfachen Volta'schen Elemente zwischen der *Intensität* des elektrischen Stromes und der *Intensität* der an der Stelle, wo Dasein und Richtung des elektrischen Stromes bedingt wird, bestehenden chemischen Action experimentell dargethan worden ist, führt zu dem Schluss, dass wir bei Auswahl gewisser Körper, wie geschmolzener Chloride, Salze, Säurelösungen u. s. w., welche mit ungleich grossen chemischen Kräften auf die angewandten Metalle wirken, und bei Benutzung von Metallen im Verein mit Platin oder mit anderen, deren chemische Einwirkung auf die erregende Flüssigkeit oder den Elektrolyt verschieden ist, im Stande sein werden, eine Reihe von vergleichsweise constanten, durch elektrische Ströme von verschiedener Intensität hervorgerufenen Wirkungen zu erhalten und mit Hilfe derselben eine Scala zu entwerfen, mittelst welcher die relativen Intensitätsgrade durch künftige Versuche mit Genauigkeit festgesetzt werden könnten.[1])

910. Ich habe bereits meine Ansicht ausgedrückt über die Zersetzung an der Experimentirstelle, dass diese die directe Folge einer an einer anderen Stelle ausgeübten überlegenen Kraft von gleicher Art mit der zu überwältigenden sei, und demnach das Resultat eines Widerstreites von Kräften *derselben* Natur (891, 904). Die Kräfte an der Zersetzungsstelle üben auf die erregenden oder bestimmenden eine Rückwirkung aus, proportional ihrer eigenen, zu überwindenden Kraft, und so ergiebt sich das eigenthümliche Resultat eines *Widerstandes* der Zersetzungen gegen die ursprüngliche bestimmende Kraft und folglich gegen den Strom. Dies zeigt sich deutlich in den Fällen, wo Körper, wie Bleichlorid, Bleijodid und Wasser durch den Strom eines einzigen Plattenpaares von Zink und Platin in Schwefelsäure (903) nicht zersetzt werden, wiewohl es durch einen durch stärkere chemische Kräfte erregten Strom von höherer Intensität geschehen würde. In solchen Fällen geht kein merklicher Theil des Stromes durch (967), die Action ist gehemmt; und hinsichtlich des in der vierten Reihe dieser Untersuchungen beschriebenen Leitungsgesetzes (413) bin ich nun der Meinung, dass die Körper, welche im flüssigen Zustande Elektrolyte sind, in fester Form aufhören es zu sein, weil die Anziehungen der Theilchen, durch welche sie in Verbindung und in ihrer relativen Stellung gehalten werden, für den elektrischen Strom zu mächtig sind.[2]) Die Theilchen bleiben in ihrer Stellung und da die Zersetzung verhindert ist, so ist auch der Durchgang der Elektricität verhindert, und wenn man auch eine Batterie von vielen Platten anwendet, so werden doch, falls sie nur völlig von der Construction ist, dass keine fremde oder indirecte Action stattfinden kann (1000), auch sämmtliche in dieser Batterie thätige Affinitäten zugleich aufgehoben und aufgewogen.

---

[1]) Ueber diesen Unterschied und seine wahrscheinliche Ursache, siehe die Betrachtungen über inductive Polarisation, 1354 etc. — Dec. 1838.

[2]) Vergleiche weiter unten, 1705. — Dec. 1838.

911. Was den *Widerstand* der einzelnen Fälle von Zersetzung betrifft, so erhellt, dass, da diese an Stärke verschieden sind, je nach den Verwandtschaften, durch welche die Elemente der Substanz ihre Stellung zu behalten streben, auch sie Beispiele zur Aufstellung einer Scala liefern würden, nach welcher die unteren Grenzen der Intensität einfacher Volta'scher oder anderer Elektricitätsströme zu messen wären, und die, mit der durch die verschiedenen Grade der *wirkenden Kraft* (909) bestimmten Scala combinirt, wahrscheinlich eine hinlängliche Reihe von Differenzen darbieten würden, in welcher man fast jeden wichtigen Fall, wo auf Intensität Bezug genommen werden muss, antreffen würde.

912. Auf Grund der Versuche, welche ich bisher anzustellen Gelegenheit hatte, finde ich, dass folgende Körper sich als Elektrolyte in der nachstehenden Reihenfolge anordnen lassen, derart, dass immer der voranstehende durch einen Strom von schwächerer Intensität zersetzt wird, als der nachfolgende. Diese Ströme wurden stets von einem einzigen Plattenpaare geliefert und können als elementare *Volta'sche Kräfte* angesehen werden.

Jodkalium (in Lösung).
Chlorsilber (geschmolzen).
Zinnchlorür (geschmolzen).
Chlorblei (geschmolzen).
Jodblei (geschmolzen).
Salzsäure (in Lösung).
Mit Schwefelsäure angesäuertes Wasser.

913. Bei allen Bemühungen, die zur Zersetzung verschiedener Körper erforderliche relative elektrolytische Intensität festzustellen, ist es wesentlich, die Natur der Elektroden und anderer etwa vorhandener Körper, welche secundäre Actionen begünstigen können (986), zu beachten. Wenn eins der bei elektrochemischer Zersetzung abgeschiedenen Elemente eine Verwandtschaft zur Elektrode oder zu den in der umgebenden Flüssigkeit vorhandenen Körpern hat, dann wird durch eine derartige Wirkung die der Zersetzung widerstehende Affinität zum Theil aufgewogen, und dann lässt sich die wahre Stellung des Elektrolyts in einer Tabelle, wie die obige, nicht ermitteln. So verbindet sich Chlor mit einer positiven Platinelektrode leicht, Jod aber fast gar nicht, und aus diesem Grunde stehen, glaube ich, die geschmolzenen Chloride in der vorhergehenden Tafel obenan. Wenn ferner bei der Wasserzersetzung nicht bloss Schwefelsäure, sondern auch etwas Salpetersäure zugegen ist, so wird das Wasser leichter zersetzt, weil der Wasserstoff an der *Kathode* schliesslich nicht ausgetrieben wird, sondern in der Salpetersäure Sauerstoff findet, mit welchem er sich verbinden kann und so ein secundäres Product erzeugt; auf diese Weise sind die der Zersetzung widerstrebenden Affinitäten geschwächt, und die Elemente des Wassers können durch einen Strom von geringerer Intensität getrennt werden.

914. Dieses Princip kann man benutzen, um in die oben erwähnte Scala der Grenzintensitäten (909, 911) kleinere Grade, als daselbst angenommen wurde, zu interpoliren; denn indem man bei einem Strome von *constanter* Intensität Elektroden anwendet, deren Substanz eine grössere oder geringere Affinität zu den abgeschiedenen Elementen des in Zersetzung begriffenen Elektrolyts hat, lassen sich verschiedene intermediäre Grade ermitteln.

---

915. Kehren wir zu der Betrachtung über die Quelle der Elektricität (878 etc.) zurück, so giebt es einen anderen Beweis der vollkommensten Art, dass metallischer Contact nichts zu schaffen hat mit der *Erzeugung* der Elektricität im Volta'schen Kreise, und dass ferner Elektricität nur eine andere Art der Aeusserung chemischer Kräfte ist. Es ist die Entstehung des *elektrischen Funkens* vor Herstellung des Metallcontactes durch die Wirkung *rein und ausschliesslich chemischer Kräfte.* Der Versuch, welcher weiter unten (956) beschrieben werden soll, besteht in der Erlangung des Funkens bei Herstellung des Contactes zwischen einer Zinkplatte und einer Kupferplatte, die in verdünnte Schwefelsäure tauchen. Um die Vorrichtung so einfach als möglich zu machen, wurden keine amalgamirten Flächen angewandt, und der Contact mittelst eines mit der Kupferplatte verbundenen Kupferdrahtes, der mit einer blanken Stelle der Zinkplatte in Berührung gebracht wurde, hergestellt. Der elektrische Funke trat auf, er musste also nothwendig existirt haben und übergesprungen sein, *ehe das Zink und das Kupfer zur Berührung gekommen waren.*

---

916. Um die Grundsätze, welche ich festzustellen bemüht war, deutlicher hervortreten zu lassen, will ich sie, nach meiner jetzigen Ansicht, in der einfachsten Form recapituliren. Die Elektricität der Volta'schen Säule (856, Anmerkung) ist weder ihrem Ursprunge noch ihrer Fortdauer nach von der gegenseitigen Berührung der Metalle abhängig (880, 915). Sie rührt gänzlich von chemischer Wirkung her (882) und ist in ihrer Intensität proportional der Intensität der an ihrer Erzeugung betheiligten Affinitäten (908) und in ihrer Quantität der Menge der während ihrer Dauer chemisch wirksamen Materie (869). Diese Bestimmtheit der Erregung ist andererseits einer der stärksten Beweise für den chemischen Ursprung der Elektricität.

917. Wie *Erzeugung von Voltaelektricität* ein Fall rein chemischer Action ist, so ist *voltaelektrische Zersetzung* einfach ein Fall von dem Uebergewicht einer Gruppe ihrer Natur nach stärkerer chemischer Affinitäten über eine andere weniger starke Gruppe; und wenn man die Fälle zweier entgegenwirkenden Gruppen solcher Kräfte (891) erwägt und ihre gegenseitige Beziehung und Abhängigkeit im Auge behält, so erscheint es nicht nothwendig in Bezug auf dieselben einen anderen Ausdruck als „chemische Affinität" zu gebrauchen (wiewohl der Ausdruck „Elektricität" sehr passend sein mag), oder ein neues Agens als mitwirkend bei Hervorbringung der Resultate anzunehmen, denn wir können uns vorstellen, dass die an den beiden Wirkungsstellen thätigen Kräfte durch Vermittelung der Metalle (891), Fig, 76, in directer Gemeinschaft stehen und gegen einander ausgeglichen sind, in analoger Weise, wie mechanische Kräfte mittelst des Hebels gegen einander in's Gleichgewicht gesetzt werden (1031).

918. Alle diese Thatsachen zeigen uns, dass die gewöhnlich als chemische Verwandtschaft bezeichnete Kraft mittelst der Metalle und gewisser Kohlenarten in die Ferne übertragen werden kann, dass der elektrische Strom bloss eine andere Form der chemischen Verwandtschaftskräfte ist, dass seine Kraft den ihn erzeugenden chemischen Affinitäten proportional ist, dass, wenn er von schwacher Kraft ist, diese durch chemische Hilfskräfte gehoben werden kann, dass sein eigener Mangel ihm durch ein Aequivalent der letzteren ersetzt wird, dass mit anderen Worten, *die als chemische Affinität und Elektricität bezeichneten Kräfte ein und dasselbe sind.*

---

919. Wenn man die mit der Erzeugung der Elektricität in der gewöhnlichen Volta'schen Kette zusammenhängenden Umstände prüft und vergleicht, so ergiebt sich, dass die Quelle dieses Agens, darunter stets die circulirende, den Strom in dem Volta'schen Apparate ausfüllende und diesem Kraft und Charakter (947, 996) verleihende Elektricität verstanden, ihren Ursprung in der chemischen Action hat, welche direct zwischen dem Metall und dem sich mit diesem verbindenden Körper stattfindet, und keineswegs in der späteren Wirkung der so gebildeten Substanz und der vorhandenen Säure.[1]) Wenn beispielsweise Zink, Platin und verdünnte Schwefelsäure angewandt werden, so ist es die Vereinigung des Zinks mit dem Sauerstoff des Wassers, welche den Strom bedingt, und wiewohl die Säure wesentlich ist zur Beseitigung des so gebildeten Oxyds, damit ein anderer Theil des Zinks auf einen andern Theil des Wassers wirke, so vermag sie selbst doch durch ihre Verbindung mit jenem Oxyd keinen merklichen Theil des circulirenden Stromes hervorzurufen; denn die Elektricitätsmenge ist bedingt durch die Menge des oxydirten Zinkes und steht in festem Verhältniss zu dieser, ihre Intensität ist proportional der Intensität der chemischen Affinität des Zinks zum Sauerstoff unter den obwaltenden Umständen und erleidet kaum, wenn überhaupt irgend eine Aenderung durch Anwendung starker oder schwacher Säure (908).

920. Benutzt man ferner Zink, Platin und Salzsäure, so erweist sich die Elektricität bedingt durch die Verwandtschaft des Zinks zum Chlor und

---

[1]) Wollaston, Philosophical Transactions, 1801, p. 427.

wird genau in Proportion zu der Anzahl der sich vereinigenden Zink- und Chlortheilchen in Circulation gesetzt, sie ist thatsächlich ein Aequivalent derselben.

921. Allein wenn man diese Oxydation oder eine andere directe Wirkung auf das **Metall** selbst als die Ursache und Quelle des elektrischen Stromes ansieht, so ist es von der äussersten Wichtigkeit zu bemerken, dass der Sauerstoff oder ein anderer Körper sich in einem besonderen Zustande, nämlich in dem der *Verbindung* befinden muss, und nicht bloss dies, sondern es ist noch ferner die Beschränkung zu machen, dass er sich in einem solchen Verbindungszustande befinden und in solchen Proportionen vorhanden sein muss, wie es die Constitution eines *Elektrolyts* bedingt (823). Es giebt keine Anordnung eines Plattenpaares von Zink und Platin in Sauerstoffgas, welche einen elektrischen Strom hervorzubringen oder wie ein Volta'sches Element zu wirken vermöchte, selbst wenn die Temperatur so gesteigert wird, dass eine weit raschere Oxydation des Zinks stattfindet, als wenn das Plattenpaar in verdünnte Schwefelsäure taucht, denn der Sauerstoff spielt nicht die Rolle eines Elektrolyts und kann daher die Kräfte nicht durch Zersetzung oder, wie die Metalle, durch sich selbst fortleiten. Oder wenn man an dem Gaszustande Anstoss nimmt, so stelle man sich flüssiges Chlor vor. Es vermag durch seine Verbindung mit dem Zink keinen elektrischen Strom durch die beiden Platten hindurch zu erregen, denn seine Theilchen können die an dem Verbindungspunkte auftretende Elektricität nicht zu dem Platin leiten. Es ist an und für sich kein Leiter wie die Metalle, es ist auch kein Elektrolyt, der ja während der Zersetzung Leitungsfähigkeit annimmt, und daher findet an der Stelle eine einfache chemische Wirkung statt, aber es tritt kein elektrischer Strom auf.[1])

922. Man könnte von vornherein meinen, dass ein leitender, nicht elektrolytischer Körper als dritte Substanz zwischen dem Zink und Platin zu dienen vermöchte, und in der That giebt es solche, welche fähig sind, eine chemische Wirkung auf die Metalle auszuüben. Sie müssen jedoch unter den Metallen selbst ausgewählt werden, denn ausser diesen und der Kohle giebt es keine derartigen Substanzen. Um den Gegenstand durch den Versuch zu entscheiden, stellte ich folgende Vorrichtung her. In eine V-förmig gebogene Röhre, Fig. 78, wurde geschmolzenes Zinn gebracht, so dass es jeden Schenkel zur Hälfte ausfüllte, und zwei dicke Platindrähte,

---

[1]) Ich will nicht behaupten, dass in solchen Fällen nicht Spuren von Elektricität auftreten. Ich meine nur, dass durchaus keine Elektricität erregt wird, welche den die Volta'sche Elektricität erregenden Ursachen zuzuschreiben oder zu ihnen in Beziehung zu setzen oder ihnen proportional wäre. Die unter Umständen auftretende Elektricität ist der möglich kleinste Bruchtheil derjenigen, welche die wirkende Substanz hervorbringen könnte, wenn sie sich in solcher Anordnung befände, um voltaisch erregend zu wirken; wahrscheinlich ist sie nicht der hunderttausendste, ja nicht der millionste Theil von dieser, und sehr wahrscheinlich ist sie gänzlich verschiedenen Ursprungs.

p, *w*, wurden bis zu einer gewissen Tiefe in das Zinn hineingesteckt; das Ganze liess man erkalten und verband die Enden *p* und *w* mit einem empfindlichen Galvanometer. Darauf wurde die Röhre bei *x* auf's Neue erhitzt, während die Stelle *y* kalt gehalten wurde. Das Galvanometer wurde augenblicklich durch den thermoelektrischen Strom abgelenkt. Bei *x* wurde die Wärme fortwährend gesteigert, bis schliesslich das Zinn und Platin sich daselbst verbanden, was bekanntlich unter einer kräftigen chemischen Action und lebhaftem Erglühen stattfindet; allein der Effect auf das Galvanometer steigerte sich hierdurch nicht im Geringsten. Während der ganzen Zeit liess sich keine andere Ablenkung als die von dem thermoelektrischen Strome herrührende beobachten. Wiewohl also ein Leiter, und zwar ein auf das Zinn wirkender angewandt wurde, so war doch, da derselbe kein *Elektrolyt* ist, nicht die geringste Wirkung eines elektrischen Stromes wahrzunehmen (947).

923. Hiernach ist es offenbar, dass die besondere Beschaffenheit eines Elektrolyts ein *wesentlicher* Theil der Volta'schen Kette ist, und wenn man die Natur desselben in Betracht zieht, so zeigen sich gute Gründe, weshalb er, und er allein wirksam sein kann. Ein Elektrolyt ist immer ein zusammengesetzter Körper, er ist leitend, aber nur, während er zersetzt wird. Seine Leitung ist bedingt durch seine Zersetzung und die *Ueberführung seiner Theilchen* in zu dem Strome parallelen Richtungen, und dieser Zusammenhang ist ein so inniger, dass, wenn die Fortführung derselben gehemmt ist, auch der Strom aufhört, eine Aenderung ihrer Bahn auch eine Aenderung der Bahn und Richtung des letzteren zur Folge hat, wenn sie in einer Richtung fortschreiten, auch er nur in einer von ihnen unveränderlich abhängigen Richtung gehen kann. Die Theilchen eines elektrolytischen Körpers sind alle so wechselseitig verknüpft, stehen in ihrer ganzen Ausdehnung in Richtung des Stromes in solcher Beziehung zu einander, dass, wenn das letzte nicht abgegeben wird, auch das erste nicht die Freiheit hat, in die neue Verbindung einzugehen, welche die kräftige Verwandtschaft des wirksamsten Metalles hervorzubringen sucht, und alsdann ist der Strom selbst gehemmt; denn Strom und Zersetzung stehen dermassen in gegenseitiger Abhängigkeit, dass, wer von ihnen auch ursprünglich bedingt sein mag, d. h. ob die Bewegung der Theilchen oder die Bewegung des Stromes, die eine unabänderlich in Begleitung der anderen hervorgerufen wird und in Beziehung zu ihr steht.

924. Betrachten wir nun Wasser als Elektrolyt und als oxydirenden Körper. Die Anziehung des Zinks zum Sauerstoff ist unter den gegebenen Umständen grösser als die des Sauerstoffs zum Wasserstoff, aber indem er sich mit dem ersteren verbindet, sucht er einen Elektricitätsstrom in einer gewissen Richtung in Circulation zu versetzen. Diese Richtung steht (wie durch unzählige Versuche gefunden wurde) in Zusammenhang mit der Fortführung des Wasserstoffs vom Zink zum Platin und mit der Fortführung von freiem Sauerstoff in entgegengesetzter Richtung vom Platin zum Zink, so dass der Strom in dieser einen Linie *gehen kann* und während seines Fortschreitens mit der Erneuerung der ursprünglich sowohl die Verbindung als die Circulation bedingenden Vorgänge auf der Zinkfläche bestehen und sie begünstigen kann. So dauert daselbst die Einwirkung sowohl als auch der Strom fort. Es ergiebt sich daher die Gegenwart eines Eiektrolyts in der Kette, um die Wirkung in einer *gewissen constanten Richtung* fortzuführen, als ganz ebenso wesentlich, wie die Gegenwart eines oxydirenden oder eines anderen direct auf das Metall wirkenden Körpers, und es ist auch wesentlich, dass diese beiden zu einem verschmelzen, d. h. dass der direct auf das Metall chemisch wirkende Bestandtheil eines der *Jonen* des angewandten Elektrolyts sei. Gleichviel ob das Volta'sche Element durch eine Lösung von Säuren oder Alkalien, oder Sulphiden, oder durch geschmolzene Substanzen (476) erregt wird, jener Bestandtheil ist bisher, soweit meine Kenntniss reicht, stets ein *Anion* (943) gewesen, und ich schliesse aus einer Betrachtung der Principien der elektrischen Action, dass es nothwendig ein Körper dieser Klasse sein muss.

925. Betrachtet man die Wirkung der in der Volta'schen Kette angewandten Schwefelsäure, so findet man, dass sie durch ihre Verbindung mit dem fertigen Oxyd unfähig ist, einen merklichen Theil der Elektricität des Stromes hervorzubringen, aus dem einfachen Grunde, weil ihr eine der wesentlichsten Bedingungen fehlt: sie bildet keinen Theil eines Elektrolyts, steht auch in keiner Beziehung zu irgend einem anderen in der Lösung vorhandenen Körper, welcher die gegenseitige Ueberführung der Theilchen und die sie begleitende Ueberführung der Elektricität gestattete. Da die Fläche, an welcher die Säure das durch die Wirkung des Wassers gebildete Zinkoxyd löst, mit dem metallischen Zink in Berührung steht, so scheint freilich die Betrachtung, wie das Oxyd daselbst einen seiner eigenen chemischen Wirkung auf die Säure proportionalen elektrischen Zustand dem ohne Zersetzung leitenden Metalle mittheilen könne, keine Schwierigkeit darzubieten. Allein an der Seite der Säure befindet sich keine Substanz zur Vervollständigung des Stromkreises; das Wasser als solches kann ihn nicht leiten, oder wenigstens nur in so geringem Maasse, dass dieser Effect rein zufällig und fast unwahrnehmbar ist (970), und insofern es ein Elektrolyt ist, kann es ihn nicht leiten, weil die Leitung eines Elektrolyts die Folge der *gegenseitigen* Beziehung und Wirkung seiner Theilchen ist, und weder eins der Elemente des Wassers noch, soweit wir beobachten können, das Wasser selbst gegenüber der Schwefelsäure *Jonen* sind (848).[1]

---

[1] Wie man sieht, stimme ich hier mit Sir Humphry Davy überein, welcher experimentell die Ansicht erhärtet hat, dass Säure und Alkalien bei ihrer Verbindung keinen elektrischen Strom hervorrufen. Philosophical Transactions, 1826, p. 398.

926. Diese Ansicht von dem secundären Character der Schwefelsäure als eines Agens bei der Erzeugung eines Volta'schen Stromes wird weiter durch die Thatsache bestätigt, dass der erregte und in Bewegung gesetzte Strom direct und genau proportional ist der Menge des zersetzten Wassers und der Menge des oxydirten Zinks (868, 991) und er ist gleich dem, welcher zur Zersetzung derselben Menge Wasser erforderlich ist. Da demnach die Wasserzersetzung zeigt, dass durch sie die Elektricität in die Erscheinung getreten ist, so bleibt keine andere Elektricität zu erklären oder auf eine andere Wirkung als auf die zwischen dem Zink und Wasser zurückzuführen übrig.

927. Der allgemeine Fall (denn er schliesst den früheren (924) ein) hinsichtlich der Säuren und Basen lässt sich theoretisch folgendermassen darlegen. Es sei *a*, Fig. 79, eine trockene Sauerstoffsäure und *b* eine trockene Base, die sich in *c* berühren und durch Platinplatten *pp* an ihren Enden und einem Platindraht *w* elektrisch communiciren. Wenn nun auch diese Säure und Base flüssig wären, und bei *c* eine Verbindung stattfände vermöge einer so kräftigen Verwandtschaft, dass sie einen elektrischen Strom zu erregen im Stande wäre, so würde dieser Strom doch nicht in irgend erheblichem Maasse circuliren können, weil erfahrungsgemäss weder *a* noch *b* leiten könnten, ohne zersetzt zu werden, denn sie sind unter allen Umständen, ausgenommen gegen sehr schwache und unbedeutende Ströme (970, 986), entweder Elektrolyte oder sonst Isolatoren. Nun sind die Affinitäten bei *c* nicht derart, dass sie die *Elemente* von *a* oder *b* zu trennen suchen, sondern vielmehr eine Verbindung beider Körper herbeizuführen streben. Der Wirkungspunkt ist also isolirt, die Wirkung selbst localisirt (921, 947) und es kann kein Strom zu Stande kommen.

928. Sind Säure und Base in Wasser gelöst, dann ist es möglich, dass eine kleine Menge von der chemischen Wirkung herrührender Elektricität von dem Wasser ohne Zersetzung fortgeleitet wird (966, 984); allein die Menge ist so klein, dass sie zu der, welche den Aequivalenten der chemischen Kraft entspricht, in gar keinem Verhältniss steht, sie ist ganz nebensächlich, und da sie in keinem engeren Zusammenhange mit den wesentlichen Principien der Volta'schen Säule steht, so bildet sie keinen Theil der hier untersuchten Erscheinungen.[1])

929. Wird an Stelle einer Sauerstoffsäure eine Wasserstoffsäure (927) genommen, etwa Salzsäure oder eine ihr analoge, dann ist der Stand der Dinge ein ganz anderer, und die Möglichkeit eines der chemischen Wirkung

---

[1]) Man wird mich ohne Zweifel recht verstehen, dass ich nicht behaupte, in dieser Untersuchung jeder kleinen, zufälligen oder bloss möglichen Wirkung, welche etwa von kleinen Störungen des elektrischen Fluidums während der chemischen Action herrührt, Rechnung zu tragen, sondern bloss suche, jene Wirkungen, welche die Kraft der Volta'schen Batterie wesentlich bedingen, zu unterscheiden und zu identificiren.

der Säure auf die Base entspringenden Stromes ist gegeben. Aber nun wirken auch beide Körper als Elektrolyte, denn es verbindet sich nur je ein Bestandtheil derselben mit einander, beispielsweise das Chlor mit dem Metall, und der Wasserstoff der Säure und der Sauerstoff der Base sind bereit, mit dem Chlor der Säure und dem Metall der Base in Uebereinstimmung mit dem Strome und gemäss den allgemeinen, eingehend entwickelten Principien fortzuwandern.

---

930. Diese Ansicht, dass die Oxydation des Metalles oder eine andere *directe* chemische Wirkung auf dasselbe die einzige Ursache der Entstehung eines elektrischen Stromes in der gewöhnlichen Volta'schen Säule sei, findet eine Stütze in den Wirkungen, welche stattfinden, wenn Lösungen von Alkalien oder Schwefelverbindungen (931, 943) als elektrolytische Leiter an Stelle von verdünnter Schwefelsäure angewandt werden. Eben zur Aufhellung dieses Punktes sind die früher (884) erwähnten Experimente ohne Metallcontact und mit einer alkalischen Lösung als erregender Flüssigkeit angestellt worden.

931. Unter Benutzung des günstigeren Umstandes, dass Metallcontact stattfand (895), wurden die Versuche über die Zersetzung der Körper durch ein einziges Plattenpaar (899) wiederholt, indem an Stelle der verdünnten Schwefelsäure eine Lösung von Aetzkali in dem Gefässe *v*, Fig. 77, angewandt wurde. Alle die früheren Effecte traten auch jetzt ein: Das Galvanometer wurde abgelenkt, die Lösungen von Jodkalium, Silbernitrat, Salzsäure und Natriumsulphat wurden bei *x* zersetzt, und die Stellen, an denen die abgeschiedenen Bestandtheile zum Vorschein kamen, zeigten ebenso wie die Ablenkung des Galvanometers einen Strom in *derselben Richtung* an wie bei Anwesenheit von Säuren in dem Gefässe *v*, d. h. vom Zink durch die Lösung zum Platin und zurück durch das Galvanometer und die der Zersetzung unterliegende Substanz zum Zink.

932. Die Aehnlichkeit in der Wirkung der verdünnten Schwefelsäure und der Kalilauge geht thatsächlich noch viel weiter und beweist sogar die Gleichheit der *Quantität* sowohl als auch der *Richtung* der erregten Elektricität. Eine amalgamirte Zinkplatte erleidet in Kalilösung keine merkliche Wirkung, steht sie aber in der Lösung mit einer Platinplatte in Berührung, so entwickelt sich an der letzteren Metallfläche Wasserstoff, und das Zink wird genau so oxydirt, wie wenn es in verdünnte Schwefelsäure eintaucht (863). Demgemäss wiederholte ich den vorher beschriebenen Versuch mit gewogenen Zinkplatten (864 etc.), jedoch unter Anwendung einer Lösung von Aetzkali anstatt der verdünnten Schwefelsäure. Wiewohl eine viel längere Zeit als bei Anwendung von Säure erforderlich war, — es dauerte drei Stunden, ehe 7,55 Gran Zink oxydirt waren — so fand ich doch, dass der an der Platinplatte entwickelte Wasserstoff das

Aequivalent des an der Zinkoberfläche gebildeten Metalloxyds war. Mithin findet die ganze auf den früheren Fall passende Schlussfolge auch hier Anwendung, da der Strom dieselbe Richtung hat und seine zersetzende Wirkung auf der gleichen Stufe steht, wie bei Anwendung von Säure anstatt des Alkalis (868).

933. Hiernach scheint mir der Beweis vollständig erbracht zu sein, dass die Verbindung der Säure mit dem Oxyd in dem früheren Versuche nichts mit der Erzeugung des elektrischen Stromes zu schaffen hat, denn hier entstand derselbe Strom, wiewohl nicht nur nicht die Wirkung der Säure, sondern die umgekehrte Wirkung des Alkalis stattfand. Man kann wohl nicht irgend annehmen, dass das Alkali auf das gebildete Oxyd wie eine Säure chemisch einwirke, im Gegentheil führen unsere allgemeinen chemischen Kenntnisse zu dem Schluss, dass die gewöhnlichen Metalloxyde eher die Rolle von Säuren gegenüber den Alkalien spielen; dennoch würde eine derartige Wirkung in dem vorliegenden Falle einen umgekehrten Strom liefern, wenn ein solcher überhaupt der Vereinigung des Oxyds des erregenden Metalles mit dem Körper, mit dem es eben in Verbindung tritt, zuzuschreiben wäre. Allein weit entfernt, dass eine derartige Verschiedenheit eintrat, war vielmehr die Richtung der Elektricität constant und ihre Menge direct proportional dem zersetzten Wasser oder dem oxydirten Zink. Es giebt Gründe, anzunehmen, dass Säuren und Alkalien in Berührung mit Metallen, auf die sie nicht direct wirken können, dennoch einen Einfluss auf deren Anziehungen zum Sauerstoff auszuüben vermögen (941); allein alle Vorgänge bei diesen Versuchen beweisen, wie ich glaube, dass es die nothwendig von der Elektrolysirung des Wassers (921, 923) abhängige und mit ihr eng zusammenhängende Oxydation des Metalles ist, welche den Strom hervorruft, und dass die Säure oder das Alkali bloss als Lösungsmittel wirkt und durch Fortschaffung des oxydirten Zinks anderen Theilen gestattet, neues Wasser zu zersetzen, und so die Entwickelung oder Bewegung des Stromes unterhält.

934. Die Versuche wurden nun dahin abgeändert, dass an Stelle der Kalilösung eine Ammoniaklösung angewandt wurde, und da diese im reinen Zustande gleich dem Wasser ein schlechter Leiter ist (554), so wurde bisweilen ihre Leitungsfähigkeit durch Zusatz von Ammoniumsulphat erhöht. Allein in allen Fällen waren die Resultate die früheren; es erfolgten Zersetzungen derselben Art, und der elektrische Strom, der sie bewirkte, hatte dieselbe Richtung wie in den eben beschriebenen Versuchen.

935. Um einen noch strengeren Beweis für die gleiche und gleichartige Wirkung von Säure und Alkali zu erbringen, wurden Vorrichtungen wie in Fig. 80 getroffen. Das Glasgefäss A enthielt verdünnte Schwefelsäure, das entsprechende Glasgefäss B Kalilösung, PP ist eine in beide Lösungen tauchende Platinplatte, und Z Z sind zwei mit einem empfindlichen Galvanometer verbundene amalgamirte Zinkplatten. Wenn diese gleichzeitig in beide Gefässe tauchten, so trat im Allgemeinen zuerst eine schwache Wirkung auf, und zwar zu Gunsten des Alkalis, d. h. der elektrische Strom zeigte das Bestreben, durch die Gefässe in Richtung des Pfeiles zu gehen, also in umgekehrter Richtung, als sie von der Säure in A allein hervorgerufen worden wäre. Allein dieser Effect hörte augenblicklich auf, und die Wirkung der Platten in den Gefässen war einander so gleich, dass, da sie wegen der entgegengesetzten Stellung der Platten entgegengesetzt war, kein dauernder Strom hervorging.

936. Bisweilen wurde die Platte PP durch eine Zinkplatte, und die Platten ZZ durch Platinplatten ersetzt, ohne dass sich ein Unterschied in den Resultaten zeigte, auch die weitere Abänderung, als mittlere Platte Kupfer anzuwenden, brachte keinen Unterschied hervor.

937. Da die Entgegenstellung elektromotorischer Plattenpaare andere als bloss von der Differenz ihrer unabhängigen Wirkungen (1011, 1045) herrührende Resultate hervorbringt, so construirte ich eine andere Form des Apparates, um die Wirkung von Säure und Alkali directer mit einander vergleichen zu können. Ein cylindrisches Glasgefäss von etwa zwei Zoll Tiefe, einem Zoll inneren Durchmesser und wenigstens einem viertel Zoll Dicke wurde der Länge nach in zwei Hälften geschnitten, Fig. 81. Ein breiter Messingring, dessen Durchmesser grösser war als der des Gefässes wurde an einer Seite mit einer Schraube versehen und konnte so um die beiden Hälften des Gefässes gelegt werden, dass sie, wenn man die Schraube fest anzog, ein flüssigkeitsdichtes Gefäss bildeten. Fliesspapier von verschiedenen Graden der Permeabilität wurde in Stücke von solcher Grösse zerschnitten, dass sie leicht zwischen die gelösten Hälften des Gefässes geschoben werden konnten und, wenn diese wieder fest zusammengeschraubt wurden, eine poröse Scheidewand in der Mitte des Gefässes bildeten, so dass zwei Flüssigkeiten an den gegenüberliegenden Seiten des Papiers sich nur sehr langsam vermischen, aber dennoch ungehindert als *ein Elektrolyt* wirken konnten. Die beiden so gebildeten Räume will ich die Zellen A und B nennen (Fig. 82). Diesen Apparat fand ich sehr allgemein brauchbar zur Untersuchung der Beziehungen von Flüssigkeiten und Metallen unter sich und gegen einander. Benutzt man ihn gleichzeitig in Verbindung mit einem Galvanometer, so ist es leicht, die Beziehung eines Metalles zu zwei Flüssigkeiten oder zweier Metalle zu einer Flüssigkeit oder zweier Metalle zu zwei Flüssigkeiten auszumitteln.

938. In die Zelle A wurde verdünnte Schwefelsäure vom specifischen Gewicht 1,25, und in die Zelle B eine starke Lösung von kaustischem Kali gegossen. Ihre Mischung erfolgte durch das Papier hindurch langsam, und schliesslich bildete sich auf dem Papier zur Seite des Alkalis eine dicke Kruste von Kaliumsulphat. Als nun in jede Zelle eine mit einem empfindlichen Galvanometer verbundene gereinigte Platinplatte gestellt wurde, liess sich kein elektrischer Strom beobachten. Mithin war der *Contact* der Säure mit der einen und der des Alkalis mit der anderen

Platinplatte unfähig, einen Strom hervorzubringen; auch die Verbindung der Säure mit dem Alkali war nicht wirksamer (925).

939. Wurde eine der Platinplatten durch eine gewöhnliche oder eine amalgamirte Zinkplatte ersetzt, so entstand ein starker elektrischer Strom. Aber gleichviel ob das Zink sich in der Säure befand, während das Platin in das Alkali tauchte, oder ob die umgekehrte Anordnung getroffen wurde, der elektrische Strom ging stets vom Zink durch den Elektrolyt zum Platin und zurück durch das Galvanometer zum Zink, und zwar schien er am stärksten zu sein, wenn das Zink in dem Alkali, und das Platin sich in der Säure befand.

940. Bei diesen Versuchen scheint also die Säure dem Alkali nicht überlegen, sondern demselben vielmehr an Kraft untergeordnet zu sein. Daher giebt es keinen Grund zu der Annahme, dass die Verbindung des fertigen Oxyds mit der umgebenden Säure einen directen Einfluss bei Hervorbringung der Elektricität habe, die vielmehr gänzlich von der Oxydation des Metalles herzurühren scheint (919).

941. Das Alkali ist thatsächlich der Säure darin überlegen, ein Metall in den sogenannten positiven Zustand zu versetzen. Denn wenn man Platten von demselben Metall, wie Zink, Zinn, Blei oder Kupfer zugleich in die Säure oder das Alkali taucht, so geht der elektrische Strom vom Alkali durch die Zelle zur Säure und zurück durch das Galvanometer zum Alkali, wie Sir Humphry Davy bereits angegeben hat.[1]) Dieser Strom ist so kräftig, dass bei Anwendung von amalgamirtem Zink oder Zinn oder Blei das Metall in der Säure augenblicklich Wasserstoff entwickelt, sobald es mit dem in dem Alkali in Verbindung gesetzt wird, aber nicht in Folge einer directen Einwirkung der Säure auf dasselbe, — denn mit Unterbrechung des Contactes hört jene Wirkung auf — sondern weil es gegen das Metall in dem Alkali stark negativ ist.

942. Die Ueberlegenheit des Alkalis ergiebt sich ferner daraus, dass bei Anwendung von Zink und Zinn, oder Zinn und Blei das in dem Alkali befindliche Metall, welches es auch sei, positiv, das in der Säure negativ wird. Welches Metall sich auch in dem Alkali befinde, es wird oxydirt, während das in der Säure in metallischem Zustande verbleibt, soweit hierbei der elektrische Strom in Betracht kommt.

943. Wendet man Lösungen von Schwefelverbindungen an (930), so ergeben sich dieselben Beweise für die Behauptung, dass es die chemische Wirkung des Metalles und eines der *Jonen* des umgebenden Elektrolyts ist, welche die gesammte Elektricität der Volta'schen Kette erzeugt. So geht der Strom, wie Sir Humphry Davy[2]) gezeigt hat, wenn Eisen und Kupfer in verdünnte Säure tauchen, vom Eisen durch die Flüssigkeit zum

---

[1]) Elements of Chemical Philosophy, p. 149, oder Philosophical Transactions, 1826, p. 403.

[2]) Elements of Chemical Philosophy, p. 148.

Kupfer; in Kalilösung hat er dieselbe Richtung, aber in Lösung von Schwefelkalium die umgekehrte. In den beiden ersten Fällen ist es die Verbindung des Sauerstoffs mit dem Eisen, in dem letzten die des Schwefels mit dem Kupfer, welche der elektrische Strom hervorruft, aber jene beiden sind *Jonen* und existiren als solche in dem Elektrolyt, welcher gleichzeitig der Zersetzung unterliegt, ja noch mehr, beide sind *Anionen*, denn sie verlassen die Elektrolyte an den *Anoden* und wirken gerade wie Chlor, Jod oder ein anderes *Anion* gewirkt haben würde, welches von vornherein dazu hätte dienen sollen, die Volta'sche Kette in Thätigkeit zu setzen.

---

944. Die folgenden Versuche vervollständigen die Reihe der Beweise über den Ursprung der Elektricität in der Volta'schen Säule. Ein flüssiges Amalgam von Kalium, nicht mehr als ein Hundertstel von diesem Metall enthaltend, wurde in reines Wasser gebracht und durch das Galvanometer mit einer in demselben Wasser befindlichen Platinplatte in Verbindung gesetzt. Augenblicklich ging ein elektrischer Strom vom Amalgam durch den Elektrolyt zum Platin. Derselbe kann nur der Oxydation des Metalles zugeschrieben werden, denn es war weder eine Säure noch ein Alkali vorhanden, um sich mit der gebildeten Substanz zu verbinden, oder sonst auf sie zu wirken.

945. Ferner wurde eine blanke Bleiplatte und eine Platinplatte in *reines* Wasser gestellt. Augenblicklich ging ein kräftiger Strom vom Blei durch die Flüssigkeit zum Platin; er war sogar stark genug, um eine Lösung von Jodkalium, die in dem oben (880), Fig. 73, beschriebenen Apparat in den Kreis eingeschaltet wurde, zu zersetzen. Hier gab es keine Wirkung einer Säure oder eines Alkalis auf das aus dem Blei gebildete Oxyd, die die Elektricität geliefert haben könnte; diese rührte ausschliesslich von der Oxydation des Metalles her.

---

946. Es giebt in der Elektricitätslehre keinen Punkt, welcher mir wichtiger erscheint als der Zustand der Metalle und des elektrolytischen Leiters in einer einfachen Volta'schen Kette *vor und im* Augenblick der ersten Herstellung des metallischen Contactes. Eine klare Einsicht in denselben würde uns ohne Zweifel unmittelbar einen Schlüssel zu den Gesetzen liefern, nach denen die grosse Mannigfaltigkeit der directen und nebensächlichen Volta'schen Erregungen vor sich geht, und uns neue Bahnen der Forschung eröffnen.[1])

947. Wir haben es, wie es scheint, in vielen Fällen von chemischer Verwandtschaft (wie in dem vom Zink mit dem Sauerstoff des Wassers u. s. w., u. s. w.)

---

[1]) Im Zusammenhange mit diesem Gegenstande vergleiche nunmehr Reihe XI, 1164, Reihe XII, 1343—1358, und Reihe XIII, 1621 etc. — Dec. 1838.

bis zu einem gewissen Grade in der Hand, zu entscheiden, welche von *den beiden Wirkungsarten der Anziehungskraft* ausgeübt werden soll (996). Bei der einen Art können wir die Kraft fortleiten und sie irgendwo das Aequivalent ihrer Wirkung ausüben lassen (867, 917); bei der anderen wird sie nicht fortgeleitet, sondern äussert sich ganz und gar an dem Entstehungsorte. Das erste ist der Fall der voltaelektrischen Erregung, das andere der der gewöhnlichen chemischen Verwandtschaft; aber beide sind chemische Wirkungen und stammen von *einer* Kraft oder *einem* Principe her.

948. Die allgemeinen Bedingungen der ersteren Art zeigen sich in allen Fällen Volta'scher Ströme, allein in ihrer Vollkommenheit und hiermit frei von denen der zweiten Art erscheinen sie nur in wenigen Fällen, beispielsweise wenn Platten von Zink und Platin sich in Kalilösung, oder Platten von amalgamirtem Zink und Platin sich in verdünnter Schwefelsäure befinden.

949. Giebt man als durch die vorstehenden Versuche und Betrachtungen hinlänglich bewiesen zu, dass bei Anwendung von Zink, Platin und verdünnter Schwefelsäure die elektromotorische Wirkung bedingt ist durch die gegenseitige Verwandtschaft des metallischen Zinks und des Sauerstoffs des Wassers (921, 924), so würde folgen, dass das Metall für sich unter den gegebenen Umständen nicht Kraft genug besitzt, um den Sauerstoff an sich zu ziehen und den Wasserstoff aus dem Wasser auszutreiben, denn thatsächlich findet eine solche Wirkung nicht statt. Aber es würde auch folgen, dass es durch seine Anziehung zu dem Sauerstoff der mit ihm in Berührung kommenden Theilchen soweit zu wirken vermag, um die zwischen diesen und den anderen Sauerstofftheilchen und Wasserstofftheilchen des Wassers bereits thätigen ähnlichen Kräfte in einen besonderen Zustand von Spannung oder Polarität zu versetzen und gleichzeitig wahrscheinlich auch die Kräfte seiner eigenen mit dem Wasser in Berührung stehenden Theilchen in einen ähnlichen, aber entgegengesetzten Zustand überzuführen. So lange dieser Zustand erhalten bleibt, tritt keine weitere Aenderung ein; wenn er jedoch durch Schliessung der Kette ausgelöst wird, in welchem Falle die in Bezug auf das Zink und den Elektrolyt entgegengesetzt gerichteten Kräfte einander genau zu neutralisiren vermögen, so finden unter den Sauerstoff- und Wasserstofftheilchen des Wassers zwischen der Contactstelle des Platins und dem Wirkungsorte des Zinks eine Reihe von Zersetzungen und Wiedervereinigungen statt, denn die zwischenliegenden Theilchen stehen offenbar in inniger Abhängigkeit und Beziehung zu einander. Das Zink verbindet sich direct mit den Sauerstofftheilchen, welche zuvor in der doppelten Beziehung zu ihm sowohl als auch zum Wasserstoff standen, das Oxyd wird durch die Säure fortgeschafft, und hierdurch eine frische Zinkfläche dem Wasser dargeboten, um die Wirkung zu erneuern und zu wiederholen.

950. Praktisch wird der Spannungszustand am besten dadurch ausgelöst, dass man ein Metall, dessen Anziehung zum Sauerstoff geringer ist als die des Zinks, in verdünnte Schwefelsäure taucht und es mit dem Zink in Berührung bringt. Die chemische Verwandtschaftskraft, welche durch die überwiegende Anziehung des Zinks zum Sauerstoff in den Wassertheilchen influenzirt oder polarisirt worden ist, wird dann in ganz ausserordentlicher Weise durch die beiden Metalle fortgeleitet, so dass sie längs der Kette wieder in den elektrolytischen Leiter eintritt, welcher, in dieser Beziehung unähnlich den Metallen, sie nicht zu leiten oder zu übertragen vermag, ohne Zersetzung zu erleiden; oder vielmehr wird sie wahrscheinlich genau aufgewogen und neutralisirt durch die Kraft, welche gleichzeitig die Verbindung des Zinks mit dem Sauerstoff des Wassers zum Abschluss bringt. In der That sind die Kräfte der beiden Theilchen, welche gegen einander wirken und folglich entgegengesetzte Richtung haben, der Ursprung zweier entgegengetzter Kräfte oder Kraftrichtungen in dem Strome. Sie sind nothwendig einander äquivalent. Da sie in entgegengesetzter Richtung fortgeführt werden, so erzeugen sie das, was man den Volta'schen Strom nennt, und es scheint mir unmöglich, der Idee zu widerstehen, dass ihm in der Flüssigkeit und zwischen der Flüssigkeit und dem Zink ein *Spannungszustand* vorausgegangen sein müsse, als *erste Folge* der Affinität des Zinks zum Sauerstoff des Wassers.

951. Ich habe sorgfältig nach Anzeichen eines Spannungszustandes in dem elektrolytischen Leiter gesucht, und indem ich mir vorstellte, dass vor oder während der Entladung sich etwas einer Structur Aehnliches zeigen könnte, bemühte ich mich, dies durch polarisirtes Licht erkennbar zu machen. Eine sieben Zoll lange, einen und einen halben Zoll weite und sechs Zoll tiefe Glaszelle trug zwei Elektrodenpaare aus Platin von denen das eine den Enden, das andere den Seiten derselben angepasst war. Die für die *Seiten* bestimmten Elektroden waren sieben Zoll lang und drei Zoll hoch und in der Zelle durch einen kleinen mit Kalico bekleideten Holzrahmen getrennt, so dass, wenn sie durch Verbindung mit einer Batterie gegen irgend eine Flüssigkeit in der Zelle in Wirksamkeit gesetzt wurden, die von ihnen aufsteigenden Gasblasen die mittleren Theile der Flüssigkeit nicht trüben konnten.

952. In die Zelle wurde eine gesättigte Lösung von Natriumsulphat gegossen, und die Elektroden wurden mit einer Batterie von 150 vierzölligen Plattenpaaren verbunden; der elektrische Strom ging so ungehindert durch die Zelle, dass die Ausgleichung ebenso gut war wie bei Anwendung eines Drahtes. Ein polarisirter Lichtstrahl wurde nun quer gegen die Bahn des Stromes durch die Lösung gesandt und mittelst einer analysirenden Platte untersucht, allein wiewohl er eine sieben Zoll dicke Schicht der der Einwirkung der Elektricität unterworfenen Lösung durchsetzte, und wiewohl der Contact während der Beobachtungen bald unterbrochen, bald in dem einen oder anderen Sinne wiederhergestellt wurde, so war doch nicht die geringste Spur einer Einwirkung auf den Strahl zu bemerken.

953. Nun wurden die grossen Elektroden entfernt und die anderen, für die *Enden* der Zelle passenden eingesetzt. In jede derselben war ein Schlitz geschnitten, der dem Lichte den Durchgang gestattete. Die Bahn des polarisirten Strahles war nun dem Strome parallel oder in Richtung der Axe desselben (517), aber auch jetzt konnte, unter welchen Umständen auch die Schliessung oder Unterbrechung erfolgte, keine Wirkung auf ihn wahrgenommen werden.

954. Ebenso wenig liess sich bei Anwendung einer concentrirten Lösung von Bleinitrat an Stelle des Natriumsulphats eine Wirkung entdecken.

955. Da ich es für möglich hielt, dass die durch die auf einander folgenden Zersetzungen und Wiedervereinigungen der Theilchen des Elektrolyts erfolgende Ausgleichung der elektrischen Kräfte einen etwa durch den anfänglichen Spannungszustand hervorgerufenen Effect neutralisiren und demnach zerstören könnte, nahm ich eine Substanz, die, im flüssigen Zustande ein vorzüglicher Elektrolyt, im festen ein vollkommener Isolator ist, nämlich borsaures Blei in Form einer glasigen Platte, und verband die Seiten und Ränder dieser Masse mit den Metallplatten, welche bald mit den Polen einer Volta'schen Batterie, bald, auch um den Vortheil einer höheren Intensität zu gewinnen, mit der Elektrisirmaschine in Contact gesetzt wurden, und sandte, wie früher, einen polarisirten Lichtstrahl in verschiedenen Richtungen hindurch, jedoch ohne das geringste Anzeichen einer Wirkung auf das Licht zu erhalten. Hieraus schliesse ich, dass ein Elektrolyt, trotz des neuen und ungewöhnlichen Zustandes, den er entweder während der Zersetzung (da ihn sicherlich eine ungemein grosse Elektricitätsmenge durchsetzt) annehmen muss, oder in dem Spannungszustande, von welchem ich voraussetze, dass er der Zersetzung vorangehe und, wie man gleichfalls voraussetzen darf, in einem Elektrolyt von festem Aggregatzustande erhalten bleibe, nicht die Fähigkeit hat, auf einen polarisirten Lichtstrahl einzuwirken, da auf diesem Wege keine Art von Structur oder Spannung sichtbar gemacht werden kann.

956. Es giebt jedoch einen schönen experimentellen Beweis dafür, dass die Metalle und der Elektrolyt vor dem Auftreten des elektrischen Stromes und *vor Herstellung des Contactes* der heterogenen Metalle (915), also in dem Moment, wo die chemischen Kräfte nur als Ursache der Action vorhanden sind, einen Spannungszustand annehmen. Ich stellte eine Volta'sche Combination aus einem einzigen grossen Plattenpaare, nämlich einem amalgamirten Zinkcylinder und einem Doppelcylinder von Kupfer, in eine verdünnte Schwefelsäure[1]) enthaltende Flasche so dass ich dieselben mittelst eines Kupferdrahtes, dessen Enden in zwei mit den beiden Cylindern verbundene Quecksilbernäpfchen eingetaucht werden konnten, nach Belieben in metallische Communication setzen konnte.

---

[1]) Bei Anwendung von Salpeter-Schwefelsäure ist der Funke kräftiger, aber dann können locale chemische Actionen eintreten und, ohne Metallcontact zu erfordern, fortdauern.

957. So lange die Cylinder nicht in Verbindung standen, fand keine chemische Wirkung statt. Bei *Herstellung* der Verbindung trat ein Funke auf[1]), und die Lösung wurde sogleich zersetzt; bei Aufhebung derselben wurde der gewöhnliche Funke erhalten, und die Zersetzung hörte auf. Es ist klar, dass hier die erste Funkenbildung vor Herstellung des Metallcontactes stattgefunden haben musste, denn der Funke ging durch eine Luftschicht, und ebenso muss er vor Beginn der elektrolytischen Wirkung übergesprungen sein, denn diese konnte nicht eintreten, ehe nicht der Strom hindurchging, und der Strom konnte nicht hindurchgehen, ehe nicht der Funke auftrat. Hierin liegt, glaube ich, ein hinlänglicher Beweis, dass, so wie das Zink und das Wasser es sind, die durch ihre gegenseitige Einwirkung die Elektricität in diesem Apparate erzeugen, dieselben auch in unmittelbarer Folge ihrer gegenseitigen Berührung in einen kräftigen Spannungszustand versetzt werden (951), welcher, obschon er nicht eine wirkliche Zersetzung des Wassers zu verursachen im Stande war, dennoch bewirken konnte, dass ein elektrischer Funke zwischen dem Zink und einem geeigneten Entlader übersprang, sobald der Zwischenraum hinlänglich klein war. Der Versuch beweist die directe Hervorbringung eines elektrischen Funkens durch rein chemische Kräfte.

958. Bei der Erzeugung eines Funkens durch ein einziges Plattenpaar machen sich einige Umstände geltend, die man kennen muss, wenn der Versuch sicher gelingen soll.[2]) Wenn die amalgamirten Contactflächen ganz blank und trocken sind, so ist der Funke bei Herstellung des Contactes ganz ebenso glänzend, wenn nicht glänzender, als bei Unterbrechung desselben. Befand sich ein Oxydhäutchen auf einer der beiden Quecksilberoberflächen, oder waren sie sonst verunreinigt, so war der erste Funke oft schwach und blieb häufig ganz aus, während der Unterbrechungsfunke ganz beständig und hell blieb. Goss man etwas Wasser auf das Quecksilber, so hatte der Funke, und zwar ganz regelmässig sowohl bei Herstellung als auch bei Unterbrechung des Contactes, bedeutend an Glanz verloren. Machte man den Contact zwischen blankem Platin, so waren regelmässig beide Funken sehr klein. In Wirklichkeit ist der eigentliche elektrische Funke sehr klein, und bei Anwendung von Quecksilberflächen wird der grössere Theil des Lichtes durch die Verbrennung des Metalles erzeugt. Die mit der Verbrennung des Quecksilbers verknüpften Umstände sind am günstigsten bei Unterbrechung des Contactes; denn der Act der Trennung legt blanke Metallflächen bloss, während bei Herstellung des Contactes eine dünne Oxydhaut oder eine sonst verunreinigende Sub-

[1]) Man hat allgemein angenommen, dass durch ein einziges Plattenpaar kein Schliessungsfunke hervorgebracht wird. Die in dieser Abhandlung niedergelegten Betrachtungen liessen mich jedoch einen solchen erwarten. Der Verbindungsdraht muss aber kurz sein; denn bei einem langen Drahte treten Bedingungen ein, die den Funken stark beeinflussen.

[2]) Ueber die Vorsichtsmassregeln in Betreff des Funkens siehe 1074. — Dec. 1838.

stanz oft störend dazwischentritt. Hierdurch ist die allgemeine Ansicht entsprungen, dass bloss bei Aufhebung des Contactes ein Funke überspringe.

---

959. In Bezug auf die andere Reihe von Fällen, wo nämlich eine locale Wirkung (947) durch chemische Verwandtschaft stattfindet, die keine Fortführung der Kraft in die Ferne verursacht, und wo kein elektrischer Strom entsteht, ist es einleuchtend, dass bei solchen Verbindungen sehr intensive Kräfte wirksam sein und auf irgend eine Weise in ihrer Wirksamkeit aufgewogen sein müssen, und diese Kräfte müssen so unmittelbar und ausschliesslich einander entgegen gerichtet sein, dass keine Spur des kräftigen elektrischen Stromes, den sie erzeugen können, erkennbar wird, wiewohl derselbe Endzustand der Dinge erlangt wird, wie wenn jener Strom übergegangen wäre. Es war, glaube ich, Berzelius, welcher die Wärme- und Lichtentwickelung bei der Verbrennung als die Folge dieser Aeusserungsart der elektrischen Kräfte der sich verbindenden Theilchen ansah. Allein es wird eine genauere und ausgedehntere Kenntniss der Natur der Elektricität und der Art, in welcher sie mit den Atomen der Materie vereinigt ist, erforderlich sein, ehe wir eine genauere Einsicht in die Action der die Verbindung derselben bewirkenden Kraft erlangen, oder ehe wir die Natur des grossen Unterschiedes erkennen, welchen sie in den beiden eben auseinandergehaltenen Wirkungsarten darbietet. Wir können uns eine Vorstellung darüber bilden, aber solche Vorstellungen sind für jetzt der grossen Masse *zweifelhafter Kenntnisse* (876) anzureihen, welche wir viel mehr zu verringern als zu vermehren streben müssen, denn die sehr zahlreichen Widersprüche in diesen Kenntnissen unter sich zeigen, dass sich nur ein kleiner Theil von ihnen zuletzt als wahr erweisen kann.[1])

960. Von den beiden Wirkungsarten, in denen chemische Verwandtschaft sich äussert, ist es wichtig zu bemerken, dass diejenige, welche den elektrischen Strom erzeugt, ebenso *fest bestimmt* ist, als diejenige, welche gewöhnliche chemische Verbindung verursacht, so dass, wenn man die *Erzeugung* oder *Entwickelung* der Elektricität in Fällen von Verbindung oder Zersetzung untersucht, es nothwendig ist, nicht bloss gewisse von einem Elektricitätsstrome abhängige Effecte, sondern auch deren *Quantität* zu beobachten; und wiewohl es oft vorkommen kann, dass die in Betracht kommenden Kräfte in irgend einem besonderen Falle von chemischer Action theils auf die eine, theils auf die andere Art sich äussern, so sind es doch nur die bei der Erzeugung des Stromes wirksamen, welche in Beziehung zur Volta'schen Action stehen. So sind bei der Verbindung von Sauerstoff und Wasserstoff zu Wasser elektrische Kräfte in ungemein grossem Betrage zeitweise wirksam (861, 873), allein, welche Methode man auch bisher zur Untersuchung der Flamme, welche sie bei ihrer energischen

---

[1]) Vergleiche 1738 etc., Reihe XIV. — Dec. 1838.

Verbindung erzeugen, erdacht hat, so haben sich doch nur sehr schwache Spuren davon gezeigt. Diese dürfen und können daher nicht als Nachweise von der Natur der Wirkung angesehen werden, sondern es sind nur nebensächliche Ergebnisse, unvergleichlich klein gegenüber den in Betracht kommenden Kräften, und sie geben keinen Aufschluss über die Art, in welcher die Theilchen auf einander wirken, oder in welcher die Kräfte sich schliesslich anordnen.

961. Dass solche Fälle von chemischer Action keinen *Elektricitätsstrom* hervorbringen, steht in völliger Uebereinstimmung mit dem, was wir über den Volta'schen Apparat wissen, bei welchem es wesentlich ist, dass eins der sich verbindenden Elemente einen Bestandtheil eines elektrolytischen Leiters bilde oder in directer Beziehung zu ihm stehe (921, 923). Dass solche Vorgänge keine *freie Spannungselektricität* erzeugen, dass sie dagegen, wenn sie in Volta'sche Actionen verwandelt werden, einen Strom hervorrufen, in welchem die entgegengesetzten Kräfte einander so gleich sind, dass sie sich gegenseitig neutralisiren, beweist die Gleichheit der Kräfte in den gegen einander wirkenden materiellen Theilchen, und demnach die Gleichheit der elektrischen Kraft in denjenigen Mengen von Substanz, welche als *elektrochemische Aequivalente* (824) bezeichnet worden sind. Hierin liegt ein weiterer Beweis von der Bestimmtheit der elektrochemischen Action (783 etc.), sowie auch davon, dass chemische Affinität und Elektricität Formen einer und derselben Kraft sind (917 etc.).

962. Die directe Beziehung der Wirkungen, welche von der Volta'schen Säule in der Zersetzungszelle ausgeübt werden, zu den an der Erregungsstelle (891, 917) thätigen chemischen Affinitäten führt zu einer sehr einfachen und natürlichen Ansicht über den Grund, wesshalb die entbundenen Körper (oder *Jonen*) in gewissen Richtungen wandern; denn nur wenn sie in diesen Richtungen wandern, können ihre Kräfte neben den überlegenen, an der Stelle, wo die Gesammtaction bedingt wird, vorwiegenden Kräften bestehen und sie (wenigstens der Richtung nach) compensiren. Wenn z. B. in einer Volta'schen Kette, deren Wirksamkeit durch die Anziehung des Zinks zum Sauerstoff des Wassers bedingt ist, das Zink von rechts nach links wandert, dann wird jedes andere in dem Stromkreise enthaltene *Kation*, das ein Bestandtheil eines Elektrolyts ist, oder in dem Moment einen Bestandtheil eines solchen bildet, gleichfalls von rechts nach links wandern; und wie der Sauerstoff des Wassers in Folge seiner natürlichen Verwandtschaft zum Zink von links nach rechts wandert, so wird auch unter dessen derzeitiger Herrschaft jeder andere Körper derselben Gruppe (d. h. jedes andere *Anion*) von links nach rechts wandern.

963. Dies möchte ich durch Fig. 83 erläutern, wo der doppelte Kreis eine geschlossene Volta'sche Kette darstellen mag, deren Kräfte ihrer Richtung nach dadurch bestimmt seien, dass wir für einen Augenblick annehmen, das Zink *b* und das Platin *c* seien Platten dieser Metalle, welche auf Wasser *d*, *e* und andere Substanzen einwirken, deren Energie jedoch durch Anwendung einer Batterie bei *a* (989) so erhöht worden sei, dass sie verschiedene Zersetzungen hervorbringen. Diese Annahme ist erlaubt, da sich in der Batterie lediglich diejenige Wirkung wiederholt, welche zwischen *b* und *c* Platz greifen würde, wenn sie wirklich nur ein einziges Element bildeten. Das Zink *b* und der Sauerstoff *d* streben vermöge ihrer gegenseitigen Affinität sich zu vereinigen; da aber der Sauerstoff bereits mit dem Wasserstoff *e* verbunden ist, und die ihm immanenten chemischen oder elektrischen Kräfte zur Zeit durch die des letzteren neutralisirt sind, so muss der Wasserstoff *e* den Sauerstoff *d* verlassen und sich in Richtung des Pfeiles fortbewegen, denn sonst kann sich das Zink *b* nicht in derselben Richtung bewegen, um sich mit dem Sauerstoff *d* zu vereinigen, und der Sauerstoff *d* nicht in der entgegengesetzten Richtung, um sich mit dem Zink *b* zu verbinden, weil die Relation der *ähnlichen* Kräfte von *b* und *e* zu den *entgegengesetzten*, entgegengesetzt gerichteten Kräfte von *d* dies verhindert. So wie der Wasserstoff *e* vorrückt und bei dem einen Theil der Kette bildenden Platin *c*, *f* anlangt, überträgt er durch dasselbe seine elektrischen oder chemischen Kräfte auf den nächsten Elektrolyt in der Kette, dem geschmolzenen Bleichlorid *gh*, dessen Chlor in Uebereinstimmung mit der Richtung des Sauerstoffs bei *d* wandern muss, denn es hat die Kräfte zu compensiren, welche an der von ihm eingenommenen Stelle der Kette gestört sind durch den überwiegenden Einfluss der durch die Batterie *a* unterstützten Kräfte zwischen dem Sauerstoff und dem Zink bei *d*, *b*; und aus einem ähnlichen Grunde muss das Blei sich in der durch den Pfeil angegebenen Richtung bewegen, um in richtige Relation zu dem ersten sich bewegenden Körper seiner eigenen Klasse, nämlich zum Zink *b* zu kommen. Wenn Kupfer zwischen *i* und *k* in den Kreis eingeschaltet wird, so wirkt es, wie vorher das Platin; und wenn ein anderer Elektrolyt, z. B. Zinnjodür bei *lm* vorhanden ist, so muss das Jod *l*, da es ein *Anion* ist, sich in Uebereinstimmung mit dem erregenden *Anion*, nämlich dem Sauerstoff *d*, und das Kation Zinn, *m*, sich in Uebereinstimmung mit den anderen *Kationen* *b*, *e* und *h* bewegen, damit die chemischen Kräfte in der ganzen Kette, sowohl ihrer Richtung als ihrer Quantität nach, im Gleichgewichte seien. Sollte es hierbei vorkommen, dass die Anionen sich bei ihrer Circulation mit den Metallen an den *Anoden* der respectiven Elektrolyte verbinden, wie es beim Platin *f* und Kupfer *k* der Fall wäre, dann werden diese Körper Bestandtheile von Elektrolyten und wandern augenblicklich unter dem Einfluss des Stromes; allein mit Rücksicht auf ihre Relation zum Zink *b* ist es offenbar unmöglich, dass sie in anderer Richtung wandern als in der, welche mit dessen Bahn übereinstimmt, und daher können sie niemals anders als *von* der Anode *zu* der Kathode übergehen.

964. Bei einem wie in der Figur entworfenen Kreise lassen sich also alle bekannten *Anionen* innerhalb, und alle *Kationen* ausserhalb gruppiren. Bildet eine beliebige Anzahl von ihnen als *Jonen* Bestandtheile von *Elektrolyten* und sind sie, zu einem Kreise geschaltet, gleichzeitig einem und demselben Strome unterworfen, so müssen die Anionen sich in der einen, und die Kationen sich in der anderen Richtung bewegen. Ja, noch mehr, äquivalente Mengen dieser Körper müssen so in entgegengesetzten Richtungen wandern; mit der Wanderung von 32,5 Theilen Zink *b* muss gleichzeitig eine Wanderung von 8 Theilen Sauerstoff bei *d*, von 36 Theilen Chlor bei *g*, von 126 Theilen Jod bei *l* in entgegengesetzter Richtung, und eine Wanderung der elektrochemischen Aequivalente von Wasserstoff, Blei, Kupfer und Zinn bei *e, h; k* und *m* in derselben Richtung stattfinden.

---

965. Betrachtet man die vorliegende Abhandlung als einen correcten Ausdruck der Thatsachen, so erweist sie sich nur als eine Bestätigung gewisser allgemeiner, von Sir Humphry Davy 1806[1]) in seiner Baker-Vorlesung aufgestellten Ansichten, welche er in einer anderen Baker-Vorlesung vom Jahre 1826[2]), über elektrische und chemische Umwandelungen, in verbesserter Form aufgestellt hat. Sein allgemeiner Satz lautet: „Chemische und elektrische Anziehungen werden durch eine und dieselbe Ursache hervorgerufen, die in dem einen Falle auf die kleinsten Theilchen, in dem anderen auf Massen von Materie einwirkt, und die nämliche Eigenschaft, nur in verschiedenen Modifcationen, ist die Ursache aller bei den verschiedenen Volta'schen Combinationen auftretenden Erscheinungen.“[3]) Diesen Satz halte ich für richtig; allein indem ich mich zu ihm bekenne und ihn vertheidige, muss ich mich gegen die etwaige Annahme verwahren, als wollte ich hiermit Allem, was mit demselben in den beiden citirten Abhandlungen eng zusammenhängt, zustimmen, oder die dort als entscheidende Beweise der Richtigkeit des Princips angeführten Versuche als solche anerkennen. Wäre dies meine Meinung gewesen, so würde ich zu dieser Untersuchung keine Veranlassung gehabt haben. Man könnte am Ende fordern, dass ich jene Abhandlungen durchgehe, um festzustellen, was ich annehme, und was ich ablehne, und für mein Urtheil in beiden Fällen stichhaltige experimentelle oder theoretische Gründe anzuführen. Allein dann wäre ich auch gezwungen gewesen, zu demselben Ende Alles, was bisher für und wider die Nothwendigkeit des Metallcontactes, für und wider den Ursprung der Volta'schen Elektricität bei chemischen Actionen geschrieben worden ist, einer Kritik zu unterwerfen, — eine Aufgabe, der ich mich in der vorliegenden Abhandlung nicht unterziehen mochte.[4])

---

[1]) Philosophical Transactions, 1807.

[2]) Ibid. 1826, p. 383.

[3]) Ibid. 1826, p. 389.

[4]) Es war früher meine Absicht, hier in einer Anmerkung die Abhandlungen der verschiedenen Physiker zusammenzustellen, welche den Ursprung der Elektri-

II. *Ueber die zur Elektrolysirung nothwendige Intensität.*

966. Zum Verständniss mancher Bedingungen bei der Volta'schen Action war es erforderlich, womöglich sicher zu bestimmen, ob Elektrolyte der Wirkung eines elektrischen Stromes, dessen Intensität sich unterhalb einer gewissen Grenze hält, widerstehen können; ob die Intensität, bei welcher der Strom zu wirken aufhört, für alle Körper dieselbe sei, und ob die so der Zersetzung widerstehenden Elektrolyte, nachdem sie aufgehört haben, den elektrischen Strom nach Art der Elektrolyte zu leiten, ihn nach Art der Metalle leiten oder sich als vollkommene Isolatoren verhalten.

967. Aus den beschriebenen Versuchen (904, 906) ging hervor, dass verschiedene Körper mit sehr verschiedener Leichtigkeit zersetzt werden, und dass sie anscheinend Ströme von sehr verschiedener Intensität zu ihrer Zersetzung erfordern, indem sie den einen widerstehen, den anderen aber nachgeben. Allein es war nothwendig, durch sehr sorgfältige und directe Versuche zu entscheiden, ob ein Strom wirklich durch einen Elektrolyt hindurchgehen könne, ohne ihn zu zersetzen (910).

968. Es wurde ein Apparat (Fig. 84) zusammengestellt aus zwei verdünnte Schwefelsäure vom spec. Gewicht 1,25 enthaltenden Glasgefässen. Die Platte Z von amalgamirtem Zink, war durch einen Platindraht *a* mit der Platinplatte *e* verbunden; der Platindraht *b* verband die beiden Platinplatten PP', und der Platindraht *c* war mit der Platinplatte P'' verbunden. Auf die Platte *e* war ein mit Jodkaliumlösung befeuchtetes Stück Papier gelegt; der Draht *c* war so gebogen, dass man sein Ende nach Belieben auf diesem Papier ruhen lassen und so durch das Auftreten von Jod daselbst sehen konnte, ob ein Strom durchging, oder ihn in die punktirte Lage bringen konnte, so dass er dann in directe Verbindung mit der Platinplatte *e* trat und die Elektricität, ohne dass sie eine Zersetzung verursachte, überleitete. Der Zweck war, durch die Wirkung der Säure auf das amalgamirte Zink in dem ersten Gefässe A einen Strom hervorzurufen, ihn mittelst der Platinelektroden durch die Säure im zweiten Gefässe zu leiten, um seine etwaige Wasser zersetzende Kraft zu beobachten, und die Existenz des Stromes nach Belieben durch die Zersetzung bei *e* festzustellen, ohne ihm ein dauerndes Hinderniss entgegenzusetzen, welches durch eine ununterbrochene Zersetzung an jener Stelle hätte entstehen können. Der Versuch begann damit, dass die Existenz eines Stromes durch die Zersetzung bei *e*

---

cität in der Volta'schen Säule vom Contact oder von chemischer Action oder von beiden herleiten; aber nach dem Erscheinen des ersten Bandes von Becquerel's ausserordentlich wichtigem und werthvollem Traité de l'Electricité et du Magnétism hielt ich es für besser, behufs jener Citate und der von jenen Physikern aufgestellten Ansichten auf dieses Werk zu verweisen. Siehe S. 86, 91, 104, 110, 112, 117, 118, 120, 151, 152, 224, 227, 228, 232, 233, 252, 255, 257, 258, 290 etc. — 3. Juli 1834.

festgestellt wurde; alsdann liess man das Ende des Drahtes auf der Platte *e* ruhen, so dass daselbst eine beständige metallische Communication stattfand.

969. Nach einigen Stunden wurde das Drahtende *c* wieder auf das Reagenzpapier *e* gelegt, es trat Zersetzung ein und *der Beweis* eines Stromdurchganges war somit völlig erbracht. Der Strom war im Vergleich mit dem zu Anfang des Versuches sehr schwach, in Folge eines eigenthümlichen Zustandes, den die Metallflächen in dem zweiten Gefässe angenommen hatten, vermöge dessen sie unter den obwaltenden Umständen gegen den Durchgang des Stromes eine Widerstandskraft äusserten (1040). Indess bewies die Zersetzung, dass dieser Zustand der Platten in dem zweiten Gefässe den in dem ersten erregten Strom nicht gänzlich zu hemmen vermochte, und dies war Alles, was bei dieser Untersuchung ermittelt werden sollte.

970. Von Zeit zu Zeit wurde dieser Apparat untersucht, und es ergab sich, dass noch nach zwölf Tagen ein elektrischer Strom durch ihn circulirte, während welcher Zeit das Wasser in dem zweiten Gefässe unausgesetzt seiner Wirkung unterworfen geblieben war. Trotz dieser langen Zeit war nicht die geringste Spur einer Gasblase zu bemerken. Aus diesen Versuchsresultaten schliesse ich, dass wohl ein Strom durchgegangen *war*, aber von so geringer Intensität, dass sie unterhalb jener Grenze blieb, bei welcher die Elemente des Wassers ohne Hilfe einer secundären, aus der Verbindungsfähigkeit mit der Substanz der Elektroden oder der sie umgebenden Flüssigkeit entspringenden Kraft von einander getrennt werden können.

971. Man könnte annehmen, dass Sauerstoff und Wasserstoff sich in so geringen Mengen entwickelt hätten, dass sie sich gänzlich in dem Wasser lösten und schliesslich an der Oberfläche entwichen oder sich wieder zu Wasser vereinigten. Dass der Wasserstoff hierbei in Lösung gehen kann, zeigte sich in dem ersten Gefässe; denn nach einigen Tagen erschienen auf einem Glasstabe, der hineingesteckt worden war, um das Zink und Platin auseinander zu halten, und auch auf der Platinplatte selbst kleine Gasblasen, die aus Wasserstoff bestanden. Ihre Entstehung erklärt sich hauptsächlich daraus, dass, trotz der Amalgamirung des Zinks, die Säure eine geringe Wirkung auf dasselbe ausübte, so dass von seiner Oberfläche beständig ein geringer Strom von Wasserstoffblasen aufstieg; ein kleiner Theil dieses Wasserstoffs löste sich allmählich in der verdünnten Säure und wurde theilweise an der Oberfläche des Stabes und der Platte, gemäss der wohlbekannten Wirkung solcher starren Körper in Lösungen von Gasen (623 etc.), in Freiheit gesetzt.

972. Allein wenn die Gase im zweiten Gefässe aus der Zersetzung des Wassers entsprungen wären und in Lösung zu gehen gesucht hätten, so hätte man doch mit allem Grunde erwarten dürfen, dass einige Blasen an den Elektroden zum Vorschein kommen würden, besonders an der negativen, wenn auch nur desshalb, weil sie sich wie ein Kern zu der vermeintlichen Lösung verhalten mussten; allein selbst nach zwölf Tagen erschien keine Blase.

973. Wurden jedoch nur wenige Tropfen Salpetersäure dem Inhalt des Gefässes A, Fig. 84, zugesetzt, so waren die Resultate ganz andere. In weniger als fünf Minuten zeigten sich Gasblasen auf den Platten P' und P'' des zweiten Gefässes. Zum Beweise, dass dies die Wirkung des elektrischen Stromes war (welcher, wie der Versuch ergab, gleichzeitig bei *e* überging), wurde die Verbindung bei *e* aufgehoben, die Platten P'P'' von den Blasen befreit und fünfzehn Minuten lang in der Säure des Gefässes B gelassen; während dieser Zeit zeigten sich keine Blasen auf ihnen, aber nach Wiederherstellung der Verbindung bei *e* traten, ehe eine Minute verstrichen war, Gasblasen auf den Platten auf. Somit ist der Beweis vollständig erbracht, dass der im Gefässe A durch verdünnte Schwefelsäure mit einem geringen Zusatz von Salpetersäure erregte Strom von hinlänglicher Intensität ist, um die zwischen dem Sauerstoff und Wasserstoff des Wassers im Gefässe B bestehende chemische Affinität zu überwinden, während der durch Schwefelsäure allein erregte Strom hierzu *nicht* Intensität genug besitzt.

974. Bei Anwendung einer concentrirten Lösung von Aetzkali in dem Gefässe A zur Erregung des Stromes ergab sich aus der bei *e* stattgefundenen Zersetzung, dass wirklich ein Strom überging. Allein seine Intensität war nicht gross genug, um das Wasser in dem Gefässe B zu zersetzen; denn wiewohl man den Strom vierzehn Tage lang hindurchgehen liess, so zeigte sich doch nicht die geringste Spur von Gas auf den Platten P'P'' noch irgend ein anderes Anzeichen einer Wasserzersetzung.

975. Nun wurden mit einer Lösung von Natriumsulphat Versuche angestellt, um zu ermitteln, ob auch zu seiner Zersetzung die elektrolytishe Intensität eine gewisse Grenze erreichen müsse, wie es in Bezug auf Wasser festgestellt worden ist (974). Die Einrichtung des Apparates zeigt Fig. 85. Die Platinplatte P und die Zinkplatte Z tauchen in eine Kochsalzlösung; *a* und *b* sind die Platinplatten, welche durch Platindrähte (abgesehen von dem Galvanometer *g*) mit P und Z verbunden sind; *c* ist ein Platindraht, dessen Enden entweder auf den Platten *a* und *b* oder auf den darauf liegenden, mit Lösungen benetzten Papieren ruhen können, so dass man es dieser Vorrichtung zufolge in der Hand gehabt hätte, den Strom bei seinem Uebergange entweder gar keine oder eine oder zwei Zersetzungen bewirken zu lassen. Um mit den *Anoden* und *Kathoden* an den Zersetzungsstellen wechseln zu können, wurde der Apparat zuweilen in der Gestalt der Fig. 86 benutzt. Hier wurde bloss *eine* Platinplatte *c* angewandt, auf welche beide Papierstücke, an denen die Zersetzung erfolgen sollte, lagen, während die Drähte von P und Z entweder auf diesen Papierstücken oder auf der Platte *e* ruhten, je nachdem man haben wollte, dass der Strom die Lösungen zersetze oder nicht.

976. War das Papier an der einen Zersetzungsstelle mit Jodkaliumlösung, das an der anderen mit Natriumsulphatlösung getränkt, so dass der

Strom durch beide zugleich gehen musste, so wurde die Jodidlösung langsam zersetzt unter Abscheidung von Jod an der *Anode* und von Alkali an der *Kathode;* allein die Natriumsulphatlösung gab kein Anzeichen von Zersetzung, es trat weder freie Säure noch freies Alkali auf. Verlegte man die Drähte so, dass bloss das Jodid der Wirkung des Stromes unterworfen war (900), so erfolgte die Zersetzung rasch und energisch, gab man ihnen jedoch eine solche Stellung, dass nur das Natriumsulphat der Stromwirkung ausgesetzt war, so zerfiel dasselbe auch jetzt nicht in seine Bestandtheile. Endlich wurde der Apparat unter eine befeuchtete Glasglocke gestellt und zwölf Stunden stehen gelassen, während welcher Zeit der Strom durch eine Natriumsulphatlösung ging, die nur in zwei Lagen von porösem Lackmus- und Curcumapapier enthalten war. Nach Verlauf dieser Zeit wurde durch die Zersetzung von Jodkalium an der zweiten Wirkungsstelle nachgewiesen, dass der Strom noch vorhanden war, und er war somit zwölf Stunden übergegangen, ohne dass eine Spur von Säure oder Alkali aus dem Natriumsulphat aufgetreten war.

977. Aus diesen Versuchen darf man, glaube ich, schliessen, dass eine Lösung von Natriumsulphat einen Elektricitätsstrom zu leiten vermag, welcher nicht im Stande ist, dieses neutrale Salz zu zersetzen, dass dieses Salz in Lösung, ebenso wie das Wasser, eine gewisse elektrolytische Intensität zu seiner Zersetzung erfordert, und dass die hierzu nothwendige Intensität viel höher ist, als die zur Zersetzung einer ähnlichen Lösung von Jodkalium.

978. Ich experimentirte ferner mit Körpern, die durch Schmelzung zersetzbar gemacht werden, und zwar zunächst mit *Chlorblei.* Der Strom wurde durch verdünnte Schwefelsäure ohne Zusatz von Salpetersäure zwischen Platten von Zink und Platin, Fig. 87, erregt und dann durch etwas bei *a* auf Glas geschmolzenes Chlorblei, durch ein mit Jodkaliumlösung befeuchtetes Papier bei *b* und durch ein Galvanometer *g* geleitet. Die Drähte bei *a* und *b* waren von Platin. Bei dieser Anordnung zeigte die Zersetzung bei *a* und die Ablenkung bei *g* den Durchgang eines Stromes an, allein bei *a* trat keine Spur von Zersetzung auf, selbst dann nicht, als bei *b* eine *metallische* Communication hergestellt wurde. Der Versuch wurde mehrmals wiederholt, und ich kam somit zu dem Schlusse, dass in diesem Falle die Intensität des Stromes nicht ausreichend war, um die Zersetzung des Bleichlorids zu bewirken, und ferner, dass das geschmolzene Bleichlorid, ebenso wie Wasser (974), einen elektrischen Strom zu leiten vermag, dessen Intensität geringer ist, als zu seiner Zersetzung erforderlich ist.

979. Nun wurde *Silberchlorid* an Stelle von Bleichlorid bei *a*, Fig. 87, eingeschaltet. Die Zersetzung der Jodkaliumlösung bei *b* erfolgte sehr leicht, und wenn daselbst metallischer Contact hergestellt wurde, so war die Ablenkung der Galvanometernadel bei *g* sehr beträchtlich. Es schien auch Platin an der Anode des geschmolzenen Chlorids bei *a* gelöst zu werden, und alle Anzeichen einer daselbst stattgefundenen Zersetzung traten zu Tage.

980. Einen weiteren Beweis von der Zersetzung erhielt man auf folgende Weise. Die Platindrähte bei *a* wurden (während bei *b* metallischer Contact hergestellt war) ganz nahe an einander gebracht und so gelassen; die Ablenkung des Galvanometers zeigte den Durchgang eines schwachen, aber constanten Stromes an. Nach einer oder zwei Minuten jedoch wurde die Nadel plötzlich heftig abgelenkt und zeigte einen so starken Strom an, als ob bei *a* metallischer Contact stattgefunden hätte. Und dies war wirklich der Fall, denn das durch die Action des Stromes reducirte Silber war in langen, zarten Nadeln krystallisirt, die zuletzt die metallische Communication herstellten, und wie sie einen kräftigeren Strom durchliessen als das geschmolzene Chlorid, so lieferten sie zugleich den Beweis, dass eine elektrochemische Zersetzung dieses Chlorids erfolgt war. Hieraus geht hervor, dass der durch verdünnte Schwefelsäure zwischen Zink und Platin erregte Strom eine Intensität besitzt, die grösser ist als zur Elektrolysirung des geschmolzenen Silberchlorids zwischen Platinelektroden erforderlich ist, wiewohl seine Intensität nicht gross genug ist, um Bleichlorid unter denselben Umständen zersetzen zu können.

981. Ein Tropfen *Wasser* bei *a*, an Stelle der geschmolzenen Chloride, zeigte, wie früher (970), dass es einen Strom zu leiten vermochte, welcher nicht im Stande ist, es zu zersetzen, da doch eine Zersetzung der Jodkaliumlösung bei *b* nach einiger Zeit eintrat. Aber seine Leitungsfähigkeit war viel geringer als die des geschmolzenen Bleichlorids (978).

982. Geschmolzener *Salpeter* bei *a* leitete viel besser als Wasser; ich vermochte nicht mit Sicherheit zu entscheiden, ob er elektrolysirt wurde, aber ich glaube nicht, denn am Platin an der *Kathode* fand keine Entfärbung statt. Wäre in dem Erregungsgefässe Schwefel-Salpetersäure angewandt worden, so würden der Salpeter sowohl als auch das Bleichlorid gleich dem Wasser (906) Zersetzung erlitten haben.

983. Die so erhaltenen Resultate einer Leitung ohne Zersetzung und der Nothwendigkeit einer gewissen elektrolytischen Intensität zur Trennung der *Jonen* verschiedener Elektrolyte stehen in unmittelbarem Zusammenhange mit den Versuchen und Ergebnissen, die in § 10 der vierten Reihe dieser Untersuchungen (418, 423, 444, 449) mitgetheilt worden sind. Allein es ist, mit Rücksicht auf den eigentlichen Ursprung des Stromes sowohl als auch auf die Art, in welcher er durch die Einschaltung längerer oder kürzerer Strecken schlechter zersetzbarer oder unzersetzbarer Leiter reducirt oder geschwächt wird, eine genauere Kenntniss der Natur der Intensität erforderlich, ehe jene Beziehung im Einzelnen und völlig verstanden werden kann.

984. In dem Falle mit Wasser scheinen die bisher von mir angestellten Versuche zu zeigen, dass, wenn der elektrische Strom auf eine geringere als zur Zersetzung erforderliche Intensität reducirt worden ist, der Grad der Leitung derselbe bleibt, gleichviel ob Schwefelsäure oder irgend ein anderer der vielen Körper, welche sein Leitungsvermögen beeinflussen können, zugegen ist oder nicht. Oder mit anderen Worten, dass die für das Wasser erforderliche elektrolytische Intensität dieselbe bleibt, gleichviel ob es rein ist oder durch Zusatz jener Substanzen besser leitend gemacht wird, und dass für Ströme von geringerer Intensität als diese das Wasser, es mag rein oder angesäuert sein, das gleiche Leitungsvermögen besitzt. Ich arrangirte einen Apparat von der Form der Fig. 84 mit verdünnter Schwefelsäure im Gefässe A und reinem destillirtem Wasser im Gefässe B. Aus der Zersetzung bei *e* schien es, als ob Wasser für einen Strom von so geringer Intensität, dass er keine Zersetzung bewirkt, ein *besserer* Leiter wäre als verdünnte Schwefelsäure. Ich bin jedoch geneigt, diese scheinbare Ueberlegenheit des Wassers den Veränderungen in jenem eigenthümlichen, weiterhin in dieser Reihe (1040) zu erwähnenden Zustande der Platinelektroden zuzuschreiben, welchen diese, soviel ich sehe, in verdünnter Schwefelsäure in höherem Grade annehmen als in reinem Wasser. Die Fähigkeit der Säuren, Alkalien, Salze und anderer gelöster Körper, das Leitungsvermögen zu erhöhen, scheint demnach nur in den Fällen, wo der dem Strome unterworfene Elektrolyt Zersetzung erleidet, zur Geltung zu gelangen, dagegen allen Einfluss einzubüssen, wenn die Intensität des hindurchgesandten Stromes eine zu niedrige ist, um chemische Veränderungen hervorzurufen. Es ist wahrscheinlich, dass die Leitungsfähigkeit, welche ein Elektrolyt für gewöhnlich im starren Zustande (419) besitzt, dieselbe ist wie im flüssigen Zustande für Ströme, deren Spannung unterhalb der erforderlichen elektrolytischen Intensität liegt.

985. Elektricitätsströme, die durch weniger als acht oder zehn Volta'sche Elemente hervorgebracht werden, lassen sich auf die Intensität, bei welcher Wasser sie leiten kann, ohne zersetzt zu werden, dadurch reduciren, dass man sie durch drei oder vier hinter einander geschaltete Gefässe leitet, worin Wasser zwischen Platinflächen enthalten ist. Die schwächenden Ursachen, von denen dieser Vorgang bedingt ist, werden später (1009, 1018) dargethan werden; von dem Verfahren selbst aber kann man wohl Gebrauch machen, um Ströme von Normalintensität zu erhalten, und es ist wahrscheinlich auf Batterien von beliebiger Anzahl von Plattenpaaren anwendbar.

986. Da wir, wie es scheint, allen Grund haben, zu vermuthen, dass alle Elektrolyte dem Gesetze unterworfen seien, wonach zu ihrer Zerlegung ein elektrischer Strom von gewisser Intensität erforderlich ist, dass aber der Grad der erforderlichen Intensität für dieselben verschieden sei, so wird es wünschenswerth, sie nach Maassgabe ihrer elektrolytischen Intensitäten in einer Tabelle zusammenzustellen. Hierüber müssen jedoch sehr ausgedehnte Untersuchungen angestellt werden, und sie müssen viel mehr Körper in sich schliessen, als hier erwähnt worden sind, ehe eine solche Tabelle entworfen werden kann. Insbesondere wird es bei derartigen Versuchen nöthig sein, die Natur der angewandten Elektroden zu beschreiben, oder womöglich solche auszuwählen, welche, wie Platin oder Graphit in manchen Fällen, nicht fähig sind, die Trennung der abzuscheidenden *Jonen* zu unterstützen (913).

987. Von den zwei Arten der Fortleitung elektrischer Kräfte, deren die Körper fähig sind, nämlich derjenigen, welche so charakteristisch für die Metalle ist und gewöhnlich als Leitung bezeichnet wird, und derjenigen, welche von einer Zersetzung begleitet ist, scheint die erstere allen Körpern gemeinsam zu sein, wiewohl in fast unendlich verschiedenen Abstufungen; die zweite ist bisher das entscheidende Merkmal der Elektrolyte. Es ist jedoch möglich, dass man sie künftig auch bei den Metallen antreffe, denn ihre Fähigkeit, ohne Zersetzung zu leiten, hat vielleicht darin ihren Grund, dass zu ihrer Zersetzung eine sehr hohe elektrolytische Intensität erforderlich ist.

987$^1/_2$. Die Feststellung des Satzes, dass zur Zersetzung eine gewisse elektrolytische Intensität nothwendig ist, ist von grosser Wichtigkeit bei allen Betrachtungen über die wahrscheinlichen Wirkungen schwacher Ströme, wie sie beispielsweise durch natürliche Thermoelektricität oder durch natürliche Volta'sche Combinationen in der Erde hervorgerufen werden. Denn um eine Zersetzung oder eine Verbindung zu verursachen, genügt nicht die blosse Existenz eines Stromes, sondern dieser muss auch eine gewisse Intensität besitzen, ehe er die ruhenden, ihm widerstehenden Affinitäten zu überwinden vermag, andernfalls wird er geleitet werden, ohne dauernde chemische Wirkungen hervorzubringen. Andererseits sind nun auch die Principien einleuchtend, nach denen eine entgegenstehende Action durch die Umgebung von Körpern, deren Affinität nicht stark genug ist, um direct auf einander zu wirken (913), so geschwächt werden kann, dass ein sehr schwacher Strom durch Summirung der Wirkungen im Stande ist, chemische Umwandelungen zu veranlassen.

988. Zum Schlusse dieses Abschnittes *über die zur Elektrolysirung nothwendige Intensität* kann ich nicht umhin in Bezug auf Intensität überhaupt folgende bemerkenswerthe Schlussfolgerung auszusprechen. Es scheint, dass ein Volta'scher Strom von einer gewissen Intensität, die von der Stärke der den Strom erregenden chemischen Affinitäten (916) abhängt, einen gegebenen Elektrolyt ohne Beziehung zu der durchgegangenen Menge der Elektricität zersetzen kann, indem die *Intensität* entscheidet, ob der Elektrolyt zerlegt wird oder nicht. Wenn dieser Schluss sich bestätigt, dann werden wir solche Umstände herbeiführen können, dass *dieselbe Menge* von Elektricität in *derselben Zeit* durch *dieselbe Oberfläche* in *dieselbe zu zersetzende Substanz von demselben Zustande* übergeht und doch, an Intensität verschieden, *in dem einen Falle zersetzend wirkt, in dem anderen nicht.* Denn nimmt man eine Elektricitätsquelle von einer zur Zersetzung unzulänglichen Intensität und ermittelt die in einer gegebenen Zeit übergegangene Menge, so ist es leicht, eine andere Quelle von zulänglicher Intensität zu nehmen und die ihr entströmende Elektricitätsmenge durch Einschaltung schlechter Leiter auf dasselbe Verhältniss wie im früheren Strome zu reduciren, und dann werden alle Bedingungen erfüllt sein, um das beschriebene Resultat zu erzielen.

III. Ueber zusammengesetzte Volta'sche Ketten oder die Volta'sche Batterie.

989. Geht man von der Betrachtung einfacher Elemente (875 etc.) zu deren Zusammensetzung zu einer Volta'schen Batterie über, so ist es völlig einleuchtend, dass, wenn man sie so anordnet, dass zwei Gruppen von Affinitäten, statt gegen einander, wie in Fig. 73 und 76 (880, 891), in Uebereinstimmung mit einander wirken, sie sich nicht gegenseitig stören, sondern vielmehr unterstützen werden. Dies ist einfach der Fall bei zwei zu einer Volta'schen Kette vereinigten Metallpaaren. Bei solchen Anordnungen wächst bekanntlich die Wirksamkeit des Systems, und wenn zehn oder hundert oder eine noch grössere Anzahl solcher Paare in geeigneter Weise zusammengesetzt werden, so wird die Kraft des Systems proportional erhöht, und wir erhalten jenes herrliche Instrument zu physikalischen Untersuchungen, die *Volta'sche Batterie.*

990. Allein aus den oben aufgestellten Principien von der festen Action ist es klar, dass die *Quantität* der Elektricität in dem Strome nicht vergrössert werden kann mit der Vermehrung der *Quantität von Metall,* das sich an jeder neuen Stelle der chemischen Action oxydirt und löst. Ein einziges Plattenpaar von Zink und Platin giebt in Folge der Oxydation von 32,5 Gran Zink (868) ebenso viel Elektricität in Form eines Stromes aus, als durch die Umwandelung einer tausendmal grösseren Menge, oder durch die Oxydation von nahezu fünf Pfund Zink in einer regulären Batterie von tausend Plattenpaaren in Bewegung gesetzt werden würde. Denn es ist klar, dass die Elektricität, welche in der ersten Zelle durch die Säure vom Zink zum Platin geht und von der Zersetzung einer bestimmten Menge Wasser in dieser Zelle begleitet oder gar erregt wird, nicht durch die Säure der zweiten Zelle vom Zink zum Platin gehen kann, ohne hier dieselbe Menge Wasser zu zersetzen und somit dieselbe Menge Zink zu oxydiren (924, 949). Derselbe Vorgang wiederholt sich in jeder anderen Zelle; in jeder muss das elektrochemische Aequivalent des Wassers zersetzt werden, wenn der Strom hindurchgehen soll; denn die Menge der durchströmenden Elektricität und die Menge des zersetzten Elektrolyts *müssen* einander äquivalent sein. Die Wirkung einer jeden Zelle besteht also nicht darin, die in irgend einer Zelle in Bewegung gesetzte Menge zu vermehren, sondern diejenige Menge vorwärts treiben zu helfen, deren Uebergang der Oxydation des Zinks in jener entspricht, und in dieser Weise steigert sie jene eigenthümliche Eigenschaft des Stromes, welche wir mit dem Ausdruck *Intensität* zu bezeichnen pflegen, ohne die *Quantität* über jene Grenze hinaus zu vermehren, welche der in jeder einzelnen Zelle der Reihe oxydirten Zinkmenge proportional ist.

991. Um dies zu beweisen, stellte ich zehn Plattenpaare von amalgamirtem Zink und Platin mit verdünnter Schwefelsäure zu einer Batterie zusammen. Bei Schliessung der Kette arbeiteten alle Elemente, und an den Platinflächen entwickelte sich Gas, welches gesammelt wurde. Die Menge desselben war für jede Platte die nämliche, und es stand auch die Menge des an jeder Platinplatte entwickelten Wasserstoffs in demselben Verhältniss zu der Menge des von jeder Zinkplatte abgelösten Metalles, welches der Versuch mit einem einzigen Plattenpaare (864 etc.) geliefert hatte. Es war also gewiss, dass genau soviel und nicht mehr Elektricität durch die Reihe von zehn Plattenpaaren hindurchgegangen war, als durch ein einziges Paar hindurchgegangen oder in Bewegung gesetzt sein würde, trotzdem eine zehnmal grössere Menge Zink verbraucht worden war.

992. Diese Wahrheit hat sich auch schon längst auf einem anderen Wege ergeben, nämlich durch die Wirkung des Stromes auf eine Magnetnadel, da die ablenkende Kraft eines einzigen Plattenpaares gleich ist der ablenkenden Kraft der ganzen Batterie, wenn nur die angewandten Drähte dick genug sind, um den Strom eines einzigen Plattenpaares ungehindert zu leiten; allein die *Ursache* dieser gleichen Wirkung konnte nicht verstanden werden, so lange die feste Action und Entwickelung der Elektricität (783, 869) unbekannt blieb.

993. Die Ueberlegenheit der zersetzenden Kraft einer Batterie über ein einziges Element wird auf zweierlei Weise offenbar. Elektrolyte, die durch eine so kräftige Verwandtschaft zusammengehalten werden, dass sie der Wirkung des Stromes eines einzigen Plattenpaares widerstehen, werden von einem durch viele Plattenpaare erregten Strome in ihre Bestandtheile zerlegt, und eine Substanz, welche unter dem Einflusse eines oder einiger weniger Metallpaare u. s. w. zersetzt wird, zerfällt um so leichter in ihre *Jonen*, je grösser die Anzahl der Elemente ist, durch welche die auf jene einwirkende Elektricität in Bewegung gesetzt wird.

994. Beide Wirkungen sind, glaube ich, leicht zu verstehen. Was auch *Intensität* sein mag (und dies muss natürlich von der Natur der Elektricität abhängen, gleichviel ob sie auf einem oder zwei Fluidis beruht, oder auf Aetherschwingungen, oder auf irgend einer anderen Art oder einem anderen Zustande von Materie), so scheint es doch nicht schwierig, einzusehen, dass der *Grad* von Intensität, mit welchem ein Elektricitätsstrom in *einem* Volta'schen Element erregt wird, eine Verstärkung erfahren wird, wenn dieser Strom der Wirkung eines zweiten Volta'schen Elementes unterworfen wird, das im Einklang mit dem ersten arbeitet und gleiche Eigenschaften besitzt; und da Zersetzungen bloss entgegengesetzte Wirkungen, aber genau von derselben Art sind, wie diejenigen, welche den Strom erzeugen (917), so scheint es eine naturgemässe Folge zu sein, dass die Affinität, welche der zersetzenden Wirkung einer einzelnen Kraft widerstehen kann, der Energie so vieler Zersetzungskräfte, wie sie in der Volta'schen Batterie gemeinsam thätig sind, keinen Widerstand zu leisten vermag.

995. Dass ein Körper, welcher einem Strome von geringer Intensität unterliegt, noch leichter einem Strome von stärkerer Kraft nachgiebt, widerspricht nicht dem Gesetze der festen elektrolytischen Action, sondern ist mit demselben vollkommen vereinbar. Alle Thatsachen, sowie die Theorie, welche ich aufzustellen gewagt habe, suchen zu zeigen, dass der Zersetzungsact eine gewisse Gegenkraft gegen den Durchgang des elektrischen Stromes hervorruft, und dass dieser Widerstand mehr oder weniger leicht überwunden werden muss im Verhältniss zu der grösseren oder geringeren Intensität des zersetzenden Stromes, steht in vollkommenem Einklang mit allen unseren Vorstellungen von dem elektrischen Agens.

996. Ich habe früher (947) zwei Fälle der chemischen Wirkung des Zinks und der verdünnten Schwefelsäure unterschieden: denjenigen, wobei eine directe Einwirkung auf das Zink unter gleichzeitiger Wasserstoffentwickelung an dessen Oberfläche stattfindet, und denjenigen, wobei eine gewisse Anordnung der chemischen Kräfte in dem gegebenen Elektrolyt (in diesem Falle Wasser) erfolgt und diesem Sauerstoff entzogen wird, was jedoch nicht geschehen kann, wenn nicht der darauf folgende Strom freie Bahn hat und der Wasserstoff anderswo als am Zink in Freiheit gesetzt werden kann. Der elektrische Strom ist bedingt durch die zweite Art dieser Wirkungen, aber wenn der Strom übergehen kann, so begünstigt er die elektrolytische Action und hat die Tendenz, die erstere Wirkungsart zu verringern und die letztere zu steigern.

997. Es ist demnach klar, dass bei Anwendung von gewöhnlichem Zink in einer Volta'schen Kette ein enormer Verlust der Kraft stattfindet, welche in Gestalt eines elektrischen Stromes auftreten soll, eine Folgerung, welche in das hellste Licht gesetzt wird, wenn man bedenkt, dass $3^1/_2$ Unzen auf gehörigem Wege oxydirten Zinks soviel Elektricität in Bewegung setzen kann, um nahezu eine Unze Wasser zu zersetzen und somit etwa 2400 Cubikzoll Wasserstoffgas zu entwickeln. Dieser Kraftverlust findet nicht nur während der Schliessung der Batterie statt, wo er alsdann proportional ist der an der Oberfläche einer der Zinkplatten entwickelten Wasserstoffmenge, sondern auch durch die *gesammte* bei offener Kette vor sich gehende chemische Action.

998. Dieser Verlust ist, wie De la Rive gezeigt hat[1]), weit grösser bei gewöhnlichem als bei chemisch reinem Zink. Der Grund ist der, dass bei der Einwirkung von verdünnter Schwefelsäure auf gewöhnliches Zink

---

1) Quarterly Journal of Science, 1831, p. 388, oder Bibliothèque Universelle, 1830, p. 391.

Theilchen von darin etwa enthaltenem Kupfer, Blei, Cadmium oder anderen Metallen auf der Oberfläche freigelegt werden und diese, zufolge ihres Contactes mit dem Zink, kleine, aber sehr wirksame Volta'sche Ketten bilden, welche das Zink in beträchtlichem Maasse zerstören und eine Wasserstoffentwickelung, scheinbar auf der Zinkoberfläche, in Wirklichkeit aber auf der Oberfläche dieser beigemengten Metalle, veranlassen. In dem Maasse als sie dazu dienen, die Elektricität zu entladen oder zum Zink zurückzuleiten, vermindern sie dessen Fähigkeit, einen elektrischen Strom zu erzeugen, welcher eine grössere Strecke durch die Säure hindurch zurücklegen und sich erst durch die Kupfer- oder Platinplatte, die mit dem Zink zu einer Volta'schen Kette verbunden ist, ausgleichen soll.

999. Alle diese Uebelstände werden vermieden durch Anwendung eines Zinkamalgams in der von Kemp[1]) empfohlenen Weise oder durch die Anwendung von Sturgeon's amalgamirten Zinkplatten (863), welcher selbst das Für und Wider ihrer Anwendung zu galvanischen Batterien abgewogen hat; denn er sagt: „Käme es nicht auf Zerbrechlichkeit und andere mit der Einverleibung des Quecksilbers mit dem Zink verknüpfte Unzuträglichkeiten an, so würden amalgamirte Zinkflächen in galvanischen Batterien eine wichtige Verbesserung darstellen; denn das Metall hält weit länger vor und bleibt eine beträchtliche Zeit, selbst mehrere Stunden lang blank; dies verdient wesentliche Berücksichtigung bei Anwendung dieses Apparates.[2])

1000. So präparirtes Zink zersetzt, selbst wenn es unrein ist, das Wasser der verdünnten Schwefelsäure nicht merklich, hat aber dennoch eine solche Verwandtschaft zum Sauerstoff, dass in dem Moment, wo es mit einem Metall, welches, wie Kupfer oder Platin, wenig oder gar keine Verwandtschaft besitzt, in der Säure in Berührung kommt, die Wirkung erfolgt, und ein kräftiger und ergiebiger Strom auftritt. Wahrscheinlich beruht die Wirkung des Quecksilbers darauf, dass es in Folge seiner Fluidität die Oberfläche in einen gleichförmigen Zustand versetzt und das Auftreten jener Unterschiede in der Beschaffenheit zwischen der einen und der anderen Stelle derselben, welche zur Bildung der oben (998) erwähnten kleinen Volta'schen Ketten nothwendig sind, verhindert. Wenn anfänglich in dem Verhältniss von Zink und Quecksilber ein Unterschied zwischen einer Stelle der *Oberfläche* und einer anderen vorhanden ist, so wird die Stelle, wo sich am wenigsten Quecksilber befindet, zuerst angegriffen und durch Auflösung von Zink bald in denselben Zustand versetzt, wie die anderen Theile, so dass die ganze Oberfläche der Platte gleichförmig wird. Ein Theil derselben kann also nicht als Entlader gegen den anderen wirken,

---

[1]) Jameson's Edinburgh Journal, October 1828.

[2]) Recent Experimental Researches, p. 42 etc. Sturgeon weiss natürlich nichts von der fest bestimmten Erzeugung der Elektricität durch chemische Action und führt in der That den Versuch als den stärksten Beweis *gegen* die chemische Theorie des Galvanismus in's Feld.

und daher befindet sich die *gesammte* chemische Kraft auf das Wasser an der Oberfläche in demjenigen gleichmässigen Zustande (949), welcher, wiewohl er die Tendenz hat, einen durch die Flüssigkeit nach einer anderen Metallplatte, welche als Entlader wirken kann (950), gerichteten Strom zu erregen, dennoch keine Unregelmässigkeiten darbietet, durch welche ein Theil mit geringeren Verwandtschaften für Sauerstoff gegen einen anderen als Entlader wirken könnte. Zwei bedeutsame und wichtige Folgerungen ergeben sich aus diesem Zustande des Metalles. Die erste ist, dass für die Oxydation einer gewissen Menge Zink das *volle Aequivalent* von Elektricität erhalten wird; die zweite, dass eine mit so präparirtem Zink gebaute und mit verdünnter Schwefelsäure beladene Batterie nur so lange thätig ist, als die Elektroden in Verbindung stehen, und zu arbeiten aufhört oder der Einwirkung der Säure entzogen wird, sobald man diese Verbindung unterbricht.

1001. Ich hatte eine kleine so gebaute Batterie von zehn Plattenpaaren und habe mich überzeugt, dass derartige Vorrichtungen sehr werthvoll sind, besonders für die Entwickelung und Erläuterung der physikalischen Principien dieses Instrumentes. Die von mir benutzten Metalle waren amalgamirtes Zink und Platin, die durch angelöthete Platindrähte mit einander verbunden waren, und das System hatte die Gestalt eines Becherapparates. Als Flüssigkeit wandte ich verdünnte Schwefelsäure vom spec. Gew. 1,25 an. Hierbei fand eine Einwirkung auf die Metalle nur statt, wenn die Elektroden mit einander communicirten, und alsdann war die Wirkung auf das Zink lediglich proportional der Zersetzung in der Experimentirzelle; denn wenn der Strom hier eine Verzögerung erlitt, so geschah dasselbe in der Batterie, und es fand keine Vergeudung der Kräfte des Metalles statt.

1002. In Folge dessen blieb auch die Säure in den Zellen für längere Zeit wirksam als gewöhnlich. In der That vermochte die Zeit sie nicht merklich abzuschwächen; denn so lange das Metall keine Einwirkung erlitt, behielt auch die Säure fast ihre anfängliche Stärke. Hieraus ergiebt sich eine weit grössere Constanz der Wirkung, als sich bei Anwendung gewöhnlichen Zinks erreichen lässt.

1003. Ein anderes wichtiges Ergebniss war, dass während der Ruhezeit zwischen zwei Versuchen sich der ursprüngliche und wirksamste Zustand wiederherstellte. Der Strom, welchen eine amalgamirte Zinkplatte und eine Platinplatte in verdünnter Schwefelsäure im ersten Augenblick der Schliessung liefern, ist sehr stark, aber alsbald nimmt seine Stärke bedeutend ab und in manchen Fällen sinkt sie auf ein achtel oder ein zehntel ihrer ursprünglichen Grösse herab (1036). Dies rührt daher, dass die mit dem Zink in Berührung befindliche Säure durch das gebildete Oxyd neutralisirt, und so die fernere rasche Oxydation des Metalles verhindert wird. Bei gewöhnlichem Zink bewirkt die Gasentwickelung an seiner Oberfläche eine Mischung der gesammten Flüssigkeit, und so wird neue Säure an das Metall herangeführt, welche das daselbst gebildete Oxyd fortschafft.. In einer Batterie mit amalgamirtem Zink diffundirt nach jeder Unterbrechung des Stromes die Salzlösung allmählich vom Zink in die übrige Flüssigkeit, und bei Erneuerung des Contactes der Elektroden befinden sich alsdann die Zinkplatten unter den zur Erzeugung eines ungehinderten und kräftigen Stromes günstigsten Bedingungen.

1004. Man könnte im ersten Augenblick meinen, dass amalgamirtes Zink bedeutend schwächer wirke als gewöhnliches, und dass das seine Oberfläche überziehende Quecksilber seine Energie vermindere; dies ist jedoch nicht der Fall. Als die Ströme von zwei Zink-Platin-Elementen, welche sich nur dadurch unterschieden, dass das Zink des einen amalgamirt war, das des anderen nicht, einander gegenübergestellt wurden, war der Strom des ersteren am stärksten, wiewohl sich hier kein Gas, an der Oberfläche des nicht amalgamirten Metalles aber viel Gas entwickelt hatte. Wenn ferner, wie Davy gezeigt hat[1]), amalgamirtes Zink mit nicht amalgamirtem in verdünnter Schwefelsäure oder in anderen erregenden Flüssigkeiten in Contact gesetzt wird, so wird das erstere gegen das letztere positiv, d. h. der Strom geht vom amalgamirten Zink durch die Flüssigkeit zu dem nicht amalgamirten. Dies erklärt er durch die Annahme, dass „das elektrische Verhalten eines Metalles keine ihm immanente und specifische Eigenschaft, sondern von seinem besonderen Zustande bedingt sei, von derjenigen Aggregationsform, welche ihn zu chemischer Veränderung geeignet macht.“

1005. Die Ueberlegenheit des amalgamirten Zinks rührt jedoch nicht von einer derartigen Ursache her, sondern ist ganz einfach Folge des Zustandes der mit ihm in Berührung stehenden Flüssigkeit; denn da das unamalgamirte Zink unmittelbar und für sich auf die Flüssigkeit einwirkt, während das amalgamirte es nicht thut, so neutralisirt das erstere (durch das aus ihm gebildete Oxyd) rasch die mit seiner Oberfläche in Berührung stehende Säure, so dass die weitere Oxydation sich verzögert, während das an der Oberfläche des amalgamirten Zinks gebildete Oxyd durch die vorhandene freie Säure fortgeschafft wird, und die blanke Metallfläche immer bereit steht, mit voller Energie auf das Wasser zu wirken. Daher seine Ueberlegenheit (1037).

1006. Der Gang zur Vervollkommnung der Volta'schen Batterie und ihrer Anwendungen wird jetzt offenbar ein umgekehrter sein wie vor wenigen Jahren. Denn anstatt die Plattenzahl zu vermehren, die Concentration der Säure und den ganzen Umfang des Apparates zu steigern, wird man vielmehr zu dem ursprünglichen Zustande der Einfachheit zurückkehren, jedoch mit einer weit vertrauteren Kenntniss und Anwendung der

---

[1]) Philosophical Transactions, 1826, p. 405.

Principien, welche dessen Kraft und Wirksamkeit beherrschen. Man kann nun mit zehn Plattenpaaren (417) Zersetzungen erzielen, welche sonst fünfhundert oder tausend Plattenpaare erforderten. Die Möglichkeit, Chloride, Jodide und andere Verbindungen, gemäss dem früher aufgestellten Gesetze (380 etc.), im geschmolzenen Zustande zu zerlegen, und gewisse Producte mit Hilfe der früher (789, 814 etc.) beschriebenen Apparate ohne Verlust zu sammeln, macht es wahrscheinlich, dass die Volta'sche Batterie ein technisch nützliches und selbst ökonomisches Instrument werden dürfte. Denn die Theorie weist offenbar darauf hin, dass man ein Aequivalent einer seltenen Substanz auf Kosten von drei oder vier Aequivalenten eines ganz gemeinen Körpers, wie z. B. Zink, werde erhalten können, und die Praxis scheint die Erwartung zu rechtfertigen. Unter diesem Gesichtspunkte halte ich es für sehr wahrscheinlich, dass es vortheilhaft sein wird, anstatt der Kupferplatten Platin- oder Silberplatten anzuwenden, und dass man den zuweilen aus der Auflösung des Kupfers und seiner Fällung auf das Zink (wodurch die elektromotorische Kraft des Zinks so stark beeinträchtigt wird) entspringenden Uebelstand vermeiden wird (1047).

IV. Ueber den Widerstand eines Elektrolyts gegen elektrolytische Action und über Zwischenplatten.

1007. Durch Versuche von möglichst einfacher Form (891, 910) habe ich bereits den an der Zersetzungsstelle gegen die wirkende Kraft an der Erregungsstelle auftretenden Widerstand erläutert. Ich beabsichtige nun, die Erscheinungsweisen dieses Widerstandes in allgemeinerer Weise zu untersuchen, aber mehr hinsichtlich ihres praktischen Einflusses auf die Action und die Erscheinungen der Volta'schen Batterie als zu dem Zwecke, gegenwärtig eine strenge und physikalische Darstellung ihrer Natur zu liefern. Die allgemeine und hauptsächliche Ursache derselben ist der zu überwindende Widerstand der chemischen Affinitäten; aber in Gemeinschaft mit diesen Kräften üben noch zahlreiche andere Umstände einen Einfluss aus (1034, 1040 etc.), von denen jeder eine eingehende Untersuchung erfordern dürfte, ehe sich eine richtige Erklärung des Gesammtvorganges wird geben lassen.

1008. Da es zweckmässig sein wird, die Versuche in einer anderen Form zu beschreiben, als in der sie angestellt worden sind, so will ich zunächst beide Formen erläutern. Etwa drei viertel Zoll breite und drei Zoll lange Streifen von Platin, Kupfer, Zink und anderen Metallen wurden durch angelöthete Platindrähte paarweise mit einander verbunden, Fig. 88; die Platten eines Paares waren je nach Erfordern gleich oder verschieden. Sie wurden in Gläsern, Fig. 89, in Form eines Volta'schen Becherapparates angeordnet. Die Säure oder die Flüssigkeit in den Bechern bedeckte niemals eine Platte ganz; um den Contact der Platten zu verhüten, wurden zuweilen dünne Glasstäbe zwischen sie in die Becher gestellt. Einfache

Platten wurden angewandt, um die Reihe zu schliessen und die Verbindung mit einem Galvanometer oder mit einem Zersetzungsapparat (899, 968 etc.) oder mit beiden herzustellen. Vergleicht man nun Fig. 90 mit Fig. 91, so kann die letztere als die einfachste Form der ersteren angesehen werden; denn die Becher I, II und III der ersteren mit ihrem Inhalt entsprechen den Zellen I, II und III der letzteren, und die Metallplatten Z und P in der ersteren den ähnlichen Platten Z und P in der letzteren. Der einzige Unterschied zwischen dem Apparat Fig. 90 und dem Fig. 91 dargestellten Trog besteht darin, dass in dem ersteren die Berührungsfläche zwischen Metall und Säure doppelt so gross ist wie in dem letzteren.

1009. Wenn die Endplatten des eben beschriebenen Apparates, Fig. 90, durch das Galvanometer *g* metallisch mit einander verbunden sind, so stellt das Ganze eine Batterie aus zwei Paaren Zink-Platin-Platten dar, die einen Strom vorwärts treibt, der jedoch Wasser ohne Beihilfe einer directen chemischen Verwandtschaft zersetzen muss, ehe er die Zelle III durchdringen und ehe er somit circuliren kann. Als den Ort dieser Wasserzersetzung, welche dem Durchgang des Stromes widerstrebt, können wir zur bequemeren Darstellung entweder die Flächen der beiden, die Elektroden der Zelle III bildenden Platinplatten oder die beiden Flächen der Platinplatte ansehen, welche die Zelle II von Zelle III der Fig. 91 trennt. Es ist klar, dass, wenn diese Platte nicht vorhanden wäre, die Batterie aus zwei Plattenpaaren und zwei Zellen bestehen und sich in der für die Erregung eines Stromes günstigsten Anordnung befinden würde. Die bei *x* eingeschaltete Platinplatte, an deren einer Seite sich Sauerstoff, und an deren anderer sich Wasserstoff entwickelt (d. h. wenn der zersetzende Strom übergeht), kann also als die Ursache eines Hindernisses betrachtet werden, das aus der Zersetzung des Wassers durch die elektrolytische Action des Stromes entspringt, und ich habe sie gewöhnlich als Zwischenplatte bezeichnet.

1010. Um die Bedingungen zu vereinfachen, wurde anfangs in allen Zellen verdünnte Schwefelsäure, und als Zwischenplatten Platin angewandt, denn in diesem Falle ist die anfängliche Intensität des Stromes, welcher sich zu entwickeln sucht, constant, indem er der Kraft, mit welcher das Zink das Wasser zersetzt, sein Dasein verdankt, und die entgegenwirkende Zersetzungskraft ist ebenfalls constant, da die Elemente des Wassers bei ihrer Trennung an den Zwischenplatten von keiner Affinität oder secundären Action an den Elektroden (744), die aus der Natur der Platte selbst oder der umgebenden Flüssigkeit entspringen könnte, unterstützt werden.

1011. Als nur ein einziges Volta'sches Zink-Platin-Element angewandt wurde, wurde der elektrische Strom für alle praktischen Zwecke gänzlich gehemmt durch Zwischenschaltung einer Platinplatte, Fig. 92, d. h. wenn der Strom erst hätte Wasser zersetzen und dessen Elemente in Freiheit setzen müssen, ehe er hätte übergehen können. Dieses Ergebniss ist in vollkommener Uebereinstimmung mit den früher aufgestellten Ansichten (910, 917, 973). Denn da das Gesammtresultat abhängt von dem Widerstreit der Kräfte an den Stellen der Elekricitätserregung und der elektrochemischen Zersetzung, und da es an beiden Stellen das Wasser ist, das zersetzt werden muss, ehe der Strom in Bewegung kommen kann, so ist nicht zu erwarten, dass das Zink eine so mächtige Anziehung zum Sauerstoff habe, nicht bloss um denselben dem mit ihm verbundenen Wasserstoff entreissen, sondern auch noch einen solchen Ueberschuss an Kraft übrig lassen zu können, dass beim Uebergang zur zweiten Zersetzungsstelle hier eine abermalige Trennung der Elemente des Wassers sollte bewerkstelligt werden können. Ein solcher Effect würde erfordern, dass die Anziehungskraft zwischen Zink und Sauerstoff unter den gegebenen Umständen *wenigstens* doppelt so gross wäre als die Anziehungskraft zwischen Sauerstoff und Wasserstoff.

1012. Als zwei erregende Plattenpaare von Zink und Platin angewandt wurden, wurde der Strom durch eine zwischengeschaltete Platinplatte, Fig. 93, für den praktisch gegebenen Fall ebenfalls gehemmt. Es trat zwar anfänglich eine sehr schwache Stromwirkung ein, aber sie hörte fast augenblicklich auf. Ich komme hierauf und auf einige andere ähnliche Vorgänge später zurück (1017).

1013. Drei Plattenpaare von Zink und Platin, Fig. 94, waren im Stande, einen Strom hervorzubringen, welcher eine zwischengeschaltete Platinplatte zu durchsetzen und die Elektrolysirung des Wassers in Zelle IV zu bewirken vermochte. Der Strom gab sich sowohl durch die dauernde Ablenkung des Galvanometers, als auch durch das Auftreten von Sauerstoff- und Wasserstoffblasen an den Elektroden in Zelle IV zu erkennen. Demnach übertrifft die Summe des Kraftüberschusses von drei Zinkplatten, welche bei der Zersetzung des Wassers wirksam sind, die Kraft, mit welcher Sauerstoff und Wasserstoff zu Wasser verbunden sind, und ist hinreichend, die Trennung dieser Elemente zu bewirken.

1014. Als nun den drei Plattenpaaren von Zink und Platin zwei Zwischenplatten von Platin entgegengestellt wurden, Fig. 95, ward der Strom gehemmt.

1015. Auch vier Plattenpaaren von Zink und Platin hielten zwei Platin-Zwischenplatten das Gleichgewicht, Fig. 96.

1016. Fünf Paare Zink-Platin mit zwei Zwischenplatten von Platin, Fig. 97, gaben einen schwachen Strom; das Galvanometer zeigte eine dauernde Ablenkung, und in den Zellen VI und VII fand Zersetzung statt. Der Strom war jedoch sehr schwach, sehr viel schwächer, als wenn alle zwischen den beiden Endplatten befindliche Platten fortgenommen und nur jene beibehalten wurden; denn wenn sie in einem Abstande von sechs Zoll in eine Zelle gestellt wurden, so lieferten sie einen kräftigen Strom. Demnach gaben fünf erregende Paare mit zwei hemmenden Zwischenplatten einen Strom, der nicht vergleichbar ist mit dem eines einzigen Plattenpaares ohne ein solches Hemmniss.

1017. Ich habe bereits gesagt, dass ein *sehr schwacher Strom* überging, wenn die Kette zwei Plattenpaare Zink-Platin und eine Zwischenplatte von Platin enthielt (1012). Ein so schwacher Strom trat in jedem Falle auf, und selbst bei Anwendung eines einzigen erregenden Paares mit vier Platin-Zwischenplatten, Fig. 98, ging ein Strom über, welcher bei x sowohl durch die chemische Einwirkung auf eine Jodkaliumlösung als auch durch das Galvanometer sich nachweisen liess. Dieser Strom rührt, glaube ich, von Elektricität her, deren Intensität unter jene zur Wasserzersetzung erforderliche Grenze gesunken ist (970, 984); denn Elektricität von so geringer Intensität kann Wasser vermöge der Fähigkeit, welche es mit den Metallen und der Kohle theilt, leiten, obschon es Elektricität von höherer Intensität nicht zu leiten vermag, ohne Zersetzung zu erleiden, wodurch eine neue Gegenkraft hervorgerufen wird. Bei einem elektrischen Strome von oder unterhalb dieser Intensität dürfte eine Vermehrung der Anzahl der Platin-Zwischenplatten wahrscheinlich keine Erhöhung des Leitungswiderstandes zur Folge haben.

1018. Um eine Vorstellung von der mit der Anzahl der Platin-Zwischenplatten zunehmenden Hemmkraft zu erhalten, wurden sechs Volta'sche Plattenpaare mit vier Zwischenplatten von Platin wie in Fig. 99 angeordnet. Es ging dann ein sehr schwacher Strom über (985, 1017). Wenn man eine der Zwischenplatten fortnahm, also nur drei beibehielt, war der Strom etwas stärker. Bei zwei Zwischenplatten trat ein noch stärkerer Strom auf und bei einer einzigen Zwischenplatte war er sehr stark. Indess war die Wirkung dieser Platten, wenn man sie successiv einschaltete, wie zu erwarten war, eine sehr verschiedene; denn die erste verzögerte den Strom erheblich mehr als die zweite, und die zweite mehr als die dritte.

1019. Bei diesen Versuchen wurde sowohl amalgamirtes als auch nicht amalgamirtes Zink, aber im Allgemeinen mit gleichem Erfolge, angewandt.

1020. Die eben beschriebenen verzögernden Wirkungen wurden gänzlich geändert mit der *Natur der Flüssigkeit* zwischen den Platten, sei es, dass diese Aenderung in den Zellen, welche man als die *erregenden*, oder in denen, welche man als die *verzögernden* bezeichnen kann, vorgenommen wurde. Wenn beispielsweise die erregende Kraft dieselbe blieb, indem man nach wie vor reine verdünnte Schwefelsäure anwandte, aber der Flüssigkeit in den *verzögernden* Zellen etwas Salpetersäure zusetzte, so wurde der Durchgang des Stromes sehr bedeutend erleichtert. Wenn z. B. in dem Versuche mit einem Paar Erregungsplatten und einer Zwischenplatte (1011), Fig. 92, einige Tropfen Salpetersäure dem Inhalt der Zelle II zugesetzt wurden, so ging ein elektrischer Strom von beträchtlicher Stärke (die freilich aus anderen Ursachen (1036, 1040) bald herabsank) über, und dieselbe Erhöhung des Effectes wurde bei Anwendung mehrerer Zwischenplatten durch Salpetersäure hervorgerufen.

1021. Dies scheint eine Folge davon zu sein, dass die Schwierigkeit der Zersetzung des Wassers vermindert wird, wenn dessen Wasserstoff, anstatt völlig ausgetrieben werden zu müssen, wie in den früheren Fällen, zu dem Sauerstoff der Salpetersäure übergehen kann, und so ein secundäres Product an der *Kathode* (752) entsteht; denn gemäss der früher dargelegten chemischen Theorie des elektrischen Stromes und seiner Wirkung (913) widersteht nun das Wasser der Zersetzung nicht mit einer dem vollen Betrage der gegenseitigen Anziehung zwischen seinem Sauerstoff und Wasserstoff gleichen Kraft, sondern diese Kraft wird zum Theil aufgewogen, also vermindert durch die Anziehung des Wasserstoffs an der *Kathode* zum Sauerstoff der umgebenden Salpetersäure, so dass jener nicht frei entweicht, sondern sich schliesslich mit diesem verbindet.

1022. Wurde den erregenden Zellen etwas Salpetersäure zugesetzt, so erfuhren die den Durchgang des Stromes begünstigenden Umstände noch eine weitere Verstärkung, denn durch diesen Zusatz wurde die *Intensität* des Stromes selbst erhöht (906). Wenn demnach sowohl den *erregenden* als auch den *verzögernden* Zellen etwas Salpetersäure zugesetzt wurde, so ging der elektrische Strom mit einem sehr hohen Grade von Freiheit über.

1023. Bei Anwendung von verdünnter Salzsäure erfolgte die Erregung und Fortleitung des Stromes leichter als mit reiner verdünnter Schwefelsäure, aber nicht so leicht wie mit verdünnter Salpetersäure. Da Salzsäure leichter zersetzt zu werden scheint als Wasser (765), und da die Affinität des Zinks zum Chlor eine sehr kräftige ist, so liess sich erwarten, dass erstere einen stärkeren Strom erregen als verdünnte Schwefelsäure, und dass der Strom auch leichter übergehen werde, da die Zersetzung bei geringerer Intensität erfolgt (912).

1024. In Bezug auf die Wirkung dieser Zwischenplatten ist es nothwendig zu bemerken, dass sie durchaus nicht von der Grösse der Elektroden oder deren Abstand in der Säure von einander abzuhängen scheint, ausser insofern als, wenn ein Strom *übergehen kann*, Veränderungen derselben den Durchgang befördern oder verzögern. Denn als der Versuch mit einem erregenden Plattenpaar und einer Zwischenplatte (1011), Fig. 92, wiederholt und, an Stelle der Platte P, bald Drähte, bald sehr grosse Platten (1008) angewandt wurden, und als man ebenso mit den erregenden Endplatten Z und P wechselte, indem man bald Drähte, bald grosse Platten nahm, blieben doch die Resultate den früheren gleich.

1025. Um den Einfluss des Abstandes zu erläutern, wurde ein dem beschriebenen mit zwei erregenden Plattenpaaren und einer Zwischenplatte (1012), Fig. 93, gleicher Versuch so angeordnet, dass der Abstand der Platten in der dritten Zelle von der Dicke eines Blattes Fliesspapier bis zu sechs oder acht Zoll abgeändert werden konnte. Dennoch war das

Resultat in beiden Fällen dasselbe; wenn die Platten nur durch das Papier getrennt gehalten wurden, war die Wirkung nicht merklich grösser, als wenn ihr Abstand beträchtlich war, und folglich hängt der hauptsächliche Widerstand gegen den Strom in diesem Falle nicht ab von der *Quantität* des eingeschalteten elektrolytischen Leiters, sondern von der *Relation seiner Bestandtheile zur Intensität des Stromes* oder zu der chemischen Natur der Elektroden und der umgebenden Flüssigkeiten.

1026. Bei Anwendung von Schwefelsäure brachte eine *Erhöhung ihrer Concentration* in einer der Zellen keine Aenderung im Effect hervor; weder entstand in den Erregungszellen ein stärkerer Strom (908), noch ging dieser leichter durch die Zersetzungszellen hindurch. Wenn man aber sehr schwacher Schwefelsäure einige Tropfen Salpetersäure zusetzte, dann konnte der eine oder andere Effect erzielt werden, und wie sich in einem Falle wie dem vorliegenden, wo die Erregung oder Leitung in *directer* Beziehung zur Säure selbst steht, erwarten liess, hatte auch die Erhöhung ihrer (der Salpetersäure) Concentration einen Zuwachs ihrer Kräfte zur Folge.

1027. Nun wurde die *Substanz der Zwischenplatte* variirt, um ihren Einfluss auf die Erscheinungen der Erregung oder Verzögerung zu untersuchen, und zunächst wurde das Platin durch amalgamirtes Zink ersetzt. Bei Anwendung eines Volta'schen Plattenpaares und einer Zwischenplatte von Zink, Fig. 100, war der Strom augenscheinlich ebenso stark wie ohne diese Zwischenplatte. Bei P in der Zelle II und an der Seite des zweiten Zinks in der Zelle I entwickelte sich Wasserstoff, dagegen trat weder an der Seite des Zinks in Zelle II noch am Zink in der Zelle I Gas auf.

1028. Bei Zwischenschaltung von zwei amalgamirten Zinkplatten, Fig. 101, war der Strom zwar noch stark, aber es hatte doch schon eine Störung stattgefunden, und bei drei Zwischenplatten von Zink, Fig. 102, war die Verzögerung noch grösser, wiewohl immerhin noch ein ansehnlicher Elektricitätsstrom überging.

1029. Da ich annahm, dass die Unwirksamkeit des amalgamirten Zinks gegen die verdünnte Schwefelsäure — eine Folge der durch das Queckilber auf der Oberfläche bewirkten kleinen, aber allgemeinen Verminderung der chemischen Kraft — an der Verzögerung Schuld sei, und da diese Unwirksamkeit es mir als nothwendig erscheinen liess, dass die Tendenz jeder Platte, das Wasser zu zersetzen, ein wenig durch den elektrischen Strom unterstützt werde, so liess sich erwarten, dass Platten von unamalgamirtem Zink einer solchen Unterstützung nicht bedürfen und kein merkliches Hinderniss dem Durchgang des Stromes entgegensetzen würden. Diese Erwartung bestätigte sich vollkommen bei Anwendung von zwei und drei unamalgamirten Zwischenplatten. Der elektrische Strom ging so ungehindert hindurch, wie wenn die Platten gar nicht im Wege gestanden hätten. Sie boten kein Hinderniss dar, weil sie Wasser ohne den Strom zersetzen konnten, und letzterer hatte nur einem Theile der Kräfte, welche auch ohne ihn wirksam gewesen wären, Richtung zu geben.

1030. Nun wurden Zwischenplatten von Kupfer angewandt, die anfangs keinen Widerstand zu veranlassen schienen, aber nach wenigen Minuten hörte der Strom fast ganz auf. Dies scheint davon herzurühren, dass die Oberflächen jenen eigenthümlichen Zustand annehmen (1040), vermöge dessen sie einen entgegengesetzten Strom zu erregen suchen; denn wenn eine oder mehrere dieser Platten umgekehrt wurden, was sich bei den Versuchen mit dem Becherapparat Fig. 90 leicht bewerkstelligen liess, so stellte sich der Strom für einige Augenblicke in seiner früheren Stärke wieder her, um dann abermals zu verschwinden. Platten von Platin und Kupfer, mit verdünnter Schwefelsäure zu einer Volta'schen Säule angeordnet, konnten dieser eigenthümlichen Gegenwirkung zufolge nur wenige Minuten arbeiten.

1031. Alle diese Verzögerungsvorgänge, welche die Zersetzung an Flächen darbietet, zu denen die abgeschiedenen Elemente mehr oder weniger oder gar keine Verwandtschaft haben, zeigen in allgemeiner, doch schöner Weise die chemischen Beziehungen und den Ursprung des Stromes sowie den Gleichgewichtszustand der Affinitäten an den Erregungs- und Zersetzungsstellen. Auf diesem Wege vermehren sie die Beweise zu Gunsten der Identität jener beiden; denn sie beweisen, so zu sagen, den Antagonismus der *chemischen Kräfte* in dem elektromotorischen Theile zu den *chemischen Kräften* an den eingeschalteten Theilen, sie zeigen, dass die ersteren elektrische Wirkungen *hervorbringen,* denen die letzteren einen *Widerstand entgegensetzen;* sie bringen beide in directe Relation und zeigen, dass jede derselben die anderen bedingen kann, so dass sich Ursache und Wirkung umzukehren scheinen, und beweisen hierdurch, dass chemische und elektrische Action nur zwei Aeusserungen eines einzigen Agens oder einer teinzigen Kraft sind (916 etc.).

1032. Da Wasser und andere Elektrolyte die Elektricität, wenn deren Intensität nur schwach genug ist, leiten können, ohne Zersetzung zu erleiden (986)*), so ist ganz klar, dass der Satz, die Elektricität bringe bei ihrem Durchgang durch einen Elektrolyt einen fest bestimmten Zersetzungs-

*) Dieser Hinweis ist offenbar irrthümlich; nach dem Register wäre 968 gemeint, allein in diesem Artikel ist nur der zu den betreffenden Versuchen dienende Apparat beschrieben, das Resultat selbst aber erst in 970 mitgetheilt. Die Thatsache findet sich u. A. auch in 985 und 1017 erwähnt. Was die Sache selbst betrifft, also die Erscheinung, dass ein elektrischer Strom von geringerer elektromotorischer Kraft, als zur Zersetzung des Wassers nothwendig ist, durch dasselbe gehen kann, so hat bekanntlich Herr v. Helmholtz (Wissenschaftliche Abhandlungen I. 823) gezeigt, dass eine Erklärung möglich ist, ohne dem Wasser oder anderen Elektrolyten eine metallische Leitung zuzuschreiben, und ohne die Giltigkeit des Gesetzes der festen elektrolytischen Action einzuschränken, wie es sein Urheber hier thut. D. Ü.

effect hervor, nicht in allen Fällen volle Geltung hat. Allein die Elektricitätsmenge, welche in einer gegebenen Zeit durch einen Elektrolyt gehen kann, ohne Zersetzung zu bewirken, ist so gering, dass sie mit der zu einer auch nur ganz mässigen Zersetzung erforderlichen keinen Vergleich aushält, und hinsichtlich der Elektricität, deren Intensität die zur Elektrolysirung nothwendige Grenze überschreitet, habe ich bisher keine Abweichung von dem in der vorhergehenden Reihe dieser Untersuchungen (783 etc.) entwickelten Gesetze der *festen elektrolytischen Action* gefunden.

1033. Ich kann diesen Abschnitt der vorliegenden Abhandlung nicht schliessen, ohne auf De la Rive's wichtige Versuche über die Wirkung der Zwischenplatten[1]) hinzuweisen. Da ich mich mit solchen Platten nur insofern beschäftigte, als sie zu neuen Zersetzungen Veranlassung geben und hierdurch dem Durchgang des elektrischen Stromes einen Widerstand entgegensetzen, so war ich der Nothwendigkeit überhoben, die von diesem Physiker beschriebenen eigenthümlichen Effecte in Betracht zu ziehen, und ich stehe augenblicklich hiervon um so lieber ab, als ich sonst auch auf Sir Humphry Davy's Ansichten über denselben Gegenstand[2]), sowie auf die mit diesem in Zusammenhang stehenden Ansichten von Marianini[3]) und Ritter[4]) hätte eingehen müssen.

V. Allgemeine Bemerkungen über die in Thätigkeit begriffene Volta'sche Batterie.

1034. Wenn eine gewöhnliche Volta'sche Batterie in Thätigkeit gesetzt wird, so bringt ebendiese Thätigkeit gewisse Effecte hervor, welche eine Rückwirkung auf sie ausüben und eine bedeutende Schwächung ihrer Kraft verursachen. Hierdurch wird sie hinsichtlich der *Quantität* des Effectes, welchen sie hervorzubringen vermag, ein ausserordentlich inconstanter Apparat. Zum Theil kennt und versteht man bereits jene Vorgänge, da aber die Wichtigkeit derselben und mancher anderer hiermit zusammentreffenden Resultate durch Berücksichtigung der bereits ermittelten und beschriebenen Principien und Erfahrungen noch besser einleuchten dürfte, so habe ich es für nützlich gehalten, sie hier im Anschluss an die Untersuchung der Volta'schen Säule kurz zu erwähnen.

1035. Wenn die Batterie in Thätigkeit gesetzt wird, so bewirkt sie, dass solche Substanzen sich bilden und mit den Platten in Contact kommen, die ihre Kraft sehr bedeutend schwächen oder gar das Bestreben haben, einen Gegenstrom hervorzurufen. Nach Sir Humphry Davy reichen sie

---

1) Annales de Chimie, tom. XXVIII, p. 190, und Mémoires de Génève.
2) Philosophical Transactions, 1826, p. 413.
3) Annales de Chimie, tom. XXXIII, pp. 117, 119 etc.
4) Journal de Physique, tom. LVII, pp. 349, 350.

aus, die Erscheinungen von Ritter's secundären Säulen, sowie auch die von A. De la Rive beobachteten Wirkungen der Zwischenplatten zu erklären.[1])

1036. Ich habe bereits darauf hingewiesen (1003), dass hierdurch die Kraft des Stromes in manchen Fällen auf ein achtel bis ein zehntel ihres ursprünglichen Werthes reducirt werden kann, und bin auf Beispiele gestossen, in denen die Störung eine sehr grosse war. In einem Versuche, wobei ein Volta'sches Element und eine Zwischenplatte von Platin mit verdünnter Schwefelsäure in den Fig. 103 dargestellten Zellen angewandt wurde, waren die Verbindungsdrähte so angeordnet, dass das mit *3* bezeichnete Drahtende nach Belieben auf das mit Jodkaliumlösung befeuchtete Papier bei *x* oder direct auf die Platinplatte daselbst gesetzt werden konnte. Wenn Draht *3*, nachdem die Kette einige Zeit offen gewesen war, auf das Papier gesetzt wurde, so trat ein Strom auf, es erfolgte Zersetzung, und das Galvanometer wurde abgelenkt. Wurde der Draht *3* mit dem Metall bei *p* in Berührung gebracht, so trat ein verhältnissmässig starker plötzlicher, das Galvanometer ablenkender Strom auf, der jedoch nur einen Moment dauerte; die galvanometrische Wirkung hörte auf, und wenn nun Draht *3* auf das Papier gestellt wurde, so traten keine Anzeichen von Zersetzung auf. Wurde Draht *3* abgehoben und somit die Kette geöffnet, so nahm der Apparat nach einer Weile wieder seine ursprüngliche Stärke an, wozu jedoch fünf bis zehn Minuten erforderlich waren, und wenn dann wie vorher der Contact zwischen *3* und *p* hergestellt wurde, so entstand wiederum ein momentaner Strom, und unmittelbar darauf hörten anscheinend alle Wirkungen auf.

1037. Diesen Effect vermochte ich schliesslich auf den Zustand der mit der Zinkplatte in Zelle I in Berührung befindlichen Flüssigkeitsschicht zurückzuführen. Die Säure dieser Schicht wird augenblicklich durch das gebildete Oxyd neutralisirt, in Folge dessen die Oxydation des Zinks natürlich nicht mit der ursprünglichen Schnelligkeit vor sich gehen kann, und da somit die chemische Action unterbrochen ist, wird zugleich die Volta'sche Action geschwächt. Die Ruhezeit war nothwendig, damit die Flüssigkeit diffundiren, und andere Säure an ihre Stelle treten konnte. Da der Einfluss dieses Vorganges bei Versuchen mit einfachen Plattenpaaren von verschiedenen Metallen, mit denen ich zu einer Zeit beschäftigt war, ein so bedeutender ist, und da die äusserste Sorgfalt zur Vermeidung desselben nothwendig ist, so kann ich nicht umhin, einen starken Verdacht zu hegen, dass er häufiger und in ausgedehnterem Maasse störend auftritt, als die Experimentatoren meinen, und daher lenke ich ihre Aufmerksamkeit dahin.

1038. Erwägt man den Einfluss, welchen diese Quelle von Unregelmässigkeit der Action des Volta'schen Apparates bei feinen Versuchen hat, so muss man sich erinnern, dass es bloss die sehr kleine, direct mit dem oxydirbaren Metall in Berührung befindliche Menge Substanz ist, deren

---

1) Philosophical Transactions, 1826, p. 413.

substantielle Veränderung in Betracht gezogen zu werden braucht, und diese Menge wird durchaus nicht leicht aus ihrer Lage auf der Oberfläche des Metalls (582, 605) verdrängt, besonders wenn dieselbe rauh und unregelmässig ist. Um dies zu beleuchten, will ich einen merkwürdigen Versuch anführen. Eine polirte Platinplatte (569) wurde nur auf einen Augenblick in heisse concentrirte Schwefelsäure, dann in destillirtes Wasser getaucht, darin herumgeführt, herausgenommen und trocken gewischt; darauf wurde sie in eine zweite Portion destillirten Wassers getaucht, darin herumgeführt und dann abermals abgewischt; nun wurde sie wieder in anderes destillirtes Wasser getaucht und darin nahezu acht Minuten lang hin und her bewegt, endlich, ohne abgetrocknet zu werden, in eine vierte Portion destillirten Wassers getaucht und fünf Minuten darin gelassen. Nun wurden die beiden letzteren Wassermengen auf Schwefelsäure untersucht; die dritte zeigte keine merklichen Spuren dieser Substanz, in der vierten aber liess sie sich nicht nur deutlich nachweisen, sondern war in Anbetracht der Umstände, unter denen sie hineingelangt war, reichlich zu nennen. Das Resultat zeigt zur Genüge, wie schwer der mit dem Metall in *Berührung* befindliche Theil der Substanz sich von demselben trennt, und da in der Volta'schen Kette die Berührung der an der Platte gebildeten Flüssigkeit mit derselben so innig und so vollkommen als möglich sein muss, so ist leicht einzusehen, wie bald und wie bedeutend diese von der übrigen Flüssigkeit in den Zellen abweichen, und wie dieser Vorgang sich in der Verminderung der Kraft der Batterie geltend machen muss.

1039. In der gewöhnlichen Volta'schen Säule wird der Einfluss dieses Effectes in dem mannigfaltigsten Grade zu Tage treten. Die Enden eines Wollaston'schen Trogapparates von zwanzig Plattenpaaren wurden mit dem in der siebenten Reihe dieser Untersuchungen (711) beschriebenen Voltameter (Fig. 66) verbunden, und nach fünf Minuten die Anzahl der in Folge der Wasserzersetzung von dem Ende der Röhre aufsteigenden Gasblasen notirt. Wurde die Säure zwischen dem Kupfer und Zink, ohne die Platten selbst zu bewegen, mit einer Feder umgerührt, so entwickelten sich die Gasblasen alsbald rascher, und die Anzahl derselben war in derselben Zeit mehr als doppelt so gross wie vorher. Es ist einleuchtend genug, dass das Umrühren mit der Feder ein sehr unvollkommenes Mittel war, die Säure in den Zellen in der Umgebung der Platten in ihren ursprünglichen gleichmässigen Zustand zurückzuführen; und doch, so unvollkommen das Mittel war, es erhöhte die Kraft der Batterie um mehr als das Doppelte. Die *anfängliche Wirksamkeit* einer Batterie, die bekanntlich weit höher ist als die, welche sich schliesslich aufrecht erhält, ist fast gänzlich dem begünstigenden Zustande der mit den Platten in Berührung befindlichen Säure zuzuschreiben.

1040. Eine *zweite* Ursache der Kraftverminderung der Volta'schen Batterie als eine Folge ihrer eigenen Thätigkeit bildet der, wie ich glaube, zuerst von Ritter[1]) beschriebene eigenthümliche Zustand der Metallflächen (969), von dem er die Eigenschaften seiner secundären Säulen herleitet, und der von Marianini und von De la Rive so gut untersucht worden ist. Lässt man den Apparat Fig. 103 (1036) eine oder zwei Stunden in Thätigkeit, während der Draht *3* mit der Platte *p* in Contact bleibt, so dass dem Strome freier Durchgang gestattet ist, und unterbricht dann den Contact auf zehn bis zwölf Minuten, so wird doch bei Wiederherstellung desselben nur ein schwacher Strom übergehen, bei weitem kein so starker, als man wohl erwartet hätte. Verbindet man hierauf P^1 und P^2 durch einen Metalldraht, so geht ein kräftiger momentaner Strom von P^2 durch die Säure nach P^1, also in umgekehrter Richtung wie der durch die Wirkung des Zinks in dem Apparat erzeugte, und nachdem dies geschehen, vermag der Hauptstrom wieder wie anfänglich durch das ganze System zu gehen, aber bei seinem Durchgang versetzt er die Platten P^2 und P^1 abermals in den früheren entgegenwirkenden Zustand. Dies ist im Allgemeinen der von Ritter, Marianini und De la Rive beschriebene thatsächliche Vorgang. Er stellt der Wirkung der Säule, insbesondere wenn diese nur aus einer kleinen Anzahl von Plattenpaaren besteht, und ihr Strom durch viele Zwischenplatten gehen muss, einen grossen Widerstand entgegen. Derselbe variirt mit der Lösung, in welche die Zwischenplatten tauchen, mit der Intensität des Stromes, der Stärke der Säule, der Dauer ihrer Thätigkeit und besonders mit zufälligen Entladungen der Platten durch unachtsames Berühren oder Umkehren der Platten während der Versuche, und man muss auf ihn sorgfältig Rücksicht nehmen, wenn man den Ursprung, die Stärke und die Veränderung des Volta'schen Stromes untersuchen will. In den oben (1036 etc.) beschriebenen Versuchen wurde dieser Einfluss dadurch vermieden, dass der Contact zwischen den Platten P^1 und P^2 hergestellt wurde, ehe die von dem Zustande der mit der Zinkplatte in Berührung befindlichen Flüssigkeit abhängige Wirkung beobachtet wurde, sowie auch durch andere Vorsichtsmassregeln.

1041. Verband man einen Apparat mit mehreren Platinplatten, wie den Fig. 98 (1017), mit einer Batterie, die einen Strom durch sie hindurchtreiben konnte, so war der entgegengesetzte Strom, welchen sie nun hervorzubringen vermochten, sehr beträchtlich.

1042. *Schwache und erschöpfte Elemente* dürfen niemals zugleich mit *starken und frischen* in den verschiedenen Zellen eines Troges oder den verschiedenen Trögen einer Batterie angewandt werden; die Flüssigkeit muss in allen Zellen gleich sein, sonst unterstützen die Platten in den schwächeren Zellen nicht, sondern verzögern den Durchgang der in den stärkeren Zellen erregten und diese durchsetzenden Elektricität. Die Zersetzungskraft einer jeden unter diesen Umständen befindlichen Zinkplatte

[1]) Journal de Physique, LVII, p. 349.

muss unterstützt werden, ehe der Gesammtstrom zwischen ihr und der Flüssigkeit übergehen kann. Wenn beispielsweise in einer Batterie von fünfzig Plattenpaaren zehn der Zellen schwächer sind als die anderen, so ist dies gerade so, als ob zehn Zersetzungsplatten dem Durchgang des Stromes von vierzig erregenden Plattenpaaren entgegengestellt würden (1031). Hieraus ergiebt sich ein bedeutender Kraftverlust, und hierin liegt der Grund, wesshalb nach Ausschaltung der zehn Plattenpaare die übrig bleibenden vierzig Paare weit kräftiger wirken würden als alle fünfzig.

1043. Von fünf ähnlichen Trögen mit je zehn Plattenpaaren wurden vier mit guter, gleichmässiger Säure beschickt, die fünfte mit einer theilweise neutralisirten Säure einer bereits benutzten Batterie. Wurden sie hinter einander geschaltet und mit einem Voltameter (711) verbunden, so lieferten die gesammten fünfzig Plattenpaare 1,1 Cubikzoll Sauerstoff und Wasserstoff in einer Minute; nahm man jedoch einen der Verbindungsdrähte fort, so dass nur die vier frischen Tröge in der Kette eingeschaltet waren, so erzeugten sie in derselben Zeit in demselben Voltameter 8,4 Cubikzoll Gas. Somit waren fast $^7/_8$ von der Kraft der vier Tröge durch deren Zusammenschalten mit dem fünften verloren gegangen.

1044. Nach dieser Anwendung wurde dieselbe Batterie von fünfzig Plattenpaaren so mit einem Voltameter (711) verbunden, dass durch rasches Lösen der Verbindungsdrähte der Reihe nach entweder der Strom der ganzen Batterie oder eines Theiles derselben eine gegebene Zeit lang durch das Instrument gesandt werden konnte. Die Gesammtbatterie schied 0,9 Cubikzoll Sauerstoff und Wasserstoff in einer halben Minute ab, die vierzig Plattenpaare in derselben Zeit 4,6 Cubikzoll, und hierauf alle zusammen 1 Cubikzoll in einer halben Minute; die zehn schwachen Elemente entwickelten in der gegebenen Zeit 0,4 Cubikzoll, und endlich wieder alle zusammen in der Normalzeit 1,15 Cubikzoll. Die Regelmässigkeit der Beobachtung war somit erwiesen, und das Resultat zeigt zur Genüge den ausserordentlich schädlichen Einfluss der gleichzeitigen Anwendung starker und schwacher Elemente in derselben Batterie.[1])

1045. Ebenso muss man das Zusammenschalten von *starken und schwachen* Elementen vermeiden. Ein Plattenpaar von Kupfer und Platin mit einem Plattenpaar von Zink und Platin in verdünnter Schwefelsäure *übereinstimmend* geschaltet, hemmte die Action dieses Paares, ja selbst zweier solcher Paare fast ebenso stark als eine Zwischenplatte von Platin (1011), oder als ob an Stelle des Kupfers selbst Platin gewesen wäre. Thatsächlich bildete es eine zersetzende Zwischenplatte, und das Paar wirkte daher nicht unterstützend, sondern verzögernd.

---

[1]) Die allmähliche Zunahme der Wirkung des ganzen Systems von fünfzig Plattenpaaren rührte davon her, dass beim Durchgang des Stromes durch den schwachen Trogapparat die Temperatur sich erhöhte und hiermit auch die erregende Kraft der Flüssigkeit daselbst eine Steigerung erfuhr.

1046. Die zufällig oder sonstwie erfolgende *Umkehrung* der Platten in einer Batterie hat einen äusserst schädlichen Einfluss. Nicht bloss, dass die umgekehrten Platten einen Gegenstrom zu erzeugen vermögen, sondern sie wirken auch als indifferente Platten verzögernd, und es muss an ihrer Oberfläche eine Zersetzung, *entsprechend* der Bahn des Stromes, stattfinden, ehe dieser übergehen kann. Sie setzen also zunächst dem Strome einen Widerstand entgegen, wie es Platin-Zwischenplatten thun würden (1011—1018), und fügen als Volta'sche Gegenplatten eine Gegenkraft hinzu. Ich finde, dass, wenn in einer Reihe von vier Plattenpaaren von Zink und Platin in verdünnter Schwefelsäure ein Paar umgekehrt wird, hierdurch die Kraft des Ganzen fast völlig aufgehoben wird.

1047. Es giebt noch manche andere Gründe einer Rückwirkung, Verzögerung und Unregelmässigkeit in der Volta'schen Batterie. Hierzu gehört die nicht seltene Fällung von Kupfer auf das Zink in den Zellen, auf deren Schädlichkeit bereits früher (1006) aufmerksam gemacht wurde. Allein das Interesse hieran ist wohl nicht hinreichend, um eine weitere Ausdehnung dieser Abhandlung zu rechtfertigen, die vielmehr eine Untersuchung zur Theorie der Volta'schen Säule als eine specielle Darlegung ihrer praktischen Anwendung sein will.[1])

Bemerkung. — Viele der Ansichten und Versuche in dieser Reihe meiner Experimental-Untersuchungen sind, wie man sieht, zugleich Berichtigungen und Erweiterungen der in der fünften und siebenten Reihe dieser Untersuchungen dargelegten Theorie der elektrochemischen Zersetzung. Die Ausdrücke, die ich nun ändern würde, sind die, welche die Unabhängigkeit der abgeschiedenen Elemente in Beziehung zu den Polen oder Elektroden und das Verhältniss ihres Auftretens zu gänzlich inneren Kräften betreffen (524, 537, 661). Die vorliegende Abhandlung ist eine vollständige Darlegung meiner gegenwärtigen Ansichten, und ich möchte dieserhalb auf die Artikel 891, 904, 910, 917, 918, 947, 963, 1007, 1031 etc. verweisen. Ich hoffe, dass man diese Bemerkung vorläufig als genügend zur Berichtigung erachten werde; eine Revision der ganzen Theorie der elektrochemischen Zersetzung möchte ich lieber aufschieben, bis es mir gelingt, klarere Vorstellungen zu gewinnen über die Art, wie die in Rede stehende Kraft einmal als an die Körpertheilchen gebunden erscheint und durch deren chemische Anziehung, die sie ihnen verleiht, sich zu äussern und ein anderes Mal als freie Elektricität aufzutreten vermag (493, 957). — M. F.

Royal Institution,
31. März 1834.

---

[1]) Ueber weitere praktische Resultate, welche zu diesen Punkten der Theorie der Volta'schen Batterie in Beziehung stehen, siehe Reihe X, § 17, 1136—1160. — Dec. 1838.

NEUNTE REIHE.

§ 15. *Ueber die Induction eines elektrischen Stromes auf sich selbst und über die Inductionswirkung elektrischer Ströme überhaupt.*

[Eingegangen am 18. December 1834, — Gelesen am 29. Januar 1835.]

1048. Die folgenden Untersuchungen betreffen eine sehr merkwürdige Inductionswirkung elektrischer Ströme oder verschiedener Theile eines und desselben Stromes (74) und weisen auf einen unmittelbaren Zusammenhang zwischen einer solchen Inductionswirkung und dem directen Durchgang der Elektricität durch leitende Körper oder selbst ihrem Ueberspringen in Form eines Funkens.

1049. Die Untersuchung nahm ihren Ausgang von folgender mir von Jenkins mitgetheilten Thatsache. Gebraucht man einen einfachen kurzen Draht zur Verbindung der beiden Metalle eines aus einem Plattenpaare bestehenden Elektromotors, so erhält man auf keine Weise aus diesem Draht einen elektrischen Schlag; hält man aber die Enden eines zu einem Elektromagnet gewundenen Drahtes in den Händen, so fühlt man jedesmal, wenn der Elektromotor geöffnet wird, einen Schlag.

1050. Gleichzeitig beobachtet man eine andere, den Physikern längst bekannte Erscheinung, nämlich einen hellen Funken an der Unterbrechungsstelle.

1051. Eine kurze Mittheilung dieser Erscheinungen nebst einigen analoger Art, die ich bei Anwendung langer Drähte beobachtet habe, habe ich im Philosophical Magazine für 1834[1]) veröffentlicht und einige Betrachtungen über ihre Natur hinzugefügt. Weitere Untersuchungen liessen mich die Unrichtigkeit meiner ersten Vorstellungen erkennen und führten mich schliesslich dazu, diese Vorgänge mit den Inductionserscheinungen zu identificiren, welche ich so glücklich war, in der ersten Reihe dieser Experimental-Untersuchungen (1—59)[2]) darzulegen. Trotz dieser Identität glaube ich doch, dass die Erweiterung und die Eigenthümlichkeit der Ansichten über elektrische Ströme, zu denen diese Resultate führen, sie der Aufmerksamkeit der Königlichen Gesellschaft werth erscheinen lassen werden.

1052. Der *Elektromotor* bestand aus einem Zinkcylinder, der zwischen die beiden Theile eines Doppelcylinders von Kupfer gesteckt war, und

---

1) Vol. V. pp. 349, 444. —
[Diese Mittheilung findet sich in Bd. II der Experimental-Untersuchungen. D. Ü.]

2) Philosophical Transactions, 1832, p. 126.

wie gewöhnlich durch Korkstücke vor metallischem Contact geschützt war. Der Zinkcylinder war acht Zoll hoch und vier Zoll im Durchmesser. Er sowohl als auch der Kupfercylinder war mit dicken Drähten versehen, welche Quecksilbernäpfchen trugen, und diese Näpfchen dienten dazu, den Contact der zur Schliessung der Kette benutzten Drähte, Spiralen oder Elektromagnete herzustellen oder zu unterbrechen. Ich will im Folgenden diese Näpfchen G und E nennen (1079).

1053. Es wurden mancherlei *Spiralen* verfertigt, von denen ich einige beschreiben muss. Auf eine Pappröhre wurden vier $^1/_{24}$ Zoll dicke Kupferdrähte zu Spiralen in gleichem Sinne gewickelt; die Windungen jedes einzelnen Drahtes waren durch eine Schnur von einander isolirt, und die über einander liegenden Spiralen durch Kaliko vor Berührung geschützt. Die Länge der die Spiralen bildenden Drähte betrug 48, 49,5, 48 und 45 Fuss. Der erste und der dritte Draht wurden so mit einander verbunden, dass sie eine fortlaufende Spirale von 96 Fuss Länge bildeten, und der zweite und vierte ebenso zu einer 94,5 Fuss langen Spirale vereinigt, welche sich eng an die erste schmiegte. Diese Spiralen sollen durch die Nummern I und II unterschieden werden. Eine sorgfältige Prüfung mittelst eines starken elektrischen Stromes und eines Galvanometers ergab, dass sie nicht mit einander communicirten.

1054. Auf eine ähnliche Pappröhre wurde eine andere Spirale aus zwei gleichen Kupferdrähten von je 46 Fuss Länge gewickelt. Diese wurden zu einer 92 Fuss langen Spirale vereinigt, welche also nahezu ebenso lang war, wie die vorigen Spiralen, aber nicht wie diese in einem Inductionsverhältniss zu einander. Ich will sie mit Nummer III bezeichnen.

1055. Eine vierte Spirale wurde aus $^1/_5$ Zoll dickem Kupferdraht hergestellt; die Drahtlänge betrug, abgesehen von den geradlinigen Endstücken, 79 Fuss.

1056. Der vorzugsweise angewandte *Elektromagnet* bestand aus einem 25 Zoll langen und 1,75 Zoll dicken cylindrischen Stabe von weichem Eisen, der zu einem Ringe gebogen war, so dass die Enden sich beinahe berührten, und mit drei Lagen dicken Kupferdrahtes umwickelt, dessen gleichliegende Enden mit einander verknüpft waren. An die beiden Enden waren Kupferstäbe gelöthet, welche die Fortsetzung des Drahtes bildeten. Ein durch die Stäbe gesandter Strom verzweigte sich also in den den Ring umgebenden Spiralen in drei Theile, die jedoch alle in gleicher Richtung liefen. Die drei Drähte können daher als ein Draht von der dreifachen Dicke des wirklich angewandten angesehen werden.

1057. Andere Elektromagnete liessen sich nach Belieben durch Einschiebung eines weichen Eisenstabes in eine der beschriebenen Spiralen (1053 etc.) herstellen.

1058. Das benutzte *Galvanometer* war von roher Construction, hatte nur eine Magnetnadel und war ganz und gar nicht empfindlich.

1059. Die zu betrachtenden Wirkungen *hängen von dem Leiter ab,* der zur Verbindung der Zink- und Kupferplatte des Elektromotors angewandt wird, und ich werde diesen Leiter in vier verschiedenen Formen zu betrachten haben: als Spirale eines Elektromagnets (1056), als eine gewöhnliche Spirale (1053 etc.), als einen *langen* ausgestreckten Draht von solcher Gestalt, dass die einzelnen Theile wenig oder keinen Einfluss auf einander ausüben können, und als einen *kurzen* Draht. In allen Fällen bestand der Leiter aus Kupfer.

1060. Am besten zeigen sich die eigenthümlichen Wirkungen mit dem *Elektromagnet* (1056). Wenn er zur Schliessung des Elektromotors diente, so war bei *Herstellung* des Contactes kein Funke wahrnehmbar, aber bei *Unterbrechung* des Contactes trat ein sehr grosser und heller Funke auf, und es fand gleichzeitig eine erhebliche Verbrennung von Quecksilber statt. Ebenso verhielt es sich mit dem Schlag: wurden die Drähte fest in den mit Salzwasser befeuchteten Händen gehalten, so wurde bei *Schliessung* des Elektromotors kein Schlag verspürt, aber ein kräftiger bei *Unterbrechung* des Contactes.

1061. Wurde die *Spirale* I oder III (1053 etc.) zur Schliessung benutzt, so trat bei Unterbrechung des Contactes ein beträchtlicher Funke auf, aber nicht (merkbar) bei Herstellung des Contactes. Meine Versuche, einen Schlag durch diese Spiralen zu erhalten, gelangen anfänglich nicht. Als ich die ähnlich liegenden Enden von I und II so mit einander verband, dass diese einer Spirale von doppelter Drahtdicke entsprachen, nahm ich eben eine Empfindung wahr. Bei Benutzung der Spirale aus dickem Drahte (1055) war der Schlag deutlich. Hielt ich die Zunge zwischen zwei Silberplatten, welche durch Drähte mit denjenigen Theilen verbunden waren, die früher mit den Händen berührt worden waren (1064), so erhielt ich einen kräftigen Schlag bei *Unterbrechung*, aber keinen bei *Herstellung* des Contactes.

1062. Diese Erscheinungen können also ebenso wohl mit der einfachen Spirale wie mit dem Elektromagnet, wenn auch keineswegs in gleichem Grade, hervorgebracht werden.

1063. Als ich einen weichen Eisenstab in die Spirale einlegte, wodurch dieselbe ein Elektromagnet wurde (1057), so wuchs ihre Kraft sogleich beträchtlich. Die Einschiebung eines Kupferstabes in die Spirale brachte keine Aenderung hervor, sondern die Wirkung war dieselbe wie diejenige der Spirale allein. Wurden die Spiralen I und II zu einer Spirale von doppelter Drahtlänge verbunden, so war die Wirkung grösser als die der Spirale I oder II für sich.

1064. Nahm ich anstatt der Spirale den einfachen *langen Draht*, so waren die Wirkungen folgende. Ein Kupferdraht von 0,18 Zoll Durchmesser und 132 Fuss Länge, der auf dem Fussboden des Laboratoriums ausgestreckt und als Verbindungsdraht benutzt wurde (1059), gab keinen merklichen Funken bei Herstellung des Contactes, aber bei Unterbrechung desselben einen hellen, jedoch keinen so hellen Funken wie die Spirale (1061). Meine Bemühungen, im Moment der Unterbrechung einen durch die Hände gehenden elektrischen Schlag zu erhalten, blieben erfolglos; aber als ich die Zunge zwischen Silberplatten hielt, die durch kurze Drähte an dem Hauptdraht befestigt waren, bekam ich kräftige Schläge an der Zunge und dem Zahnfleisch und konnte leicht eine Butte, einen Aal oder einen Frosch in Zuckungen versetzen. Keine dieser Wirkungen liess sich direct durch den Elektromotor erzielen, d. h. wenn Zunge, Frosch oder Fisch auf ähnliche, also vergleichbare Weise in die Verbindungsstrecke zwischen den sonst überall durch die zur Erregung dienende Säure oder durch Luft getrennten Zink- und Kupferplatten eingeschaltet waren. Der helle Funke und der Schlag, die nur bei Unterbrechung des Contactes hervorgebracht werden, sind also Wirkungen derselben Art wie diejenigen, welche in höherem Grade durch die Spirale und in noch höherem Grade durch den Elektromagnet erzeugt werden.

1065. Um einen ausgestreckten Draht mit einer Spirale zu vergleichen, wurden die Spirale I von sechsundneunzig Fuss Drahtlänge und ein ebenso langer und dicker, auf dem Fussboden des Laboratoriums ausgebreiteter Draht abwechselnd als Verbindungsleiter benutzt; die erstere gab im Moment der Unterbrechung einen viel helleren Funken als der letztere. Ferner gab eine Spirale von achtundzwanzig Fuss Kupferdraht beim Oeffnen des Elektromotors einen guten Funken, als aber derselbe Draht, nachdem er rasch ausgestreckt worden, wieder benutzt wurde, gab er einen viel kleineren Funken als früher, wiewohl doch nichts als seine spiralige Form geändert worden war.

1066. Da die Ueberlegenheit einer Spirale über einen Draht für die wissenschaftliche Erklärung dieser Erscheinung wichtig ist, war ich ganz besonders bemüht, die Thatsache sicher festzustellen. Ein siebenundsechzig Fuss langer Kupferdraht wurde in der Mitte so gebogen, dass seine beiden Enden mit dem Elektromotor in Verbindung gesetzt werden konnten; die eine Hälfte des Drahtes wurde in Form einer Spirale aufgewickelt, während die andere ausgestreckt blieb. Wurden diese nun abwechselnd als Schliessungsdrähte benutzt, so lieferte die spiralige Hälfte den bei weitem stärkeren Funken, ja sie gab sogar einen stärkeren Funken, als wenn sie und der ausgestreckte Draht zusammen als doppelte Leiter benutzt wurden.

1067. Bei Anwendung eines *kurzen Drahtes* verschwinden *alle* diese Wirkungen; ist er nur zwei oder drei Zoll lang, so ist beim Oeffnen kaum ein Funke wahrzunehmen; ist er zehn oder zwölf Zoll lang und von mässiger Dicke, so lässt sich eher ein kleiner Funke erhalten. In dem Maasse als die Länge zunimmt, wird auch der Funke heller, bis bei zu grosser Länge des metallischen Leiters sein Widerstand die frühere Erscheinung wieder abschwächt.

1068. Der Erfolg der Verlängerung wurde auf folgende Weise deutlich dargethan: Ein 114 Fuss langer, auf dem Fussboden ausgestreckter Draht von $^1/_{18}$ Zoll Durchmesser wurde zur Schliessung benutzt; er blieb kalt, gab jedoch bei Unterbrechung des Contactes einen hellen Funken. Er wurde dann so über Kreuz gelegt, dass die beiden Stücke sich in der Nähe der Enden berührten und nur eine Strecke von zwölf Zoll als Leiter in den Kreis eingeschaltet war; der Draht wurde sehr heiss, da nun eine grössere Elektricitätsmenge durch ihn hindurchging, aber dennoch war beim Oeffnen kaum ein Funke sichtbar. Der Versuch wurde mit einem sechsunddreissig Fuss langen Draht von $^1/_9$ Zoll Durchmesser mit demselben Erfolge wiederholt.

1069. Dass die Wirkungen und der Vorgang selbst in allen diesen Versuchsformen identisch sind, erhellt aus der Art, wie die ersteren von denen an, welche der ganz kurze Draht, bis zu denen, welche der stärkste Elektromagnet liefert, allmählich gesteigert werden können; und die Möglichkeit, die Erfolge der kräftigsten Apparate zu untersuchen und die gleichen Resultate durch den Versuch mit schwächeren Vorrichtungen zu erlangen, sowie die Betrachtungen, die sich hieran knüpfen lassen, sind von grossem Nutzen für die Ermittelung der wahren Ursachen der Erscheinungen.

1070. Der Vorgang ist offenbar von dem zur Leitung dienenden Draht abhängig, denn er variirt mit der Aenderung der Länge und der Form des Drahtes. Man kann annehmen, dass der kürzeste Draht vollständig die Funken- oder Schlagwirkung wiedergiebt, welche der Elektromotor unmittelbar durch die ihm eigene Kraft hervorzubringen vermag, während die darüber hinaus gehende Kraftwirkung der beschriebenen Anordnungen irgend einer dauernden oder vorübergehenden Affection des Stromes in dem Drahte selbst zuzuschreiben ist. Es wird völlig bewiesen werden (1089, 1100), dass der Effect ein *momentaner*, nur im Augenblick der Unterbrechung erzeugter ist.

1071. Von dem Augenblick der Schliessung bis zu dem der Oeffnung unmittelbar vorangehenden, also so lange der Strom *besteht*, findet keine Aenderung in der Quantität oder Intensität des Stromes statt, abgesehen von derjenigen, welche von der Zunahme des Widerstandes herrührt, den ein langer Draht im Vergleich mit einem kurzen dem Durchgang der Elektricität entgegensetzt. Um diesen Punkt in Betreff der *Quantiät* festzustellen, wurden die Spirale I (1053) und das Galvanometer (1058) in den Schliessungsbogen, welcher die Platten eines kleinen Elektromotors verband, eingeschaltet und die Ablenkung des Galvanometers beobachtet; darauf wurde ein Weicheisenkern in die Spirale gesteckt und, sobald der momentane Effect vorüber und die Nadel zur Ruhe gekommen war, abermals beobachtet: die Nadel stellte sich genau auf denselben Theilstrich ein wie vorher. Folglich war die bei continuirlichem Strome durch den

Draht gehende Quantität dieselbe mit oder ohne Eisenkern, wiewohl die unter solcherweise abgeänderten Umständen im Momente der Unterbrechung auftretenden eigenthümlichen Effecte graduell sehr verschieden waren.

1072. Dass die *Intensität* des gegebenen constanten Stromes sich nicht mit den die in Rede stehenden eigenthümlichen Erscheinungen begünstigenden Umständen derart ändert, dass erstere hieraus erklärt werden könnten, wurde auf folgende Weise festgestellt. Der im Elektromotor erregte Strom wurde durch kurze Drähte gesandt und seine Intensität dadurch ermittelt, dass verschiedene Substanzen seiner elektrolysirenden Kraft (912, 966 etc.) ausgesetzt wurden; darauf wurde er durch die Drähte des kräftigen Elektromagnets (1056) gesandt und seine Intensität auf demselben Wege ermittelt; sie fand sich ungeändert. Ueberdies liefert die Constanz der bei dem obigen Versuch (1071) durchgegangenen *Quantität* einen ferneren Beweis, dass die Intensität sich nicht geändert haben konnte; denn würde sie durch Einschiebung des weichen Eisens zugenommen haben, so hätte man allen Grund anzunehmen, dass auch die in einer gegebenen Zeit durchgegangene Quantität sich vermehrt haben würde.

1073. Thatsache ist, dass bei mannigfaltig abgeänderten Versuchen der genannte Strom an Kraft *einbüsst,* wenn die Wirkungen beim Oeffnen *sich steigern.* Dies geht aus den vergleichenden Versuchen mit langen und kurzen Drähten (1068) zur Genüge hervor und wird noch schlagender durch folgende Abänderung bewiesen. Man löthe einen 1 bis 2 Zoll langen, dünnen Platindraht (von etwa $^1/_{100}$ Zoll Durchmesser) an das eine Ende des langen Verbindungsdrahtes und ein gleich langes Stück desselben Platindrahtes an das eine Ende des kurzen Verbindungsdrahtes, und schliesse und öffne dann, um die Wirkungen dieser beiden Verbindungen zu vergleichen, durch Herstellung und Unterbrechung des Contactes zwischen den Platinstücken und dem Quecksilber des Näpfchens G oder E (1079). Benutzt man den kurzen Draht, so wird das Platin in Folge der Menge der Elektricität *durch den constanten Strom in's Glühen versetzt,* aber ein Funke beim Oeffnen kaum sichtbar; bei Anwendung des langen Drahtes dagegen, welcher durch seinen Widerstand den Strom schwächt, bleibt das Platin beim Durchgang des Stromes kalt, giebt aber in dem Augenblick, da dieser unterbrochen wird, einen hellen Funken. So zeigt sich das seltsame Resultat, dass man von dem starken Strome einen schwachen Funken und Schlag, dagegen erhöhte Wirkungen von dem schwachen Strome erhält. Daher können Funken und Schlag im Moment der Oeffnung, obwohl sie aus der grossen Intensität und Quantität des Stromes in *diesem Moment* hervorgehen, nicht unmittelbar zum Beweise und Maass der Intensität oder Quantität des constanten Stromes dienen, welcher vorher durchging, und durch den sie zuletzt erzeugt werden.

1074. Will man die relative Helligkeit des Funkens zur näheren Angabe dieser Wirkungen benutzen, so ist es sehr wichtig, sich gewisse mit seiner Entstehung und seinem Aussehen (958) verknüpfte Umstände gegenwärtig zu halten. Unter einem gewöhnlichen elektrischen Funken versteht man eine Lichterscheinung der eine Luftstrecke oder eine andere schlecht leitende Substanz plötzlich durchsetzenden Elektricität. Ein Volta'scher Funke ist zuweilen von derselben Natur, aber im Allgemeinen beruht er auf dem Erglühen und sogar dem Verbrennen einer kleinen Menge eines guten Leiters, und dies ist namentlich der Fall, wenn der Elektromotor nur aus einem oder wenigen Plattenpaaren besteht. Dies lässt sich sehr gut beobachten, wenn eine oder beide Metallflächen, die sich berühren sollen, starr und zugespitzt sind. Im Augenblick ihrer Berührung geht der Strom über, er erhitzt, bringt in's Glühen und verbrennt sogar die Berührungspunkte, und es hat den Anschein, als ob der Funke beim Schliessen überginge, während es doch nur ein Beispiel eines nach erfolgter Schliessung durch den Strom hervorgebrachten Glühens ist, welches vollkommen analog ist dem Glühen eines die Enden einer Volta'schen Batterie verbindenden dünnen Platindrahtes.

1075. Besteht die eine der Flächen oder bestehen beide aus Quecksilber, so wird die Helligkeit des Funkens bedeutend gesteigert. Allein da dieser Erfolg von der Einwirkung auf das Metall und wahrscheinlich von der Verbrennung desselben herrührt, so darf man solche Funken nur mit anderen Funken, die gleichfalls an Quecksilberflächen entstehen, vergleichen, aber nicht mit solchen, die zwischen Platin- oder Goldflächen auftreten, da sie in diesem Falle weit weniger hell erscheinen, obschon die gleiche Menge Elektricität übergegangen ist. Es ist durchaus nicht unwahrscheinlich, dass die für gewöhnlich eintretende Verbrennung selbst die Dauer der Lichterscheinung beeinflusst, und dass Funken zwischen Quecksilber, Kupfer oder anderen verbrennlichen Körpern eine merklich längere Zeit dauern werden als diejenigen, welche zwischen Platin oder Gold übergehen.

1076. Wenn das Ende eines an der einen Platte eines Elektromotors befestigten kurzen, blanken Kupferdrahtes vorsichtig an die Oberfläche des mit der anderen Platte verbundenen Quecksilbers gebracht wird, so kann man einen fast continuirlichen Funken erhalten. Dies schreibe ich einer successiven Reihe von Vorgängen folgender Art zu: zuerst Berührung, — dann Erglühen der Berührungspunkte, — Zurückweichen des Quecksilbers als mechanische Folge der an der Berührungsstelle entwickelten Wärme und des elektromagnetischen Zustandes der Theilchen in diesem Moment[1]) — Unterbrechung des Contactes und Erzeugung des davon herrührenden eigenthümlichen intensiven Effectes, — Erneuerung des Contactes durch

[1]) Quarterly Journal of Science, Vol. XII, p. 420.
[Diese Mittheilung findet sich in Bd. II der Experimental-Untersuchungen.]
D. Ü.

Rückkehr der Oberfläche des undulirenden Quecksilbers — und hierauf Wiederholung derselben Reihe von Vorgängen mit solcher Schnelligkeit, dass sie den Anblick einer continuirlichen Entladung gewährt. Wendet man anstatt des kurzen Drahtes einen langen Draht oder einen Elektromagnet an, so kann man eine ähnliche Erscheinung dadurch hervorbringen, dass man durch Klopfen des das Quecksilber enthaltenden Gefässes ersteres in Schwingungen versetzt, allein gewöhnlich folgen sich die Funken nicht so rasch, dass sie den Anschein eines continuirlichen Funkens erwecken, weil bei Anwendung des langen Drahtes oder Elektromagnets sowohl zur vollen Entwickelung des Stromes (1101, 1106) als auch zu seinem völligen Verschwinden eine gewisse Zeit erforderlich ist.

1077. Kehren wir zu den in Rede stehenden Erscheinungen zurück, so ist der nächstliegende Gedanke, der sich dem Geiste aufdrängt, der, dass die in dem Drahte circulirende Elektricität etwas wie ein *Moment* oder *Trägheit* besitze, und dass daher ein langer Draht in dem Augenblick, da der Strom gehemmt wird, Wirkungen hervorbringe, die ein kurzer Draht nicht zu erzeugen vermag. Eine solche Erklärung wird jedoch durch die Thatsache umgestossen, dass ein Draht von gleicher Länge graduell sehr verschiedene Wirkungen hervorbringt, je nachdem er einfach ausgestreckt oder zu einer Spirale aufgerollt ist oder die Umwickelung eines Elektromagnets (1069) bildet. Die weiterhin anzuführenden Versuche (1089) werden noch schlagender darthun, dass die Idee von einem Moment unhaltbar ist.

1078. Der helle Funke am Elektromotor und der Schlag in den Armen rührt offenbar von *einem* Strome in dem langen Drahte her, welcher durch den doppelten Weg, der sich ihm durch den Körper und durch den Elektromotor darbietet, in zwei Theile getheilt ist, denn dass der an der Unterbrechungsstelle am Elektromotor auftretende Funke nicht von einer directen Einwirkung des letzteren, sondern von einer unmittelbar in dem Verbindungsdrahte sich äussernden Kraft herzuleiten sei, scheint unzweifelhaft (1070). Es folgt hieraus, dass man bei Anwendung eines besseren Leiters an Stelle des menschlichen Körpers diesen Extrastrom *gänzlich* durch jenen gehen lassen, ihn von dem, welchen der Elektromotor durch seine unmittelbare Einwirkung hervorbringen könnte, trennen und seine *Richtung* untersuchen könne, ohne eine Störung seitens des ursprünglichen und erzeugenden Stromes zu erfahren. Dies erwies sich als zutreffend; denn als die beiden Enden des Hauptdrahtes durch einen zwei bis drei Fuss langen Querdraht da, wo die Hände den Schlag empfunden hatten, verbunden wurden, durchlief der ganze Extrastrom diese neue Bahn, und nun wurde an der Unterbrechungsstelle am Elektromotor kein besserer Funke erhalten als mit einem kurzen Draht.

1079. Den so gesonderten *Strom* untersuchte ich mittelst des Galvanometers und des Zersetzungsapparates, die in die Bahn dieses Drahtes eingeschaltet wurden. Ich will von ihm stets als von dem Strome im Querdraht oder in den Querdrähten sprechen, damit hinsichtlich seines Ortes oder seines Ursprunges kein Missverständniss entstehe. In nebenstehender Figur stellen Z und C die Zink- und Kupferplatten des Elektromotors vor, G und E die Quecksilbernäpfchen, wo der Contact hergestellt oder unterbrochen wird (1052), A und B die Fortsetzungen von D, dem zur Schliessung der Kette angewandten langen Draht, Spiral- oder Elektromagnetdraht; N und P sind die Querdrähte, welche bei x entweder mit einander oder mit einem daselbst eingeschalteten Galvanometer (1058) oder einem Elektrolysirungsapparat (312, 316) verbunden werden können.

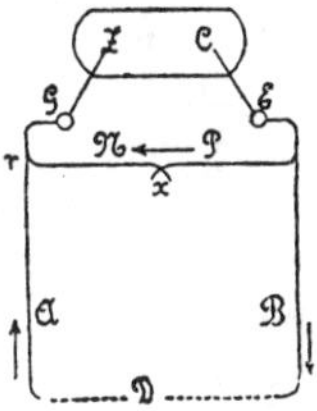

Dass von dem Strome im Querdraht ein *Schlag* erzeugt wird, D mag ein lang ausgestreckter Draht oder eine Spirale oder ein Elektromagnet sein, ist bereits dargelegt worden (1064, 1061, 1060).

1080. Der *Funke* des Querdraht-Stromes liess sich auf folgende Weise bei x erhalten. Die Stelle von D nahm ein Elektromagnet ein, die Metallenden bei x wurden dicht zusammengehalten oder sanft gegen einander gerieben, während der Contact bei G oder E unterbrochen wurde. Wenn der Contact bei x vollkommen war, so trat bei G oder E ein kleiner oder gar kein Funke auf. Wenn die Annäherung bei x eine für das verlangte Resultat günstige war, so ging daselbst im Moment der Unterbrechung ein heller Funke über, während bei G und E *keiner* auftrat; dieser Funke war der Durchgang des Extrastromes durch die Querdrähte in Form einer Lichterscheinung. Wenn bei x kein Contact oder Stromübergang stattfand, so trat der Funke bei G oder E auf, indem der Extrastrom sich seinen Weg durch den Elektromotor selbst erzwang. Dieselben Resultate erhielt man bei Anwendung der Spirale oder des ausgestreckten Drahtes an Stelle des Elektromagnets bei D.

1081. Wenn bei x ein feiner Platindraht eingeschaltet war, während sich bei D der Elektromagnet befand, so traten keine sichtbaren Wirkungen auf, so lange der Contact fortdauerte; sobald aber der Contact bei G oder E unterbrochen wurde, kam der dünne Draht augenblicklich in's Glühen und schmolz. Man konnte auch einen längeren oder dickeren Draht bei x so einstellen, dass er, jedesmal wenn der Contact bei G oder E unterbrochen wurde, in's Glühen kam, ohne zu schmelzen.

1082. Mit Spiralen oder Drähten ist es etwas schwierig diese Wirkung zu erhalten, und zwar aus sehr einfachen Gründen. Bei Anwendung der Spiralen I, II oder III fand, ihrer Drahtlänge wegen, eine solche Verzögerung des elektrischen Stromes statt, dass *während der Dauer des*

Contactes ein einen ganzen Zoll langer Platindraht von $^1/_{15}$ Zoll Durchmesser in den Querdrähten durch die dieselben durchsetzende Theilmenge der Elektricität im Glühen erhalten werden konnte. Daher war es unmöglich, die specifischen Wirkungen im Moment des Schliessens oder Oeffnens von dieser constanten Wirkung zu unterscheiden. Bei Anwendung der Spirale aus dickem Draht (1055) ergaben sich dieselben Resultate.

1083. Ausgehend von der bekannten Thatsache, dass elektrische Ströme von grosser Quantität aber geringer Intensität wohl im Stande sind, dicke Drähte, nicht aber dünne in's Glühen zu versetzen, schaltete ich bei x einen sehr dünnen Platindraht ein und verringerte seinen Durchmesser so weit, bis ein Funke bei G oder E auftrat, wenn der Contact daselbst unterbrochen wurde. Ein $^1/_4$ Zoll langes Stück solchen Drahtes konnte bei x eingeschaltet werden, ohne bei *Fortdauer* des Contactes bei G oder E in's Glühen zu kommen; wenn aber an einer dieser Stellen der Contact unterbrochen wurde, so wurde der Draht rothglühend, auf diesem Wege beweisend, dass in diesem Moment der Inductionsstrom entstand.

1084. Demnächst wurde durch den Querdraht-Strom *chemische Zersetzung* bewirkt, indem sich bei D ein Elektromagnet befand, und bei x ein Zersetzungsapparat mit Jodkaliumlösung in Papier (1079). Das Leitungsvermögen des Verbindungssystems ABD war gross genug, um den ganzen primären Strom aufzunehmen, und in Folge dessen fand während der *Dauer* des Contactes bei G oder E keine Zersetzung bei x statt; wurde aber der Contact unterbrochen, so trat bei x augenblicklich Zersetzung ein. Das Jod erschien beim Drahte N, aber nicht am Drahte P, zum Beweise, dass der durch den Querdraht beim Oeffnen der Kette gehende Strom die *umgekehrte Richtung* als der durch den Pfeil angedeutete hatte, d. h. als der, welchen der Elektromotor hindurchgesandt haben würde.

1085. Bei diesem Versuche trat ein heller Funke an der Unterbrechungsstelle auf, was beweist, dass nur ein kleiner Theil des Extrastromes den Apparat bei x durchsetzte, wegen des geringen Leitungsvermögens des letzteren.

1086. Mit einfachen Spiralen und Drähten fand ich es schwierig, chemische Wirkungen zu erhalten, weil die inducirende Kraft dieser Anordnungen gering ist und weil, wenn ein sehr kräftiger Elektromotor angewandt wird (1082), ein starker constanter Strom bei x durchgeht.

1087. Die lehrreichste Reihe von Resultaten erhielt man jedoch, wenn bei x das *Galvanometer* eingeschaltet war. Befand sich bei D ein Elektromagnet und blieb die Kette geschlossen, so zeigte die Ablenkung einen von P nach N in Richtung des Pfeiles gehenden Strom an; der Querdraht diente hierbei zur Leitung eines Theiles der durch den Elektromotor erregten Elektricität, und die mit ABD bezeichnete Vorrichtung, wie durch die Pfeile angedeutet ist, zur Leitung des anderen und bei weitem grösseren

Theiles. Nun wurde die Magnetnadel durch Stifte, die gegen die entgegengesetzten Seiten ihrer beiden Enden gehalten wurden, in ihre natürliche Lage, d. h. in die, welche sie ohne Einwirkung des Stromes einnahm, zurückgebracht, und sobald jetzt der Contact bei G oder E unterbrochen wurde, erfuhr sie eine starke Ablenkung nach der entgegengesetzten Seite, was übereinstimmend mit den chemischen Wirkungen (1084) bewies, dass die Richtung des Extrastromes in den Querdrähten *entgegengesetzt* der durch den Pfeil angedeuteten war, d. h. entgegengesetzt dem durch die directe Wirkung des Elektromotors hervorgebrachten Stromlauf.[1])

1088. Mit der *Spirale* allein (1061) liess sich diese Wirkung kaum beobachten, weil die inducirende Kraft dieser Vorrichtung geringer, die Inductionswirkung in dem Galvanometerdraht selbst die entgegengesetzte war, die Nadel in Folge ihrer Hemmung (1087) während der Circulation des continuirlichen Stromes einen mechanischen Spannungszustand angenommen hatte, und aus noch anderen Gründen. Bei dem *ausgestreckten Draht* (1064) waren alle diese Umstände von noch grösserem Einfluss, und er bot daher noch weniger Aussicht auf Erfolg.

1089. Diese Versuche, welche hinsichtlich der Quantität, Intensität und selbst der Richtung einen Unterschied zwischen dem primären oder erzeugenden Strom und dem Extrastrom feststellen, führten mich zu dem Schluss, dass letzterer identisch sei mit dem in der ersten Reihe dieser Untersuchungen beschriebenen Inductionsstrom (6, 26, 74), und ich war bald im Stande, diese Ansicht zu erweisen, und erreichte gleichzeitig nicht eine theilweise (1078), sondern eine gänzliche Trennung des einen Stromes von dem anderen.

1090. Die Doppelspirale (1053) wurde so angeordnet, dass I*) zur Verbindung der Platten des Elektromotors diente, während II unverbunden sich ausserhalb der Strombahn befand. Hierbei wirkte I sehr gut und gab zur Zeit und am Orte der Unterbrechung einen beträchtlichen Funken. Nun wurden die Enden von II mit einander verbunden, so dass sie in sich geschlossen war, während I unverändert blieb, allein aus dieser liess sich nun an der Unterbrechungsstelle *kein Funke* oder höchstens ein kaum merklicher erhalten. Hierauf wurden die Enden von II bloss so nahe an einander gehalten, dass ein diese Spirale durchlaufender Strom als Funke erscheinen musste, und auf diese Weise wurde von II ein Funke erhalten, wenn die Verbindung von I mit dem Elektromotor unterbrochen wurde, während er früher an dem abgehobenen Ende von I selbst erschien.

---

[1]) Es wurde durch Versuche festgestellt, dass wenn ein starker Strom bloss durch das Galvanometer ging, während die Nadel wie oben in einer Richtung in ihrer natürlichen Lage festgehalten wurde, bei Unterbrechung des Stromes kein Ausschlag der Nadel in entgegengesetzter Richtung erfolgte.

*) Im Texte steht hier „it“ statt I, was offenbar ein Druckfehler ist, der sich in den Philosophical Transactions nicht findet. D. Ü.

1091. Bei Einschaltung eines Galvanometers oder eines Zersetzungsapparates in den von der Spirale II gebildeten Kreis konnte ich durch den Inductionsstrom, welcher bei Unterbrechung des Contactes der Spirale I, ja selbst durch den, welcher bei Herstellung des Contactes derselben mit dem Elektromotor entstand, leicht Ablenkungen und Zersetzung erhalten, und in beiden Fällen zeigten die Resultate, dass die beiden so hervorgerufenen Ströme entgegengesetzte Richtung hatten (26).

1092. Alle diese Erscheinungen, mit Ausnahme der Zersetzung, liessen sich auch durch zwei lange ausgestreckte Drähte hervorbringen, die nicht Spiralform hatten, aber dicht neben einander lagen, und somit wurde bewiesen, dass der *Extrastrom* aus dem den ursprünglichen Strom leitenden Draht auf einen benachbarten Draht übertragen werden konnte, und dass er in Richtung und jeder anderen Hinsicht identisch ist mit den durch Induction zu erregenden Strömen (1089). Ueber das Auftreten des hellen Funkens und über den Schlag bei der Unterbrechung lässt sich nun Folgendes sagen: Wenn ein Strom durch einen Draht fliesst, und ein anderer Draht, der einen geschlossenen Kreis bildet, demselben parallel liegt, so wird im Augenblick der Unterbrechung des Stromes in dem ersten, ein Strom von *gleicher* Richtung in dem zweiten inducirt, und der erste zeigt alsdann nur einen schwachen Funken; ist aber der zweite Draht nicht vorhanden, so inducirt der Strom in dem ersten bei der Unterbrechung einen Strom von gleicher Richtung in diesem Drahte selbst, und es entsteht dann ein starker Funke. Der starke Funke im Moment der Unterbrechung bei dem einfachen langen Drahte oder einer Spirale ist also das Aequivalent des Stromes, welcher in einem benachbarten Drahte erregt werden würde, wenn ein solcher zweiter Strom entstehen könnte.

1093. Betrachtet man die Erscheinungen als das Resultat der Induction elektrischer Ströme, so werden manche Grundbedingungen der Wirkung in den vorigen Versuchen weit einleuchtender und verständlicher. So z. B. lässt sich der verschiedene Einfluss, welchen kurze und lange Drähte, Spiralen und Elektromagnete (1069) haben, begreifen. Die inducirende Kraft eines einen Fuss langen Drahtes auf einen benachbarten Draht von gleicher Länge wird man sehr klein finden; sendet man aber denselben Strom durch einen fünfzig Fuss langen Draht, so wird er in dem Moment der Schliessung oder Unterbrechung in einem benachbarten Drahte von fünfzig Fuss Länge einen weit kräftigeren Strom induciren, indem jede Einheit der Drahtstrecke die Summe der Wirkung erhöht, und eine gleiche Schlussfolge ergiebt, dass ein ähnlicher Erfolg eintreten muss, wenn der Schliessungsdraht zugleich der ist, in welchem der Inductionsstrom entsteht (74). Hierin liegt der Grund, wesshalb ein langer Draht bei Unterbrechung des Contactes einen helleren Funken giebt als ein kurzer (1068), wiewohl er weit weniger Elektricität fortleitet.

1094. Wird der lange Draht in die Form einer Spirale gebracht, so wird er bei Unterbrechung des Contactes noch kräftigere Funken und Schläge hervorbringen, denn durch die Inductionswirkung der Windungen auf einander verstärkt eine jede die benachbarte und wird von ihr verstärkt, und so erhöht sich die Gesammtwirkung sehr beträchtlich.

1095. Wendet man einen Elektromagnet an, so wird die Wirkung noch bedeutend mehr gesteigert, weil das durch den continuirlichen Strom magnetisirte Eisen im Augenblick der Unterbrechung desselben seinen Magnetismus verliert und hierdurch in dem umgebenden Draht einen elektrischen Strom zu erregen sucht (37, 38), welcher übereinstimmt mit demjenigen, den das Verschwinden des Stromes in der Spirale in dieser selbst hervorzurufen strebt.

1096. Mit Benutzung der früher (6 etc.) entwickelten Gesetze der Induction elektrischer Ströme lassen sich verschiedene neue Versuchsformen erdenken, deren Resultate zur Prüfung der Richtigkeit der eben aufgestellten Ansicht dienen können. Wenn man z. B. einen langen Draht so in zwei gleiche Theile biegt, dass der Strom in ihnen entgegengesetzte Wirkung ausüben muss, so darf er im Moment der Unterbrechung keinen merklichen Funken geben, und dass dies wirklich der Fall ist, liess sich dadurch beweisen, dass ein vierzig Fuss langer, mit Seide umsponnener Draht, der zusammengelegt wurde, und dessen Hälften bis vier Zoll von den Enden dicht zusammengebunden waren, kaum einen wahrnehmbaren Funken gab, dagegen einen sehr beträchtlichen, als die Theile ausgebreitet wurden. Als die beiden Spiralen I und II mit ihren gleichliegenden Enden verknüpft und ihre anderen beiden Enden zur Verbindung der Platten des Elektromotors gebraucht wurden, so dass sie eine einzige lange Spirale bildeten, deren Hälften entgegengesetzte Richtung hatten, so erhielt man selbst dann kaum einen merklichen Funken, wenn der weiche Eisenkern in der doch nahezu 200 Fuss Draht enthaltenden Spirale lag. Bildeten sie jedoch eine gleichsinnige Spirale von derselben Drahtlänge, so erhielt man einen sehr hellen Funken.

1097. Aehnliche Beweise lassen sich aus der gegenseitigen Inductionswirkung zweier getrennter Ströme (1110) herleiten, und es ist für die allgemeinen Principien wichtig, die übereinstimmende Wirkung zweier solcher Ströme festzustellen. So muss sich der relative Einfluss zweier gleichgerichteter Ströme bei gleichzeitiger Unterbrechung verstärken; ist aber ihre Richtung entgegengesetzt, so müssen sie unter sonst gleichen Umständen einander entgegenwirken. Ich bemühte mich anfänglich, bei zwei Strömen, die zwei verschiedenen Elektromotoren entstammten, und die ich durch die Spiralen I und II leitete, eine gleichzeitige Unterbrechung auf mechanischem Wege zu bewerkstelligen. Allein dies gelang mir nicht; immer wurde der eine früher als der andere unterbrochen, und es entstand dann ein winziger oder gar kein Funke, indem die inducirende Kraft des ersteren dazu verwandt wurde, einen Strom in dem geschlossen gebliebenen Kreise zu erregen (1090); der zuletzt unterbrochene Strom gab immer einen hellen Funken. Wenn es je von Nutzen sein sollte, zu ermitteln, ob zwei Verbindungen genau in demselben Augenblick unterbrochen werden, so würden diese Funken zu einer Probe von unendlicher*) Vollkommenheit dienen können.

1098. Diese Punkte vermochte ich auf anderem Wege zu erweisen. Ich nahm zwei kurze dicke Drähte zur Herstellung oder Unterbrechung des Contactes mit dem Elektromotor. Die aus I und II zusammengesetzte Spirale (1053) wurde so angeordnet, dass die Enden der beiden Spiralen mit jenen beiden Enddrähten so in Verbindung gesetzt werden konnten, dass der durch diese dicken Drähte gehende Strom sich in den beiden Spiralen in zwei gleiche Theile verzweigte, welche je nach der Art der Verbindung in gleicher oder in entgegengesetzter Richtung gehen mussten. Auf diese Weise erhielt ich zwei Ströme, die beide gleichzeitig unterbrochen werden konnten, da die Oeffnung durch Abheben eines einzigen Drahtes bei G oder F erfolgen konnte. Hatten die Spiralen entgegengesetzte Richtung, so war an der Unterbrechungsstelle kaum ein Funke wahrzunehmen, hatten sie aber gleiche Richtung, so trat ein sehr heller Funke auf.

1099. Nun wurde beständig die Spirale I gebraucht und bald, wie oben, mit Spirale II in gleichem Sinne verbunden, bald mit der in geringer Entfernung aufgestellten Spirale III. Das System I und II, welches zwei Ströme vorstellte, die in Folge ihrer Nähe inducirend auf einander wirken konnten, gab einen helleren Funken als die Combination I und III, bei der die beiden Ströme sich nicht gegenseitig zu beeinflussen vermochten; der Unterschied war jedoch nicht so gross, als ich erwartete.

1100. Alle diese Erscheinungen beweisen also, dass die Wirkungen von Induction herrühren, die im Moment der Unterbrechung des Hauptstromes eintritt. Zu einer Zeit glaubte ich, sie wären aus einer continuirlichen Wirkung während der *ganzen Dauer* des Stromes herzuleiten, und erwartete, dass ein Stahlmagnet, je nach seiner Lage in der Spirale, einen mit einem weichen Eisenstabe vergleichbaren Einfluss ausüben und die Wirkung verstärken würde. Dies ist jedoch nicht der Fall; denn in der Spirale befindlicher harter Stahl oder ein Magnet ist nicht so wirksam wie weiches Eisen, auch macht es keinen Unterschied, wie der Magnet in die Spirale gelegt wird. Die Gründe hierfür sind sehr einfach die, dass die Wirkung nicht bedingt ist von einem permanenten Zustande des Kerns, sondern von einer *Zustandsänderung*, ein Magnet oder harter Stahl aber seinen Zustand im Moment des Oeffnens der Kette nicht so stark ändern kann wie weiches Eisen, und daher auch keinen so starken Elektricitätsstrom durch Induction hervorzurufen vermag (34, 37).

---

*) In der Ausgabe von 1839 steht hier auffälligerweise *infinitesimal*, während sich in den Phil. Trans. die sinngemässe Lesart *infinite* findet. D. Ü.

1101. Da die inducirende Kraft eines elektrischen Stromes im Moment seines Entstehens ebenso gross, aber entgegengesetzt gerichtet ist, als im Moment seines Verschwindens (10, 26), so leitet die Zurückführung der in Rede stehenden Erscheinungen auf eine Inductionswirkung zu dem Schluss, dass stets entsprechende, aber entgegengesetzte Wirkungen in einem langen Draht, einer Spirale oder einem Elektromagnet beim *Schliessen* des Elektromotors entstehen müssen. Diese Wirkungen werden im ersten Augenblick einen Widerstand in dem langen Leiter hervorzurufen streben und so ein dem Gegentheil von einem Schlage oder einem Funken äquivalentes Resultat erzeugen. Nun ist es sehr schwierig, zur Erkennung solcher negativen Resultate geeignete Mittel aufzufinden; da aber wahrscheinlich gleichzeitig eine positive Wirkung auftritt, und wir nur wissen müssen, was wir zu erwarten haben, so glaube ich, dass die wenigen Thatsachen, welche ich hinsichtlich dieses Gegenstandes erkannt habe, der Erwähnung werth sein werden.

1102. Der Elektromagnet und ein Elektrolysirungsapparat bei *x* wurden in der früher beschriebenen Weise (1084) angeordnet, jedoch die Intensität der chemischen Wirkung im Elektromotor so gesteigert, dass der elektrische Strom eben im Stande war, die schwächsten Anzeichen von Zersetzung zu geben, während der Contact bei G und E (1079) unterhalten wurde (das Jod trat natürlich am Ende des Querdrahtes P auf); der Draht N war bei *r* von A getrennt, so dass der Contact auch hier nach Belieben hergestellt oder unterbrochen werden konnte. Unter diesen Umständen wurde folgende Reihe von Operationen mehrmals wiederholt: Der Contact wurde bei *r* unterbrochen, dann bei G unterbrochen, dann bei *r* hergestellt und schliesslich bei G erneut. Auf diese Weise wurde jeder von der *Unterbrechung* des Contactes herrührende Strom von N zu P verhindert, während jede aus der *Herstellung* des Contactes entspringende Verstärkung des Stromes von P nach N beobachtet werden konnte. Auf diese Weise fand sich, dass durch eine geringe Anzahl von Schliessungen ein viel grösserer Zersetzungseffect (Abscheidung von Jod bei P) erhaltan werden konnte als in viel längerer Zeit durch den übergehenden *continuirlichen* Strom. Dies schreibe ich dem Act der Induction im Drahte A B D zu, wodurch dieser im Moment der Schliessung zu einem schlechteren Leiter wurde, oder vielmehr der Durchgang der Elektricität im Augenblick eine Verzögerung erlitt, so dass eine grössere Menge der im Elektromotor erzeugten Elektricität durch den Querdraht N P gehen konnte. Sobald die Induction aufhörte, gewann A B D seine volle Kraft zur Fortleitung eines constanten elektrischen Stromes wieder, und dieselbe konnte, wie wir aus den früheren Versuchen (1060) wissen, beträchtlich zunehmen durch die entgegengesetzte Inductionswirkung, welche im Moment der *Unterbrechung* des Contactes bei Z oder C in Thätigkeit kam.

1103. Nun wurde bei *x* ein Galvanometer eingeschaltet, und die

Ablenkung der Nadel notirt, während der Contact bei G und E unterhalten wurde, hierauf die Nadel, wie früher, einseitig gehemmt (1087), so dass sie beim Verschwinden des Stromes nicht zurückkehren konnte, sondern in der ihr durch den Strom ertheilten Lage verharren musste. Unterbrechung des Contactes bei G oder E brachte keinen sichtbaren Effect hervor, als er aber wieder hergestellt wurde, wich die Nadel augenblicklich aus und entfernte sich von den Hemmungsstiften, so dass ihr Abstand von ihrer natürlichen Lage nun noch grösser war, als nach der Einwirkung des constanten Stromes, und demnach wurde durch den temporären Ueberschuss in der Querleitung die temporäre Verzögerung in dem Bogen A B D nachgewiesen.

1104. Schaltete man bei *x* einen Platindraht ein (1081), so dass er durch den ihn bei *Unterhaltung* des Contactes bei G und E durchsetzenden Strom nicht zum Glühen kam, wohl aber durch einen etwas stärkeren Strom rothglühend wurde, so war ich leicht im Stande, ihn sowohl beim *Schliessen* als auch beim *Oeffnen* zum Glühen zu bringen. So wurde auch hierdurch die momentane Verzögerung in A B D beim Schliessen ebenso wohl bewiesen, wie das entgegengesetzte Resultat beim Oeffnen. Das Erglühen des Drahtes bei *x* wurde in beiden Fällen natürlich durch elektrische Ströme erzeugt, deren Richtung einander entgegengesetzt war.

1105. Bei Anwendung der *Spirale* allein konnte ich aus den bereits erwähnten Gründen (1088) durch den Extra-Effect beim Schliessen keine deutliche Ablenkung bei *x* erhalten. Dagegen gelang es mir, einen daselbst befindlichen sehr dünnen Platindraht (1083) bei Herstellung des Contactes in's Glühen zu bringen, wenn auch durchaus nicht in solchem Grade, wie bei Anwendung des Elektromagnets (1104).

1106. Wir können die Wirkung *beim Schliessen* auch erkennen und abschätzen, wenn wir, wie in früheren Fällen (1090), die inducirende Kraft von dem den primären Strom leitenden Draht auf einen Nachbardraht übertragen, und würden dann durch chemische sowohl als auch galvanometrische Ergebnisse (1091) die Gewissheit erlangen, dass die Kräfte bei Herstellung und Unterbrechung des Contactes einander, wie actio und reactio, an Stärke gleich, in Richtung aber entgegengesetzt sind. Wenn daher der Effect bei Herstellung des Contactes auf eine blosse Verzögerung des Stromes im ersten Moment seines Bestehens zurückkommt, so muss er dem Grade nach äquivalent sein der grossen Steigerung desselben Stromes im Moment der Unterbrechung des Contactes.

1107. Der Fall ist also unter diesen Umständen der, dass die Intensität und Quantität der strömenden Elektricität bei Entstehung oder Zunahme des Stromes kleiner und beim Abnehmen oder Verschwinden desselben grösser sind als sie sein würden, wenn die in diesen Momenten eintretende Inductionswirkung nicht stattfände, oder als sie in dem Drahte des ursprünglichen Stromes sind, wenn die inducirende Wirkung von diesem auf einen benachbarten Draht übertragen wird (1090).

1108. Aus der Leichtigkeit der Uebertragung auf benachbarte Drähte und aus den Vorgängen überhaupt scheint hervorzugehen, dass die inducirenden Kräfte lateral seien, d. h. dass sie in einer Richtung wirken, welche senkrecht ist zur Richtung der primären und erregten Ströme, und sie scheinen auch durch die magnetischen Curven genau dargestellt zu werden und in enger Beziehung zu den magnetischen Kräften zu stehen, wenn nicht gar mit ihnen identisch zu sein.

1109. Es kann keinem Zweifel unterliegen, dass der Strom in dem einen Theile eines Drahtes inducirend zu wirken vermag auf andere Theile *desselben* Drahtes, welche dem ersteren zur Seite, d. h. in demselben Verticalschnitt liegen (74), oder mehr oder weniger gegen ihn geneigt sind (1112), ebenso wie er in einem benachbarten Drahte oder in einer benachbarten Windung desselben Drahtes einen Strom hervorrufen kann. Eben dies erweckt den Schein einer Wirkung des Stromes auf sich selbst; allein alle Versuche und Analogieen gehen dahin, zu beweisen, dass die Elemente (wenn ich so sagen darf) der Ströme nicht auf sich selbst wirken, und dass sie den in Rede stehenden Effect nicht auf diese Weise, sondern dadurch hervorbringen, dass sie in der ihnen zur Seite liegenden leitenden Substanz Ströme erregen.

1110. Es ist möglich, dass manche der von mir gebrauchten Ausdrücke die Meinung zu enthalten scheinen, dass die Inductionswirkung im Wesentlichen die Wirkung eines Stromes auf einen anderen oder eines Stromelementes auf ein anderes Element desselben Stromes sei. Um einer solchen Folgerung vorzubeugen, muss ich meine Meinung bestimmter darlegen. Nehmen wir einen in sich geschlossenen Draht, so haben wir die Mittel, in ihm einen ihn im Kreise durchfliessenden Strom zu erregen, ohne die vorher im Drahte vorhandene Elektricität irgend zu vermehren. Soweit wir zu beurtheilen vermögen, ist die als Strom auftretende Elektricität dieselbe wie diejenige, welche vorher ruhend in dem Drahte war; und wiewohl wir bis jetzt nicht im Stande sind, den wesentlichen Unterschied im Zustande der Elektricität in beiden Fällen anzugeben, so vermögen wir doch leicht die beiden Zustände zu erkennen. Wenn nun ein Strom auf eine ihm zur Seite liegende leitende Substanz wirkt, so wirkt er wahrscheinlich auf die in dieser leitenden Substanz befindliche Elektricität, gleichviel ob dieselbe in Form eines *Stromes* oder *ruhend* existirt; in dem einen Falle wird er den Strom, je nach seiner Richtung, verstärken oder schwächen, in dem anderen Falle einen Strom erzeugen, und der *Betrag* der Inductionswirkung ist wahrscheinlich in beiden Fällen derselbe. Es würde daher bei dem eingeschränkten Sinne, unter welchem man gegenwärtig den Ausdruck Strom begreift (283, 517, 667), falsch sein, zu sagen, dass die Inductionswirkung auf der gegenseitigen Relation zweier oder mehrerer Ströme beruhe.

1111. Mehrere dieser Erscheinungen, wie beispielsweise die bei Spiralen

(1066), bei gleich oder entgegengesetzt laufenden Strömen (1097, 1098) und die bei der Erregung von seitlichen Strömen (1090) schienen anzudeuten, dass ein Strom leichter eine Inductionswirkung in einem benachbarten Drahte als in seinem eigenen Leitungsdrahte hervorzubringen im Stände wäre, und daher liess sich erwarten, dass sich ein abweichendes Resultat ergeben würde, wenn man, statt eines einfachen Drahtes, ein Bündel Drähte als Leiter anwendete. Demnach wurden folgende Versuche angestellt. Ein Kupferdraht von $^1/_{23}$ Zoll Durchmesser wurde in fünf Fuss lange Stücke zerschnitten; sechs von diesen wurden zu einem Bündel aneinandergelegt und an ihre Enden zwei Kupferstücke angelöthet. Diese Vorrichtung konnte als Entladungsdraht benutzt werden, aber der Hauptstrom theilte sich dann in sechs parallele Zweigströme, welche eng an einander gebracht oder durch Vergrösserung des Abstandes der Drähte ihrem gegenseitigen Einflusse mehr oder weniger entzogen werden konnten. Lagen die sechs Drähte dicht an einander, so schien mir bei Unterbrechung des Contactes der Funke etwas heller zu sein, als wenn sie auseinandergehalten wurden.

1112. Ein anderes, achtzehn Fuss langes Bündel, welches aus zwanzig solchen Drähten bestand, und dessen Endstücke je sechs Zoll Länge und $^1/_5$ Zoll im Durchmesser hatten, wurde mit einem neunzehn Fuss langen Kupferdraht von $^1/_5$ Zoll Durchmesser verglichen. Bei Unterbrechung des Contactes gab das Bündel einen schwächeren Funken als der Draht, selbst wenn seine Stränge durch eine Schnur zusammengehalten wurden; standen sie mehr von einander ab, so war der Funke noch schwächer. Im Ganzen entsprach jedoch die Verringerung des Effectes nicht meiner Erwartung, und ich zweifle, ob man die Resultate irgend als Beweis für die Richtigkeit der aufgestellten Voraussetzung ansehen darf.

1113. Die inducirende Kraft, mit welcher zwei Elemente eines Stromes (1109, 1110) auf einander wirken, scheint in dem Maasse abzunehmen, als deren Verbindungslinie schief wird gegen die Richtung des Stromes, und gänzlich zu verschwinden, wenn sie dieser parallel ist. Einige Resultate brachten mich auf die Vermuthung, dass sie dann sogar in die von Ampère[1]) beobachtete Abstossungskraft übergeht, welche auch die Ursache der von Sir Humphry Davy[2]) beschriebenen Erhebung des Quecksilbers ist und wahrscheinlich direct mit dem Wesen der Intensität zusammenhängt.

1114. Trotzdem die Wirkungen nur beim Schliessen und Oeffnen zu Tage treten (während der Strom in der Zwischenzeit anscheinend unbeeinflusst bleibt), so kann ich mich doch nicht der Vorstellung erwehren, dass durch die seitliche Wirkung der Elemente des elektrischen Stromes während der Zeit seiner Fortdauer (60, 242) irgend ein hiermit zusammen-

---

1) Recueil d'Observations Electro-Dynamiques. p. 285.
2) Philosophical Transactions, 1823, p. 155.

hängender Effct nebenhergeht. Eine Wirkung dieser Art tritt thatsächlich in den magnetischen Beziehungen der Theile des Stromes hervor. Allein wenn man annimmt (wie wir es im Augenblick thun wollen), dass die magnetischen Kräfte eben jene Kraft constituiren, welche so auffallende und verschiedene Resultate beim Entstehen und Verschwinden eines Stromes hervorbringt, so scheint doch ein bisher unerkanntes Glied in der Kette von Wirkungen, ein Rad in dem physischen Mechanismus des Getriebes vorhanden zu sein. Wenn wir geneigt sind, Elektricität und Magnetismus als die Producte zweier, in bestimmten, zu einander senkrechten Richtungen wirkender Kräfte eines physischen Agens oder eines besonderen Zustandes der Materie zu betrachten, dann müssen wir auch, wie mir scheint, annehmen, dass diese beiden Zustände oder Kräfte in grösserem oder geringerem Grade in einander verwandelbar seien, d. h. dass ein Element eines elektrischen Stromes nicht eine bestimmte elektrische Kraft und eine bestimmte magnetische Kraft habe, die beständig in demselben Verhältniss existiren, sondern dass diese zwei Kräfte durch einen bis jetzt uns unbekannten Process oder Zustandswechsel bis zu einem gewissen Grade in einander umwandelbar seien. Wie könnte sonst ein Strom von gegebener Intensität und Quantität fähig sein, durch seine unmittelbare Einwirkung einen Zustand aufrecht zu erhalten, welcher, wenn er (beim Verschwinden des ursprünglichen Stromes) ausgelöst wird und nun reagiren kann, einen zweiten Strom hervorruft, der von weit grösserer Intensität und Quantität ist als der erzeugende? Dies kann nicht aus einer directen Reaction der elektrischen Kraft hervorgehen; und wenn es die Folge einer Umwandelung elektrischer in magnetische Kraft und einer Rückverwandelung dieser in jene ist, so zeigt dies, dass sie hinsichtlich *desjenigen Agens* in dem Leitungsdrahte, welches ihre unmittelbare Ursache bildet, in etwas mehr als bloss in der Richtung verschieden seien.

1115. Was das Auftreten der beim Schliessen und Oeffnen erfolgenden entgegengesetzten Wirkungen und deren zeitliche Trennung durch einen intermediären und indifferenten Zustand betrifft, so ist diese Trennung vermuthlich mehr scheinbar als wirklich. Besteht die Elektricitätsleitung in Schwingungen (283) oder in irgend einem anderen Vorgange, bei welchem entgegengesetzte Kräfte successiv und rasch erregt und neutralisirt werden, so dürfen wir erwarten, dass zu Anfang und zu Ende der Perioden, während welcher die Leitung fortbesteht, eine eigenthümliche und entgegengesetzte Kraftentwickelung stattfindet (womit die Farben an den Rändern eines unvollkommen entwickelten Sonnenspectrums einigermassen eine Analogie bieten würden), und die intermediären Actionen mögen sehr wichtig sein und, beispielsweise, vielleicht das eigentliche Wesen der Leitung ausmachen. Eben solche Gesichtspunkte und Schlüsse, welche mir mit den fundamentalen Gesetzen und Thatsachen der Elektricitätslehre im Zusammenhang zu stehen scheinen, sind es, die mich veranlasst haben, umständlicher, als ich es sonst gethan haben würde, in die experimentelle Untersuchung der in dieser Abhandlung beschriebenen Erscheinungen einzutreten.

1116. Ehe ich schliesse, will ich kurz bemerken, dass die Wirkungen einer Volta'schen Batterie von fünfzig Plattenpaaren von genau derselben Art waren, wie die eines einzigen Plattenpaares (1052). Der Schliessungsfunke war aus den früher angeführten Gründen sehr klein (1101, 1107), der Oeffnungsfunke sehr beträchtlich und glänzend. Die *continuirliche* Entladung schien im Charakter keine Aenderung zu erleiden, es mochte ein kurzer Draht oder der kräftige Elektromagnet zur Schliessung angewandt werden.

1117. Die beim Entstehen und Aufhören eines Stromes hervorgerufenen Wirkungen (welche, wenn dieser Strom einer Volta'schen Batterie entstammt, durch ein Zeitintervall getrennt sind,) müssen gleichzeitig eintreten, wenn eine gewöhnliche elektrische Entladung durch einen langen Draht geleitet wird. Ob sie, wenn sie genau in denselben Zeitpunkt fallen, einander völlig neutralisiren oder ob sie nicht doch der Entladung eine bestimmte Besonderheit verleihen würden, bleibt noch ein Gegenstand fernerer Untersuchung; es ist indess sehr wahrscheinlich, dass die eigenthümliche Beschaffenheit und das Stechende der aus einem langen Drahte gezogenen Funken zum Theil auf der Intensitätssteigerung beruht, welche am Ende der Entladung durch die dann eintretende Inductionswirkung stattfindet.

1118. In dem Spiraldraht magnetoelektrischer Maschinen (z. B. in Saxton's schönem Apparat) tritt ein bedeutsamer Einfluss dieser Ursachen zu Tage. Die Construction des Apparates gestattet dem Strome, sich während der ersten Augenblicke seiner Ausbildung in einem ganz metallischen Kreise von grosser Länge fortzubewegen; seine Stärke steigt allmählich an, dann wird er durch Aufhebung des metallischen Contactes plötzlich unterbrochen, und so erhält die in diesem Momente übergehende Elektricität *durch Induction* eine grosse Intensität (1064, 1060). Diese Intensität offenbart sich nicht nur in der Helligkeit des Funkens und in der Stärke des Schlages, sondern geht auch aus der durch die Erfahrung gebotenen Nothwendigkeit hervor, die Windungen der Spirale, in der der Strom sich ausbildet, gut zu isoliren, und sie giebt dem Strome in jenem Momente eine Kraft, die diejenige weit übertrifft, welche der Apparat hervorrufen könnte, wenn das den Gegenstand dieser Abhandlung bildende Princip nicht in's Spiel käme.

Royal Institution,
8. December 1834.

ZEHNTE REIHE.

§ 16. Ueber eine verbesserte Form der Volta'schen Batterie. — § 17. Einige praktische Resultate in Betreff der Construction und des Gebrauches der Volta'schen Batterie.

Eingegangen am 16. Juni, — Gelesen am 18. Juni 1835.

1119. Ich hatte vor Kurzem Veranlassung, den Volta'schen Trogapparat in praktischer Hinsicht zu untersuchen, in der Absicht, die Construction und den Gebrauch desselben zu verbessern, und wiewohl ich nicht behaupte, dass die Resultate irgend die Wichtigkeit der Entdeckung eines neuen Gesetzes oder Princips besitzen, so halte ich sie doch für schätzbar, und eine kurze Darlegung derselben dürfte daher in Verbindung mit früheren Arbeiten die Billigung der Königlichen Gesellschaft verdienen.

§ 16. Ueber eine verbesserte Form der Volta'schen Batterie.

1120. In einem einfachen Volta'schen Elemente (und dasselbe gilt für eine Batterie) zerfallen die chemischen Kräfte, welche während ihrer Thätigkeit den Apparat wirksam erhalten, im Allgemeinen in zwei Theile, von denen der eine eine locale Wirkung äussert, während der andere rings im Kreise herumgeführt wird (947, 996); der letztere bildet den elektrischen Strom des Apparates, während der erstere völlig verloren geht oder vernichtet wird. Das Verhältniss dieser beiden Krafttheile kann je nach den Umständen in beträchtlichem Grade variirt werden. So ist in einer ungeschlossenen Batterie die *gesammte* Wirkung local; in einer Batterie von gewöhnlicher Construction ist ein *grosser* Theil in Circulation, wenn ihre Enden in Verbindung stehen, und in der von mir beschriebenen (1001) vollkommenen Batterie circulirt die *gesammte* chemische Kraft und wird zu Elektricität. Aus der Menge des von den Platten aufgelösten Zinks (865, 1126) und aus dem Betrage der im Voltameter (711, 1126) oder anderswo stattfindenden Zersetzung kann das Verhältniss der localen und übertragenen Wirkung ermittelt, und die Wirksamkeit der Volta'schen Batterie oder der an ihren Zinkplatten stattfindende Verlust an chemischer Kraft unter beliebigen Umständen genau bestimmt werden.

1121. Construirt man eine Volta'sche Batterie aus Zink und Platin so, dass dieses Metall jenes umgiebt, wie in dem Arrangement mit doppelten Kupferplatten, und benutzt zur Erregung des Systems verdünnte

Schwefelsäure, so braucht man keine isolirenden Scheidewände von Glas, Porcellan oder Luft zwischen den benachbarten Platinflächen; und wenn nur diese sich nicht metallisch berühren, so wird die Säure, welche zwischen dem Zink und Platin die Batterie zu kräftiger Wirksamkeit anregt, zwischen den Platinflächen weder eine Entladung der Elektricität noch sonst eine Schwächung der Kraft der Batterie herbeiführen. Dies ist eine nothwendige Folge des Widerstandes, welchen der Strom, wie ich gezeigt habe, beim Uebergange an der Zersetzungsstelle erfährt (1007, 1011); denn dieser Widerstand ist völlig im Stande, den Strom zu hemmen, und daher wirkt er wie ein Isolator für die Elektricität der benachbarten Platten, insofern als der Strom, welcher zwischen ihnen überzugehen sucht, niemals eine höhere Intensität besitzt, als die ist, welche aus der Wirkung eines einzigen Plattenpaares entspringt.

1122. Besteht das das Zink umgebende Metall aus Kupfer (1045), und ist die Säure Salpeter-Schwefelsäure (1020), so findet eine geringe Entladung zwischen den benachbarten Kupferplatten statt, vorausgesetzt, dass sich den Kräften kein anderer Kanal bietet, durch den sie circuliren können. Ist aber ein solcher Kanal vorhanden, so ist die Rückentladung, von der ich spreche, gemäss den in der achten Reihe dieser Untersuchungen niedergelegten Principien, ausserordentlich schwach.

1123. Von diesen Principien geleitet, kam ich auf die Construction einer Volta'schen Zelle, in welcher die Kupferplatten, die, wie in Wollaston's Construction, die Zinkplatten auf beiden Seiten umgaben, nur durch eine Schicht von Papierdicke von einander getrennt waren, um den metallischen Contact zu verhindern und so ein compendiöses, kräftiges, ökonomisches und bequem zu gebrauchendes Instrument zu bilden. Als ich jedoch nachforschte, was bisher in dieser Beziehung geleistet worden sei, fand ich, dass die neue Zelle in allen wesentlichen Punkten übereinstimmte mit der von Hare, Professor an der Universität in Pennsylvanien, erfundenen und beschriebenen, und es gereicht mir zu besonderem Vergnügen, dies hier zu erwähnen.

1124. Hare hat seine Batterie ausführlich beschrieben.[1]) Die Kupferplatten sind darin durch dünne Holzstäbchen getrennt, und die Säure wird auf die Platten aufgegossen und fliesst von ihnen ab mittelst einer Vierteldrehung einer Axe, an welcher sowohl der die Platten enthaltende Trog als auch ein anderer, die Flüssigkeit aufnehmender Trog befestigt ist. Diese Vorrichtung habe ich als die zweckmässigste von allen gefunden und sie daher adoptirt. Meine Zinkplatten waren aus gewalztem Metall

---

1) Philosophical Magazine, 1824, vol. LXIII, p. 241; oder Silliman's Journal, vol. VII. Siehe auch eine ältere Abhandlung von Hare, Annals of Philosophy, 1821, vol. I, p. 329, worin er sagt, dass die Isolation zwischen den Kupferplatten nicht nothwendig sei.

geschnitten, und an die Kupferplatten gelöthet, hatten sie die in Fig. 1 abgebildete Gestalt. Alsdann wurden sie über einem Maassstabe in

Fig. 1.

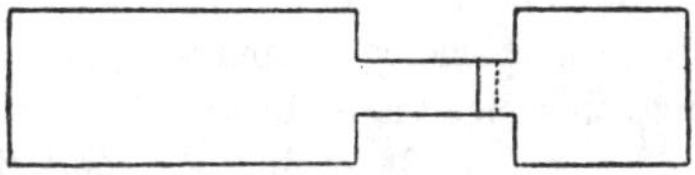

die Gestalt der Fig. 2 gebogen, und wenn sie in den zu ihrer Aufnahme bestimmten Holzkasten eingelegt waren, waren sie wie in Fig. 3 [1]) angeordnet; die Zinkplatten waren durch Korkscheibchen an der Berührung der Kupfer-

Fig. 2.

Fig. 3.

platten gehindert, und die benachbarten Kupferplatten durch eine einfache oder doppelte Lage von Patronenpapier vor gegenseitiger Berührung geschützt. Diese Vorrichtung war so leicht zu handhaben, dass ein Trog von vierzig Plattenpaaren in fünf Minuten auseinandergenommen und in einer halben Stunde wieder zusammengesetzt werden konnte, und dabei betrug die Länge der ganzen Reihe nicht mehr als fünfzehn Zoll.

1125. Diese Batterie von vierzig dreiquadratzölligen Plattenpaaren wurde in Bezug auf das Erglühen eines Platindrahtes, die Entladung zwischen Kohlenspitzen, den Schlag durch den menschlichen Körper u. s. w. verglichen mit einer Batterie von vierzig vierzölligen Plattenpaaren mit doppelten Kupferplatten, die in einzelnen isolirten Porcellanzellen standen und die durch eine eben so starke Säure erregt wurden, wie die erstere. In allen diesen Wirkungen schien diese jener ganz gleich zu sein. Eine Vergleichung einer zweiten Batterie der neuen Construction von zwanzig Paaren vierquadratzölliger Platten mit zwanzig Paaren vierzölliger Platten, die in Porcellanzellen standen und durch Säure von derselben Concentration erregt wurden, ergab, dass die neue Batterie die ältere in der Hervorbringung dieser Wirkungen, besonders im Glühendmachen eines Drahtes, übertraf.

1126. Bei diesen Versuchen nahm die Energie der neuen Batterie weit rascher ab als die älterer Construction, und dies war eine nothwendige Folge der geringeren, zur Erregung angewandten Säuremenge, welche bei den vierzig Paaren der neuen Construction nur ein siebentel von der zu

---

[1]) Die Papierstücke zwischen den Kupferplatten sind im Interesse der Deutlichkeit in der Figur fortgelassen.

den vierzig Paaren in den Porcellanzellen angewandten betrug. Um demnach die beiden Formen der Volta'schen Batterie in Bezug auf ihre Zersetzungskräfte zu vergleichen und genaue Angaben ihres relativen Werthes zu erhalten, wurden die Versuche auf folgende Weise angestellt. Die Batterien wurden mit einer bekannten Menge Säure von bekannter Concentration beschickt, und der elektrische Strom durch ein Voltameter (711) geleitet, dessen Elektroden 4 Zoll lang und 2,3 Zoll breit waren, so dass es dem Strome einen möglichst geringen Widerstand entgegensetzte; die entwickelten Gase wurden gesammelt und gemessen und ergaben so die Menge des zersetzten Wassers. Dann wurde die gesammte Menge der Flüssigkeit zusammengemischt, und ein bekannter Theil derselben analysirt, indem er mit einem Ueberschuss von kohlensaurem Natron kochend gefällt, und der Niederschlag gut ausgewaschen, getrocknet, geglüht und gewogen wurde. Auf diese Weise wurde die Menge des von der Säure oxydirten und gelösten Metalles ermittelt, und die jeder Zinkplatte oder allen Platten entzogene Menge konnte berechnet und mit der im Voltameter zersetzten Wassermenge verglichen werden. Um ein Normalmaass zur Vergleichung zu haben, habe ich die Resultate so umgerechnet, dass sie den Verlust der Platten in Aequivalenten des Zinks gegen das im Voltameter zersetzte Aequivalent Wasser ausdrücken. Als Aequivalent des Wassers habe ich die Zahl 9 und für das des Zinks 32,5 gesetzt und angenommen, dass aus der Zersetzung von 12,68 Gran Wasser ein Gemenge von 100 Cubikzoll Sauerstoff und Wasserstoff hervorgeht, wie es über einer pneumatischen Wanne aufgefangen wurde.

1127. Zu diesen Versuchen wurden drei verschiedene Säuren angewandt: Schwefelsäure, Salpetersäure und Salzsäure. Die Schwefelsäure war starkes Vitriolöl, von der ein Cubikzoll 486 Gran Marmor äquivalent war. Die Salpetersäure war nahezu rein, ein Cubikzoll löste 150 Gran Marmor. Die Salzsäure war ebenfalls nahezu rein, und ein Cubikzoll löste 108 Gran Marmor. Alle diese Säuren wurden mit bestimmten Volumina Wasser vermischt, das Normalvolumen war ein Cubikzoll.

1128. Meine beiden Batterien, von denen die eine aus vierzig dreizölligen Plattenpaaren, die andere aus vier hinter einander geschalteten Porcellanzellen von je zehn vierquadratzölligen Plattenpaaren mit doppelten Kupferplatten bestand, wurde mit einer aus einem Gemische von 200 Theilen Wasser, 4,5 Theilen Schwefelsäure und 4 Theilen Salpetersäure bestehenden Säure beschickt. Diese Batterien liess ich nach einander zwanzig bis dreissig Minuten arbeiten, bis die Säure nahezu erschöpft war; die Verbindung mit dem Voltameter wurde während der ganzen Zeit sorgfältig unterhalten, und auch die Säure in den Trögen zuweilen umgerührt. Die erstere Batterie arbeitete nun so gut, dass für jedes Aequivalent des im Voltameter zersetzten Wassers nur 2 bis 2,5 Aequivalent Zink jeder Platte entzogen wurden. In vier Versuchen betrug das Mittel für jede Platte

2,21 oder 88,4 Aequivalente für die ganze Batterie. Bei den Versuchen mit den Porcellanzellen betrug der Verbrauch an jeder Platte 3,54, oder 141,6 Aequivalente für die ganze Batterie. In einer vollkommenen Volta'schen Batterie von vierzig Plattenpaaren (991, 1001) würde der Verbrauch an jeder Zinkplatte ein Aequivalent, oder vierzig Aequivalente für die ganze Batterie betragen haben.

1129. Aehnliche Versuche wurden mit zwei Volta'schen Batterien gemacht, von denen die eine aus zwanzig vierzölligen Plattenpaaren in der (1124) beschriebenen Anordnung, und die andere aus gleichfalls zwanzig vierzölligen Plattenpaaren in Porcellanzellen bestand. Das Mittel aus fünf Versuchen mit der ersteren ergab einen Verbrauch von 3,7 Aequivalenten Zink für jede Platte, oder 74 für die ganze Batterie; das Mittel aus drei Versuchen mit der letzteren betrug 5,5 Aequivalente für jede Platte, oder 110 für alle zusammen. Dieses Resultat wurde übrigens nur dadurch erlangt, dass zwei Versuche, welche sehr zu Ungunsten der Porcellanzellen ausfielen, unberücksichtigt blieben, indem angenommen wurde, dass sich hier zufällig ein unbekannter störender Einfluss geltend machte. Bei allen diesen Versuchen wurde Sorge getragen, nicht *neue* und *alte* Platten mit einander zu vergleichen, da dies das Resultat bedeutend gefälscht haben würde (1146).

1130. Bei Anwendung von zehn Platten der neuen Einrichtung betrug der Zinkverbrauch an jeder Platte 6,76, oder 67,6 Aequivalente an allen zusammen. Bei zehn Paaren der gewöhnlichen Construction in einem Porcellantrog wurden im Mittel 15,5 an jeder Platte oder 155 Aequivalente Zink in der ganzen Batterie oxydirt.

1131. Es kann daher kein Zweifel übrig bleiben, dass diese Form der Volta'schen Batterie gleichwerthig oder sogar bedeutend überlegen ist den besten der bisher gebräuchlichen, nämlich den mit doppelten Kupferplatten und getrennten Zellen. Die Isolation der Kupferplatten kann also fortfallen, und eben hauptsächlich hierdurch wird es möglich, andere praktisch vortheilhafte Abänderungen in der Construction der Batterie zu treffen.

1132. Die Vortheile dieser Form der Batterie sind zahlreich und gross. I. Sie ist ungemein compendiös, denn 100 Plattenpaare erfordern einen Trog von nur drei Fuss Länge. II. Nach Hare's Construction, den Trog sich auf Kupferzapfen drehen zu lassen, welche auf Kupferstützen ruhen, gewähren die letzteren *feste* Enden, und diese habe ich sehr zweckmässig gefunden zur Verbindung mit zwei vor dem Apparat befestigten Quecksilbernäpfchen. Diese festen Enden gewähren den grossen Vortheil, einen in Verbindung mit der Batterie zu benutzenden Apparat aufzustellen, *bevor* diese in Thätigkeit gesetzt ist. III. Der Trog ist leicht in einem Augenblick in Gebrauch zu setzen, da ein einziger Krug verdünnter Schwefelsäure zur Erregung von 100 vierzölligen Plattenpaaren ausreicht. IV. Lässt man den Trogapparat eine Viertelumdrehung machen, so kommt er in Thätigkeit, und man hat so für Versuchszwecke den grossen Vortheil, dass man die Wirkung des *ersten Contactes* zwischen Zink und Säure erhält, welche zweimal und zuweilen selbst dreimal so gross ist als die, welche die Batterie eine oder zwei Minuten später hervorzubringen vermag (1036, 1150). V. Nach Beendigung des Versuches kann die Säure auf einmal von den Platten abgegossen werden, so dass die Batterie im ungeschlossenen Zustande niemals einen Verlust erleidet; die Säure wird nicht unnöthigerweise erschöpft, Zink nicht nutzlos verbraucht, und abgesehen davon, dass diese Uebelstände vermieden werden, kann die Säure durcheinandergemischt und gleichförmig gomacht werden, was zur Erzielung einer guten Wirkung wichtig ist (1039); beginnt man dann einen zweiten Versuch, so bekommt man wiederum den bedeutenden Effect des *ersten Contactes.* VI. Es wird an Zink sehr viel gespart. Nicht bloss, dass das Zink während der Thätigkeit der Batterie eine grössere Volta'sche Wirkung thut (1128, 1129), sondern es ist auch *jegliche* Zerstörung, welche bei den gewöhnlichen Batterieformen in der zwischen den Versuchen liegenden Zeit stattfindet, völlig ausgeschlossen. Diese Ersparniss ist so beträchtlich, dass ich die Wirksamkeit des Zinks in der neuen Batterieform als dreimal so gross schätze wie in der gewöhnlichen. VII. Die Wichtigkeit dieser Ersparniss an Metall liegt nicht bloss in der Verringerung der Kosten für das Zink, sondern auch darin, dass die Batterie viel leichter und handlicher ist, und dass bei dem Aufbau der Batterie die Zink- und Kupferplatten viel näher an einander gebracht werden können und so bleiben, bis erstere erschöpft ist; letzteres ist ein sehr bedeutender Vorzug (1148). VIII. Jene Schonung hat ferner zur Folge, dass man gewalztes Zink anwenden kann, da dünne Platten denselben Dienst leisten wie dicke; ich habe gewalztes Zink wirksamer gefunden als gegossenes und bin geneigt, diese Ueberlegenheit seiner grösseren Reinheit zuzuschreiben (1144). IX. Ein weiterer Vorzug ist die Ersparniss an Säure, welche der Verringerung der Auflösung des Zinks proportional ist. X. Die Säure erschöpft sich auch leichter und sie wird in so geringer Menge angewandt, dass man niemals Veranlassung hat, schon gebrauchte zu benutzen. Solche alte, ausser Gebrauch gesetzte Säure löst oft aus den mit ihr gemengten und vom Zink herstammenden schwarzen Flöckchen Theilchen von Kupfer auf, allein jedes gelöste Kupfertheilchen ist in der Erregungsflüssigkeit von grossem Nachtheil, weil es, in Folge der *localen* Action zwischen der Säure und dem Zink, sich auf das letztere niederzuschlagen sucht und somit die Volta'sche Wirksamkeit verringert (1145). XI. Bei Anwendung einer geeigneten Mischung von Salpeter- und Schwefelsäure als Erregungsflüssigkeit (1139) entwickelt sich kein Gas aus der Batterie, so dass eine Batterie von mehreren hundert Plattenpaaren sich ohne Belästigung ganz in der Nähe des Experimentators befinden kann. XII. Wenn die Säure sich nach einer Reihe von Experimenten erschöpft, so kann sie mit äusserster Leichtigkeit herausgeschafft und durch andere ersetzt werden, und nach Beendigung der Versuche können auch die Platten ebenso leicht gewaschen werden. Und es scheint mir, dass, während man sonst das gewünschte Ziel nur mit einem Opfer, je nach den Umständen, bald an Bequemlichkeit, bald an Kraft und Oekonomie erreichen kann, all dies zugleich mit Hare's Batterieform erreicht wird.

1133. Es sind jedoch einige Unzuträglichkeiten vorhanden, welche ich noch nicht Zeit hatte zu beseitigen, die sich aber, wie ich zuversichtlich glaube, schliesslich doch werden überwinden lassen. Die eine ist die ausserordentliche Schwierigkeit, einen Holztrog herzustellen, welcher bei dem Wechsel von Feuchtigkeit und Trockenheit, dem der Volta'sche Apparat ausgesetzt ist, beständig wasserdicht bleibt. Um diesen Uebelstand zu beseitigen, bemüht sich nun Newman, Porcellantröge zu verschaffen. Eine andere Unzuträglichkeit besteht darin, dass sich Kupfer auf die Zinkplatten niederschlägt. Dies scheint mir hauptsächlich davon herzurühren, dass die Papiere zwischen den Kupferplatten Säure zurückhalten, wenn der Trog entleert wird, und dass diese Säure das Kupfer langsam angreift und ein Salz bildet, welches sich allmählich mit der nächsten Erregungsflüssigkeit vermischt und sich dann durch locale Action auf der Zinkplatte reducirt (1120); hierdurch wird die Kraft der ganzen Batterie geschwächt. Ich hoffe, dass, wenn man die Kupferplatten an ihren Rändern durch Glas- oder Holzstreifen trennt, ihre Berührung hinreichend verhindert sein und so viel Raum zwischen ihnen bleiben wird, dass man die Säure abgiessen und ausspielen und so nach Beendigung der Versuche aus *allen Theilen* des Troges wird fortschaffen können.

1134. Die thatsächliche Ueberlegenheit der nach diesem Plane von mir construirten Trogapparate ist, wie ich glaube, in erster Linie und hauptsächlich bedingt durch die grössere Nähe der Zink- und Kupferflächen, — in meinen Apparaten betrug ihr Abstand nur ein zehntel Zoll (1148) — und demnächst von der besseren Beschaffenheit des gewalzten Zinks im Vergleich mit dem gegossenem, das zur Construction der gewöhnlichen Säule benutzt wird. Die Unterbringung der benachbarten Kupferplatten in getrennten Zellen kann kein Nachtheil sein, aber ich finde auch nicht, dass sie irgend einen Vortheil hat; denn als ich bei den vierzig Paaren dreizölliger Platten, sowie bei den zwanzig Paaren vierzölliger Platten gut mit Wachs überzogene Papiere [1]) von solcher Grösse anwandte, dass sie, an den Rändern umgelegt, über einander griffen, und so den Porcellanzellen analoge Isolirzellen bildeten, vermochte ich doch keinen Nutzen in Betreff der chemischen Action zu beobachten.

---

[1]) Ein einziges so präparirtes Papierstück vermochte die Elektricität einer Batterie von vierzig Plattenpaaren zu isoliren.

1135. Da, der Theorie nach, von den Rändern der Zink- und Kupferplatten aus zu den Seiten des Trogapparates eine theilweise Entladung der Elektricität stattfinden muss, so würde ich vorziehen und habe die Absicht, Trogapparate mit einer oder mehreren Seitenplatten von Crownglas zu construiren; der Boden braucht nicht von Glas zu sein, doch würde dies hier und an den Enden kein Fehler sein. Die Platten brauchen nicht darin befestigt zu sein, sondern nur hineingesetzt zu werden, auch brauchen sie nicht aus grossen Einzelstücken zu bestehen.

§ 17. Einige praktische Resultate in Betreff der Construction und des Gebrauches der Volta'schen Batterie (1034 etc.).

1136. Dem Elektrochemiker sind die von Gay-Lussac und Thénard erhaltenen und auf den ersten fünfundvierzig Seiten ihrer „Recherches Physico-Chimiques“ mitgetheilten praktischen Resultate mit der Volta'schen Batterie wohlbekannt. Wiewohl die folgenden Resultate im Ganzen von gleicher Natur sind, so wird doch ihre Darlegung hinreichend gerechtfertigt sein durch den in diesem Wissenschaftszweige in den letzten Jahren gemachten Fortschritt, die Erkenntniss von der festen Action der Elektricität und die genauere und wissenschaftlichere Methode, die Resultate in Aequivalenten des verbrauchten Zinks zu bestimmen.

1137. *Natur und Concentration der Säure.* — Meine Batterie von vierzig dreizölligen Plattenpaaren, wurde mit Säure beschickt, welche aus 200 Theilen Wasser und 9 Theilen Vitriolöl bestand. Im Mittel aus den Versuchen verlor jede Platte 4,66 Aequivalente Zink auf ein Aequivalent des im Voltameter zersetzten Wassers, die gesammte Batterie 186,4 Aequivalente Zink. Bestand die Erregungsflüssigkeit aus einem Gemische von 200 Wasser und 16 Salzsäure, so verlor jede Platte 3,8 Aequivalente Zink, oder die ganze Batterie 152 Aequivalente Zink auf ein Aequivalent zersetzten Wassers. In einem Gemische von 200 Wasser und 8 Salpetersäure verlor jede Platte 1,85 Aequivalente Zink auf ein Aequivalent zersetzten Wassers, oder die ganze Batterie 74,16 Aequivalente Zink. Die Schwefelsäure und Salzsäure entwickelten an den Platten im Trogapparate viel Wasserstoff, die Salpetersäure jedoch gar kein Gas. Die ursprünglichen relativen Concentrationen der Säuren sind bereits angegeben worden (1127); allein ein Unterschied in dieser Beziehung bringt in den so durch Aequivalente ausgedrückten Resultaten keine erhebliche Verschiedenheit hervor (1140).

1138. Demnach zeigt sich Salpetersäure am geeignetsten für diesen Zweck. Ihre Ueberlegenheit scheint davon bedingt zu sein, dass sie gemäss den früher dargelegten Principien (905, 973, 1022) die Elektrolysirung der Flüssigkeit in den Zellen des Trogapparates, hiermit auch den Durchgang der Elektricität und folglich das Auftreten übertragbarer Kraft (1120) begünstigt.

1139. Hiernach liess sich erwarten, dass ein Zusatz von Salpetersäure die Schwefelsäure und Salzsäure verbessern würde. In der That, wenn derselbe Trogapparat mit einem Gemische von 200 Wasser, 9 Vitriolöl, und 4 Salpetersäure beschickt war, so betrug der Zinkverbrauch an jeder Platte 2,786 und in der ganzen Batterie 111,5 Aequivalente. Bestand die Erregungsflüssigkeit aus 200 Wasser, 9 Vitriolöl und 8 Salpetersäure, so verlor jede Platte 2,26, und die ganze Batterie 90,4 Aequivalente. In einem Gemische von 200 Wasser, 16 Salzsäure und 6 Salpetetersäure büsste jede Platte 2,11, und die ganze Batterie 84,4 Aequivalente ein. Analoge Resultate erhielt ich mit meiner Batterie von zwanzig vierzölligen Plattenpaaren (1129). Hieraus geht hervor, dass ein Zusatz von Salpetersäure zur Schwefelsäure sehr vortheilhaft ist, und daher benutzte ich fortan zu den gewöhnlichen Versuchen eine aus 200 Wasser, 4,5 Vitriolöl und 4 Salpetersäure bestehende Erregungsflüssigkeit.

1140. Man darf nicht annehmen, dass die verschiedene Concentration der Säure die obigen Verschiedenheiten zur Folge hat; denn innerhalb gewisser Grenzen fand ich die elektrolytischen Effecte nahezu proportional der Concentration der Säure, so dass die in Aequivalenten ausgedrückte Kraft fast constant bleibt. Wenn z. B. der Trogapparat mit einem Gemische von 200 Wasser und 8 Salpetersäure beschickt war, so verlor jede Platte 1,854 Aequivalente Zink; bestand die Erregungsflüssigkeit aus 200 Wasser und 16 Salpetersäure, so betrug der Verlust pro Platte 1,82, und in einem Gemenge von 200 Wasser und 32 Salpetersäure, 2,1 Aequivalente. Die Differenzen sind also nicht grösser, als sie aus unvermeidlichen Unregelmässigkeiten sich ergeben, welche von anderen Ursachen als von der Concentration der Säure abhängen.

1141. Als ferner eine aus 200 Wasser, 4,5 Vitriolöl und 4 Salpetersäure bestehende Erregungsflüssigkeit angewandt wurde, verlor jede Zinkplatte 2,16 Aequivalente, und als dieselbe Batterie sich in einer Erregungsflüssigkeit aus 200 Wasser, 9 Vitriolöl und 8 Salpetersäure befand, betrug der Verlust jeder Platte 2,26 Aequivalente.

1142. Ich brauche kaum zu sagen, dass während der regulären Thätigkeit des Volta'schen Trogapparates kein Kupfer gelöst wird. Bei Anwendung von reiner oder mit Schwefelsäure gemischter Salpetersäure wird, wie ich gefunden habe, viel Ammoniak in den Zellen gebildet. Es entsteht theilweise als secundäres Product an den Kathoden (663) der verschiedenen Theile der Flüssigkeit, welche den nothwendigen Elektrolyt in den Zellen ausmachen.

1143. *Gleichförmigkeit der Elemente.* — Dies ist ein sehr wichtiger Punkt, wie ich bereits experimentell gezeigt habe (1042 etc.), und daher ist die mechanische Vorrichtung in Hare's Trogapparat ein grosser Vorzug.

1144. *Reinheit des Zinks.* — Reines Zink würde für die Construction der Volta'schen Säule sehr vortheilhaft sein (998). Auf der Oberfläche der meisten Zinksorten bildet sich in verdünnter Schwefelsäure eine Kruste von mehr oder weniger unlöslicher Substanz, welche verschiedene Metalle, wie Kupfer, Blei, Zink, Eisen, Cadmium u. s. w. in metallischem Zustande enthält. Solche Theilchen gleichen einen Theil der übertragbaren Kraft aus, machen sie hiermit zu einer localen und schwächen dadurch den Gesammteffect der Batterie. Als ein Anzeichen einer mehr oder weniger vollkommenen Wirksamkeit der Batterie kann ich erwähnen, dass sich kein Gas an den Zinkplatten entwickeln darf. Je mehr Gas an diesen Flächen entsteht, desto grösser ist die locale Action und desto kleiner die übertragbare Kraft. Der Krustenüberzug ist auch desshalb schädlich, weil er die Verschiebung und Erneuerung der Erregungsflüssigkeit an der Zinkoberfläche hindert. Solches Zink, welches sich in der saubersten Weise in verdünnter Schwefelsäure löst, löst sich auch am langsamsten und ist das beste; insbesondere ist stark kupferhaltiges Zink zu vermeiden. Im Allgemeinen habe ich gewalztes Lütticher oder Mosselmann's Zink am reinsten gefunden, und der Verwendung dieses Zinks zur Construction der neuen Batterien schreibe ich zum Theil ihre Vorzüge zu (1134).

1145. *Unreinheit der Zinkplatten.* — Nach dem Gebrauch müssen die Platten der Batterie von dem metallischen Pulver auf ihrer Oberfläche gereinigt werden, besonders wenn sie zur Ermittelung der Gesetze der Wirkung der Batterie selbst angewandt werden. Diese Vorsichtsmassregel wurde bei den oben (1125 etc.) beschriebenen Versuchen mit den Batterien mit Porcellanzellen stets beachtet. Wenn einige ungereinigte Platten mit mehreren reinen zusammen benutzt werden, so wird die Action in den verschiedenen Zellen unregelmässig, und dementsprechend wird die übertragbare Kraft vermindert, während die Localwirkung und somit der Kraftverlust grösser wird. Eine alte, kupferhaltige Flüssigkeit darf nicht zur Erregung einer Batterie angewandt werden.

1146. *Neue und alte Platten.* — Ich habe Volta'sche Batterien mit neuen Platten weit wirksamer gefunden als mit solchen, die schon zwei- oder dreimal gebraucht worden waren; man kann also eine neue und eine schon gebrauchte Batterie nicht mit einander vergleichen, ja nicht einmal eine Batterie mit sich selbst in der ersten und späteren Zeit ihres Gebrauches. Mein Trogapparat von zwanzig vierzölligen Plattenpaaren mit einer aus 200 Wasser, 4,5 Vitriolöl und 4 Salpetersäure bestehenden Erregungsflüssigkeit verlor in der ersten Zeit seines Gebrauches 2,32 Aequivalente pro Platte; als er jedoch zum vierten Male mit derselben Erregungsflüssigkeit gebraucht wurde, betrug der Verlust pro Platte 3,26 bis 4,47 und im Mittel 3,7 Aequivalente. Bei den vierzig Plattenpaaren (1124) betrug in der ersten Zeit ihres Gebrauches der Verlust jeder Platte nur 1,65 Aequivalente, späterhin aber 2,16, 2,17, 2,52. Bei den zwanzig vierzölligen Plattenpaaren betrug in der ersten Zeit ihres Gebrauches der Verlust pro Platte nur 3,7 Aequivalente, später aber 5,25, 5,36, 5,9 Aequivalente. Dabei waren in allen diesen Fällen vor jeder dieser Untersuchungen die Zinkplatten von anhängendem Kupfer u. s. w. wohl gereinigt worden.

1147. Beim gewalzten Zink schien die Kraftabnahme bald constant zu werden, d. h. nicht weiter zu schreiten. Bei gegossenen Zinkplatten dagegen, die zu den Porcellanzellen gehörten, schien sie continuirlich zu sein, bis zuletzt, bei gleicher Erregungsflüssigkeit, jede Platte für einen gegebenen Arbeitsbetrag mehr als doppelt soviel Zink verlor als zu Anfang. Diese Zellen zeigten jedoch solche Unregelmässigkeiten, dass ich die den Betrag der elektrolytischen Action beeinflussenden Umstände nicht immer zu bestimmen vermochte.

1148. *Nähe des Kupfers und Zinks.* — Die Wichtigkeit dieses Punktes in der Construction Volta'scher Batterien, sowie dass die unmittelbare Wirkung stärker ist, wenn die Zink- und Kupferflächen einander näher gestellt werden, ist wohl bekannt. Ich finde, dass die Erhöhung der Kraft nicht bloss eine momentane ist, sondern, dass auch die Summe der übertragbaren Kräfte relativ zum Gesammtbetrage der chemischen Action beträchtlich zunimmt. Die Ursache dieses Gewinnes ist ganz klar. Alles, was die Circulation der übertragbaren Kraft (d. i. der Elektricität) verzögert, vermindert den Betrag dieser Kraft und vergrössert den der localen Kraft (916, 1120). Nun hat die Flüssigkeit in den Zellen diesen verzögernden Einfluss und daher wirkt sie schädlich, und zwar in grösserem oder geringerem Maasse, je nach ihrer zwischen den Zink- und Kupferplatten befindlichen Menge, d. h. entsprechend dem Abstande ihrer Flächen von einander. In einem Trogapparate also, in welchem der Abstand der Platten von einander nur halb so gross ist wie in einem anderen, wird mehr transportable und weniger locale Kraft auftreten, als in dem letzteren, und weil daher der Elektrolyt den Strom in den Zellen leichter durchlassen kann, so wächst für einen gegebenen Zinkverbrauch sowohl die Intensität als auch die Quantität der Elektricität. Diesem Umstande schreibe ich hauptsächlich die Ueberlegenheit des von mir (1134) beschriebenen Trogapparates zu.

1149. Der Vorzug *doppelter Kupferplatten* vor einfachen beruht ebenfalls zum Theil in der Verringerung des Widerstandes des zwischen den Metallen befindlichen Elektrolyts. Denn bei doppelten Kupferplatten wird thatsächlich der Querschnitt der dazwischen liegenden Säure doppelt so gross als bei einfachen Kupferplatten und daher lässt sie die Elektricität leichter durch. Hauptsächlich besteht jedoch der Vorzug der doppelten Kupferplatten darin, dass sie die wirksame Zinkfläche geradezu oder doch nahehin verdoppeln; denn in einer Batterie mit einfachen Kupferplatten und von der gewöhnlichen Construction der Zellen hat diejenige Zinkfläche, welche nicht einer Kupferfläche gegenüber steht, fast gar keinen Antheil an der Volta'schen Action, während doch die Säure ununterbrochen auf sie einwirkt und das Metall löst und so sehr wenig mehr als einen rein localen Effect ausübt (947, 996). Bei doppelten Kupferplatten aber steht dieses Metall auch der anderen Fläche der Zinkplatte gegenüber, dadurch wird ein grosser Theil der Einwirkung auf sie in transportable Kraft umgewandelt, und so mit der Quantität der Elektricität die Wirksamkeit der Batterie beträchtlich erhöht.

1150. *Erstes Eintauchen der Platten.* — Den bedeutenden Effect beim ersten Eintauchen der Platten (abgesehen davon, dass sie neu oder gebraucht sind (1146),) habe ich früher der ungeänderten Beschaffenheit der mit der Zinkplatte in Berührung kommenden Säure zugeschrieben (1003, 1037); in dem Maasse jedoch als die Säure neutralisirt wird, nimmt ihre Erregungsfähigkeit ab. Hare's Batterieform bietet in dieser Beziehung einen grossen Vortheil dar, da die Flüssigkeit durchgemischt wird und so jedesmal, wenn man sie unmittelbar nach einer Pause wieder benutzt, gleichsam eine frische Oberfläche der Säure an die Metallplatten gebracht wird.

1151. *Anzahl der Platten.*[1]) — Welche Anzahl von Platten man am vortheilhaftesten in einer zu chemischer Zersetzung dienenden Batterie anzuwenden habe, das hängt fast gänzlich von dem Widerstande ab, welcher an dem Actionsorte zu überwinden ist; aber, wie auch immer dieser Widerstand sein mag, es giebt eine gewisse Anzahl, welche ökonomischer ist als eine andere, sei es eine grössere oder kleinere. Zehn Paare vierzölliger Platten in einem Porcellantroge gewöhnlicher Construction, welche auf verdünnte Schwefelsäure vom spec. Gewicht 1,314 im Voltameter (1126) wirkten, ergaben einen durchschnittlichen Verbrauch von 15,4 Aequivalenten pro Platte, oder 154 Aequivalenten in der ganzen Batterie. Zwanzig Paare solcher Platten mit derselben Säure gaben pro Platte nur einen Verbrauch von 5,5 oder 110 Aequivalenten für die ganze Batterie. Bei Anwendung von vierzig solcher Plattenpaare betrug der Verbrauch pro Platte 3,54 oder 141,6 Aequivalente für die ganze Batterie. Was also den Verbrauch von Zink betrifft, so war die Anordnung zu *zwanzig* Platten vortheilhafter als die zu *zehn* oder zu *vierzig*.

1152. Als ferner zehn Paare meiner vierzölligen Platten (1129) zur Elektrolyse benutzt wurden, betrug der Verlust an Zink einer jeden 6,76, also der aller zusammen 67,6 Aequivalente, während zwanzig Paare solcher durch dieselbe Säure erregten Platten je 3,7 Aequivalente oder im Ganzen 74 Aequivalente verloren. In anderen vergleichenden Versuchen über die Plattenanzahl betrug der Verlust von zehn Paaren dreizölliger Platten (1125) je 3,725 oder im Ganzen 37,25 Aequivalente, während zwanzig Paare je 2,53 oder zusammen 50,6 verloren, und vierzig Paare gaben einen durchschnittlichen Verlust von 2,21 oder im Ganzen 88,4. In diesen beiden Versuchsreihen hat sich also die Vermehrung der Plattenzahl nicht vortheilhaft erwiesen für die Hervorrufung *übertragbarer chemischer Kraft* aus

---

[1]) Gay-Lussac und Thénard, Recherches Physico-Chimiques, tom. I, p. 29.

dem *ganzen Betrage an chemischer Kraft,* welche an den Erregungsflächen wirksam ist (1120).

1153. Hätte ich jedoch eine schwächere Säure oder einen schlechteren Leiter im Voltameter angewandt, so würde die Anzahl der Platten zur Hervorbringung des besten Effectes grösser gewesen sein; hätte ich andererseits im Voltameter einen besseren Leiter angewandt, als es wirklich geschah, so würde ich die Anzahl der Platten bis auf eine haben vermindern können, wie beispielsweise, wenn ein dicker Draht zum Schliessen der Kette gebraucht wird (865 etc.). Die Ursache dieser Verschiedenheiten ist ganz klar, wenn man bedenkt, dass die auf einander folgenden Platten in der Volta'schen Batterie nichts zu der *Quantität* der übertragbaren Kraft oder Elektricität, welche von der ersten in Bewegung gesetzt werden kann, hinzufügt, vorausgesetzt, dass ein guter Leiter zugegen ist, sondern dass sie nur die *Intensität* dieser Quantität zu steigern suchen, wodurch diese fähiger wird, den Widerstand schlechter Leiter zu überwinden (994, 1158).

1154. *Grosse oder kleine Platten.*[1]) — Ob es vortheilhaft sei, grosse oder kleine Platten zur Elektrolysirung anzuwenden, wird offenbar von dem Grade der Leichtigkeit abhängen, mit welcher die transportable Kraft oder die Elektricität übergehen kann. Wenn in einem besonderen Falle die wirksamste Plattenzahl bekannt ist (1151), so wird die vortheilhafteste Vermehrung des Zinks darin bestehen, dass man die *Grösse* der Platten und nicht ihre *Anzahl* steigert. Zugleich würde eine bedeutende Vergrösserung der Platten auch die vortheilhafteste Anzahl derselben in geringem Maasse vergrössern.

1155. Grosse und kleine Platten dürfen nicht zusammen in einer Batterie verwandt werden; die kleinen verursachen einen Kraftverlust der grossen, wenn sie nicht durch eine verhältnissmässig stärkere Säure erregt werden; denn in einer bestimmten Säure können sie in einer gegebenen Zeit nicht so viel Elektricität durchlassen, als dieselbe Säure durch ihre Einwirkung auf die grossen Platten entwickeln kann.

1156. *Gleichzeitige Zersetzungen.* — Wenn die Anzahl der Platten in einer Batterie das günstigste Verhältniss beträchtlich überschreitet (1151—1153), so können zwei oder mehr Zersetzungen mit Vortheil gleichzeitig ausgeführt werden. So erzeugten meine vierzig Plattenpaare (1124) in einem Voltameter 22,8 Cubikzoll Gas. Als sie genau auf dieselbe Weise wieder erregt wurden, erzeugten sie in zwei Voltametern je 21 Cubikzoll. In dem ersten Versuche betrug der gesammte Zinkverbrauch 88,4 Aequivalente und im zweiten nur 48,28 Aequivalente auf das gesammte in beiden Voltametern zersetzte Wasser.

1157. Als aber die zwanzig Paare vierzölliger Platten (1129) in ähnlicher Weise versucht wurden, ergab sich ein gerade entgegengesetztes

---

[1]) Gay-Lussac und Thénard, Recherches Physico-Chimiques, tom. I, p. 29.

Resultat. Mit einem Voltameter wurden 52 Cubikzoll Gas erhalten, mit zweien nur 14,6 Cubikzoll in jedem. Die Menge der Erregungsflüssigkeit war nicht gleich in beiden Fällen, wiewohl von derselben Concentration; wenn man jedoch die Resultate dadurch vergleichbar machte, dass man sie auf Aequivalente reducirte (1126), so fand sich, dass der Verbrauch an Metall im ersten Falle 74 und im zweiten Falle 97 Aequivalente auf die *Gesammtmenge* des zersetzten Wassers betrug. Diese Resultate hängen natürlich von denselben Widerstandsverhältnissen u. s. w. ab, welche ich bei Besprechung der geeigneten Plattenzahl erwähnt habe (1151).

1158. Es ist ganz einleuchtend, dass das *Uebertragungs-* oder, wie man es gewöhnlich nennt, das *Leitungsvermögen* eines der Zersetzung zu unterwerfenden Elektrolyts oder eines anderen eingeschalteten Körpers so gut als möglich sein müsse[1]) (1020, 1120). Bei einem vollkommenen Leiter und einer guten Batterie geht fast alle Elektricität über, d. h. es wird *nahezu alle* chemische Kraft übertragbar, selbst bei Anwendung eines einzigen Plattenpaares (867). Bei Einschaltung eines Nichtleiters wird nichts von der chemischen Kraft übertragbar. Ist der Leiter unvollkommen, so wird mehr oder weniger von dieser Kraft übertragbar, je nachdem die die Ueberführung durch den unvollkommenen Leiter hindurch begünstigenden Umstände verstärkt oder herabgemindert werden. Diese Umstände sind: Erhöhung oder Verbesserung des Leitungsvermögens, Vergrösserung der Elektroden, Annäherung der Elektroden und Steigerung der Intensität des durchgehenden Stromes.

1159. Die Einschaltung von Brunnenwasser an Stelle eines der Voltameter in den Kreis der Batterie von zwanzig vierzölligen Plattenpaaren (1156) vermehrte den Widerstand dermassen, dass nicht ein fünfzehntel von der übertragbaren Kraft durchging, welche ohne dasselbe circulirt haben würde. So wurden vierzehn Fünfzehntel von der nutzbaren Kraft der Batterie vernichtet und in locale Kraft umgewandelt (was sich durch die Gasentwickelung an den Zinkplatten zu erkennen gab), trotzdem die Platinelektroden in dem Wasser drei Zoll lang, beinahe einen Zoll breit waren und nicht einen Viertelzoll von einander abstanden.

1160. Diese Punkte, nämlich die Erhöhung des Leitungsvermögens, die Vergrösserung und Annäherung der Elektroden, müssen besonders bei *Voltametern* beachtet werden. Die Ursachen, durch welche ihre Nützlichkeit bedingt ist, sind so klar, dass es unnöthig wäre, sie hier noch weiter auseinanderzusetzen.

---

[1]) Gay-Lussac und Thénard, Recherches Physico-Chimiques, tom. I, pp. 13, 15, 22.

Royal Institution,
11. October 1834.

ELFTE REIHE.

§ 18. *Ueber Induction. I. Induction eine Wirkung an einander stossender Theilchen. II. Absolute Ladung der Materie. III. Elektrometer und Inductionsapparat. IV. Induction in krummen Linien. V. Specifische Inductionscapacität. VI. Allgemeine Resultate über Induction.*

Eingegangen am 30. November, — Gelesen am 21. December 1837.

I. Induction eine Wirkung an einander stossender Theilchen.

1161. Die Elektricitätslehre befindet sich in dem Stadium, in welchem alle ihre Theile eine experimentelle Untersuchung verlangen, nicht bloss um neue Wirkungen zu entdecken, sondern, was nun weit wichtiger ist, die Mittel zur Hervorrufung der bereits bekannten zu vervollkommnen und demgemäss die letzten Ursachen der Wirkung der ausserordentlichsten und allgemeinsten Naturkraft genauer zu bestimmen. Den Physikern, welche der Forschung mit Eifer, aber auch mit Bedächtigkeit obliegen, welche bei dem Experiment die Analogie nicht ausser Acht lassen, gegen ihre vorgefassten Meinungen auf der Hut sind, sich mehr vor einer Thatsache als vor einer Theorie beugen, nicht übereilt verallgemeinern und vor Allem bereit sind, bei jedem Schritte ihre Meinungen durch Ueberlegung und Versuche immer wieder durchzuprüfen, kann kein Zweig der Wissenschaft ein schöneres und ergiebigeres Entdeckungsfeld bieten als dieses. Dies zeigt sich im vollsten Maasse an dem Fortschritte, welchen die Elektricitätslehre in den letzten dreissig Jahren gemacht hat. Chemie und Magnetismus haben nach einander ihren überwiegenden Einfluss anerkannt, und wahrscheinlich werden schliesslich alle Erscheinungen der Kräfte der unorganischen Natur und vielleicht auch die meisten des Pflanzen- und Thierlebens sich ihr untergeordnet erweisen.

1162. Unter den mannigfachen Wirkungen der Elektricität, die man herkömmlich unterscheidet, ist, glaube ich, keine, welche an Wichtigkeit überragt oder auch nur gleichkommt derjenigen, welche man *Induction* nennt. Sie ist von dem allgemeinsten Einflusse bei den elektrischen Erscheinungen, scheint bei allen betheiligt zu sein und hat in der That den Charakter eines ersten, wesentlichen und fundamentalen Princips. Ihre Erfassung ist so wichtig, dass wir, wie ich glaube, ohne eine tiefere Einsicht in ihre Natur in der Erforschung der Elektricitätsgesetze nicht weiter vordringen können. Wie würden wir auch sonst hoffen können, die Harmonie, ja die Einheit der Vorgänge zu begreifen, welche bei der Elektricitätserregung durch Reibung, durch chemische Processe, durch Wärme, durch magnetischen Einfluss, durch Verdampfung*) und selbst durch lebende Wesen zweifellos obwaltet?

1163. In der langen Reihe der experimentellen Untersuchungen, mit denen ich mich beschäftigt habe, hat sich mir beständig als allgemeines Resultat die Nothwendigkeit aufgedrängt, zwei Kräfte oder zwei Formen oder Richtungen einer Kraft anzunehmen (516, 517), die mit einander dermassen combinirt sind, dass es unmöglich ist, diese beiden Kräfte (oder Elektricitäten) bei den Erscheinungen der statischen Elektricität sowie bei denen der Strömung zu trennen. In engem Zusammenhange hiermit beherrschte mich der Gedanke, dass es bisher unmöglich ist, irgend einer Substanz unter irgend welchen Bedingungen eine absolute Ladung mit der einen oder anderen Elektricität ausschliesslich zu ertheilen, und machte es mir wünschenswerth, über die Beziehungsweise der elektrischen Kräfte zu den materiellen Theilchen, besonders bei Inductionswirkungen, auf denen fast alle anderen zu beruhen scheinen, nach einer klareren Ansicht, als ich bis dahin gewonnen hatte, zu suchen.

1164. Als ich die allgemeine Thatsache entdeckte, dass Elektrolyte, die im flüssigen Zustande leicht in ihre Bestandtheile zerfallen (380, 394, 402), im festen der Zersetzung durch den Strom widerstehen, glaubte ich einen Wegweiser zur Aufklärung der Inductionsvorgänge und die Möglichkeit, viele verschiedenartige Erscheinungen unter Ein Gesetz unterzuordnen, zu erblicken. Denn denken wir uns als Elektrolyt Wasser, eine Eisplatte, auf beiden Seiten mit Platinfolie belegt, und diese Belegungen mit einer continuirlichen Quelle der beiden elektrischen Kräfte verbunden, so wird sich das Eis wie eine Leydener Flasche laden; wir haben hier den Fall einer gewöhnlichen Induction, ohne dass ein Strom hindurchgeht. Wird das Eis verflüssigt, so nimmt die Induction bis zu einem gewissen Grade ab, da nun ein Strom hindurchgehen kann; aber sein Durchgang ist bedingt durch eine *besondere moleculare Anordnung* der Theilchen, wie sie mit der Fortführung der Bestandtheile des Elektrolyts in entgegengesetzten Richtungen verträglich ist, und der Grad der Entladung und die Menge der in Freiheit gesetzten Bestandtheile sind einander genau proportional (377, 783). Ob die Ladung der Metallbelegung durch eine kräftige Elektrisirmaschine, eine starke und grosse Volta'sche Batterie oder ein einziges Plattenpaar erfolgt, macht keinen Unterschied im Wesen des Vorganges, son-

---

*) Eine Elektricitätserregung durch den Act der Verdampfung ist keineswegs eine feststehende Thatsache. Faraday hat bekanntlich selbst Versuche angestellt, welche das Gegentheil beweisen. Vgl. XVIII. Reihe, 2083. D. Ü.

dern nur im Grade desselben aus (360). Unter allen Umständen findet gewöhnliche Induction statt, wenn der Elektrolyt starr ist, und wenn er flüssig ist, so erfolgt, vorausgesetzt, dass nicht entgegengesetzte Vorgänge störend einwirken, chemische Action und Zersetzung; und es ist sicherlich von grosser Wichtigkeit, Wirkungen in ihren Extremen zu vergleichen, um uns zu befähigen, die Natur eines Vorganges in einem schwachen Stadium zu begreifen, welcher sich uns vielleicht nur bei stärkerem Hervortreten hinlänglich offenbart (451). Da nun bei der elektrolytischen Action *Induction* das *erste* und *Zersetzung* das *zweite* Stadium ist (die Trennung dieser beiden Vorgänge, indem wir den Elektrolyt fest oder flüssig nehmen, liegt in unserer Hand), da die durch eins der gewöhnlichen Mittel hervorgerufene Induction ihrer Natur nach dieselbe ist, wie die durch Luft, Glas, Wachs u. s. w., und da der ganze Effect in dem Elektrolyt darauf zu beruhen scheint, dass die Theilchen in einen besonderen oder polarisirten Zustand gerathen, so bin ich zu der Vermuthung geführt worden, dass gewöhnliche Induction selbst in allen Fällen eine *Wirkung an einander stossender Theilchen*[1]) sei, und dass elektrische Wirkung in die Ferne (d. h. gewöhnliche Induction) immer nur durch den Einfluss einer dazwischenliegenden Substanz erfolge.

1165. Die Achtung, welche ich vor so hervorragenden Männern, wie Aepinus, Cavendish, Poisson und Anderen habe, deren Theorien sämmtlich, wie ich glaube, die Induction als eine Wirkung in die Ferne und in geraden Linien betrachten, hat mich lange der eben aufgestellten Ansicht abgeneigt gemacht; und obwohl ich auf Gelegenheiten, meine Meinung zu erweisen, immer Acht hatte und bisweilen auch Versuche anstellte, welche mir direct auf diesen Punkt abzuzielen schienen, beispielsweise Elektrolyte im festen und flüssigen Zustande, während sie der Induction ausgesetzt waren, im polarisirten Lichte untersuchte (951, 955), so bin ich doch erst kürzlich und allmählich durch die grosse Allgemeinheit des Gegenstandes dazu gedrängt worden, meine Versuche auszudehnen und meine Ansicht zu veröffentlichen. Nunmehr glaube ich, dass gewöhnliche Induction nicht eine auf merkliche Entfernungen sich erstreckende Wirkung der kleinsten Theilchen oder der Massen sei, sondern in allen Fällen eine in einer Art von Polarisation bestehende Wirkung an einander stossender Theilchen; und wenn diese Ansicht richtig ist, so muss die Erkenntniss und Feststellung derselben auf den weiteren Fortgang unserer Erforschung der Natur der elektrischen Kräfte von dem grössten Einfluss sein. Die Verkettung

---

[1]) Der Ausdruck *an einander stossend (contiguous)* ist vielleicht nicht der beste, welcher hier und sonst hätte gebraucht werden können; denn da die Theilchen sich nicht berühren, so ist er nicht ganz correct. Ich habe ihn gewählt, weil er in seiner allgemeinen Bedeutung mich in den Stand setzt, die Theorie klar und leicht auseinanderzusetzen. Ich verstehe darunter solche Theilchen, welche einander die nächsten sind. — Dec. 1838.

der elektrischen Induction mit chemischer Zersetzung, der Erregung der Voltaelektricität mit chemischer Action, die Wanderung der Elemente in einem Elektrolyt, die erste Ursache aller Elektricitätserregung, die Natur und Beziehung von Leitung und Isolation, von directer und lateraler oder transversaler Wirkung, welche Elektricität und Magnetismus ausmacht*) sowie viele andere gegenwärtig mehr oder weniger unbegreifliche Dinge würden alle von ihr beeinflusst werden und vielleicht ihre volle Erklärung in einer Unterordnung unter *ein* allgemeines Gesetz finden.

1166. Ich suchte nach unzweideutigen Beweismitteln für meine Ansicht, die nicht bloss in der Uebereinstimmung bekannter Thatsachen mit ihr bestehen sollten, sondern in den Folgerungen, welche sich aus ihr, wenn sie wahr wäre, ergeben mussten, besonders in solchen, welche mit der Theorie einer Wirkung in die Ferne unvereinbar wären. Eine solche Folgerung schien sich mir von selbst in der Richtung, in welcher die Inductionswirkung ausgeübt wird, darzubieten. Erfolgte sie nur in geraden Linien, so würde dies, wenn auch vielleicht nicht entscheidend, gegen meine Ansicht sprechen; ginge sie aber auch in krummen Linien vor sich, so wäre dies eine natürliche Folge der Wirkung an einander stossender Theilchen, dagegen, wie ich glaube, durchaus unverträglich mit einer Wirkung in die Ferne, wie sie von den bestehenden Theorien angenommen wird, und die nach allen uns bekannten Thatsachen und Analogien stets in geraden Linien ausgeübt wird.

1167. Wenn ferner Induction eine Wirkung an einander grenzender Theilchen ist und auch das erste Stadium in dem Process der Elektrolysirung bildet (1164, 949), so wäre Grund, zu erwarten, dass irgend eine besondere Relation derselben zu den verschiedenartigen Substanzen existire, durch welche sie ausgeübt wird, oder irgend etwas, was einer für verschiedene Körper *specifischen elektrischen Induction* entspricht, deren Existenz die Abhängigkeit der Induction von den materiellen Theilchen unzweideutig beweisen würde. Obwohl dies in Poisson's und Anderer Theorien niemals vorausgesetzt worden ist, so wurde ich doch bald zu Zweifeln an der hergebrachten Meinung geführt und habe viel Mühe darauf verwandt, diesen Gegenstand einer bündigen experimentellen Prüfung zu unterwerfen.

1168. Eine andere mich stets beschäftigende Frage war die, ob Elektricität eine reale und selbständige Existenz als ein Fluidum oder als zwei Fluida habe, oder ob sie bloss eine der Materie innewohnende Kraft sei, wie wir die Gravitationsanziehung auffassen. Wäre dies nach der einen oder anderen Seite festgestellt, so würde es ein ungeheuerer Fortschritt unserer Erkenntniss sein; und da sie von directester und wesentlichster Tragweite für meine Vorstellungen ist, so habe ich mich stets

---

*) Vgl. Art. 1114. — D. Ü.

nach Versuchen umgesehen, welche diese grosse Frage auf irgend eine Weise aufzuklären vermöchten. Um zu prüfen, ob die Elektricität eine von der Materie getrennte Existenz habe, versuchte ich, irgend einer Substanz eine unabhängige Ladung mit dem positiven oder negativen Agens allein zu ertheilen; allein gerade das Fehlschlagen aller derartiger Versuche, welche Substanz auch immer gewählt, oder welche Mittel zur Erregung oder *Entwickelung* der Elektricität auch angewandt werden mochten, drängte mich zu allererst dazu, Induction als eine Wirkung der materiellen Theilchen zu betrachten, von denen jedes *beide* Kräfte in genau gleichem Betrage entwickelt enthalte. Aus diesem und anderen Gründen erscheint es mir wünschenswerth, die Bemerkungen über absolute Ladung an die Spitze der Reihe von Beweisen und Argumenten zu stellen, welche ich zu Gunsten meiner Ansicht, dass elektrische Induction eine Wirkung der aneinander grenzenden Theilchen des isolirenden Mediums oder des *Dielektricums* sei, anzuführen vermag.[1])

II. Ueber die absolute Ladung der Materie.

1169. Kann eine Substanz, sei sie leitend oder nichtleitend, auch nur im geringsten Grade mit Einer elektrischen Kraft unabhängig von der anderen im freien oder latenten Zustande geladen werden?

1170. Die schönen Versuche von Coulomb über die Gleichheit in der Wirkung der *Leiter* und die Verbreitung *aller* Elektricität auf der Oberfläche derselben[2]) sind, richtig aufgefasst, ein ausreichender Beweis, dass *Leiter nicht in ihrer Masse geladen werden können;* auch hat man bis jetzt noch keine Mittel aufgefunden, einem Leiter Elektricität mitzutheilen dadurch, dass man seine Theilchen in Relation setzte zu der einen Elektricität und nicht gleichzeitig und in genau gleichem Betrage zu der anderen.

1171. Hinsichtlich der Isolatoren oder Nichtleiter erscheint der Schluss im ersten Augenblick nicht so klar. Sie können in ihrer Masse elektrisirt werden, sowohl durch Mittheilung (1247) als auch durch Erregung; allein bei näherer Prüfung erweist sich eine solche Ladung stets als ein Fall von Induction und nicht von absoluter Ladung. So konnte Glas im Innern von Leitern, ohne mit diesen in Berührung zu sein, in den erregten Zustand versetzt werden, aber stets zeigte es sich, dass ein Theil der Innenfläche des Leiters sich in einem entgegengesetzten und äquivalenten Zustande befand, oder auch, dass ein anderer Theil des Glases selbst sich im entgegengesetzten Zustande befand, dass es also eine *inducirte* und keine *absolute* Ladung angenommen hatte.

1172. Ich stellte wohl gereinigtes Terpentinöl, das, wie ich finde, ein für die meisten Zwecke ausgezeichneter flüssiger Isolator ist, in ein Metallgefäss und suchte, nachdem es isolirt worden, seine Theilchen zu laden,

---

1) Ich bediene mich des Wortes *Dielektricum* zur Bezeichnung derjenigen Substanz, durch welche hindurch die elektrischen Kräfte wirken. — Dec. 1838.

2) Mémoires de l'Académie, 1786, pp. 67, 69, 72, 1787, p. 452.

bald durch Berührung des Metalles mit der Elektrisirmaschine, bald durch einen in die Flüssigkeit tauchenden Draht; allein auf welchem Wege auch die Mittheilung erfolgte, es wurde von dieser Vorrichtung nie Elektricität einer Art ausschliesslich zurückgehalten, ausgenommen an der Aussenfläche des Metalles, wo sie nur vermöge einer Inductionswirkung durch die Luft auf die Leiter der Umgebung vorhanden war. Als das Terpentinöl in Glasgefässe eingeschlossen wurde, hatte es anfangs den Anschein, als ob es von dem ladenden Drahte eine absolute Ladung der Elektricität aufnähme, allein es ergab sich bald, dass man es auch hier mit einem Falle von gewöhnlicher Induction durch die Flüssigkeit, das Glas und die umgebende Luft zu thun hatte.

1173. Ich habe diese Versuche mit Luft in grossem Maassstabe ausgeführt. Aus leichten cubischen Holzrahmen liess ich mir eine Kammer in Form eines Würfels von zwölf Fuss Seite bauen, denselben der Länge und Quere nach in mannigfachen Richtungen mit Kupferdraht umspannen, so dass die Seiten ein grosses Netzwerk bildeten, darauf dicht an den Drähten mit Papier überziehen und überdies in allen Richtungen mit Stanniolstreifen belegen, damit das Ganze in guter metallischer Communication stehe und einen überall freien Leiter abgebe. Diese Kammer wurde im Hörsaale der Royal Institution isolirt aufgestellt, und eine ungefähr sechs Fuss lange Glasröhre durch eine Seite derselben gesteckt, so dass vier Fuss von ihr im Innern und zwei Fuss sich aussen befanden; durch dieselbe führte ein Draht von der grossen Elektrisirmaschine (290) zu der Luft im Innern. Arbeitete die Maschine, so konnte die Luft in einen stark elektrisirten Zustand, wie man es nennen darf, versetzt werden (da derselbe in der That gleich ist dem Zustande der Luft in einem Raume, in welchem eine kräftige Maschine in Thätigkeit ist), und zugleich nahm die Aussenseite des Würfels eine starke Ladung an. Als ich aber die Kammer mit dem in einer früheren Reihe beschriebenen vollkommenen Ableitungssystem (292) in Communication setzte und die Maschine arbeiten liess, um die Luft im Innern auf den höchsten Grad der Ladung zu bringen, dann rasch die Verbindung mit der Maschine aufhob und gleichzeitig oder unmittelbar darauf den Würfel isolirte, war die Luft im Innern nunmehr nicht im Stande, diesem auch nur die geringste Ladung zu ertheilen. War irgend ein Theil der Luft elektrisirt, wie ja Glas und andere Isolatoren so geladen sein können (1171), so trat gleichzeitig eine entsprechende entgegengesetzte Wirkung *innerhalb* des Würfels auf, der ganze Vorgang war also lediglich ein Fall von Induction. Jeder Versuch, die Luft in ihrer Masse und für sich auch nur mit der kleinsten Menge einer der beiden Elektricitäten zu laden, schlug fehl.

1174. Ich stellte ein empfindliches Goldblatt-Elektrometer in den Würfel und lud das System mehrmals hintereinander durch eine *äussere* Zuleitung sehr stark; allein weder während der Ladung noch nach der Entladung zeigte das Elektrometer oder die Luft im Innern die geringste Spur von Elektricität. Ich lud und entlud das ganze System auf mannigfache Weise, erhielt aber in keinem Falle das geringste Anzeichen einer absoluten Ladung oder einer Ladung durch Induction, bei der die Elektricität der einen Art die andere an Quantität auch nur im Geringsten übertroffen hätte. Ich begab mich in den Würfel und verweilte darin mit brennenden Kerzen, Elektrometern und allen anderen zur Prüfung elektrischer Zustände dienenden Mitteln, ohne den geringsten Einfluss auf sie, noch irgend eine besondere Erscheinung an ihnen wahrnehmen zu können, obschon während der ganzen Zeit die Aussenseite des Würfels stark geladen war, und grosse Funken und Büschel aus allen Theilen seiner Aussenfläche hervorschossen. Ich bin hiernach zu dem Schlusse gekommen, dass bisher weder Nichtleitern noch Leitern eine absolute und für sich bestehende Ladung Einer Elektricität hat ertheilt werden können, und dass allem Anscheine nach ein solcher Zustand der Materie unmöglich ist.

1175. Es giebt noch einen anderen Gesichtspunkt, unter welchem sich diese Frage unter der Annahme der Existenz eines elektrischen Fluidums oder zweier Fluida betrachten lässt. Es mag unmöglich sein, dass das eine Fluidum oder der eine Zustand frei für sich existire, ohne durch Induction den anderen hervorzurufen, und es könnte möglicherweise doch Fälle geben, wo ein isolirter und im ungeladenen Zustande sich befindender Theil von Substanz durch eine Zustandsänderung die eine oder die andere Elektricität entwickelte; und wenngleich die so entwickelte Elektricität sofort den entgegengesetzten Zustand in ihrer Nachbarschaft induciren würde, so wäre doch das blosse Auftreten der einen Elektricität ohne die andere im *ersten Augenblick* eine sehr wichtige Thatsache für die Theorien, welche ein oder zwei Fluida annehmen. Diese Theorien geben, soweit ich sie verstehe, nicht den geringsten Grund an, wesshalb ein solcher Vorgang nicht stattfinden sollte.

1176. Allein ich kann trotz aller Nachforschung einen solchen Fall nicht ausfindig machen. Erregung durch Reibung giebt bekanntlich beide Agentien in gleicher Menge. Ebenso verhält es sich mit der Erregung durch chemische Action, ungeachtet der grossen Mannigfaltigkeit der anwendbaren Körper und der ungeheuren Menge von Elektricität, welche auf diese Weise entwickelt werden kann (371, 376, 861, 868, 961). Die mehr versprechenden Fälle von Zustandsänderung, wie Verdampfung, Schmelzung oder die umgekehrten Processe liefern ebenfalls beide Arten des Agens in *gleicher* Menge. Die Vorgänge beim Zerspalten des Glimmers und anderer Krystalle, beim Zerbrechen des Schwefels u. s. w. sind demselben einschränkenden Gesetze unterworfen.

1177. Es erscheint demnach, soweit die Erfahrung reicht, unmöglich, die eine elektrische Kraft zu erregen oder zum Verschwinden zu bringen, ohne die andere in gleicher und entsprechender Weise zu ändern. Es ist ebenso auch erfahrungsmässig unmöglich, einen Theil von Materie mit der einen elektrischen Kraft unabhängig von der anderen zu laden. Ladung involvirt immer *Induction,* denn sie kann in keinem Falle ohne diese bewerkstelligt werden, sie erfordert also auch die Gegenwart *beider* Arten des Agens, sowohl im Moment der Erregung als auch nachher. Es giebt keine *absolute* Ladung der Materie, keinen latenten Zustand einer einzelnen Elektricität. Dieses Resultat, obwohl negativer Art, ist ungemein wichtig, da es wahrscheinlich die Folge einer in der Natur der Sache liegenden Unmöglichkeit ist, die uns klar werden wird, wenn wir die wahre Beschaffenheit und Theorie der elektrischen Kraft verstehen werden.

1178. Die vorstehenden Betrachtungen weisen schon auf die folgenden Schlüsse: Körper können nicht absolut, sondern nur relativ geladen werden und nach einem Princip, welches identisch ist mit dem der *Induction.* Alle *Ladung* wird durch Induction aufrecht erhalten. Alle Erscheinungen der *Intensität* schliessen das Princip der Induction in sich ein. Alle *Erregung* beruht auf Induction oder gehört direct zu ihr. Alle *Ströme* involviren eine vorausgehende Intensität und demnach eine vorausgehende Induction. **Induction** scheint die wesentliche Function sowohl bei der ersten Erregung als auch bei den darauf folgenden Phänomenen der Elektricität zu sein.

III. Elektrometer und Inductionsapparat.

1179. Indem ich einstweilen die weiteren Betrachtungen über die vorstehenden Thatsachen bei Seite lasse, bis sie mit anderen, direct auf die grosse Frage nach der Natur der Induction abzielenden Ergebnissen verglichen werden können, will ich nun den von mir benutzten Apparat beschreiben. Dies muss entsprechend der Wichtigkeit der Principien, welche festgestellt werden sollen, mit solcher Klarheit geschehen, dass kein Zweifel an den Resultaten übrig bleibt.

1180. *Elektrometer.* Das von mir als Messinstrument benutzte Elekrometer war die Torsionswaage von Coulomb, welche im Ganzen nach seinen Angaben[1]) construirt war, aber doch mit einigen Abänderungen und Ergänzungen, welche ich kurz beschreiben will. Der untere Theil war ein acht Zoll hoher Glascylinder von acht Zoll Durchmesser; die den Torsionsfaden aufnehmende Röhre war siebzehn Zoll lang. Der Torsionsfaden selbst war nicht von Metall, sondern, nach der schätzenswerthen Empfehlung von Ritchie[2]), von Glas. Er war zwanzig Zoll lang und von solcher Feinheit, dass der Schellackhebel mit der daran sitzenden Kugel u. s. w., als sie mit ihm verbunden wurden, ungefähr zehn Schwingungen in der Minute machten. Man konnte

---

1) Mémoires de l'Académie, 1785, p. 570.

2) Philosophical Transactions, 1830.

ihm eine Torsion von vier Umdrehungen oder 1440° ertheilen, und er kehrte, losgelassen, dennoch genau in seine frühere Lage zurück; wahrscheinlich würde er eine noch grössere Torsion ohne Nachtheil ausgehalten haben. Die bewegliche Kugel bestand aus vergoldetem Hollundermark und war 0,3 Zoll im Durchmesser. Der sie tragende horizontale Balken oder Hebel bestand, nach Coulomb's Angabe, aus Schellack, der die Kugel tragende Arm war 2,4, der andere nur 1,2 Zoll lang; an diesem sass der ebenfalls von Coulomb beschriebene Flügel, welcher, wie ich finde, seinen Zweck, die Schwingungen rasch zu vernichten, wundervoll erfüllte. Damit die Inductionswirkung innerhalb des Elektrometers in allen Lagen der abgestossenen Kugel und für alle Zustände des Apparates gleichförmig sei, wurden zwei ungefähr einen Zoll breite Stanniolstreifen in einem Abstande von 0,4 Zoll von einander rings um die Innenfläche des Glascylinders gelegt in solcher Höhe, dass der entblösste Zwischenraum der Fläche mit dem Hebel und der Kugel in derselben Horizontalebene lag. Diese Streifen waren unter sich und mit der Erde verbunden, und da sie vollkommene Leiter sind, so übten sie auf die elektrisirten Kugeln einen stets gleichförmigen Einfluss aus, was die Glasfläche wegen der Unregelmässigkeit ihres Zustandes zu verschiedenen Zeiten, wie ich fand, nicht that. Um die Luft in dem Elektrometer gleichmässig trocken zu erhalten, wurde eine Glasschale mit geschmolzenem Kali auf den Boden desselben gestellt — die Dimensionen derselben gestatteten leicht ihre Einführung — und, um ihre Inductionswirkung überall gleich zu machen, mit einer Scheibe von feinem Drahtnetz bedeckt.

1181. Die bewegbare Kugel, welche zur Aufnahme und Messung der zu untersuchenden Elektricitätsmenge diente, und die ich die *abstossende* oder *Probekugel**) nennen will, bestand aus weichem Erlenholz, gut und glatt polirt. Sie war an einem dünnen Schellackstiel befestigt und nach Coulomb's Methode durch eine Oeffnung in das Elektrometer eingeführt; der Stiel war mit seinem oberen Ende an einem von drei kurzen Füssen getragenen Block oder Schraubstock befestigt, und auf dem Glasdeckel war eine Bleiplatte mit Klappen angebracht, so dass die Probekugel, wenn sie in ihre rechte Lage gebracht war und mit dem Schraubstock gegen diese Klappen stiess, ganz leicht entfernt und wieder ohne Zeitverlust ganz genau an ihre Stelle zurückgebracht werden konnte.

1182. Hinsichtlich dieser Kugeln ist es durchaus nothwendig, einige Vorsichtsmassregeln zu beachten. Aus Mark allein bestehend, sind sie schlecht; denn ganz trocken, ist diese Substanz ein so schlechter Leiter, dass sie nicht leicht eine Ladung aufnimmt oder abgiebt und daher auch nach der Berührung mit einem geladenen Conductor sich in einem zweifelhaften

---

*) Diese Bezeichnung entspricht sowohl dem von Faraday gebrauchten Ausdruck *carrier ball* als auch der Anwendung, welche er von der bei uns sogenannten *Standkugel* macht, und die ganz analog der des Probescheibchens, *carrier*, ist. D. Ü.

Zustande befinden kann. Ferner ist es schwierig, Mark so glatt abzudrehen, dass die Kugel selbst nach der Vergoldung von allen Unregelmässigkeiten der Gestalt hinlänglich befreit sei, um ihre Ladung lange genug unvermindert zu behalten. Die Kugeln müssen daher nach ihrer Fertigstellung und Vergoldung geprüft werden, ob sie, elektrisirt, ihre Ladung lange genug ohne irgend erheblichen Verlust behalten und doch bei Berührung mit einem nicht isolirten Leiter augenblicklich und vollständig entladen werden; andernfalls sind sie zu verwerfen.

1183. Es ist vielleicht unnöthig, von der Graduirung des Instrumentes mehr zu sagen als zum Verständniss der Beobachtungsmethode erforderlich ist. Auf einem Papierringe, welcher auf der Aussenseite des Glascylinders so aufgeklebt war, dass er den unteren Stanniolring der Innenfläche bedeckte, waren vier Punkte im Abstande von je 90 Grad markirt und vier andere, diesen genau entsprechende Punkte auf dem oberen Stanniolringe. Hierdurch und mittelst Stellschrauben, auf denen das ganze Instrument ruhte, liess sich der gläserne Aufhängefaden genau in die Mitte des Instrumentes und seiner Gradtheilung bringen. Ein Quadrant des Ringes auf der Aussenseite des Cylinders war in 90 Grade eingetheilt und eine correspondirende Theilung auf der gegenüberliegenden Seite des oberen Stanniolstreifens im Innern des Gehäuses aufgetragen. Auf dem Punkte der abzustossenden Kugel, welcher der Seite des Elektrometers zunächst lag, war eine Marke angebracht, und durch Beobachtung der Verbindungslinie dieser Marke mit den beiden erwähnten Theilungen konnte die Lage dieser Kugel leicht mit Genauigkeit festgestellt werden. Das obere Ende des Glasfadens war, wie in Coulomb's Elektrometer, an einem Zeiger befestigt, welcher auf eine Kreistheilung wies, an der die Grösse der Torsion abgelesen wurde.

1184. Nachdem das Instrument nivellirt, und der Glasfaden in die richtige Lage gebracht ist, ist der die *Probekugel* tragende Block so zu reguliren (1181), dass der Mittelpunkt der Kugel dem Nullpunkt der unteren oder äusseren Theilung des Elektrometers entspricht und mit der *abzustossenden Kugel* an dem schwebenden Torsionshebel in gleichem Niveau und in gleichem Abstande vom Mittelpunkte liegt. Dann wird der Torsionszeiger so weit gedreht, dass die mit ihm verbundene Kugel (die abzustossende Kugel) genau auf 30° steht, und schliesslich der Torsionskreis so eingestellt, dass der Zeiger auf dessen Nullpunkt weist. Diese Einstellung des Instrumentes wählte ich, weil es so das Versuchsresultat am directesten angab und am wenigsten zu variabeln Fehlern Veranlassung gab. Der Winkelabstand von 30° wurde zum Normalabstand genommen, auf den die Kugeln in allen Fällen eingestellt wurden, und an dem Torsionskreise wurde die gesammte Torsion auf einmal abgelesen. Unter diesen Umständen hatten die Kugeln bei jeder Messung nicht nur denselben Abstand von einander, sondern auch gleiche Lage im Instrument und zu allen Theilen desselben, so dass alle aus geringen Verschiedenheiten der

Form und Wirkung des Instrumentes und der umgebenden Körper etwa hervorgehenden Unregelmässigkeiten eliminirt waren. Die einzige Verschiedenheit in der Lage irgend eines Theiles, welche noch hätte eintreten können, wäre eine von der Abstossungskraft der Kugeln bedingte grössere oder kleinere Abweichung des Torsionsfadens von der Verticalen; allein diese Abweichung war so gering, dass sie die Symmetrie der Gestalt innerhalb des Instrumentes nicht stören und die Angaben des Torsionskreises hinsichtlich der Grösse der Torsionskraft nicht fälschen konnte.

1185. Wiewohl das Instrument bei dem gewählten Winkelabstande von 30° sich als hinlänglich empfindlich erwies, so hatte man es doch völlig in der Hand, es durch Verringerung dieses Abstandes noch weit empfindlicher zu machen und die Resultate bei verschiedenen Abständen unmittelbar durch den Versuch oder, da sie sich umgekehrt verhalten wie das Quadrat der Abstände, durch Rechnung mit einander zu vergleichen.

1186. Coulomb's Torsionswaage verlangt Erfahrung, um verstanden zu werden; aber ich halte es für ein sehr schätzbares Instrument in der Hand Derjenigen, welche sich die Mühe nehmen, die zu seinem Gebrauche erforderlichen Vorsichtsmassregeln durch Uebung und Aufmerksamkeit kennen zu lernen. Seine Isolirung varriirt mit den Umständen und muss, ehe es zu Versuchen benutzt wird, geprüft werden. In gewöhnlichem und gutem Zustande dauerte es, wenn die Kugeln so elektrisirt waren, dass beim Normalabstande von 30° die Abstossungskraft einer Torsion 400° entsprach, nahezu vier Stunden, ehe diese bei gleichem Abstande auf 50° sank; im Durchschnitt nahm dieselbe in der Minute ab um 2,7° von 400° bis 300°, um 1,7° von 300° bis 200°, um 1,3° von 200° bis 100° und um 0,87° von 100° bis 50°. Da eine Messung mit diesem Instrument in weit weniger als einer Minute vollständig ausgeführt werden kann, so ist der Verlust während derselben nur klein und kann leicht in Rechnung gezogen werden.

1187. *Der Inductionsapparat.* — Da ich mir vorgesetzt hatte, die durch verschiedene Media hindurch erfolgende Inductionswirkung einer sorgfältigen Prüfung zu unterwerfen, so war es nothwendig, diese Media unter genau gleiche Bedingungen zu bringen und in solchen Mengen anzuwenden, dass etwa vorhandene Abweichungen eliminirt werden konnten. Der zu construirende Apparat verlangte daher, dass die inducirenden Oberflächen der Leiter in Gestalt, Zustand und gegenseitigem Abstande constant seien, und dass feste, flüssige oder gasförmige Körper leicht und sicher zwischen diese Flächen gebracht und beliebig lange daselbst erhalten werden können.

1188. Der von mir benutzte Apparat bestand im Wesentlichen aus zwei Metallkugeln von verschiedenem Durchmesser; die kleinere war von der grösseren concentrisch umschlossen, und durch den Zwischenraum zwischen beiden sollte die Induction erfolgen. Tafel VII, Fig. 104 zeigt einen Durchschnitt des Apparates in halber natürlicher Grösse: *aa* sind die beiden Hälften einer Messingkugel mit einem luftdichten Verschluss bei *b*, wie bei den Magdeburger Halbkugeln, innen vollkommen eben und glatt, frei von jeder Unregelmässigkeit. Durch das Verbindungsstück *c* ist der Apparat an einen guten Hahn *d* geschraubt, welcher selbst entweder mit dem metallenen Fuss *e* oder mit einer Luftpumpe verbunden wird. Bei *f* hat die Halbkugel eine sehr kleine Oeffnung; *g* ist ein messingener Hals an der oberen Halbkugel, durch welche der Schellackträger der inneren Kugel und deren Stiel hindurchgeht; *h* ist die innere Kugel, gleichfalls von Messing, an einen Stiel *i* geschraubt, der oben in eine Messingkugel B endigt; *ll* ist eine sorgfältig an *i* angeschmolzene Schellackmasse, welche dazu dient, diesen Stiel und die Kugeln *h* und B sowohl zu tragen als auch zu isoliren. Der Schellackstiel ist in den Hals *g* eingekittet, und zwar mit gewöhnlichem Harzkitt, welcher schmelzbarer ist als Schellack, und der bei *mm* so aufgetragen wird, dass er den Apparat daselbst luftdicht abschliesst und ihm hinreichende Festigkeit verleiht, aber den unteren Theil der Schellackstange, zur Isolirung der Kugel *h* von der sie umgebenden *a a*, möglichst unberührt lässt. Bei *n* hat die Kugel *h* eine kleine Oeffnung, damit, wenn ein Gas aus dem Apparate ausgepumpt und ein anderes eingelassen wird, gleichzeitig auch die Kugel *h* entleert und gefüllt werde, und so während eines Versuches keine Veränderung mit dem in dem Zwischenraume *o* befindlichen Gase eintreten könne.

1189. Da der Apparat in halber natürlicher Grösse abgebildet ist, so ist es überflüssig, die Dimensionen aller Theile anzugeben. Die innere Kugel hat einen Durchmesser von 2,33 Zoll und die dieselbe umschliessende einen inneren Durchmesser von 3,57 Zoll, die Breite des Zwischenraumes, durch welchen die Induction stattfinden muss, beträgt 0,62 Zoll, und die Ausdehnung dieses Raumes, oder vielmehr die Oberfläche einer aus dem Medium gebildeten Kugel kann zu siebenundzwanzig Quadratzoll angenommen werden, eine für die Vergleichung verschiedener Substanzen als hinreichend anzusehende Grösse. Die inducirenden Flächen der Kugeln *h* und *aa* waren mit grosser Sorgfalt bearbeitet und weder sie noch irgend ein metallischer Theil des Apparates gefirnisst oder lackirt.

1190. Grosse Sorgfalt erforderte die Befestigung und Einsetzung der Schellackstange, besonders da sie Risse bekam und daher oft erneuert werden musste. Lack von bester Qualität wurde auf den Draht *i* aufgetragen, so dass er denselben überall innig berührte und seine Masse vollkommene Continuität besass. Sie war nicht dünner als der Zeichnung entspricht, weil sie sonst häufig wenige Stunden nach dem Erkalten Risse bekam. Ich glaube, dass sehr langsames Abkühlen seine Beschaffenheit in dieser Beziehung verbessert. Der Hals *g* war so dünn als möglich, um dort eine möglichst dicke Schicht Lack auftragen zu können. Um bei jeder neuen Befestigung der Stange an der oberen Halbkugel der Kugel *h* wieder dieselbe relative Lage zu geben, wurden diese und die Halbkugel, während der Kitt bei *m* noch weich war, auf eine Holzform *p* (Fig. 105) aufgelegt und die Stützpunkte der Kugel bei *qq* und der Halbkugel bei *rr* kräftig gegengedrückt und so bis zum Erkalten gelassen. Auf diese Weise war alle Schwierigkeit bei der Ajustirung der Kugeln gehoben.

1191. Anfänglich wandte ich zur Befestigung der Stange in dem Halse andere Mittel an, beispielsweise Papierstreifen oder einen Pflock aus weissen Seidenfäden, allein sie standen dem Kitt weit nach, da sie das Isolirungsvermögen des Apparates bedeutend verringerten.

1192. Bei guter Beschaffenheit behielt der Apparat die Ladung besser als das Elektrometer (1186), d. h. der Kraftverlust war verhältnissmässig kleiner. Wenn z. B. dem Apparate und den Kugeln des Elektrometers eine solche elektrische Ladung mitgetheilt wurde, dass nach Berührung der inneren Kugel mit dem Scheitel *k* der Apparatkugel eine Abstossungskraft ausgeübt wurde, die einer Torsion von 600° entsprach, so betrug bei einer Abnahme derselben von 600° auf 400° der durchschnittliche Verlust in der Minute 8,6°; von 400° bis 300° nahm die Torsion durchschnittlich in der Minute um 2,6° ab, von 300° bis 200° um 1,7°, von 200° bis 170° um 1°. So verhielt es sich kurze Zeit nach der Ladung des Apparates; im ersten Augenblick der Ladung zeigt sich ein scheinbarer Elektricitätsverlust, der erst später verständlich sein wird (1207, 1250).

1193. Ein plötzlicher Verlust des Isolationsvermögens des Apparates ist fast immer die Folge von Rissen nahe bei oder in dem Messinghalse, welche gewöhnlich quer durch die Schellackstange gehen. Entstehen sie an dem Theil, welcher mit gewöhnlichem Kitt an dem Halse befestigt ist, so kann die Luft nicht eintreten, sie bleiben also luftleer, leiten Elektricität ab und schwächen somit die Ladung fast ebenso, als wenn daselbst ein Stück Metall eingedrungen wäre. Bisweilen kann man solchen Schellackstangen, wenn man sie herausnimmt und von dem Kitt säubert, durch vorsichtige Erwärmung über einer Weingeistflamme bis zur Erweichung und Schmelzung ihre Continuität völlig wiedergeben; gelingt es aber auf diese Weise nicht, Alles wieder in den gehörigen Zustand zu setzen, so bleibt nichts Anderes übrig, als eine neue Schellackstange zu nehmen.

1194. Wenn der Apparat in Ordnung war, so konnte er leicht evacuirt und mit einem bestimmten Gase gefüllt werden; wenn das Gas jedoch saurer oder alkalischer Natur war, so konnte es natürlich nicht mittelst der Luftpumpe entfernt werden. Um in diesen Fällen die völlige Entleerung des Apparates zu bewerkstelligen, wurde er geöffnet und das Gas herausgeschafft; die innere Kugel wurde mit destillirtem Wasser, das durch das Schraubenloch eingegossen wurde, zwei- bis dreimal ausgespült, dann auf 212° F. erwärmt, und darauf ein Luftstrom hindurch gesandt, um sie innen vollkommen zu trocknen.

1195. Der Inductionsapparat ist offenbar eine Leydener Flasche, vor der er jedoch den Vorzug hat, dass man das *Dielektricum* oder das isolirende Medium beliebig wechseln kann. Die Kugeln *h* und B nebst dem Verbindungsdraht *i* bilden den geladenen Conductor, auf dessen Oberfläche alle elektrische Kraft durch Induction (1178) sich verbreitet. Wiewohl nun diese Induction zum grössten Theil zwischen der Kugel *h* und der sie umschliessenden Kugel *aa* stattfindet, so geht doch eine theilweise Induction von den Oberflächen des Drahtes *i* und der Kugel B gegen die äusseren umgebenden Leiter aus. Da jedoch in dieser Beziehung auch bei einem Wechsel des Mediums innerhalb des Apparates Alles gleich bleibt, so werden in solchen Fällen alle Verschiedenheiten, welche das ganze System zeigt, von Abänderungen, die im Innern desselben vor sich gehen, bedingt sein. Eben solche Verschiedenheiten waren es, nach denen ich forschte; die Frage nach der Existenz oder Nichtexistenz derselben ist das grosse Ziel meiner Untersuchung. Ich glaubte, dass diese Verschiedenheiten, wenn sie existirten, sich am deutlichsten zeigen würden, wenn man zwei in jeder Beziehung genau ähnliche Apparate der beschriebenen Construction mit *verschiedenen isolirenden Medien* im Innern hätte, den einen laden, und die Ladung, nachdem sie gemessen worden, zwischen ihnen theilen und den Endzustand beider beobachten würde. Wenn isolirende Medien wirklich darin sich von einander specifisch unterschieden, dass sie die durch sie hindurch erfolgende Inductionswirkung begünstigen oder in entgegengesetztem Sinne beeinflussen, so müssten, meiner Meinung nach, derartige Verschiedenheiten durch ein solches Verfahren sich offenbaren.

1196. Die Beschreibung der Apparate will ich damit beschliessen, dass ich die Form und Reihenfolge der Versuche beschreibe, welche angestellt wurden, um ihre Gleichheit in dem Falle, wo beide gewöhnliche Luft enthielten, zu erweisen, und will gleichzeitig die bei ihren Gebrauche erforderlichen Vorsichtsmassregeln auseinandersetzen. Der Bequemlichkeit halber will ich sie mit App. I. und App. II bezeichnen.

1197. Zunächst hat man das Elektrometer einzustellen und zu prüfen (1184) und die App. I und II völlig zu entladen. Dann ladet man eine Leydener Flasche so stark, dass sie zwischen zwei Kugeln von einem halben Zoll Durchmesser einen etwa ein sechzehntel bis ein siebzehntel Zoll langen Funken giebt, führt die durch diese Flasche geladene Probekugel des Elektrometers in dasselbe ein und bringt die Kugel am Hebel durch Drehung des Torsionszeigers gegen dieselbe hin; die Ladung theilt sich dann zwischen den beiden Kugeln und es erfolgt Abstossung. Es ist gut, die abgestossene Kugel durch Drehung des Torsionszeigers auf den Normalabstand von 30^0 zu bringen und die hierzu erforderliche Torsionskraft zu beobachten; diese Kraft soll in den ferneren Versuchen *Abstossung der Kugeln* heissen.

1198. Nun wird einer der Inductionsapparate, z. B. App. I, durch die Leydener Flasche geladen, nachdem sie auf denselben Zustand, wie bei der Ladung der Kugeln, gebracht worden ist, darauf die Probekugel mit dem Scheitel der oberen Kugel (*k*, Fig. 104) in Berührung gebracht und, nachdem sie in das Elektrometer eingesetzt ist, die Abstossungskraft (bei dem Abstande von 30^0) gemessen. Hierauf wird die Probekugel abermals an den App. I angelegt und die Messung wiederholt. Man verbindet dann die Apparate I und II, so dass sich die Ladung zwischen ihnen *theilt*, misst die Kraft eines jeden, indem man die Probekugel wie zuvor anlegt, und notirt die Angaben. Nachdem man hierauf beide Apparate entladen hat, ertheilt man App. II eine Ladung, misst und theilt sie mit App. I und misst die Kraft eines jeden und notirt das Resultat. Wenn in allen diesen Fällen die Theilladungen der App. I und II einander gleich sind und beide zusammen gleich der ganzen Ladung vor der Theilung, so kann man es als erwiesen ansehen, dass beide Apparate von genau gleicher Beschaffenheit und zur Vergleichung verschiedener isolirender Media oder *Dielektrica* brauchbar sind.

1199. Zahlreich sind jedoch die zur Erlangung genauer Resultate nothwendigen *Vorsichtsmassregeln.* Die Apparate I und II dürfen nicht auf einer irgend isolirenden Unterlage ruhen. Ein Mahagonitisch z. B. ist in dieser Hinsicht durchaus nicht genügend, und daher habe ich Stanniol in Verbindung mit einem ausgedehnten Ableitungssystem (292) benutzt. Sie dürfen auch einander nicht zu nahe stehen und müssen dennoch dem inducirenden Einflusse der umgebenden Gegenstände gleichmässig ausgesetzt sein; andererseits dürfen diese Gegenstände während der Dauer eines Versuches ihre Lage nicht ändern, da sonst die auf die äussere Kugel B des Apparates ausgeübte Induction sich ändern kann, wodurch die Resultate gefälscht werden würden. Soll die Probekugel sich mittelst des Apparates mit Elektricität laden, so muss sie stets an dieselbe Stelle desselben angelegt werden, z. B. an den Scheitel *k*, und stets auf dieselbe Weise; auch muss man jene variable Induction durch die Nähe des Kopfes, der Hände u. s. w. vermeiden und die Kugel nach der Berührung in einer regelmässigen und sich gleich bleibenden Weise aufwärts fortziehen.

1200. Da die Schellackstange zuweilen gewechselt werden musste (1190), was geringe Lagenänderungen der inneren Kugel zur Folge haben konnte, so brachte ich absichtlich eine solche, ein achtel Zoll betragende Verschiebung (die weit grösser ist, als in Wirklichkeit vorkommen konnte) hervor, konnte aber nicht finden, dass hierdurch das Verhalten des Apparates oder sein Inductionszustand *als Ganzes* merklich geändert worden wäre. Ferner wurde der Einfluss des Feuchtigkeitszustandes der Luft auf den Apparat geprüft, indem er einmal mit ganz trockener, das andere Mal mit Luft, die über Wasser gestanden hatte, gefüllt wurde. Obwohl hierdurch kein Unterschied im Resultat hervorgebracht wurde, ausgenommen, dass hin und wieder eine raschere Zerstreuung zu erfolgen schien, so wurde doch die

Vorsichtsmassregel angewandt, mit Gasen (1290) nur im vollkommen trockenen Zustande zu arbeiten.

1201. Wesentlich ist es, dass das Innere des Apparates vollkommen frei von *Staub oder herumschwebenden Partikelchen* sei, da diese die Ladung rasch schwächen und störend wirken bei Gelegenheiten, wo man ihre Gegenwart und ihren Einfluss kaum vermuthen würde. Ein gutes Mittel, sie zu beseitigen, ist, dass man in den Apparat bläst und ihn mit einem reinen seidenen Tuche sanft auswischt; allein man muss sich hüten, dass dann nicht andere Partikelchen eindringen, und aus diesem und mehreren anderen Gründen eine staubige Atmosphäre vermeiden.

1202. Die Schellackstange muss man bisweilen gut abwischen, erstlich, um das Wachshäutchen und andere daran haftende Substanzen zu entfernen, und später, um Schmutz und Staub, die sich im Laufe der Versucho nach und nach ansetzen, zu beseitigen. Ich habe gefunden, dass von dieser Vorsichtsmassregel viel abhängt, und dass man am besten ein seidenes Tuch zum Abwischen benutzt.

1203. Allein durch das Abwischen und einige andere Umstände erhält die Schellackstange leicht eine Ladung, die beseitigt werden muss, da sie auf den Grad der Ladung, welchen die Probekugel von dem Apparate erhält, bedeutend influiren könnte (1232). Um den Zustand der Schellackstange zu prüfen, verfährt man am besten so, dass man nach Entladung des Apparates die Probekugel an jene anlegt, sie mit den Fingern berührt, isolirt und abhebt und nun untersucht, ob sie von der Schellackstange eine Ladung (durch Induction) erhalten habe; ist dies der Fall, so ist die Schellackstange selbst geladen. Die beste Methode, die Ladung zu beseitigen, ist nach meiner Erfahrung die, dass man die Schellackstange anhaucht und unmittelbar darauf mit dem mit einem Zipfel eines seidenen Tuches bedeckten Finger abwischt, während gleichzeitig die Kugel B und der mit ihr verbundene Draht u. s. w. *unisolirt* sind; man muss hierbei stets mit derselben Stelle des Seidentuches wischen; so wird sie feucht genug, um die Schellackstange nicht elektrisch zu erregen, und bleibt doch trocken genug, um dieselbe zu säubern und in einen vollkommen isolirenden Zustand zu versetzen. Ist die Luft staubig, so wird man finden, dass in Folge des Fortführungsvermögens der Staubtheilchen eine einzige Ladung des Apparates sich auch der Aussenseite der Stange mittheilt, während am Morgen und in einem ruhigen Raume mehrere Versuche hintereinander gemacht werden können, ohne dass die Stange die geringste Ladung annimmt.

1204. Bei Kerzen- oder Lampenlicht dürfen die Versuche nur mit grösster Vorsicht angestellt werden, denn Flammen besitzen die Fähigkeit, elektrische Ladungen zu beeinflussen und zu zerstreuen, in hohem und dabei unbeständigem Maasse.

1205. Die Prüfung der Apparate muss endlich ergeben, dass beide ihre Ladungen gleich gut und gleichmässig behalten, dass sie zu gleicher Zeit vollkommen und augenblicklich entladen werden können und danach der Probekugel, mit welcher Stelle der Kugel B sie auch in Berührung gebracht werde, keine Ladung mehr ertheilen (1218).

1206. Als Vorsichtsmassregeln, welche man in Bezug auf die Torsionswaage zu beachten hat, wäre zu nennen, dass die Probekugel während des ersten Zeitraumes des Versuches ihren elektrischen Zustand unverändert behalten muss, dass sie also keinen Verlust an Elektricität durch Entladung erleiden darf und dass man bei ihrer Einführung in das Elektrometer durch die Oeffnung des Glasdeckels zu verhüten hat, dass sie mit dem Glasrande in Berührung oder ihm auch nur zu nahe komme.

1207. Wenn die Gesammtladung des einen Apparates zwischen beiden getheilt wird, so ist die allmähliche Abnahme, anscheinend eine Folge der Zerstreuung in dem Apparate, welcher die halbe Ladung *empfangen* hat, grösser als in dem *ursprünglich* geladenen. Dies rührt von einem eigenthümlichen, später zu beschreibenden (1250, 1251) Vorgange her, dessen störender Einfluss grossentheils dadurch vermieden werden kann, dass man die einzelnen Stadien des Versuches regelmässig und rasch durchschreitet. Daher muss man, sobald die ursprüngliche Ladung des App. I z. B. gemessen ist, I und II durch ihre Kugeln B symmetrisch verbinden und gleichzeitig mit einer dieser Kugeln die Probekugel in Berührung bringen, und erst, nachdem diese fortgenommen worden, die Verbindung zwischen den beiden Apparaten aufheben. Hierauf misst man zunächst rasch App. II durch die Probekugel und dann App. I; endlich entladet man II, legt die entladene Probekugel an ihn an, um zu sehen, ob irgend ein Rückstand vorhanden ist (1205), entladet App. II und prüft ihn in derselben Weise und zu demselben Zwecke.

1208. Folgendes ist ein Beispiel der Theilung einer Ladung zwischen beiden Apparaten, während das Dielektricum in beiden Luft war. Die Beobachtungen stehen hier unter einander in der Reihenfolge, in welcher sie gemacht wurden. Die Zahlen linker Hand sind die Beobachtungen an App. I und die rechter Hand die am App. II. Der App. I wurde zuerst geladen, und nach zweimaliger Messung wurde seine Ladung mit App. II getheilt.

App. I.	App. II.	
Kugeln 160^0		
	0^0	
254^0		
250		
getheilt und sogleich gemessen		
	122	
124		
1		nach Entladung.
	2	nach Entladung.

1209. Ohne den Verlust in Anschlag zu bringen, welcher während eines Versuches allmählich stattgefunden haben musste, wollen wir das Resultat aus den Zahlen, so wie sie dastehen, betrachten. Da 1^0 im App. I als unentladbar zurückblieb, so kann man 249^0 als den höchsten Werth der übertragbaren oder theilbaren Ladung ansehen; die Hälfte derselben ist $124{,}5^0$. Da Apparat II zuerst ungeladen war und unmittelbar nach der Theilung 122^0 zeigte, so entspricht dies *mindestens* dem Betrage der aufgenommenen Ladung. Andererseits kann man 124^0 weniger 1^0, oder 123^0, als die Hälfte der vom App. I zurückgehaltenen übertragbaren Ladung ansehen. Diese Zahl weicht nur wenig ab von $124{,}5^0$, oder von der Hälfte des Gesammtwerthes der übertragbaren Ladung, und wenn man den allmählichen Verlust an der Ladung des App. I, wie er sich in der Differenz der Zahlen 254^0 und 250^0 kundgiebt, in Betracht zieht, so kann man mit allem Grunde die Halbirung der Ladung als erwiesen ansehen, ohne dass *von dem Agens etwas Anderes verschwindet,* als was der Zerstreuung zuzuschreiben ist.

1210. Ich will noch eine andere Beobachtungsreihe mittheilen, wobei App. II zuerst geladen wurde, und der Rückstand in demselben grösser war als in dem vorigen Falle.

App. I.		App. II.	
	Kugeln 150^0		
	. . . . .	152^0	
	. . . . .	148	
getheilt	und sogleich	gemessen	
70^0	. . . . .		
	. . . . .	78	
	. . . . .	5	unmittelbar nach Entladung.
0	. . . . .		unmittelbar nach Entladung.

1211. Die übertragbare Ladung ist 148^0—5^0, wovon die Hälfte $71{,}5^0$ nicht erheblich abweicht von 70^0, der halben Ladung von I, oder von 73^0, der halben Ladung von II; diese Theilladungen geben zusammen 143^0, oder genau den Betrag der ganzen übertragbaren Ladung. Zieht man die Versuchsfehler in Betracht, so kann man auch durch dieses Resultat als erwiesen ansehen, dass die Inductionscapacität oder die Ladungsfähigkeit beider Apparate gleich war.

1212. Eine Wiederholung der Versuche mit negativer Elektricität gab in der Hauptsache dasselbe Resultat.

1213. Um mich von der Empfindlichkeit und der Wirksamkeit der Apparate zu überzeugen, nahm ich mit dem einen von ihnen eine derartige Aenderung vor, dass dadurch, der Theorie nach, seine Inductionskraft gesteigert werden musste, d. h. ich brachte einen metallischen Einsatz in die untere Halbkugel des App. I, wodurch die Dicke der Luftschicht daselbst von 0,62 auf 0,435 Zoll verringert wurde. Auf die Gestalt und

Abrundung dieses Einsatzes war die nöthige Sorgfalt verwandt, damit an seinem Rande kein plötzlicher Vorsprung bleibe, sondern der Uebergang von dem verkleinerten Zwischenraume der unteren Hälfte der Kugel zu dem grösseren der oberen allmählich stattfinde.

1214. Diese Veränderung verlieh dem App. I, wie sich aus seinem Verhalten ergab, unmittelbar eine grössere Inductionscapacität, als App. II besass. Wenn z. B. eine übertragbare Ladung von 469^0 des App. II mit App. I getheilt wurde, so behielt der erstere eine Ladung von 225^0, während letzterer 227^0 aufnahm, d. h. der erstere hatte dadurch, dass er dem letzteren 227^0 mittheilte, 244^0 verloren. Wenn andererseits App. I eine übertragbare Ladung von 381^0 hatte, und diese durch Berührung mit App. II getheilt wurde, so verlor ersterer nur 181^0, indem er letzterem 194 abgab. Die Summe der Theilladungen war also im ersten Falle *kleiner*, im zweiten *grösser* als die ursprüngliche ungetheilte Ladung. Diese Resultate sind um so auffallender, als nur die eine Hälfte des Inneren des App. I modificirt worden war, und sie zeigen, dass die Instrumente im Stande sind, mitten unter den Versuchsfehlern Unterschiede in der Inductionskraft an's Licht zu bringen, wenn dieselben weit kleiner sind als die, welche durch die im vorliegenden Falle gemachte Abänderung hervortreten.

IV. Induction in krummen Linien.

1215. Unter den Folgerungen, welche sich aus der Anschauung, dass Induction ein molecularer Vorgang sei (1166), ableiten lassen, und die, ihr eigenthümlich, am besten für oder wider die Richtigkeit dieser Theorie zeugen können, ist, glaube ich, die vermuthete Wirkung in krummen Linien für jetzt die wichtigste. Denn wenn diese sich in unzweideutiger Weise darthun liesse, so sehe ich nicht, wie die alte Theorie einer nur in geraden Linien erfolgenden Wirkung in die Ferne bestehen, oder wie man den Schluss, dass gewöhnliche Induction eine Wirkung an einander grenzender Theilchen sei, abweisen könne.

1216. Unter den älteren Versuchen giebt es manche, welche als die von mir aufgestellte Ansicht begünstigend und mit ihr vereinbar angeführt werden können. Solche sind die meisten Fälle von elektrochemischer Zersetzung, die elektrischen Büschel, der elektrische Wind, die Funken u. s. w. Allein da ihre Beweiskraft als zweifelhaft angesehen werden könnte, insofern sie eine Strömung und Entladung involviren (obwohl ich sie längst als Anzeichen einer vorausgegangenen Molecularwirkung ansehe (1230)), so bemühte ich mich, zum ersten Beweise solche Versuche ausfindig zu machen, welche keine Fortführung in sich schliessen, sondern ganz und gar der einfachsten Inductionswirkung der statischen Elektricität angehören.

1217. Es war auch wichtig, die Versuche in der möglich einfachsten Weise anzustellen, nicht mehr als ein isolirendes Medium oder Dielektricum auf einmal anzuwenden, damit nicht Unterschiede von langsamer Leitung Wirkungen hervorbrächten, welche irrthümlich als eine Folge von Induction in krummen Linien angesehen werden könnten. Es wird unnöthig sein, die Untersuchung Schritt für Schritt umständlich zu beschreiben, ich will vielmehr sogleich zu der einfachsten Methode, die Thatsachen zu beweisen, übergehen, zuerst für Luft und dann für andere isolirende Media.

1218. Ein massiver Schellackcylinder von 0,9 Zoll Durchmesser und sieben Zoll Länge wurde aufrecht in einem Holzfuss befestigt (Fig. 106); sein oberes Ende war ausgehöhlt, so dass eine Messingkugel oder ein anderer kleiner Gegenstand darauf liegen konnte. Nachdem die obere Hälfte desselben durch Reiben mit warmem Flanell *negativ* elektrisirt worden war, wurde eine Messingkugel B von 1 Zoll Durchmesser auf das obere Ende gelegt und nun das System mittelst der Probekugel im Coulomb'schen Elektrometer untersucht (1180 etc.). Zu diesem Ende wurden die Kugeln des Elektrometers auf etwa 360^0 *positiv* geladen und darauf die Probekugel an verschiedene Stellen der Kugel B angelegt; während sie sich in Contact oder einander nahe befanden, waren beide zuerst nicht isolirt, dann wurden sie isolirt[1]), getrennt, und die Natur und Stärke der Ladung der Probekugel untersucht. Ihre Elektricität war immer positiv und die successiv bei den verschiedenen Stellungen in *a*, *b*, *c*, *d*, u. s. w. (Fig. 106 und 107) beobachtete Stärke derselben folgende:

bei a . . .	über 1000^0
b	149
c	270
d	512
e	130

1219. Um das ganze Gewicht dieser Ergebnisse zu begreifen, muss man zunächst bedenken, dass sämmtliche Ladungen der Kugel B und der Probekugel durch Induction hervorgerufen wurden, durch die Wirkung der erregten Oberfläche des Schellackcylinders. Denn jede andere Elektricität, welche die Kugel B im ersten Augenblick oder später durch *Mittheilung* von dem Schellack erhalten haben mochte, war durch den nicht isolirten Contact fortgenommen, und es blieb ausschliesslich die von der Induction herrührende übrig. Dies wird dadurch bewiesen, dass die der Kugel in ihrem unisolirten Zustande entnommenen Ladungen stets positiv waren oder entgegengesetzt der Elektricität des Schellacks. Ferner waren die Ladungen in *a*, *c* und *d* allerdings so, wie man sie von einer Inductionswirkung in geraden Linien erwarten durfte, aber die in *b* erlangte

1) Ich brauche kaum zu sagen, dass die Probekugel, welchen Zustand sie auch im Allgemeinen an der Stelle, wo sie unisolirt war und darauf isolirt wurde, angenommen haben mochte, diesen nach Entfernung von dieser Stelle behielt, wenn sie auch durch andere Stellen geführt wurde, die ihr, nicht isolirt, einen anderen Zustand ertheilt haben würden.

ist *nicht so;* sie ist freilich eine Ladung durch Induction, aber *Induction in einer krummen Linie;* denn die Probekugel konnte, als sie *b* berührte und danach sechs Zoll weit und darüber von B entfernt wurde, wegen der Grösse von B, nicht durch eine gerade Linie mit irgend einem Punkte des erregten und inducirenden Schellacks verbunden werden.

1220. Die Annahme, dass der obere Theil der *unisolirten* Kugel B irgendwie durch die dem Schellack zugewandte Seite in einem elektrischen Zustande erhalten werden könnte, würde mit dem, was wir bereits über diesen Gegenstand wissen, in Widerspruch stehen. Auf der Oberfläche von Leitern wird Elektricität nur durch Induction festgehalten (1178), und obwohl Manche dies jetzt noch nicht für isolirte Leiter zugeben möchten, so werden es doch Alle für nichtisolirte Leiter, wie die Kugel B, thun. Um die Frage zu entscheiden, brauchen wir bloss die Probekugel nach *e* zu bringen (Fig. 107), wo sie B nicht berührt, sie durch einen senkrecht zur Erde gehenden Stab abzuleiten, zu isoliren, zu entfernen und ihren Zustand zu untersuchen; man wird sie mit derselben Elektricitätsart und sogar *stärker* (1224) geladen finden, als wenn sie mit dem Scheitelpunkte von B in Berührung gewesen wäre.

1221. Die Annahme ferner, dass Induction irgendwie *durch oder quer über* das Metall der Kugel wirke, wird durch die einfachsten Betrachtungen widerlegt; indess wird eine Thatsache ein besseres Beweismittel sein. Wenn man anstatt der Kugel B eine kleine Metallscheibe anwendet, so kann sich die Probekugel an oder über der Mitte der Oberfläche derselben laden; nimmt man aber eine grössere Scheibe, von etwa $1^1/_2$ bis 2 Zoll Durchmesser, C (Fig. 108), so erhält die Probekugel bei *f* keine Ladung, obschon sie näher am Rande, bei *g*, oder selbst *über der Mitte* bei *h* eine solche annimmt, und dies gilt auch, wenn die Scheibe nur aus Blattgold besteht. Demnach ist es klar, dass die Induction nicht *durch* das Metall *hindurch* erfolgt, sondern durch die umgebende Luft oder das *Dielektricum,* und zwar in krummen Linien.

1222. Ich hatte noch eine andere Vorkehrung getroffen derart, dass ein mitten durch den Schellackcylinder zur Erde gehender Draht mit der Kugel B (Fig. 109) verbunden war, wodurch diese beständig abgeleitet war. Dieser sehr bequeme Apparat gab den eben beschriebenen gleiche Resultate.

1223. In einem anderen Falle wieder wurde die Kugel B von einer besonderen, von dem elektrisirten Schellackcylinder einen halben Zoll abstehenden Schellackstange getragen, aber das Resultat blieb dasselbe. Ebenso wenig trat eine Aenderung der Erscheinungen ein, wenn statt des elektrisirten Schellackcylinders die Messingkugel einer geladenen Leydener Flasche die Induction ausübte. Sowohl positive als negative Ladungen wurden zur Induction im Allgemeinen mit demselben Erfolge benutzt. Endlich wurde das Arrangement, um jeden möglichen Einwand zu beseitigen, an der Luft umgekehrt, aber die Ergebnisse waren genau dieselben.

1224. Ausserordentlich interessant waren einige mit einer messingenen Halbkugel an Stelle der Kugel B erhaltene Resultate. Zu derselben, welche 1,36 Zoll im Durchmesser hatte (Fig. 110) und auf dem oberen Ende des elektrisirten Schellackcylinders ruhte, wurde die Probekugel, wie in den früheren Versuchen (1218), in die in der Figur angedeuteten Lagen gebracht. Bei *i* war die Kraft 112^0, bei *k* 108^0, bei *l* 65^0, bei *m* 35^0; hinter diesem Punkte nahm die Inductionskraft, wie zu erwarten war, allmählich ab, erhob man aber die Probekugel nach *n*, so stieg die Ladung auf 87^0 und in dem noch höheren Punkte *o* auf 105^0. Bei weiterer Erhebung bis zum Punkte *p* betrug jedoch die aufgenommene Ladung nur 98^0 und verringerte sich in höheren Lagen continuirlich. Hier ging die Induction völlig um die Ecke. In der That, nichts kann einen besseren Beweis liefern dafür sowohl, dass die Inductionswirkung in krummen Linien oder Bahnen erfolgt, die hier durch die Gestalt, Lage und Beschaffenheit der metallenen Halbkugel in ihrer geradlinigen Ausbreitung gehindert sind, als auch dafür, dass diese Linien, so zu sagen, eine *Seitenspannung* gegen einander haben; dies Alles beruht, meiner Meinung nach, darauf, dass die Induction eine Wirkung der an einander stossenden Theilchen des Dielektricums ist, welche, in einen Polarisations- oder Spannungszustand versetzt, durch ihre Kräfte nach allen Richtungen in Wechselwirkung stehen.

1225. Als einen anderen Beweis, dass diese Wirkungen in ihrer Gesammtheit inducirender Art waren, kann ich noch ein Resultat anführen, welches genau vorauszusehen war, dass nämlich, wenn man eine nicht isolirte leitende Substanz im Umkreise und nahe an die Schellackstange brachte, die Inductionskraft nach ihr hin gerichtet war und nicht oben auf der Halbkugel nachgewiesen werden konnte. Entfernte man diese Substanz, so nahmen die Linien der Inductionskraft wieder ihre frühere Richtung ein. Der Versuch beweist die Seitenspannung dieser Linien und die Nothwendigkeit, solche Substanzen bei diesen Untersuchungen fern zu halten.

1226. Nach diesen Resultaten über die in Luft in krummen Linien erfolgende Induction, dehnte ich meine Versuche auf andere Gase aus und nahm zunächst Kohlensäure und dann Wasserstoff; die Erscheinungen entsprachen genau den bereits beschriebenen. Bei diesen Versuchen fand ich, dass, wenn man die Gase in Gefässe aus Glas oder Steingut einschliesst, diese sehr gross sein müssen, weil die Leitungsfähigkeit dieser Materialien so gross ist, dass die Induction des erregten Schellackcylinders auf sie ebenso bedeutend als auf Metall, und daher, wenn die Gefässe klein sind, ein so grosser Theil der Inductionskraft nach ihnen hin gerichtet ist, dass die oben erwähnte Seitenspannung oder gegenseitige Abstossung der Kraftlinien (1224), wodurch deren Beugung verursacht wird, nach anderen Richtungen hin so stark begünstigt wird, dass die Probekugel in den Lagen *k, l, m, n, o, p* (Fig. 110) keine Ladung durch Induction empfängt. Man verfährt daher sehr zweckmässig so, dass man die Gase in breiten Strömen durch die Luft auf- und absteigen lässt und in diesen Strömungen die Versuche ausführt.

1227. Nun änderte ich diese Versuche dahin ab, dass ich die Luft oder Gase durch ein flüssiges Dielektricum, und zwar *Terpentinöl* ersetzte. Eine einen halben Zoll hohe Schicht gut rectificirten Terpentinöls befand sich in einer dünnen mit Schellack (1272), dessen gute Isolation durch den Versuch festgestellt war, überzogenen Glasschale, welche auf die messingene Halbkugel gesetzt wurde (Fig. 110), und die Beobachtungen mit der Probekugel hatten den früheren Gang (1224). Die Resultate waren dieselben, und es machte keinen merklichen Unterschied, ob die Kugel in ihren verschiedenen Lagen in oder ausserhalb der Flüssigkeit war.

1228. Zuletzt wandte ich einige feste Dielektrica zu demselben Zwecke und mit demselben Erfolge an. Es waren Schellack, Schwefel, geschmolzenes und gegossenes Bleiborat, Flintglas, gut überzogen mit einer dünnen Schellackschicht und Wallrath. Die Versuchsanordnung mit Schwefel, welcher alle anderen glichen, war folgende. Es wurde eine quadratische Platte von zwei Zoll Seite und und 0,6 Zoll Dicke gegossen, die in der Mitte der einen Fläche eine kleine Höhlung oder Vertiefung zur Aufnahme der Probekugel hatte, und auf die, wie in den früheren Fällen, auf der erregten Schellackstange ruhende metallene Halbkugel (Fig. 112) gelegt; hierauf wurden die Beobachtungen bei den Lagen der Probekugel in *n, o, p* und *q* gemacht. Bei diesen Versuchen musste man wohl Sorge tragen, den Schwefel oder die anderen festen Substanzen von jeder etwa vorher angenommenen Ladung zu befreien. Dies geschah durch Anhauchen und Abwischen (1203), und erst nachdem man sich überzeugt hatte, dass sie von jeder elektrischen Erregung frei waren, schritt man zum Versuche mit ihr, nach dessen Beendigung sie fortgenommen und abermals untersucht wurde, um zu ermitteln, ob sie keine Ladung angenommen und wirklich nur als Dielektricum gewirkt hatte. Bei allen diesen Vorsichtsmassregeln waren die Resultate dieselben, und es gereicht mir zu grosser Genugthuung, die krummliniige Inductionswirkung durch *feste Körper* nachzuweisen, da jede mögliche Wirkung durch Translation geladener Theilchen, welche Manche bei Flüssigkeiten oder Gasen voraussetzen könnten, hier gänzlich ausgeschlossen ist.

1229. Bei diesen Versuchen mit festen Dielektricis war die Stärke der von der Probekugel in den Lagen *n, o, p* (Fig. 112) aufgenommenen Ladung entschieden grösser als diejenige, welche die Kugel in denselben Lagen annahm, wenn zwischen ihr und der metallenen Halbkugel nur Luft vorhanden war. Dieses Resultat steht im Einklang mit den später nachzuweisenden Relationen dieser Körper, nämlich mit ihrem Vermögen, die Induction durch ihre Masse hindurch zu erleichtern (1269, 1273, 1277).

1230. Ich könnte *viele* andere, theils ältere, theils neue Versuche anführen, in denen Induction in krummen oder gewundenen Linien erfolgt, aber es scheint mir nach den vorstehenden Resultaten überflüssig und genügend, wenn ich nur zwei erwähne. Wenn eine nicht isolirte Metallkugel B oder auch eine Platte, die jedoch keine zu dünnen Ränder haben darf, einem elektrisirten Conductor (Fig. 111) gegenübergestellt wird, so wird ein kleines nicht isolirtes Elektrometer in *c* oder *d* Anzeichen von Elektricität liefern, die mit der auf A ungleichartig und daher durch Induction hervorgerufen ist, obschon der influencirende mit dem influencirten Körper nicht durch eine durch die Luft gehende gerade Linie verbunden werden kann. Oder wenn man die Elektrometer fortlässt und auf der Rückseite der nicht isolirten Kugel bei C eine Spitze anbringt, so wird diese leuchtend und entladet den Conductor A. Der letztere Versuch ist von Nicholson[1]) beschrieben, der jedoch falsche Schlüsse daraus gezogen hat. Ich durfte ihn, trotzdem er ein Fall von Entladung ist, hier anführen, weil der Entladung Induction vorausgegangen, und diese in krummen Linien erfolgt sein musste.

1231. Ich sehe nicht ab, wie man die vorstehenden Resultate als Argumente gegen die hergebrachte Theorie der Induction und für die, welche ich aufzustellen gewagt habe, von der Hand weisen könne. Die Wirkungen sind sicherlich Inductionswirkungen, nicht von strömender, sondern von statischer Elektricität hervorgebracht, und diese Induction wird in Kraftlinien ausgeübt, welche, wiewohl sie in vielen Fällen gerade sein mögen, hier je nach den Umständen mehr oder weniger gekrümmt sind. Ich gebrauche den Ausdruck *Inductionskraftlinie* als eine vorläufige conventionelle Bezeichnungsweise der Richtung der Kraft bei Inductionsvorgängen. Bei den Versuchen mit der Halbkugel (1224) ist es merkwürdig zu sehen, wie, wenn gewisse Linien an der unteren Fläche und dem Rande des Metalles endigen, diejenigen, welche ihnen zuvor zur Seite lagen, sich *ausbreiten und auseinandergehen*, indem die einen umbiegen und in der oberen Fläche der Halbkugel enden, andere auswärts fortschreitend weiter oben zusammentreffen und ihre Wirkung vereinigen, um der Probekugel in einer *grösseren Entfernung* von der Kraftquelle eine stärkere Ladung zu ertheilen, und sich gegenseitig so beeinflussen, dass sie eine zweite Biegung in einer der ersten entgegengesetzten Richtung machen. All dies scheint mir zu beweisen, dass die gesammte Wirkung von Theilchen zu Theilchen geht, nicht bloss in Linien, welche sie, wie man sich vorstellen kann, zwischen den *inducirenden* und *inducirten* Oberflächen durch das Dielektricum hindurch bilden (1483), sondern auch in Seitenrichtungen. Eben dies ist es, was den Effect einer seitlichen Abstossung und Ausbreitung der genannten Kraftlinien hat und die Induction befähigt, um die Ecke zu gehen (1304). Anders als die Gravitationskraft, vermöge welcher zwei Theilchen, was für Theilchen auch zwischen ihnen liegen mögen, in gerader Linie auf einander wirken, bietet jene Kraft mehr Analogie mit einer Reihe von Magnetnadeln oder mit

---

[1]) Encyclopaedia Britannica, vol. VI, p. 504.

dem Zustande der Theilchen, welche, wie man annimmt, zusammen einen geraden oder gekrümmten Magnet bilden. Von welcher Seite ich auch die Sache betrachte, und wie gross auch mein Misstrauen gegen den Einfluss von Lieblingsmeinungen auf mich selbst ist, so kann ich doch nicht begreifen, wie die gewöhnliche Theorie der Induction einen richtigen Ausdruck jenes grossen Naturprincips der elektrischen Wirkung sein könne.

1232. Bei Beschreibung der zum Gebrauch des Inductionsapparates nothwendigen Vorsichtsmassregeln hatte ich Veranlassung, auf eine hinzuweisen, welche sich auf Induction in krummen Linien gründet (1203); und nachdem nun die Versuche beschrieben sind, wird man leicht sehen, wie gross der Einfluss der Schellackstange auf die Ladung der an den Apparat angelegten Probekugel sein kann (1218), wenn man jene Vorsichtsmassregel nicht beachtet.

1233. Ich halte es für nützlich, ehe ich den Gang dieser experimentellen Untersuchungen weiter verfolge, einige noch nicht anticipirte, auf *Leitung* beruhende Wirkungen zu beschreiben, welche mit Körpern, wie Glas, Lack, Schwefel u. s. w. erhalten wurden. Richtig verstanden, werden sie uns gewisse Vorsichtsmassregeln kennen lehren, welche bei Untersuchung der grossen Frage über specifische Inductionscapacität nothwendig sind.

1234. In den einen der oben beschriebenen Inductionsapparate (1187 etc.) war eine halbkugelförmige Schale von Schellack gestellt, die fast den ganzen Raum zwischen der unteren Halbkugel und der inneren Kugel einnahm; wenn demnach der Apparat geladen wurde, so war der Schellack das dielektrische oder isolirende Medium, durch welches die Induction in diesem Theile stattfand. Wenn dieser Apparat zuerst mit Elektricität (1198) bis zu einer gewissen Intensität geladen war, die z. B. 400° des Coulomb'schen Elektrometers (1180) entsprach, so fiel dieselbe weit schneller ab, als wenn der Apparat unter sonst gleichen Umständen von vornherein eine stärkere Ladung erhalten hatte und diese allmählich auf 400° herabgesunken war, oder als wenn er ein zweites Mal auf eine Ladung von 400° gebracht wurde. Wenn er ferner einige Zeit, beispielsweise fünfzehn oder zwanzig Minuten, geladen blieb und dann plötzlich und vollkommen entladen wurde, so nahm der Apparat, sich selbst überlassen, selbst wenn der Stange alle Elektricität entzogen worden war (1203), allmählich wieder eine Ladung an, welche in neun bis zehn Minuten auf 50° bis 60°, ja in einem Falle auf 80° anwuchs.

1235. Die Elektricität, welche in diesen Fällen aus einem scheinbar latenten in einen wahrnehmbaren Zustand zurückkehrte, war immer der durch Ladung ertheilten gleichartig. Diese Rückkehr fand an beiden inducirenden Oberflächen statt. Denn wenn der ganze Apparat nach vollständiger Entladung isolirt wurde, so wurde die äussere Kugel negativ, wenn die innere positiv elektrisch wurde.

1236. Dieser Vorgang liess sich zugleich von der in krummen

Inductionslinien erfolgenden Wirkung der elektrisirten Schellackstange (1203, 1232) durch den Umstand unterscheiden, dass alle jene wieder zu Tage getretene Elektricität vollständig und augenblicklich entladen werden konnte. Er schien von dem Schellack innerhalb der Kugel abzuhängen und theilweise herzurühren von der Elektricität, welche in Folge eines früheren Zustandes, in der ersterer durch die Ladung der metallischen Belegungen oder der Kugeln gebracht worden war, durch ihn erregt wurde.

1237. Um diesen Zustand genauer zu untersuchen, wurde der Apparat, in welchem sich die halbkugelförmige Schellackschale befand, etwa fünfundzvierzig Minuten lang mit positiver Elektricität auf den Kugeln *h* und B (Fig. 104) bis über 600^0 geladen erhalten. Darauf wurde er entladen, geöffnet, die Schellackschale herausgenommen und ihr, deren Zustand ja ermittelt werden sollte, die Standkugel nahe gebracht, welche erst abgeleitet, dann isolirt und nun auf die etwa angenommene Ladung untersucht wurde. Da diese nur durch Induction erfolgt sein konnte, so musste die Elektricität der Kugel entgegengesetzter Art sein wie diejenige der Schellackoberfläche, welche sie erzeugt hatte. Anfänglich schien der Schellack ganz frei von Ladung zu sein, aber allmählich traten auf seinen beiden Oberflächen entgegengesetzte Elektricitäten auf; die concave, der inneren, positiv geladenen Kugel zunächst liegende Oberfläche hatte positive, und die convexe, welche mit der negativen Belegung in Berührung gewesen war, hatte negative Elektricität; diese Zustände nahmen eine Zeit lang allmählich an Intensität zu.

1238. Da die Rückkehr-Erscheinung unmittelbar nach der Entladung offenbar am grössten war, setzte ich den Apparat wieder zusammen und lud ihn fünfzehn Minuten lang, wie vorher, die innere Kugel also positiv. Dann entlud ich ihn, nahm sofort die obere Halbkugel mit der inneren Kugel ab, liess aber die Schellackschale in der unteren abgeleiteten Halbkugel und untersuchte ihre innere Oberfläche mit der Probekugel wie zuvor (1237). Auf diese Weise fand ich diese Schellackoberfläche wirklich *negativ* oder entgegengesetzt der eben darin gewesenen Kugel geladen. Dieser Zustand verschwand rasch, und ihm folgte ein positiver, der ebenso wie vorher eine Zeit lang an Intensität allmählich zunahm. Der anfängliche negative, dem positiven der ladenden Kugel entgegengesetzte Zustand der Oberfläche ist eine natürliche Folge der Lage der Dinge, da die ladende Kugel den Schellack nur in wenigen Punkten berührte. Er widerstreitet nicht dem allgemeinen Resultat und dem hier betrachteten eigenthümlichen Verhalten, vielmehr trägt er dazu bei, die Annahme eines dem der gegenüberliegenden oder anliegenden Metallflächen gleichartigen elektrischen Zustandes seitens der Schellackflächen in einer sehr bezeichnenden Weise zu illustriren.

1239. Hierauf untersuchte ich, inwiefern *Glas* dieses eigenthümliche Verhalten zeigt. Eine dicke halbkugelförmige Schale aus Flintglas, welche bequem in den Raum *o* der unteren Halbkugel (1188, 1189) hinein passte, war erhitzt und mit einer Lösung von Schellack in Alkohol gefirnisst worden, um die Leitung der Glasfläche aufzuheben (1254). Sie wurde in gut erwärmtem Zustande untersucht, und ich fand, dass auch sie *denselben Zustand* annahm, aber anscheinend nicht in demselben Grade, da die Rückstandsbildung in verschiedenen Fällen nur 6⁰ bis 18⁰ betrug.

1240. *Wallrath,* in derselben Weise untersucht, gab überraschende Resultate. Wenn die ursprüngliche Ladung fünfzehn bis zwanzig Minuten lang auf ungefähr 500⁰ gehalten worden war, so betrug die Rückstandsladung 95⁰ bis 100⁰ und erreichte in etwa vierzehn Minuten ihr Maximum. Eine nicht länger als zwei bis drei Secunden unterhaltene Ladung hatte hier eine Rückstandsladung von 50⁰ bis 60⁰ zur Folge. Die oben gemachten Beobachtungen (1234) gelten auch für diese Substanz. Wallrath, obwohl er eine schwache Ladung eine Zeit lang isolirt, ist ein besserer Leiter als Schellack, Glas und Schwefel, und eben mit dieser seiner Leitungsfähigkeit hängt es zusammen, dass er den hier betrachteten eigenthümlichen Effect so leicht äussert.

1241. *Schwefel.* — Ich war begierig, die Grösse des Effectes mit dieser Substanz kennen zu lernen, erstlich, weil sie ein vorzüglicher Isolator ist und demgemäss das Verhältniss des Effectes zu der Grösse des Leitungsvermögens des Dielektricums darthun könnte (1247), und ferner, um zur Untersuchung der Frage über die specifische Inductionscapacität (1277) den Körper kennen zu lernen, welcher die in Rede stehende Wirkung im geringsten Maasse zeigt.

1242. Mit einer durch Giessen völlig fehlerfrei hergestellten Schale von Schwefel erhielt ich eine Rückstandsladung im Betrage von nur 17⁰ bis 18⁰. Also zeigen Glas und Schwefel, die als solche sehr schlechte Elektricitätsleiter, ja fast vollkommene Isolatoren sind, diese Rückstandsladung nur in sehr geringem Maasse.

1243. Denselben Versuch machte ich bloss mit *Luft* in dem Inductionsapparate. Nachdem er einige Zeit stark geladen erhalten worden war, trat wohl eine geringe Rückstandserscheinung zu Tage, allein, wie sich schliesslich herausstellte, rührte sie von der Schellackstange her.

1244. Ich suchte etwas diesem Zustande Aehnliches mit nur einer Elektricitätsart und ohne Induction zu erhalten; denn nach der Theorie eines oder zweier elektrischer Fluida schien dies nicht unmöglich, und ich würde alsdann eine absolute Ladung (1169, 1177) oder etwas ihr Gleichwerthiges erhalten haben. Allein es gelang mir nicht. Ich elektrisirte die Aussenseite eines Schellackcylinder eine Zeit lang sehr stark, entlud ihn dann rasch (1203) und wartete nur ab, ob sich eine Rückstandsladung zeigen würde, allein vergebens. Diese Thatsache spricht wiederum zu Gunsten der Untrennbarkeit beider elektrischer Kräfte (1177) und ist gleichfalls eine Bekräftigung der Ansicht, dass Induction und ihre Begleiterscheinungen auf einer Polarisation der materiellen Theilchen beruhen.

1245. Obschon ich anfangs geneigt war, diese Erscheinungen von einem eigenthümlichen latenten Zustande eines gewissen Bruchtheiles der Kräfte herzuleiten, so glaube ich doch, sie seitdem richtig auf bekannte Principien der elektrischen Action zurückgeführt zu haben. Die Vorgänge scheinen auf einem thatsächlichen Eindringen der Ladung in das Dielektricum bis zu einer gewissen Tiefe zu beiden Seiten desselben zu beruhen, das vermöge der von uns so genannten *Leitung* erfolgt, so dass, um mich der üblichen Ausdrucksweise zu bedienen, die die Induction unterhaltenden elektrischen Kräfte nicht bloss auf den Metalloberflächen bleiben, sondern auch auf und in dem Dielektricum bis zu einer grösseren oder geringeren Tiefe von den Metallbelegungen aus. Es sei *c* (Fig. 113) der Durchschnitt einer Platte aus irgend einer dielektrischen Substanz, *a* und *b* die metallischen Belegungen, *b* sei abgeleitet und *a* positiv geladen. Wird *a* und *b* nach zehn bis fünfzehn Minuten entladen und isolirt, so wird man unmittelbar darauf keine Elektricität auf ihnen finden; untersucht man sie aber nach kurzer Zeit abermals, so zeigen sie sich in derselben Weise, wenngleich nicht bis zu derselben Höhe, geladen wie zuvor. Nimmt man nun an, dass ein Theil der positiven Kraft unter dem zwingenden Einflusse aller in Betracht kommenden Kräfte in das Dielektricum eintritt und seinen Sitz auf der Strecke *p* nimmt und ein entsprechender Theil der negativen Kraft seinen Sitz auf der Strecke *n* hat, dass demnach das Dielektricum an der einen dieser beiden Stellen positiv, an der anderen negativ geladen wird, so ist klar, dass die Induction dieser beiden Kräfte, nun da sie sich in dem kleinen Abstand *np* von einander befinden, weit grösser auf einander und geringer nach aussen sein wird, als da sie durch den grösseren Zwischenraum *a b* getrennt waren. Wenn nun *a* und *b* entladen werden, so wird hiermit alle äussere Induction zerstört oder neutralisirt, und man findet daher die Belegungen mittelst der Probekugel unelektrisch; allein die Entladung beseitigt auch fast die gesammten Kräfte, welche die elektrische Ladung in das Innere des Dielektricums getrieben hatten, und wiewohl ein Theil dieser Ladung wahrscheinlich weiter vorschreitet und sich schliesslich, wie wir sagen, entladet, so kehrt doch der grössere Theil auf die Oberfläche von *c* und demnach zu den Belegungen *a* und *b* zurück, und dies ist eben die beobachtete Rückstandsladung.

1246. Folgendes ist der Versuch, welcher mich von der Richtigkeit dieser Ansicht überzeugt. Zwei Platten von Wallrath, *d* und *f* (Fig. 114), bildeten zusammen das Dielektricum, *a* und *b*, wie vorher, die metallischen Belegungen dieser zusammengesetzten Platte. Das System wurde geladen, dann entladen und isolirt, ohne bei Untersuchung mit der Probekugel Anzeichen von Elektricität zu liefern. Als nun aber die Platten *d* und *f* von einander getrennt wurden, so zeigte sich augenblicklich *a* nebst *d* positiv, *b* nebst *f* negativ, und fast alle Elektricität befand sich auf den Belegungen *a* und *b*. Hieraus erhellt, dass von den gesuchten Kräften die positive auf der einen Hälfte der zusammengesetzten Platte, die negative auf der anderen Hälfte gewesen war; denn als sie mit den Platten, in denen sie ihren Sitz hatten, aus dem Bereiche ihres gegenseitigen Inductionseinflusses herausgebracht wurden, erschienen sie an getrennten Orten und nahmen daher ihre Fähigkeit, auf die Elektricität der umgebenden Körper vertheilend zu wirken, nothwendig wieder an. Beruhte der Effect nur in einer besonderen Relation der an einander stossenden materiellen Theilchen, so würde jede der Platten *d* und *f* auf der einen Seite positiv und auf der anderen Seite negativ gewesen sein.

1247. Hieraus geht hervor, dass die besten starren Isolatoren, wie Schellack, Glas und Schwefel, so viel Leitungsvermögen besitzen, dass Elektricität in ihre Masse eindringen kann, wiewohl der Inductionszustand immer der beherrschende bleibt (1178). Theoretisch betrachtet, sollten die Kräfte in dieser Form einer Ladung der kleinsten Theilchen bis zu jeder Tiefe in die Masse eindringen, denn dieselbe Rolle, welche die Ladung des Metalles hinsichtlich der ihr zunächst liegenden Schicht des Dielektricums spielt, sollte die Ladung dieser hinsichtlich der folgenden Schicht des Dielektricums selbst spielen; wahrscheinlich dringt jedoch bei den besten Isolatoren die freie Ladung nur bis zu einer sehr kleinen Tiefe in ihre Masse ein, denn sonst müsste zu Anfang, während die ursprüngliche Ladung unterhalten wird, mehr von dieser verschwinden, weniger Zeit zur Annahme des besonderen Zustandes erforderlich sein, und mehr Elektricität als Rückkehrladung wiedererscheinen.

1248. Der Umstand, dass die Ladung zum Eindringen *Zeit* braucht, ist wichtig sowohl hinsichtlich des allgemeinen Zusammenhanges dieser Vorgänge mit der Leitung, als auch, um einen Einwand zu beseitigen, den man sonst gegen gewisse weiterhin mitzutheilende Resultate bezüglich der specifischen Inductionscapacitäten (1269, 1277) mit Recht erheben könnte.

1249. Eben daher, dass das Glas zwischen den Belegungen einer Leydener Flasche zur Annahme dieses Ladungszustandes Zeit braucht, rührt die wohlbekannte Erscheinung, welche man gewöhnlich durch eine Ausbreitung der Elektricität über den unbelegten Theil des Glases erklärt, nämlich die *Rückstandsladung*. Der Betrag der Ladung, welche eine grosse Batterie nach vollkommener Ableitung beider Belegungen von selbst wieder annehmen kann, ist sehr beträchtlich, und bei weitem der grösste Theil derselben rührt eben von der Rückkehr der Elektricität in der beschriebenen Weise her. Eine sechs Quadratzoll grosse und einen halben Zoll dicke Schellackplatte, oder eine ähnliche, einen Zoll dicke Platte von Wallrath, auf beiden Seiten nach Art einer Leydener Flasche mit Stanniol belegt, zeigt diese Erscheinung ausserordentlich gut.

1250. Das eben beschriebene eigenthümliche Verhalten der Dielektrica kann offenbar einen störenden Einfluss auf die bei dem Gebrauche zweier Inductionsapparate sich ergebenden Resultate und Schlüsse zur Folge haben, wenn in einem oder beiden Schellack, Glas u. s. w. angewandt wird (1192, 1207); denn in diesen Fällen muss bei der nach der beschriebenen Methode (1198, 1207) erfolgenden Theilung der Ladung die Spannung in dem Apparate, welcher soeben die Hälfte der Ladung empfangen hat, schneller sinken als in dem anderen. Denn gesetzt, zuerst erhalte App. I Ladung, die dann mit App. II getheilt werde, so wird, wenn auch beide thatsächlich gleichviel verlieren, App. I, dem die Hälfte der Ladung entzogen wurde, doch durch einen gewissen Betrag der Rückkehrladung (1234) einen Ersatz erhalten, während die Spannung in App. II durch das Eintreten des besonderen Zustandes desto rascher sinkt. Ich habe mich bemüht, diese Störung dadurch zu vermeiden, dass ich die ganze Procedur der Vergleichung so schnell als möglich ausführte und die Kraft des App. II unmittelbar nach der Theilung maass, ehe eine merkliche Verringerung der Spannung in Folge der Annahme des besonderen Zustandes eintreten konnte. Da, um die Kraft der nicht fortführbaren Elektricität zu messen, ungefähr drei Minuten zwischen der ersten Ladung des App. I und der Theilung, und ebenso viel Zeit zwischen der Theilung und Entladung verstreichen, so habe ich angenommen, dass die entgegengesetzten Tendenzen in diesen Perioden den Apparat während der letzten Periode in einem ziemlich constanten und gleichförmigen Zustande erhalten würden.

1251. Der beschriebene eigenthümliche Vorgang tritt ebenso gut im Schellack der Stange als in dem im Innern des Apparates angewandten *Dielektricum* ein. Hierin liegt also eine Ursache, wodurch die Aussenseite der Schellackstange, abgesehen von der Wirkung von Staub oder anderen herumschwebenden Theilchen (1203), bei manchen Operationen mit Elektricität geladen wird.

V. Ueber specifische Induction oder specifische Inductionscapacität.

1252. Ich wende mich nun zur Untersuchung der grossen Frage über specifische Inductionscapacität, d. h. ob verschiedene dielektrische Körper wirklich einen Einfluss auf den Grad der durch sie hindurch stattfindenden Induction haben. Wenn in dieser Beziehung ein Unterschied zwischen ihnen existirte, so schien mir dies nicht bloss für das weitere Verständniss der Gesetze und Ergebnisse der Induction von grosser Wichtigkeit, sondern auch ein neues und sehr gewichtiges Argument für die von mir aufgestellte Theorie zu sein, dass der ganze Vorgang auf einer Molecularwirkung, im Gegensatze zu einer Wirkung in merkliche Ferne, beruhe.

Die Frage kann folgendermassen formulirt werden: Gesetzt, A sei eine in der Luft aufgehängte elektrisirte Metallplatte, B und C seien zwei genau gleiche abgeleitete Platten, zu beiden Seiten von A, ihr parallel und in gleichen

Abständen von ihr angebracht, so wird A gleich stark inducirend auf B und C wirken. Wenn nun bei dieser Stellung der Platten irgend ein anderes Dielektricum als Luft, z. B. Schellack, zwischen A und C gebracht wird, wird dann die Induction zwischen ihnen dieselbe bleiben? Wird das Verhalten von C und B zu A, trotz der Verschiedenheit der zwischen sie eingeschalteten Dielektrica, ungeändert bleiben?[1])

1253. So weit ich mich erinnere, nimmt man an, dass eine solche Abänderung der Bedingungen keinen Unterschied macht, und dass das Verhalten von B und C zu A gänzlich von ihrem Abstande von einander abhängt. Ich entsinne mich nur einer experimentellen Beleuchtung dieser Frage, die von Coulomb[2]) herrührt, welcher zeigte, dass ein von Schellack umgebener Draht einem geladenen Körper genau dieselbe Elektricitätsmenge entzog wie derselbe Draht an der Luft. Dieser Versuch ist für mich kein Beweis für die Richtigkeit der Annahme, denn es genügt nicht, bloss die Schichten der den geladenen Körper umgebenden dielektrischen Substanzen zu untersuchen und zu vergleichen, sondern es muss mit der *Gesammtmasse* zwischen jenem Körper und den umgebenden Leitern geschehen, in welche die Induction endet. Ladung beruht auf Induction (1171, 1178), und wenn Induction den Theilchen des umgebenden Dielektricums zugehört, so gehört es *allen* Theilchen dieses von den umgebenden Leitern umschlossenen Dielektricums zu und nicht bloss den wenigen in nächster Umgebung des geladenen Körpers. Wie es auch mit der Existenz der von mir gesuchten Verschiedenheit sein mochte, so fand ich doch bald Grund zu Zweifeln an dem Schluss, der aus Coulomb's Versuchsresultat gezogen werden könnte, und ich habe daher den Apparat construirt, welcher selbst nebst der Art seines Gebrauches oben beschrieben worden ist (1187 etc.), und der mir für die Untersuchung dieser Frage wohl geeignet zu sein scheint.

1254. Glas und andere Körper, welche auf den ersten Blick zur Prüfung jenes Princips sehr geeignet schienen, erwiesen sich gerade als ganz unbrauchbar hierzu. Die Oberfläche des Glases, wenn es auch noch so gut erwärmt und getrocknet ist, besitzt, namentlich in Folge seines Gehaltes an Alkali, einen gewissen Grad von Leitungsvermögen, der von der Feuchtigkeit der atmosphärischen Luft abhängt, und ist daher zu einem entscheidenden Versuche unbrauchbar. Harz, Wachs, Naphta, Terpentinöl und viele andere Substanzen mussten ebenfalls wegen ihres, wenn auch geringen Leitungsvermögens verworfen werden. Nach vielen Versuchen blieb ich endlich bei Schellack und Schwefel, welche sich als die für diese Untersuchung geeignetsten Dielektrica erwiesen. Es ist nicht schwer zu begreifen, wie ein geringes Leitungsvermögen eines Körpers Erscheinungen darzubieten vermag, welche man als ein Anzeichen dafür halten kann,

---

[1]) Behufs praktischer Erläuterung dieser Fragestellung vergleiche die nachträgliche Bemerkung 1307 etc. — Dec. 1838.

[2]) Mémoires de l'Académie, 1787, pp. 452, 453.

dass seine Fähigkeit, Induction durch sich hindurch zu gestatten, grösser sei als die eines anderen vollkommen isolirenden Körpers. Ich habe gefunden, dass diese Fehlerquelle am schwierigsten bei den entscheidenden Versuchen zu vermeiden ist.

1255. *Induction durch Schellack.* — In einem Vorversuche stellte ich zunächst im Allgemeinen fest, dass, wenn ein Theil der Oberfläche einer dicken Schellackplatte elektrisch geladen wurde, in dem Charakter der durch diesen geladenen Theil unterhaltenen Induction kein Unterschied wahrzunehmen war, gleichviel ob dieselbe durch die Luft in der einen Richtung oder in der entgegengesetzten Richtung durch die Schellackplatte erfolgte, vorausgesetzt, dass die andere Fläche der Platte nicht durch Berührung mit Leitern, durch Staubtheilchen oder auf andere Weise geladen wird (1203). Vermöge ihrer Starrheit hielt sie die erregten Theilchen in einer permanenten Lage, aber das schien auch Alles zu sein; denn diese Theilchen wirkten nach der einen Seite durch Schellack ebenso ungehindert als nach der anderen durch die Luft hindurch. Denselben allgemeinen Versuch machte ich mit demselben Erfolge, indem ich die eine Fläche der Schellackplatte mit einer Scheibe von Stanniol belegte und diese elektrisirte. Ausser Schellack und Schwefel wird schwerlich eine andere starre Substanz, noch auch eine Flüssigkeit, die ich versucht habe, dieses Verhalten zeigen. Glas in seinem gewöhnlichen Zustande zeigt es ganz und gar nicht. Es war durchaus nothwendig, zuerst diesen Grad von Vollkommenheit in dem angewandten Dielektricum zu erhalten, ehe ein weiterer Schritt in der Hauptuntersuchung gemacht werden konnte.

1256. In erster Linie wurden *Schellack und Luft* mit einander verglichen. Zu diesem Zwecke wurde eine dicke, halbkugelförmige Schellackschale in die untere Halbkugel eines der Inductionsapparate (1187 etc.) gestellt, so dass sie die untere Hälfte des Zwischenraumes *o o* (Fig. 104) zwischen ihr und der inneren Kugel beinahe ausfüllte. Die Theilung der Ladung erfolgte in der bereits beschriebenen Weise (1198, 1207), und zwar erhielt abwechselnd bald dieser bald jener Apparat die mit dem anderen zu theilende Ladung. Da man wusste, dass die Apparate, wenn in beiden Luft enthalten war, gleiche inducirende Kraft besassen (1209, 1211), so mussten etwaige aus der Einschaltung des Schellacks resultirende Verschiedenheiten sich in einer besonderen Wirkung äussern und, wenn sie unzweideutig auf einen specifischen Inductionseinfluss zurückzuführen waren, den gesuchten Punkt feststellen. Ich habe bereits die bei diesen Versuchen nothwendigen Vorsichtsmassregeln erwähnt (1199 etc.) und gegen den Fehler, welcher aus der Annahme des besonderen Zustandes entspringen kann, suchte ich mich nach Möglichkeit in erster Linie dadurch zu schützen, dass ich rasch operirte (1248) und als Dielektricum Glas oder Schwefel anwandte, welche den besonderen Zustand sehr langsam und in geringstem Grade annehmen (1239, 1241).

1257. Die Schellackhalbkugel wurde in App. I gestellt und App. II mit Luft gefüllt. Die Resultate eines Versuches, in welchem die Ladung durch Luft hindurch mit dem Schellack-Apparate getheilt wurde, waren folgende:

App. I. Schellack		App. II. Luft	
	Kugeln 255^0		
0^0	. . . . . .		
	. . . . . .	304^0	
	. . . . . .	297	
	Ladung getheilt		
113	. . . . . .		
	. . . . . .	121	
0	. . . . . .		nach Entladung.
	. . . . . .	7	nach Entladung.

1258. Hier kann 297^0 minus 7^0 oder 290^0 als die theilbare Ladung des App. II angesehen werden (7^0 entspricht der constanten Wirkung der Stange (1203, 1232)), wovon 145^0 die Hälfte ist. Die 113^0 stellen die nach der Theilung erlangte Kraft oder Spannung des App. I dar, und die 121^0 minus 7^0 oder 114^0 die Kraft, welche der Luft-Apparat II von der theilbaren Ladung von 290^0 behielt. Diese beiden Zahlen sollten gleich sein, und sie sind es in der That so nahe, dass die Abweichung durchaus innerhalb der Grenzen der Versuchs- und Beobachtungsfehler liegt. Dagegen weichen diese Zahlen sehr bedeutend von 145^0 ab, oder von der Stärke, welche die halbe Ladung gehabt haben würde, wenn App. I an Stelle von Schellack Luft enthalten hätte, und es erhellt, dass, während bei der Theilung die Induction durch die Luft 176^0 an Kraft verlor, die durch Schellack nur 113^0 gewann.

1259. Nimmt man an, dass diese Differenz ganz und gar davon herrühre, dass Schellack die Inductionswirkung leichter hindurchlasse als Luft, so würde diese Capacität für elektrische Induction sich umgekehrt verhalten wie der oben angegebene Verlust, bezüglich der Gewinn, und setzt man die Capacität des Luft-Apparates gleich 1, so wäre die des Schellack-Apparates gleich $^{176}/_{113}$ oder 1,55.

1260. Der Betrag dieser Differenz überstieg dermassen die Erwartung, dass er den grössten Argwohn gegen die allgemeine Genauigkeit des Versuches erregte, obschon die vollkommene Entladung des App. I nach der Theilung bewies, dass er die 113^0 leicht aufgenommen und abgegeben hatte. Es war klar, dass, wenn jene Differenz wirklich existirte, correspondirende Wirkungen in umgekehrter Ordnung auftreten mussten, dass also, wenn die Induction durch Schellack in Induction durch Luft umgesetzt würde, die Kraft oder Spannung des Ganzen *wachsen* musste.

Demnach wurde zuerst App. I Ladung gegeben und sie mit App. II getheilt. Die Resultate waren folgende:

App. I. Schellack		App. II. Luft
	. . . . .	0^0
215^0	. . . . .	
204	. . . . .	
	Ladung getheilt	
	. . . . .	118
118	. . . . .	
	. . . . .	0 nach Entladung
0	. . . . .	nach Entladung.

1261. Hier muss 204^0 der höchste Betrag der theilbaren Ladung sein. 118^0 stellt die respectiven Kräfte der App. I und II dar, beide haben nun weit *über* die Hälfte der ursprünglichen Kraft, nämlich 102^0, während sie in dem früheren Falle weniger hatten. Der Schellack-Apparat I hat nur 86^0 verloren und doch an den Luft-Apparat II 118^0 abgegeben. Der Schellack übertrifft also die Luft bedeutend, und die Inductionscapacität des Schellack-Apparates I verhält sich zu der des Luft-Apparates II wie 1,37 zu 1.

1262. Die Differenz der Zahlen 1,55 und 1,37, welche die Inductionscapacität des Schellacks ausdrücken, scheint beträchtlich, aber sie sind unter den obwaltenden Umständen dennoch durchaus annehmbar, da beide in *entgegengesetztem Sinne* fehlerhaft sind. So fiel in dem letzten Versuche, während der Zeit, welche mit den Operationen am Elektrometer verging, während der zur Erlangung jener Resultate erforderlichen Anlegungen der Probekugel, in Folge der vereinten Vorgänge der Zerstreuung und Absorption (1192, 1250), die Ladung von 215^0 auf 204^0. Nahezu ebenso viel Zeit musste verstrichen sein zwischen der Anlegung der Probekugel, welche das Resultat 204^0 gab und der Theilung der Ladung zwischen beiden Apparaten, und da der Kraftverlust allmählich geringer wird, (1192), so wird, wenn man ihn im vorliegenden Falle nur zu 6^0 annimmt, die ganze übertragbare Ladung zur Zeit der Theilung nicht auf 204^0, sondern auf 198^0 reducirt sein. Dies verringert den Verlust der Ladung des Schellacks von 86^0 auf 80^0, und giebt eine höhere Zahl für die specifische Inductionscapacität, 1,47 statt 1,37, bezogen auf Luft als Einheit.

1263. Bringt man dieselbe Correction bei dem vorigen Experimente an, wo *zuerst* Luft geladen wurde, so ist das Resultat *entgegengesetzter* Art. Da in dem Apparate keine Schellackhalbkugel war, so musste der Verlust hauptsächlich eine Folge der Zerstreuung und nicht der Absorption sein; er musste also der Differenz der Zahlen 304^0 und 297^0 näher kommen und, zu 6^0 angenommen, die theilbare Ladung auf 284^0 reduciren. In diesem Falle würde die Luft 170^0 verloren und dem Schellack nur 113^0 mitgetheilt haben, und die relative specifische Inductionscapacität des letzteren würde 1,50 sein, eine Zahl, die in der That nur wenig abweicht von 1,47, die durch das zweite Experiment nach derselben Correction geliefert wird.

1264. Nun wurde der Schellack aus App. I herausgenommen und in App. II gestellt, und der Theilungsversuch abermals angestellt. Ich gebe die Resultate, weil ich glaube, dass die Wichtigkeit des Gegenstandes es rechtfertigt, ja verlangt.

App. I. Luft		App. II. Schellack	
	Kugeln 200^0		
	. . . . .	0^0	
286^0	. . . . .		
283	. . . . .		
	Ladung getheilt.		
	. . . . .	110	
109	. . . . .		
	. . . . .	0,25	nach Entladung
Spur	. . . . .		nach Entladung.

Hier behielt App. I 109^0, nachdem er 174^0 verloren hatte, als er 110^0 dem App. II mittheilte, und demnach verhält sich die Capacität des Luft-Apparates zu der des Schellack-Apparates wie 1 zu 1,58. Bringt man für die getheilte Ladung eine Correction an, indem man einen Verlust von nur 3^0, soviel als der frühere Verlust in derselben Zeit beträgt, annimmt, so wird die Capacität des Schellack-Apparates nur 1,55.

1265. Hierauf wurde App. II geladen und die Ladung getheilt:

App. I. Luft		App. II. Schellack	
0^0	. . . . .		
	. . . . .	256^0	
	. . . . .	251	
	Ladung getheilt.		
146	. . . . .		
	. . . . .	149	
Wenig	. . . . .		nach Entladung.
	. . . . .	Wenig	nach Entladung.

Hier nahm App. I eine Ladung von 146^0 auf, während App. II bei Mittheilung dieses Kraftbetrages nur 102^0 verlor; die Capacitäten verhalten sich demnach wie 1 zu 1,43. Bringt man für die ganze übertragbare Ladung eine Correction an, indem man einen Verlust von 4^0 vor der Theilung annimmt, so erhält man für die Capacität des Schellack-Apparates die Zahl 1,49.

1266. Diese vier Zahlen, 1,47, 1,50, 1,55 und 1,49, welche die Inductionscapacität des Schellack-Apparates ausdrücken, kommen, obwohl durch mehrfach abgeänderte Versuchsanordnungen erhalten, einander sehr nahe. Das Mittel hieraus ist 1,5 und kann späterhin als Ausdruck des

Resultates gebraucht werden. Es ist ein sehr wichtiges Resultat; es zeigt, dass das angewandte Schellackstück in der Gestattung oder Veranlassung des Actes der Induction der Luft entschieden überlegen ist, und beweist desto mehr die Nothwendigkeit einer näheren und strengeren Untersuchung der ganzen Frage.

1267. Der Schellack war von bester Qualität, er war sorgfältig ausgelesen und gereinigt worden. Allein da die Wirkung etwaiger in ihm enthaltener leitender Theilchen darin bestanden hätte, die Menge oder Dicke des Dielektricums zu verringern und solche Erscheinungen hervorzubringen, wie wenn die beiden inducirenden Leiterflächen dieses Apparates einander näher ständen als in dem bloss Luft enthaltenden Apparate, so stellte ich eine andere Halbkugel aus Schellack her, welcher durch Auflösen in starkem Weingeist, Filtriren und sorgfältiges Abdampfen der Lösung erhalten worden war. Dies ist keine leichte Operation, denn es hält schwer, die letzten Reste des Alkohols auszutreiben, ohne dass der Schellack durch die Wärme angegriffen werde, und wenn dieselben nicht verjagt werden, so leitet die zurückbleibende Substanz zu gut, als dass sie zu diesen Versuchen benutzt werden könnte. Ich stellte auf diese Weise zwei Halbkugeln her, deren eine untadelhaft war, und wiederholte mit dieser die früheren Versuche mit aller Vorsicht. Die Resultate waren genau dieselben. Gleichviel ob App. I oder II angewandt wurde, die unmittelbar durch den Versuch gelieferten Zahlen waren 1,46, 1,50, 1,52 1,51; das Mittel aus diesen und einigen anderen ist nahezu 1,5.

1268. Zu weiterer Sicherung der allgemeinen Schlussfolgerung brachte ich schliesslich die Metallflächen des Luft-Apparates, entsprechend der Lage des Schellacks in dem anderen Apparate, näher an einander, indem ich in die untere Halbkugel eben jenes keinen Schellack enthaltenden Apparates einen metallischen Einsatz stellte (1213). Der Abstand der Metallfläche von der Probekugel war auf diese Weise von 0,62 auf 0,435 Zoll verringert, während in dem anderen Apparate der vom Schellack eingenommene Zwischenraum wie vorher 0,62 Zoll blieb. Trotz dieser Abänderung zeigte der Schellack-Apparat seine frühere Ueberlegenheit und gleichviel, ob er oder der Luft-Apparat zuerst geladen wurde, so ergab sich als Versuchsresultat 1,45 zu 1 für das Verhältniss der Capacität des Schellack-Apparates zu der des Luft-Apparates.

1269. Aus allen von mir angestellten Versuchen und ihren constanten Ergebnissen kann ich nicht umhin den Schluss zu ziehen, dass Schellack in der That eine *specifische Inductionscapacität* besitzt. Ich war bemüht, die Versuche auf alle Weise zu controliren und jede Fehlerquelle, wenn nicht auszuschliessen, doch wenigstens zu schätzen. Dass das Endresultat nicht von gewöhnlicher Leitung herrührt, beweist der Umstand, dass der Apparat im Stande ist, die ihm mitgetheilte Ladung zu behalten; dass es nicht von einem Leitungsvermögen eingeschlossener Theilchen herrührt, durch welche sie, als Leiter, einen Polarisationszustand hätten annehmen können, beweist die Wirkung des durch Alkohol gereinigten Schellacks; und dass es nicht auf einem Einflusse des früher beschriebenen (1250) Ladungszustandes beruht, auf einer Absorption und nachherigen Abgabe von Elektricität, beweist die *augenblickliche* Aufnahme und Entladung der bei diesen Phänomenen in Betracht kommenden Mengen des Agens, indem der Vorgang in diesen Fällen ebenso augenblicklich erfolgt wie in allen anderen der gewöhnlichen Induction durch geladene Conductoren. Dieses Argument ist besonders schlagend in dem Falle, wo der Luft-Apparat zur Theilung der Ladung mit dem Schellack-Apparat angewandt wird, denn er empfängt seinen Antheil an Elektricität in einem *Moment*, und doch ist er weit über dem *Mittel* geladen.

1270. Nimmt man für jetzt die gesuchte allgemeine Thatsache als erwiesen an, so ist doch die Zahl 1,5, obwohl sie die Capacität des die Schellackhalbkugel enthaltenden Apparates darstellt, keineswegs ein Ausdruck für das Verhältniss derselben des Schellacks zur Luft. Denn der Schellack nimmt in dem betreffenden Apparate bloss die Hälfte des Raumes *o o* ein, durch den die Induction erfolgt, der Rest ist, wie in dem anderen Apparate, mit Luft gefüllt. Zieht man die Wirkung der beiden oberen Hälften der Kugeln ab, dann ergiebt sich für das Vermögen des Schellacks in der unteren Hälfte der einen und das der Luft in der unteren Hälfte der anderen das Verhältniss 2 : 1. Und selbst dieses muss noch unter dem wahren Werthe liegen, denn die Induction des oberen Theiles des Apparates, d. h. des Drahtes und der Kugel B (Fig. 104) gegen die äusseren Gegenstände muss in beiden gleich sein und den von dem Schellack im Inneren abhängigen und durch ihn wirklich hervorgerufenen Unterschied beträchtlich verringern.

1271. *Glas.* — Demnächst benutzte ich Glas als Dielektricum. Bei diesem ist die Möglichkeit einer Leitung seiner Oberfläche vorhanden, dagegen lässt es nicht die Vorstellung zu, dass andere als seiner eigenen Masse angehörige leitende Partikelchen (1267) in ihm eingeschlossen seien. Ueberdies nimmt es den Ladungszustand (1239) nicht so leicht und nicht in solchem Grade an wie der Schellack.

1272. Eine dünne halbkugelförmige Glasschale wurde warm mit Schellack, der in Alkohol gelöst worden war, überzogen, und nachdem sie mehrere Stunden lang in der Wärme getrocknet worden war, in den Apparat gebracht. Die mit derselben angestellten Versuche ergaben so schwache Wirkungen, dass sie, obwohl der Sinn derselben eine Ueberlegenheit des Glases über die Luft andeutete, doch als Versuchsfehler gelten konnten. Ich nahm daher an, dass das Glas keinen merklichen Effect hervorbringe.

1273. Ich verschaffte mir alsdann eine dicke halbkugelförmige Flintglasschale, welche der aus Schellack (1239) ähnlich war, aber den Raum *o o* nicht so gut ausfüllte. Ihre durchschnittliche Dicke betrug 0,4 Zoll, so dass zur Ausfüllung des 0,62 Zoll Dicke betragenden Raumes zwischen den inducirenden Metallflächen noch eine Luftschicht von 0,22 Zoll mittlerer Dicke übrig blieb. Sie war wie die vorige (1272) mit Schellack überzogen und gut erwärmt in den ebenfalls erwärmten Apparat gebracht, und die Versuche mit ihr wurden wie in den früheren Fällen (1257 etc.) angestellt. Die Resultate waren im Allgemeinen denen mit Schellack gleich, d. h. das Glas übertraf die Luft in der Fähigkeit, die Induction durch sich zu begünstigen. Die beiden besten Resultate, insofern der Zustand des Apparates, die Ladung festzuhalten, in Betracht kommt, ergaben für die specifische Inductionscapacität des Glases 1,336, wenn der Luft-Apparat zuerst geladen wurde, und 1,45, wenn der Glas-Apparat zuerst geladen wurde; eine Correction ist an keiner der beiden Zahlen angebracht. Im Mittel aus neun Versuchen ergab sich 1,38 für die Kraft des Glas-Apparates; dabei war in vier Versuchen der Glas-Apparat, und in fünf der Luft-Apparat zuerst geladen; 1,22 und 1,46 sind die mit allen Versuchsfehlern behafteten kleinsten und grössten Zahlen. In allen Versuchen nahm der Glas-Apparat seine Inductionsladung augenblicklich an und gab sie auch ebenso leicht ab (1269); und während der kurzen Dauer eines Versuches nahm er jenen besonderen Zustand nur in geringem Grade an, so dass der Einfluss desselben, ebenso wie der der Leitung auf das Resultat nur gering gewesen sein kann.

1274. Zugegeben, dass eine specifische Inductionscapacität erwiesen und in diesem Falle in's Spiel getreten, und 1,38 der Ausdruck derselben für den Glas-Apparat sei, so wird die specifische Inductionscapacität des Flintglases grösser als 1,76 sein; dabei darf man nicht vergessen, dass diese Zahl für ein Stück Glas von solcher Dicke gilt, dass es nicht ganz zwei Drittel des Raumes ausfüllt, durch welchen hindurch die Induction erfolgt (1272, 1253).

1275. *Schwefel.* — Die früher (1242) erwähnte Halbkugel aus dieser Substanz wurde in App. II angewandt. Die Versuche liessen sich gut ausführen, d. h. der Schwefel war sowohl vor als nach jedem Experiment frei von Ladung, auch zeigte sich keine Wirkung seitens der Stange (1203, 1232), so dass ihretwegen keine Correction erforderlich war. Folgendes waren die Resultate, wenn der Luft-Apparat die erste zu theilende Ladung empfing:

App. I. Luft		App. II. Schwefel
	Kugeln 280°	
0°	. . . . .	
	. . . . .	0°
438	. . . . .	
434	. . . . .	

App. I. Luft.		App. II. Schwefel,
	Ladung getheilt	
	. . . . . .	162
164	. . . . . .	
	. . . . . .	160
162	. . . . . .	
	. . . . . .	0 nach Entladung.
0	. . . . . .	nach Entladung.

Hier behielt App. I 164^0 und hatte, indem er an App. II 162^0 abgab, 270^0 verloren, so dass die Capacität des Luft-Apparates zu der des Schwefel-Apparates sich verhält wie 1 zu 1,66.

1276. Hierauf wurde der Schwefel-Apparat zuerst geladen:

	. . . . . .	0^0
0^0	. . . . . .	
	. . . . . .	395
	. . . . . .	388
	Ladung getheilt	
237	. . . . . .	
	. . . . . .	238
0	. . . . . .	nach Entladung.
	. . . . . .	0 nach Entladung.

Hier behielt App. II 238^0 und verlor 150^0, indem er App. I eine Ladung von 237^0 mittheilte; demnach verhält sich die Capacität des Luft-Apparates zu der des Schwefel-Apparates wie 1 zu 1,58. Diese Resultate kommen einander sehr nahe, und wir können das Mittel hieraus, 1,62, als Ausdruck für die specifische Inductionscapacität des Schwefel-Apparates nehmen; dann wird die specifische Inductionscapacität des Schwefels selbst, die der Luft = 1 gesetzt (1270), ungefähr oder über 2,24 sein.

1277. Dieses Ergebniss mit Schwefel betrachte ich als eins der einwurfsfreiesten. Die Masse war geschmolzen vollkommen klar, durchsichtig und frei von verunreinigenden Theilchen (1267), so dass keine Störung durch leitende Körperchen das Resultat verdunkelte. Im festen Zustand ist die Substanz ein vorzüglicher Isolator und nimmt, wie der Versuch lehrte, den Zustand (1241, 1242), der allein geeignet schien, die Schlüsse zu beeinträchtigen, nur sehr langsam an. Die Versuche selbst bedurften also auch keiner Correction. Trotz dieser für die Ausschliessung von Fehlern so günstigen Umstände, ergiebt sich als Resultat für Schwefel eine höhere specifische Inductionscapacität als für irgend einen anderen der bisher untersuchten Körper; und wiewohl dies zum Theil der geeigneteren Gestalt der Schwefelschale zugeschrieben werden kann, weil sie nämlich den Raum *o o* (Fig. 104) vollständiger ausfüllte als die Schalen aus Schellack und Glas, so bin ich doch überzeugt, dass die Versuche insgesammt völlig beweisen, dass zwischen den Dielektricis ein Unterschied existirt hinsichtlich ihrer Fähigkeit, eine Inductionswirkung durch sich zu gestatten, ein Unterschied, welcher vorläufig durch die Bezeichnung *specifische Inductionscapacität* ausgedrückt werden mag.

1278. Nachdem ich so den Punkt in den günstigsten Fällen, die ich voraussehen konnte, festgestellt hatte, ging ich zur Untersuchung anderer starrer, flüssiger und gasförmiger Körper über. Die Resultate will ich nun in aller Kürze mittheilen.

1279. *Wallrath.* — Eine gute Halbkugel aus Wallrath wurde auf ihr Leitungsvermögen untersucht, während ihre beiden Oberflächen sich noch in Contact mit der Stanniolform befanden, in welcher sie hergestellt worden war, und sie zeigte sich auch im erwärmten Zustande merklich leitend. Nach Herausnahme aus der Form in einem der Apparate angewandt, lieferte sie für den betreffenden Apparat eine specifische Inductionscapacität zwischen 1,3 und 1,6. Allein da ich nur so verfuhr, dass ich den Luft-Apparat lud, um dann nach schneller Berührung mit dem Wallrath-Apparat zu ermitteln, wie viel in dem ersteren zurückgeblieben war (1281), so können die Resultate kein grosses Zutrauen beanspruchen. Sie stehen nicht im Widerspruch mit der allgemeinen Schlussfolgerung, fügen aber auch kein neues Argument zu Gunsten derselben hinzu.

1280. Ich bemühte mich, einige gut isolirende Flüssigkeiten ausfindig zu machen, die in ausreichender Menge zu diesen Versuchen zu beschaffen wären. Terpentinöl, rectificirtes natürliches Naphta und Oel des condensirten Steinkohlengases schienen erfahrungsgemäss hinsichtlich der Isolation das Beste zu versprechen. Als sie einige Tage über geschmolzenem Kaliumcarbonat, Chlorcalcium und Aetzkalk gestanden hatten und darauf filtrirt wurden, zeigte sich, dass ihr Isolationsvermögen erheblich gelitten hatte, aber nach Destillirung war ihr Verhalten am besten, wiewohl sie sich selbst dann als leitend erwiesen, wenn sie mit ausgedehnten Metallflächen in Berührung gebracht wurden.

1281. *Rectificirtes Terpentinöl.* — Ich füllte die untere Hälfte des App. I mit der Flüssigkeit; da er jedoch die Ladung nicht lange genug behalten konnte, um mir erst eine Messung und darauf folgende Theilung zu gestatten, so lud ich den Luft enthaltenden App. II, theilte dessen Ladung durch schnelle Berührung mit App. I und maass die in App. II zurückbleibende Ladung. Denn wenn ein schneller Contact eine Theilung zu gleicher Spannung zwischen beiden Apparaten bewirken würde, ohne merklichen Verlust in Folge des Leitungsvermögens von App. I, und App. II dennoch bis zu einem die halbe ursprüngliche Ladung übertreffenden

Grade von Spannung geladen bliebe, so würde dies der Theorie nach anzeigen, dass Terpentinöl eine geringere specifische Inductionscapacität besitze als Luft; wenn er umgekehrt unter dem mittleren Spannungszustand geladen bliebe, so würde dies zeigen, dass die Flüssigkeit die grössere Inductionscapacität habe. In einem solchen Versuche ergab sich für die Ladung des App. II vor der Theilung mit App. I 390^0 und nachher 175^0, also weniger als die Hälfte von 390^0. Wurde die Ladung von 175^0 abermals getheilt, so blieben 79^0, also auch weniger als die Hälfte der getheilten Ladung. Bei 79^0 zum dritten Male getheilt, sank dieselbe auf 36^0, also weniger als die Hälfte von 79^0. Dies sind die besten Resultate, die ich erhalten konnte; sie sind nicht unvereinbar mit der Annahme, dass Terpentinöl eine grössere specifische Capacität habe als Luft, allein sie sind hierfür auch nicht beweisend, da das Verschwinden von mehr als der Hälfte der Ladung einzig und allein dem Leitungsvermögen der Flüssigkeit zugeschrieben werden kann.

1282. *Naphta.* — Diese Flüssigkeit lieferte Resultate von ähnlichem Charakter und Sinn wie Terpentinöl.

1283. Nun kam die hinsichtlich der specifischen Inductionscapacität interessanteste Klasse von Substanzen an die Reihe, nämlich die Gase oder luftförmigen Körper. Dieselben sind so eigenartig constituirt und haben so auffällige physikalische und chemische Relationen gemein, dass ich besonders bemerkenswerthe Resultate von ihnen erwartete; für die ersten Versuche wurde Luft in verschiedenen Zuständen gewählt.

1284. *Luft von verschiedener Dichtigkeit.* — Einige Theilungsversuche schienen zu zeigen, dass Luft von verschiedener Dichtigkeit sich in der hier untersuchten Eigenschaft gleich verhalte. Ein einfaches und besseres Verfahren bestand darin, einen der Apparate mit einer Luftpumpe zu verbinden, ihn zu laden und die Spannung der Ladung bei grösserer oder geringerer Verdünnung der Luft zu untersuchen. Unter diesen Umständen fand man, dass, wenn man mit einer bestimmten Ladung begann, die Spannung oder Kraft derselben sich nicht eher änderte, als bis die Verdünnung so weit getrieben ward, dass *Entladung* durch den Raum *o o* (Fig. 104) erfolgte. Diese Entladung war der Verdünnung proportional; allein nachdem sie eingetreten, und die Spannung bis auf einen gewissen Grad gesunken war, wurde diese durch Wiederherstellung des Druckes und der Dichtigkeit der Luft auf ihren früheren Werth durchaus nicht geändert. So war

	Zoll Quecksilber		
Bei einem Drucke von . . .	30	die Ladung . . .	88^0
Ebenso	30	die Ladung . . .	88
Ebenso	30	die Ladung . . .	87

	Zoll Quecksilber		
Bei Reduction auf	15	die Ladung . . .	87
Bei abermaliger Steigerung auf	30	die Ladung . . .	86.
Bei nunmehriger Reduction auf	3,4	fiel die Ladung auf	81.
Bei abermaliger Steigerung auf	60	blieb die Ladung .	81

1285. Die Ladungen bei diesen Versuchen waren schwach, und zwar erstens deshalb, damit sie bei niedrigem Druck nicht überspringen und zweitens, damit der Verlust durch Zerstreuung klein bleibe. Ich wandte nun noch schwächere an, um noch weiter verdünnen zu können, und bediente mich zu diesem Zwecke in den folgenden Versuchen eines Maass-Intervalls von nur 15⁰ des Elektrometers (1185). Als der Druck der Luft im Innern des Apparates auf 1,9 Zoll Quecksilber reducirt wurde, fand sich die Ladung zu 29⁰; als darauf Luft bis zu einem Drucke von 30 Zoll eingelassen wurde, blieb die Ladung 29⁰.

1286. Diese Versuche wurden mit reinem Sauerstoff mit denselben Erfolgen wiederholt.

1287. Dieses Ergebniss, dass Aenderungen der Dichtigkeit oder des Druckes der Luft *keine Aenderung* in der elektrischen Spannung hervorruft, stimmt vollkommen mit den von Harris [1]) erhaltenen Resultaten überein, welche er in seinen schönen und wichtigen Untersuchungen in den Philosophical Transactions beschrieben hat, dass nämlich die Induction in verdünnter und dichterer Luft gleich ist, und dass trotz dieser Abänderungen der Luft die Divergenz des Elektrometers dieselbe bleibt, wenn nur keine Elektricität aus ihm entweicht. Der Effect ist gänzlich unabhängig von der Erscheinung, dass Leiter in dichterer Luft eine stärkere Ladung zu *behalten* vermögen als in verdünnter, eine Erscheinung, auf welche ich später zurückzukommen vorhabe.

1288. Ich verglich hierauf *heisse und kalte Luft* mit einander, indem ich die Temperatur eines der Inductionsapparate so weit erhöhte, als es ohne Schaden für ihn geschehen konnte, und alsdann die Ladung zwischen ihm und dem anderen, kältere Luft enthaltenden Apparat theilte. Die Temperaturen waren ungefähr 50⁰ und 200⁰. Dennoch schien die Kraft oder Capacität ungeändert; auch wenn ich den Versuch derart abänderte, dass ich einen Apparat kalt lud und dann durch eine Weingeistlampe erwärmte, konnte ich keinen Beweis für eine Aenderung der Inductionscapacität erhalten.

1289. Auch eine Vergleichung *feuchter und trockener Luft* ergab mir keinen Unterschied im Resultat.

---

[1]) Philosophical Transactions, 1834, pp. 223, 224, 237, 244.

1290. *Gase.* — Eine lange Reihe von Versuchen unternahm ich nun, um *verschiedene Gase* mit einander zu vergleichen. Sie erwiesen sich alle als gut isolirend, mit Ausnahme derjenigen, welche den Schellack der Stange angriffen, nämlich Chlor, Ammoniak und Salzsäure. Alle wurden vor Einführung in die Apparate durch geeignete Mittel getrocknet. Es würde genügt haben, sie alle mit Luft zu vergleichen; allein da sich das überraschende Resultat ergab, dass *alle gleiche Inductionscapacität besitzen* (was vielleicht hätte erwartet werden können, nachdem sich gezeigt hatte, dass Druck- oder Dichtigkeitsänderungen ohne Einfluss sind), sah ich mich veranlasst, sie paarweise mit einander auf verschiedenem Wege experimentell zu vergleichen, damit mir keine Verschiedenheit entgehe, und die Gleichheit des Resultates gegenüber der Verschiedenheit in den Eigenschaften, der Zusammensetzung und der Beschaffenheit der Gase selbst um so schärfer hervortrete.

1291. Die Versuche wurden mit folgenden Paaren von Gasen angestellt.

1.	Stickstoff und . .	Sauerstoff.
2.	Sauerstoff	Luft.
3.	Wasserstoff . . .	Luft.
4.	Salzsäuregas . . .	Luft.
5.	Sauerstoff	Wasserstoff.
6.	Sauerstoff	Kohlensäure.
7.	Sauerstoff	ölbildendes Gas.
8.	Sauerstoff	Stickstoffoxyd.
9.	Sauerstoff	schweflige Säure.
10.	Sauerstoff	Ammoniak.
11.	Wasserstoff . . .	Kohlensäure.
12.	Wasserstoff . . .	ölbildendes Gas.
13.	Wasserstoff . . .	schweflige Säure.
14.	Wasserstoff . . .	Siliciumfluorid.
15.	Wasserstoff . . .	Ammoniak.
16.	Wasserstoff . . .	Arsenwasserstoff.
17.	Wasserstoff . . .	Schwefelwasserstoff.
18.	Stickstoff	ölbildendes Gas.
19.	Stickstoff	Stickstoffoxyd.
20.	Stickstoff	Stickstoffoxydul.
21.	Stickstoff	Ammoniak.
22.	Kohlenoxyd . . .	Kohlensäure.
23.	Kohlenoxyd . . .	ölbildendes Gas.
24.	Stickstoffoxydul . .	Stickstoffoxyd.
25.	Ammoniak . . .	schweflige Säure.

1292. Trotz der schneidendsten Gegensätze aller Art, welche diese Gase hinsichtlich ihrer Eigenschaften, der Dichtigkeit, des Druckes (1284,

1286), der Temperatur (1288), als einfache oder zusammengesetzte, als Anionen oder Kationen (665) darbieten, liess sich doch nicht die geringste Verschiedenheit wahrnehmen in ihrer Fähigkeit, elektrische Induction durch sich hindurch zu gestatten oder zu begünstigen. Nimmt man als erwiesen an, dass in allen diesen Gasen die Induction als eine Wirkung an einander grenzender Theilchen von Statten geht, so wird dieses Resultat um so wichtiger, als es zu den vielen auffallenden Relationen zwischen gasförmigen Körpern eine neue hinzufügt. Eine andere gleich wichtige elektrische Beziehung, welche in der nächsten Abhandlung untersucht werden soll[1]), ist die, dass die Leiter in den verschiedenen Gasen bei *gleichem Druck denselben oder verschiedene Grade von Ladung* behalten. Diese beiden Resultate scheinen für die elektrochemische Erregung und Zersetzung wichtig zu sein; denn da *alle* diese Phänomene, so verschieden sie auch zu sein scheinen, von den elektrischen Kräften der materiellen Theilchen abhängen müssen, so wird die richtige Einsicht in den wahren Abstand, in welchem sie von einander zu stehen scheinen, viel dazu beitragen, das Princip, welches ein gemeinsames Band um sie schlingt, zu erläutern, und sie, wie es sein muss, einem gemeinschaftlichen Gesetze unterwerfen.

1293. Es wäre möglich, dass hinsichtlich der specifischen Inductionscapacität der Gase Verschiedenheiten obwalten, die jedoch zu klein sind, um durch die von mir angewandten Apparate wahrgenommen werden zu können. Man muss sich jedoch erinnern, dass die Gase bei den Versuchen sämmtlich den ganzen Raum *o o* (Fig. 104) zwischen der inneren und äusseren Kugel ausfüllen, mit Ausnahme des kleinen von der Stange eingenommenen Stückes, und dass daher die Resultate noch einmal so genau sind als die mit festen Dielektricis.

1294. In allen angeführten Versuchen war die Isolation gut, ausgenommen bei No. 10, 15, 21 und 25, wo Ammoniak mit anderen Gasen verglichen wurde. Wenn Schellack in Ammoniakgas gebracht wird, so wird es auf der Oberfläche allmählich leitend, und hierdurch wurde der Schellack des inneren Stangentheiles so verändert, dass der Ammoniak-Apparat keine Ladung fest genug hielt, um eine Theilung zu gestatten. Bei diesen Versuchen wurde daher der andere Apparat geladen, seine Ladung gemessen und mit dem Ammoniak-Apparat durch schnelle Berührung getheilt, und der Rückstand nach der Theilung wurde abermals gemessen (1281). Derselbe war so nahe gleich der Hälfte der ursprünglichen Ladung, dass man trotz jener Einschränkung berechtigt ist, für das Ammoniak ein den anderen Gasen gleiches Inductionsvermögen anzunehmen.

---

[1]) Siehe in Bezug auf diesen Punkt 1382 etc. — Dec. 1838.

VI. Allgemeine Resultate über Induction.

1295. Sonach scheint *Induction* im Wesentlichen eine Wirkung an einander stossender Theilchen zu sein, durch deren Vermittelung die an einem bestimmten Orte entstehende oder auftretende Kraft bis zu einer gewissen Entfernung fortgepflanzt oder unterhalten wird, wo sie als eine Kraft derselben Art von genau gleichem Betrage, aber von entgegengesetzter Richtung und Tendenz erscheint (1164). Induction erfordert keine merkliche Dicke der Leiter, die zur Begrenzung ihrer Ausbreitung dienen. Ein nicht isolirtes Goldblatt kann an der einen Seite sehr stark positiv und an der anderen eben so stark negativ gemacht werden, ohne dass diese beiden Zustände bei fortgesetzter Induction die geringste Störung erleiden. Auch ändert sie sich nicht mit der Natur der begrenzenden Leiter, wenn ihnen nur, falls sie langsam leiten, Zeit gelassen wird, den Endzustand anzunehmen (1170).

1296. Allein bei *dielektrischen* oder isolirenden Medien verhält sich die Sache ganz anders (1167). Ihre Dicke hat einen unmittelbaren und bedeutenden Einfluss auf den Grad der Induction. In qualitativer Beziehung verhalten sich zwar alle Gase und Dämpfe in jeglichem Zustande gleich, aber zwischen den festen Körpern, sowie zwischen diesen und Gasen walten Verschiedenheiten ob, welche die Existenz von *specifischen Inductionscapacitäten* beweisen, Verschiedenheiten, die in manchen Fällen sehr beträchtlich sind.

1297. Die directe Inductionskraft, welche, wie man sich vorstellen kann, in Linien zwischen den beiden geladenen, begrenzenden Leiterflächen ausgeübt wird, ist von einer lateralen oder transversalen Kraft begleitet, welche einer Verschiebung oder Abstossung dieser repräsentativen Linien äquivalent ist (1224); oder es ist die Anziehungskraft zwischen den Theilchen des Dielektricums in Richtung der Induction begleitet von einer Abstossungs- oder Divergenzkraft in transversaler Richtung (1304).

1298. Induction scheint in einem gewissen Polarisationszustande der Theilchen zu bestehen, in den sie durch den die Wirkung unterhaltenden elektrisirten Körper versetzt werden, indem die Theilchen an einem Punkte oder Orte positiv, an einem anderen negativ werden; diese Orte sind symmetrisch zu einander und zu den inducirenden Flächen oder Theilchen[1]). Dieser Zustand muss ein erzwungener sein, denn er wird nur durch eine Kraft hervorgerufen und unterhalten und sinkt in den Normal- oder Ruhezustand zurück, sobald die Kraft entfernt wird. Er kann nur in Iso-

---

[1]) Die von mir aufgestellte Theorie der Induction beansprucht nicht zu entscheiden, ob Elektricität ein Fluidum oder mehrere Fluida oder bloss eine Kraft oder ein Zustand bekannter Materie sei. Das ist eine Frage, welche ich vielleicht in der nächsten oder einer folgenden Reihe dieser Untersuchungen zu betrachten Veranlassung haben werde.

latoren durch dieselbe Elektricitätsmenge *dauernd unterhalten* werden, weil nur in ihnen die Theilchen in diesem Zustande verharren können (1304).

1299. Das Princip der Induction ist von höchster Allgemeinheit bei elektrischen Wirkungen. Es constituirt die Ladung in jedem gewöhnlichen Falle und wahrscheinlich in allen Fällen; es scheint die Ursache aller Elektricitätserregung zu sein und jedem Strome voranzugehen. Der Grad, bis zu welchem dieser Zwangszustand der Theilchen anwächst, ehe Entladung der einen oder anderen Art eintritt, scheint das auszumachen, was wir *Intensität* nennen.

1300. Wenn eine Leydener Flasche *geladen* wird, so werden die Glastheilchen durch die Elektricität des ladenden Apparates in diesen Polarisations- und Zwangszustand versetzt. *Entladung* ist die Rückkehr dieser Theilchen aus ihrem Spannungszustand in den natürlichen, sobald die beiden elektrischen Kräfte die Freiheit haben, sich in einer anderen Richtung zu ordnen.

1301. Alle Ladung der Leiter bleibt auf der Oberfläche derselben, weil sie ihrem Wesen nach inducirender Art ist, und eben dort das Medium, welches den erforderlichen Inductionszustand zu unterhalten vermag, seinen Anfang nimmt. Sind die Leiter hohl und enthalten sie Luft oder ein anderes Dielektricum, so kann doch keine *Ladung* auf der Innenfläche auftreten, weil das Dielektricum daselbst in Folge der entgegengesetzten Wirkungen in verschiedenen Richtungen nicht den Polarisationszustand durch seine Masse hindurch annehmen kann.

1302. Der bekannte Einfluss der *Gestalt* ist mit der Ansicht, dass Induction ein Corpuscular-Vorgang sei, vollkommen vereinbar. Ein elektrisirter Cylinder ist an den Enden einem stärkeren Einflusse der umgebenden Leiter (welche den Ladungszustand vervollständigen) unterworfen, als in der Mitte, weil die Enden einer grösseren Summe von inducirenden Kräften ausgesetzt sind als die Mitte; und eine Spitze erlangt einen höheren Spannungszustand als eine Kugel, weil in Beziehung zu den umgebenden Leitern mehr Inductionskraft an ihrer Oberfläche endigt, als auf einer gleich grossen Oberfläche der mit ihr verglichenen Kugel. Hier kann man auch insbesondere den Einfluss der lateralen oder transversalen Kraft (1297) wahrnehmen, die, als eine Art Abstossungskraft oder einer solchen äquivalent, eine derartige Vertheilung der Linien der Inductionskraft in ihrem Laufe durch das Dielektricum bewirkt, dass sie sich auf der Spitze, dem Ende des Cylinders oder einem hervorragenden Theil anhäufen müssen.

1303. Der Einfluss der *Entfernung* ist auch mit dieser Ansicht in Uebereinstimmung. Es giebt vielleicht keine noch so grosse Entfernung, durch welche hin Induction nicht stattfände[1]; allein mit derselben Zwangs-

---

[1]) Ich habe sie experimentell verfolgt von einer Kugel, die sich in der Mitte des oben (1173) beschriebenen grossen Würfels befand, bis zu den Seiten dieses Würfels in sechs Fuss Entfernung, und ebenso von derselben, in der Mitte

kraft (1298) erfolgt sie um so leichter, je weniger ausgedehnt das Dielektricum ist, durch welches hin sie ausgeübt wird. Und da die Theorie annimmt, dass die Theilchen des Dielektricums, wiewohl sie in einem normalen Zustande zu verharren streben, während der Induction in einen Zwangszustand versetzt werden, so scheint zu folgen, dass, je weniger der Tendenz, den neuen Zustand anzunehmen, widerstrebende Theilchen dazwischen treten, desto grösser der Grad der Aenderung, die sie erleiden, d. h. desto höher der Spannungszustand sein wird, den sie annehmen, und desto grösser der Betrag der durch sie hin ausgeübten Inductionswirkung.

1304. Die Ausdrücke *Linien der Inductionskraft* und *krumme Kraftlinien* (1231, 1297, 1298, 1302) habe ich bloss in einem allgemeinen Sinne gebraucht, ebenso wie wir von magnetischen Kraftlinien reden. Die Linien sind fingirt, und die Kraft an irgend einem Orte derselben ist die Resultante von Componenten, die sich aus den Relationen eines jeden Molecüls zu jedem anderen Molecül durch die Spannung und Reaction der an sie in *allen* Richtungen angrenzenden ergeben. Die Transversalkraft ist nichts Anderes als eine solche, quer zu den Linien der Inductionskraft vorgestellte Relation, und vorläufig verstehe ich nichts weiter unter diesem Ausdruck. Ebenso verstehe ich unter dem Ausdruck *Polarität* gegenwärtig bloss eine Kraftanordnung derart, dass jedes Molecül an verschiedenen Punkten entgegengesetzte Eigenschaften annimmt. Die besondere Art, in welcher diese Anordnung sich vollzieht, wird später betrachtet werden; wahrscheinlich variirt sie in verschiedenen Körpern und bringt so eine Mannigfaltigkeit elektrischer Relationen hervor.[1]) Was ich im Augenblick ängstlich zu vermeiden wünsche, ist, dass man den von mir gebrauchten Ausdrücken eine speciellere Bedeutung beilege, als ich beabsichtige. Fernere Untersuchungen werden, hoffe ich, uns allmählich in den Stand setzen, den Sinn derselben mehr und mehr einzuschränken und so von Tag zu Tag eine immer bestimmtere Erklärung der elektrischen Phänomene zu geben.

1305. Als eine Probe auf die wahrscheinliche Richtigkeit meiner Ansichten, habe ich sie an der Hand dieser gesammten experimentellen Ergebnisse verglichen mit den Schlüssen, welche Poisson aus seinen schönen mathematischen Untersuchungen gezogen hat.[2]) Ich bin ganz ausser Stande, ein Urtheil über diese bewundernswerthen Abhandlungen zu fällen; aber soweit ich sie verstehen kann, sind die von mir aufgestellte Theorie und die von mir erhaltenen Resultate nicht in Widerspruch mit denjenigen Schlüssen, welche die endliche Vertheilung und den endlichen Zustand der

---

unseres grossen Hörsaales aufgestellten Kugel bis zu den Wänden desselben in sechsundzwanzig Fuss Entfernung; die Ladung der Kugel erfolgte in diesen Fällen nur durch Induction duich diese Entfernungen hin.

1) Siehe nunmehr 1685 etc. — Dec. 1838.

2) Mémoires de l'Institut, 1811, tom. XII, p. 1, und zweite Abhandlung, p. 163.

Kräfte in der geringen von ihm betrachteten Anzahl von Fällen darstellen. Seine Theorie setzt eine ganz andere Wirkungsweise bei der Induction voraus als die, welche ich zu vertheidigen gewagt habe, und wahrscheinlich würde sie auf eine mathematische Probe gestellt werden können, wenn man sich bemühen wollte, sie auf Inductionsvorgänge in krummen Linien anzuwenden. Nach meinem Gefühl befriedigt sie nicht mit ihrer Erklärung, dass die Elektricität auf der Oberfläche der Leiter durch den Druck der Luft zurückgehalten werde, eine Erscheinung, welche, wie ich zu zeigen hoffe, mit der vorliegenden Ansicht vereinbar ist und sich einfach aus ihr erklärt.[1]) Sie umfasst auch nicht die Volta'sche Elektricität und bringt sie und die sogenannte gewöhnliche Elektricität nicht unter ein gemeinsames Princip.

Ich habe auch mit einiger Aengstlichkeit die Resultate durchgesehen, zu denen der unermüdliche Forscher Harris in seiner Untersuchung der Inductionsgesetze gelangt ist[2]), da ich wusste, dass sie experimentell sind, und ich von ihrer Exactheit vollkommen überzeugt war; allein ich bin so glücklich, bis jetzt keine Collision zwischen ihnen und den von mir aufgestellten Ansichten wahrzunehmen.

1306. Endlich kann ich nicht umhin auszusprechen, dass ich meine eigene Ansicht mit Zweifel und Besorgniss, ob sie einer allgemeinen Prüfung Stand halten werde, vorgebracht habe; denn wenn sie nicht richtig wäre, so würde sie den Fortschritt der Elektricitätslehre nur hemmen. Ich habe sie lange mit mir herumgetragen, aber ich zögerte, sie zu veröffentlichen, bis die wachsende Ueberzeugung von ihrer Uebereinstimmung mit allen bekannten Thatsachen, und die Art, wie sie offenbar sehr verschiedenartige Effecte mit einander verknüpfte, mich antrieb, die vorliegende Abhandlung zu schreiben. Bis jetzt sehe ich keine Unverträglichkeit zwischen ihr und der Natur, sondern glaube vielmehr, dass sie in erheblichem Maasse neues Licht auf die Wirkungsart derselben werfen wird; und meine nächsten Abhandlungen sollen dazu bestimmt sein, eine Uebersicht über die Erscheinungen der Leitung, der Elektrolysirung, des Stromes, des Magnetismus, des Gleichgewichtszustandes der Elektricität auf Leitern,*) der Entladung und über einige andere Punkte zu geben, die Theorie auf diese Effecte anzuwenden und an der Hand derselben zu prüfen.

Royal Institution,
16. November 1837.

---

[1]) Vergleiche 1377, 1378, 1379, 1398. — Dec. 1838.

[2]) Philosophical Transactions, 1834, p. 213.

*) Im Texte steht hierfür nur das Wort *retention;* dass aber der Sinn desselben in der Uebersetzung richtig wiedergegeben ist, ergiebt sich nicht nur aus dem Zusammenhange, sondern auch aus Art. 1305, *the retention of electricity upon the surface of conductors.* D. Ü.

Nachträgliche Bemerkung
zu den Experimental-Untersuchungen über Elektricität.
ELFTE REIHE.

Eingegangen am 29. März 1838.

1307. Vor Kurzem habe ich die Frage über die *specifische Inductionscapacität* in der allgemeinen Form, in welcher sie in Art. 1252, Reihe XI, aufgestellt worden ist, dem Versuche unterworfen, und das Resultat ist derart, dass ich hoffe, der Vorstand der Königlichen Gesellschaft werde die Ermächtigung ertheilen, es dieser Abhandlung in Form eines Nachtrages hinzuzufügen. Drei kreisförmige Messingscheiben von etwa fünf Zoll Durchmesser wurden neben einander auf isolirenden Stützen befestigt. Die mittlere A war feststehend, die äusseren Scheiben B und C aber waren auf Schlitten beweglich, so dass alle drei fast zur Berührung oder in jeden beliebigen Abstand von einander gebracht werden konnten. Jede der äusseren Platten wurde mit je einem von zwei an isolirten Drähten in einer Glasflasche aufgehängten Goldblättchen verbunden. Die äusseren Platten B und C wurden in einem Abstand von fünf viertel Zoll von der mittleren Platte A eingestellt, und die Goldblättchen in einem Abstand von zwei Zoll von einander befestigt. Nun wurde A eine schwache elektrische Ladung mitgetheilt, während *gleichzeitig* die Scheiben B und C mit ihren Goldblättchen abgeleitet und darauf isolirt wurden. Unter diesen Umständen hatte A eine positive Ladung erhalten und wirkte inducirend auf B und C, die eben durch Induction sich negativ luden; da in beiden Zwischenräumen dasselbe Dielektricum, Luft, sich befand, so blieben die beiden Goldblättchen natürlich einander parallel, in einem relativ unelektrischen Zustande.

1308. Eine drei viertel Zoll dicke Schellackscheibe von vier Quadratzoll Flächeninhalt, an einem Faden von reiner weisser Seide hängend, welcher jede Spur von Ladung sorgfältig entzogen worden war (1203) (so dass sie, wenn A ungeladen war, keine Wirkung auf die Goldblättchen ausübte), wurde zwischen die Platten A und B gebracht; augenblicklich wurde die elektrische Relation der drei Platten geändert, und die Goldblättchen zogen einander an. Entfernte man den Schellack, so verschwand die Anziehung; brachte man ihn zwischen A und C, so trat sie wieder auf, um mit Entfernung desselben abermals zu verschwinden; dabei erwies sich der Schellack, an einem empfindlichen Coulomb'schen Elektrometer geprüft, nach wie vor als unelektrisch.

1309. Da A positiv war, waren B und C natürlich negativ. Da jedoch die specifische Inductionscapacität des Schellacks ungefähr doppelt so gross ist als die der Luft (1270), so erwartete ich, dass, bei Einschaltung des Schellacks zwischen A und B, A stärker gegen B als gegen C inducirend wirken, dass also B stärker negativ sein würde als vorher gegen A und folglich, da es isolirt war, aussen, an seiner Rückseite oder an den Goldblättchen positiv sein würde, während C weniger stark negativ gegen A und folglich aussen oder an den Goldblättchen negativ sein würde. Dies war auch wirklich der Fall. Denn an welcher Seite von A auch der Schellack eingeschoben sein mochte, die äussere Platte an dieser Seite war stets positiv und die äussere Platte an der anderen Seite negativ gegen die andere und gegen nicht isolirte äussere Körper.

1310. Mit einer Scheibe von Schwefel an Stelle der Schellackscheibe wurden dieselben Resultate erhalten, in Uebereinstimmung mit den Schlüssen, die sich aus dem oben (1276) erwähnten hohen Werthe der specifischen Inductionscapacität dieses Körpers ergeben.

1311. Diese Wirkungen der specifischen Inductionscapacität können auf mannigfache Weise gesteigert werden, und eben in dieser Fähigkeit besteht der grosse Werth des Apparates. So schob ich den Schellack zwischen A und B, verband B einen Augenblick mit C, leitete sie ab und isolirte sie schliesslich; die Goldblättchen blieben natürlich zu einander parallel. Bei Fortnahme des Schellacks zogen die Goldblättchen einander an, und als der Schellack zwischen A und C gebracht wurde, *nahm* die Anziehung *zu* (wie die Theorie voraussehen liess), so dass die Blättchen zusammen kamen, obwohl sie nur vier Zoll lang waren und drei Zoll auseinander hingen.

1312. Durch einfache Annäherung der Goldblättchen an einander war ich im Stande, den Unterschied der specifischen Inductionscapacität schon bei Anwendung dünner Schellackscheiben, während der Rest des dielektrischen Raumes mit Luft erfüllt war, nachzuweisen. Durch grössere Annäherung von B und C an einander liess sich die Empfindlichkeit beträchtlich steigern, und eine weitere Erhöhung der Wirkung liess sich durch Vergrösserung der Scheiben erzielen. Eine fernere Verbesserung bestand in der Verkürzung der mit den Goldblättchen verbundenen Drähte u. s. w., so dass die Goldblättchen auf diese Weise ein ebenso empfindliches Prüfungsmittel für den *specifischen Inductionsvorgang* wurden, als sie es in Bennet's und Singer's Elektrometern für gewöhnliche elektrische Ladungen sind.

1313. Es ist klar, dass, wenn man die drei Scheiben zu Seiten von Zellen macht und dabei die nöthigen Vorsichtsmassregeln hinsichtlich der Isolirung u. s. w. trifft, dieser Apparat mit weit grösserem Erfolge als der frühere (1187, 1290) angewandt werden kann und vielleicht Differenzen ergeben wird, die mir entgangen sind (1292, 1293).

1314. Es ist auch klar, dass zwei Metallscheiben eine völlig genügende Form des Apparates bilden: man prüft den Zustand der einen inducirten Scheibe beim Wechseln des Dielektricums, indem man entweder einen in bekannter Weise elektrisirten Körper ihrem Goldblättchen nähert oder, was noch besser sein dürfte, man wendet statt des Goldblättchens eine Probekugel an und untersucht dieselbe in Coulomb's Elektrometer (1180). Man kann auch Kugeln als inducirende und inducirte Flächen benutzen, letztere wäre dann die Probekugel des Coulomb'schen Elektrometers selbst (1181, 1229).

1315. Um den Effect zu steigern, ist es vortheilhaft, einen kleinen Condensator zu benutzen. Wenn man beispielsweise bei Anwendung zweier der Induction ausgesetzten Platten einen kleinen Condensator an Stelle der Goldblättchen setzte, so zweifle ich nicht, dass die drei Hauptplatten nur einen Durchmesser von einem oder gar einem halben Zoll zu haben brauchten. Ja, die Goldblättchen selbst wirken eine Zeit lang wie die Platten eines Condensators auf einander. Selbst wenn man nur zwei Platten anwendet, dürfte bei geeigneter Benutzung des Condensators diese Kleinheit derselben genügen. Diese Erwartung wird durch einen bereits beobachteten und beschriebenen Effect vollkommen gerechtfertigt (1229).

1316. Es leuchtet ein, dass in diesem Falle der Apparat zu sehr weit gehenden Untersuchungen anwendbar ist. Es könnten Dielektrica in verhältnissmässig kleinen Mengen, wie Diamanten und Krystalle, untersucht werden. Es kann die Vermuthung, dass die specifische Inductionscapacität von Krystallen verschieden sei in verschiedenen Richtungen, je nachdem die Linien der Inductionskraft (1304) den Krystallaxen parallel oder anders relativ gegen dieselbe liegen, geprüft werden.[1]) Ich beabsichtige, diese und manche andere Ideen über die specifische Inductionswirkung und die Polarität der Theilchen dielektrischer Substanzen, sobald als es meine Zeit erlaubt, einer Prüfung zu unterwerfen.

1317. In der Hoffnung, dass dieser Apparat von beträchtlichem Nutzen sein werde, gestatte ich mir, für denselben (auf den Rath eines Freundes) die Bezeichnung *Differential-Inductometer* vorzuschlagen.

Royal-Institution,
29. März 1838.

---

[1]) Vergleiche in Bezug auf diese Untersuchung 1689—1698. — Dec. 1838.

ZWÖLFTE REIHE.

§ 18. Ueber Induction (Fortsetzung). VII. Conduction oder conductive Entladung. VIII. Elektrolytische Entladung. IX. Disruptive Entladung — Isolation — Funken — Büschel — Unterschied der Entladung an den positiven und negativen Flächen von Leitern.

Eingegangen am 11. Januar, — Gelesen am 8. Februar 1838.

1318. Meinem Versprechen gemäss, gehe ich nun dazu über, die Inductionstheorie, welche ich aufzustellen gewagt habe (1165, 1295 etc.) an der Hand der grossen Thatsachen der Elektricitätslehre zu prüfen. Das Princip der Induction ist so universell, dass es sich auf alle elektrischen Phänomene erstreckt; allein zunächst will ich auf den allgemeinen Fall eingehen, welcher in der die Entladung nach sich ziehenden und mit ihr endenden Isolation und den Begleiterscheinungen besteht. Dieser Fall umfasst die verschiedenen *Arten* der Entladung, sowie auch den Zustand und die Merkmale eines Stromes; unter letzteren sind die Elemente der magnetischen Action einbegriffen. Ich werde zuweilen zu theoretischen Erörterungen und selbst zu hypothetischer Redeweise gezwungen sein, allein trotzdem diese Abhandlungen nur experimentelle Untersuchungen sein wollen, so hoffe ich doch, in Anbetracht der in der letzten Reihe zur Stütze der von mir aufgestellten Ansicht enthaltenen Thatsachen und Forschungen, mir nicht den Vorwurf zuzuziehen, dass ich mir hierbei zu viel Freiheit nehme oder mich zu weit von dem Charakter, den jene haben sollen, entferne, zumal da ich jede sich mir darbietende Gelegenheit ergreifen werde, um zu jener strengen Wahrheitsprobe, dem Experiment, zurückzukehren.

1319. Bisher wurde in diesen Abhandlungen die Induction nur in Fällen von Isolation betrachtet; der Isolation entgegen steht die *Entladung*. Der Vorgang oder Effect, welchen man allgemein mit dem Ausdruck *Entladung* bezeichnet, kann, soviel wir bisher wissen, auf mehrfache Weise stattfinden. So involvirt diejenige, welche wir schlechthin *Leitung* nennen, keine chemische Action und anscheinend auch keine Verschiebung der Theilchen. Eine zweite Art kann als *elektrolytische Entladung* bezeichnet werden; bei ihr findet chemische Action statt und die Theilchen müssen eine gewisse Verschiebung erleiden. Eine dritte Art, die durch Funken oder Büschel, kann wegen der heftigen Verschiebung der Theilchen des in der Bahn liegenden *Dielektricums* als *disruptive Entladung* bezeichnet werden, und von diesen kann man vorläufig vielleicht passend eine vierte durch die Ausdrücke *Convection* oder *Entladung durch Fortführung* unterscheiden, — eine Entladung, welche durch Fortführung seitens fester gasförmiger oder flüssiger Körpertheilchen erfolgt. Künftig werden sich vielleicht alle diese Arten auf eine und dieselbe Ursache zurückführen lassen, aber vorläufig muss jede für sich betrachtet werden. Zunächst will ich von der *ersten* Art sprechen; denn unter allen Formen von Entladung scheint diejenige, welche wir Conduction nennen, die einfachste zu sein und in directestem Gegensatze zur Isolation zu stehen.

VII. Conduction oder conductive Entladung.

1320. Obschon Isolation und Conduction als wesentlich verschieden angenommen werden, so haben doch weder Cavendish noch Poisson durch ihre Theorie zu erklären versucht, noch auch nur angegeben, worin denn der wesentliche Unterschied besteht. Auch ich habe in dieser Hinsicht kaum etwas zu bieten, *ausgenommen*, dass nach meiner Theorie über Induction, Isolation und Conduction auf demselben molecularen Vorgang der betreffenden Dielektrica beruhen, beide nur extreme Grade *eines und desselben Zustandes* oder Effectes sind und in jeder zulänglichen mathematischen Theorie der Elektricität als Fälle gleicher Art betrachtet werden müssen. Hieraus ergiebt sich, wie wichtig es vom Gesichtspunkte meiner Theorie über die elektrischen Relationen der an einander stossenden Theilchen ist, den Zusammenhang zwischen ihnen nachzuweisen.

1321. Obschon die Rolle, welche das isolirende Dielektricum einer geladenen Leydener Flasche und der sie entladende Draht spielt, sehr verschieden erscheinen mag, so können sie doch durch viele Zwischenglieder verknüpft werden, die uns von dem einen zum anderen führen, ohne dass, wie ich glaube, eine Lücke zu bleiben braucht. Wir können einige von ihnen der Reihe nach betrachten, um uns über den ganzen Vorgang zu unterrichten.

1322. Wie die Untersuchung ergeben hat, ist Wallrath ein Dielektricum, durch welches Induction erfolgen kann (1240, 1246); seine specifische Inductionscapacität fand sich zu ungefähr 1,8 oder darüber (1279) und der Inductionsvorgang wurde wie bei allen anderen Substanzen als eine Wirkung an einander stossender Theilchen betrachtet.

1323. Allein Wallrath ist auch *leitend*, obschon in so geringem Grade, dass wir den Process der Leitung gewissermassen Schritt für Schritt durch seine Masse verfolgen können (1247), und selbst wenn die elektrische Kraft eine gewisse Strecke derselben durchwandert hat, so können wir durch Entfernung der Zwangskraft (welche zugleich die Inductionskraft ist) bewirken, dass sie in ihrem Gange umkehrt und wieder an ihrer früheren Stelle erscheint (1245, 1246). Hier scheint Induction nothwendig der Leitung voranzugehen. Sie scheint von selbst die an einander stossenden Theilchen des Dielektricums in einen gewissen Zustand zu versetzen, welcher, wenn er von denselben festgehalten wird, die *Isolation* ausmacht, wenn er aber durch Mittheilung von Kraft von einem Theilchen zum anderen geschwächt wird, *Conduction* wird.

1324. Im *Glas* oder *Schellack* erscheinen dieselben Fähigkeiten der Induction und Leitung durch ihre Masse hindurch (1233, 1239, 1247), wiewohl nicht in dem nämlichen Grade. Die Leitung verschwindet fast (1239, 1242), und daher erhält sich die Induction, d. h. der Polarisationszustand, in welchen die Inductionskraft die an einander stossenden Theilchen gebracht hat, es findet nur eine geringe Entladung zwischen ihnen statt, und daher dauert die *Isolation* fort. Allein, was hier Entladung ist, scheint eine Folge des Zustandes der Theilchen zu sein, in welchen die Induction sie versetzt hat, und sonach sind gewöhnliche Isolation und Leitung eng mit einander verknüpft oder vielmehr extreme Fälle eines und desselben Zustandes.

1325. An Eis oder Wasser haben wir einen besseren Leiter als Wallrath, und daher verschwinden die Erscheinungen der Induction und Isolation schnell, da auf die Annahme des Inductionszustandes alsbald Leitung folgt. Haben wir aber eine Platte kalten Eises mit metallischen Belegungen auf beiden Seiten und verbinden die eine mit einer gut arbeitenden Elektrisirmaschine und die andere mit der Erde, so lassen sich die Erscheinungen der Induction durch das Eis hindurch leicht beobachten durch die elektrische Spannung, welche an beiden Belegungen erhalten und aufrecht erhalten werden kann (419, 426). Denn wenn auch der Kraftantheil, welcher in einem Moment den Inductionszustand der Theilchen hervorbringt, im nächsten durch die darauf folgende, durch die Leitung bewirkte Entladung geschwächt wird, so wird der Inductionszustand doch alsbald durch einen anderen Krafttheil aus der Maschine wieder hergestellt. Wird das Eis in Wasser verwandelt, so kann man ebenso leicht dieselbe Reihenfolge der Vorgänge nachweisen, vorausgesetzt, dass das Wasser destillirt und (wenn die Maschine nicht kräftig genug ist) eine Volta'sche Batterie angewandt wird.

1326. Alle diese Betrachtungen erfüllen mich mit der tiefen Ueberzeugung, dass Isolation und gewöhnliche Leitung sich füglich nicht von einander trennen lassen, wenn wir in ihre Natur, d. h. in das allgemeine Gesetz oder die Gesetze eindringen wollen, nach denen dieselben in die Erscheinung treten. Sie scheinen mir in einem Vorgange an einander grenzender Theilchen zu bestehen, welcher von den bei der elektrischen Erregung auftretenden Kräften bedingt ist; diese Kräfte versetzen die Theilchen in einen Spannungs- oder Polarisationszustand, welcher sowohl die *Induction* als auch die *Isolation* ausmacht, und wenn sie in diesem

Zustande verharren, so haben die an einander stossenden Theilchen ein Vermögen oder eine Fähigkeit, ihre Kräfte einander mitzutheilen, wodurch diese geschwächt werden, und Entladung eintritt. Alle Körper scheinen entladen zu können (444, 987), aber der *grössere oder geringere Grad* dieser Fähigkeit macht die verschiedenen Körper zu besseren oder schlechteren Leitern, zu schlechteren oder besseren Isolatoren. *Induction* und *Conduction* scheinen dem Wesen und Vorgange nach eins zu sein (1320), nur dass bei letzterer ein beiden gemeinsamer Effect auf das Höchste gesteigert ist, während er bei ersterer im besten Falle nur in einem fast unmerklichen Grade auftritt.

1327. Dass wir bei unseren Versuchen, in das Wesen der elektrischen Vorgänge einzudringen und Gesetze von grösserer Allgemeinheit, als wir bisher kennen, abzuleiten, das Bestreben haben müssen, scheinbar widersprechende Erscheinungen in Einklang zu bringen, ist eine längst gehegte und von den berufensten Physikern sanctionirte Meinung. Ich hoffe demnach, dass mein Versuch, die besten Fälle von Leitung als analog oder selbst gleichartig mit denen der Induction und Isolation anzusehen, gerechtfertigt sein wird.

1328. Wenn wir das geringfügige Eindringen der Elektricität in Schwefel (1241, 1242) oder Schellack (1234), oder die schlechtere Isolation des Wallraths (1279, 1240) als wesentliche Folgen und Angaben ihres *Leitungs*vermögens betrachten, dann können wir den Widerstand, den Metalldrähte dem Durchgang der Elektricität entgegensetzen, als *Isolations*vermögen ansehen. Unter den vielen wohlbekannten Fällen, welche geeignet sind, diesen Widerstand in den sogenannten vollkommenen Leitern zu zeigen, dienen Wheatstone's Versuche meinem Zwecke am besten, weil sie in so grossem Maassstabe ausgeführt sind, dass sie zeigen, dass die *Zeit* ein Element unter den Bedingungen der Leitung[1]) selbst in Metallen ist. Als die Entladung durch einen Kupferdraht von 2640 Fuss Länge und $^1/_{15}$ Zoll Durchmesser so bewerkstelligt wurde, dass die Funken an den beiden Enden und in der Mitte des Drahtes an demselben Orte beobachtet werden konnten, zeigte sich der letztere merklich später als die beiden ersteren, die nach den Versuchsbedingungen gleichzeitig erscheinen mussten. Hier haben wir also einen Beweis von Verzögerung; und welchen Grund kann es geben, diese Verzögerung nicht als von derselben Art, wie die in Wallrath, Schellack oder Schwefel anzusehen? Da aber in diesen Körpern Verzögerung Isolation ist, und Isolation Induction, warum sollten wir uns weigern, dieselbe Beziehung für dieselben Kraftäusserungen in den Metallen anzunehmen?

1329. Die Erfahrung lehrt, dass mit der *Zeit* der Widerstand allmählich bewältigt wird, und dass in dieser Beziehung Wallrath, Schellack

---

[1]) Philosophical Transactions, 1834, p. 583.

und Glas sich gleich verhalten (1248); man lasse nur Zeit im Verhältniss zum Widerstand, und der letztere wird schliesslich besiegt. Wenn aber dem so ist, wenn alle Resultate der Art nach gleich sind und der einzige Unterschied in der Zeitdauer besteht, warum sollten wir uns weigern, anzunehmen, dass in den Metallen, wie in den übrigen Körpern, Induction vorausgeht? Die Verkürzung der *Zeit* ist keine Negation der Wirkung, ebenso wenig wie der geringere Grad von Spannung, welchen die Kräfte brauchen, um das Metall zu durchsetzen, im Vergleich zum Wasser, Wallrath oder Schellack. Diese Unterschiede würden bloss zu dem Schlusse führen, dass in den Metallen die der Induction ausgesetzten Theilchen ihre Kräfte bei einem niedrigeren Grade von Spannung oder Polarisation und mit grösserer Leichtigkeit übertragen können als die anderen Körper.

1330. Betrachten wir Wheatstone's schönen Versuch noch unter einem anderen Gesichtspunkte. Lassen wir die Anordnung in der Mitte und den beiden Enden des langen Kupferdrahtes ungeändert und ersetzen die beiden dazwischen befindlichen Strecken durch Drähte von Eisen oder Platin, so werden wir eine weit grössere Verzögerung des mittleren Funkens haben als vorher, und eine noch grössere, wenn wir statt des Eisens einen ihm an Dicke gleichen Wassercylinder von nur fünf bis sechs Fuss Länge nehmen. Gingen wir vom Wasser zum Wallrath über, entweder unmittelbar oder schrittweise, indem wir erst andere und andere Körper nehmen, so würden wir (selbst wenn wir das Volumen beträchtlich vergrössern, um das Auftreten von Funken anderswo (1331) als an den drei dazu bestimmten Stellen zu vermeiden), eine noch grössere Verzögerung erreichen, bis wir zuletzt durch so kleine Abstufungen, dass sie von einander nicht zu trennen sind, zu wirklicher und dauernder Isolation gelangen. Was scheidet nun dem Wesen nach diese beiden Extreme, vollkommene Leitung und vollkommene Isolation, von einander, da, sobald wir den geringsten Grad von Vollkommenheit des einen Extrems verlassen, wir das Element zur Vollkommenheit des anderen vor uns haben? Hierzu kommt noch, dass wir in der Natur weder bei dem einen noch bei dem anderen Extrem, weder bei der Isolation noch bei der Leitung, einen Fall von Vollkommenheit haben.

1331. Kehren wir nochmals zu diesem schönen Versuche in seinen mannigfachen Formen, die man ihm geben kann, zurück. Die Kräfte treten (nachdem sie die Leydener Flasche verlassen haben) bei der Entladung nicht völlig während der ganzen Zeit (1328) in dem Drahte in's Spiel; zum Theil verbreiten sie sich in der wohlbekannten Form von Induction durch das umgebende Dielektricum, und wenn das Dilektricum Luft ist, so findet Induction vom Draht durch die Luft gegen die umgebenden Leiter statt, so lange bis die Enden des Drahtes durch dessen Länge hin in elektrische Beziehung getreten sind und Entladung erfolgt ist, d. h. die *Zeit* hindurch, während welcher der mittlere Funke hinter den anderen zurückbleibt. Dies zeigt recht jener alter Versuch, bei dem ein langer

Draht so gebogen wird, dass zwei Stellen (Taf. VIII, Fig. 115) a und b in der Nähe seiner Enden ungefähr bis zu einem viertel Zoll in der Luft einander genähert werden. Wenn eine ausreichend geladene Leydener Flasche durch einen solchen Draht entladen wird, so geht bei weitem der grösste Theil der Elektricität in Form eines Funkens in dem Zwischenraum durch die Luft und nicht durch das Metall. Spielt hier also nicht der mittlere Theil des Drahtes, obschon er ein Metall ist, die Rolle eines isolirenden Mediums? Und ist der Funke nicht ein Zeichen der Spannung (gleichzeitig mit *Induction*) der Elektricität an den Enden dieses einfachen Drahtes? Warum sollte man nicht beide, den Draht und die Luft, als Dielektrica, und die Wirkung zu Anfang und während des Vorhandenseins einer Spannung als eine Inductionswirkung ansehen? Wenn sie durch die gekrümmten Drahtstrecken hin ausgeübt wird, so erfolgt sie auch in krummen und gewundenen Linien durch die Luft (1219, 1224, 1231) und andere isolirende Dielektrica (1228), und wir können die Analogie anscheinend so weit verfolgen, dass, wenn wir uns lediglich auf den Inductionsvorgang beschränken, wir zeigen können, dass unter den isolirenden Dielektricis einige die Kraftlinien von anderen ableiten (1229), wie es ein Draht von schlechteren Leitern thut, wiewohl der Haupteffect in ihm ohne Zweifel darauf beruht, dass zwischen den Theilchen in einem niedrigen Spannungszustande leicht Entladung stattfindet. Die Verzögerung ist eine temporäre Isolation, und es scheint mir, dass wir, soweit die ersten Inductionsphänomene in Betracht kommen, die Luft an der Zwischenstrecke *a b* (Fig. 115) und den Draht in dem Kreise in Parallele setzen und, trotz der Verschiedenartigkeit der schliesslich erfolgenden Entladung[1]), als zwei gleichartige, nach denselben Principien wirkende Körper ansehen können, ebenso wie wir nach Coulomb's Untersuchungen[2]) *verschiedene*, zu demselben Isolationseffect erforderliche *Längen* verschiedener isolirender Körper mit einander vergleichen können.

1332. Dieser Vergleich wird noch schlagender, wenn wir den Versuch von Harris betrachten. In einer verdünnte Luft enthaltenden Glasglocke war ein dünner Draht ausgespannt[3]), und wenn eine Ladung durch diesen Apparat gesandt wurde, so ging durch die verdünnte Luft ebenso viel, wenn nicht mehr Elektricität, als durch das Metall. In der verdünnten Luft ging ohne Zweifel Induction der Entladung voraus (1284), und nach meiner Ueberzeugung weisen alle Umstände darauf hin, dass dasselbe in dem Metalle der Fall war, dass in der That beide Substanzen Dielektrica sind, in denen dieselben Vorgänge in Folge derselben Ursachen stattfinden, und dass der Unterschied in den verschiedenen Substanzen nur ein gradueller ist.

---

1) Dieselbe wird später untersucht werden (1348 etc.).

2) Mémoires de l'Académie, 1785, p. 612, oder Encyclop. Britann. Erstes Suppl. vol. I, p. 611.

3) Philosophical Transactions, 1834, p. 242.

1333. Nach diesen Principien zu urtheilen, kann die Geschwindigkeit der Entladung durch *denselben Draht* bedeutend verändert werden, wenn man die Umstände beachtet, unter denen die Entladung durch Wallrath oder Schwefel variirt werden kann. So muss sie beispielsweise sich ändern mit der Spannung oder Intensität der ersten treibenden Kraft (1234, 1240), und diese Spannung ist Ladung und Induction. Wenn demnach in Wheatstone's Versuch die beiden Enden des Drahtes unmittelbar mit zwei isolirten, der Luft ausgesetzten, grossen Metallflächen verbunden werden, so dass der erste Act der Induction nach Herstellung des Contactes für die Entladung von dem inneren Drahtstück im ersten Augenblick fern gehalten und einen Augenblick auf seine mit der Luft gemeinschaftliche Oberfläche und die umgebenden Leiter verlegt würde, so wage ich vorherzusagen, dass der mittlere Funke eine grössere Verzögerung erleiden würde als vorher, und die Verzögerung dieses Funkens würde noch grösser sein, wenn jene beiden Flächen die innere und äussere Belegung einer grossen Leydener Flasche wären.

1334. Cavendish war vielleicht der erste, welcher deutlich zeigte, dass Entladung nicht immer auf einem Wege[1]), sondern, wenn mehrere vorhanden sind, auf mehreren zugleich erfolgt. Wir können zu diesen verschiedenen Wegen verschiedene Körper nehmen und darin Substanzen wie Luft, Schellack, Wallrath, Wasser, Eisenoxydul, Eisen und Silber von verhältnissmässiger Dicke und Länge einreihen und so bewirken, dass bei *einer* Entladung jede derselben ihren verhältnissmässigen Antheil an elektrischer Kraft fortführt. Vielleicht wäre die Luft auszunehmen, da ihre Entladung durch Leitung gegenwärtig fraglich ist (1336), aber bei allen übrigen kann die Entladungsform auf reine Leitung beschränkt werden. Dennoch erfahren mehrere von ihnen zuvor Induction, genau wie die Induction durch die Luft, die der Entladungswirkung derselben nothwendig vorhergeht. Wie können wir demnach hinsichtlich der *Ursachen und der Art* der Isolation und Leitung irgend einen dieser Körper von den übrigen anders als lediglich dem Grade nach scheiden? Alle scheinen mir Dielektrica zu sein und in gleicher Weise und nach denselben, gemeinschaftlichen Gesetzen zu wirken.

1335. Ein anderes Argument zu Gunsten der allgemeinen Einerleiheit in Wesen und Wirkung der guten und schlechten Leiter (und alle Körper halte ich mehr oder weniger für Leiter) könnte ich hernehmen aus dem vollkommenen Gleichgewicht, welches sich die verschiedenen Körper halten, wenn sie, wie früher beschrieben (213), hinsichtlich der magnetoelektrischen Inductionswirkung einander entgegengestellt werden, allein ich lege besonderen Werth darauf, so kurz zu sein, als es mit der klaren Prüfung meiner Ansichten auf ihre wahrscheinliche Richtigkeit verträglich ist.

1336. Ob die Gase ein Leitungsvermögen von der hier betrachteten einfachen Art besitzen, ist eine gegenwärtig sehr schwer zu entscheidende

---

[1]) Philosophical Transactions, 1776, p. 197.

Frage. Versuche scheinen zu beweisen, dass sie Elektricität von gewissen niedrigen Spannungsgraden vollkommen isoliren, und dass die Wirkungen, welche dem Anscheine nach durch *Leitung* hervorgerufen werden, aus der Fortführung geladener Theilchen, sei es der Luft oder des Staubes in ihnen, resultiren. Es ist jedoch ebenso gewiss, dass bei höheren Graden von Spannung oder Ladung Entladung von Theilchen zu Theilchen erfolgt, und das ist Leitung. Wenn die Gase für einen gewissen niedrigen Spannungsgrad ein dauerndes und vollkommenes Isolirungsvermögen besitzen, so mag dies auf ihrem besonderen physikalischen Zustande beruhen und eine Folge des Abstandes ihrer Theilchen sein. Aber in keinem Falle dürfen wir die schönen Versuche von Cagniard de la Tour[1]) vergessen, in denen er gezeigt hat, dass Flüssigkeiten und deren Dämpfe allmählich in einander übergehen können, so dass jeder Unterschied zwischen den beiden Zuständen völlig verschwindet. So gehen heisser trockener Dampf und kaltes Wasser durch unmerkliche Abstufungen in einander über, und doch ist jener, wie die Gase, ein Isolator, und dieses ein verhältnissmässig guter Leiter. Es findet also hinsichtlich des Leitungsvermögens ein stufenweiser Uebergang von den Metallen bis zu den Gasen statt; die Körper bilden in dieser Beziehung nur eine einzige Reihe, und die verschiedenen Fälle müssen qualitativ gleich sein und unter ein und dasselbe Gesetz fallen (444). Die specifischen Unterschiede der Körper hinsichtlich der Leitung dienen nur zur Bekräftigung des allgemeinen Arguments, dass Leitung, wie Isolation, ein Resultat der Induction und eine Wirkung von an einander grenzenden Theilchen ist.

1337. Ich könnte nun dazu übergehen, Induction und ihre Begleiterscheinung, die *Leitung*, in combinirten Dielektricis zu betrachten, beispielsweise den Fall, dass ein geladener Körper, anstatt durch Luft auf einen entfernten nicht isolirten Leiter zu wirken, durch jene und einen dazwischen geschalteten isolirten Leiter zugleich wirkt. In diesem Falle bilden die Luft und der Leiter die combinirten Dielektrica, und der letztere nimmt in seiner Masse einen Polarisationszustand an, ähnlich dem, welchen meine Theorie für *jedes Theilchen* der Luft in derselben Zeit voraussetzt (1679). Doch ich fürchte, bei dem gegenwärtigen Stande der Frage zu weitschweifig zu werden, und eile nun zur Betrachtung eines anderen Gegenstandes.

1338. Um das Gesagte kurz zusammenzufassen, so stelle ich mir vor, dass die erste Wirkung eines elektrisirten Körpers auf benachbarte Körper in der Hervorrufung eines Polarisationszustandes ihrer Theilchen besteht, und das ist *Induction;* sie beginnt mit einer Wirkung auf die in unmittelbarer Berührung mit jenem befindlichen Theilchen, welche wiederum auf die an sie grenzenden Theilchen wirken, und so pflanzen sich die Kräfte in die Ferne fort. Bleibt die Induction ungeschwächt, so bedeutet

---

1) Annales de Chimie, XXI, pp. 127, 178, oder Quarterly Journal of Science, XV, 145.

dies vollkommene Isolation, und je höher der Polarisationszustand ist, welchen die Theilchen annehmen oder unterhalten können, desto höher ist die Intensität, welche den wirkenden Kräften gegeben werden kann. Wenn dagegen die an einander grenzenden Theilchen nach Annahme des Polarisationszustandes die Fähigkeit haben, ihre Kräfte mitzutheilen, so findet Leitung statt, und die Spannung ist vermindert, denn Leitung ist ein besonderer Entladungsvorgang zwischen benachbarten Theilchen. Je niedriger der Spannungszustand ist, bei welchem diese Entladung zwischen den Theilchen eines Körpers stattfindet, ein desto besserer Leiter ist dieser Körper. Unter diesem Gesichtspunkte lassen sich Isolatoren als Körper bezeichnen, deren Theilchen in dem Polarisationszustande verharren können, während Leiter solche sind, deren Theilchen nicht dauernd polarisirt werden können. Wenn meine Ansicht über Induction richtig ist, so erscheint mir die Zurückführung dieser beiden (so lange getrennt gehaltenen) Vorgänge auf eine einem gemeinschaftlichen Gesetze gehorchende Wirkung an einander grenzender Theilchen als ein sehr wichtiges Resultat; und andererseits ist die Identität des Charakters, welche beide unter dem Gesichtspunkte meiner Theorie erlangen (1326), ein Beweis mehr zu Gunsten der Richtigkeit der letzteren.

1339. Dass Wärme einen grossen Einfluss auf gewöhnliche Leitung ausübt, ist wohl bekannt (445); ihre Wirkung besteht in einigen Fällen in einer fast gänzlichen Aenderung der Eigenschaften des Körpers (432, 1340). Harris hat jedoch gezeigt, dass sie auf gasförmige Körper oder wenigstens Luft[1]) gar keinen Einfluss ausübt, und bei einer Körpergruppe, den Metallen, hat sie, wie Davy uns gelehrt hat, eine *Verminderung* der Leitungsfähigkeit derselben zur Folge.[2])

1340. Ich beschrieb früher eine Substanz, das Schwefelsilber, deren Leitungsfähigkeit durch Wärme erhöht wird (433, 437, 438), und habe seitdem noch eine gefunden, welche sich ebenso verhält, nämlich Fluorblei. Ein Stück desselben, nach dem Schmelzen und Abkühlen in den Kreis einer Volta'schen Batterie eingeschaltet, hemmte den Strom. Durch Erwärmung wurde es leitend, noch ehe Rothglühen im Tageslicht sichtbar ward, und selbst Funken konnten aus ihm gezogen werden, während es noch starr war. Als dann seine Temperatur durch den Strom selbst (wie beim Schwefelsilber) bis zum Schmelzen gesteigert wurde, schien es ebenso gut zu leiten wie das Metallgefäss, in dem es sich befand, denn es liess sich kein Unterschied in der Stromstärke wahrnehmen, ob der zur Schliessung des Stromkreises benutzte Draht nur das geschmolzene Fluorid oder das Platingefäss, worin es sich befand, berührte. Während der ganzen Zeit

---

1) Philosophical Transactions, 1834, p. 230.
2) Ibid. 1821, p. 431.

zeigte sich kaum eine Spur von Zersetzung an dem Fluorid, und diese schien von der Luft und der Feuchtigkeit der Atmosphäre herzurühren und nicht von elektrolytischer Action.

1341. Ich hege nun wenig Zweifel, dass es sich mit dem Quecksilberjodid (414, 448, 691) und mit dem Aetzsublimat (692) ebenso verhalte. Auf Grund der obigen Versuche bin ich auch geneigt zu glauben, dass das früher beobachtete und beschriebene anomale Verhalten des Antimonoxyds (693, 801) zum Theil auf dieselbe Ursache zurückzuführen sei.

1342. Ich habe gegenwärtig nicht die Absicht, auf die eigenthümliche Beziehung zwischen Wärme und Elektricität einzugehen, aber wir dürfen hoffen, künftig durch Versuche das Gesetz aufzufinden, welches wahrscheinlich alle obigen Erscheinungen, sowie die der *Entwickelung* und *Vernichtung* der Wärme durch den Strom und die überraschenden und schönen Ergebnisse der Thermoelektricität durch ein gemeinsames Band verkettet.

VIII. Elektrolytische Entladung.

1343. Ich habe bereits in einer früheren Abhandlung (1164) die Ansicht ausgesprochen, durch welche ich die gewöhnliche Induction mit der Elektrolysirung zu verknüpfen hoffe. Nach dieser Ansicht ist die Entladung der elektrischen Kräfte durch Elektrolysirung eher ein Effect, welcher bei einer gewissen Klasse von Körpern zu den Erscheinungen, welche als die Induction und Isolation constituirende angesehen werden, hinzutritt, als ein von diesen Erscheinungen unabhängiger und verschiedener.

1344. Elektrolyte gehören hinsichtlich ihres Isolations- und Leitungsvermögens zu der allgemeinen Kategorie von Körpern (1320, 1334), welche im starren Zustande (den sie fast alle annehmen können) ihre Stelle behaupten und keine neuen Erscheinungen darbieten (426 etc.), oder, wo eine solche auftritt, in so geringem Grade, dass es fast ganz ohne Belang ist. Im flüssigen Zustande gehören sie auch zu derselben Klasse, so lange die elektrische Intensität unter einer gewissen Grenze bleibt; allein bei einer gegebenen (910, 912, 1007), für jeden Körper bestimmten und für alle, soweit bekannt, schwachen Intensität spielen sie eine neue Rolle und verursachen Entladung im Verhältniss (783) zur Entwickelung gewisser chemischer Effecte von Verbindung und Zersetzung, und bei diesem Punkte treten sie aus der allgemeinen Gruppe von Isolatoren und Leitern heraus und bilden eine für sich bestehende, von jenen unterschiedene. Die ersteren Erscheinungen sind bereits betrachtet worden (1320, 1338), ich habe also nur noch die letzteren durchzugehen und zur Prüfung der aufgestellten Theorie der Induction zu benutzen.

1345. Die Theorie nimmt an, dass die Theilchen des Dielektricums (jetzt ein Elektrolyt) im ersten Augenblick durch gewöhnliche Inductionswirkung in einen Polarisationszustand versetzt und auf einen gewissen

Grad von Spannung oder Intensität gebracht werden, ehe Entladung beginnt; der Inductionszustand ist in der That ein *nothwendiger Vorläufer* der Entladung. Benutzt man die in Betracht kommenden Umstände, so ist es nicht schwierig, die diesen Inductionszustand andeutende Spannung zu steigern und so den Zustand selbst erkennbarer zu machen. Wenn man zum Beispiel destillirtes Wasser anwendet und eine lange Strecke desselben von engem Querschnitt zwischen die Elektroden einer kräftigen Volta'schen Batterie bringt, so hat man sogleich Anzeichen von der Intensität, welche an diesen Elektroden kraft der Inductionswirkung durch das Wasser hindurch, als ein Dielektricum, unterhalten werden kann, denn man kann Funken erhalten, Goldblättchen zur Divergenz bringen und Leydener Flaschen laden. Wasser ist, wie Wallrath (1322, 1323), ein schlechter Leiter und ein schlechter Isolator; es isolirt lediglich vermöge der Inductionswirkung, und die Induction bereitet die Entladung vor und geht ihr voraus (1338).

1346. Die Induction und Spannung, welche an den Grenzen der Wasserstrecke in Richtung des Stromes auftritt, bilden nur die Summe der Induction und Spannung der zwischen diesen Grenzen liegenden an einander grenzenden Theilchen, und diese Begrenzung der Inductionsspannung zeigt bis zu einem gewissen Grade (indem die Zeit jedesmal einen bedeutenden Einfluss auf das Resultat hat), dass, wenn die Theilchen einen gewissen relativen Zustand erlangt haben, *Entladung* oder eine der gewöhnlichen Leitung äquivalente Uebertragung der Kräfte stattfindet.

1347. In dem vom Wasser, wenn dieses das Dielektricum ist[1]), vor Eintritt der Entladung angenommenen Inductionszustande sind es die *Wasser*theilchen, welche polarisirt sind, aber die Entladung zwischen den Theilchen ist nicht wie in den früheren Fällen ein blosser Austausch ihrer Kräfte an den polaren Stellen, sondern eine wirkliche Spaltung derselben in ihre beiden elementaren Bestandtheile, wobei der Sauerstoff in der einen Richtung wandert und seinen während der Polarisation erlangten Kraftbetrag mit sich führt, und der Wasserstoff ebenso in der anderen Richtung, bis beide auf das nächstliegende Theilchen treffen, welches sich in demselben elektrischen Zustande befindet, wie dasjenige, welches sie verlassen haben, und indem sie ihre Kräfte mit diesem vereinigen, das hervorbringen, was eine Entladung bildet. Dieser Theil der Wirkung kann als eine fortführende betrachtet werden (1319, 1572, 1622), ausgeübt durch die Bestandtheile des Dielektricums. Letzteres ist stets ein zusammengesetzter Körper (664, 823), und diejenigen, welche über diesen Gegenstand nachgedacht haben und mit der zuerst von Grotthus[2]) aufgestellten Ueberführungstheorie vertraut sind, werden jene Theilchen gern mit einer Reihe metallischer Leiter

---

1) Siehe 1699—1708. — Dec. 1838.

2) Annales de Chimie, LVIII, 60, und LXIII, 20.

vergleichen, die der Induction ausgesetzt sind und, während sie sich in diesem Zustande befinden, in diese elementaren, beweglichen Hälften theilbar sind.

1348. Elektrolytische Entladung ist nothwendig davon bedingt, dass das Dielektricum als Ganzes nicht leitet, und daher zerfällt der Process in zwei Stadien: zuerst erfolgt eine Polarisation der Molecüle der Substanz und dann eine Schwächung der Kräfte durch Spaltung derselben, deren Wanderung in entgegengesetzten Richtungen und eine Wiedervereinigung der Bestandtheile der Molecüle, welche, wie es scheint, die Hälften der ursprünglich polarisirten Leiter oder Theilchen sind.

1349. Diese Ansichten über die Zersetzung der Elektrolyte und den darauf folgenden Entladungseffect, welche, für den besonderen Fall, gleich sind denen von Grotthus (481) und Davy (482), dagegen von denen Biot's (487), De la Rive's (490) und Anderer abweichen, scheinen mir in völligem Einklang nicht bloss mit der von mir über die Induction im Allgemeinen aufgestellten Theorie (1165), sondern mit allen bekannten *Thatsachen* der gewöhnlichen Induction, Leitung und elektrolytischen Entladung zu stehen, und daher bestärken sie meine Ueberzeugung von der Richtigkeit meiner Theorie. Die neue Art von Entladung, welche die Elektrolysirung darbietet, muss sicherlich als ein Beweis von der *Wirkung an einander grenzender Theilchen* gelten, und da diese direct abzuhängen scheint von einem vorausgegangenen Inductionszustande, welcher mit gewöhnlicher Induction identisch ist, so ist sie zugleich eine bedeutende Bekräftigung des Arguments, welches die Induction in allen Fällen auf die Wirkung an einander grenzender Theilchen zurückführt (1295 etc.).

1350. Zur Erläuterung des Polarisationszustandes der Theilchen eines der Induction ausgesetzten Dielektricums will ich einen Versuch beschreiben. In ein Glasgefäss bringe man etwas klares, rectificirtes Terpentinöl und stecke zwei Drähte hinein, die da, wo sie die Oberfläche der Flüssigkeit berühren, durch Glasröhren gehen und entweder in Kugeln oder in Spitzen enden. Sehr reine, trockene weisse Seide schneide man in kleine Stücke und bringe auch diese in die Flüssigkeit; alsdann elektrisire man einen der Drähte durch eine Elektrisirmaschine und entlade durch den anderen. Sogleich wird die Seide von allen Theilen der Flüssigkeit sich zusammenhäufen und einen von Draht zu Draht reichenden Streifen bilden, der bei Berührung mit einem Glasstab eine bedeutende Zähigkeit aufweisen wird; aber in dem Augenblick, wo der Zufluss von Elektricität aufhört, zerfällt der Streifen, und seine Theile stieben auseinander. Die *Leitung* der Seide ist hierbei sehr gering, und aus der besten Untersuchung, die ich über diese Vorgänge anstellen konnte, gewinne ich die Vorstellung, dass die Adhäsion des Ganzen bedingt ist von der Polarität, welche jedes Fädchen erlangt, genau so wie Eisentheilchen zwischen den Polen eines Hufeisenmagnets durch eine ähnliche Anordnung von Kräften zu einer Masse zusammengehalten werden. Die Seidentheilchen repräsentiren also, meiner Vorstellung gemäss, den Zustand der Molecüle des Dielektricums selbst, welchen ich als einen polaren ansehe, wie es der der Seide ist. In allen Fällen von conductiver Entladung können die an einander stossenden polarisirten Körpertheilchen mit grösserer oder geringerer Leichtigkeit eine Neutralisation ihrer Kräfte bewirken, wie es auch die Seide in einem sehr geringen Grade thut. Weiter können wir die Parallele nicht verfolgen, es sei denn in unserer Vorstellung; könnten wir aber jedes Seidetheilchen in zwei Hälften theilen und jede Hälfte wandern lassen, bis sie eine andere Hälfte in einem entgegengesetzten Zustande träfe und sich mit ihr vereinigte, so würde sich hiermit eine Fortführungskraft äussern (1347), und insoweit eine elektrolytische Entladung repräsentirt sein.

1351. Giebt man zu, dass elektrolytische Entladung eine Folge einer vorhergehenden Induction ist, wie deutlich weisen dann ihre zahlreichen Fälle auf Induction in krummen Linien (521, 1216), auf die Divergenz oder laterale Wirkung der Linien der Inductionskraft hin (1231) und bekräftigen so jenen Theil des allgemeinen Arguments in der früheren Abhandlung! Wenn zwei Platinkugeln, welche die Elektroden einer Volta'schen Batterie bilden, in ein geräumiges Gefäss mit verdünnter Schwefelsäure gestellt werden, so bedecken sich die gesammten Oberflächen mit den respectiven Gasen in schön abgemessenen Verhältnissen, und es hat keine Schwierigkeit, sich die Richtung der Entladungscurven und selbst die Kraftintensität der verschiedenen Linien durch die Menge des auf den verschiedenen Theilen der Oberfläche entwickelten Gases vorzustellen. Aus diesem Zustande der Linien der Inductionskraft erkennt man die allgemeinen Ausbreitungsvorgänge, das Auftreten der Anionen und Kationen an den Ecken und den Rückseiten der Elektroden, wenn diese die Form von Platten haben, und die Art, wie der Strom oder die Entladung allen auch noch so unregelmässigen Gestalten des Elektrolyts folgt. Hier hat man auch die Erscheinungen, welche Nobili in seinen Abhandlungen über die Stromvertheilung in leitenden Massen so trefflich untersucht und beschrieben hat.[1]) Alle diese Erscheinungen zeigen die gekrümmte Richtung der in den Dielektricis und durch sie hindurch gehenden Ströme oder Entladungen, denen in allen Fällen entsprechende Inductionswirkungen der an einander stossenden Theilchen *vorausgehen.*

1352. Hieraus ergiebt sich auch der Vortheil, bei schwachen oder der Unterstützung bedürftigen erregenden Kräften, die Masse des Elektrolyts zu vermehren, die Elektroden zu vergrössern, das Zink von Kupfer umschliessen zu lassen. — Alles steht in Uebereinstimmung mit der Inductionstheorie, welche ich zu prüfen bemüht bin, und ich kenne bisher keine Thatsache gegen sie.

1353. Es giebt viele Punkte der *elektrolytischen Entladung*, welche

---

1) Bibliothèque Universelle, 1835, LIX, 263, 416.

noch eine sehr genaue Uutersuchung erfordern, wiewohl ich sie nur leicht berühren kann. Nicht dass sie, soweit ich sie untersucht habe, irgend einen Einwand gegen die aufgestellte Ansicht (denn ich habe sorgfältig, aber vergeblich, nach solchen Fällen gesucht) darbieten, sondern es ist nur Mangel an Zeit, der mich verhindert, hier näher in diese Untersuchung einzugehen.

1354. Ein Punkt ist der, dass verschiedene Elektrolyte oder Dielektrica eine verschiedene Grenzintensität zu ihrer Zersetzung erfordern (912). Dies kann bedingt sein durch den Grad der Polarisation, welchen die Theilchen brauchen, ehe elektrolytische Entladung beginnt; es steht in directer Relation zu der chemischen Affinität der betreffenden Substanzen, und es wird sich auch wahrscheinlich eine Relation oder Analogie zu der specifischen Inductionscapacität der verschiedenen Körper (1252, 1296) nachweisen lassen. So verspricht dies, dazu beizutragen, die grossen Wahrheiten jener ausgedehnten Wissenschaften, welche die Kräfte der materiellen Theilchen zum Gegenstande der Forschung haben, in eine innigere Ordnung und Beziehung zu einander zu bringen, als sie bisher dargeboten haben.

1355. Ein anderer Punkt ist die Erleichterung der elektrolytischen Leitung oder Entladung durch Zusatz von Substanzen zu dem angewandten Dielektricum. Dieser Effect zeigt sich besonders auffallend beim Wasser, dessen Eigenschaften hierdurch verbessert werden, aber bisher ist noch kein alle diese Erscheinungen beherrschendes allgemeines Gesetz entdeckt worden. So erhöhen manche Säuren, wie Schwefel-, Phosphor-, Oxal- und Salpetersäure das Leitungsvermögen des Wassers ungemein, während andere, wie Wein- und Citronensäure, es nur in geringem Maasse thun, und wiederum andere, wie Essigsäure und Borsäure, keine merkliche Veränderung am Voltameter erkennen lassen (739). Ammoniak bringt in dieser Beziehung keine Wirkung hervor, aber wohl sein Carbonat. Kaustische Alkalien und ihre Carbonate bringen eine beträchtliche Wirkung hervor. Natriumsulphat, Salpeter (753) und viele lösliche Sauerstoffsalze üben eine bedeutende Wirkung. Von Quecksilbercyanid und Aetzsublimat lässt sich ebenso wenig wie von Jod, Gummi oder Zucker ein Einfluss am Voltameter nachweisen. In vielen Fällen wird die zugesetzte Substanz direct oder indirect angegriffen, und dann werden die Erscheinungen complicirter; solche Substanzen sind Salzsäure (758), die löslichen Chlorüre (766), Jodide (769), Salpetersäure (752) u. s. w. In anderen Fällen ist die zugesetzte Substanz für sich kein Leiter der elektrischen Kräfte der Volta'schen Batterie und ertheilt und empfängt dennoch Leitungsvermögen, wenn sie mit Wasser vereinigt ist. De la Rive hat dieses Resultat bei der schwefligen Säure[1]), beim Jod und Brom[2]) beob-

---

[1]) Quarterly Journal, XXVII, 407, oder Bibliothèque Universelle, XL, 205. Kemp sagt, schweflige Säure sei ein sehr guter Leiter. Quarterly Journal, 1831, p. 613.

[2]) Quarterly Journal, XXIV, 465, oder Annales de Chimie, XXXV, 161.

achtet; Arsenchlorür verhält sich ebenso. Ein weit auffallenderes Beispiel von einem solchen Einfluss bietet jedoch die Schwefelsäure dar (681), und wahrscheinlich ist auch das Verhalten der Phosphorsäure ein ebenso eigenthümliches.

1356. Es könnte scheinen, dass in den Fällen, wo jene Körper selbst keine Aenderung erleiden, wie Schwefelsäure (und vielleicht in allen Fällen), sie die Leitungsfähigkeit des Wassers, lediglich insofern es ein Elektrolyt ist, beeinflussen; denn mag dieselbe viel oder wenig erhöht werden, so ist doch die Zersetzung proportional der durchgehenden Elektricitätsmenge (727, 730), und die Ueberführung ist also durch elektrolytische Entladung bedingt. Dies steht im Einklang mit der in Betreff des Wassers bereits festgestellten Thatsache (984), dass das Leitungsvermögen nicht erhöht wird für Elektricität von geringerer Kraft als der elektrolytischen Intensität der als Dielektricum dienenden Substanz entspricht. Beide Thatsachen (und einige andere) stehen jedoch im Widerspruch mit der früher geäusserten Meinung, dass das Leitungsvermögen der Salze u. s. w. von der Annahme des flüssigen Zustandes durch Auflösen in Wasser abhängig sei (410). Es fällt mir ein, dass die Erscheinung vielleicht mit den Verschiedenheiten der specifischen Inductionscapacität zusammenhängt und hierin ihre Erklärung findet.

1357. In der letzten Abhandlung habe ich Fälle beschrieben, wo Schellack durch Absorption von Ammoniak leitend wird (1294); denselben Einfluss hat Salzsäure. Dennoch sind beide Körper im gasförmigen Zustande Nichtleiter, und Ammoniak selbst in concentrirter Lösung (748). Harris hat Fälle angeführt[1]), wo das Leitungsvermögen von Metallen durch eine sehr geringe Menge einer Legirung bedeutend geändert wird. Dies hat vielleicht keine Beziehung zu den früheren Fällen, aber nichtsdestoweniger darf es bei der allgemeinen Untersuchung der ganzen Frage nicht übersehen werden.

1358. In der Gruppe der Dielektrica, welche wir Elektrolyte nennen, ist vielleicht nichts auffallender, als dass die Art, wie sie Entladung bewirken, in ausserordentlichem und fast vollständigem Maasse aufgehoben ist, sobald sie den *starren* Zustand annehmen (380 etc.), selbst wenn die Intensität der durch sie hindurch wirkenden Induction hundertfach und darüber gesteigert wird (419). Dies beweist nicht bloss eine ganz allgemeine Beziehung zwischen den physikalischen Eigenschaften dieser Körper und der inducirend durch sie hin wirkenden Elektricität, sondern verkettet auch ihre physikalischen und chemischen Relationen so eng mit einander, dass wir hoffen dürfen, den gegenseitigen Einfluss, den sie auf einander haben, bald vollständig zu begreifen.

---

[1]) Philosophical Transactions, 1827, p. 22.

IX. *Disruptive Entladung und Isolation.*

1359. Die nun folgende Form der Entladung habe ich als *disruptive* (1319) bezeichnet, weil sie stets die Theilchen, unter denen und durch welche sie plötzlich hindurchbricht, mehr oder weniger verschiebt. Ich begreife darunter Entladung in Form von Funken, Büscheln und Glimmen (1405), schliesse aber die Fälle von Strömungen von Luft, Flüssigkeiten u. s. w. aus, da diese, obwohl häufige Begleiterscheinungen der ersteren, doch wesentlich anderer Natur sind.

1360. Die zur Erzeugung eines Funkens in einfachster Gestalt erforderlichen Bedingungen sind wohl bekannt. Zwischen zwei in entgegengesetzt elektrischen Zuständen befindlichen Leiterflächen muss ein isolirendes Dielektricum eingeschaltet sein, und wenn dann die Einwirkungen fortdauernd verstärkt oder anderweitig begünstigt werden, entweder durch Steigerung des elektrischen Zustandes oder durch weitere Annäherung der beiden Leiter an einander oder durch Verminderung der Dichtigkeit des Dielektricums, so tritt schliesslich ein *Funke* auf, und die beiden Kräfte sind zur Zeit vernichtet, da eben *Entladung* stattgefunden hat.

1361. Die Leiter (welche als die Begrenzungen der Inductionswirkung angesehen werden können) sind in den meisten Fällen Metalle, während als Dielektrica gewöhnlich atmosphärische Luft und Glas angewandt werden. In meiner Inductionstheorie sind jedoch alle Dielektrica von Wichtigkeit, denn da die Resultate als von diesen Körpern wesentlich abhängig betrachtet werden, so liess sich erwarten, dass eine genauere Untersuchung früher nicht geahnte Unterschiede in der Wirkung aufdecken und so gleichzeitig eine neue Bestätigung der Theorie geben und neue Bahnen zur Entdeckung in den ausgedehnten und mannigfaltigen Gebieten unserer Wissenschaft eröffnen würde. Diese Hoffnung erhielt sich besonders hinsichtlich der Gase, wegen ihres hohen Isolationsvermögens, der Gleichförmigkeit ihrer physikalischen Constitution und der grossen Verschiedenheit ihrer chemischen Eigenschaften.

1362. Alle der Entladung vorausgehenden Wirkungen sind inducirender Art, und daher ist der Spannungsgrad, den sie erreichen müssen, ehe der Funke auftritt, bei der nun beabsichtigten Prüfung der Inductionstheorie ein sehr wichtiger Punkt. Er bezeichnet die Grenze des Einflusses, den das Dielektricum ausübt, indem es der Entladung widersteht; er ist folglich ein Maass der Coercitivkraft des Dielektricums, welche ihrerseits wiederum als ein Maass und demnach als ein Ausdruck der Intensität der wirksamen elektrischen Kräfte betrachtet werden kann.

1363. Viele Physiker haben die Umstände dieser begrenzenden Wirkung in Luft untersucht, allein, was die Genauigkeit und die Ausdehnung dieser Untersuchungen betrifft, so ist Harris, soviel ich weiss, von Niemandem erreicht worden.[1]) Einige seiner Resultate muss ich kurz anführen, indem

[1]) Philosophical Transactions, 1834, p. 225.

ich vorausschicke, dass sie alle unter Anwendung von Luft als *Dielektricum* zwischen den Leiterflächen erhalten wurden.

1364. Zuerst untersuchte er den Einfluss des *Abstandes* der zwei von ihm benutzten Kugeln, oder mit anderen Worten, die *Dicke* des Dielektricums, durch welches die Induction unterhalten wurde. Er fand, dass die zur Erzeugung einer Funkenentladung erforderliche Elektricitätsmenge der geladenen oder inducirenden Kugel, gemessen mit einer Maassflasche oder sonst nach einem dem mit der Maassflasche gleichwerthigen Principe, sich genau wie der Abstand der Kugeln oder der entladenden Spitzen änderte, und zwar unter sehr verschiedenen und exacten Versuchsformen.[1])

1365. Alsdann ergab sich in Bezug auf Aenderungen des *Druckes* oder der *Dichtigkeit* der Luft, dass die zur Entladung durch eine *constante* Luftstrecke erforderlichen Elektricitätsmengen sich genau wie die Dichtigkeit änderten; Elektricitätsmenge und Luftdichtigkeit stehen also in einem einfachen Verhältniss. Wenn also die Menge dieselbe blieb, während die Luftstrecke und ihre Dichtigkeit abgeändert wurde, so standen diese in einfachem umgekehrten Verhältniss zu einander, so dass durch eine doppelt so lange Luftstrecke dieselbe Menge hindurchging, wenn die Luft um die Hälfte verdünnt ward.[2])

1366. Es ist hierbei zu erinnern, dass diese Wirkungen stattfinden, ohne dass die *inducirende* Kraft durch Verdichtung oder Verdünnung der Luft eine Aenderung erleidet. Diese Kraft bleibt sich gleich in Luft[3]) und in allen Gasen (1284, 1292), wie verdünnt sie auch sein mögen.

1367. *Temperatur*änderung der Luft hatte keine Aenderung der zur Entladung durch eine gegebene Strecke erforderlichen Elektricitätsmenge zur Folge.[4])

Dies sind die von Harris erhaltenen allgemeinen Resultate, welche ich augenblicklich brauche, und die mir einwandsfrei erscheinen.

1368. In der auf eine Molecularwirkung des Dielektricums begründeten Inductionstheorie haben wir den Zustand dieses Körpers vorzugsweise wegen der die obigen Erscheinungen bestimmenden Ursache zu beachten. Jene nimmt an, dass während der Induction die Theilchen des Dielektricums sich in einem gewissen Polarisationszustande befinden, und dass die Spannung dieses Zustandes in jedem Theilchen um so höher steigt, je mehr die Induction gesteigert wird, entweder durch Annäherung der inducirenden Flächen, durch Abänderung der Gestalt, durch Verstärkung der ursprünglichen Kraft oder auf anderem Wege, bis endlich, wenn die Spannung der Theilchen den höchsten Grad erreicht hat, den sie, ohne das ganze Arrangement zu zerstören, ertragen können, unmittelbar darauf Entladung eintritt.

---

1) Philosophical Transactions, 1834, p. 225.

2) Ibid. p. 229.

3) Ibid. pp. 237, 244.

4) Ibid. p. 230.

1369. Die Theorie setzt jedoch nicht voraus, dass *alle* Theilchen des der Induction ausgesetzten Dielektricums in gleichem Grade afficirt werden oder die gleiche Spannung annehmen. Was ich die laterale Action der Linien der Inductionskraft genannt habe (1231, 1297), sowie die divergirende und zuweilen gekrümmte Gestalt dieser Linien spricht gegen eine solche Vorstellung. Ich denke mir, dass in jedem *sämmtliche* Linien der Inductionskraft einschliessenden Querschnitt des Dielektricums die Summe der Kräfte gleich ist der Summe der Kräfte in jedem anderen Querschnitt, mithin der Gesammtbetrag der Spannung in jedem Querschnitt gleich ist.

1370. Entladung tritt wahrscheinlich ein, nicht wenn alle Theilchen einen gewissen Spannungsgrad erreicht haben, sondern wenn das am meisten afficirte Theilchen auf den Umkehr- oder Wendepunkt (1410) gelangt ist. Denn wiewohl *alle* Theilchen in der Inductionslinie der Ladung widerstehen, und ihre Wirkungen sich so vereinen, dass ihre Widerstandskräfte sich summiren, so müssen doch, wenn eines auf den Umkehrpunkt gebracht ist, so dass ein Funke zwischen Kugel und Kugel auftritt, *alle* nachgeben. Das Weichen des einen muss nothwendig den Zusammensturz des ganzen Systems nach sich ziehen, denn sein Widerstand hatte den höchsten Grad erreicht, als die Kraft dieses einen Theilchens die Kraft aller übrigen unterstützte, und jene Kraft ist nun verschwunden. Daher kann, der Theorie gemäss, *Spannung* oder *Intensität*[1]) als Ausdruck des besonderen Zustandes der Theilchen oder des Betrages ihrer erzwungenen Abweichung vom normalen Zustande angesehen werden (1298, 1368).

1371. Meine Theorie betrachtet die Gesammtwirkung eines geladenen Leiters auf einen von ihm entfernten, isolirten oder nicht isolirten Leiter als beruhend auf einem von Theilchen zu Theilchen des dazwischenliegenden isolirenden Dielektricums sich fortpflanzenden Vorgang, und nimmt an, dass alle Theilchen zeitweise in einen Zwangszustand versetzt werden, aus dem sie in ihren normalen oder natürlichen Zustand zurückzukehren streben. Die Theorie scheint demnach eine ungezwungene Erklärung für den Einfluss der *Entfernung* auf die Induction (1303, 1364) zu liefern. Mit der Abnahme der Entfernung nimmt die Induction zu, denn dann sind in der Linie der Inductionskraft weniger Theilchen, welche sich vereint der Annahme des Zwangs- oder Polarisationszustandes widersetzen, und umgekehrt. Ferner findet mit Abnahme der Entfernung die Entladung bei einer schwächeren Ladung der Elektricität statt; denn wenn, wie in Harris' Versuch (1364), der Abstand auf die Hälfte reducirt wird, so ist zur Entladung durch diesen Zwischenraum nur halb so viel Elektricität erforderlich als bei dem ursprünglichen, und es ist auch klar, dass alsdann nur halb so viel Molecüle dazwischenliegen, deren vereinte Kräfte der Entladung widerstehen.

---

1) Ueber eine besondere Bedeutung dieser Ausdrücke nach Vorschlag von Harris siehe Philosophical Transactions, 1834, p. 222.

1372. Die Vergrösserung der bei dem Inductionsvorgange einander gegenüber stehenden Leiterflächen schwächt, wenn der Zufluss der Elektricität beschränkt ist, die Intensität der Wirkung, und dies ist eine ganz natürliche Folge der Vergrösserung des Flächenraumes des Dielektricums, durch welches die Induction stattfindet. Denn indem die Inductionswirkung, die anfangs durch einen Querschnitt des Dielektricums von einem Quadratzoll ausgeübt wurde, sich über solche Querschnitte von zwei oder drei Zoll ausbreitet, werden zwei- oder dreimal soviel Molecüle des Dielektricums in den Polarisationszustand versetzt und treten bei der Unterhaltung des Inductionsvorganges in's Spiel, und daher muss die Spannung, die der kleineren Anzahl von Theilchen angehörte, auf welchen die begrenzte Kraft ursprünglich angehäuft war, in einem verhältnissmässigen Grade sinken.

1373. Aus demselben Grunde muss die Intensität mit der Verkleinerung der gegenüberstehenden Leiterflächen wachsen und sie wird wachsen, bis diese zu Spitzen reducirt werden. Alsdann aber ist die Spannung der den Spitzen zunächst liegenden Theilchen des Dielektricums höher als die der mittleren, wegen der lateralen Action und, so zu sagen, der dadurch erfolgenden Berührung der Linien der Inductionskraft in dem mittleren Abstand (1369).

1374. Dass die Inductionswirkungen an einer Spitze *p* oder einer kleinen Oberfläche, wie das abgerundete Ende eines Stabes, einer grossen Fläche, einer Kugel oder Platte gegenüber stärker sind als, bei gleich bleibender Entfernung, einer zweiten Spitze oder Ecke gegenüber, steht im Einklang mit meiner Theorie (1302). Denn im letzteren Falle wird die kleine Fläche *p* bloss von den Theilchen afficirt, welche durch die eben so kleine Fläche des gegenüberstehenden Leiters in den Inductionszustand versetzt sind, während, wenn diese eine Kugel oder Platte ist, die Linien der Inductionskraft von dieser gegen das Ende *p* gleichsam concentrirt werden. Wiewohl nun die Molecüle des Dielektricums an der grossen Fläche sich am Ende in einem weit geringeren Spannungszustande befinden als die an der entsprechenden kleineren Fläche, so sind sie doch weit zahlreicher, und da die Linien der Inductionskraft gegen einen Punkt convergiren, so können sie den der kleinen Fläche näher liegenden Theilchen eines Querschnittes (1369) einen dem ihrigen gleichen, und folglich jedem einzelnen Theilchen einen höheren Betrag an Spannung mittheilen, so dass an der Oberfläche des kleineren Leiters die Spannung eines Theilchens beträchtlich steigt und, wenn der Leiter in einer Spitze endigte, unendlich gross werden würde, wäre sie nicht, wie früher (1368), durch die Entladung begrenzt. Auf die Natur der Entladung aus kleinen Flächen und Spitzen komme ich später (1425 etc.) zurück.

1375. *Verdünnung* der Luft ändert die *Intensität* der Inductionswirkung nicht (1284, 1287); es giebt auch, soweit ich sehen kann, keinen Grund, warum es der Fall sein sollte. Wenn die Elektricitätsmenge und der Abstand gleich bleiben, während die Luft auf die Hälfte verdünnt wird, dann ist zwar die Hälfte der Theilchen des Dielektricums fortgeschafft, aber die andere Hälfte nimmt den doppelten Betrag an polarer Spannung an, und deshalb bleiben die Inductionskräfte sich gleich, und das Resultat ändert sich nicht, so lange Induction und Isolation aufrecht erhalten werden. Allein hinsichtlich der *Entladung* liegt die Sache ganz anders; denn da in der verdünnten Luft nur halb soviel dielektrische Theilchen vorhanden sind, so werden diese durch die Hälfte der früheren Elektricitätsmenge auf die Entladungsintensität gebracht, es erfolgt demnach Entladung, und diese Consequenz der Theorie steht in vollkommener Uebereinstimmung mit Harris' Resultaten (1365).

1376. Dass bei gleich bleibender Entfernung, mit Zunahme des Druckes oder der Dichtigkeit der Luft, eine *grössere* Elektricitätsmenge zur Entladung erforderlich ist, folgt ebenso und nach demselben Princip (1375) aus der Moleculartheorie.

1377. Hier hat, glaube ich, meine Inductionstheorie einen entschiedenen Vorzug vor den übrigen, besonders vor derjenigen, welche meint, dass die Elektricität auf der Oberfläche von Leitern in Luft durch den *atmosphärischen Druck* (1305) zurückgehalten werde. Diese von Poisson und Biot angenommene Theorie[1]) ist, glaube ich, auch die allgemein herrschende. Sie verknüpft zwei so unähnliche Dinge, wie die ponderable Luft und das subtile, ja hypothetische elektrische Fluidum oder die elektrischen Fluida durch grobe mechanische Beziehungen, durch das Band eines blossen statischen Druckes mit einander. Meine Theorie dagegen geht von vornherein davon aus, dass sie die elektrischen Kräfte mit den materiellen Theilchen verknüpft; sie leitet alle ihre Beweise aus der Erfahrung ab, ja sie nimmt hierin in erster Linie ihren Ursprung, und scheint alsdann ohne weitere Voraussetzungen geradezu eine vollkommene Erklärung dieser und vieler anderer eigenartiger, specieller und bisher scheinbar unzusammenhängender Erscheinungen zu liefern.

1378. Noch ein wichtiges, aus der Verschiedenheit der specifischen Inductionscapacität der verschiedenen Dielektrica (1269, 1274, 1278) hergeleitetes experimentelles Argument kann ich zur Stütze anführen. Man denke sich eine positiv elektrisirte, isolirte Kugel concentrisch in einer grösseren, zur Erde abgeleiteten Kugel und dazwischen ein gleichförmiges Dielektricum, wie Luft, so hat man im Wesentlichen meinen Apparat (1187), sowie den Fall realisirt, dass eine elektrisirte Kugel sich in einem begrenzten Raume in gewisser Entfernung von unregelmässig gestalteten Leitern befindet. Unter diesen Umständen ist die Elektricität (so zu sagen) gleichförmig über die Oberfläche der Kugel vertheilt. Bringt man aber ein Dielektricum wie Schwefel oder Schellack in den Raum zwischen den

---

[1]) Encyclopaedia Britannica, Supplement, vol. IV, Artikel Electricity, pp. 76, 81 etc.

beiden Leitern, nur an einer Seite oder gegenüber einer Stelle der inneren Kugel, so wird die Vertheilung der Elektricität auf dieser augenblicklich eine ungleichmässige (1229, 1270, 1309), wiewohl die Gestalt der Leiterfläche, ihre Abstände und der *Druck* der Luft vollkommen ungeändert bleiben.

1379. Fusinieri bildete sich eine von der von Poisson, Biot und Anderen abweichende Ansicht über den Grund, wesshalb Verdünnung der Luft ein leichteres Entweichen der Elektricität zur Folge hat. Er erklärt den Vorgang mit der Beseitigung des *Hindernisses*, welches die Luft der Expansion der Substanzen entgegenstellt, von denen die Elektricität fortgeht.[1]) Allein Platinkugeln zeigen die Erscheinungen eben so gut als flüchtige Metalle und andere Substanzen. Ueberdies entweicht die Elektricität, wenn die Verdünnung sehr beträchtlich ist, fast ohne Widerstand und ohne merkliche Wärmeentwickelung, und daher glaube ich, dass auch Fusinieri's Ansicht wenig Beifall finden dürfte.

1380. Ich brauche wohl nicht von dem Entladungs- oder Sammelvermögen der Flamme oder heissen Luft zu reden. Ich glaube mit Harris, dass die Wärme an sich keine Rolle spielt (1367), sondern nur die Verdünnung von Einfluss ist. Die Wirkung der Verdünnung ist bereits im Allgemeinen betrachtet worden (1375), und die Wirkung der Wärme eines brennenden Lichtes mit zugespitztem Docht nebst der Fortführung durch die Kohletheilchen desselben sind vollkommen hinreichend, alle diese Erscheinungen zu erklären.

1381. Wir sind nun zu der wichtigen Frage gelangt, wie in Gasen, die denselben physikalischen Zustand, *denselben Druck* und *dieselbe Temperatur* wie *Luft* besitzen, aber von ihr im specifischen Gewicht, in chemischen Eigenschaften und vielleicht in anderen besonderen Beziehungen, die, bisher unerkannt, am Ende rein elektrischer Natur sind (1361), abweichen, die zur Isolation und disruptiven Entladung erforderliche Inductionsspannung unterhalten wird.

1382. Auf diese Frage kann ich jetzt nur insoweit eingehen, als sie für den vorliegenden Satz wesentlich ist, dass nämlich Isolation und Inductionsspannung nicht bloss von den angewandten geladenen Leitern abhängt, sondern auch, und wesentlich, von dem dazwischen befindlichen Dielektricum, in Folge der Molecularaction seiner Theilchen (1292).

1383. Ein Glasgefäss *a* (Fig. 127)[2]) war oben und unten so abgeschliffen, dass es durch zwei abgeschliffene Messingplatten *b* und *c* geschlossen werden konnte; *b* trug eine Stopfbüchse mit einem darin verschiebbaren Stab *d*, der unten in eine Messingkugel *s* und oben in einen Ring endete. Die untere Platte war mit einem Fuss *e*, einem Hahn *f* und

---

1) Bibl. Univ. 1831, XLVIII, 375.

2) Die Zeichnung ist in 1/6 der natürlichen Grösse ausgeführt.

einer Dille *g*, sowie mit einer Messingkugel *l* versehen, welche mittelst eines an ihr befestigten, durch die Dille *g* gehenden Stabes in verschiedenen Höhen festgestellt werden konnte. Die Metalltheile dieses Apparates waren nicht gefirnisst, aber das Glas war mit einer Schicht von vorher in Alkohol aufgelöstem Schellack gut überzogen. Das Gefäss liess sich nach dem Auspumpen der Luft mit irgend einem anderen Gase füllen, das stets behufs seiner Trocknung über geschmolzenes Chlorcalcium strich, ehe es in den Apparat eintrat.

1384. Der andere Theil des Apparates bestand aus zwei isolirenden Stützen *h* und *i*, an denen zwei Messingkugeln befestigt waren, durch welche zwei verschiebbare Stäbe *k* und *m* gingen, die an beiden Enden in Messingkugeln endeten; *n* ist das Ende eines isolirten Conductors, der durch eine Elektrisirmaschine positiv oder negativ geladen werden konnte, *o* und *p* sind Drähte zur Verbindung desselben mit den beiden eben beschriebenen Theilen, und *q* ist ein Draht, welcher die beiden gegenüberliegenden Seiten der anderen Theile verband und zugleich mit einem guten Ableitungssystem *r* communicirte (292).

1385. Es ist klar, dass die Entladung der Elektricität der Maschine entweder zwischen *s* und *l* oder zwischen S und L übergehen konnte. Die in den ersten Versuchen getroffene Anordnung hatte den Zweck, den Abstand zwischen *s* und *l* *ungeändert* zu halten und bei der Einführung verschiedener Gase in das Gefäss *a* die Entladung an der einen Stelle gegen die an der anderen zu äquilibriren. Denn wenn man den Zwischenraum *u* hinlänglich klein machte, so musste die gesammte Entladung hier übergehen, wenn man ihn dagegen hinlänglich gross machte, so musste die Entladung in dem Recipienten bei *v* erfolgen. Principiell schien es sicher, dass man auf diese Weise den veränderlichen Zwischenraum *u* als Maass nehmen konnte oder vielmehr als Indicator des Widerstandes, den die Entladung durch das Gas an dem constanten Zwischenraum *v* fand. Folgendes sind die constanten Dimensionen:

Kugel *s*	0,93	Zoll
Kugel S	0,96	„
Kugel *l*	2,02	„
Kugel L	1,95	„
Zwischenraum *v*	0,62	„

1386. Bei Anstellung des Versuches zeigte es sich, dass, wenn Luft oder irgend ein Gas sich in dem Recipienten *a* befand, der Zwischenraum *u* kein feststehender war; er konnte um eine gewisse Strecke geändert werden, und dennoch gingen entweder hier oder im Recipienten bei *v* Funken über. Man notirte die Grenzwerthe, d. h. den grössten Abstand, bei dem die Entladung eben noch *immer* bei *v* in dem Gase erfolgte, und den kleinsten Abstand, bei dem sie eben noch *immer* bei *u* in der Luft vor sich ging. So waren, wenn sich Luft im Recipienten befand, die Grenzwerthe bei *u*

0,56 und 0,79 Zoll; innerhalb des Zwischenraumes bis zu 0,23 Zoll sprangen die Funken bald an der einen, bald an der anderen Stelle über.

1387. Die kleinen Kugeln *s* und S konnten mittelst der Maschine positiv oder negativ geladen werden, und da sich ergab, wie sich auch erwarten liess, dass Gase sich diesem Wechsel gegenüber verschieden verhielten (1399), so wurden die mit Ladungen von verschiedenem Vorzeichen erhaltenen Resultate gleichfalls notirt.

1388. Die folgende Tabelle giebt einige solcher Resultate. Die angeführten Gase befanden sich in dem Gefässe *a*. Die Zahlen bezeichnen in Zollen den kleinsten, grössten und mittleren Werth bei *u* in Luft, während der Zwischenraum bei *v* constant 0,62 Zoll betrug.

	Kleinster.	Grösster.	Mittlerer.
Luft, *s* und S positiv	0,60	0,79	0,695
Luft, *s* und S negativ	0,59	0,68	0,635
Sauerstoff, *s* und S positiv . . .	0,41	0,60	0,505
Sauerstoff, *s* und S negativ . . .	0,50	0,52	0,510
Stickstoff, *s* und S positiv . . .	0,55	0,68	0,615
Stickstoff, *s* und S negativ . . .	0,59	0,70	0,645
Wasserstoff, *s* und S positiv . . .	0,30	0,44	0,370
Wasserstoff, *s* und S negativ . . .	0,25	0,30	0,275
Kohlensäure, *s* und S positiv . . .	0,56	0,72	0,640
Kohlensäure, *s* und S negativ . .	0,58	0,60	0,590
Oelbildendes Gas, *s* und S positiv .	0,64	0,86	0,750
Oelbildendes Gas, *s* und S negativ .	0,69	0,77	0,730
Steinkohlengas, *s* und S positiv . .	0,37	0,61	0,490
Steinkohlengas, *s* und S negativ . .	0,47	0,58	0,525
Salzsäuregas, *s* und S positiv . .	0,89	1,32	1,105
Salzsäuregas, *s* und S negativ . .	0,67	0,75	0,720

1389. Die obigen Resultate wurden alle zur selben Zeit erhalten. Fernere Versuche gaben im Allgemeinen Resultate von derselben Ordnung, wenn auch nicht von denselben Zahlenwerthen. So für

Wasserstoff, *s* und S positiv . . .	0,23	0,57	0,400
Kohlensäure, *s* und S positiv. . .	0,51	1,05	0,780
Oelbildendes Gas, *s* und S positiv .	0,66	1,27	0,965

Die Barometerstände an den Versuchstagen habe ich nicht notirt.[1])

1390. Man hätte erwarten sollen, dass es für jeden Zwischenraum nur zwei Abstände gäbe, bei denen die Entladung an dem einen oder anderen stattfände, und dass die geringste Aenderung eines derselben sofort ein beständiges Vorwiegen des einen über den anderen verursachen würde. Allein unter gewöhnlichen Umständen ist dies nicht der Fall. Befand sich

---

1) Aehnliche Versuche in verschiedenen Gasen sind in Art. 1507, 1508 beschrieben. — Dec. 1838.

Luft im Recipienten, so stieg die Veränderung an dem kleineren Zwischenraume von 0,6 beinahe um 0,2 Zoll, und bei Salzsäure betrug die Veränderung an dem kleineren Zwischenraume von 0,9 über 0,4 Zoll. Woher kommt es, dass das eine Mal ein Funke, der nicht durch eine Luftstrecke von 0,6 Zoll gehen kann, durch einen bestimmten Zwischenraum (den im Recipienten) überspringt, und unmittelbar darauf anscheinend unter genau denselben Umständen es nicht thut, während er eine Luftstrecke von 0,8 Zoll durchsetzen kann?

1391. Wahrscheinlich rührt diese Abweichung zum Theil von Staubtheilchen in der Luft her, die in und um die Strombahn hingezogen werden (1568); zum Theil beruht sie auch, wie ich glaube, auf einem veränderlichen Ladungszustande der Oberfläche des Glasgefässes *a*. Dass nicht der ganze Effect auf den Einfluss der im Gefässe *a* herrschenden Umstände zurückzuführen ist, lässt sich aus der Thatsache schliessen, dass Funken zwischen Kugeln in freier Luft häufig nicht geradlinig sind und oft anders als auf dem kürzesten Wege überspringen. Diese Abweichungen in Luft selbst und an verschiedenen Theilen eben derselben Kugeln zeigen das Vorhandensein und den Einfluss von Umständen, welche beim Auftreten der hier betrachteten Erscheinungen eine Rolle spielen.

1392. Wenn ein Funke einmal an einem der beiden Zwischenräume übergegangen war, so hatten die Funken eine stärkere Neigung an *demselben* Zwischenraume aufzutreten, als ob daselbst dem Uebergang dieser Funken vorgearbeitet worden wäre. So folgten auch bei raschem continuirlichem Drehen der Maschine die Funken im Allgemeinen an derselben Stelle auf einander. Dieser Effect rührt wahrscheinlich theilweise von der Erwärmung der Luft durch den vorhergehenden Funken, theilweise vom Staub, theilweise auch, wie ich vermuthe, von Etwas her, was man bis jetzt bei den Entladungsbedingungen noch nicht erkannt hat.

1393. Ein sehr merkwürdiger, dem Sinne nach *constanter* Unterschied tritt ein, wenn die den Kugeln *s* und S mitgetheilte Elektricität in dem einen oder anderen Sinne ihr Zeichen wechselt. Er besteht darin, dass der Umfang der Abweichung stets grösser ist bei positiver als bei negativer Ladung der Kugeln. Dies zeigt folgende, den früheren Versuchen entnommene Tabelle.

Umfang der Abweichung	Pos.	Neg.
in Luft	0,19	0,09
„ Sauerstoff	0,19	0,02
„ Stickstoff	0,13	0,11
„ Wasserstoff . . .	0,14	0,05
„ Kohlensäure . . .	0,16	0,02
„ ölbildendem Gas .	0,22	0,08
„ Steinkohlengas . .	0,24	0,12
„ Salzsäuregas . . .	0,43	0,08

Ich zweifle nicht. dass diese Zahlen eine erhebliche Correction erfordern, allein das allgemeine Resultat ist schlagend, und der Unterschied in mehreren Fällen sehr gross.

1394. Wiewohl in Folge der Veränderlichkeit der Schlagweite (1386) die Luftstrecke vorläufig kein Maass für das Isolirungs- oder Widerstandsvermögen des Gases in dem Gefässe abgeben kann, so können wir doch für die vorliegenden Zwecke den mittleren Werth der Zwischenräume als ungefähren Ausdruck dieses Vermögens ansehen. Die Betrachtung der mittleren Werthe jener Zwischenräume, wie sie in der dritten Columne (1388) enthalten sind, ergiebt ganz deutlich, dass Gase eigenartige elektrische Beziehungen zur Isolation und deshalb auch zur Induction haben, ganz andere, als man vermuthen würde, wenn sie bloss von ihren physikalischen Eigenschaften des specifischen Gewichtes oder des Druckes abhingen.

1395. Zuerst ist klar, dass sie bei *demselben Druck* nicht gleich sind; die Unterschiede liegen zwischen 37 und 110. Bei positiver Ladung der kleinen Kugeln, bei gleichen Oberflächen und gleichem Druck ist das Isolirungs- oder Widerstandsvermögen (1362) des Salzsäuregases dreimal so gross als das des Wasserstoffs und nahezu doppelt so gross als das des Sauerstoffs, Stickstoffs oder der Luft.

1396. Es ist jedoch klar, dass der Unterschied nicht dem specifischen Gewicht zuzuschreiben ist; denn obwohl Wasserstoff am tiefsten steht, also tiefer als Sauerstoff, so steht doch Sauerstoff viel tiefer als Stickstoff oder ölbildendes Gas, und Kohlensäure tiefer als ölbildendes Gas oder Salzsäuregas, obwohl sie erheblich schwerer ist als diese. Sauerstoff als ein schweres und ölbildendes Gas als ein leichtes stehen in starkem Contrast zu einander; und wenn wir aus Harris' Versuchsergebnissen mit Luft (1365) auf ölbildendes Gas schliessen dürfen, so könnte es bis auf zwei Drittel seiner gewöhnlichen Dichte oder bis zum specifischen Gewicht 9,3 (Wasserstoff = 1 gesetzt) verdünnt werden und würde, ohne dieselbe Dichte und denselben Druck wie Sauerstoff zu haben, ein diesem gleiches Isolirungsvermögen oder gleiche Neigung besitzen, der Entladung zu widerstehen.

1397. Versuche, welche zeigen, dass die Gase merklich gleiche Inductionscapacität besitzen, sind bereits beschrieben worden (1291, 1292). Dieses Resultat ist nicht im Widerspruch mit dem Dasein grosser Unterschiede in ihrer Widerstandskraft. Dasselbe ist bereits in Bezug auf dichte und verdünnte Luft bemerkt worden (1375).

1398. Hieraus ergiebt sich ein neues Argument zur Bestätigung, dass es nicht bloss der atmosphärische Druck sein kann, was die Entladung verhindert oder beherrscht (1377, 1378), sondern eine specifische elektrische Qualität oder Relation des gasförmigen Mediums. Hierin liegt zugleich ein neues Argument für die Moleculartheorie der Induction.

1399. Wie roh und flüchtig auch die vorstehenden Versuchsreihen sein mögen, so lassen sich aus ihnen noch andere specifische Verschiedenheiten der Gase ableiten. So gaben die positive und negative Reihe der mittleren Zwischenräume nicht dieselben Unterschiede. Dass die negativen Zahlen kleiner sind als die positiven, ist bereits bemerkt worden (1393), aber ausserdem sind auch die positiven und negativen Resultate nicht von derselben *Ordnung*. Vergleicht man z. B. die Mittelwerthe (welche vorläufig die Isolationsspannung ausdrücken), so ergiebt sich, dass in Luft, Wasserstoff, Kohlensäure, ölbildendem Gas und Salzsäuregas die Spannung bei positiver Ladung der kleinen Kugeln höher stieg als bei negativer, während in Sauerstoff, Stickstoff und Steinkohlengas das Umgekehrte der Fall war. Obwohl nun die Zahlen nicht als genau gelten können, und obwohl Luft, Sauerstoff und Stickstoff wahrscheinlich auf gleicher Linie stehen, so weisen doch einige der Resultate, wie beispielsweise die mit Salzsäure, sicherlich in dieser Beziehung ein besonderes Verhalten und einen Unterschied unter den Gasen auf. Hierfür ergab sich eine fernere Bestätigung, als die Luftstrecke 0,8 Zoll gross gemacht wurde, während sich in dem Gefässe *a* Salzsäuregas befand; denn bei positiver Ladung der kleinen Kugeln *s* und S erfolgte die *gesammte* Entladung durch die *Luft*, während bei negativer Ladung derselben die *gesammte* Entladung durch das *Salzsäuregas* ging.

1400. So fand sich auch, dass, wenn der Leiter *n bloss* mit dem Salzsäuregas-Apparat verbunden war, die Entladung bei negativer Ladung der kleinen Kugel *s* leichter erfolgte als bei positiver; denn in dem letzteren Falle ging viel von der Elektricität in Form einer Büschelentladung von dem Drahte *p* durch die Luft, während im ersteren Falle die gesammte Elektricität durch das Salzsäuregas zu gehen schien.

1401. Auf die Betrachtung der positiven und negativen Entladung durch Luft und andere Gase komme ich jedoch im Verlaufe dieser oder in der nächsten Abhandlung (1465, 1525) zurück.

1402. Hier muss ich jedoch vorläufig diese Seite des Gegenstandes verlassen; die Absicht war lediglich, zu ermitteln, inwieweit Gase in der Fähigkeit, auf Körpern, die inducirend durch sie hindurch wirken, eine Ladung zurückzuhalten, übereinstimmen oder von einander abweichen. Alle Resultate vereinigen sich zu dem Nachweis, dass Induction ein Vorgang ist, der von Molecül zu Molecül stattfindet (1295 etc.), aber abgesehen davon, dass sie diesen in der vorliegenden Abhandlung zu beweisenden Hauptsatz bestätigen, tragen sie auch beträchtlich dazu bei, die specifischen Eigenschaften der einzelnen gasförmigen Dielektrica zu enthüllen, indem sie zugleich darauf hinweisen, dass weitere und ausgedehnte Experimentalforschung nothwendig ist, und als Preis für diese Mühe neue Entdeckungen in Aussicht stellen.

1403. Gehen wir von der Betrachtung gasiger Dielektrica zu der flüssiger und fester Körper über, so nehmen unsere Schlüsse bei dem gegenwärtigen Stande der Sache weit mehr einen bloss hypothetischen Charakter an. Dennoch nehme ich in den Erscheinungen, welche solche Körper darbieten, nichts wahr, was der Theorie widerspräche. Nehmen wir drei isolirende Dielektrica, wie Luft, Terpentinöl und Schellack, und in diesen Substanzen dieselben Kugeln oder Conductoren in denselben Abständen und steigern die Intensität der Induction, bis Entladung erfolgt, so werden wir finden, dass sie in der Flüssigkeit höher sein muss als im Gase, und im festen Körper höher als in dem flüssigen. Dies ist auch nicht unverträglich mit der Theorie, denn wiewohl die Molecüle einer Flüssigkeit sich fast ebenso frei wie diejenigen eines Gases bewegen können, so befinden sich doch von ersterer in einem gegebenen Raume weit mehr Theilchen, und dasselbe gilt bei Anwendung eines festen Körpers. Ueberdies wird bei einem starren Körper seine Cohäsionskraft von einigem Einfluss sein, denn obschon die Erzeugung des Polarisationszustandes in den Theilchen eines festen Körpers am Ende nicht gehemmt, sondern im Gegentheil in manchen Fällen durch dessen Starrheit oder andere Umstände begünstigt wird (1164, 1344), so kann doch die Starrheit einen Einfluss auf die schliessliche Vernichtung ausüben (ebenso wie sie in einem Elektrolyt Entladung verhindert) und so eine weit grössere Inductionsintensität gestatten.

1404. Auch finden sich wahrscheinlich bei sehr vielen festen und flüssigen Körpern in ihrer Fähigkeit, den Polarisationszustand anzunehmen, und in dem Betrage, bis zu welchem diese Polarisation anwachsen muss, ehe Entladung eintritt, specifische Unterschiede. Das Vorhandensein einer analogen Verschiedenheit in der specifischen Inductionscapacität ist bereits für einige Substanzen in der letzten Abhandlung (1278) dargethan worden. Eine solche Verschiedenheit würde auch die verschiedenen Grade von Isolations- und Leitungsvermögen verschiedener Körper erklären und, falls ihre Existenz sich nachweisen liesse, eine weitere Bekräftigung der Schlussfolge zu Gunsten der Moleculartheorie der Inductionswirkung bilden.

1405. Nachdem wir die verschiedenen Fälle von Isolation in nichtleitenden Dielektricis bis zu dem höchsten Punkt, den sie erreichen können, verfolgt haben, finden wir, dass sie zuletzt in einer *disruptiven Entladung* endigen; der besondere Zustand der Molecüle des Dielektricums, der zur Fortdauer der Induction nothwendig war, ist ebenso wesentlich zum Eintreten des Vorganges, mit dem alle diese Erscheinungen ihr Ende erreichen. Diese Entladung ist nicht bloss in ihrem Aussehen und ihrer Beschaffenheit von den früheren Entladungsformen (1320, 1343), die sich als ein Nachlassen der Kräfte darstellen, verschieden, sondern weist auch, wiewohl im Wesen sich gleich bleibend, an sich gewisse abweichende Merkmale auf und zeigt sich uns in Form von *Funken*, *Büscheln* und *Glimmlicht* (1359). Ich will zuerst *den Funken* betrachten, vorläufig für den Fall, dass die Entladung zwischen zwei einander gegenüber stehenden Leiterflächen erfolgt.

Der elektrische Funke oder Blitz.

1406. Der *Funke* tritt auf bei einer Entladung oder Abnahme des durch Induction hervorgerufenen Polarisationszustandes vieler dielektrischer Theilchen, als Folge einer besonderen Wirkung einiger wenigen dieser Theilchen, die einen sehr kleinen und beschränkten Raum einnehmen; dabei kehren alle eben polarisirten Theilchen in ihren ursprünglichen oder normalen Zustand zurück, in umgekehrter Ordnung, in der sie ihn verlassen haben, und vereinigen mittlerweile ihre Kräfte, um den Entladungseffect an der Stelle, wo die Vernichtung der Kraft zuerst eintrat, hervorzurufen oder vielmehr zu unterhalten (1417—1436). Ich stelle mir vor, dass die wenigen, am Orte der Entladung befindlichen Theilchen nicht bloss bei Seite gestossen werden, sondern einen eigenthümlichen, temporär hochgespannten Zustand annehmen, d. h. dass sie nach und nach alle umgebenden Kräfte auf sich sammeln, und demgemäss ihr Zustand eine Intensität erreicht, die vielleicht der von chemisch sich verbindenden Atomen gleichkommt, und so die Kräfte, möglicherweise in derselben Art wie ihre eigenen, durch eine uns bisher unbekannte Operation entladen, womit Alles endet. Der Endeffect ist genau so, wie wenn ein Metalldraht an die Stelle der entladenden Theilchen gesetzt wäre, und es erscheint nicht unmöglich, dass das Wesen des Vorganges sich in beiden Fällen einst als gleich erweisen werde.

1407. Die *Bahn des Funkens* oder der Entladung hängt von dem Spannungsgrade ab, den die Theilchen in der Entladungslinie erlangt haben, und der durch Umstände, die in jedem gewöhnlichen Falle ganz einleuchtend und theoretisch leicht zu verstehen sind, in ihnen höher steigt als in den Nachbartheilchen, so dass erstere, nachdem sie zuerst die erforderliche Spannung erreicht haben, die Bahn der Entladung bestimmen. So erklärt sich die Wahl der Bahn, so ergiebt sich die Lösung des nach der alten Theorie vorhandenen und von Harris so schön beschriebenen Wunders.[1]) Alles ist durch die vorausgegangene Induction unter den Theilchen vorbereitet für die Bahn des elektrischen Funkens oder des Blitzes selbst.

1408. Dieselbe Schwierigkeit spricht Nobili, fast mit Harris' Worten, als Princip für Volta'sche Elektricität aus, nämlich[2]): „Die Elektricität

---

[1]) Nautical Magazine, 1834, p. 229.

[2]) Bibliothèque Universelle, 1835, LIX, 275.

richtet sich von selbst gegen den Punkt, wo sie sich am leichtesten entladen kann", und die hieraus folgenden Resultate als Princip hat er für Volta'sche Ströme wohl dargethan. Allein die *Lösung* der Schwierigkeit oder die nächste Ursache der Vorgänge ist dieselbe: Induction bringt die Theilchen auf einen gewissen Grad von Spannung (1370), und durch diejenigen, welche ihn zuerst erreichen, bildet sich zunächst und am wirksamsten die Entladung aus.

1409. Der *Moment* der Entladung wird wahrscheinlich durch dasjenige Molecül des Dielektricums bestimmt, welches den Umständen gemäss am schnellsten die Maximalintensität der Spannung erreicht hat. In allen Fällen, wo die Entladung von Leiter zu Leiter geht, muss dieses Molecül sich auf der Oberfläche eines von ihnen befinden, wenn sie aber zwischen einem Leiter und einem Nichtleiter übergeht, ist es vielleicht nicht immer so (1453). Wenn dieses Theilchen seine Maximalspannung erlangt hat, dann wird die ganze von ihm ausgehende Widerstandsschranke in der Linie oder den Linien der Inductionswirkung niedergerissen, und es erfolgt disruptive Entladung (1370). Ein solcher aus der Theorie gezogener Schluss scheint mir in Einklang zu stehen mit Harris' thatsächlichen Ergebnissen und Folgerungen in Betreff des Widerstandes der Atmosphäre, wonach dieser von der Schlagweite unabhängig ist.[1])

1410. Es ist wahrscheinlich, dass die zur Entladung erforderliche Spannung eines Theilchens eines und desselben Dielektricums, wie Luft, eine *constante Grösse* ist, gleichviel von welcher Gestalt der mit ihm in Berührung stehende Theil des Leiters, ob er eine Kugel oder eine Spitze ist, gleichviel welche Dicke oder Tiefe das Dielektricum besitzt, durch welches hindurch die Induction ausgeübt wird, ja vielleicht auch unabhängig von Verdünnung oder Verdichtung des Dielektricums und von der Natur des mit dem Theilchen für den Moment in Berührung stehenden Leiters, mag er ein guter oder schlechter sein. Ich will hiermit nicht leugnen, dass kleine Differenzen durch die Reaction der Nachbartheile auf das bestimmende Theilchen hervorgerufen werden können, und es ist ja auch in der That einleuchtend, dass die für ein Theilchen erforderliche Intensität in Beziehung stehen muss zu der der angrenzenden. Allein wenn die Vermuthung sich annähernd als richtig erweist, welche Allgemeinheit des Charakters bietet sich nicht dar! Und dürfen wir nicht hoffen, in der Bestimmtheit der Kraft, welche ein einzelnes Molecül besitzt, eine unmittelbare Beziehung zu der Kraft zu finden, welche, elektrischer Natur, gleichfalls bestimmt ist und die chemische Affinität constituirt?

1411. Der Theorie nach würde es scheinen, dass im Moment einer Funkenentladung in einer Linie der Inductionskraft nicht bloss alle übrigen Linien ihre Kräfte auf diese eine häufen müssten (1406), sondern dass

---

1) Philosophical Transactions, 1834, pp. 227, 229.

auch die laterale Wirkung, welche einer Abstossnng dieser Linien äquivalent ist (1224, 1297), abgelöst und vielleicht von einer entgegengesetzten, einem Collapsus oder einer Anziehung gleichkommenden Wirkung dieser Theile gefolgt werden müsste. Nachdem ich lange nach einer Transversalkraft der statischen Elektricität, welche dem Magnetismus oder der Transversalkraft eines elektrischen Stromes entspräche, gesucht hatte, und indem ich mir vorstellte, dass sie am Ende mit der bereits beschriebenen Transversalwirkung der Linien der Inductionskraft (1297) zusammenhänge, trachtete ich danach, die Wirkung einer solchen Kraft durch mannigfaltige Versuche nachzuweisen und sie den Erscheinungen des Elektromagnetismus und der Magnetoelektricität an die Seite zu stellen.[1])

1412. Unter Anderem erwartete ich, dass zwei gleiche Funken, wenn man sie hinlänglich nahe neben einander hervorbringen könnte, sich zu einander hinneigen oder sogar sich seitlich vereinigen würden. Zu diesem Ende wurden zwei gleiche Leydener Flaschen an ihren Knöpfen mit zwei horizontalen, 0,2 Zoll dicken Kupferstiften mit abgerundeten Enden versehen und auf Stanniol so aufgestellt, dass ihre Stifte *a* und *b* sich nahe bei einander in der in Fig. 116 abgebildeten Lage befanden; *c* und *d* waren zwei durch einen Messingstift verbundene isolirte Messingkugeln, *e* ebenfalls eine durch einen Draht mit der Erde und dem Stanniol, auf dem die Leydener Flaschen standen, verbundene Messingkugel. Indem nun zum Laden der Flaschen ein Metallstab quer über *a* und *b* gelegt war, der dann wieder fortgenommen wurde, konnte beiden Flaschen eine Ladung von gleicher Intensität gegeben werden (1370). Als ich nun die Kugel *e* der Kugel *d* näherte, gingen im Moment, da dort der Funke übersprang, zwei Funken zwischen den Stiften *n* und *o* und der Kugel *c* über, und zwar, so weit das Auge beurtheilen konnte, oder die Umstände schliessen liessen, gleichzeitig.

1413. Unter diesen Umständen erfolgte die Entladung auf zweierlei Weise; entweder ging von jedem Ende ein besonderer Funke zur Kugel, oder es hing nur ein Ende durch einen Funken mit der Kugel zusammen, aber dann ging zugleich zwischen jenem und dem anderen Ende ein Funke über.

1414. Wenn die Kugel *c* etwa einen Zoll im Durchmesser hatte, und die Enden *n* und *o* ungefähr einen halben Zoll von ihr und etwa 0,4 Zoll von einander abstanden, so konnten die beiden Funken gegen die Kugel erhalten werden. Wenn, um die Funken näher an einander zu bringen, die Enden *n* und *o* einander genähert wurden, dann ging, ausser bei sehr sorgfältiger Einstellung, nur von einem Ende ein Funke zur Kugel, ein anderer zwischen den beiden Enden über. Die geringste Veränderung der Stellung hatte zur Folge, dass der Funke entweder von dem Ende *n* oder

---

[1]) Weitere Untersuchungen über diesen Gegenstand siehe 1658—1666. 1709 bis 1735. — Dec. 1838.

von *o* zur Kugel ging, und dann war auch dieses Ende dasjenige, durch welches, oder mittelst dessen das andere seine Elektricität entlud.

1415. Nahm ich die Kugel *c* kleiner, so fand ich, dass dann der Zwischenraum zwischen den Enden *n* und *o* im Verhältniss zu ihrem Abstand von der Kugel *c* grösser sein musste. Nahm ich *c* grösser, so konnte ich den Abstand verringern und so die beiden gleichzeitigen gesonderten Funken einander näher bringen, bis schliesslich der Abstand zwischen ihnen an der weitesten Stelle nicht mehr als 0,6 ihrer ganzen Länge betrug.

1416. Ich liess viele Funken übergehen und beobachtete sie sorgfältig. Sie waren sehr selten gerade, vielmehr entweder gekrümmt oder unregelmässig geknickt. In der Regel waren sie entschieden convex gegen einander; zwei Drittel derselben dürften diese Gestalt gehabt haben, die übrigen waren mehr oder weniger nach aussen ausgebaucht. Es gelang mir jedoch niemals Funken zu erhalten, welche die Enden der Drähte *n* und *o* einzeln verlassend sich, ehe sie die Kugel *c* erreichten, in einen einzigen Funken vereinigten. Obschon ich demnach eine Tendenz der Funken, sich zu vereinigen, wahrgenommen zu haben glaube, so kann ich dies doch vorläufig nicht als Thatsache hinstellen.

1417. Hierbei zeigte sich jedoch eine sehr interessante Erscheinung, die analog und zum Theil am Ende identisch ist mit derjenigen, nach welcher ich suchte, dass nämlich die Entladung dort leichter erfolgt, wo schon ein Funke übergeht. In den Fällen z. B., wo ein Ende, etwa *n*, die Elektricität beider Enden gegen die Kugel *c* hin, Fig. 116, entlud, hatte die Elektricität des Endes *o* eine 1,5 mal so grosse Luftstrecke zu durchsetzen, als wenn sie direct von dort zur Kugel übergegangen wäre. In diesen Fällen vermochte das Auge selbst mit den Wheatstone'schen Hilfsmitteln[1]) nicht zu unterscheiden, ob der Funke vom Ende *n*, der beide Portionen der Elektricität enthielt, ein Doppelfunke war. Er konnte nicht aus zwei in getrennten Bahnen gehenden Funken bestehen, denn ein derartiger Vorgang würde dem Auge erkennbar gewesen sein, doch ist es möglich, dass der Funke aus dem ersten Ende *n* und dessen Flasche, dem von *o* auch nur um das kleinste Zeitintervall vorauseilend, die Luft in seiner Bahn erwärmt und ausgedehnt und somit für Entladung geeigneter gemacht hätte, so dass die Elektricität vom Ende *o* lieber auf einem Umwege durch diese Luftstrecke ging, anstatt den directeren Weg zur Kugel einzuschlagen. Es muss jedoch dieser Vermuthung gegenüber bemerkt werden, dass der eine Funke zwischen *d* und *e* durch seinen Einfluss gleichzeitige Entladungen bei *n* und *o* hervorzubringen sucht und es sicherlich auch that, wenn nicht dem einen Draht in Bezug auf den vorausgegangenen Inductionseffect ein Uebergewicht über den anderen gegeben war (1414).

1418. Thatsache ist jedoch, dass disruptive Entladung sich selbst be-

---

[1]) Philosophical Transactions, 1834, pp. 584, 585.

günstigt. Sie ist in ihrem Beginne ein Fall von schwankendem Gleichgewicht, und wenn *Zeit*, auch nur im kleinsten Verhältniss, für die Entladung wesentlich ist (1436), so begünstigt der Anfang des Entladungsactes an irgend einem Punkte dessen Fortdauer und Steigerung daselbst, und Theile der Kraft werden auf einem Wege entladen, den sie sonst nicht eingeschlagen haben würden.

1419. Schon die Erwärmung und Ausdehnung der Luft selbst durch die zuerst übergehende Theilmenge von Elektricität muss von grossem Einfluss bei diesem Vorgange sein.

1420. Was das Resultat selbst betrifft, so sehen wir dessen Einfluss bei jedem elektrischen Funken; denn nicht die ganze übergehende Menge bestimmt die Entladung, sondern bloss jener kleine Theil der Kraft, welcher das den Ausschlag gebende Molecül (1370) auf die Maximalspannung bringt; wenn dann dessen Kräfte überwältigt sind und Entladung beginnt, geht der ganze Rest in Folge der eben erwähnten begünstigenden Umstände auf demselben Wege über, und die Entladung ist vollkommen, ob die Elektricität von einem oder von tausend Quadratzoll geladenen Glases ausgeht. Späterhin werden wir den Einfluss dieses Effectes bei der Bildung von Büscheln (1435) wiederfinden, und es ist nicht unmöglich, dass wir seine Spur auch bei der Erzeugung des gezackten Funkens und gegabelten Blitzes erkennen werden.

1421. Die Charaktere des elektrischen Funkens in *verschiedenen Gasen* weichen von einander ab, und dies rührt *vielleicht* einfach von der Wirkung der in dem Moment entwickelten Wärme her. Die Abweichung kann jedoch auch bedingt sein von jener specifischen Relation der Theilchen und elektrischen Kräfte, welche die Basis meiner Inductionstheorie bildet. Die Thatsachen stehen einer solchen Ansicht nicht entgegen, und bei dieser Ansicht verstärkt jene Verschiedenheit die Beweismittel für die Molecularaction, da sie den Einfluss der letzteren in jedem Theil des elektrischen Effectes zu zeigen scheint (1423, 1454).

1422. Das Aussehen der Funken in verschiedenen Gasen ist oft beobachtet und beschrieben worden[1]), ich halte es jedoch nicht für überflüssig, folgende Resultate kurz anzuführen, welche unter gewöhnlichem Druck mit Messingkugeln (Platinflächen würden besser gewesen sein) erhalten wurden. In *Luft* haben die Funken jenes so intensive Licht und jene bläuliche Farbe, die so wohl bekannt sind, und oft, wenn die übergehende Elektricitätsmenge nicht gross ist, matte oder dunkle Stellen in ihrem Laufe. In *Stickstoff* sind sie sehr schön, haben im Allgemeinen dasselbe Aussehen wie in Luft,

[1]) Siehe Van Marum's Beschreibung der Teyler'schen Maschine, vol. I, p. 112 und vol. II, p. 196; auch Encyc. Britan. vol. VI, Artikel Electricity, pp. 505, 507.

aber ihre Farbe ist entschieden mehr bläulich oder purpurn, und sie erschienen mir merkwürdig klingend. In *Sauerstoff* waren die Funken weisser als in Luft oder Stickstoff und, ich glaube, nicht so glänzend. In *Wasserstoff* haben sie eine sehr zarte Carmoisinfarbe, die jedoch nicht von seiner geringen Dichte herrührt, denn bei Verdünnung des Gases verschwand dieses Aussehen (1459)[1]. Das Geräusch war in diesem Gase sehr schwach, was jedoch eine Folge seiner physikalischen Constitution ist.[2] In *Kohlensäuregas* war die Farbe ähnlich der des Funkens in Luft, doch mit einem etwas grünem Ton; die Gestalt der Funken war merkwürdig unregelmässig, mehr als in Luft; sie konnten auch unter gleichen Umständen, z. B. bei gleicher Grösse der Kugel u. s. w., von grösserer Länge als in Luft erhalten werden, da das Gas sich ganz besonders geneigt zeigte, die Entladung in Funkenform vor sich gehen zu lassen. In *Salzsäuregas* war der Funke nahezu weiss, durch und durch glänzend und zeigte niemals jene dunkeln Stellen, welche in Luft, Stickstoff und einigen anderen Gasen auftreten. Das Gas war trocken, und die Innenfläche der Glaskugel blieb während des ganzen Versuches völlig trocken und hell. In *Steinkohlengas* war der Funke zuweilen grün, zuweilen roth, zuweilen ferner an einer Stelle grün und an einer anderen roth; auch treten ganz plötzlich dunkle Stellen in der Funkenstrecke auf, und zwar hängen nicht helle Theile durch einen dunkeln zusammen, sondern beide scheinen direct mit einander vereinigt zu sein.

1423. Diese Verschiedenheiten des Aussehens erwecken in mir die Vorstellung, dass sie auf einer directen Relation der elektrischen Kräfte zu den Theilchen des Dielektricums, durch welches die Entladung stattfindet, beruhen, und dass sie nicht bloss die Folge eines zufälligen Glühens oder einer secundären Wirkungsart der Elektricität auf die Theilchen sind, welche sie auf ihrem Wege trifft und bei Seite stösst (1454).

1424. Der Funke kann in weit dichteren Mitteln als Luft, z. B. in Terpentinöl, Olivenöl, Harz, Glas u. s. w. erhalten werden, auch in Körpern, welche nicht nur dichter sind, sondern auch den Leitern näher kommen, wie Wallrath, Wasser u. s. w. In allen diesen Fällen zeigt sich jedoch nichts, das, soweit ich es verstehen kann, den allgemeinen Ansichten, die ich zu verfechten bemüht war, irgend feindlich wäre.

Das elektrische Büschellicht.

1425. Das *Büschellicht* ist die nächste Form der disruptiven Entladung, die ich betrachten will. Es giebt viele Wege, es zu erzeugen oder seine Charaktere stärker hervortreten zu lassen, und alle diese Wege dienen zur Erläuterung der Principien, auf denen seine Entstehung beruht. Ein mit dem positiven Conductor einer Elektrisirmaschine verbundener isolirter

[1]) Nach Van Marum sind sie in Wasserstoff ungefähr viermal so gross als in Luft. Vol. I, p. 122.

[2]) Leslie, Cambridge Phil. Transactions, 267.

Leiter, der einen von der Maschine abgewandten Metallstift von 0,3 Zoll Durchmesser mit abgerundetem Ende oder mit einer kleinen Kugel trägt, wird im Allgemeinen gute Büschel geben. Wenn etwa die Maschine nicht in rechter Wirksamkeit ist, so giebt es verschiedene Hilfsmittel, um die Ausbildung des Büschellichtes zu befördern: so kann man die Hand oder irgend eine *grosse* leitende Fläche dem Ende nähern, um die Inductionskraft zu steigern (1374); oder man nimmt das Ende kleiner und aus schlecht leitender Substanz, beispielsweise aus Holz; oder man lässt zwischen dem ersten Conductor der Maschine und dem zweiten, zu welchem das die Lichtbüschel liefernde Ende gehört, Funken überspringen; oder, was den Büscheln ein ausserordentlich schönes Aussehen und bedeutende Grösse verleiht, man verdünnt mehr oder weniger die Luft rings um das Ende, entweder durch Erwärmen oder durch die Luftpumpe, indem man sich gleichzeitig der vorigen begünstigenden Umstände bedient.

1426. Das von einer kräftigen Maschine an einer Kugel von etwa 0,7 Zoll Durchmesser am Ende eines langen, auf dem ersten positiven Conductor befestigten Messingstabes erhaltene Büschellicht hat im Allgemeinen die in Fig. 117 abgebildete Gestalt. Ein kurzer, heller kegelförmiger Theil oder Stamm schiesst geradeaus von der Mitte der Kugel hervor und breitet sich in einem kleinen Abstande von derselben in ein breites Büschel von blassen Zweigen aus, die in zitternder Bewegung und gleichzeitig von einem leisen, dumpfen, knatternden Geräusch begleitet sind.

1427. Beim ersten Anblick erscheint das Büschel continuirlich, aber Wheatstone hat gezeigt, dass das ganze Phänomen aus einer Reihe intermittirender Entladungen besteht.[1]) Wenn man den Blick nicht durch eine Bewegung des Kopfes, sondern des Augapfels selbst rasch quer durch die Richtung des Büschels streifen lässt, indem man unverwandt erst 10° bis 15° darüber und dann plötzlich um ebenso viel darunter wegsieht, so erscheint das Hauptbüschel in eine Anzahl getrennter, auf der Linie, welche das Auge durchlief, in einer Reihe stehender Büschel aufgelöst; jedes Elementarbüschel ist das Ergebniss einer einzelnen Entladung, und der Raum zwischen ihnen repräsentirt sowohl die Zeit, während welcher das Auge diesen Raum durchflog, als auch die, welche zwischen zwei Entladungen verstrich.

1428. Die einzelnen Büschel konnten leicht bis zum Acht- oder Zehnfachen ihrer eigenen Breite getrennt werden, sie waren dabei jedoch nicht gespreizt, d. h. ihre Gestalt wurde nicht unbestimmter, sondern bestimmter, und gerade in Folge ihrer Sonderung konnte das Auge jeden einzelnen nach Gestalt, Verzweigung und Charakter deutlich unterscheiden. Jeder einzelne war instantan da (1436) und jeder hatte seinen vollständigen kegelförmigen Stamm (1426).

1429. Bei Anwendung einer kleineren Kugel war das Hauptbüschel

---

[1]) Philosophical Transactions, 1834, p. 586.

kleiner, und das Geräusch, obwohl schwächer, continuirlicher. Bei Auflösung des Büschels in seine elementaren Bestandtheile, wie vorher, schienen diese in weit kürzeren Zeitintervallen aufzutreten als zuvor, aber dennoch war die Entladung intermittirend.

1430. Bei Anwendung eines Drahtes mit rundem Ende war das Büschel noch kleiner, aber, wie vorher, in successive Entladungen zerlegbar. Das Geräusch, obwohl schwächer, hatte einen höheren Klang und bildete einen deutlichen musikalischen Ton.

1431. In der That entspringt der Ton aus dem sich wiederholenden Schall jeder einzelnen Entladung, und da diese sich unter gewöhnlichen Umständen in nahezu gleichen Intervallen folgen, so bringen sie einen bestimmten Ton hervor, der, da seine Höhe mit der Geschwindigkeit und Regelmässigkeit der intermittirenden Entladungen wächst, ein bequemes und genaues Mittel zur Messung der Intervalle liefert, und somit in jedem Falle, wo man die Entladung hört, ohne ihre Erscheinungen zu sehen, zur Bestimmung des *Zeit*elements dienen kann. So auch, wenn wir die Hand gegen einen vorspringenden Stab oder eine Kugel nähern, erkennen wir aus der Zunahme der Höhe des durch eine Büschelentladung erzeugten Tones, dass wir die Induction (1374) und hiermit die Schnelligkeit der Abwechselungen von Ladung und Entladung gesteigert haben.

1432. Bei Anwendung von Drähten mit dünneren Enden wurden kleinere Büschel erhalten, bis sie schliesslich kaum noch als Büschel zu erkennen waren; so lange aber noch ein *Ton* gehört wurde, vermochte auch das Auge zu erkennen, dass die Entladung intermittirend war, während mit dem Verschwinden des Tones das Licht *continuirlich*, einem Glimmen gleich, wurde (1359, 1405, 1526—1543).

1433. Für die, welche nicht gewohnt sind, das Auge in der beschriebenen Weise zu gebrauchen, oder in Fällen, wo die Intermittenzen für das unbewaffnete Auge zu rasch erfolgen, wird Wheatstone's schöner rotirender Spiegel[1]) nützlich sein, um das oben auseinandergesetzte Verhalten zur Erscheinung zu bringen. Ein anderes vorzügliches Verfahren besteht darin, dass man das Büschel oder andere Lichterscheinungen am Ende eines Stabes hervorruft, den man einem positiv oder negativ geladenen Conductor gegenüber in der Hand hält und dann rasch von einer Seite nach der anderen bewegt, während das Auge ruhig bleibt. Die successiven Entladungen erfolgen dann natürlich an verschiedenen Orten, und der Zustand der Dinge vor, bei und nach einem Blitz oder Büschel lässt sich ausserordentlich gut unterscheiden.

1434. Das *Büschellicht* ist in Wirklichkeit eine Entladung zwischen einem schlechten Leiter oder einem Nichtleiter und einem Leiter oder einem zweiten Nichtleiter. Unter gewöhnlichen Umständen ist das Büschellicht eine Ent-

---

1) Philosophical Transactions, 1834, pp. 584, 585.

ladung zwischen einem Leiter und Luft, und ich fasse den Vorgang etwa in folgender Weise auf. Wenn das Ende eines elektrisirten Stabes in die Mitte eines Zimmers hineinragt, so findet zwischen ihm und den Wänden des Zimmers durch das Dielektricum hindurch, die Luft, Induction statt, und die Linien der Inductionskraft häufen sich an jenem Ende in grösserer Menge als sonstwo an, oder es sind die Lufttheilchen am Ende des Stabes aus den bereits angeführten Gründen (1374) stärker polarisirt als an irgend einer anderen Stelle. Die Lufttheilchen, welche in Querschnitten dieser Kraftlinien gegen die Wände hin liegen, sind am wenigsten und die näher dem Ende der Drähte liegenden sind am stärksten polarisirt (1369), und so kann es wohl kommen, dass ein Theilchen am Ende des Drahtes sich in einer Spannung befindet, die unmittelbar in Entladung endet, während in denen, welche auch nur einige Zoll davon entfernt sind, die Spannung unterhalb dieser Grenze bleibt. Gesetzt aber, der Stab sei positiv geladen, und ein ihm zunächst liegendes Lufttheilchen A, Fig. 118, sei polarisirt und habe demnach seine negative Kraft dem Stabe zugekehrt und seine positive Kraft von ihm abgewandt, so wird in dem Augenblick, da die Entladung zwischen der positiven Kraft des der Luft gegenüber liegenden Stabtheilchens und der negativen Kraft des dem Stabe zugekehrten Lufttheilchens stattfindet, das ganze Lufttheilchen positiv elektrisch werden; und wenn im nächsten Augenblick der entladene Theil des Stabes durch Leitung von der hinteren Metallfläche seinen positiven Zustand wieder annimmt, so wirkt nicht bloss er auf die Theilchen hinter A, indem er A wiederum in einen Polarisationszustand versetzt, sondern A selbst übt für sich vermöge seiner eigenen Ladung eine Inductionswirkung auf jene entfernteren Theilchen aus, und demzufolge wird die Spannung zwischen A und Bso hoch, dass auch hier, ebenso wie abermals zwischen dem Metall und A, Entladung stattfindet.

1435. Hierzu kommt, dass, wie gezeigt worden ist, wenn die Entladung einmal begonnen hat, der ganze Vorgang, gleich einem Falle von unstabilem Gleichgewicht, einem Ende zueilt (1370, 1418), indem der Rest des Vorganges sich nun leichter abspielt, und andere Elektricität als diejenige, welche die erste nothwendige Spannung hervorgerufen hatte, eilt zur Stelle. Wenn also disruptive Entladung an der Wurzel eines Büschels einmal begonnen hat, so wird es der elektrischen Kraft, welche sich auf dem an dem Stabe befestigten Conductor angesammelt hat, leichter sich hier zu entladen, als anderswo, und sie folgt sogleich der gleichsam für sie bezeichneten Bahn, dabei den Conductor in einem theilweise entladenen und die Luft um das Drahtende in einem geladenen Zustande zurücklassend. Die Zeit, welche zur Wiederherstellung der vollen Ladung des Conductors erforderlich ist, und während welcher die mehr oder weniger starke Zerstreuung der geladenen Luft, in Folge des Zusammenwirkens der vom Conductor abgewandten Abstossungskraft und der den Wänden des Zimmers, gegen die die

Induction gerichtet ist, zugekehrten Anziehungskraft erfolgt, ist genau die zwischen einem Büschel und dem nächstfolgenden verstreichende Zeit (1420, 1427, 1431, 1447).

1436. Diese Beschreibung ist zwar lang, aber in dem Vorgang oder in den Kräften liegt nichts, was uns abhalten könnte, die Entladung, soweit wir sie schätzen oder messen können, als eine *instantane* anzusehen. Es ist jedoch in mancher Hinsicht (1418) wichtig, die *Zeit* in Erwägung zu ziehen, und in Bezug auf disruptive Entladung schien es der Theorie nach viel wahrscheinlicher, sie in einem Büschel als in einem Funken wahrzunehmen; denn in einem Büschel befinden sich die Theilchen in der Linie, welche die Entladung durchläuft, hinsichtlich der Intensität in sehr verschiedenen Zuständen, und der Entladungsvorgang ist an der Wurzel des Büschels bereits vollendet, ehe noch die Theilchen am Ende der Verzweigungen ihre Maximalintensität erreicht haben.

1437. Ich halte es für wahrscheinlich, dass *Büschel*entladung ein successiver Vorgang dieser Art sei. Die Entladung beginnt an der Wurzel (1426, 1553), erstreckt sich allmählich auf alle Theile eines einzelnen Büschels und geht beständig von der Wurzel und den bereits gebildeten Theilen aus, bis das ganze Büschel vollendet ist, welches mit der Abnahme der Intensität und Kraft des Conductors auf einmal in allen seinen Theilen verschwindet, um wieder aufzutreten, sobald jene Kraft bis zu einem hinlänglichen Grade gestiegen ist. In einem *Funken* jedoch ist die Polarisation der Theilchen in der Entladungslinie, den Bedingungen gemäss, von nahezu gleicher Intensität, und die Entladung erfolgt daher so nahezu in demselben Moment, dass wir eine Zeit gar nicht wahrzunehmen vermögen.

1438. Wheatstone hat bereits Versuche angestellt, welche diesen Punkt völlig klar legen. Er fand, dass das Büschel im Allgemeinen eine merkliche Dauer hat, allein hinsichtlich des Funkens vermochte er bei aller Feinheit seiner Beobachtungsgabe nichts derartiges wahrzunehmen.[1]) Ich wiederholte, wiewohl mit unvollkommeneren Mitteln, seinen Versuch mit dem Büschellicht, um zu ermitteln, ob sich an dem Stamm oder der Wurzel des Büschels eine längere Dauer wahrnehmen liesse als an den Enden, und die Erscheinungen waren in der That so, dass sie mich an einen derartigen Vorgang glauben machten.

1439. Dass die Entladung in mehrere Zweige zerfällt und von diesen aus durch Luftstrecken geht, die hinsichtlich der Polarisation und dem Spannungsgrade, den die Theilchen daselbst erlangt haben, gleich oder nahezu gleich sind, ist ein ganz naturgemässes Resultat des vorangegangenen Zustandes der Dinge, und lässt sich viel eher erwarten, als dass die Entladung sich geradeaus in den Raum längs einer einzigen Linie durch jene Theilchen fortsetzen werde, welche in einigem Abstande vom Ende

---

1) Philosophical Transactions, 1836, pp. 586, 590.

des Stabes sich in einem niedrigeren Spannungszustande befinden als die näheren. Und wenn wir nicht anders schliessen können, als dass jene Theile, wo die Zweige eines einzelnen Büschels in die Erscheinung treten, sich in für die Entladung günstigeren Umständen befinden als die dunkeln Stellen zwischen den Verzweigungen, so dürfen wir auch den Schluss ziehen, dass an den Stellen, wo das die Entladung begleitende Licht gleich ist, auch die Bedingungen nahezu gleich sind. Die einzelnen successiven Büschel sind keineswegs von gleicher Gestalt, selbst wenn man sie ohne Verschiebung des Stabes oder der umgebenden Gegenstände beobachtet (1427, 1433), und man kann annehmen, dass die successiven Entladungen in die umgebende Luft hinein erfolgen durch verschiedene Wege an jedem Büschel, je nachdem nebensächliche Umstände, wie Staub u. s. w. (1391, 1392), die Bahn mehr durch die eine Schicht von Theilchen als durch die andere begünstigen.

1440. Büschelentladung verlangt nicht nothwendig eine Strömung des Mediums, in welchem das Büschellicht auftritt; die Strömung findet fast immer statt, allein sie ist eine Folge des Büschellichtes und wird später betrachtet werden (1562—1610). Hält man eine positiv geladene stumpfe Spitze gegen unisolirtes Wasser, so erscheint ein Stern oder Glimmen an der Spitze, von der ein Luftstrom ausgeht, wodurch eine Depression der Wasserfläche erfolgt; bringt man aber die Spitze so nahe, dass tönende Büschel übergehen, so hört der Luftstrom augenblicklich auf, und die Wasseroberfläche wird eben.

1441. Die Büschelentladung erfolgt nicht durch alle Lufttheilchen, welche dem elektrisirten Conductor, von dem das Büschel ausgeht, nahe sind; nur diejenigen Theilchen, durch welche die Verzweigungen sich ausbreiten, sind elektrisirt, während die Luft in den centralen, dunkeln Theilen zwischen denselben keine Ladung empfängt, und in der That ist ihre elektrische und Inductionsspannung zur Zeit der Entladung bedeutend geschwächt. Denn es stelle Fig. 128 ein einzelnes positives Büschel dar; die Induction vor der Entladung geht vom Stabende auswärts in divergirenden Linien gegen die entfernten Leiter, wie z. B. die Wände des Zimmers u. s. w., und ein Theilchen bei *a* besitzt Polarität von einem gewissen Spannungsgrade und strebt mit einer gewissen Kraft sich zu laden; allein im Moment der Entladung etzt die gleichfalls einen positiven Zustand erlangende Luft in den Zweigen *b* und *d* ihren Einfluss dem des positiven Conductors auf *a* entgegen, und die Spannung des Theilchens bei *a* nimmt eher ab als zu. Die geladenen Theilchen bei *b* und *d* sind nun inducirende Körper, aber die Linien ihrer Inductionswirkung bleiben ferner nach auswärts gegen die Wände des Zimmers gerichtet; die Richtung der Polarität und die Tendenz anderer Theilchen, von diesen Ladung anzunehmen, wird von diesen Kraftlinien oder in Uebereinstimmung mit ihnen bedingt.

1442. Die Theilchen, die geladen sind, sind es wahrscheinlich sehr stark, aber da das Medium ein Nichtleiter ist, so können sie diesen Zustand ihren Nachbarn nicht mittheilen. Sie wandern daher unter dem Einflusse der Abstossungs- und Anziehungskräfte, wie es geladene Staubtheilchen thun würden, von dem geladenen Conductor zu dem nächsten nicht isolirten Leiter oder zu dem nächsten Körper, der sich in einem von dem ihrigen abweichenden Zustande befindet, und werden somit entladen; dabei wirkt jedes Theilchen in seinem Laufe als ein Centrum von Inductionskraft auf alle Körper, denen es nahe kommt. Die Fortbewegung dieser geladenen Theilchen verursacht, wenn sie zahlreich sind, Wind und Strömungen, die ich jedoch unter der *Entladung durch Fortführung* betrachten werde (1319, 1562 etc.).

1443. Wenn Luft als elektrisirt bezeichnet wird, — und sie nimmt diesen Zustand häufig in der Nähe von Elektrisirmaschinen an — so besteht sie meiner Ansicht nach aus einem Gemenge elektrisirter und unelektrisirter Theilchen, welche letzteren weit zahlreicher sind als die ersteren. Wenn wir durch eine Flamme oder durch Drähte Elektricität aus der Luft sammeln, so ist dies entweder eine wirkliche Entladung dieser Theilchen oder es sind Vorgänge, die auf einer Inductionswirkung derselben beruhen, und es steht in unserem Belieben, den einen oder den anderen Fall hervorzurufen. Dass das Gesetz der Gleichheit zwischen den beiden Kräften oder Kraftformen in der Inductionswirkung ebenso streng in diesen wie in anderen Fällen aufrecht erhalten bleibt, wird völlig erwiesen durch die früher festgestellte Thatsache (1173, 1174), dass, wie stark positiv auch die Luft in einem Gefässe geladen werden mochte, ein genau gleicher Betrag negativer Kraft auf der Innenfläche des Gefässes selbst auftrat, denn es liess sich kein Rückstand der einen oder anderen Elektricität erhalten.

1444. Ich habe nirgends gesagt, noch lässt sich der Schluss ziehen, dass die Luft nur da geladen sei, wo Büschellicht auftritt. Die Ladung kann sich jenseits der sichtbaren Theilchen erstrecken, d. h., es können Theilchen rechts und links von den Lichtlinien Elektricität aufnehmen, und die Stellen, welche leuchten, thuen es nur, weil viel Elektricität von ihnen zu anderen Stellen übergeht (1437), ebenso wie bei einer Funkenentladung das Licht um so stärker ist, je mehr Elektricität übergeht, wiewohl es nicht nothwendig in Beziehung steht zu der Menge, die zur Einleitung der Entladung erforderlich ist (1370, 1420). Hiernach braucht das Büschellicht als solches, soweit es uns sichtbar ist, keineswegs die gesammte Menge der elektrisirten Luft darzustellen, sondern es kann gleichzeitig eine unsichtbare Menge, welche die sichtbare Erscheinung bis zu einer gewissen Tiefe umhüllt, Ladung erhalten (1552).

1445. Verschiedene Erscheinungen, die mir beim Salzsäuregas aufgefallen sind, lassen mich glauben, dass in diesem Gase eine dunkle Entladung vor sich gehen kann. Zugleich geht aus der Theorie ganz klar hervor, dass in einigen Gasen das Umgekehrte stattfinden kann, dass nämlich die Ladung der Luft sich nicht so weit erstreckt als das Licht. Wir kennen das elektrische Licht noch nicht genug, um angeben zu können, wovon es bedingt ist, und es ist leicht möglich, dass, wenn Elektricität plötzlich in Luft einströmt, deren sämmtliche Theilchen sich in einem Spannungszustande befinden, Licht von solchen ausstrahlt, welche zu der Zeit nicht wirklich Ladung empfangen, sondern geladenen nur sehr nahe sind.

1446. Je weiter ein Büschel sich in ein Gas hinein erstreckt, desto weiter wird ohne Zweifel die Ladung oder Entladung vorwärts geführt; allein dies mag in verschiedenen Gasen verschieden sein, und doch braucht die für den Beginn der Entladung erforderliche Intensität nicht in demselben, sondern in einem anderen Verhältniss zu variiren. Was zum Beispiel Stickstoff und Salzsäuregas betrifft, so entstehen, soweit meine Versuche reichen, in dem ersteren weit schönere und grössere Büschel als in dem letzteren (1458, 1462), während doch die zur Einleitung der Entladung erforderliche Intensität für Salzsäure weit höher ist als für Stickstoff (1395). Hier bieten demnach wiederum, wie in mancher anderen Beziehung, verschiedene gasförmige Dielektrica specifische Unterschiede dar und beweisen so ihre specielle Relation zu dem Vorgang und den Erscheinungen der Induction.

1447. Um diese Betrachtungen über den Charakter und die Beschaffenheit des Büschels zusammenzufassen, darf ich sagen, dass es ein Funke gegen Luft ist, eine Ausbreitung elektrischer Kraft über Materie, nicht in Form von Leitung, sondern von disruptiver Entladung, ein aufgelöster Funke, der zu sehr schlecht leitenden Substanzen übergehend häufig nur einen kleinen Theil der in dem Leiter aufgespeicherten Kraft entladet; denn da die geladene Luft gegen den Leiter reagirt, während der Leiter durch Elektricitätsverlust an Kraft einbüsst (1435), hört die Entladung rasch auf, bis durch die Zerstreuung der geladenen Luft und die Erneuerung der Erregungszustände des Leiters die Bedingungen wieder ihren ursprünglichen wirksamen Zustand erreichen, um wieder Entladung zu veranlassen und wieder zu fallen und zu steigen.

1448. Büschellicht und Funken gehen allmählich in einander über. Ladet man eine kleine Kugel durch eine gute Elektrisirmaschine mit grossem Conductor positiv und nähert ihr eine grosse abgeleitete Entladungskugel, so lassen sich sehr schöne Uebergänge vom Funken zum Büschellicht erzielen. Die von Van Marum[1]), Harris[2]) und Anderen gegebenen Abbildungen langer und kräftiger Funken zeigen gleichfalls dieselben Erscheinungen. Nach meinen Beobachtungen wird, so oft der Funke in Luft von gewöhnlichem Druck büschelförmig wird, nicht die gesammte Elektricität entladen, sondern je nach den Umständen mehr oder weniger grosse Theile derselben, während die Entladung, so oft im ganzen Verlaufe der Funke scharf ausgeprägt ist, eine vollständige ist, vorausgesetzt, dass auf der Ent-

---

1) Beschreibung der Teyler'schen Maschine, vol. I, 28, 32; vol. II, p. 226 etc.
2) Philosophical Transactions, 1834, p. 243.

ladungsstrecke nirgend sonst als eben da, wo der Funke auftritt, eine Unterbrechung stattfindet.

1449. Wenn ein elektrisches Büschel von einem bis sechs Zoll Länge oder darüber in freie Luft eintritt, so hat es die in Fig. 117 abgebildete Gestalt. Nähert man ihm aber die Hand, eine Kugel oder einen mit einem Knopf versehenen Conductor, so neigen sich die Strahlen gegen denselben und gegen einander, und die ganze Erscheinung nimmt je nach den Umständen verschiedene Gestalten an, wie in den Figuren 119, 120 und 121. Der Einfluss der Bedingungen ist in jedem einzelnen Falle leicht zu verfolgen, und ich könnte sie hier beschreiben, schämte ich mich nicht, die Zeit der Gesellschaft mit so einleuchtenden Dingen in Anspruch zu nehmen. Aber wie schön erläutert nicht die Krümmung der Verzweigungen die gekrümmte Gestalt der Linien der vor der Entladung existirenden Inductionskraft! Denn die ersteren sind Folgen der letzteren und nehmen ihren Weg bei jeder Entladung da, wo die vorausgegangene Inductionsspannung bis zu dem geeigneten Grade gestiegen ist. Sie repräsentiren diese Curven genau so wie Eisenfeile die magnetischen Curven, und die sichtbaren Erscheinungen sind in beiden Fällen die Folgen der Wirkung von Kräften an *den Orten, wo* jene auftreten. Die Erscheinungen bilden also neue und gewichtige Zeugnisse (1216, 1230) zu Gunsten der Ansicht sowohl von der Induction in krummen Linien durch Dielektrica hindurch (1231), als auch von der seitlichen Relation dieser Linien, die durch eine einer Abstossung gleich kommende Wirkung die Divergenz oder, wie in den Abbildungen, die Bauchung hervorbringt.

1450. In Bezug auf die Theorie der molecularen Inductionswirkung kann ich als ferneren Beweis für dieselbe noch den langen büschelförmigen verzweigten Funken anführen, welcher zwischen einer kleinen Kugel auf dem positiven Conductor einer Elektrisirmaschine und einer grösseren, etwas entfernten Kugel erhalten werden kann (1448, 1504). Welch' eine schöne Illustration des vorausgegangenen Zustandes *sämmtlicher* Theilchen des Dielektricums zwischen den Entladungsflächen bietet nicht dieser Funke dar, und wie verschieden sind nicht die Erscheinungen von jenen, welche aus der Theorie. die die Induction als eine lediglich in geraden Linien erfolgende Wirkung in die Ferne und die Ladung als durch den blossen Druck der Atmosphäre auf der Oberfläche der Leiter zurückgehaltene Elektricität ansieht, abgeleitet werden könnten!

1451. In verdünnter Luft variiren die Erscheinungen des Büschellichtes je nach den Umständen beträchtlich und sind ausserordentlich schön. Zuweilen erhält man ein Büschel von nur sechs bis sieben Zweigen, die breit sind, stark leuchten, eine Purpurfarbe haben und an manchen Stellen einen Zoll oder mehr von einander abstehen; durch eine Funkenentladung am ersten Conductor (1455) lassen sich einzelne Büschel nach Belieben erhalten. Durch Verdünnung der Luft wird Entladung in Gestalt eines Büschels in derselben Weise und aus demselben Grunde begünstigt wie die Entladung in Form eines Funkens (1375); aber in jedem Falle geht Induction und Ladung durch das Dielektricum hindurch und Polarisation seiner Theilchen voraus (1437), und die Induction wird dabei, wie in allen anderen Fällen, abwechselnd durch die Maschine gehoben und durch die Entladung erniedrigt. In manchen Versuchen wurde die Verdünnung bis zum Aeussersten getrieben, und die einander gegenüber gestellten Leiterflächen so nahe an einander gebracht, als es möglich war, ohne dass Glimmlicht auftrat (1529). Die Büschel zogen sich dann in ihren Seitendimensionen zusammen und folgten so rasch auf einander, dass sie einen anscheinend continuirlichen Lichtbogen von Metall zu Metall bildeten. Dennoch liess sich erkennen, dass die Entladung intermittirend war (1427), so dass selbst unter diesen äussersten Bedingungen jedem einzelnen Büschel Induction vorausging, und der gespannte Polarisationszustand der an einander grenzenden Theilchen war eine nothwendige Vorbereitung für die Entladung selbst.

1452. Die Büschelform der disruptiven Entladung lässt sich nicht bloss in Luft und Gasen, sondern auch in viel dichteren Medien erhalten. Ich erzeugte sie in *Terpentinöl* an dem Ende eines Drahtes, welcher durch eine Glasröhre in die in einem Metallgefässe enthaltene Flüssigkeit ging. Das Büschel war klein und es liess sich nur sehr schwer erhalten; die Verzweigungen waren einfach und ausgestreckt und divergirten sehr stark. Das Licht war ausserordentlich schwach, so dass es nur in einem vollkommen dunkeln Raume beobachtet werden konnte. Befanden sich in der Flüssigkeit einige starre Theilchen, wie Staub oder Seide, so entstand das Büschel viel leichter.

1453. Das Zusammenfallen oder Zusammenfliessen verschiedener Entladungslinien (1412) zeigt sich sehr schön an dem Büschel in Luft. Dieser Vorgang mag einige Schwierigkeit darbieten Denjenigen, welche nicht gewohnt sind, in jeder Entladung eine gleiche Kraftäusserung in entgegengesetzten Richtungen zu sehen, sondern ein positives Büschel (vielleicht wegen des üblichen Ausdruckes *Richtung eines Stromes*) eher als ein Anzeichen des Hervorbrechens der ursprünglichen Kraft in verschiedenen Richtungen, denn als eine Tendenz zur Convergenz und Vereinigung in Eine Bahnlinie betrachten. Allein der gewöhnliche Fall des Büschels kann zu seiner Erläuterung mit dem verglichen werden, wo der Knöchel elektrisch stark erregtem Glase gegenüber gehalten wird, und eine Entladung eintritt, bei welcher die Zweige eines Büschels von dem Glase ausgehen und auf dem Knöchel zu einem Funken convergiren. Obwohl ein schwierig auszuführender Versuch, so ist es doch möglich, zwischen stark erregtem Schellack und dem erregten Glaskörper einer Maschine

Entladung zu bewirken; wenn die Entladung erfolgt, so wird sie, vermöge der Natur der geladenen Körper, von einem Büschel an jedem Ende, und in der Mitte von einem Funken gebildet und liefert somit eine schöne Illustration der an einer früheren Stelle beschriebenen (1418) Tendenz der Entladung, gleiche Vorgänge zu erleichtern.

1454. Das Büschellicht hat in verschiedenen Gasen *specifische Charaktere*, welche eine Relation zu den Theilchen dieser Körper sogar in höherem Grade als der Funke anzeigt (1422, 1423). Dieser Einfluss steht in strengem Contrast zu der Unveränderlichkeit des Büschellichtes bei Anwendung verschiedener Substanzen als *Leiter*, um von ihnen dasselbe ausgehen zu lassen. Gebraucht man z. B. Körper, wie Holz, Karte, Holzkohle, Salpeter, Citronensäure, Oxalsäure, Bleioxyd, Bleichlorid, Kaliumcarbonat, Aetzkali, concentrirte Kalilösung, Vitriolöl, Schwefel, Schwefelantimon, Hämatit, so zeigt sich kein Unterschied in dem Charakter der Büschel, ausgenommen dass sie (was von ihrer grösseren oder geringeren Leitungsfähigkeit bedingt ist) die Entladung aus der Maschine mit grösserer oder geringerer Leichtigkeit und Schnelligkeit veranlassen.[1])

1455. Folgendes sind einige der Erscheinungen, die ich an positiv geladenen Flächen in verschiedenen Gasen unter verschiedenen Drucken beobachtet habe. Die Verdünnung hatte im Allgemeinen in allen Gasen dieselbe Wirkung: Zuerst gingen Funken über; allmählich verwandelten sich diese in Büschel, deren Verzweigungen breiter und deutlicher wurden, bis diese bei weiterer Verdünnung zusammenzusinken und sich ineinanderzuziehen begannen, um zuletzt einen einfachen Stromfaden von einem Leiter zum anderen zu bilden; dann schossen seitlich einige solcher Stromfäden von den Leitern gegen die Wände des Glasgefässes, welche dick und von zartem Ansehen wurden, und ihnen folgte ein vollständiges, constantes, den Entladungsdraht bedeckendes Glimmen. Die Erscheinungen änderten sich mit der Grösse des Gefässes (1477), dem Grade der Verdünnung und der Entladung der Elektricität aus der Maschine. Sie waren am schönsten, wenn diese in successiven Funken vor sich ging, und der Effect eines Funkens aus einer kleinen Maschine war gleich und oft besser als der, den die *constante* Entladung einer weit kräftigeren hervorbrachte.

1456. *Luft.* — Leicht erhält man in Luft von gewöhnlichem Druck schöne positive Büschel, die in dem wohlbekannnten Purpurlicht erscheinen. In verdünnter Luft sind die Verzweigungen sehr lang und füllen die Kugel aus (1477); das Licht ist sehr stark und besitzt eine schöne Purpurfarbe, zuweilen mit einem Stich in's Rosenroth.

1457. *Sauerstoff.* — Unter gewöhnlichem Druck ist das Büschel dicht

[1]) Eine Ausnahme bilden natürlich diejenigen Fälle, wo die Wurzel des Büschels zu einem Funken wird, daselbst eine geringe Zerstreuung oder gar Zersetzung von Substanz bewirkt und so an dieser Stelle eine mehr oder weniger besondere Farbe annimmt.

und zusammengedrängt und hat eine matt weissliche Farbe. In verdünntem Sauerstoff ist Gestalt und Aussehen besser, die Farbe nähert sich dem Purpur, doch sind alle Merkmale im Vergleich mit denen in Luft verkümmert.

1458. In *Stickstoff* erhält man an der positiven Fläche das Büschellicht bedeutend leichter als in irgend einem der anderen Gase, mit denen ich Versuche angestellt habe; sie sind fast immer schön an Gestalt, Licht und Farbe und in verdünntem Stickstoff sind sie prächtig. Sie übertreffen an Lichtmenge die Entladungen in allen anderen Gasen.

1459. *Wasserstoff* unter gewöhnlichem Druck gab ein besseres Büschellicht als Sauerstoff, kam jedoch dem Stickstoff nicht gleich; die Farbe war grünlich grau. In verdünntem Wasserstoff hatten die Verzweigungen eine sehr schöne Form und traten deutlich hervor, aber ihre Farbe war blass, von weichem, sammetartigem Ansehen, aber nicht zu vergleichen mit der im Stickstoff. Im Zustande höchster Verdünnung des Gases war die Farbe des Lichtes ein blasses Graugrün.

1460. *Steinkohlengas.* — Im Gegensatz zum Stickstoff liessen sich die Büschel hier etwas schwierig hervorrufen. Sie waren kurz und stark, im Allgemeinen von grüner Farbe und haben viel von dem Charakter des Funkens an sich; denn sie treten sowohl an dem positiven als auch an dem negativen Ende auf, und oft wurde auch, wenn ein dunkler Zwischenraum von einiger Länge zwischen den beiden Büscheln vorhanden war, der kurze scharfe Ton des Funkens gehört, wie wenn die Entladung plötzlich durch dieses Gas gegangen wäre; eben hierin liegt zugleich das Merkmal eines Funkens. In verdünntem Steinkohlengas war die Gestalt der Büschel besser ausgeprägt, aber das Licht sehr schwach und von grauer Farbe.

1461. *Kohlensäuregas* liefert unter gewöhnlichem Druck ein an Grösse, Licht und Farbe sehr unansehnliches Büschel, was wahrscheinlich zusammenhängt mit der Neigung dieses Gases, die Elektricität in Funkenform zu entladen (1422). In verdünnter Kohlensäure hat das Büschel eine besser ausgeprägte Gestalt, aber das Licht ist schwach und von matt grünlicher oder purpurartiger Farbe, veränderlich mit dem Druck und anderen Bedingungen.

1462. *Salzsäuregas.* — Unter gewöhnlichem Druck ist das Büschellicht in diesem Gase sehr schwer zu erhalten. Als ich den Abstand der abgerundeten Enden von einander allmählich vergrösserte, verschwanden die Funken plötzlich, als die Zwischenstrecke ungefähr einen Zoll betrug, und die durch das Gas in der Kugel fortdauernde Entladung war eine ruhige und dunkle. Zuweilen konnte auf wenige Augenblicke ein sehr kurzes Büschel hervorgerufen werden, aber es verschwand rasch. Selbst bei Anwendung eines intermittirenden Funkenstromes (1455) der Maschine konnte ich nur schwer ein Büschel erhalten, und auch dann nur ein sehr kurzes, wiewohl ich Stäbe mit abgerundeten Enden (von etwa 0,25 Zoll Durchmesser) benutzte, an denen sie in Luft und Stickstoff ganz leicht entstanden. Während nun das Salzsäuregas diese

Schwierigkeit darbot, gingen gleichzeitig prächtige Büschel von verschiedenen Theilen der Maschine in die umgebende Luft. Bei Verdünnung des Gases war die Bildung des Büschellichtes erleichtert, aber es war gewöhnlich von kleiner, verkürzter Gestalt, von sehr schwachem Licht und sehr ähnlich an beiden Flächen, der positiven und negativen. Bei weiterer Verdünnung des Gases erhielt man einige breite Verzweigungen von blass bläulicher, der im Stickstoff ganz unähnlichen Farbe.

1463. In allen diesen Gasen reihen sich die verschiedenen Formen der disruptiven Entladung an einander, so dass der allmähliche Uebergang von einem Extrem in das andere, d. h. vom Funken in das Glimmlicht (1405, 1526), oder gar zu einem weiteren, als dunkle Entladung zu bezeichnenden Zustande (1544—1560) verfolgt werden kann; aber nichtsdestoweniger ist es sehr überraschend zu sehen, was für einen specifischen Charakter eine jede unter der Herrschaft des allgemeinen Gesetzes behält. So ist beispielsweise in Salzsäure das Büschellicht schwer zu erhalten, und an seine Stelle tritt eine fast dunkle Entladung, die eben so leicht vor sich geht wie der Funke. Mehr noch, ich habe in Salzsäure *niemals* den Funken mit einem dunkeln Zwischenraum darin wahrgenommen. In Stickstoff ändert der Funke seinen Charakter leicht in den des Büschellichtes um. In Kohlensäuregas scheint die Funkenentladung mit Leichtigkeit zu geschehen, während sich doch das Büschellicht in diesem Gase ungleich schwerer als im Stickstoff entwickelt, und der Funke sich ungleich leichter als in Salzsäure erhält. Diese Verschiedenheiten sind fernere Bekräftigungen sowohl der früher über den Funken in verschiedenen Gasen (1422, 1423) gemachten Beobachtungen, als auch der daraus abzuleitenden Beweise über die Relation der elektrischen Kräfte zu den materiellen Theilchen.

1464. Die eigenthümlichen Charaktere des Stickstoffs hinsichtlich der elektrischen Entladung (1422, 1458) müssen offenbar einen wichtigen Einfluss auf die Gestalt und selbst auf das Auftreten des Blitzes haben. Denn dieses Gas, in welchem am leichtesten Blitzäste entstehen, wodurch die Entladung in demselben sich in grössere Ferne als in irgend einem der untersuchten Gase fortpflanzt, ist zugleich dasjenige, welches vier Fünftel unserer Atmosphäre bildet; und da bei den elektrischen Erscheinungen der Atmosphäre die eine und zuweilen beide Inductionskräfte ihren Sitz in den Theilchen der Luft haben, welche, wiewohl ihre Leitungsfähigkeit wahrscheinlich durch die in ihr enthaltenen Wassertheilchen beeinflusst wird, doch nicht selbst als ein guter Leiter betrachtet werden kann, so spielt wahrscheinlich das eigenthümliche Vermögen des Stickstoffs, Entladung in Form von Büscheln oder Verästelungen zu erzeugen und zu vollziehen, eine wichtige Rolle in seinem elektrischen Dienste in der Natur, indem er einen sehr bedeutenden Einfluss auf den Charakter und den Zustand der eintretenden Entladung ausübt. Die Gesammtheit der Entladungserscheinungen in Gasen und durch sie ist von grossem Interesse und verdient schon allein hinsichtlich der atmosphärischen Elektricität ausgedehnte und eingehende Experimentalforschung.

Verschiedenheit der Entladung an positiven und negativen Leiterflächen.

1465. Ich habe es vermieden, über dies wohlbekannte Phänomen mehr als durchaus nothwendig zu sprechen, um Alles, was ich hierüber zu sagen habe, hier zusammenzustellen. Die Büschelentladung in Luft lässt an positiven und negativen Flächen eine sehr merkwürdige Verschiedenheit erkennen, deren richtiges und volles Verständniss ohne Zweifel von der grössten Wichtigkeit für die Elektricitätslehre wäre; es würde ein helles Licht auf den vorliegenden Gegenstand werfen, nämlich auf die Molecularaction der der Induction unterworfenen Dielektrica und deren Folgen, und es scheint durch Experimentalforschung wohl erreichbar zu sein.

1466. Den in Rede stehenden Unterschied pflegte man früher so darzustellen, dass man sagte, von einer positiv geladenen Spitze gehen Büschel in die Luft, während an einer negativ geladenen Spitze ein Stern auftrete. Dies ist aber nur richtig für schlechte Leiter, oder für metallische Leiter, die intermittirend geladen oder sonst durch eine indirecte Induction beschränkt werden. An *frei* in die Luft ragenden Spitzen hat das positive und negative Licht ein sehr wenig verschiedenes Aussehen, und der Unterschied lässt sich nur bei genauer Untersuchung wahrnehmen.

1467. Die Erscheinungen sind nach den Umständen sehr verschieden, lassen sich jedoch, um von einem bestimmten Falle auszugehen, am Ende so angeben: Bei Anwendung eines Metalldrahtes mit abgerundetem Ende zur Erzeugung der büschelförmigen Entladung in freier Luft sind die Büschel bei negativer Ladung des Drahtes sehr unansehnlich und klein im Vergleich mit denen eines positiv geladenen Drahtes; oder wenn eine grosse mit der Elektrisirmaschine verbundene Metallkugel *positiv* geladen, und ihr eine feine abgeleitete Spitze allmählich genähert wird, so erscheint an dieser, wenn sie sich noch in beträchtlicher Entfernung befindet, ein Stern, der zwar heller wird, aber seine Gestalt nicht eher ändert, als bis er der Kugel ganz nahe gekommen ist, wogegen bei negativer Ladung der Kugel an der Spitze in beträchtlicher Entfernung, wie im vorigen Falle, ein Stern erscheint, aber mit der Annäherung (bei meinem Versuche in einem Abstande von $1^1/_2$ Zoll) sich ein Büschel bildet, das sich bis zur negativen Kugel erstreckt; bei noch grösserer Annäherung (bei $^1/_8$ Zoll Abstand) verschwindet das Büschel, und helle Funken gehen über. Diese Abweichungen enthalten, glaube ich, die ganze Reihe von Verschiedenheiten und sie scheinen zugleich zu zeigen, dass an der negativen Fläche der Charakter der Entladung sich unverändert erhält, während die positive Fläche unter ähnlichen Umständen eine grosse Mannigfaltigkeit darbietet.

1468. In dem Charakter der negativen Entladung in die Luft giebt es mehrere der Beachtung werthe Punkte. Ein in die Luft hineinragender Metallstab von 0,3 Zoll Durchmesser mit abgerundetem Ende gab bei negativer Ladung ein kurzes, Geräusch verursachendes Büschel (Fig. 122). Sowohl durch das Auge (1427, 1433) als auch durch das Ohr (1431) wurde festgestellt, dass die successiven Entladungen sehr rasch auf einander folgten und in derselben Periode sieben bis achtmal häufiger sich wiederholten als bei gleich starker positiver Ladung des Stabes. Bei positiver Ladung des Stabes war es leicht, durch etwas schnelleres Drehen der Maschine das Büschel in Glimmlicht zu verwandeln (1405, 1463), allein bei negativer Ladung waren alle Bemühungen, diese Umwandlung hervorzubringen, vergebens. Selbst wenn man die Hand dem Drahte gegenüber hielt, liess sich nichts Anderes erzielen als eine Vermehrung der Anzahl der Büschel in einer gegebenen Periode, wobei gleichzeitig der Ton höher wurde.

1469. An einer dem negativen Büschel gegenüber gehaltenen Spitze trat ein Stern auf, und ihre Annäherung verursachte eine Verkleinerung des negativen Büschels und eine Schwächung des Tones und zuletzt ein gänzliches Verschwinden desselben, so dass das negative Ende ruhig und dunkel war, die Entladung jedoch fortdauerte.

1470. Wurde das abgerundete Ende eines dünneren Drahtes (Fig. 123) dem negativen Büschel genähert, so zeigte es (durch Induction positiv geworden) in einem Abstande von 8 Zoll ein ruhiges Glimmen, während das negative Büschel fortbestand. Bei weiterer Annäherung wurde der Ton des negativen Büschels höher, hiermit beweisend, dass die Intermittenzen rascher wurden (1431), und in noch grösserer Nähe gingen vom positiven Ende Verzweigungen und deutliche Büschel aus; zugleich zog das negative Büschel in seinen Seitenrichtungen sich zusammen und verdichtete sich, es nahm eine eigenthümliche schmale, längliche Gestalt an, gleich einem Haarpinsel; die beiden Büschel existirten gleichzeitig, aber sie waren sehr verschieden an Gestalt und Ansehen, und insbesondere erfolgten die negativen Entladungen rascher als die positiven. Bei Anwendung eines dünneren positiven Drahtes zu demselben Versuche trat zuerst das Glimmen auf, dann das Büschel und zugleich änderte sich das negative Büschel; bei einem bestimmten Abstande hatten beide ein nahezu gleiches Aussehen, und die Töne schienen mir im Einklang zu sein; jedenfalls waren sie in Harmonie, so dass entweder die Intermittenzen der Entladung isochron waren, oder ein einfaches Verhältniss zwischen den Intervallen bestand. Wurde die Thätigkeit der Maschine gesteigert, die Drähte aber ungeändert gehalten, so wurde die negative Fläche dunkel und ruhig, während an der positiven Glimmlicht erschien; eine noch mehr gesteigerte Thätigkeit wandelte letzteres in einen Funken um. Dünnere positive Drähte lieferten andere Abweichungen dieser Erscheinungen, in deren Beschreibung ich mir hier einzutreten gestatte.

1471. Ein dünnerer Stab wurde mit dem negativen Conductor an Stelle des breiteren (1468) verbunden und dessen Ende nach und nach zu einer stumpfen Spitze, wie in Fig. 124, abgetragen; es war schön zu beobachten, dass, trotz der Aenderung des Büschels, die Reihenfolge der Erscheinungen im Allgemeinen dieselbe blieb. Von dem Ende ging unter Geräusch ein schmales negatives Büschel aus, welches die Annäherung der Hand oder einer grossen Leiterfläche nicht änderte, bis diese so nahe kam, dass ein Funke entstand. Eine feine Spitze ihm in einiger Entfernung gegenüber gestellt, wurde leuchtend; bei grösserer Annäherung zerstörte sie nicht das Licht und das Geräusch des negativen Büschels, sondern zeigte nur die Neigung, an sich selbst ein Büschel hervorzubringen, welches bei noch kleinerem Abstande in einen die beiden Flächen verbindenden Funken überging.

1472. Wenn die getrennten negativen und positiven Büschel gleichzeitig in Bezug auf einander in Luft entstehen, so hat das erstere fast immer eine zusammengedrängte Gestalt, wie in Fig. 125, die in der That der des positiven Büschels sehr ähnlich ist, wenn dieses durch die Nähe positiver Theile, die von der Seite her inducirend auf dasselbe wirken, beeinflusst wird. So hat ein Büschel, das vom Scheitel eines einspringenden Winkels an einem positiven Conductor ausgeht, dieselbe zusammengedrängte Gestalt (Fig. 126).

1473. Der Charakter des negativen Büschels wird nicht durch die chemische Natur der Substanz der Leiter (1454), sondern nur mehr oder weniger durch ihre Leitungsfähigkeit beeinflusst.

1474. Verdünnung der atmosphärischen Luft um eine negative Kugel oder stumpfe Spitze herum erleichtert die Entwickelung des negativen Büschels in höherem Maasse, glaube ich, als die des positiven, obwohl Beides bedeutend. Ausgedehnte Verästelungen liessen sich erhalten aus einer negativ elektrisirten Kugel oder einem Endstück gegen den Teller der Luftpumpe, auf welchem der jene enthaltende Recipient stand.

1475. Eine sehr wichtige Abweichung zeigt die relative Gestalt und Beschaffenheit des positiven und negativen Büschels in verschiedenen Dielektricis, in denen sie hervorgerufen werden. Der Unterschied ist so gross, dass er auf eine specifische Relation dieser Entladungsform zu dem Gase, in dem sie erfolgt, hinweist und der Vorstellung entgegentritt, als seien Gase nur Hindernisse für die Entladung und ihre Wirkungen einander gleich und bloss im Verhältniss zu ihrem Druck (1377).

1476. Das Ueberwiegen des positiven Büschels in *Luft* ist wohl bekannt (1467, 1472). In *Stickstoff* ist es ebenso gross und selbst grösser als in Luft (1458). In *Wasserstoff* büsst das positive Büschel einen Theil seiner Ueberlegenheit ein und ist nicht so schön wie in Stickstoff oder

Luft, während das negative Büschel nicht beeinträchtigt erscheint (1459). In *Sauerstoff* ist das positive Büschel zusammengedrängt und unansehnlich (1457), während das negative nicht unbedeutender erscheint; beide gleichen einander dermassen, dass das Auge sie häufig nicht von einander unterscheiden konnte, und die Aehnlichkeit bleibt auch bei allmählicher Verdünnung des Sauerstoffs fortbestehen. In *Steinkohlengas* lassen sich die Büschel im Vergleich zum Stickstoff schwer erhalten (1460), und das positive ist dem negativen weder bei gewöhnlichen noch bei niedrigen Drucken in seinem Ansehen viel überlegen. In *Kohlensäuregas* findet diese Aehnlichkeit gleichfalls statt. In *Salzsäuregas* ist das positive Büschel sehr wenig bedeutender als das negative und beide lassen sich im Vergleich zu Stickstoff oder Luft nur schwer hervorrufen (1462).

1477. Diese Versuche wurden mit Messingstäben von ungefähr einem viertel Zoll Dicke mit abgerundeten Enden angestellt, die sich in einer das Gas enthaltenden Glasglocke von 7 Zoll Durchmesser einander gegenüber befanden. Dabei ertheilte die Elektrisirmaschine direct dem mit ihr verbundenen Stabe bald positive, bald negative Ladung.

1478. So sehen wir, dass, trotzdem die Ueberlegenheit des positiven Büschels über das negative eine allgemeine ist, die Verschiedenheit derselben in Stickstoff und Luft am grössten ist, während sie in Kohlensäure, Salzsäure, Steinkohlengas und Sauerstoff gering ist und bei letzterem fast verschwindet. Wie alle anderen bisher untersuchten Vorgänge, so spricht demnach auch dieser selbst für die Ansicht, welche die Resultate auf eine directe Relation der elektrischen Kräfte zu den Molecülen der bei diesen Vorgängen angewandten Substanzen zurückführt (1421, 1423, 1463). Selbst wenn ungewöhnliche Erscheinungen unter dem Walten des allgemeinen Gesetzes zu Tage treten, scheint die angenommene Theorie für sie völlig zureichend.

1479. Ehe ich weiter gehe, um die wahrscheinliche Ursache des Unterschiedes zwischen der positiven und negativen Büschelentladung zu verfolgen, wünsche ich die Resultate einiger in Vorbereitung begriffener Versuche zu kennen, und da diese Reihe von Untersuchungen ohnehin, wie ich glaube, lang genug ist, so will ich sie hier beschliessen, in der Hoffnung, in einigen Wochen die Untersuchung wieder aufzunehmen und mein Pfand (1306) vollständig einlösen zu können.

Royal Institution,
23. December 1837.

DREIZEHNTE REIHE.

§ 18. Ueber Induction (Fortsetzung). IX. Disruptive Entladung (Fortsetzung). — Eigenthümlichkeiten der positiven und negativen Entladung in Form von Funken oder Büscheln — Glimmentladung — Dunkle Entladung. X. Convection oder Entladung durch Fortführung. XI. Verhalten eines Vacuums zu elektrischen Erscheinungen. § 19. Natur des elektrischen Stromes.

Eingegangen am 22. Februar, — Gelesen am 15. März 1838.

IX. Disruptive Entladung (Fortsetzung).

1480. Richten wir nun unsere Aufmerksamkeit auf die allgemeine Verschiedenheit der positiven und negativen disruptiven Entladung, in der Absicht, so viel als möglich die Ursache dieser Verschiedenheit zu erforschen, ob sie vorzugsweise von den geladenen Leitern oder dem dazwischenliegenden Dielektricum abhängt. Da dieselbe in Luft und Stickstoff besonders gross zu sein scheint (1476), so wollen wir zuerst die Erscheinungen in Luft betrachten.

1481. Der allgemeine Fall lässt sich besser an Flächen von bedeutender Grösse erkennen als an Spitzen, welche (als secundäre Wirkungen) die Entstehung von Strömen (1562) zur Folge haben. Meine Untersuchung wurde daher mit Kugeln und Endstücken von verschiedenem Durchmesser ausgeführt, und Folgendes sind einige der hauptsächlichen Resultate.

1482. Wenn zwei Kugeln von sehr verschiedenen Dimensionen, beispielsweise eine von einem halben Zoll und eine zweite von drei Zoll Durchmesser, an Stabenden so angebracht werden, dass jede von ihnen durch eine Maschine elektrisirt werden und sich gegen die andere zur Erde abgeleitete Kugel in Funken entladen kann, so erhält man bekanntlich, wenn die kleine Kugel positiv und die grosse negativ ist, weit längere Funken, als wenn umgekehrt die kleine Kugel negativ und die grosse positiv geladen ist. Im ersten Falle haben die Funken 10 bis 12 Zoll Länge, in letzterem sind sie nur einen oder anderthalb Zoll lang.

1483. Ehe ich jedoch zur Beschreibung weiterer Versuche übergehe, will ich zwei Ausdrücke erwähnen, die ich nebst manchen anderen einem

Freunde verdanke, und deren Einführung und Gebrauch mir nützlich erscheint. Es ist bei der gewöhnlichen Inductionswirkung wichtig zu unterscheiden, von welcher geladenen Fläche die Induction ausgeht und von welcher sie aufrecht erhalten wird, d. h., wenn zwei oder mehrere Metallkugeln oder andere materielle Massen in einem Inductionsverhältniss zu einander stehen, durch ein Wort anzugeben, welche die ursprünglich geladenen, und welche die durch diese in den entgegengesetzten elektrischen Zustand versetzten sind. Ich schlage vor, die ursprünglich geladenen Körper *inducirende* und diejenigen, welche in Folge der Induction den entgegengesetzten Zustand annehmen, *inducirte* zu nennen. Diese Unterscheidung ist nicht desshalb nützlich, weil zwischen der Summe der *inducirenden* und *inducirten* Kräfte eine Differenz besteht, sondern vorzugsweise, weil, wenn eine Kugel A inducirend wirkt, sie nicht bloss eine ihr gegenüber stehende Kugel B in einen inducirten Zustand versetzt, sondern auch viele andere umgebende Leiter, selbst solche, welche sich in beträchtlicher Entfernung befinden. Die Folge davon ist, dass die Kugeln nicht genau dieselbe Relation zu einander behalten, wenn erst die eine und dann die andere zur inducirenden gemacht wird, selbst wenn in beiden Fällen *dieselbe Kugel* auf *denselben Zustand* gebracht wird.

1484. Auch noch eine andere Freiheit im Ausdruck, die ich mir gelegentlich nehmen werde, will ich erörtern und definiren. Es ist die, dass wir einen Funken oder ein Büschel *positiv* oder *negativ* nennen, je nachdem wir ihn von einer positiven oder von einer negativen Fläche *ausgehend* denken. Wir nennen ein Büschel positiv oder negativ, wenn es aus Flächen hervorschiesst, die sich vorher in diesen Zuständen befunden haben, und Wheatstone's Versuche beweisen, dass es *thatsächlich* an der geladenen Fläche *beginnt* und von ihr sich in die Luft (1437, 1438) oder ein anderes Dielektricum erstreckt. Nach meiner Ansicht entstehen auch *Funken* an einer bestimmten Stelle (1370) oder sind durch sie bedingt, nämlich dort, wo die Spannung zuerst ein Maximum erreicht; und wenn jene bestimmt werden kann, wie bei gleichzeitiger Anwendung grosser und kleiner Kugeln, in welchem Falle die Entladung an letzteren beginnt oder von ihnen bedingt wird, so werde ich die Entladung, welche *auf einmal* übergeht, einen positiven Funken nennen, wenn die Maximalintensität zuerst an der positiven Fläche erreicht wird, und einen negativen Funken, wenn die negative Fläche zuerst die erforderliche Intensität erlangt.

1485. Ich construirte einen Apparat wie Fig. 129 (Tafel VIII). A und B waren Messingkugeln von sehr verschiedenem Durchmesser, die an Metallstäben befestigt und in Hülsen auf isolirenden Ständern verschiebbar waren, so dass der Abstand zwischen den Kugeln nach Belieben variirt werden konnte. Die grosse Kugel A, von 2 Zoll Durchmesser, war mit einem isolirten Conductor aus Messing verbunden, welcher direct durch eine Cylindermaschine positiv oder negativ geladen werden konnte; die kleine Kugel B, von 0,25 Zoll Durchmesser, wurde mit einem Ableitungssystem (292) verbunden, so dass sie vollkommen unisolirt war. Die die Kugeln tragenden Messingstäbe waren 0,2 Zoll dick.

1486. Wenn die grosse Kugel die *positive* und inducirende (1483) war, so traten negative Funken auf, bis der Zwischenraum 0,49 Zoll betrug, von diesem bis zu 0,51 erschienen Büschel und Funken gemischt, und von 0,52 und darüber ausschliesslich negative Büschel. War die grosse Kugel die *negative* und inducirende, dann traten bis zu einem Intervall von 1,15 Zoll nur positive Funken auf, von hier bis zu einem Abstand von 1,55 Funken und Büschel, und um ausschliesslich positive Büschel zu erhalten, musste der Zwischenraum wenigstens 1,65 Zoll betragen.

1487. Nun wurden die Kugeln A und B gegen einander vertauscht. Als jetzt die kleine Kugel die *positive* und inducirende war, traten bis zu einem Abstande von 0,67 nur positive Funken auf, von 0,68 bis 0,72 Abstand Funken und Büschel und von 0,74 und darüber hinaus ausschliesslich positive Büschel. War die kleine inducirende Kugel *negativ*, so traten bis zu einem Abstande von 0,40 nur negative Funken auf, bei 0,42 Funken und Büschel, und von 0,44 aufwärts ausschliesslich von einem Geräusch begleitete negative Büschel.

1488. Wir sehen demnach einen grossen Unterschied, je nachdem die Kugeln die inducirenden oder die inducirten sind; wird die kleine Kugel durch Induction *positiv*, so liefert sie einen fast zweimal so langen Funken, als wenn sie, um inducirend zu wirken, positiv geladen wird, und ein ähnlicher, obschon unter den gegebenen Umständen nicht so grosser Unterschied zeigte sich, wenn sie *negativ* war.[1])

1489. Andere Resultate sind, dass bei wachsendem Abstande der beiden Kugeln die kleine Kugel, wenn sie positiv ist, viel längere Funken giebt, als wenn sie negativ ist, und dass sie in letzterem Falle leichter ein Büschel liefert, als wenn sie positiv ist.

1490. War der Zwischenraum unter 0,4 Zoll, so dass die kleine Kugel positive oder negative Funken geben musste, so konnte ich weder hinsichtlich der Leichtigkeit ihres Auftretens, noch der Anzahl, die in einer gegebenen Zeit überschlugen, einen constanten Unterschied wahrnehmen. War jedoch der Zwischenraum derart, dass die kleine Kugel, wenn sie negativ war, ein Büschel gab, dann waren die von ihr ausgehenden Entladungen in Form getrennter negativer Büschel weit zahlreicher als die entsprechenden positiven Entladungen, auch wenn diese nicht in Büscheln, sondern in Funken erfolgten.

1491. Es ist demnach klar, dass wenn Elektricität sich aus einer

---

[1]) Ueber ähnliche Versuche in verschiedenen Gasen siehe 1518. — Dec. 1838.

Kugel in Form von Büscheln entladet, die Büschel weit zahlreicher sind, und jedes Büschel weit weniger elektrische Kraft enthält oder mit sich führt, wenn die so entladene Elektricität negativ, als wenn sie positiv ist.

1492. Bei allen solchen Versuchen, wie die beschriebenen, ist der Punkt, wo der Uebergang des Funkens in Büschel erfolgt, in hohem Maasse bedingt von dem Arbeitszustande der Elektrisirmaschine und der Grösse des mit der entladenden Kugel verbundenen Conductors. Ist die Wirksamkeit der Maschine bedeutend und der Conductor gross, so dass sich für jede einzelne Entladung rasch viel Kraft anhäuft, dann ist der Zwischenraum, bei welchem die Funken sich in Büschel verwandeln, grösser; allein in der Hauptsache ist der Effect derselbe.[1])

1493. Obwohl diese Resultate sehr auffällige und eigenthümliche Relationen der elektrischen Kraft oder Kräfte aufweisen, lassen sie doch nicht den relativen Grad von Ladung erkennen, welchen die kleine Kugel annimmt, ehe Entladung eintritt, d. h. sie sagen nicht aus, ob der negative oder der positive Zustand unmittelbar vor der Entladung ein höherer ist. Um diesen wichtigen Punkt aufzuklären, ordnete ich zwei Entladungsstellen an, wie in Fig. 130. A und D sind Messingkugeln von 2 Zoll Durchmesser, B und C kleinere Messingkugeln von 0,25 Zoll Durchmesser; die sie tragenden Gabeln L und R waren Messingdrähte von 0,2 Zoll Durchmesser. Um die beiden Entladungsstellen *n* und *o* dem gegenseitigen Einfluss hinlänglich zu entziehen, wurde der Abstand zwischen der grossen und kleinen Kugel auf derselben Gabel 5 Zoll gross gemacht. Die Gabel L war mit einem cylindrischen Conductor verbunden, welcher durch eine Elektrisirmaschine nach Belieben positiv oder negativ geladen werden konnte, und die Gabel R war an einem anderen Conductor befestigt, aber durch Verbindung mit einem Ableitungssystem (292) in nicht isolirtem Zustande. Die beiden Zwischenräume oder Entladungsstellen *n* und *o* konnten nach Belieben variirt und durch Einschieben einer Diagonalscala gemessen werden. Es ist einleuchtend, dass, da die mit demselben Conductor verbundenen Kugeln A und B stets gleichzeitig geladen sind, und die Entladung an beiden, mit dem Ableitungssystem verbundenen Kugeln erfolgen kann, die Entladungsstrecken *n* und *o* hinsichtlich des Einflusses grosser und kleiner Kugeln bei positiver und negativer Ladung in freier Luft ohne Weiteres mit einander verglichen werden können.

1494. Betrugen die Zwischenräume *n* und *o* 0,9 Zoll und waren die inducirenden Kugeln A und B *positiv*, so erfolgte die gesammte Entladung bei *n* von der kleinen Kugel des Conductors nach der grossen Kugel des Ableitungssystems hin und meist in Form positiver Büschel, nur einmal in Form eines Funkens. Waren die inducirenden Kugeln A und B *negativ*, so ging

---

[1]) Ueber ähnliche Versuche in verschiedenen Gasen siehe 1510—1517. — Dec. 1838.

auch jetzt die Entladung bei *n* von derselben kleinen Kugel in Form eines beständigen negativen Büschels vor sich.

1495. Als ich die Zwischenräume *n* und *o* auf 0,6 Zoll verkleinerte, und A und B *positiv* waren und inducirend wirkten, bestand die gesammte Entladung bei *n* aus einem positiven Büschel; waren A und B als inducirende *negativ*, so erfolgte auch jetzt die gesammte Enladung bei *n* in Form eines negativen Büschels.

1496. Der Grad der Leichtigkeit, mit welcher die Entladung an den positiven und negativen kleinen Kugeln erfolgte, schien also nicht sehr verschieden zu sein. Ein etwa vorhandener Unterschied hätte sich zeigen müssen, da stets zwei kleine Kugeln da waren, jede von beiden in jedem Zustande, damit die Entladung an der für sie günstigsten Stelle erfolgen könne. Der einzige Unterschied bestand darin, dass die eine die inducirende, die andere die inducirte war, aber welche von ihnen sich zur Zeit in jenem Zustande befand, ob die positive oder die negative, so hatte sie doch das Uebergewicht.

1497. Um diesen störenden Einfluss zu compensiren, machte ich den Zwischenraum *n* 0,79 und den Zwischenraum *o* 0,58 Zoll gross. Wenn nun die Kugeln A und B die *inducirenden und positiven* waren, so war die Enladung in beiden Strecken nahezu gleich. Wenn andererseits die inducirenden Kugeln A und B *negativ* waren, so fand auch jetzt an beiden Entladung statt, aber meist bei *n*, wie wenn die kleine Kugel im *negativen* Zustande sich etwas leichter entladen könnte als im *positiven.*

1498. Die bei diesen und ähnlichen Versuchen angewandten kleinen Kugeln und Endstücke können mit vollem Rechte in ihrer Wirkung verglichen werden mit denselben Kugeln und Endstücken, wenn sie in freier Luft bei viel grösserem Abstande von den Conductoren elektrisirt werden, als in welchem sie sich in jenen Fällen von einander befanden. Zunächst ist die Entladung selbst in Funkenform, meiner Ansicht nach, bedingt und nimmt, so zu sagen, ihren Ausgang von einer Stelle der Oberfläche der kleinen Kugel (1374) und tritt ein, sobald die Intensität daselbst einen bestimmten Maximalwerth erreicht hat (1370). Dass der Beginn der Entladung solchermassen von einer bestimmten Stelle bedingt wird, lässt sich leicht beim Uebergang des Funkens in Büschel verfolgen, wenn man den Abstand vergrössert, so dass endlich auch die zur Hervorbringung des Effectes erforderliche Zeit erkennbar wird (1436, 1438) Ferner können die grossen von mir benutzten Kugeln durch grössere in noch grösserem Abstande ersetzt werden, so, als ob sie nach und nach in die Zimmerwände übergingen, die gewöhnlich die inducirten Körper sind, während die kleine positiv oder negativ geladene Kugel den inducirenden bildet.

1499. Wie man jedoch längst erkannt hat, ist die kleine Kugel nichts Anderes als ein stumpfes Ende, und eine Spitze vom elektrischen Gesichtspunkte aus nichts Anderes als eine kleine Kugel, so dass, wenn eine Spitze oder ein stumpfes Ende Büschel in die Luft aussendet, sie genau wie die kleinen Kugeln und kraft derselben Eigenschaften und Relationen in den beschriebenen Versuchen wirken.

1500. Mit vollem Recht lässt sich in Bezug auf diese Experimente sagen, dass die grosse negative Kugel zur Entladung ebenso wesentlich ist als die kleine positive, und nicht minder, dass die grosse negative Kugel die grosse positive (welche aus der ihr gegenüberstehenden kleinen negativen Kugel keinen Funken hervorzulocken im Stande ist) ebenso viel übertrifft als die kleine positive die kleine negative Kugel; und wenn wir die wahre Ursache dieser Verschiedenheit einsehen werden, und wenn wir sie viel mehr in dem Zustand der Theilchen des Dielektricums als in der Grösse der leitenden Kugeln suchen, so werden wir einer solchen Beobachtung wahrscheinlich einen grossen Werth beilegen. Allein vorläufig und eben im Begriffe, diesen Punkt zu erforschen, können wir es als eine Thatsache ansehen, dass die Intensität der Kräfte an der Oberfläche der kleineren Kugeln höher ist als an der der grösseren (1372, 1374), dass die ersteren demnach die Entladung bestimmen, indem sie zuerst den hierzu erforderlichen Spannungszustand erreichen, und dass, gleichviel ob sie in diesen Zustand durch Induction gegen die Wände eines Zimmers oder die von mir gebrauchten Kugeln versetzt werden, diese in ihrem Einfluss und in ihrer Wirkung füglich mit einander verglichen werden können.

1501. Die Schlüsse, zu denen ich gelange, sind folgende. Erstens, wenn zwei gleiche kleine Leiterflächen in gleicher Lage an der Luft elektrisirt werden, die eine positiv, die andere negativ, so kann die negative sich bei niedrigerer Spannung in die Luft entladen als die positve; zweitens, wenn Entladung erfolgt, so geht zu jeder Zeit weit mehr von der positiven als von der negativen Fläche über (1491). Der letzte Schluss wird zum Ueberfluss durch die schon beschriebene optische Analyse der positiven und negativen Büschel (1468) bewiesen, welche zeigt, dass die letztere Reihe von Enladungen sich fünf- bis sechsmal häufiger wiederholt als die erstere.[1])

1502. Wenn man nun eine kleine Kugel mittelst einer kräftigen Maschine dahin bringt, dass sie Büschel oder büschelförmige Funken giebt, so kann man den Unterschied, den sie im positiven und negativen Zustande zeigt, einigermassen verstehen und erklären. Sie giebt bekanntlich im positiven Zustande einen weit grösseren und kräftigeren Funken und sie giebt ihn mit grösserer Leichtigkeit (1482) aus als im negativen; in der That beginnt der Funke, obgleich er so viel mehr Elektricität auf einmal fortnimmt, bei einer nur wenig, wenn überhaupt irgend höheren Spannung. Andererseits kann die Entladung, wenn die Kugel negativ ist, bei geringerer

---

1) Eine ganz vorzügliche Methode, das Verhalten kleiner positiver und negativer Flächen zu untersuchen, dürfte die Anwendung von Tropfen Gummiwasser Lösungen und anderer Flüssigkeiten sein. Siehe weiter unten (1581, 1593).

Spannung beginnen, aber sie währt nur eine sehr kurze Zeit, und es geht jedesmal nur sehr wenig Elektricität über. Diese Umstände stehen mit einander in directem Zusammenhang; denn die Ausdehnung, welche der positive Funke erreichen kann, und die Grösse und Ausdehnung des positiven Büschels sind Folgen davon, dass bei einer einzigen Entladung viel Elektricität von der positiven Fläche fortgehen kann (1468, 1501).

1503. Wollte man diese Vorgänge jedoch ausschliesslich auf die Gestalt und Grösse des Leiters zurückführen, so würde dies nach meiner Vorstellung von Induction eine sehr unvollkommene Betrachtungsweise der ganzen Frage sein (1523, 1600). Ich bin der Meinung, dass diese Erscheinungen gänzlich abhängen von der Art, wie die Theilchen des dazwischen liegenden Dielektricums sich polarisiren, und ich habe bereits einige experimentelle Nachweise der in dieser Beziehung von verschiedenen Dielektricis dargebotenen Verschiedenheiten gegeben (1475, 1476). Die Art der Polarisation kann, wie ich später zu zeigen Gelegenheit haben werde, in verschiedenen Dielektricis sehr verschieden sein. Hinsichtlich der Luft kann das, was die Folge einer Ueberlegenheit der positiven Kraft an der Oberfläche der kleinen Kugel zu sein scheint, von der gesteigerteren negativen Polarität der Theilchen der Luft oder ihres Stickstoffs herrühren (indem der negative Theil vielleicht mehr zusammengedrängt, während der positive mehr ausgedehnt ist, oder umgekehrt (1687 etc.)); denn ein derartiger Zustand könnte gewisse Wirkungen an der positiven Kugel bedingen, welche an der negativen nicht in demselben Grade stattfänden, gerade so, wie wenn die positive Kugel eine besondere, unabhängige und für sich bestehende Kraft besässe.

1504. Die Ansicht, nach welcher es wahrscheinlich ist, dass die Wirkungen viel mehr von dem Dielektricum als von der Kugel abhängen, stützt sich auf den Charakter der beiden Entladungen. Wenn eine kleine positive Kugel Büschel mit zehn Zoll langen Verzweigungen aussendet, wie kann die Kugel die Stelle eines Zweiges, welcher fünf Zoll von ihr entfernt ist, beeinflussen? Dennoch hat der Theil jenseits dieser Stelle denselben Charakter wie die ihr vorangehende, und ohne Zweifel verdankt sie diesen Charakter demselben allgemeinen Grunde und Gesetze. Betrachte ich den Beweis für die Wirkung der Theilchen als völlig erbracht, so sehe ich in jedem solchen Zweige eine Fortpflanzung der Entladung von Theilchen zu Theilchen, indem ein jedes für das ihm folgende Theilchen dieselbe Rolle spielt, wie das vorhergehende für jenes selbst, und wie das geladene Metall für das erste, an dasselbe grenzende Theilchen.

1505. Was die allgemeine Beschaffenheit und die Relationen der zu verschiedenen Zeiten und an verschiedenen Stellen in dichter oder verdünnter Luft oder in anderen Gasen und Medien erzeugten positiven und negativen Büschel betrifft, so sind sie natürlich unabhängig von einander. Wenn sie aber gleichzeitig und in demselben gaserfüllten Gefässe (1470, 1477) an gegenüberstehenden Enden oder Kugeln auftreten, so stehen sie oft in Relation zu einander, und die Bedingungen können so eingerichtet werden, dass sie isochron werden, also in gleicher Zeit eine gleiche Anzahl von ihnen erscheint, oder dass sie in einem einfachen Verhältniss zu einander stehen, d. h. auf zwei oder drei negative ein positives kommt, oder dass sie alternirend oder ganz unregelmässig erfolgen. Alle diese Variationen habe ich beobachtet, und wenn man bedenkt, dass die Luft in dem Gefässe und ebenso das Glas des Gefässes eine momentane Ladung annimmt, so lässt sich ihre allgemeine Natur und Ursache leicht begreifen.

1506. Aehnliche Versuche wie in Luft (1485, 1493) stellte ich in verschiedenen Gasen an und ich will die Resultate derselben so kurz als möglich beschreiben. Der in Fig. 131 abgebildete Apparat bestand aus einer Glasglocke, deren weitester Theil einen Durchmesser von elf Zoll hatte, und deren Höhe vom Boden bis zum Halse zehn und einen halben Zoll betrug. Die Kugeln sind wie in Fig. 130 bezeichnet und stehen in derselben Beziehung zu einander, aber A und B sassen an gesonderten verschiebbaren Drähten, die jedoch gewöhnlich oben durch einen Querdraht *w* und durch diesen mit dem Messingconductor verbunden waren, der durch die Maschine positiv oder negativ geladen werden konnte. Die Stäbe von A und B waren an dem in der Stopfbüchse verschiebbaren Theil graduirt, so dass man an einer daselbst angelegten Diagonalscala den Abstand dieser Kugeln von den darunter stehenden ablesen konnte. Die gleichfalls in der Glocke befindlichen Kugeln C und D standen $3^1/_4$ Zoll von einander ab und fünf Zoll über dem Pumpenteller, und der Abstand zwischen einer der Kugeln und der Wand der Glasglocke betrug wenigstens $1^3/_4$ Zoll, gewöhnlich aber mehr. Die Kugeln A und D hielten, wie früher (1493), zwei Zoll im Durchmesser, die Kugeln B und C nur 0,15 Zoll.

Zuweilen benutzte ich in Verbindung mit dem eben beschriebenen Apparat einen anderen, der einen offenen Entlader bildete (Fig. 132), durch welchen die Entladung in Luft mit der in Gasen verglichen werden konnte. Die Kugeln E und F von je 0,6 Zoll Durchmesser waren mit verschiebbaren Stäben und anderen Kugeln verbunden und isolirt. Wenn sie zur Vergleichung gebraucht wurden, so war der Messingconductor zugleich mit den Kugeln A und B der Fig. 131 und der Kugel E dieses Apparates (Fig. 132) verbunden, während die Kugeln C, D und F mit dem Ableitungssystem verbunden waren.

1507. Zunächst will ich die Resultate über die die Entladung *hindernde Kraft* der Gase mittheilen. Die Kugeln A und C (Fig. 131) wurden durch Auseinanderrücken ausser Wirksamkeit gesetzt, und die Vorgänge bei B und D oder dem Zwischenraum *n* im Gase mit denen in dem Zwischenraum *p* in Luft zwischen E und F (Fig. 132) verglichen. Die Tabelle erklärt sich hinlänglich selbst, wenn man weiss, dass die gesammte Entladung in Luft erfolgte, wenn in dieser der Zwischenraum kleiner war, als in der ersten oder dritten Zahlenreihe angegeben ist, dass sie dagegen in dem Gase vor sich ging, wenn der Zwischenraum in Luft grösser war als der in der zweiten oder vierten Zahlenreihe. Bei den intermediären Abständen fand die Entladung bald in Luft, bald in dem Gase statt.

Constanter Abstand bei *n* zwischen B und D = 1 Zoll	Zwischenraum *p* in Theilen eines Zolles			
	War die kleine Kugel B die inducirende und *positiv*, so erfolgte die gesammte Entladung		War die kleine Kugel B die inducirende und *negativ*, so erfolgte die gesammte Entladung	
	bei *p* in Luft vor:	bei *n* in dem Gase nach:	bei *p* in Luft vor:	bei *n* in dem Gase nach:
	p =	*p* =	*p* =	*p* =
In Luft	0,40	0,50	0,28	0,33
In Stickstoff . . .	0,30	0,65	0,31	0,40
In Sauerstoff . . .	0,33	0,52	0,27	0,30
In Wasserstoff . .	0,20	0,40	0,22	0,24
In Steinkohlengas .	0,20	0,90	0,20	0,27
In Kohlensäure . .	0,64	1,30	0,30	0,45

1508. Soweit diese Resultate reichen, sind sie im Allgemeinen dieselben wie die gleichartigen in der letzten Reihe (1388) und bestätigen den Schluss, dass verschiedene Gase der Entladung in sehr verschiedenem Grade widerstehen. Wahrscheinlich sind sie nicht so zuverlässig wie die früheren; denn da die Glasglocke nicht gefirnisst war, so wirkte sie unregelmässig, indem sie zuweilen als Nichtleiter einen gewissen Grad von Ladung annahm und zu anderen Zeiten wie ein Leiter durch Fortführung und Störung dieser Ladung wirkte. Eine andere Ursache der Verschiedenheit in den Verhältnissen liegt ohne Zweifel in den relativen Dimensionen der Entladungskugeln in Luft, die in den früheren Versuchen von sehr verschiedener, in diesen von gleicher Grösse waren.

1509. Bei künftigen Versuchen muss, wenn es auf Genauigkeit ankommt, der Einfluss dieser Umstände festgestellt werden, und vor Allem müssen die Gase nicht in Glasgefässe, sondern in Gefässe von Metall eingeschlossen werden.

1510. Bei der demnächst gewonnenen Reihe von Resultaten waren die Zwischenräume *n* und *o* (Fig. 131) gleich, und sie sollte feststellen, ob die Entladung der kleinen Kugel im positiven oder negativen Zustande leichter erfolge (1493).

1511. In *Luft* war bei Zwischenräumen = 0,4 Zoll, wenn A und B die inducirenden und positiv waren, die Entladung bei *n* und *o* nahezu gleich; waren A und B die inducirenden, aber negativ, so erfolgte die Entladung meist bei *n* in Form eines negativen Büschels. Betrugen die Zwischenräume, wenn A und B die inducirenden und positiv waren, 0,8 Zoll, so erfolgte die gesammte Entladung bei *n* in Form eines positiven Büschels, während dieselbe bei *n* in Form eines negativen Büschels stattfand, wenn A und B bei ihrer inducirenden Wirkung negativ waren. Es bleibt also bei diesen Resultaten zweifelhaft, ob die negative Kugel sich leichter entladet als die positive.

1512. *Stickstoff.* — Zwischenräume *n* und *o* = 0,4 Zoll: A, B inducirend und positiv, Entladung an beiden Zwischenräumen, meist bei *n*, in Form positiver Funken; A, B inducirend und negativ, gleiche Entladung bei *n* und *o*. Zwischenräume = 0,8 Zoll: A, B inducirend und positiv, gesammte Entladung bei *n* in Form eines positiven Büschels; A, B inducirend und negativ, Entladung als positives Büschel meist bei *o*. In diesem Gase erfolgt also dem Anscheine nach, wiewohl der Unterschied nicht entscheidend ist, an der kleinen positiven Kugel die Entladung am leichtesten.

1513. *Sauerstoff.* — Zwischenräume *n* und *o* = 0,4 Zoll: A, B inducirend und positiv, Entladung nahezu gleich; inducirend und negativ, Entladung als negatives Büschel meist bei *n*. Zwischenräume = 0,8 Zoll: A, B inducirend und positiv, Entladung sowohl bei *n* als auch bei *o*; inducirend und negativ, gesammte Entladung als negatives Büschel bei *o*. Demnach scheint hier an der negativen kleinen Kugel die Entladung am leichtesten zu erfolgen.

1514. *Wasserstoff.* — Zwischenräume *n* und o = 0,4 Zoll: A, B inducirend und positiv, Entladung nahezu gleich; inducirend und negativ, Entladung meist bei *o*. Zwischenräume = 0,8 Zoll: A und B inducirend und positiv, Entladung als positives Büschel meist bei *n*; inducirend und negativ, Entladung als positives Büschel meist bei *o*. Hier scheint also die positive Entladung am leichtesten zu erfolgen.

1515. *Steinkohlengas.* — *n* und *o* = 0,4 Zoll: A, B inducirend und positiv, fast die gesammte Entladung bei *o* in Form eines negativen Funkens; A, B inducirend und negativ, nahezu die gesammte Entladung als negativer Funke bei *n*. Zwischenräume = 0,8 Zoll: A, B inducirend und positiv, Entladung als negatives Büschel meist bei *o*; A, B inducirend und negativ, gesammte Entladung als negatives Büschel bei *n*. Hier erfolgt die negative Entladung am leichtesten.

1516. *Kohlensäuregas.* — *n* und *o* = 0,4 Zoll: A, B inducirend und positiv, fast die gesammte Entladung bei *o* oder negativ; A, B inducirend und negativ, fast die gesammte Entladung bei *n* oder negativ. Zwischenräume = 0,8 Zoll: A, B inducirend und positiv, Entladung meist bei *o* oder negativ; A, B inducirend und negativ, Entladung ganz bei *n* oder negativ. Hier war also die Leichtigkeit, mit der die negative Entladung erfolgte, entschieden grösser.

1517. Dürfen wir also dieser Versuchsanordnung trauen, so überwiegt die Leichtigkeit, mit welcher die disruptive Entladung an der kleinen negativen Kugel erfolgt, in einigen Gasen, wie Kohlensäure und Steinkohlengas, entschieden die der kleinen positiven Kugel (1399), während dies in anderen Gasen zweifelhaft zu sein scheint, und in noch anderen wahrscheinlich die kleine positive Kugel überlegen ist. Alle diese Resultate wurden bei nahezu gleichem atmosphärischen Druck erhalten.

1518. Ich stellte einige, den in freier Luft bereits beschriebenen (1486, 1487) analoge Versuche über den Uebergang der Funken in Büschel in diesen Gasen an, wenn dieselben in der Glasglocke eingeschlossen waren. Ich theile in folgender Tabelle die Ergebnisse darüber mit, wann Büschel mit Funken untermischt aufzutreten begannen. Allein die Abweichung der späteren Resultate war so gross, und die Natur der Entladung in verschiedenen Gasen so ungleich, dass es wenig Nutzen haben würde, die Resultate ohne nähere Untersuchung anzugeben. Bei Zwischenräumen, die geringer waren als die angegebenen, erfolgte die Entladung stets in Funkenform.

	Entladung zwischen den Kugeln B und D.		Entladung zwischen den Kugeln A und C.	
	Kleine Kugel B inducirend, *positiv*	Kleine Kugel B inducirend, *negativ*	Grosse Kugel A inducirend, *positiv*	Grosse Kugel A inducirend, *negativ*
Luft	0,55	0,30	0,40	0,75
Stickstoff . .	0,30	0,40	0,52	0,41
Sauerstoff . .	0,70	0,30	0,45	0,82
Wasserstoff .	0,20	0,10		
Steinkohlengas	0,13	0,30	0,30	0,14
Kohlensäure .	0,82	0,43	1,60	über 1,80; weiter gestattete es der Raum nicht.

1519. Man muss wissen, dass bei weit grösseren Zwischenräumen als diesen Funken auftraten; die Tabelle giebt nur den Abstand an, unterhalb dessen die gesammte Entladung als Funke erfolgte. Einige merkwürdige Beziehungen der verschiedenen Gase zur Entladung lassen sich bereits erkennen, es würde jedoch unnütz sein, sie zu betrachten, so lange sie nicht durch weitere Versuche erläutert werden.

1520. Ich darf nicht unterlassen hier zu erwähnen, dass Belli in Mailand eine sehr schätzenswerthe Reihe von Versuchen über die relative Zerstreuung von positiver und negativer Elektricität in die Luft veröffentlicht hat[1]), wonach die der letzteren leichter erfolgt als die der ersteren.

1521. Ich machte einige ähnliche Versuche, jedoch unter Anwendung hoher Ladungen; die Resultate waren weniger schlagend als diejenigen

1) Bibliothèque Universelle, 1836, September, p. 152.

Belli's, und ich hielt sie nicht für befriedigend. Im Zusammenhang mit diesem Gegenstande sei es mir gestattet, eine störende Erscheinung zu erwähnen, welche mich lange Zeit in Verlegenheit setzte. Wenn ich aus einer gegebenen Spitze positive Elektricität in die Luft ausströmen liess, so zeigte ein Elektrometer auf dem mit der Spitze verbundenen Conductor eine gewisse Intensität an, die aber um einige Grade anstieg, wenn der Vorgang fortdauerte. Wurde dann der Conductor mit derselben an ihm befestigten Spitze negativ gemacht, während sonst Alles unverändert blieb, so beobachtete man im ersten Augenblick einen gewissen Grad von Spannung, welcher ebenfalls mit der Fortdauer des Vorganges allmählich zunahm. Führte man den Conductor darauf in den positiven Zustand zurück, so war die Spannung anfangs niedrig, stieg dann aber, wie vorher, an, und ebenso, wenn er wieder negativ gemacht wurde.

1522. Dieses Resultat schien anzudeuten, dass die Spitze, welche eine Elektricitätsart ausgegeben hatte, hierdurch fähiger geworden war, eine kurze Zeit hindurch die andere auszugeben. Allein bei näherer Untersuchung fand ich, dass die ganze Erscheinung auf einer Inductions-Gegenwirkung der Luft beruht, welche durch die Spitze geladen wird und, indem sie vor derselben bei Fortdauer der positiven oder negativen Ausströmung allmählich an Menge zunimmt, einen Theil der Inductionswirkung der umgebenden Wände ablenkt und fortnimmt und so scheinbar die Kräfte der Spitze beeinflusst, während es in Wirklichkeit das Dielektricum selbst ist, das die Spannungsänderung bewirkt.

1523. Die mit den verschiedenen Umständen der positiven und negativen Entladung in Zusammenhang stehenden Resultate werden einen weit grösseren Einfluss auf die Theorie der Elektricität haben, als wir augenblicklich wähnen, namentlich wenn dieselben, wie ich glaube, von der Besonderheit und dem Grade des Polarisations-Zustandes bedingt sind, den die Molecüle der ins Spiel tretenden Dielektrica annehmen (1503, 1600). So muss beispielsweise die Relation unserer Atmosphäre und der Erde darin zu dem Auftreten von Funken oder Büschellicht etwas Eigenthümliches und nichts Zufälliges sein (1464). Sie wäre sonst nicht verträglich mit anderen meteorologischen Erscheinungen, die natürlich gleichfalls von specifischen Eigenschaften der Luft bedingt sind, und die, wiewohl selbst in vollkommenster Harmonie mit den Functionen des Pflanzen- und Thierlebens, doch in ihren Wirkungen beschränkt sind, nicht durch schwankende Einrichtungen, sondern durch die strengsten Gesetze.

1524. Selbst in dem Durchgange des Volta'schen Stromes durch Luft zwischen zwei Kohlenspitzen erkennen wir die Eigenthümlichkeiten der positiven und negativen Entladung, und wenn man diese Entladungen gleichzeitig gegen Quecksilber erfolgen lässt, so ist ihre Verschiedenheit sowohl hinsichtlich des Tones als auch der Menge des erzeugten Dampfes noch merkwürdiger.

1525. Es erscheint sehr wohl möglich, dass der neuerdings von meinem Freunde Daniell[1]) beobachtete und beschriebene Unterschied, dass nämlich, wenn eine Zink- und eine Kupferkugel von gleicher Grösse respective in eine Hohlkugel von Kupfer und in eine gleich grosse Hohlkugel von Zink gelegt und durch Elektrolyte oder Dielektrica von gleicher Concentration und Natur erregt werden, die Zinkkugel eine weit stärkere Wirkung giebt als die Hohlkugel von Zink, gleichfalls mit diesen Erscheinungen in Zusammenhang steht; denn es ist nicht schwer, sich vorzustellen, wie die Polarisation der Theilchen durch den Umstand, ob von den beiden den Elektrolyt einschliessenden Flächen die positive, nämlich die des Zinks, die grössere oder kleinere ist, beeinflusst werden wird. Ja, es ist möglich, dass das Verhältniss mit den verschiedenen Elektrolyten oder Dielektricis beträchtlich variiren oder in manchen Fällen sogar sich umkehren könne.

Glimmentladung.

1526. Jene Form von disruptiver Entladung, die als ein *Glimmen* erscheint (1359, 1405), ist sehr eigenthümlich und schön; es scheint auf einer raschen und continuirlichen Ladung der an den Conductor grenzenden und mit ihr in Contact befindlichen Luft zu beruhen.

1527. Sie entsteht durch *Verkleinerung der ladenden Fläche.* Als beispielsweise ein Stab von 0,3 Zoll Durchmesser mit abgerundetem Ende in freier Luft positiv gemacht wurde, gingen feine Büschel von dem Ende aus; allein zuweilen verschwanden diese, und an ihre Stelle trat ein stilles, continuirliches, phosphorescirendes Glimmen, welches das ganze Ende des Stabes umhüllte und sich auf eine sehr kleine Entfernung von dem Metall in die Luft erstreckte. An einem Stabe von 0,2 Zoll Durchmesser entstand das Glimmen leichter, und noch leichter an noch dünneren Stäben, ebenso wie an stumpfen konischen Spitzen. An einer feinen Spitze konnte ich in freier Luft gar kein Büschel, sondern nur dieses Glimmen erhalten. Das positive Glimmen und der positive Stern sind in der That eins und dasselbe.

1528. Sie entsteht auch bei *Erhöhung der Wirksamkeit der Maschine;* denn abgerundete Enden, die bei schwacher Wirksamkeit der Maschine bloss Büschellicht ausgeben, liefern bei gutem Zustande derselben leicht Glimmlicht.

1529. *Verdünnung der Luft* begünstigt die Glimmerscheinungen in wundervoller Weise. Eine Messingkugel von zwei und einem halben Zoll

---

[1]) Philosophical Transactions, 1838, p. 47.

Durchmesser, die in dem Recipienten der Luftpumpe zur inducirenden und positiv gemacht wurde, umhüllte sich auf einem Flächenraum von zwei Zoll Durchmesser mit Glimmlicht, als der Druck auf 4,4 Zoll Quecksilber reducirt wurde. Durch eine geringe Verstellung liess sich die ganze Kugel mit diesem Licht umhüllen. Bei Anwendung einer Messingkugel von 1,25 Zoll Durchmesser, die durch eine inducirend wirkende negative Spitze zur inducirten und positiv wurde, waren die Erscheinungen bei hoher Verdünnung ausserordentlich schön. Das Glimmlicht verbreitete sich über die positive Kugel, nahm allmählich an Helligkeit zu, bis es zuletzt stark leuchtend wurde und sich auch wie eine Flamme von der Höhe eines halben Zolles und darüber aufrichtete. Eine Berührung der Wände der Glasglocke veränderte diese leckende Flamme; sie nahm eine Ringform an, gleich einem Kranze oben auf der Kugel, erschien biegsam und drehte sich verhältnissmässig langsam, nämlich vier- bis fünfmal in der Secunde. Diese Ringgestalt und die Rotation stehen in schönem Zusammenhange mit den mechanischen Strömungen (1576) im Innern des Recipienten. Dieses Glimmen in verdünnter Luft gewinnt durch eine Funkenentladung am Conductor (1551, Anmerkung) oft bedeutend an Schönheit.

1530. Unter gewöhnlichen Drucken ist es schwierig, ein *negatives Glimmlicht* in Luft zu erhalten. Mit meiner Maschine konnte ich es an Stäben von 0,3 Zoll Durchmesser nicht hervorbringen, auch nicht an viel dünneren Stäben, und es ist noch fraglich, ob selbst an feinen Spitzen der sogenannte negative Stern ein sehr reducirtes und verkleinertes, aber noch intermittirendes Büschellicht ist oder ein dem auf einer positiven Spitze ähnliches Glimmen.

1531. In verdünnter Luft ist das negative Glimmlicht leicht zu erhalten. Wenn die abgerundeten Enden zweier Metallstäbe von etwa 0,2 Zoll Durchmesser in eine Glocke oder Flasche (mit verdünnter Luft) eingeführt und einander gegenüber gestellt werden, so kann man das Glimmlicht auf beiden Stäben erhalten, das nicht bloss die Enden umhüllt, sondern auch den einen bis zwei Zoll dahinter liegenden Stabtheil. Bei Anwendung von *Kugeln* in passendem Abstande und geeigneter Verdünnung in dem Recipienten der Luftpumpe bedeckte sich die negative Kugel mit Glimmlicht, gleichviel, ob sie die inducirende oder die inducirte Fläche war.

1532. Bei Anwendung von Stäben muss man beachten, dass, wenn sie in der Flasche oder Glocke concentrisch gestellt sind, das Licht des einen Stabes oft durch die Seiten des Gefässes auf den anderen Stab reflectirt wird, und dieser so scheinbar leuchtend wird, während er es in Wirklichkeit nicht ist. Dies lässt sich durch ein Verschieben des Auges während der Beobachtung erkennen oder durch Anwendung geschwärzter Stäbe vermeiden.

1533. Es ist merkwürdig, die Beziehung zwischen *Glimmlicht, Büschellicht* und *Funken* zu verfolgen, wenn sie an positiven oder negativen

Flächen entstehen. So geht die Funkenentladung, wenn die Fläche, von welcher sie ihren Ausgang nimmt, negativ ist, weit eher in Büschellicht über (1484), als wenn sie positiv ist, aber wenn wir die Reihenfolge der Umwandelung weiter verfolgen, so finden wir, dass das positive Büschellicht weit eher als das negative in *Glimmlicht* übergeht, so dass, wiewohl jede Fläche die drei Zustände in derselben allgemeinen Ordnung darbietet, doch die Reihen nicht genau gleich sind. Es ist wahrscheinlich, dass wir bei genauer Untersuchung dieser Punkte, wie es bald geschehen soll, finden werden, dass bei jedem Gase oder Dielektricum sich ihm eigenthümliche Resultate ergeben, die von der Art, wie die Theilchen desselben den polaren elektrischen Zustand annehmen, bedingt sind.

1534. Das Glimmen tritt in allen Gasen ein, die ich daraufhin untersucht habe, nämlich Luft, Stickstoff, Sauerstoff, Wasserstoff, Steinkohlengas, Kohlensäure, Salzsäure, schweflige Säure und Ammoniak. Ich glaubte es auch in Terpentinöl erhalten zu haben, aber jedenfalls war es sehr dunkel und klein.

1535. Das Glimmlicht ist stets von einem Winde begleitet, der entweder direct von der Glimmstelle ausgeht oder zu ihr hin gerichtet ist; das erstere ist am häufigsten der Fall. Dies findet selbst dann statt, wenn das Glimmen an einer Kugel von beträchtlicher Grösse auftritt; und wenn man die Dinge so einrichtet, dass der leichte und regelmässige Zutritt der Luft zu der Glimmstelle gestört oder gehindert ist, so verschwindet das Glimmlicht.

1536. Ich war niemals im Stande, das Glimmlicht zu analysiren oder in sichtbare elementare, intermittirende Entladungen (1427, 1433) aufzulösen, noch auch das andere Merkmal von der Intermittenz des Vorganges, nämlich einen deutlichen Ton (1431) zu erhalten. Dass die Bemühungen, dies sichtbar zu machen, erfolglos blieben, mag von der beträchtlichen Grösse des Glimmlichtes herrühren, die die Trennung in sichtbare Bilder verhindert, und in der That, wenn eine Intermittenz stattfindet, ist es nicht wahrscheinlich, dass alle Theile auf einmal und regelmässig in gleichen Zeiten intermittiren,

1537. Alle diese Erscheinungen zeigen, dass das *Glimmlicht* auf einer continuirlichen Ladung oder Entladung der Luft beruht; die erstere ist von einer von der Glimmstelle fortgerichteten, die letztere von einer zu ihr hin gerichteten Strömung begleitet. Da die umgebende Luft zu dem geladenen Conductor hinströmt, so ladet sie sich, wenn sie an die Stelle gelangt, wo die Spannung der Theilchen den gehörigen Grad erreicht hat (1370, 1410), und wird dann durch die vereinte Wirkung der Kräfte, denen sie unterworfen ist, fortgestossen, und indem sie somit anderen Theilchen Platz macht, die eben dahin gelangen und sich ihrerseits laden, trägt sie thatsächlich zur Bildung jener Strömung bei, durch welche diese in die nothwendige Lage gebracht werden. So wird durch die Regelmässigkeit der

Kräfte eine beständige und ruhige Wirkung erzielt, welche darin besteht, dass die Lufttheilchen sich der Reihe nach laden, eine Strömung und ein ununterbrochenes Glimmen erzeugt wird.

1538. Oftmals vermochte ich an dem Ende eines Stabes, welcher, sich selbst überlassen, Büschellicht geliefert haben würde, einfach dadurch ein Glimmlicht zu erzielen, dass ich einen künstlichen Luftstrom daselbst hervorrief, und andererseits hat es nicht die geringste Schwierigkeit, durch Abänderung des Luftstromes (1574, 1579) oder der Inductionswirkung in der Nähe das Glimmlicht in Büschel zu verwandeln.

1539. Der Uebergang des Glimmlichtes in Büschellicht einerseits und in Funken andererseits, und somit der Zusammenhang derselben lässt sich auf verschiedenen Wegen feststellen. Diejenigen Umstände, welche die Ladung der Luft durch den elektrisirten Conductor erleichtern, sowie diejenigen, welche die Spannung trotz der Entladung auf gleicher Höhe erhalten, begünstigen das Entstehen des Glimmlichtes, während diejenigen, welche der Ladung der Luft oder eines anderen Dielektricums einen Widerstand entgegensetzen, sowie diejenigen, welche die Anhäufung von elektrischer Kraft vor der Entladung begünstigen, deren durch diesen Vorgang sinkende Spannung wieder bis zu dem erforderlichen Grade erhöht werden muss, die intermittirende Entladung und somit die Entstehung des Büschellichtes oder Funkens begünstigen. So befördern Verdünnung der Luft, Fortschaffung grosser Leiterflächen aus der Nachbarschaft des glimmenden Endes, Gegenüberstellung einer scharfen Spitze die Aufrechterhaltung oder Entstehung des Glimmlichtes, wogegen Verdichtung der Luft, Gegenüberhalten der Hand oder einer anderen grossen Fläche, allmähliche Annäherung einer Entladungskugel das Glimmlicht in Büschellicht oder selbst in Funken zu verwandeln suchen. Alle diese Umstände lassen sich verfolgen und in leicht begreiflicher Weise zurückführen auf ihr relatives Vermögen, entweder eine das Glimmlicht liefernde *continuirliche* Entladung in die Luft oder eine das Büschellicht oder, bei einem höheren Spannungszustande, Funken erzeugende *unterbrochene* Entladung zu befördern.

1540. Das abgerundete Ende eines Messingstabes von 0,3 Zoll Durchmesser bedeckte sich, wenn die Elektrisirmaschine in Thätigkeit war, mit einem positiven Glimmlicht; hielt man die Maschine an, so dass die Ladung des mit ihr verbundenen Conductors sinken musste, so verwandelte sich das Glimmlicht für einen Augenblick, gerade bevor die Entladung gänzlich aufhörte, in Büschel und zeigte somit, dass für ein Ende von gewisser Grösse eine gewisse hohe continuirliche Ladung nothwendig ist. War die Wirksamkeit der Maschine derart, dass die Intensität eben niedrig genug war, um von dem Ende in freier Luft Büschel zu liefern, so wurden diese durch Annähern einer feinen Spitze in Glimmlicht verwandelt. Arbeitete die Maschine so, dass das Ende in freier Luft ein continuirliches Glimmlicht gab, so bewirkte die allmähliche Annäherung der Hand, dass das Glimmlicht sich ganz auf das Ende des Drahtes zusammenzog und einen Lichtpunkt darbot, welcher sich in einen Stiel (1426) und schliesslich in Büschel mit grossen Verzweigungen verwandelte. Alle diese Resultate stehen mit den obigen Angaben (1539) in Einklang.

1541. Macht man das Ende eines runden Drahtes fettig, so entstehen alsbald Büschel an Stelle des Glimmlichtes. Eine Kugel mit stumpfer Spitze, die man nach Belieben mehr oder weniger über sie hervorragen lassen kann, vermag alle Abstufungen vom Glimmlicht durch Büschel zum Funken zu liefern.

1542. Es ist auch sehr interessant und lehrreich, den Uebergang vom Funken zum Glimmlicht durch den intermediären Zustand eines Streifens zwischen Enden in einem Gefässe mit mehr oder weniger verdünnter Luft zu verfolgen; doch ich fürchte zu weitschweifig zu werden.

1543. Alle diese Erscheinungen zeigen, dass das Glimmlicht seiner Natur nach genau eins ist mit dem leuchtenden Theile eines Büschels oder eines Zweiges, nämlich einer Luftladung; der einzige Unterschied besteht darin, dass das Glimmlicht in Folge der beständigen Erneuerung desselben Vorganges an derselben Stelle ein continuirliches Aussehen hat, während die Verästelung auf einer momentanen, für sich bestehenden und intermittirenden Wirkung derselben Art beruht.

Dunkle Entladung.

1544. Ich will nun einen sehr merkwürdigen Umstand bei der von negativem Glimmen begleiteten leuchtenden Entladung erwähnen, welcher vielleicht späterhin bis zu Entladungen von weit höherer Intensität verfolgt werden kann. Zwei Messingstäbe von 0,3 Zoll Durchmesser waren von den gegenüberliegenden Seiten her in eine Glaskugel mit hoch verdünnter Luft eingelassen und ihre Enden mit einander in Berührung gebracht. Nun liess man eine elektrische Entladung aus der Maschine durch sie gehen und trennte, während dieselbe fortdauerte, die Enden von einander. Im Augenblick der Trennung erschien ein continuirliches Glimmlicht am Ende des negativen Stabes, während das positive Ende völlig dunkel blieb. Mit der Zunahme des Abstandes erschien am Ende des positiven Stabes ein purpurner Streif oder Nebel, der sich auswärts direct gegen den negativen Stab hin erstreckte und bei Vergrösserung des Zwischenraumes sich verlängerte, sich aber niemals mit dem negativen Glimmlicht vereinigte, vielmehr blieb immer ein kurzer dunkler Raum dazwischen. Dieser Raum von etwa $^1/_{16}$ oder $^1/_{20}$ Zoll war in seiner Ausdehnung und Lage anscheinend unveränderlich in Bezug auf den negativen Stab, auch das negative Glimmlicht änderte sich nicht. Der Effect blieb derselbe, mochte das negative Ende das inducirende oder das inducirte sein. Seltsam war es, den positiven purpurnen Nebel bei Trennung der Enden sich verkürzen oder verlängern und dennoch den dunkeln Raum und das negative Glimmlicht ungeändert bleiben zu sehen. (Fig. 133).

1545. Als nun zwei Kugeln in einem grossen Recipienten der Luftpumpe angewandt, und die Luft darin verdünnt wurde, zeigten sich die gewöhnlichen Uebergänge in dem Charakter der Entladung; allein sobald der leuchtende Streif selbst, welcher nach Verschwinden des Funkens und Büschellichtes auftrat, in Glimmlicht an den Kugeln überging, zeigte sich auch der dunkle Raum, und zwar gleichviel, ob die eine oder die andere inducirend und positiv oder negativ war.

1546. Zuweilen, wenn die negative Kugel gross war, die Wirksamkeit der Maschine kräftig, und die Luft hoch verdünnt war, bedeckte sich die Kugel zur Hälfte mit Glimmlicht, und dann schien sich bei flüchtiger Beobachtung kein dunkler Raum zu zeigen, allein dies war eine Täuschung, hervorgerufen durch das Uebergreifen der convexen Begrenzung des negativen Glimmlichtes über das concave Ende des positiven Streifens. Sorgfältigere Beobachtungen und Versuche überzeugten mich, dass, wenn das negative Glimmlicht auftrat, es niemals den leuchtenden Theil der positiven Entladung sichtbar berührte, sondern der dunkle Raum stets vorhanden war.

1547. Diese auffallende Trennung der positiven und negativen Entladung, soweit der leuchtende Theil derselben in Betracht kommt, unter Umständen, die man als günstig für ihre Verschmelzung halten würde, hängt wahrscheinlich zusammen mit ihren Verschiedenheiten in der Form des Büschellichtes und beruht vielleicht sogar auf derselben Ursache. Ferner hat es alle Wahrscheinlichkeit, dass die in schwachen Funken sich zeigenden dunkeln Stellen gleichfalls mit diesen Erscheinungen in Zusammenhang stehen.[1] Ihr Verständniss wäre von grossem Werthe, denn es ist ganz klar, dass in vielen, ja in allen Versuchen, die ich angeführt habe, die Entladung durch den dunkeln Theil des Dielektricums sich ebenso weit erstreckt wie in dem leuchtenden Theil. Dieser Unterschied in dem Resultat scheint eine Verschiedenheit in der Art, wie die beiden elektrischen Kräfte in den respectiven Theilen ins Gleichgewicht gesetzt werden, anzudeuten; und wenn man alle diese Erscheinungen als fernere Beweise dafür ansieht, dass wir die Ursachen der Induction und Entladung auf den Zustand der Theilchen des Dielektricums zurückführen müssen, so wäre es von grosser Wichtigkeit, genau zu wissen, worin der Unterschied des Vorganges in den dunkeln und leuchtenden Theilen besteht.

1548. Die dunkle Entladung durch Luft (1552), die in dem erwähnten Falle sehr deutlich ist (1544), führt mich zu der Untersuchung, ob die Lufttheilchen überhaupt fähig sind, die Entladung von einem zum anderen zu übertragen, ohne leuchtend zu werden, und diese Untersuchung ist wichtig, weil sie in Zusammenhang steht mit dem zur Entladung nothwendigen

---

[1]) Siehe Johnson's Experimente, Silliman's Journal, XXV, p. 57.

Spannungsgrade (1368, 1370). Entladung zwischen *Luft und Leitern* ohne Lichterscheinungen kommt ganz gewöhnlich vor, und nichtleuchtende Entladungen durch Strömungen von Luft und anderen Flüssigkeiten (1562, 1595) sind auch häufig genug, allein um diese Vorgänge handelt es sich hier nicht, denn sie sind keine Entladungen zwischen isolirenden Theilchen.

1549. Um die Entladung zwischen zwei Kugeln (1485) (Fig. 129) hervorzubringen, traf ich eine Vorrichtung derart, dass ich die inducirte Kugel, anstatt sie direct mit dem Ableitungssystem zu verbinden, mit der inneren Belegung einer Leydener Flasche und das Ableitungsystem mit der äusseren Belegung in Communication setzte. Als dann die Maschine in Thätigkeit gesetzt wurde, ergab sich, dass stets, wenn an den Kugeln A, B eine mit Geräusch und Lichterscheinung verbundene Entladung eintrat, die Flasche geladen wurde, dass aber, wenn jene ausblieb, diese keine Ladung aufnahm; dasselbe war der Fall, wenn an Stelle der Kugeln kleine abgerundete Enden angewandt wurden, gleichviel in welcher Weise sie angeordnet waren. Unter diesen Umständen war also die Entladung selbst zwischen Luft und Leitern stets leuchtend.

1550. In anderen Fällen jedoch sind die Erscheinungen derart, dass es fast zur Gewissheit wird, dass eine dunkle Entladung durch Luft stattfindet. Wenn man an dem abgerundeten Ende eines Metallstabes von 0,15 Zoll Durchmesser ein gutes negatives Büschel hervorbringt, so wird die Annäherung eines dünneren Endes oder einer stumpfen Spitze ihm gegenüber bis zu einem gewissen Abstande ein Zusammenschrumpfen des Büschels veranlassen, und an dem positiven, inducirten Draht wird ein Glimmlicht auftreten, begleitet von einem von ihm ausgehenden Luftstrome. Da nun die Luft sowohl an der positiven als auch an der negativen Fläche geladen wird, so scheint es ein berechtigter Schluss zu sein, dass die geladenen Theilchen sich irgendwo in dem Zwischenraume treffen und sich gegenseitig entladen, ohne eine Lichterscheinung hervorzubringen. Es ist indess möglich. dass die an dem glimmenden Ende positiv elektrisirte Luft gegen die negative Fläche wandere und wirklich die Atmosphäre bilde, in welche die sichtbaren negativen Büschel hineinschiessen, und dann brauchte eine dunkle Entladung nicht nothwendig stattzufinden. Allein ich neige der früheren Ansicht zu und glaube, dass die Verkleinerung des negativen Büschels beim Auftreten des positiven Glimmlichtes an dem Ende des gegenüberstehenden Drahtes zu Gunsten dieser Ansicht spricht.

1551. Wendet man verdünnte Luft als Dielektricum an, so ist es ganz leicht, die Lichterscheinungen in Form von Büscheln oder Glimmen an beiden leitenden Kugeln oder Enden zu erhalten, während der Zwischenraum dunkel bleibt, und zwar ist der Vorgang ein so momentaner, dass wir, glaube ich, die Entladung durch den dunkeln Theil nicht auf Strömungen zurückführen können. Wenn z. B. zwei Kugeln von ungefähr einem Zoll Durchmesser in einem Abstande von vier Zoll und darüber, zwischen denen sich verdünnte Luft befindet, in die Bahn einer Entladung gebracht werden, und nun ein unterbrochener oder Funken-Strom mit der Maschine[1]) erzeugt wird, so kann man an jeder derselben Lichterscheinungen hervorrufen, während ein grösserer oder kleinerer Theil des Zwischenraumes völlig dunkel bleibt. Die Entladung geht so plötzlich über wie ein verzögerter Funke (295, 334), d. h. in einem fast unmessbar kleinen Zeittheilchen, und in solchem Falle muss sie, glaube ich, als wahre disruptive Entladung, und nicht durch Convection, durch den dunkeln Raum gegangen sein.

1552. Hieraus schliesse ich, dass dunkle disruptive Entladung existiren kann (1547, 1550), sowie dass in den leuchtenden Büscheln die sichtbaren Verästelungen nicht die ganze Ausdehnung der disruptiven Entladung darstellen (1444, 1452), sondern dass jede eine dunkle Aussenseite habe, die, so zu sagen, eine Hülle bildet für jeden Theil, durch welchen die Entladung sich erstreckt. Es ist sogar wahrscheinlich, dass es dunkle Entladungen giebt, die in der Form dem Büschel und Funken analog sind, aber an keiner Stelle leuchten (1445).

1553. Das Vorkommen der dunkeln Entladung in irgend einem Falle zeigt, bei wie niedriger Spannung disruptive Entladung eintreten kann (1548), sowie dass das Licht des zuletzt auftretenden Büschels oder Funkens in keiner Beziehung steht zu der erforderlichen Intensität (1368, 1370). Die Entladung beginnt, so zu sagen, in Dunkelheit, und das Licht ist eine blosse Folge der Elektricitätsmenge, welche, nachdem die Entladung begonnen hat, zu jener Stelle hinströmt und daselbst den leichtesten Durchgang findet (1418, 1435). Um die allgemeine Zunahme der Entladung durch ein Beispiel zu erläutern, darf ich bemerken, dass bei den Versuchen über den Uebergang der Entladung von der Funkenform in die Gestalt eines Büschels in Sauerstoff (1518) jedem Funken ein kurzes Büschel unmittelbar vorherging.

1554. Die Erscheinungen der dunkeln Entladung in anderen Gasen, wiewohl sie sich in gewissen Merkmalen von denen in Luft unterscheiden, bestätigen die obigen Schlüsse. Die beiden abgerundeten Enden (1544) (Fig. 133) wurden in *Salzsäuregas* (1445, 1463) unter 6,5 Zoll Quecksilber Druck gebracht und ein continuirlicher Elektricitätsstrom der Maschine durch den Apparat geleitet. Es traten helle Funken auf, bis der Zwischenraum ungefähr einen Zoll oder etwas mehr betrug, worauf dann statt ihrer ein gedrungenes, büschelförmiges, intermittirendes Glimmlicht an beiden Enden mit einem dunkeln Zwischenraum erschien. Wenn der Maschinenstrom in Form von Funken erfolgte, so verursachte jeder Funke eine Ent-

[1]) Unter Funkenstrom verstehe ich den Uebergang einer Reihe von Funken zwischen dem Conductor der Maschine und dem Apparat; unter einem continuirlichen Strom einen solchen, der durch metallische Leiter geht, und zwar ohne Unterbrechung an demselben Orte.

ladung durch das Salzsäuregas, die bei einem gewissen Zwischenraum hell war; bei einem grösseren Zwischenraum war sie gerade und flammig, einem sehr erschöpften und plötzlichen, aber nicht dichten und scharfen Funken gleich, und bei noch grösserem Zwischenraum entstand ein schwaches Büschellicht an dem inducirenden positiven, und ein Glimmlicht an dem inducirten negativen Ende, mit einem dunkeln Raum dazwischen (1544); in diesen Fällen trat am Conductor kein plötzlicher und geräuschvoller, sondern ein matter und stiller Funke auf (334).

1555. Liess ich mehr Salzsäuregas eintreten, bis der Druck 29,97 Zoll [Quecksilber] betrug, so gaben dieselben Enden bei kleinen Abständen helle Funken; standen sie jedoch einen Zoll oder weiter von einander ab, so erfolgte die Entladung im Allgemeinen in Form sehr kleiner Büschel und Glimmlichter, häufig auch ohne eine Lichterscheinung, wiewohl Elektricität durch das Gas gegangen war. Immer wenn bei diesem Druck ein heller Funke durch das Salzsäuregas übergegangen war, war er überall hell, ohne dunkle oder matte Stelle.

1556. In *Steinkohlengas* unter gewöhnlichen Drucken war bei einem Abstande von ungefähr einem Zoll die Entladung von kurzen Büscheln an den Enden begleitet und zwischen diesen ein dunkler Zwischenraum von einem halben Zoll und darüber, trotzdem die Entladung den scharfen, lebhaften Ton eines matten Funkens hatte und in dem dunkeln Theil nicht von *Convection* bedingt sein konnte (1562).

1557. Dieses Gas bietet hinsichtlich der hellen und dunkeln Theile der Funkenentladung einige seltsame Erscheinungen dar. Wenn zwischen den Enden der 0,3 Zoll dicken Stäbe (1544) helle Funken übergingen, so traten ganz plötzlich dicht bei den hellsten Stellen des Funkens dunkle auf. Ferner waren die Funken an diesen Enden sowie auch an Kugeln (1422) bald roth, bald grün und zuweilen grün und roth an verschiedenen Stellen. Auch trat in den beschriebenen Versuchen (1518) bei gewissen Abständen eine sehr eigenthümliche blasse, matte, aber plötzliche Entladung ein, die, wiewohl sie anscheinend schwach war, einen ganz geraden Verlauf hatte und von einem scharfen, schnarrenden Geräusch begleitet war, wie wenn sie in sehr rascher Aufeinanderfolge stattfand.

1558. *Wasserstoff* gab oft eigenthümliche Funken, die an einer Stelle hellroth, an der anderen matt blassgrau waren, oder es hatte auch der ganze Funke ein mattes, eigenthümliches Aussehen.

1559. *Sticktsoff* bot zwischen zwei Kugeln, deren Durchmesser respective 0,15 und 2 Zoll betrug (1506, 1518), und von denen die kleinere entweder direct oder durch Induction negativ gemacht worden war, eine sehr merkwürdige Entladung dar. Diese eigenthümliche Entladung, die, wenn die grosse Kugel die inducirende und positiv war, in Zwischenräumen von 0,42 bis 0,68 und selbst 1,4 Zoll eintrat, bestand aus einem kleinen büschelförmigen Theil an der kleinen negativen Kugel, einem dunkeln Raum und endlich einer geraden matten Linie an der grossen positiven Kugel (Fig. 134). Die Lage des dunkeln Raumes war ganz beständig und steht wahrscheinlich in directer Beziehung zu dem beschriebenen dunkeln Raum, der bei negativem Glimmen auftrat (1544). Wenn durch irgend einen Umstand ein heller Funke auftrat, so war der Contrast mit dem beschriebenen eigenthümlichen Funken sehr auffallend; denn er hatte stets einen schwach purpurfarbenen Theil, dessen Ort jedoch beständig nahe bei der positiven Kugel war.

1560. So scheint denn die dunkle Entladung zweifellos festgestellt. Aber gleichzeitig ist bewiesen, dass sie in verschiedenen Gasen in verschiedenem Maasse und in verschiedener Weise auftritt. Und dies ist neben vielen anderen specifischen Actionen (1296, 1398, 1399, 1423, 1454, 1503) eine mehr, durch die die elektrischen Beziehungen isolirender Dielektrica erwiesen sind und sich unterscheiden, und ein weiteres Argument zu Gunsten der Moleculartheorie der Induction, welche den Gegenstand dieser Untersuchung bildet.[1])

1561. Was ich über die disruptive Entladung zu sagen hatte, ist etwas lang geworden, aber es wird hoffentlich durch die Wichtigkeit des Gegenstandes gerechtfertigt sein. Ehe ich meine Bemerkungen schliesse, will ich noch die Frage aufwerfen, ob wir nicht Grund haben, die Spannung oder das Beharren und demnächst die Entladung in Luft oder anderen isolirenden Dielektricis für im Wesen identisch mit der Verzögerung und Entladung in einem Metalldrahte und nur, freilich fast unendlich, graduell von diesen verschieden (1334, 1336) anzusehen. Mit anderen Worten, können wir nicht, indem wir die Entladung von ihrem Auftreten in Luft in allmählichen Abstufungen verfolgen durch Wallrath und Wasser bis zu Lösungen und dann zu Chloriden, Oxyden und Metallen, ohne wesentliche Aenderung in ihrem Charakter, und zugleich die unmerkliche Leitung der Luft durch Salzsäuregas und die dunkle Entladung bis zu der besseren Leitung des Wallraths, Wassers und der höchst vollkommenen Leitung der Metalle, diese beiden Erscheinungsreihen in Zusammenhang setzen? Und könnte es nicht sein, dass das Verzögerungsvermögen und das Glühen eines Drahtes Erscheinungen darstellen, die ihrer Natur nach genau dem Beharren der Ladung und dem Funken in Luft entsprechen? Wenn dem so ist, so wird sich hierdurch wiederum ergeben, dass die beiden Extreme in den Eigenschaften der Dielektrica in innigstem Zusammenhange mit einander stehen und dass der ganze Unterschied wahrscheinlich bedingt ist von dem Grade und der Art, wie ihre Theilchen unter dem Einflusse der Inductionswirkungen sich polarisiren (1338, 1603, 1610).

---

[1]) Ich kann nicht umhin, hier auf Biot's Theorie über die Natur des Lichtes der elektrischen Entladung hinzuweisen. Annales de Chimie, LIII, p. 321.

X. *Convection oder Entladung durch Fortführung.*

1562. Die letzte Art der Entladung, die ich zu betrachten habe, ist diejenige, welche durch die Fortbewegung geladener Theilchen bewirkt wird. Sie weicht ihrer Natur nach scheinbar erheblich ab von allen früheren Entladungsarten (1319), allein, da das Resultat dasselbe ist, so kann sie von grosser Wichtigkeit sein, nicht bloss zur Aufhellung der Natur der Entladung selbst, sondern auch dessen, was wir elekrischen Strom nennen. Beim Auftreten von Büschellicht und Glimmlicht (1440, 1535) vereinigt sie oft, wie früher bemerkt worden, ihre Wirkung mit der der disruptiven Entladung, um den Act der Neutralisation zwischen den elektrischen Kräften zu vervollständigen.

1563. Die Theilchen, welche, nachdem sie sich geladen haben, fortwandern, können aus isolirender oder leitender Substanz bestehen, können gross oder klein sein. Die Betrachtung eines grossen Theilchens von leitender Substanz in erster Reihe ist vielleicht geeignet, unsere Vorstellungen zu unterstützen.

1564. Ein isolirter Kupferkessel von 3 Fuss Durchmesser wurde so schwach geladen, dass keine merkliche Zerstreuung an den Rändern oder hervorragenden Theilen eintreten konnte. Als ihm eine an einem Faden von reiner weisser Seide hängende Messingkugel von 2 Zoll Durchmesser bis zu einem solchen Abstande (zwei Zoll, oder mehr oder weniger) genähert wurde, dass diese keine directe Ladung von ihm erhalten konnte, und so eine bis zwei Secunden lang in der Nähe irgend einer Stelle der geladenen Oberfläche des Kessels gehalten wurde, so lud sie sich selbst, obwohl sie die ganze Zeit isolirt gewesen war, und ihre Elektricität war *entgegengesetzt* der des Kessels.

1565. Diese Wirkung war am stärksten gegenüber den Rändern und hervorragenden Theilen des Kessels, schwächer gegenüber den Seiten oder ausgedehnten Stellen der Oberfläche, welche nach Coulomb's Resultaten die schwächste Ladung haben. Sie war sehr stark gegenüber einem aus dem Kessel ein wenig hervorragenden Stabe. Sie trat ebenso wohl bei negativer als bei positiver Ladung des Kupferkessels ein und ebenso bei kleineren Kugeln bis zu 0,2 Zoll und weniger im Durchmesser, wie mit geladenen Leitern, die kleiner waren als der Kupferkessel. Es ist in der That in manchen Fällen kaum möglich, eine isolirte Kugel einer geladenen ebenen oder convexen Fläche bis auf einen oder zwei Zoll zu nähern, ohne dass jene eine dieser entgegengesetzte Ladung aufnimmt.

1566. Dies ist eine Wirkung von Induction und nicht von Mittheilung zwischen den Körpern. Wenn die Kugel durch das dazwischenliegende Dielektricum mit der positiv geladenen Fläche in Beziehung tritt, so nehmen ihre gegenüberliegenden Seiten entgegengesetzte Zustände an, die dem Kessel zugewandte den negativen, und die andere den positiven. Es ist eine stärkere Inductionswirkung gegen die Kugel gerichtet, als durch dieselbe Stelle ohne Anwesenheit der Kugel gegangen wäre, und zwar aus mehreren Gründen. Unter anderen desshalb, weil, da sie ein Leiter ist, der Widerstand der Theilchen des Dielektricums, welche daselbst sonst vorhanden gewesen wären, fortfällt (1298), und auch, weil die Kugel eine vom Kessel aus sich weiter erstreckende, reagirende positive Fläche darbietet, als wenn keine leitende Substanz vorhanden wäre, daher ungehinderter durch den übrigen Theil des Dielektricums gegen die umgebenden Leiter wirkt und so die Steigerung der ihrer Bahn entsprechend gerichteten Inductionspolarität begünstigt. Hinsichtlich der Steigerung der Kraft auf ihrer Aussenfläche über die der inducirenden Oberfläche des Kessels ist es so, als wenn letztere selbst in dieser Richtung eine Hervorragung hätte. So erlangt sie einen ähnlichen, aber höher gespannten Zustand als die Oberfläche des Kessels, welche ihn verursacht, und derselbe ist hoch genug, um eine Entladung an der positiven Fläche gegen die Luft zu veranlassen, oder ebenso, wie sie selbst von dem Kessel afficirt wird, auf kleine Theilchen einzuwirken, welche zu ihr hin fliegen, sich laden und davoneilen; so wird die ganze Kugel durch Induction in den entgegengesetzten Zustand versetzt. Die Folge hiervon ist, dass sie, wenn sie sich frei bewegen kann, ihr Bestreben, unter dem Einflusse aller dieser Kräfte sich dem Kessel zu nähern, zunimmt, während sich zugleich ihre Polarisation sowohl als auch ihre Ladung steigert, bis bei einem gewissen Abstande Entladung eintritt, sie den nämlichen Zustand annimmt wie der Kessel, abgestossen wird und zu dem Leiter sich wendet, der sich unter den günstigsten Umständen befindet, sie zu entladen, worauf sie wieder ihren ursprünglichen indifferenten Zustand annimmt.

1567. Es scheint mir, dass eben dies sehr häufig die Natur des Vorganges ist, wie inducirende Körper auf ungeladene schwebende oder bewegliche Leiter in ihrer Nähe einwirken, und gewöhnlich so, wenn der Process in einer Fortführung endet (1562, 1602). Die Art, in welcher, während der dominirende inducirende Körper seine Elektricität nicht an die Luft abgeben kann, der inducirte Körper die Entladung derselben Art des Agens zu bewirken *vermag*, ist merkwürdig, und bei Leitern von länglicher oder unregelmässiger Gestalt, wie Fasern oder Staubtheilchen, wird der Effect oft sehr leicht, und die Anziehung unmittelbar eintreten.

1568. Der beschriebene Effect ist wahrscheinlich auch von Einfluss auf die bei der Funkenentladung eintretenden Veränderungen, die in der letzten Reihe erwähnt worden sind (1386, 1390, 1391); denn wenn ein Staubtheilchen gegen die Inductionsaxe zwischen den Kugeln gezogen wird, so wird es bei einem gewissen Abstande von jener Axe beginnen, sich selbst in der beschriebenen Weise zu entladen (1566), und dieser Anfang mag den Vorgang so weit begünstigen (1417, 1420), dass die Entladung sich vollzieht, wie Funken durch das Theilchen gehen, obwohl es vielleicht nicht der kürzeste Weg von Kugel zu Kugel ist. So würde auch bei gleichen

Kugeln in gleichen Abständen, wie in den oben beschriebenen vergleichenden Versuchen (1493, 1506), eher zwischen dem Kugelpaare, zwischen welchem sich ein solches Theilchen befindet, Entladung eintreten; oder selbst wenn zwischen jedem Paare ein Theilchen sich befände, so würde ein Unterschied in der Grösse und Gestalt dem einen ein Uebergewicht über das andere verleihen.

1569. Dass Staubtheilchen im Stande sind, Elektricität von hoher Spannung fortzuführen, ist wohlbekannt, und schon beim Gebrauche des Inductionsapparates habe ich einige Fälle dieser Art erwähnt (1201). In der Hauptsache zeigt sich der Vorgang sehr gut bei grossen leichten Gegenständen, wie bei der elektrische Spinne genannten Spielerei, oder, wenn man zur physikalischen Untersuchung kleinere vorzieht, bei dem Rauche einer glimmenden grünen Wachskerze, welcher einen successiven Strom solcher Theichen darbietet und deren Bahn sichtbar macht.

1570. Bei Anwendung von Terpentinöl als Dielektricum lässt sich die Wirkung und die Bahn beweglicher leitender Körperchen in ihm gut beobachten. Einige Fadenstückchen können als solche Träger dienen, und ihre progressive Wirkung ist ausserordentlich interessant.

1571. Beim Terpentinöl zeigte sich eine sehr auffällige Erscheinung, von der es vielleicht noch zweifelhaft ist, ob sie von dem Fortführungsvermögen der darin befindlichen Theilchen oder von irgend einer anderen Wirkung derselben herrührt. Auf dem Boden eines diese Flüssigkeit enthaltenden Glasgefässes lag eine zur Erde abgeleitete grosse Silberscheibe und in die Oberfläche der ersteren tauchte ein elektrisirter Metallstab mit abgerundetem Ende. Die Isolirung war sehr gut, und die Anziehung und andere Erscheinungen waren sehr lebhaft. Als das Stabende mit einem daran hängenden Tropfen von Gummiwasser in der Flüssigkeit elektrisirt wurde, zertheilte sich das Gummiwasser alsbald in feine Fäden und zerstreute sich rasch durch das Terpentinöl. Während der Zeit, da auf diese Weise vier Tropfen sich mit einem Theil des Dielektricums vermengt hatten, hatte dieses sein Isolirungsvermögen zum grössten Theil verloren, Funken liessen sich in der Flüssigkeit nicht mehr erhalten, und alle von Isolation abhängigen Erscheinungen zeigten sich nur in schwachem Maassse. Die Flüssigkeit war sehr wenig trübe; durch blosses Filtriren durch Papier wurde sie wieder klar wie ursprünglich und isolirte nun so gut wie zuvor. Das Wasser war demnach in dem Terpentinöl bloss zertheilt, nicht mit demselben verbunden oder darin gelöst; allein ob die kleinen Theilchen als Träger dienten oder ob sie sich nicht vielmehr in der Linie der höchsten Inductionsspannung (1350) zusammenfanden und, indem sie dort durch die elektrischen Kräfte in eine längliche Gestalt ausgezogen wurden, in vereinter Wirkung einen Streifen von Substanz bildeten, die im Vergleich mit dem Terpentinöl beträchtliches Leitungsvermögen besitzt, ist noch fraglich.

1572. Die Analogie zwischen der Wirkung fester fortführender leitender Theilchen und der geladenen Theilchen von flüssigen isolirenden Substanzen, welche die Rolle von Dielektricis spielen, ist sehr klar und einfach, allein im letzteren Falle entstehen in den beweglichen Medien nothwendig Strömungen. Durch Induction werden Theilchen in einen Polarisationszustand versetzt, welchem, nachdem er eine gewisse Spannung erreicht hat (1370) die Mittheilung eines Theiles der ursprünglichen Kraft des Conductors folgt; die Theilchen werden demnach geladen und unter der vereinten Wirkung der Abstossungs- und Anziehungskräfte gegen eine Entladungsstelle getrieben, oder gegen eine solche Stelle, wo diese vertheilenden Kräfte am leichtesten durch die entgegengesetzten inducirten Kräfte compensirt werden.

1573. Warum eine Spitze zur Erzeugung von Strömungen in einem flüssigen isolirenden Dielektricum, wie Luft, so günstig sein müsse, ist ganz einleuchtend. Denn es ist das Spitzenende, das zuerst die zur Ladung der Luft erforderliche Intensität erreicht (1374); von dort weichen die geladenen Theilchen zurück, und die mechanische Kraft, mit welcher sie einen Luftstrom hervorruft, wird durch die Gestalt und Lage des Stabes, dessen Ende die Spitze bildet, auf alle Weise begünstigt. Zugleich verhindert die Spitze, indem von ihr eine wirksame mechanische Kraft ausgeht, eben durch das Entstehen dieser Kraft, nämlich durch die Entladung, dass irgend ein anderer Theil des Stabes denselben nothwendigen Zustand erlangt, und so bewahrt sie ihr eigenes Uebergewicht und hält es aufrecht.

1574. Die sehr mannigfaltigen und schönen Erscheinungen, welche sich zeigen, wenn man die Spitze beschirmt oder einhüllt, illustriren ganz vortrefflich das Entstehen der Strömung und rechtfertigen eben die Schlüsse. Man muss sich hierbei erinnern, dass der Effect auf die Entladung zweierlei Art ist. Denn der Strom kann entweder dadurch gestört werden, dass der Zutritt neuer, ungeladener Luft verhindert, oder dadurch, dass die Beseitigung der geladenen verzögert wird, wie beispielsweise wenn eine Spitze in einer an einem Ende geschlossenen Röhre von isolirender Substanz elektrisirt wird; oder es kann der *elektrische Zustand* der Spitze selbst geändert werden durch ihre Beziehung zu anderen elektrischen Theilen in ihrer Nachbarschaft, wie durch das Metall selbst, wenn die Spitze sich in einer Metallröhre befindet, oder wenn sie in einer Glasröhre enthalten ist, durch eine ähnliche Wirkung der geladenen Glastheilchen, oder selbst durch die umgebende Luft, die geladen worden ist und nicht entweichen kann.

1575. Will man in einem flüssigen Dielektricum solche Inductionserscheinungen beobachten, welche in directer Beziehung zur Fluidität des Mediums stehen und von ihr bedingt sind, wie beispielsweise Entladung aus Spitzen, oder Anziehungen und Abstossungen u. s. w., so muss die Masse der Flüssigkeit gross sein und in solchem Verhältniss zum Abstand zwischen den inducirenden und inducirten Flächen, dass sie alle *Linien* *der Inductionskraft* (1369) zwischen ihnen einschliesst; sonst können Strömungs- und Anziehungseffecte u. s. w., welche aus allen diesen Kräften resultiren, nicht erhalten werden. Die in freier Luft oder inmitten einer mit Terpentinöl erfüllten Kugel auftretenden Erscheinungen zeigen sich nicht mehr in denselben Mitteln und können darin auch nicht mehr erwartet werden, wenn diese in Röhren von Glas, Schellack, Schwefel oder anderen derartigen Substanzen, wiewohl sie vortrefflich isolirende Dielektrica sein mögen, eingeschlossen sind. Denn in solchen Fällen sind die Polarkräfte nicht unter die Flüssigkeitstheilchen zerstreut, welche sich unter ihrem Einflusse zu bewegen streben, sondern an vielen Stellen an Theilchen gebunden, die, trotzdem sie sich zu bewegen streben, in Folge ihrer Starrheit gezwungen sind, in Ruhe zu bleiben.

1576. Die mannigfachen Umstände, unter denen an Leitern von verschiedener Gestalt und Beschaffenheit Strömungen vorkommen können, zeigen, dass letztere auf diese einfache Weise entstehen. Eine *Kugel* bringt denselben Effect hervor wie eine Spitze, wenn die Intensität an ihrer Oberfläche hoch genug ist und diese Intensität am grössten ist an einer Stelle, wo ein ab- und zufliessender Luftstrom entstehen kann (1537); dies ist der Fall, sobald Glimmlicht an einer Kugel auftritt, da für dieses Phänomen eine Strömung wesentlich ist. Wendet man eine so grosse Kugel an, wie es zur Erzeugung des Glimmlichtes angänglich ist, so erscheint dieses an der Stelle, wo der Strom die Kugel verlässt, und das wird die Stelle sein, welche der Verbindung der Kugel mit dem sie tragenden Stabe gerade gegenüber liegt. Erhöht man aber anderswo die Spannung, so dass sie die jener Stelle übertrifft, was durch Induction leicht bewerkstelligt werden kann, dann ändert sich auch der Ort des Glimmlichtes und die Richtung des Stromes und geht zu derjenigen Stelle über, welche sein Entstehen gerade am meisten begünstigt (1591).

1577. Die Annäherung der Hand gegen die Kugel z. B. wird Büschel hervorzubringen streben (1539), allein durch vermehrten Zufluss von Elektricität kann der Zustand des Glimmens unterhalten werden; führt man dann die Hand von Seite zu Seite herum, so wird der Ort des Glimmlichtes sich ganz deutlich mitbewegen.

1578. Nähert man eine Spitze einer glimmenden Kugel, so bewirkt sie in einem Abstande von zwölf oder vierzehn Zoll das Zerfallen des Glimmlichtes in Büschel, aber bei weiterer Annäherung tritt das Glimmlicht wieder auf; dies rührt wahrscheinlich von der Entladung des Windes oder der Luft her, welche von der Spitze zur Kugel strömt, und dieses Glimmen folgt der Bewegung der Spitze in jeder Richtung.

1579. Selbst eine Windströmung verändert den Ort des Glimmens. Denn als eine gefirnisste Glasröhre seitwärts gegen die Kugel gerichtet, und bald Luft durch erstere auf diese geblasen wurde, bald nicht, so änderte sich in ersterem Falle der Ort des Glimmens ein wenig, wie wenn er durch den Strom fortgeblasen würde, wie man es eben im Voraus hatte erwarten dürfen. Alle diese Erscheinungen dienen in schöner Weise zur Aufhellung der allgemeinen Ursachen und Beziehungen des Glimmlichtes sowohl als auch des dasselbe begleitenden Luftstromes (1574).

1580. Flammen erleichtern die Entstehung eines Stromes in dem sie umgebenden Dielektricum. Wenn man z. B. auf einer Kugel, die für sich keinen Luftstrom erzeugt haben würde, eine Flamme von beliebiger Grösse anbringt, so entsteht der Strom mit grösster Leichtigkeit. Die Rolle, welche die Flamme hier spielt, zu begreifen, kann nicht die geringste Schwierigkeit haben, wenn man die Beziehung derselben, als eines Theiles des umgebenden Dielektricums, zu der elektrisirten Kugel nur einen Augenblick in Erwägung zieht (1375, 1380).

1581. Leitende Enden aus flüssiger Substanz an Stelle starrer Spitzen liefern sehr schöne Beispiele von der Bildung der Ströme nebst ihren Wirkungen und ihrem Einflusse auf die Steigerung der Zustände, unter denen sie ihren Anfang nahmen. Ein abgerundetes amalgamirtes Ende eines Messingstabes von ungefähr 0,3 Zoll Durchmesser, das in freier Luft abwärts gerichtet ist, und an dem ein Quecksilbertropfen hängt, werde kräftig elektrisirt. Das Quecksilber wird dann das Phänomen des *Glimmens* zeigen; längs des Stabes wird ein Luftstrom fortfliessen und vom Quecksilber gerade abwärts gehen; die Gestalt des Metalltropfens wird etwas geändert, die Convexität an einer kleinen Stelle nahe bei der Mitte und unten grösser geworden sein, während sie ringsherum in einer geringen Entfernung von dieser Stelle sich vermindert. Die Gestalt *a* (Fig. 135) ändert sich in die von *b*, und dies ist fast, wenn nicht ganz ausschliesslich der mechanischen Kraft des über seine Oberfläche streichenden Luftstromes zuzuschreiben.

1582. Als eine vergleichende Beobachtung diene die Bemerkung, dass, wenn man dem Quecksilber eine Kugel langsam nähert, das Glimmlicht sich in Büschel verwandelt, und dass zuletzt von dem hervorragendsten Theile des Quecksilbers Funken überspringen. Eine Spitze bewirkt dasselbe, aber in viel kleineren Abständen.

1583. Nehmen wir ferner einen Tropfen von concentrirter Chlorcalciumlösung und elektrisiren ihn, so wird ein Bruchtheil wahrscheinlich zerstreut werden, aber ein anderer erheblicher Theil wird, wenn die Elektrisirung nicht zu stark ist, in Form eines konischen Tropfens (Fig. 136) zurückbleiben, und es wird eine starke Strömung entstehen. Tritt Glimmlicht auf, so hat der Tropfen eine glatte Oberfläche; bildet sich ein kurzes schwaches Büschellicht, so zeigt die Flüssigkeit eine geringe zitternde Bewegung; aber beide Erscheinungen fallen mit der einen und hauptsächlichen zusammen, die sich beobachten lässt, nämlich mit der regelmässigen und successiven Ladung der Luft, der Entstehung eines Windes oder Stromes und der Aenderung der Tropfengestalt durch diesen Strom. Wenn dem Tropfenkegel eine Entladungskugel langsam genähert wird, so werden zuletzt Funken von der Spitze des Kegels zu der angenäherten Kugel überschlagen zum Beweise, dass diese Flüssigkeit ein beträchtliches Leitungsvermögen besitzt.

1584. Mit einem Wassertropfen waren die Erscheinungen von gleicher Art und sie liessen sich am besten erhalten, wenn etwas Gummiwasser oder Syrup von einer Kugel herabhing (Fig. 137). Arbeitete die Maschine langsam, so bildete sich ein schöner, grosser, ruhiger, konischer Tropfen mit concavem Seitenumriss und kleinem zugerundetem Ende, an welchem das Glimmlicht erschien, während von der Spitze des Kegels beständig ein Wind ausging, stark genug, um eine Depression auf die Oberfläche des Wassers, das demselben gegenüber gehalten wurde und zur Erde abgeleitet war, auszuüben. Drehte man die Maschine rascher, so wurde etwas Wasser fortgetrieben, der kleinere zugespitzte Theil, welcher zurückgeblieben war, hatte eine rauhe Oberfläche, und man hörte das Geräusch von successiven Büschelentladungen. Bei starker Elektrisirung wurde noch mehr von dem Wasser zerstreut, das zurückbleibende verlängerte sich und zog sich abwechselnd wieder zusammen; eine stärkere Büschelentladung liess sich hören, und die Schwingungen des Wassers und die successiven Entladungen der einzelnen Büschel waren simultan. Wenn Wasser von unten her dem Tropfen genähert wurde, so liess sich nicht mehr der regelmässige starke zusammengezogene Luftstrom erkennen wie vorher, und wenn der Abstand ein solcher war, dass Funken übersprangen, so wurde das Wasser darunter eher *angezogen* als fortgetrieben, und der Luftstrom *hörte auf*.

1585. Wenn die Entladungskugel dem Tropfen in seinem ursprünglichen Stadium eines ruhigen Glimmens (1582) genähert wurde, so verwandelte sich das Glimmlicht in Büschel, und der Tropfen gerieth in Vibration. Bei noch grösserer Annäherung sprangen Funken über, und zwar immer von dem Metall des Stabes über die Wasseroberfläche zur Spitze und von hier durch die Luft zur Kugel. Dies ist eine natürliche Folge des mangelhaften Leitungsvermögens der Flüssigkeit (1584, 1585).

1586. Warum der Tropfen vibrirt und dabei zwischen den Perioden der Büschelentladungen seine Gestalt ändert, sich in bestimmten Augenblicken mehr oder weniger zuspitzt und am meisten, wenn die Büschel hervorschiessen, warum diese Vorgänge isochron sind, und wie der ruhige glimmende Flüssigkeitstropfen bei Annahme der konischen Gestalt die erste Wirkung gleichsam erleichtert, sind Punkte, welche sich aus der Theorie so klar ergeben, dass ich mich nicht länger bei ihnen aufhalten will. Die Hauptsache, die hierbei zu beachten ist, besteht in der Bildung des fortführenden Luftstromes und in der Art, wie er durch Veränderung der Tropfengestalt sein Dasein und seinen Einfluss verräth.

1587. Dass der Tropfen, wenn er aus Wasser oder einem besseren Leiter als Wasser besteht, vorzugsweise durch den Luftstrom seine konische Gestalt bekommt, liess sich unter Anderem (1594) auch folgendermassen zeigen. Wurde eine scharfe Spitze dem konischen Tropfen gegenüber gehalten, so verlor letzterer bald seine zugespitzte Gestalt, zog sich zusammen und wurde rund; der Luftstrom ging nicht mehr von ihm aus, sondern von der darunter befindlichen Spitze, und wenn diese dem Tropfen nahe genug gehalten wurde, so blies der Luftstrom denselben seitwärts und gab ihm eine concave Gestalt.

1588. Es ist kaum nothwendig zu sagen, was bei Substanzen, die noch schlechter leiten als Wasser, eintrat, wie z. B. bei Oel oder Terpentinöl. Die Flüssigkeit selbst zertheilte sich dann in Fäden und wurde fortgeführt, nicht bloss weil die über ihre Oberfläche streichende Luft sie hinwegfegen half, sondern auch weil ihre eigenen isolirenden Theilchen denselben Ladungszustand annahmen wie die Lufttheilchen, und da sie unfähig sind, sich gegen sie in stärkerem Maasse zu entladen als es die Lufttheilchen selbst vermochten, so wurden sie durch dieselbe Ursache fortgeführt, welche diese forttreiben. Ein ähnlicher Vorgang mit geschmolzenem Siegellack auf einer Metallspitze bildet ein altes und wohlbekanntes Experiment.

1589. Ein Tropfen Gummiwasser in dem evacuirten Recipienten einer Luftpumpe änderte, als er elektrisirt wurde, seine Gestalt nicht merklich. Wurde Luft eingelassen, so begann er bei einem Druck von zehn Zoll Quecksilber eine Gestaltsänderung zu zeigen. Bei einem Druck von vierzehn bis fünfzehn Zoll war die Aenderung deutlicher, und mit der Zunahme der Dichtigkeit der Luft wurden auch die Wirkungen stärker, bis sie denen in freier Luft gleich waren. Den geringeren Effect in verdünnter Luft schreibe ich der relativ geringeren Energie ihrer Strömung zu. Diese Verringerung ist in erster Linie von dem schwächeren elektrischen Zustande der elektrisirten Kugel in dem verdünnten Medium und demnächst von der Verdünntheit des Dielektricums selbst abhängig, da die Cohäsionskraft des Wassers in verdünnter Luft ungefähr gleich der des Quecksilbers in dichter Luft (1581), während die des Wassers in dichter Luft mit der des Quecksilbers in Terpentinöl verglichen werden kann (1597).

1590. Wenn eine Kugel mit einer zähen leitenden Flüssigkeit, wie Theriak oder Syrup, bedeckt wird, so ist es leicht, durch Induction den Wind von fast jeder Stelle derselben ausgehen zu lassen (1577). Der Versuch, welcher zuvor etwas schwierig auszuführen war, gelingt dadurch leicht, dass die Flüssigkeit denjenigen Theil, dessen Wirkung anfänglich schwach war, durch Annahme einer zugespitzten Gestalt in einen erhöhten Spannungszustand versetzt.

1591. Soll eine Strömung entstehen, so muss die elektrische Intensität an *einer Stelle*, nämlich an dem Ursprungsorte der Strömung, höher steigen als anderswo und daselbst andauern; wenn dann der Luft ein gleichförmiger und leichter Zutritt gestattet wird, so entsteht der Strom. Kann sich kein Strom ausbilden (1574), so kann Entladung in Form von Büscheln oder Funken erfolgen. Ob sie jedoch in Büscheln oder Funken oder Wind vor sich geht, so ist es doch sehr wahrscheinlich, dass die untere Grenze der Intensität oder Spannung, bei welcher ein Theilchen eines gegebenen gasförmigen Dielektricums sich ladet oder zu entladen anfängt, unter den früher angegebenen Umständen immer dieselbe ist (1410).

1592. Ich nehme nicht an, dass sämmtliche Luft, die an der Bewegung theilnimmt, elektrisirt ist; im Gegentheil wird viel ungeladene Luft mit dem Strome fortgeführt. Die wirklich geladene Menge braucht nur ein geringer Theil derjenigen zu sein, welche schliesslich in Bewegung gesetzt wird (1442).

1593. Ein *negativ* gemachter Tropfen Gummiwasser (1584) zeigt einen grösseren Kegel als ein positiver; es wird weniger Flüssigkeit fortgeschleudert, und doch kann man bei Annäherung einer Kugel kaum Funken erhalten, so spitz ist der Kegel und so ungehindert die Entladung. Eine demselben gegenüber gehaltene Spitze verursachte keine so beträchtliche Zusammenziehung des Kegels als wenn er positiv war. Alle Erscheinungen sind so verschieden von denen, welche der positive Kegel darbietet, dass ich nicht zweifle, dass solche Tropfen ein sehr instructives Verfahren zur Untersuchung des Unterschiedes zwischen positiver und negativer Entladung in Luft und anderen Dielektricis abgeben werden (1480, 1501).

1594. Um nicht missverstanden zu werden (1587), muss ich hier bemerken, dass ich die Bildung der Kegel nicht *ausschliesslich* auf Ströme von Luft oder einem anderen über ihrer Oberfläche befindlichen isolirenden Dielektricum zurückführe. Besteht der Tropfen aus schlecht leitender Substanz, so rührt ein Theil des Effectes von dem elektrischen Zustande ihrer Partikelchen her, ja von diesem Theil rührt fast die ganze Wirkung her, wenn die Substanz geschmolzener Siegellack, Terpentinöl oder ähnliche isolirende Körper sind (1588). Allein selbst wenn der Tropfen aus gut leitender Substanz, wie Wasser, Lösungen oder Quecksilber, besteht, in welchem Falle zwar der eben erwähnte Effect unmerklich sein wird (1607), so sind die Ströme von Luft oder einem anderen Dielektricum doch nicht die alleinige Ursache der gesammten Gestaltsänderung; denn zum Theil rührt sie von jenen Anziehungskräften her, unter deren Einfluss der geladene Tropfen, wenn er sich frei bewegen könnte, längs der Linie der stärksten Induction fortwandern würde und, wenn er nicht frei beweglich ist, eine längliche Gestalt annimmt, bis der *Summe* der verschiedenen Kräfte, welche diese Gestalt hervorzubringen streben, durch die Cohäsionskraft der Flüssigkeit das Gleichgewicht gehalten wird. Der Effect der Anziehungskräfte zeigt sich vortrefflich bei Anwendung von Theriak, Gummiwasser oder Syrup; denn die langen Fäden, welche sich ausspinnen, während sie die Axen der Luftströme bilden, die noch als von ihren Spitzen ausgehend angesehen werden können, sind gleich biegsamen Leitern und zeigen durch ihre Richtung, wohin die Attractionskräfte sie ziehen.

1595. In dichten isolirenden Dielektricis zeigen die Strömungserscheinungen eine ausserordentlich bedeutende mechanische Kraft. Bringt man z. B. wohl rectificirtes und filtrirtes Terpentinöl (1571) in ein Glasgefäss und taucht an verschiedenen Punkten zwei Drähte darin ein, von denen der eine mit der Elektrisirmaschine und der andere mit dem Ableitungssystem verbunden wird, und setzt man nun die Maschine in Thätigkeit, so wird die Flüssigkeit in ihrer ganzen Masse in heftige Bewegung gerathen, während sie zugleich zwei, drei oder vier Zoll am Maschinendraht aufsteigt und von ihm in Strahlen in die Luft schiesst.

1596. Wenn sehr reines Quecksilber unisolirt auf dem Boden der Flüssigkeit liegt, und der Draht von der Maschine in eine Kugel oder Spitze endet und zugleich durch eine Glasröhre geht, die sich über und unter die Oberfläche des Terpentinöls erstreckt, so lassen sich die Ströme besser beobachten, und man kann sehen, wie sie an dem Drahte hinunter geradezu gegen das Quecksilber hin fliessen und dort nach allen Richtungen divergiren, die Oberfläche desselben stark kräuseln und, an den Seiten des Gefässes aufsteigend, zurückkehren und wieder ihren Lauf vollführen.

1597. Ein von einer amalgamirten Messingkugel herabhängender Quecksilbertropfen behielt in Luft seine Gestalt fast unverändert bei (1581); wurde er aber in Terpentinöl getaucht, so wurde er ganz spitz und es spannen sich sogar Theilchen des Metalles aus und wurden mit den Strömen des Dielektricums fortgeführt. Die Gestalt des flüssigen Metalles war ebenso wie die des Syrups in Luft (1584), die Kegelspitze war zwar nicht so lang, aber ganz so fein. Durch Annäherung einer scharfen, nicht isolirten Spitze liess er sich ebenso beeinflussen wie der Syruptropfen in Luft (1587), doch wegen der Dichtigkeit und beschränkten Menge des Dielektricums nicht so leicht.

1598. Wird das Quecksilber auf dem Boden der Flüssigkeit mit der Elektrisirmaschine verbunden, während man einen in eine Kugel von ungefähr dreiviertel Zoll Durchmesser endigenden Stab in der Hand hält, und taucht die Kugel in die elektrisirte Flüssigkeit, so treten sehr auffällige Erscheinungen auf. Wird die Kugel wieder in die Höhe gehoben, so dass sie beinahe das Niveau der Flüssigkeit überschreitet, so bleiben grosse Mengen derselben an ihr haften (Fig. 138). Hebt man sie noch höher, so bleibt sie durch eine Säule von Terpentinöl noch zusammenhängend mit dem in dem Gefässe (Fig. 139). Eine noch grössere Masse lässt sich so emporheben und zu noch grösserer Höhe, wenn man die Maschine in stärkere Thätigkeit setzt, und sie nimmt dann die Gestalt der Fig. 140 an. So lange diese Erscheinungen dauern, so lange lassen sich Ströme und Gegenströme, zuweilen ganz dicht neben einander laufend, in der gehobenen Flüssigkeitssäule beobachten.

1599. Es ist sehr schwierig, bei Versuchen wie diese über die Richtung der Ströme durch das Auge zu entscheiden. Bringt man Seidetheilchen hinein, so haften sie an den Leitern, aber bei Anwendung von Wasser- und Quecksilbertropfen scheint sich die Bahn des flüssigen Dielektricums gut verfolgen zu lassen. Wenn z. B. ein Wassertropfen auf dem Ende eines Stabes (1571) über das nicht isolirte Quecksilber gebracht wird, so ist es bald in Form kleinster Theilchen fortgefegt, die auf das Quecksilber herabströmen. Bringt man einen anderen Tropfen auf das Quecksilber unter das Ende des Stabes, so wird er schnell in Form strömender Theilchen nach allen Richtungen zerstreut, indem die Attractionskräfte ihn in längliche Formen ausziehen und die Ströme diese Theilchen fortführen. Hängt man einen Quecksilbertropfen an eine Kugel, die zur Hebung einer Flüssigkeitssäule (1598) dienen soll, so scheint die Gestalt des Tropfens Ströme anzuzeigen, die in der Flüssigkeit in der durch die Pfeile angedeuteten Richtung gehen (Fig. 141).

1600. Bei diesen Erscheinungen zeigt sich ein sehr merkwürdiger Effect, der mit positiver und negativer Ladung und Entladung in Zusammenhang steht, dass nämlich eine positiv geladene Kugel eine viel höhere und breitere Säule von Terpentinöl emporhebt als eine negativ geladene. Es kann kein Zweifel obwalten, dass dies mit dem schon erwähnten Unterschied zwischen positiver und negativer Wirkung (1480, 1525) in Zusammenhang steht, und es dient zur Bekräftigung der Ansicht, dass dieser Unterschied sich eher auf die Theilchen des Dielektricums als auf die geladenen Leiter zurückführen lässt und bedingt ist von der Art, wie jene Theilchen sich polarisiren (1503, 1523).

1601. So oft Strömungen in isolirenden Dielektricis auftreten, bewirken sie thatsächlich Entladung, und es ist wichtig zu bemerken, wiewohl es ganz natürlich ist, dass es gleichgiltig ist, welchen Weg der Strom oder die Theilchen nehmen, da bei umgekehrter Richtung auch ihr Zustand umgekehrt ist. Die Aenderung lässt sich in Luft sowohl als auch in Terpentinöl zwischen zwei gegenüberstehenden Stäben leicht hervorbringen, denn die Annäherung einer isolirten Kugel an das Ende eines der beiden Stäbe bewirkt, dass der Strom von dem gegenüberstehenden Ende nach ihr hin gerichtet ist.

1602. Oft treten beide Ströme zugleich auf, so z. B. wenn sich an beiden Enden Büschel bilden, oft auch dann, wenn sie Glimmlicht zeigen (1531). In solchen Fällen begegnen die geladenen Theilchen oder viele von ihnen einander und entladen sich gegenseitig (1548, 1612). Sehr oft bilden sich auch zwei Ströme, wenn man eine rauchende Wachskerze am Ende eines isolirenden Stabes gegen einen geladenen Conductor hält, und sie werden dann durch den Rauch sichtbar; der eine geht in Form feiner

Flocken von Rauchtheilchen direct zu dem geladenen Conductor, der andere direct vom Kerzendocht und dem Conductor nach aussen. Die Principien der Inductionswirkung und Ladung, auf welche bei Betrachtung der Relation einer Probekugel zu einem Conductor hingewiesen wurde (1566), treten auch hier in's Spiel.

1603. Die allgemeine Analogie und, ich glaube sagen zu dürfen, Identität des Vorganges, die sich zwischen Isolation und Leitung ergab (1338, 1561), als ich aus der Gruppe der Isolatoren oder der Leiter die besten und die schlechtesten mit einander verglich, führten mich zu der Annahme, dass die Erscheinungen der *Convection* in schlecht leitenden Mitteln nicht ohne Parallele unter den besten Leitern, selbst unter den Metallen wären. Als ich hierüber nachdachte, schienen mir die von Davy[1]) in flüssigen Metallen, beispielsweise in Quecksilber und Zinn hervorgebrachten Kegel Fälle dieser Art zu sein, und wahrscheinlich gehört hierher auch die von Ampère (1113)[2]) beschriebene Verlängerung des metallischen Mediums, durch welches ein Elektricitätsstrom geht; denn es ist nicht schwer zu begreifen, dass die durch das hohe Leitungsvermögen der zu diesen Versuchen angewandten metallischen Media bedingte Verringerung des Convectionsvorganges durch eine sehr grosse Menge durchgehender Elektricität völlig compensirt werden konnte. In der That ist es unmöglich, beim Durchgange eines Stromes durch eine Flüssigkeit, die dem Durchgange der Elektricität einen merklichen Widerstand entgegensetzt und hierdurch einen gewissen Grad von Isolationsvermögen beweist (1328), nicht *einige,* merkliche oder unmerkliche Wirkung der in Rede stehenden Art zu erwarten.

1604. Ich bemühte mich, die Convectionsströme in Luft, Terpentinöl u. s. w. mit denen in Metallen durch intermediäre Fälle in Zusammenhang zu bringen, fand dies aber nicht leicht. Nimmt man beispielsweise Körper, welche, wie Wasser, Säuren, Lösungen, geschmolzene Sauerstoffsalze oder Chloride u. s. w., ein mittleres Leitungsvermögen besitzen, so wird die geringe Elektricitätsmenge, welche die Elektrisirmaschine liefern kann (371, 861), augenblicklich verbraucht, so dass die Ursache des Phänomens entweder auf einem sehr niedrigen Grade von Intensität gehalten wird, oder die Zeit, während welcher sie wirkt, so kurz ist, dass man nicht hoffen kann, das gesuchte Resultat zu beobachten. Wendet man eine Volta'sche Batterie an, so wird, da alle diese Körper Elektrolyte sind, durch die Gasentwickelung oder andere Veränderungen die Beobachtung der gesuchten Erscheinung gestört und verhindert.

1605. Nichtsdestoweniger giebt es einige Versuche, welche diesen Zusammenhang darlegen. Zwei Platindrähte, welche die Elektroden einer kräf-

---

1) Philosophical Transactions, 1823, p. 155.

2) Bibliothèque Universelle, XXI, 47.

tigen Volta'schen Batterie bildeten, wurden nahe neben einander in eine starke Glasröhre mit destillirtem Wasser, das einige vegetabilische Fasern enthielt, hermetisch eingeschlossen. Wenn bei der Gasentwickelung und durch den daraus resultirenden verstärkten Druck die auf den Elektroden sich bildenden Blasen so klein waren, dass nur schwache aufsteigende Ströme entstanden, so konnte man bemerken, dass die Fasern zwischen den beiden Drähten angezogen und abgestossen wurden, wie es zwischen zwei entgegengesetzt geladenen Flächen in Luft oder Terpentinöl der Fall gewesen sein würde, und sich so rasch bewegten, dass sie die Blasen und die Ströme, welche diese zu bilden suchten, verschoben und störten. Demnach kann es, glaube ich, nicht zweifelhaft sein, dass unter ähnlichen Umständen und bei reichlichem Zufluss von Elektricität von ausreichender Spannung sich Convectionsströme ausgebildet haben würden. Die Anziehungen und Abstossungen der Fäserchen waren thatsächlich die Elemente solcher Ströme (1572), und demnach ist Wasser, wiewohl es Luft oder Terpentinöl fast unendlich an Leitungsfähigkeit übertrifft, ein Medium, in dem ähnliche Strömungen auftreten können.

1606. Ich hatte mir einen Apparat hergestellt (Fig. 142), worin *a* eine Schellackplatte ist, *b* ein dünner Platindraht, der durch dieselbe hindurchgeht und bloss oben freiliegt, *c* ein auf dem Schellack liegender Ring von Fliesspapier, *d* destillirtes Wasser, das durch das Papier an seinem Orte festgehalten wird und eben hinreicht, um das Ende des Drahtes *b* zu bedecken; ein anderer Draht *e* berührte ein in dem Wasser liegendes Stück Stanniol und war mit einem Ableitungssystem verbunden. Hiermit war es leicht, indem man *b* entweder positiv oder negativ machte, einen Elektricitätsstrom durch ihn in die Flüssigkeit und von hier in den Draht *e* zu senden.

1607. Bei Verbindung von *b* mit dem Conductor einer kräftig wirkenden Elektrisirmaschine liess sich, während dieselbe arbeitete, nicht die geringste Störung im Niveau der Flüssigkeit über dem Ende des Drahtes beobachten; allein ebensowenig liess sich das geringste Anzeichen einer elektrischen Ladung am Conductor der Maschine erkennen, so vollständig war die Entladung. Ich schliesse hieraus, dass die in einer *gegebenen Zeit* durchgegangene Elektricitätsmenge im Vergleich zum Leitungsvermögen der Flüssigkeit zu klein war, um den gewünschten Effect hervorzubringen.

1608. Ich lud darauf eine grosse Leydener Batterie (291) und entlud sie durch den Draht *b*, schaltete hierbei jedoch einen zwei Fuss langen feuchten Faden ein, um Funken im Wasser zu verhüten und um die Entladung, die sonst eine plötzliche und heftige gewesen wäre, in eine mässigere und merkliche Zeit dauernde (334) zu verwandeln. Nunmehr erhielt ich eine sehr kurze Erhebung des Wassers über das Drahtende; und obschon sich hier gleichzeitig einige kleine Gasblasen gebildet hatten, welche mich verhindern, als unzweifelhaft zu behaupten, dass der Effect derselbe war, wie der von Davy in Metallen erhaltene, so war er doch nach meiner besten Ueberzeugung theilweise, ja ich glaube, vorzugsweise von dieser Natur.

1609. Zu Versuchen ähnlicher Art mit Elektrolyten wandte ich eine Volta'sche Batterie von 100 vierzölligen Plattenpaaren an. Hierbei war der Schellack schalenförmig, und der Draht *b* hatte einen Durchmesser von 0,2 Zoll. Zuweilen gebrauchte ich einen positiven amalgamirten Zinkdraht in Berührung mit verdünnter Schwefelsäure, in anderen Fällen einen negativen Kupferdraht in einer Lösung von Kupfersulphat, allein wegen der Gasentwickelung, der Fällung von Kupfer u. s. w. war ich nicht im Stande, entscheidende Resultate zu erlangen. Ich muss jedoch erwähnen, dass, wenn ich, um Davy's Versuch zu wiederholen, Quecksilber anwandte, die Batterie von 100 Paaren nicht ausreichte, die Erhebungen hervorzubringen. [1])

1610. Die letzten Versuche (1609) können daher für den erhofften Beweis als fehlgeschlagen betrachtet werden, aber zu den früheren (1605, 1608) und zu den mit ihnen in Zusammenhang stehenden Betrachtungen (1603) habe ich viel Zutrauen. Habe ich recht gesehen, und dürfen wir die Ströme an Spitzen und Flächen in so äusserst verschiedenen Körpern, wie Luft und Metalle, mit einander vergleichen und annehmen, dass sie Wirkungen *gleicher* Art sind, nur dem Grade nach und im Verhältniss des Isolations- oder Leitungsvermögens des angewandten Dielektricums verschieden, ein wie bedeutendes neues Argument gewinnen wir zu Gunsten jener Theorie, die auch hinsichtlich der Erscheinungen der Isolation und Leitung, wie hinsichtlich dieser, ein gemeinsames Band schlingt um *dieselben* scheinbar verschiedenen Substanzen (1336, 1561); und wie vollständig scheint die allgemeine Ansicht, welche alle diese Erscheinungen auf die directe Wirkung der materiellen Theilchen zurückführt, die mannigfachen einzelnen Phänomene, wie sie nach einander in Betracht kommen, zu umfassen!

1611. Der Zusammenhang dieser auf einem gewissen Grade von Isolation beruhenden Convections- oder Fortführungserscheinung mit der Leitung, d. h. das Vorkommen beider Effecte in so vielen der erwähnten Substanzen, wie Metalle, Wasser, Luft u. s. w., würden zu manchen sehr merkwürdigen theoretischen Verallgemeinerungen führen, auf welche ich jedoch hier nicht eingehen darf. Nur auf einen Punkt will ich mir hinzuweisen erlauben. Leitung scheint im Wesentlichen eine Action an einander grenzender Theilchen zu sein, und die eben angestellten, im Verein

---

[1]) Bei den Versuchen in der Royal Institution wandte Sir H. Davy, wie ich glaube, 500 bis 600 Plattenpaare an. Die in der London Institution wurden mit dem in den Philosophical Transactions für 1823, p. 187 beschriebenen (aus einem einzigen Plattenpaare von enormer Grösse bestehenden) Apparat von Pepys angestellt.

mit anderen früher dargelegten Betrachtungen (1326, 1336 etc.) führen zu dem Schluss, dass alle Körper leiten, dass bei allen, der Luft sowohl als auch den Metallen, der Vorgang derselbe ist, und dass der einzige Unterschied in dem erforderlichen Grade von Kraft oder Spannung der Theilchen besteht, welcher vorhanden sein muss, ehe der Act der Leitung oder Uebertragung von Theilchen zu Theilchen stattfinden kann.

1612. Es entsteht dann die Frage: was ist der Grenzzustand, welcher Leitung und Isolation gleichsam von einander scheidet? Besteht er in einem Unterschied zwischen je zwei an einander grenzenden Theilchen oder den benachbarten Polen dieser Theilchen, in der Natur und dem Betrage der positiven und negativen Kraft, so dass keine Mittheilung oder Entladung eintreten kann, so lange jener Unterschied nicht einen gewissen Grad erreicht, der verschieden ist für verschiedene Körper, aber immer derselbe für denselben Körper? Oder ist es richtig, dass, wie klein auch der Unterschied zwischen zwei solchen Theilchen sei, dennoch, sobald nur *Zeit* gelassen wird, eine Ausgleichung der Kräfte stattfindet, selbst bei Theilchen von Körpern, wie Luft, Schellack oder Schwefel? Im ersten Falle würde das Isolationsvermögen eines bestimmten Körpers proportional sein dem Grade des vorhandenen nothwendigen Kraftunterschiedes, im zweiten der zur Ausgleichung gleicher Unterschiedsgrade in verschiedenen Körpern erforderlichen *Zeit*. Hinsichtlich der luftförmigen Körper wird man fast geneigt, einen permanenten Kraftunterschied zu erwarten, aber bei allen übrigen Körpern scheint die Zeit ganz hinlänglich, um schliesslich eine vollständige Leitung sicher herbeizuführen. Die Verschiedenheit der Verfahrungsweisen, Isolation aufrecht zu erhalten oder Leitung herbeizuführen, hat nichts Wunderliches an sich, sondern ist ein Punkt von grosser Wichtigkeit, da er wesentlich zusammenhängt mit der Moleculartheorie der Induction und der Art, wie die Körpertheilchen ihren Polarisationszustand annehmen und bewahren.

XI. Verhalten eines Vacuums zu elektrischen Erscheinungen.

1613. Es würde sonderbar erscheinen, wenn eine Theorie, die alle Erscheinungen der Isolation und Leitung, d. h. alle elektrischen Erscheinungen als eine Wirkung an einander stossender Theilchen betrachtet, es unterliesse, den als möglich vorausgesetzten Fall eines *Vacuums* in Erwägung zu ziehen. Giebt man zu, dass ein Vacuum hervorgebracht werden kann, so muss es in der That von grossem Interesse sein, zu wissen, wie es sich zu den elektrischen Erscheinungen verhalte, ob durch ein Vacuum hindurch, wenn es so einander entgegengesetzten Körpern, wie Schellack und Metalle, gegenüber gestellt wird, weder Induction noch Leitung stattfinde. Morgan [1]) sagt, ein Vacuum leite nicht. Sir H. Davy schloss aus

[1]) Philosophical Transactions, 1785, p. 272.

seinen Untersuchungen, dass ein möglichst vollkommenes Vacuum[1]) leitet, aber er hielt die von ihm hergestellten Vacua nicht für absolute. Bei derartigen Versuchen glaube ich die leuchtende Entladung hauptsächlich an der Innenfläche des Glases beobachtet zu haben, und es ist durchaus nicht unwahrscheinlich, dass, wenn das Vacuum nicht leitet, dieser Vorgang doch an der dasselbe begrenzenden Glasfläche stattfinden könnte.

1614. Zu der Zeit, als ich glaubte, dass die Inductionskraft in geraden Linien wirke, hoffte ich diese wichtige Frage durch Versuche über Induction mit metallischen Spiegeln (die bloss als leitende Gefässe dienten) aufzuhellen, die von solcher Concavität waren, dass, wenn sie Nachts einem sehr heiteren Himmel ausgesetzt waren, in dem untersten Theile *n* (Fig. 143) derselben nur das Firmament sichtbar sein konnte. Solche Spiegel, wenn sie, etwa durch Verbindung mit einer Leydener Flasche elektrisirt und mittelst einer Probekugel untersucht wurden, gaben, in einem Zimmer aufgestellt, an dem untersten Theil ihrer Concavität mit Leichtigkeit Elektricität ab; allein ich erwartete, dass sie unter den angegebenen Bedingungen wenig oder gar keine Elektricität an derselben Stelle abgeben würden, wenn die Atmosphäre darüber wirklich von einem Vacuum begrenzt wäre. Ich fand mich jedoch in meiner Erwartung getäuscht, denn ich erhielt ebenso viel Elektricität wie vorher, doch als ich die Inductionswirkung in krummen Linien (1231) entdeckte, fand dieses Resultat seine vollständige und befriedigende Erklärung.

1615. Meine Theorie, soweit ich sie dargelegt habe, beansprucht nicht, über die hinsichtlich eines Vacuums sich ergebenden Consequenzen zu entscheiden. Sie ist vorläufig noch nicht durch Versuche mit materiefreien oder anders gearteten Räumen abgeschlossen oder präcise genug, um anzugeben, was in einem Vacuum geschehen werde. Bisher habe ich mich nur bemüht festzustellen, was alle Thatsachen zu beweisen scheinen, dass, wenn elektrische Phänomene, wie die der Induction, Leitung, Isolation und Entladung vorkommen, sie bedingt sind und hervorgerufen werden durch die Wirkung *an einander stossender* materieller Theilchen, wo ich unter letzteren solche verstehe, die einem anderen die nächsten sind; und ich habe ferner angenommen, dass diese Theilchen polarisirt werden, dass jedes der Sitz beider Kräfte sei oder die Kraft in ihm zwei Richtungen habe (1295, 1298), und dass sie nur durch Vermittelung der *an einander stossenden* und intermediären Theilchen in die Ferne wirken.

1616. Angenommen jedoch, dass ein vollkommenes Vacuum in die Bahn der Inductionslinien (1304) trete, so folgt aus dieser Theorie nicht, dass die Theilchen an gegenüber liegenden Seiten eines solchen Vacuums nicht auf einander wirken könnten. Gesetzt, es sei einem positiv elektrisirten Theilchen im Mittelpunkt eines Vacuums von einem Zoll Durchmesser zu

---

[1]) Philosophical Transactions, 1822, p. 64.

existiren möglich, so liegt in meiner gegenwärtigen Vorstellung nichts Widersprechendes, dass das Theilchen in der Entfernung von einem halben Zoll auf alle die innere Grenzfläche der Kugel bildenden Theilchen mit einer dem bekannten Gesetze vom Quadrat der Entfernung entsprechenden Kraft wirke. Wäre aber die Kugel mit isolirender Substanz erfüllt, so würde, nach meiner Ansicht, das elektrisirte Theilchen nicht direct auf die entfernten Theilchen wirken, sondern auf die mit ihm in unmittelbarer Berührung befindlichen, es würde seine *ganze* Kraft zu deren Polarisation verwenden und so in ihnen auf der ihm zugewandten Seite eine negative, auf der abgewandten eine positive Kraft hervorrufen, beide von gleichem Betrage wie seine eigene positive Kraft. Diese würden in derselben Weise auf die ihnen zunächst folgenden Theilchen wirken, so dass schliesslich die von dem Theilchen im Mittelpunkte oder der Kraftquelle ausgehende Wirkung, die eine *directe* gewesen sein würde, wenn die Kugel ein Vacuum gewesen wäre, sich *mittelbar* auf die Theilchen der Oberfläche der Kugel von einem halben Zoll Radius erstrecken wird, d. h. sie werden in derselben Weise und mit gleichem Kraftbetrage polarisirt werden.

§ 19. Natur des elektrischen Stromes.

1617. Das Wort *Strom* ist im gewöhnlichen Sprachgebrauch so bezeichnend, dass wir, wenn wir es auf die Betrachtung elektrischer Erscheinungen anwenden, es kaum genugsam seiner Bedeutung entkleiden oder uns hüten können, in unserem Urtheile nicht befangen zu werden (283, 511). Ich werde es in seinem gewöhnlichen elektrischen Sinne gebrauchen, nämlich als allgemeinen Ausdruck für einen gewissen Zustand und eine gewisse Beziehung der als fortschreitend vorausgesetzten elektrischen Kräfte.

1618. Ein Strom wird sowohl durch Erregung als auch durch Entladung erzeugt, und wie man auch diese beiden allgemeinen Ursachen abändern mag, die Wirkung bleibt dieselbe. So kann Erregung in mehrfacher Weise erfolgen, durch Reibung, chemische Wirkung, Wärmewirkung, Zustandsänderung, Induction u. s. w., und Entladung kann in Form von Leitung, Elektrolysirung, disruptiver Entladung und Convection auftreten; dennoch scheint der Strom, wenn er bei diesen Vorgängen auftritt, allemal derselbe zu sein. Diese Beständigkeit in dem Charakter des Stromes, ungeachtet der grossen und besonderen Mannigfaltigkeit in der Art seines Auftretens, ist ungemein auffallend und wichtig, und die Erforschung und Aufhellung derselben verspricht den zugänglichsten und vortheilhaftesten Weg zu bieten zu einem wahren und tiefen Verständniss der Natur der elektrischen Kräfte.

1619. Bisher haben die Erscheinungen des Stromes noch nichts aufgewiesen, was meiner Ansicht über die Natur der Induction als einer Wirkung an einander stossender Theilchen widerspräche. Ich habe mich bemüht, mich von jeder Voreingenommenheit frei zu halten, und mich nach

Widersprüchen umgesehen, habe aber in der conductiven, elektrolytischen, convectiven oder disruptiven Entladung keinen zu finden vermocht.

1620. Der Strom, als *Ursache* betrachtet, übt sehr auffallende und verschiedenartige Kräfte aus, nicht bloss in seiner Bahn und auf die Körper, in denen er sein Dasein hat, sondern auch in Seitenrichtungen, wie bei den Inductions- und magnetischen Erscheinungen.

1621. *Elektrolytische Wirkung.* — Eine seiner directen Wirkungen ist die Aeusserung einer rein chemischen Kraft, die bereits in sehr umfassender Weise untersucht worden ist. Es hat sich gezeigt, dass der Effect für eine gegebene Menge der sich entladenden elektrischen Kraft ein *beständiger* und *fester* ist (783 etc.), und überdies, dass die erforderliche *Intensität* in Beziehung steht zu den zu überwältigenden Verwandtschaftskräften (904, 906, 911). Der Strom und seine Ergebnisse sind hier proportional; der eine kann zum Ausdruck der anderen dienen; kein Theil des Effectes von beiden wird verloren oder gewonnen. Der Fall ist also streng, und doch ist es gerade ein solcher, der das schlagendste Licht wirft auf die Lehre, dass Induction eine Wirkung an einander stossender Theilchen sei (1164, 1343).

1622. Der Process der elektrolytischen Entladung scheint mir ganz analog und vielleicht seinem Wesen nach identisch zu sein mit einem anderen Entladungsvorgange, welcher im ersten Augenblick sehr verschieden davon erscheint, ich meine die *Convection* (1347, 1572). In diesem Falle können die Theilchen ellenweit durch ein Zimmer wandern, können einen so starken Wind in der Atmosphäre erzeugen, um Maschinen in Bewegung zu setzen, und in Flüssigkeiten, wie in Terpentinöl, können sie sogar die Hand in Erschütterung versetzen und schwere metallische Körper herumführen[1]); und doch sehe ich nicht, dass die Kraft in ihrer Natur oder Wirkung irgend verschieden sei von der, durch welche ein Wasserstofftheilchen sich von einem Sauerstofftheilchen trennt, um zu einem anderen zu gehen, oder durch welche ein Sauerstofftheilchen in der entgegengesetzten Richtung wandert.

1623. Lufttheilchen können bei ihrer Wanderung ebenso gut chemische Veränderungen bewirken als der Contact einer fixen Platinelektrode oder der einer verbindungsfähigen Elektrode, oder die Jonen eines in Zersetzung begriffenen Elektrolyts (453, 471); und bei dem früher beschriebenen Ver-

---

[1]) Wenn man ein isolirtes, drei bis vier Zoll hohes Metallgefäss mit Terpentinöl elektrisirt und eine am Ende eines Stabes sitzende Kugel (von einem Zoll Durchmesser oder darüber) in die Flüssigkeit taucht, während man den Stab in der Hand hält, so wird man, wenn man die Kugel hin und her führt, bald die hervorgerufene mechanische Kraft verspüren.

suche, wo acht Zersetzungsstellen durch Einen Strom in Thätigkeit gebracht wurden (469), und wo die in Bewegung begriffenen geladenen Lufttheilchen die einzigen elektrischen Mittel zur Verkettung dieser Theile des Stromes bildeten, scheint mir die Action der Theilchen des Elektrolyts und der Luft wesentlich dieselbe zu sein. Ein positiv gemachtes Lufttheilchen wanderte in einer bestimmten Richtung, traf auf einen Elektrolyt und theilte ihm seine Kräfte mit; demgemäss erlangte ein anderes Theilchen (der Wasserstoff) einen gleichen Betrag an positiver Kraft und wanderte mit dieser Ladung, wie es das erstere that, und in derselben Richtung, bis es auf ein anderes Theilchen traf, auf dieses seine Kraft und Bewegung übertrug und es so activ machte. Obwohl nun das Lufttheilchen einen sichtbaren und gelegentlich grossen Raum durchwanderte, während das Theilchen des Elektrolyts sich durch einen ausserordentlich kleinen Raum bewegte; obwohl an Stelle des Lufttheilchens Sauerstoff, Stickstoff oder Wasserstoff treten könnte und es seine Ladung von einer sehr intensiven Kraft empfängt, während das elektrolytische Wasserstofftheilchen eine natürliche Fähigkeit besitzt, den positiven Zustand mit äusserster Leichtigkeit anzunehmen; obwohl das Lufttheilchen durch den einen Process mit sehr wenig Elektricität von sehr hoher Intensität, während das Wasserstofftheilchen durch den anderen Process mit viel Elektricität von sehr niedriger Intensität geladen sein könnte, so sind dies doch hinsichtlich der schliesslichen Entladungswirkung dieser Theilchen keine qualitativen, sondern nur graduelle Unterschiede, nicht wesentliche Verschiedenheiten, welche die Dinge ungleich machen, sondern solche, welche den ihrer Natur nach ähnlichen Dingen jene grosse Mannigfaltigkeit verleihen, durch welche sie für ihre Rolle im System des Universums geschickt gemacht werden.

1624. Wenn demnach ein Luft- oder Staubtheilchen, an einer negativen Spitze elektrisirt, unter dem Einflusse der Inductionskräfte (1572) zur nächsten positiven Fläche wandert und nach der Entladung sich entfernt, so scheint mir dies genau derselbe Vorgang zu sein, wie wenn ein in dem Elektrolyt negativ gewordenes Sauerstofftheilchen durch dieselbe Disposition der Inductionskräfte fortgedrängt wird, zur positiven Platinelektrode wandert, hier entladen wird und sich dann fortbegiebt, wie es vorher die Luft oder der Staub that.

1625. Eine andere directe Wirkung des *Stromes* auf Substanzen, in denen er existirt, ist die *Wärme*, und es entsteht die für die Beziehung der Kraft der Elektricität und der Wärme sehr wichtige Frage, ob der Betrag der letzteren immer ein fest bestimmter sei.[1]) Es giebt selbst unter Körpern, welche, ohne eine Veränderung zu erfahren, leiten, viele Fälle, die gegenwärtig mit einer solchen Annahme unvereinbar sind[2]), aber

---

[1]) Siehe De la Rive's Untersuchungen, Bibl. Universelle, 1829, XL, p. 40.
[2]) Unter Anderen, Davy, Philosophical Transactions, 1821, p. 438. Peltier's

es giebt auch viele, welche zeigen, dass innerhalb gehöriger Grenzen die erzeugte Wärmemenge eine fest bestimmte ist. Harris hat dies für eine gegebene Länge eines Stromes gewöhnlicher Elektricität in einem Metalldraht gezeigt,[1]) und De la Rive hat dasselbe für Volta'sche Elektricität bewiesen, wobei er eine schöne Anwendung von Breguet's Thermometer machte.[2])

1626. Zieht man die Wärmeproduction in Elektrolyten, die in Zersetzung begriffen sind, in Betracht, so findet man die Resultate noch complicirter. In der Erforschung dieses Gegenstandes sind indess von De la Rive[3]) und Anderen wichtige Schritte geschehen, und es ist mehr als wahrscheinlich, dass man innerhalb gehöriger Grenzen auch hier constante und bestimmte Resultate erhalten wird.

1627. Ein höchst wichtiges und mit seiner wahren Natur wesentlich zusammenhängendes Moment im Charakter des Stromes besteht darin, dass er immer derselbe ist. Ueberall sind die beiden Kräfte in ihm enthalten. Niemals besteht der Strom aus nur einer Kraft oder einem Fluidum ausschliesslich. Alle Theile des Stromes können hinsichtlich der Gegenwart beider Kräfte als genau gleich betrachtet werden, und die zahlreichen Versuche, welche angeblich die Möglichkeit ihrer Trennung darthun, sind, glaube ich, ebenso wie die täglich gebrauchten theoretischen Ausdrücke, welche dies voraussetzen, in Widerspruch mit den Thatsachen (511 etc.). Es erscheint mir ebenso unmöglich, einen Strom von einer positiven oder einer negativen Kraft ausschliesslich, oder von beiden zugleich, aber mit Ueberwiegung der einen über die andere anzunehmen, als es unmöglich ist, der Materie eine absolute Ladung zu ertheilen (516, 1169, 1177).

1628. Die Constatirung dieser Wahrheit, wenn es, wie ich glaube, eine Wahrheit ist, oder auf der anderen Seite der Beweis des Gegentheils ist von der grössten Bedeutung. Wenn wir als ein erstes Princip aufstellen dürfen, dass die Centra beider Kräfte oder Kraftelemente sich niemals um eine merkliche Entfernung von einander trennen lassen, oder unter allen Umständen nicht weiter als um den Abstand zwischen zwei an einander grenzenden Theilchen (1615), oder wenn wir das Gegentheil feststellen können, — wie viel klarer wird unsere Ansicht von dem vor uns liegenden Ziele sein und wie viel weniger verwirrend der Boden, den wir zur Erreichung desselben zu durchschreiten haben, als wenn wir zwischen zwei Meinungen schwankend bleiben! Und wenn wir von einer

---

wichtige Resultate, Annales de Chimie, 1834, LVI, p. 371, und Becquerel's keine Wärme erzeugender Strom, Bibl. Univ. 1835, LX, 218.

[1]) Philosophical Transactions, 1824, pp. 225, 228.

[2]) Annales de Chimie, 1836, LXII, 177.

[3]) Bibl. Universelle, 1829, XL, 49, und Ritchie, Phil. Trans. 1832, p. 296.

solchen Vorstellung aus jeden auf diesen Punkt abzielenden Versuch, so weit wir es ohne Voreingenommenheit irgend vermögen (1161), streng prüfen, anstatt mit einer theoretischen Worterklärung zu leicht darüber hinwegzugehen, — haben wir da nicht weit mehr Wahrscheinlichkeit für uns, zu der echten Wahrheit zu gelangen und von da mit Sicherheit zu dem uns bis jetzt Unbekannten fortzuschreiten?

1629. Ich sage dies nicht, weil ich hoffe, eine bestimmte Ansicht zu fördern, sondern um nachdrücklich die Aufmerksamkeit derer, welche zur Untersuchung und Beurtheilung dieses Gegenstandes befähigt sind, zu dem hinzulenken, was ein Wendepunkt in der Theorie der Elektricität sein muss, zu einer Scheidung zweier Wege, von denen nur einer der rechte sein kann, und es wird mir, hoffe ich, erlaubt sein, etwas weiter auf die Thatsachen einzugehen, welche mich zu der eben dargelegten Ansicht hingedrängt haben.

1630. Wenn ein Draht in einem Volta'schen Stromkreise sich erwärmt, so steigt die Temperatur häufig zuerst oder zumeist an einem Ende. Wenn dieser Effect in irgend einer besonderen Beziehung stände zu dem Positiven oder Negativen des Stromes, so wäre dies ungemein wichtig. Ich untersuchte deshalb einige solcher Fälle; allein ich fand, dass, wenn die Contacte des Drahtes und seine Lage zu den benachbarten Gegenständen ungeändert gelassen wurden, der Effect bei einer Umkehrung der Stromrichtung ungeändert blieb, ein Beweis, dass derselbe nicht von der Richtung des Stromes, sondern von anderen Umständen abhing. Wir haben also keinerlei Beweis von einem Unterschiede zwischen verschiedenen Theilen der Kette.

1631. Derselbe Punkt, d. h. die Gleichheit aller Theile, lässt sich auch durch das illustriren, was, wenn der Strom irgend eine besondere Wirkung hervorbringt, als seine unerschöpfliche Natur betrachtet werden kann; denn diese Wirkungen hängen nur von Uebertragung ab und zehren die Kraft nicht auf. So kann ein Strom, der einen Zoll Platindraht erwärmt, auch hundert Zoll erwärmen (853, Anmerkung). Ein constant erhaltener Strom kann die Flüssigkeit in einem einzigen Voltameter oder in zwanzig anderen, die in den Kreis eingeschaltet werden, zersetzen und in jedem zu demselben Betrage, wie in einem einzigen.

1632. In Fällen von disruptiver Entladung, wie in Funken, giebt es ferner häufig eine dunkle Stelle (1422), die Johnson den neutralen Punkt genannt hat[1]), und dies hat den Gebrauch von Ausdrücken veranlasst, welche andeuten, dass darin beide Elektricitäten getrennt existiren, die, zu jener Stelle gehend, sich hier vereinigen und gegenseitig neutralisiren.[2]) Versteht man jedoch derartige Ausdrücke so, als bewegte sich wirklich

---

1) Silliman's Journal, 1834, XXV, p. 57.

2) Thomson, Ueber Wärme und Elektricität, p. 471.

zwischen der positiven Kugel und jener Stelle nur die positive Elektricität, und zwischen der negativen Kugel und jener Stelle nur die negative Elektricität, in welchen sonderbaren Zuständen müssen sich dann diese Theile befinden, — Zustände, die meiner Vorstellung nach von den wirklich vorkommenden durchaus abweichen. In diesem Falle würde ein Theil des Stromes nur aus positiver Elektricität bestehen, die sich in der einen Richtung bewegte, ein anderer Theil nur aus negativer, die sich in der umgekehrten Richtung bewegte, und ein dritter Theil bestände in einer Ansammlung beider Elektricitäten, die sich in keiner der beiden Richtungen bewegten, sondern mit einander vermischten, und sie ständen in einer Beziehung zu einander, die gänzlich verschieden wäre von irgend einer, die man in den beiden ersteren Theilen der Entladung annehmen könnte. Dies scheint mir nicht naturgemäss zu sein. Denn in einem Strome wird, in welcher Form auch die Entladung auftrete oder welchen Theil der Kette oder des Stromes man auch betrachte, ebenso viel positive Kraft in der einen Richtung als negative in der anderen Richtung ausgeübt. Wäre es nicht so, so würden wir Körper haben, die nicht bloss positiv und negativ elektrisirt wären, sondern zuweilen in ganz ungewöhnlicher Weise, so dass der eine eine fünf-, zehn- oder zwanzigmal so grosse Ladung positiver und negativer Elektricität hätte als der andere. Bis jetzt ist jedoch keine solche Zustände aufweisende Thatsache bekannt.

1633. Selbst in Fällen von Convection oder Entladung durch Fortführung muss der Satz, dass der Strom überall derselbe ist, thatsächlich richtig sein (1627), denn wie könnten sonst die früher beschriebenen Resultate eintreten? Als Luftströme die Entladung zwischen zwei mit Jodkalium oder Natriumsulphat befeuchteten Papierstücken vermittelten (465, 469), erfolgte Zersetzung, und ich habe seitdem festgestellt, dass die Abscheidung des Jods oder der Säure dieselbe blieb, gleichviel ob ein Strom positiver Luft von einer Stelle ausging oder ein Strom negativer Luft zu ihr hin ging, während die umgekehrten Ströme Ausscheidung von Alkali veranlassten. So war auch bei den magnetischen Versuchen (307), gleichviel ob die Entladung durch Einschaltung eines Drahtes oder das Auftreten eines Funkens oder den Durchgang von Convectionsströmen in der einen oder anderen (von dem elektrischen Zustande der Theilchen abhängigen) Richtung erfolgte, das Resultat dasselbe und in allen Fällen bedingt von dem ganzen Strome.

1634. Der Querschnitt eines Stromes, verglichen mit anderen Querschnitten desselben Stromes, muss also eine constante Grösse sein, wenn die ausgeübten Wirkungen von derselben Art sind; oder wenn sie verschiedener Art sind, dann sind die Formen, unter denen die Wirkungen auftreten, einander äquivalent und lassen sich experimentell nach Belieben in einander umwandeln. Es sind also die Querschnitte, in denen wir die Identität der elektrischen Kraft zu suchen haben, in den Querschnitten von Funken und Fortführungserscheinungen eben so gut wie in denen von Drähten und Elektrolyten.

1635. Um die Nützlichkeit und Wichtigkeit der Feststellung dessen, was das wahre Princip sein mag, zu erläutern, will ich einige Fälle anführen. Die Lehre von der Unipolarität, wie sie früher aufgestellt und, ich glaube, allgemein verstanden wurde[1]), ist offenbar unverträglich mit meiner Ansicht vom Strom (1627), und die späteren von Erman und Anderen[2]) beschriebenen eigenartigen Phänomene an Polen und Flammen sind es gleichfalls. Gäbe es unipolare Körper, d. h. solche, die nur die eine und nicht die andere Elektricität leiten könnten, welche ganz neuen Charaktere wären wir dann berechtigt in den sie durchsetzenden Strömen von nur einer Elektricität zu erwarten, und wie sehr müssten diese abweichen, nicht bloss von dem gewöhnlichen Strome, in welchem man beide Elektricitäten in gleicher Menge und gleichzeitig in entgegengesetzten Richtungen sich bewegend annimmt, sondern auch von einander! Die hervorragenden Thatsachen sind jedoch nach und nach von Becquerel[3]), Andrews[4]) und Anderen richtiger erklärt worden, und wie ich erfahre, hat Ohm[5]) in seiner genauen Untersuchung all der Erscheinungen das Werk vollendet; nachdem er gezeigt hat, dass ähnliche Erscheinungen bei guten Leitern stattfinden können, wies er nach, dass bei Seife u. s. w. viele der Vorgänge blosse Folgen der durch elektrolytische Action abgeschiedenen Körper sind.

1636. Ich schliesse daher, dass die *Thatsachen,* auf welche die Lehre von der Unipolarität sich gründete, nicht im Widerspruch stehen mit der Einheit und Untheilbarkeit des Charakters, welchen ich für den Strom in Anspruch nehme, eben so wenig als die Erscheinungen der Säule selbst (welche wohl einen Vergleich mit denen der unipolaren Körper aushalten) ihm entgegen sind. Wahrscheinlich stehen die Erscheinungen, welche man

---

1) Erman, Annales de Chimie, 1807, LXI, p. 115. Davy's Elements, p. 168. Biot, Encyclop. Britann., Suppl. IV, p. 444. Becquerel, Traité, I, p. 167. De la Rive, Bibl. Univ. 1837, VII, 392.

2) Erman, Annales de Chimie, 1824, XXV, 278. Becquerel, Ibid. XXVI, p. 329.

3) Becquerel, Annales de Chimie, 1831, XLVI, p. 283.

4) Andrews, Philosophical Magazine, 1836, IX, 182.

5) Schweigger's Jahrbuch der Chemie etc., 1830. Heft 8. Da ich des Deutschen nicht mächtig bin, so sind mir, wie ich mit grösstem Bedauern bekenne, die meisten in dieser Sprache veröffentlichten, sehr schätzbaren Abhandlungen über Experimental-Elektricität unzugänglich, und ich kann ihnen nicht gerecht werden. Ich ergreife auch diese Gelegenheit, um noch einen Umstand anzuführen, der mich sehr beunruhigt und, wie ich erfahre, mich rücksichtslos gegen Anderer Arbeiten erscheinen lässt, dass nämlich seit einigen Jahren mein Gedächtniss schwächer wird. Es geschieht nun oft, dass ich mich beim Lesen einer Arbeit entsinne, sie schon früher gesehen zu haben, und ich hätte mich gefreut, wenn ich mich ihrer zur rechten Zeit erinnert und sie im Fortgang meiner eigenen Arbeiten hätte erwähnen können. — M. F.

als Fälle von Unipolarität bezeichnet hat, und die bereits erwähnten besonderen Verschiedenheiten der positiven und negativen Oberfläche bei Entladungen in Luft, Gasen oder anderen Dielektricis (1480, 1525) in enger Relation zu einander.[1])

1637. De la Rive hat neuerdings eine eigenthümliche und merkwürdige Wirkung der Wärme auf einen zwischen Elektroden und einer Flüssigkeit circulirenden Strom beschrieben.[2]) Dieselbe besteht darin, dass, wenn Platinelektroden in angesäuertes Wasser tauchen, durch Erwärmung oder Abkühlung der positiven Elektrode keine Aenderung in dem durchgehenden Strome hervorgebracht wird, während bei Erwärmung der negativen Elektrode die durch den Strom bewirkte Ablenkung des Galvanometers von 12^0 auf 30^0, ja auf 45^0 stieg, und die Abkühlung in demselben bedeutenden Maasse den Strom schwächte.

1638. Dass die eine Elektrode eine so auffallende Beziehung zur Wärme haben, die andere dagegen hiervon ganz ausgeschlossen sein sollte, schien mir mit meiner Auffassung von dem Wesen des Stromes ebenso unverträglich als die Unipolarität (1627, 1635), und ich konnte daher den Versuch nicht ohne einige Besorgniss wiederholen. Ich wandte Elektroden aus Platin an und als Elektrolyt Wasser, das etwa ein sechstel seines Gewichtes Schwefelsäure enthielt; die Volta'sche Batterie bestand aus zwei Plattenpaaren von amalgamirtem Zink und Platin in verdünnter Schwefelsäure, und das in die Kette eingeschaltete Galvanometer hatte zwei Nadeln und gab bei Schliessung derselben eine Ablenkung von 10^0 bis 12^0.

1639. Unter diesen Umständen hatte die Erwärmung einer der beiden Elektroden eine Verstärkung des Stromes und die Erwärmung beider Elektroden eine noch grössere Wirkung zur Folge. Wenn nach Erwärmung beider die eine abgekühlt wurde, so nahm die Stromstärke im Verhältniss ab. Das Verhältniss der Wirkung, je nachdem diese oder jene Elektrode erwärmt wurde, war verschieden, aber im Ganzen schien Erwärmung der negativen Elektrode den Durchgang des Stromes etwas mehr zu begünstigen als Erwärmung der positiven. Es war gleichgiltig, ob die Erwärmung durch eine Flamme von unten, oder mittelst eines Löthrohres von oben, oder durch ein heisses Eisen oder glühende Kohlen erfolgte.

1640. Nachdem ich so die meiner Ansicht über den Strom entgegenstehende Schwierigkeit aus dem Wege geräumt hatte, verfolgte ich das seltsame Experiment nicht weiter. Wahrscheinlich rührt die Differenz zwischen meinen und De la Rive's Resultaten von der Verschiedenheit der benutzten Stromstärken her; denn ich wandte nur einen schwachen Strom von zwei zwei Zoll langen und einen halben Zoll breiten Platten-

---

[1]) Siehe auch Hare in Silliman's Journal, 1833, XXIV, 246.
[2]) Bibliothèque Universelle, 1837, VII, 388.

paaren an, während De la Rive vier Plattenpaare von sechzehn Quadratzoll Oberfläche benutzte.

1641. Elektrische Entladungen in der Atmosphäre in Form von Feuerkugeln sind hin und wieder beschrieben worden. Derartige Phänomene erscheinen mir unverträglich mit Allem, was wir über Elektricität und ihre Entladungsweisen wissen. Da *Zeit* beim Entladungsvorgang (1418, 1436) eine wesentliche Rolle spielt, so ist es am Ende möglich, dass eine elektrische Entladung wirklich als eine Kugel von Ort zu Ort geht; allein da Alles darauf hinweist, dass ihre Geschwindigkeit fast unendlich gross, ihre Dauer also ausserordentlich klein ist, so ist es unmöglich, dass das Auge sie anders denn als eine Lichtlinie auffassen könnte. Feuerkugeln mögen in der Atmosphäre erscheinen, ich will es nicht leugnen, dass sie aber irgend etwas mit der Entladung gewöhnlicher Elektricität zu thun haben oder irgendwie mit Blitzen oder atmosphärischer Elektricität in Zusammenhang stehen, ist mehr als zweifelhaft.*)

1642. Alle diese und viele andere Betrachtungen bekräftigen den wieder und wieder gezogenen Schluss, dass der Strom ein untheilbares Ding ist; eine Kraftaxe, in welcher überall beide elektrische Kräfte in gleichem Betrage vorhanden sind[1]) (517, 1627). Mit der Leitung und Elektrolysirung und selbst mit der Funkenentladung wird diese Ansicht ohne Schaden für irgend eine unserer vorgefassten Meinungen in Einklang stehen; allein hinsichtlich der Convection tritt ein überraschenderes Resultat auf, welches daher in Betrachtung gezogen werden muss.

1643. Wenn zwei Kugeln A und B entgegengesetzt elektrisirt und innerhalb des Bereiches ihrer gegenseitigen Influenzirung gehalten werden, so entsteht im Moment, da sie gegen einander bewegt werden, ein Strom oder jener Vorgang, den wir darunter verstehen. Gleichviel, ob A gegen B, oder B in umgekehrter Richtung gegen A sich bewegt, so entsteht ein Strom, der in beiden Fällen dieselbe *Richtung* hat. Entfernen sich A und B von einander, so tritt ein *Strom* oder ein entsprechender Vorgang in entgegengesetzter Richtung auf.

1644. Da nun Ladung nur durch Induction existirt (1178, 1299), und ein elektrisirter Körper nothwendig in Beziehung steht zu anderen in entgegengesetztem Zustande befindlichen Körpern, so werden auch, wenn man eine Kugel in der Mitte eines Zimmers positiv elektrisirt und darauf

---

*) Planté hat die Feuerkugeln, deren Vorkommen in der Atmosphäre wohl nicht zweifelhaft ist, künstlich nachgeahmt. Compt. rend. 1884. Tom. XCIX, p. 273. D. Ü.

[1]) Ich freue mich, hier auf die von Christie mit Magnetoelektricität erhaltenen Resultate verweisen zu können, Philosophical Transactions, 1833, p. 113, Note. In Betreff des Stromes in einem Drahte bestätigen sie Alles, wofür ich eintrete.

in irgend einer Richtung bewegt, Wirkungen hervorgebracht, wie wenn ein *Strom* in derselben Richtung (um die übliche Ausdrucksweise zu gebrauchen) existirt hätte; oder wenn man die Kugel negativ elektrisirt und darauf bewegt, so werden Wirkungen auftreten, wie wenn ein Strom in einer der Bewegung entgegengesetzten Richtung hervorgerufen worden wäre.

1645. Von einem einzelnen Theilchen oder von zweien gilt dasselbe, was ich früher von vielen gesagt habe (1633). Wenn die frühere Erklärung von Strömen richtig ist, so muss das eben Angegebene ein nothwendiges Resultat sein. Und wiewohl die Behauptung im ersten Augenblick stutzig machen kann, so muss man doch bedenken, dass nach meiner Inductionstheorie der geladene Leiter oder das geladene Theilchen mit dem im entgegengesetzten Zustande befindlichen entfernten oder das Bereich der Induction begrenzenden Leiter durch alle intermediären Theilchen in Zusammenhang steht (1165, 1295), indem diese genau so polarisirt werden, wie die Theilchen eines starren Elektrolyts zwischen den beiden Elektroden. Hiernach ist der Schluss hinsichtlich der Einheit und Identität des Stromes bei einem Convectionsvorgange, im Verein mit den früheren Fällen, nicht so seltsam als er anfänglich erscheinen mag.

1646. Bei der elektrolytischen Entladung tritt eine sehr merkwürdige Erscheinung auf, die, wie ich glaube, zuerst Porret beobachtet hat, nämlich die Anhäufung einer der Zersetzungswirkung des Stromes unterworfenen Flüssigkeit an einer Seite eines zwischengeschalteten Diaphragma's.[1]) Dies ist ein mechanisches Ergebniss, und da die Flüssigkeit in allen bekannten Fällen von der positiven zur negativen Elektrode geht, so scheint es auf eine Beziehung zu dem Polarisationszustande des Dielektricums, in welchem der Strom existirt, hinzuweisen (1164, 1525). Es ist bisher noch nicht hinlänglich experimentell untersucht, denn nach De la Rive[2]) muss das Wasser hierbei schlecht leiten, wie etwa destillirtes Wasser, und tritt die Erscheinung bei concentrirten Lösungen nicht auf, während Dutrochet[3]) das Gegentheil behauptet und der Meinung ist, dass der Vorgang nicht direct durch den elektrischen Strom bedingt ist.

1647. Becquerel hat die Gründe für und wider die Meinung, dass der Effect in der Hauptsache ein elektrischer sei, in seinem Traité de l'Electricité zusammengestellt.[4]) Wiewohl ich im Augenblick keine entscheidende Thatsache anzuführen vermag, so kann ich doch nicht umhin, die Meinung auszusprechen, dass der Vorgang sowohl der Verbindung als auch der Convection (1623) analog ist, dass er einen Fall von Fortführung

---

1) Annals of Philosophy, 1816, VIII, p. 75. [Die erste derartige Beobachtung ist von Reuss 1809 veröffentlicht worden. D. Ü.]

2) Annales de Chimie, 1835, XXVIII, p. 196.

3) Annales de Chimie, 1832, XLIX, p. 423.

4) Vol. IV, p. 192, 197.

darstellt, bedingt durch die Relation des Diaphragma's und der dasselbe berührenden Flüssigkeit, durch welche zusammen die elektrische Entladung erfolgt, und dass ferner die bereits erwähnte besondere Relation von kleinen und grossen positiven und negativen Flächen (1482, 1503, 1525) die directe Ursache sein mag, dass die Flüssigkeit und das Diaphragma in entgegengesetzten, aber bestimmten Richtungen wandern.*) Becquerel hat einen in dieser Hinsicht sehr werthvollen Versuch mit Thontheilchen gemacht[1]), der wahrscheinlich eine bedeutende Aufklärung darbieten wird.

1648. *So lange* die Ausdrücke *Strom* und *elektrodynamisch* gebraucht werden, um jene Beziehungen der elektrischen Kräfte zu bezeichnen, in denen man ein Fortschreiten beider Fluida oder Effecte annimmt (283), *so lange* wird der Begriff der Geschwindigkeit mit ihnen verknüpft sein, und vielleicht noch mehr gerade bei Annahme der Hypothese von einem Fluidum oder von zwei Fluidis.

1649. Hieraus entsprang das Verlangen, diese Geschwindigkeit entweder direct oder durch einen von derselben abhängigen Vorgang zu messen, und unter den Versuchen, dies genau auszuführen, dürfen insbesondere die von Watson,[2]) 1748, und von Wheatstone,[3]) 1834, genannt werden. Bei den älteren Versuchen ging man von der Annahme aus, dass die Elektricität den Apparat von einem Ende zum anderen durchlaufe, während man bei den späteren Versuchen zuweilen einen Unterschied gemacht zu haben scheint zwischen der Fortpflanzung der Wirkung und der des hypothetischen Fludiums, dessen Theilchen durch ihre Bewegung jene Wirkung hervorbringen sollten.

1650. Elektrolytische Action steht mit dieser Frage in Betreff der Geschwindigkeit des Stromes in einer bemerkenswerthen Beziehung, namentlich im Verein mit der Theorie von einem oder zwei elektrischen Fluidis. Bei ihr findet offenbar mit der Wanderung eines jeden Theilchens des Anions oder Kations zu den nächsten Theilchen des Kations oder Anions eine Kraftübertragung statt, und da der Kraftbetrag ein fest bestimmter ist, so haben wir hierin ein Mittel, die Kraft gleichsam zu localisiren, sie durch das Theilchen zu identificiren und in successive Portionen auszutheilen, was, glaube ich, zu sehr auffallenden Resultaten führt.

---

*) Der Sinn der treu wiedergegebenen Worte des Textes . . . may be the direct cause of the fluid and the diaphragm travelling *in contrary but determinate directions*, ist unklar. Ohne die letzten, gesperrt gedruckten Worte könnte man an den unmittelbar darauf angeführten Versuch von Becquerel denken, wobei im Diaphragma enthaltene lose Thontheilchen fortgeführt wurden, aber in *derselben* Richtung wie die Flüssigkeit. D. Ü.

1) Traité de l'Electricité, I, p. 285.

2) Philosophical Transactions, 1748.

3) Ibid. 1834, p. 583.

1651. Nehmen wir beispielsweise an, dass Wasser durch die Kräfte einer Volta'schen Batterie zersetzt werde. Jedes Wasserstofftheilchen, das sich in der einen, oder jedes Sauerstofftheilchen, das sich in der anderen Richtung bewegt, wird einen gewissen Betrag von elektrischer Kraft, die mit ihm in Form chemischer Verwandtschaft vereinigt ist, mit sich führen (822, 852, 918) durch eine Strecke, die gleich der ist, welche das Theilchen selbst zurückgelegt hat. Mit dieser Fortführung geht eine entsprechende Bewegung der elektrischen Kräfte in allen Theilen des Stromkreises vor sich (1627, 1634) und ihre Wirkungen können, beispielsweise durch die Erwärmung eines Drahtes (853), für jeden noch so entfernten Querschnitt des Stromes berechnet werden. Bildet das Wasser einen Würfel von einem Zoll Seitenlänge, und haben die Elektroden einen Quadratzoll Berührungsfläche und einen Zoll Abstand von einander, so kann man annehmen, dass, während ein Zehntel desselben oder 25,25 Gran zersetzt werden, die Sauerstoff- und Wasserstofftheilchen innerhalb der ganzen Masse ein zehntel Zoll in einander entgegengesetzten Richtungen zurückgelegt haben, d. h., dass zwei Theilchen, die anfänglich mit einander verbunden waren, nach erfolgter Bewegung ein zehntel Zoll von einander abstehen. Andere Bewegungen innerhalb der Flüssigkeit werden dieses Resultat durchaus nicht stören; denn sie haben keine Macht, die elektrische Entladung zu beschleunigen oder zu verzögern, haben in der That nichts mit ihr zu schaffen.

1652. Die Elektricitätsmenge in 25,25 Gran Wasser beträgt nach einer früher von mir vorgenommenen Schätzung der Kraft (861) mehr als 24 Millionen Ladungen einer grossen Leydener Batterie, oder würde einen beliebig langen Draht von $^1/_{104}$ Zoll Durchmesser eine und eine halbe Stunde lang rothglühend erhalten (853). Dieses Resultat, wiewohl es nur ein angenähertes sein soll, habe ich bisher keinen Grund gehabt zu ändern und wird im Allgemeinen durch die Versuche und Resultate von Pouillet bestätigt.[1]) Nach Wheatstone's Versuchen würde sich der Einfluss oder die Wirkung des Stromes 576000 Meilen in der Secunde fortpflanzen.[2]) Wir haben also auf der einen Seite eine ungeheure Kraftmenge, gleich einem höchst zerstörenden Gewittersturme, der in einem Augenblick in 576000 Meilen Entfernung von seinem Ursprungsorte erscheint, und auf der anderen Seite einen ruhigen Effect, zu dessen Hervorbringung das Agens eine und eine halbe Stunde gebraucht hat, um eine Strecke von einem zehntel Zoll zurückzulegen. Und dennoch sind diese Wirkungen, die ja an den Querschnitten eines und desselben Stromes beobachtet werden, einander äquivalent (1634).

---

1) Becquerel, Traité de l'Electricité, V, p. 278,
2) Philosophical Transactions, 1834, p. 589.

1653. Es ist Zeit, dass ich die Aufmerksamkeit auf die lateralen oder transversalen Kräfte des *Stromes* lenke. Die grossen Entdeckungen von Oersted, Arago, Ampère, Davy, De la Rive und Anderen, und der hohe Grad von Einfachheit, welchen dieselben durch Ampère's Theorie gewonnen haben, haben nicht nur eine äusserst rasche Förderung dieses Wissenschaftszweiges bewirkt, sondern demselben auch eine so grosse Berücksichtigung gesichert, dass es nicht nöthig ist, zu dessen Verfolgung anzuspornen. Ich meine natürlich die magnetische Wirkung und deren Beziehungen, und wiewohl sie die einzige bekannte laterale Wirkung des Stromes ist, so hat man doch guten Grund anzunehmen, dass es noch andere giebt, deren Auffindung das eingehende Suchen nach ihnen belohnen dürfte (951).

1654. Die magnetische oder transversale Wirkung des Stromes scheint fast gänzlich unabhängig zu sein von den Veränderungen oder Wirkungsweisen, welche er direct in seinem Laufe darbietet; sie hat daher um so mehr Werth für uns, insofern sie uns eine wichtigere Beziehung der Kraft liefert, als irgend eine andere, die sich mit jeder Entladungsweise ändern würde. Diese Entladung, erfolge sie nun durch Leitung in einem Draht mit unendlich grosser Geschwindigkeit (1652) oder durch Elektrolysirung mit der entsprechenden und ungemein langsamen Bewegung (1651) oder durch Funken oder vielleicht auch durch Convection, bringt eine der Art und Richtung nach stets gleiche transversale, magnetische Wirkung hervor.

1655. Mehrere Forscher haben gezeigt, dass bei *gleichartiger* Entladung der Betrag der lateralen oder magnetischen Kraft ganz constant ist (216, 366, 367, 368, 376). Wenn wir jedoch Entladungen verschiedener Art zu dem wichtigen Zweck vergleichen wollen, um zu ermitteln, ob derselbe Betrag des Stromes in *seinen verschiedenen Formen* denselben Betrag an transversaler Wirkung hervorbringe, so finden wir die Angaben sehr unvollständig. Davy bemerkt, dass der elektrische Strom, wenn er durch eine wässerige Lösung geht, eine Magnetnadel ablenkt[1]), und Ritchie sagt, dass der Strom in dem Elektrolyt ebenso magnetisch ist wie der in einem Metalldraht[2]), und er brachte Wasser um einen Magnet ebenso in Rotation wie ein den Strom leitender Draht rotiren würde.

1656. Disruptive Entladung bringt ihrerseits magnetische Wirkungen hervor. Ein starker Funke, der quer über eine Magnetnadel überspringt, magnetisirt dieselbe ebenso, wie wenn die Elektricität des Funkens durch einen metallischen, in der Entladungslinie befindlichen Draht geleitet worden wäre, und Sir H. Davy hat gezeigt, dass im Vacuum die Entladung einer Volta'schen Batterie von genäherten Magneten eine Einwirkung erleidet und ihr eine Bewegung ertheilt wird.[3])

---

1) Philosophical Transactions, 1821, p. 426.
2) Philosophical Transactions, 1832, p. 294.
3) Ibid. 1821, p. 427.

1657. Sonach stimmen die drei sehr verschiedenen Entladungsformen, Leitung, Elektrolysirung und disruptive Entladung in der Hervorbringung des wichtigen Transversalphänomens des Magnetismus überein. Ob auch Convection oder die Entladung durch Fortführung dasselbe Phänomen hervorruft, ist nicht festgestellt worden, und die wenigen Versuche, die ich bisher anzustellen Zeit hatte, setzen mich nicht in den Stand, die Frage in bejahendem Sinne zu beantworten.

1658. Nachdem ich bei der Betrachtung des Stromes und in dem Bemühen, die Erscheinungen desselben zur Prüfung der Richtigkeit oder Irrigkeit der von mir aufgestellten Inductionstheorie anzuwenden, bis zu diesem Punkte gelangt bin, fühle ich mich gar sehr versucht zu einigen Speculationen über die Seitenwirkung desselben und deren möglichen Zusammenhang mit der Beschaffenheit der gewöhnlichen Inductionslinien in ihrer Querdimension (1165, 1304).[1] Ich habe lange gesucht und suche noch nach einem Effect oder Zustand, welcher für statische Elektricität das wäre, was die magnetische Kraft für strömende Elektricität ist (1411); denn da die Entladungslinien von einem gewissen Transversaleffect begleitet sind, so schien es mir unmöglich, dass die Linien der Spannung oder Inductionswirkung, welche der Entladung nothwendig vorausgeht, nicht auch ihren entsprechenden transversalen Effect oder Zustand haben sollten (951).

1659. Nach der schönen Theorie von Ampère kann die Transversalkraft eines Stromes dargestellt werden durch seine Anziehung eines gleichgerichteten und seine Abstossung eines entgegengesetzt gerichteten Stromes. Lässt sich nun die entsprechende Transversalkraft der statischen Elektricität nicht durch die seitliche Spannung oder Abstossung vorstellen, welche den Linien der Inductionswirkung eigen zu sein scheint (1304)? Wenn ferner ein Strom oder eine Entladung auftritt zwischen zwei Körpern, die vorher in einem Inductionsverhältniss zu einander standen, so werden die Linien der Inductionskraft schwächer und schwinden dahin, und da ihre seitliche repulsive Spannung abnimmt, so ziehen sie sich zusammen und verschwinden zuletzt in der Entladungslinie. Kann dies nicht ein mit den Anziehungen gleichgerichteter Ströme identischer Vorgang sein? d. h. könnte nicht der Uebergang der statischen Elektricität in strömende Elektricität und der der Seitenspannung der Linien der Inductionskraft in eine Seitenanziehung der Linien gleichartiger Entladungen in derselben Beziehung und Abhängigkeit stehen und einander parallel laufen?

1660. Die Inductionserscheinungen zwischen Strömen, welche ich das Glück hatte vor einigen Jahren zu entdecken (6 etc., 1048), können viel-

---

[1]) Siehe weitere Untersuchungen hierüber 1709—1736. — Dec. 1838.

leicht ein Verbindungsglied in der Reihe der Vorgänge bilden. Wenn ein Strom entsteht, so sucht er in aller ihn umgebenden Substanz einen Strom von entgegengesetzter Richtung hervorzurufen, und wenn diese Substanz Leitungsfähigkeit besitzt und sich sonst unter geeigneten Bedingungen befindet, so entsteht ein solcher Strom. Wenn dagegen der ursprüngliche Strom unterbrochen wird, so sucht er rings um sich her einen ihm gleichgerichteten Strom zu erregen, der auch in leitender Substanz unter geeigneter Bedingung wirklich erregt wird.

1661. Obwohl wir nun diese Wirkungen lediglich in demjenigen benachbarten Theile der Materie, welcher Leitungsfähigkeit besitzt, wahrnehmen, so ist es doch eine wahrscheinliche Hypothese, dass auch nicht leitende Materie ihre Beziehungen zu der störenden Ursache habe und eine Einwirkung von ihr erleide, wenngleich wir dieselben bisher noch nicht aufgefunden haben. Wiederholt habe ich gezeigt, dass das Verhalten der Leiter und Nichtleiter nicht der Art, sondern nur dem Grade nach verschieden ist (1334, 1603), und es ist daher aus diesem und anderen Gründen wahrscheinlich, dass das, was auf einen Leiter wirkt, auch auf einen Isolator Wirkung ausübt und vielleicht das hervorbringt, was den Namen des elektrotonischen Zustandes verdient (60, 242, 1114).

1662. Es ist das Gefühl von der Nothwendigkeit eines gewissen seitlichen Zusammenhanges zwischen den Linien der elektrischen Kraft (1114), eines gewissen, bisher unerkannten Verbindungsgliedes in der Kette der Vorgänge, was mich zur Aeusserung dieser Speculationen antreibt. Dasselbe Gefühl hat mich veranlasst, zahlreiche Versuche solcher Art anzuzustellen, dass ich isolirende Dielektrica von verschiedener Inductionscapacität (1270, 1277) so zwischen Magnetpole oder stromführende Drähte brachte, dass sie die magnetischen Kraftlinien kreuzten. Ich habe mit solchen Körpern in Ruhe und in Bewegung experimentirt, jedoch ohne bisher einen von ihnen ausgeübten Einfluss entdecken zu können; allein ich halte die Versuche durchaus nicht für empfindlich genug und beabsichtige, in Kurzem entscheidendere anzustellen.[1])

1663. Ich glaube, die hypothetische Frage lässt sich gegenwärtig folgendermassen formuliren: Können Betrachtungen wie die oben im Allgemeinen ausgesprochenen (1658) die Transversalwirkungen elektrischer Ströme erklären? Stehen zwei solche Ströme bloss durch den Inductionszustand der zwischen ihnen befindlichen materiellen Theilchen in Beziehung zu einander oder sind sie in Relation durch eine höhere Qualität und Bedingung (1654), welche, wie die Schwerkraft, in die Ferne und nicht vermittelst der intermediären Theilchen wirkend, zu ihnen keine Relation hat?

1664. Ist Letzteres der Fall, dann sind, wenn Elektricität auf und in Materie wirkt, ihre directe und Transversalwirkung in ihrem Wesen von

---

1) Siehe weiter unten 1711—1726. — Dec. 1838.

einander verschieden; denn die erstere würde, wenn ich nicht irre, von den an einander stossenden Theilchen abhängen, die letztere nicht. Wie ich früher gesagt habe, kann dies so sein, und ich neige gegenwärtig zu dieser Ansicht; allein, damit die Frage durch und durch erwogen werde, wünsche ich Ueberlegungen anzuregen, warum dem am Ende nicht so ist.

1665. Für die Transversalkraft ist eine Polarität charakteristisch. In der einfachsten Form erscheint sie als Anziehung oder Abstossung, je nachdem die Ströme gleiche oder entgegengesetzte Richtung haben; im Strom und im Magnet nimmt sie die Beschaffenheit von Tangentialkräften an, und in Magneten und deren Theilchen ruft sie Pole hervor. Seitdem meine Versuche mich überzeugt haben, dass die polaren Kräfte der Elektricität, wie bei der Induction und elektrolytischen Action (1298, 1343), lediglich vermittelst der an einander stossenden und dazwischen liegenden polarisirten Theilchen als Wirkungen in die Ferne erscheinen, bin ich zu der Vermuthung geführt, dass *alle polaren Kräfte* in derselben allgemeinen Weise wirken, und die übrigen Arten von Erscheinungen, welche man mit diesem Gegenstande in Verbindung bringen kann, scheinen geeignet zu sein, mich in dieser Vermuthung zu bestärken. So pflanzt sich bei Krystallisationen der Vorgang von Theilchen zu Theilchen fort, und so bildet sich in Essigsäure oder gefrierendem Wasser ein Krystall von einigen Zoll oder gar einigen Fuss Länge in weniger als einer Secunde, aber doch nur nach und nach und durch Kraftübertragung von Theilchen zu Theilchen. Ja, soweit ich mich erinnere, giebt es ausser dem in Rede stehenden, keinen Fall von Polarwirkung oder keinen an einer solchen Theil habenden, wobei der Vorgang nicht vermittelst an einander stossender Theilchen[1]) erfolgte. Dieses Verhalten liegt offenbar in der Natur von Polarkräften, denn die eine Kraft findet entweder die entgegengesetzte in ihrer Nähe vor oder weckt sie und hat demnach keine Gelegenheit, sie in der Ferne zu suchen.

1666. Verlassen wir jedoch diese hypothetischen Vorstellungen über die Natur der Seitenwirkung und kehren zu den directen Wirkungen zurück, so glaube ich, dass die in dieser und den beiden vorhergehenden Abhandlungen untersuchten und erwogenen Erscheinungen die zuerst gefasste Ansicht (1164) zu bestätigen geeignet sind, dass nämlich gewöhnliche Induction und die von ihr bedingten Vorgänge auf einer Wirkung der an einander stossenden, zwischen den geladenen Flächen oder den Theilen, welche gleichsam die Begrenzung des Vorganges bilden, befindlichen Theilchen beruhen. Das grosse Unterscheidungsmerkmal und die Macht der Theorie (wenn sie eine hat) besteht darin, dass sie dem Dielektricum eine wesentliche und specifische Bedeutung beilegt, anstatt es gleichsam als einen bloss

---

[1]) Unter an einander stossenden Theilchen verstehe ich solche, welche einander die nächsten sind, nicht dass *kein* Raum zwischen ihnen liege. Siehe 1616.

zufälligen Umstand oder Repräsentant des Raumes anzusehen, das auf die Erscheinungen nicht mehr Einfluss hat als der Raum, den es einnimmt. Ich besitze noch andere mit gegenwärtiger Theorie zusammenhängende Resultate und Ansichten über die Natur der elektrischen Kräfte und Erregung, und wenn ihr Werth in meinen Augen nicht durch fernere Ueberlegungen sinkt, so werde ich sie sehr bald zu einer neuen Reihe dieser elektrischen Untersuchungen ordnen.

Royal-Institution,
14. Februar 1838.

VIERZEHNTE REIHE.

§ 20. Natur der elektrischen Kraft oder Kräfte. — § 21. Beziehung zwischen den elektrischen und magnetischen Kräften. — § 22. Bemerkung über Elektricitätserregung.

Eingegangen am 21. Juni 1838, — Gelesen am 21. Juni 1838.

§ 20. Natur der elektrischen Kraft oder Kräfte.

1667. Die von mir aufgestellte und in den drei vorhergehenden Reihen der Experimental-Untersuchungen erläuterte Inductionstheorie macht keinerlei neue Annahme über die Natur der elektrischen Kraft oder Kräfte, sondern nur über ihre Vertheilung. Die Wirkungen können auf der Vereinigung eines elektrischen Fluidums mit den materiellen Theilchen beruhen, wie in der Theorie von Franklin, Aepinus, Cavendish und Mossotti, oder auf der Vereinigung zweier elektrischer Fluida, wie in der Theorie von Dufay und Poisson, oder sie brauchen auch auf nichts derartigem zu beruhen, was man füglich als elektrisches Fluidum bezeichnen kann, sondern auf Schwingungen oder anderen Erregungen der Materie, in welcher sie in die Erscheinung treten. Die Theorie ist unabhängig von derartigen Verschiedenheiten in der Ansicht über die Natur der Kräfte; und obwohl sie die wichtige Aufgabe für sich in Anspruch nimmt, festzustellen, *wie* die Kräfte angeordnet sind (wenigstens bei den Inductionserscheinungen), so liefert sie doch, soviel ich sehen kann, nicht einen einzigen Versuch, den man als einen entscheidenden Beweis für die Richtigkeit einer dieser verschiedenen Ansichten betrachten könnte.

1668. Allein die Ermittelung, wie die Kräfte angeordnet sind, die Verfolgung derselben in ihren verschiedenen Relationen zu den materiellen Theilchen, die Feststellung ihrer allgemeinen Gesetze, sowie der specifischen Verschiedenheiten, welche unter der Herrschaft dieser Gesetze vorkommen, ist ebenso wichtig, wenn nicht wichtiger, als zu wissen, ob die Kräfte ihren Sitz in einem Fluidum haben oder nicht; und in der Hoffnung, diese Untersuchung zu fördern, will ich einige weitere theoretische und experimentelle Erörterungen über die Zustände geben, in welche die materiellen Theilchen, meiner Annahme nach, versetzt werden, wenn sie Inductionserscheinungen zeigen.

1669. Die Theorie nimmt an, dass alle *Theilchen* von isolirenden sowohl als auch von leitenden Substanzen, als Ganze, Leiter sind.

1670. Dass sie in ihrem Normalzustande nicht polar sind, es aber unter dem Einfluss benachbarter geladener Theilchen werden können, dass der Polarisationszustand sich in einem Augenblick entwickelt, genau wie in einer aus vielen Theilchen bestehenden isolirten leitenden *Masse.*

1671. Dass die Theilchen, wenn sie polarisirt sind, sich in einem Zwangszustande befinden, aus dem sie in ihren normalen oder natürlichen Zustand zurückzukehren streben.

1672. Dass sie, da sie, als Ganze, Leiter sind, entweder *durch ihre Masse hindurch* oder *polar* leicht geladen werden können.

1673. Dass Theilchen, welche in der Entladungslinie an einander stossen[1]), ihre polaren Kräfte *mehr oder weniger* leicht einander mittheilen oder auf einander übertragen können.

1674. Dass in denen, welche es weniger leicht thun, die polaren Kräfte auf einen höheren Grad steigen müssen, ehe diese Uebertragung oder Mittheilung erfolgt.

1675. Dass die *leichte* Mittheilung der Kräfte zwischen an einander stossenden Theilchen *Leitung*, die *schwierige* Mittheilung *Isolation* bedeutet; dass Leiter und Isolatoren Körper sind, deren Theilchen von Natur die Fähigkeit besitzen, ihre respectiven Kräfte leicht oder schwer mitzutheilen, und dass sie darin gerade so verschieden sind, wie in irgend einer anderen natürlichen Eigenschaft.

1676. Dass gewöhnliche Induction das Resultat der Wirkung einer mit erregter oder freier Elektricität geladenen Substanz auf isolirende Substanz ist, in der sie den entgegengesetzten Zustand in gleichem Betrage hervorzurufen strebt.

1677. Dass dies nur durch Polarisirung der an sie angrenzenden Theilchen geschehen kann, welche für die ihnen zunächst liegenden dieselbe Rolle spielen, wie diese für die ihnen folgenden, und dass auf diese Weise der Vorgang sich von dem elektrisirten Körper zu der nächsten leitenden Masse fortpflanzt, so dass hier die entgegengesetzte Kraft in die Erscheinung tritt, als Folge der Mittheilung, welche zu der Polarisation der Theilchen derselben hinzutritt (1675).

1678. Dass demnach Induction nur durch Isolatoren hindurch stattfinden kann; dass Induction Isolation ist, eben die nothwendige Folge des Zustandes der Theilchen und der Art, wie die Einwirkung der elektrischen Kräfte durch solche isolirende Media übertragen oder durchgelassen wird.

---

1) Siehe die Anmerkung zu 1164. — Dec. 1838.

1679. Man kann die Theilchen eines der Induction ausgesetzten isolirenden Dielektricums vergleichen mit einer Reihe kleiner Magnetnadeln, oder noch richtiger mit einer Reihe kleiner isolirter Leiter. Wenn der Raum rings um eine geladene Kugel erfüllt wäre von einem Gemenge eines isolirenden Dielektricums, wie Terpentinöl oder Luft, und kleiner kugelförmiger Leiter, wie Schrot, in kleinen Abständen von einander, so dass sie isolirt wären, so würde ihr Zustand und ihre Wirkung genau dem gleichen, was ich als den Zustand und die Wirkung der Theilchen des isolirenden Dielektricums selbst ansehe (1337). Wäre die Kugel geladen, so würden alle diese Theilchen polarisirt sein und bei Entladung der Kugel in ihren Normalzustand zurückkehren, um bei abermaliger Ladung der Kugel wiederum polarisirt zu werden. Der mittelst der Induction durch solche Theilchen in einer entfernten leitenden Substanz hervorgerufene Zustand würde dem Betrage nach genau gleich, aber der Art nach entgegengesetzt sein der Kraft der inducirenden Kugel. Es würde hier eine seitliche Ausbreitung der Kraft stattfinden (1224, 1297), da jedes polarisirte Kügelchen sich in einem Wirkungs- oder Spannungsverhältniss zu allen ihm benachbarten befände, genau so wie ein einziger Magnet auf zwei oder mehrere Magnetnadeln, und diese wiederum auf eine noch grössere ihnen folgende Anzahl wirken können. Hieraus würde, wenn der inducirte Körper in einem derartig zusammengesetzten Dielektricum eine nicht isolirte Metallkugel (1219 etc.) oder von anderer geeigneter Gestalt wäre, die Entstehung krummer Linien der Inductionskraft sich ergeben. Solche krummen Linien sind die Folge der von mir angenommenen Anordnung der beiden elektrischen Kräfte, und eben dies, dass die Inductionskraft sich in solchen krummen Linien ausbreiten kann, ist der stärkste Beweis von dem Dasein der beiden Kräfte und dem Polarisationszustande der Theilchen des Dielektricums.

1680. Ich glaube, es ist einleuchtend, dass in dem angegebenen Falle eine Wirkung in die Ferne nur aus einer Wirkung der an einander stossenden leitenden Theilchen hervorgehen kann. Es giebt keinen Grund, warum der inducirende Körper *entfernte* Leiter polarisiren oder beeinflussen und diejenigen, die ihm *nahe* sind, nämlich die Theilchen des Dielektricums unbeeinflusst lassen sollte; einer solchen Voraussetzung widersprechen alle Thatsachen und Versuche mit leitenden Massen oder Theilchen von merklicher Grösse.

1681. Ein auffälliges Merkmal des elektrischen Agens ist seine Begrenzung und Exclusivität, sowie dass die beiden Kräfte immer in genau gleichem Betrage vorhanden sind. Die Kräfte stehen auf zweierlei Weise in Beziehung zu einander, entweder wie in dem natürlichen, normalen Zustande eines ungeladenen isolirten Leiters, oder wie in dem geladenen Zustande, welch' letzterer ein Fall von Induction ist.

1682. Inductionsvorgänge lassen sich leicht so arrangiren, dass die beiden Kräfte, als in ihrer Richtung begrenzt, keine Erscheinungen oder Angaben ausserhalb des benutzten Apparates darbieten. Wenn beispielsweise von einer geladenen Leydener Flasche, deren äussere Belegung die innere ein wenig überragt, ihre Ladungskugel und Stange entfernt wird, so wird dieselbe, so lange ihre Aussenseite zur Erde abgeleitet ist, keine elektrischen Erscheinungen darbieten. Die beiden Kräfte, deren Sitz in den Belegungen oder in den Theilchen des an sie angrenzenden Dielektricums angenommen werden darf, halten in Folge der Induction durch das Glas einander gänzlich fest, und eine an die innere oder äussere Belegung der Flasche angelegte Probekugel (1181) wird kein Anzeichen von Elektricität aufweisen. Wird aber die Flasche isolirt, und die Ladungskugel nebst Stange im ungeladenen Zustande und mittelst eines isolirenden Fadens von weisser Seide wieder an ihre Stelle gebracht, so wird der über die Flasche hervorragende Theil Anzeichen von Elektricität darbieten und die Probekugel laden, und zugleich wird sich die *äussere* Belegung im entgegengesetzten Zustande befinden und auf äussere umgebende Gegenstände inducirend wirken.

1683. Dies sind einfache Folgen der Theorie. So lange die Ladung der inneren Belegung nur durch das Glas hindurch auf die äussere Belegung inducirend wirken konnte, und diese nicht mehr als den der ersteren äquivalenten Betrag der entgegengesetzten Kraft enthielt, konnte an der Flasche keine Induction nach aussen wahrgenommen werden. Sobald aber die innere Belegung durch den Stab und die Kugel vergrössert wurde, so dass sie durch die Luft auf äussere Gegenstände inducirend wirken konnte, musste die Spannung der polarisirten Glasmolecüle in Folge ihres Bestrebens, in den Normalzustand zurückzukehren, ein wenig sinken, und ein Theil der Ladung, der auf die Oberfläche dieses neuen Stückes der Innenbelegung übergeht, musste eine Inductionswirkung durch die Luft auf entfernte Gegenstände ausüben, während zugleich ein Theil der Kraft der äusseren Belegung, der vorher nach innen gerichtet war, nun frei geworden und gezwungen ist, nach aussen durch die Luft inducirend zu wirken; so entsteht übrigens das, was man, meiner Ansicht nach ganz unpassend, zuweilen freie Ladung genannt hat. Eine kleine Leydener Flasche von der Gestalt des sogenannten elektrischen Brunnens wird diesen Vorgang sehr vollständig illustriren.

1684. Die Ausdrücke *freie Ladung* und *gebundene Elektricität* führen daher zu irrigen Vorstellungen, wenn damit eine Verschiedenheit der Art und Weise der Wirkung bezeichnet werden soll. Die Ladung eines isolirten Leiters in der Mitte eines Zimmers steht in derselben Beziehung zu den Wänden dieses Zimmers, wie die Ladung der inneren Belegung einer Leydener Flasche zu der äusseren Belegung derselben Flasche. Die eine ist nicht *freier* oder *gebundener* als die andere, und wenn wir zuweilen Elektricität in die Erscheinung rufen, wo sie sich vorher nicht zeigte, wie auf der Aussenseite einer geladenen Leydener Flasche, wenn wir nach ihrer Isolirung die innere Belegung berühren, so ist dies bloss die Folge davon, dass wir mehr oder weniger von der Inductionskraft aus der einen Richtung in eine andere lenken; denn es wird unter diesen Umständen nicht die geringste Aenderung in dem Charakter oder der Wirkung der Kraft hervorgerufen.

1685. Nachdem ich diese allgemeine theoretische Vorstellung dargelegt habe, will ich nun einige besondere Punkte hinsichtlich der Natur der vorausgesetzten elektrischen Polarität der Theilchen des isolirenden Dielektricums besprechen.

1686. Der Polarisationszustand bei gewöhnlicher Induction kann als ein Zwangszustand aufgefasst werden, aus welchem die Theilchen in ihren Normalzustand zurückzukehren streben. Er lässt sich wahrscheinlich durch Annäherung inducirender und inducirter Körper oder durch andere Umstände auf einen sehr hohen Grad steigern, und die Vorgänge bei der Elektrolysirung (861, 1652, 1706) scheinen darzuthun, dass die Menge des Agens, welches sich so auf einem einzelnen Theilchen anhäufen kann, ungeheuer gross ist. In Zukunft werden wir vielleicht im Stande sein, Corpuscularkräfte, wie die der Schwere, Cohäsion, Elektricität und chemischen Affinität mit einander zu vergleichen und auf diese oder jene Weise aus ihren Wirkungen ihre relativen Aequivalente abzuleiten; gegenwärtig vermögen wir es nicht, allein es scheint kein Grund vorhanden zu sein, zu zweifeln, dass unter ihnen die elektrischen Kräfte, welche zugleich die chemischen Kräfte sind (891, 918), bei weitem die mächtigsten sind.

1687. Ich nehme nicht an, dass die durch Polarisation entwickelten Kräfte auf zwei getrennte, als Pole einer Axe anzusehende Punkte oder Stellen an der Oberfläche eines jeden Theilchens beschränkt sind, sondern dass sie ihren Sitz auf ausgedehnten Stellen dieser Oberfläche haben, wie es der Fall ist auf der Oberfläche eines in den Polarisationszustand versetzten Leiters von beträchtlicher Grösse. Nichtsdestoweniger ist es jedoch sehr wahrscheinlich, dass die Theilchen verschiedener Körper in dieser Hinsicht specifische Verschiedenheiten darbieten, indem die Kräfte, obwohl an Quantität gleich, doch nicht gleich vertheilt sind; auch andere Umstände, wie Gestalt und Qualität, ertheilen jedem eine besondere Polar-Relation. Vielleicht sind es derartige Unterschiede, auf die wir das specifische Verhalten der verschiedenen Dielektrica in Bezug auf Entladung zurückführen dürfen (1394, 1508). So wies die Funken- und Büschelentladung, wie aus der Tabelle in Artikel 1518 der dreizehnten Reihe zu ersehen ist, in Sauerstoff und Stickstoff merkwürdige Verschiedenheiten auf; denn die Erscheinungen in Stickstoff, wenn die kleine negative oder die grosse positive Kugel die inducirende war, entsprachen denen in Sauerstoff, wenn umgekehrt die kleine positive oder die grosse negative Kugel die inducirende war.

1688. In starren Körpern, wie Glas, Schellack, Schwefel u. s. w. scheinen die Theilchen in allen Richtungen polarisirt werden zu können, denn wenn man die Inductionscapacität einer solchen Masse in drei oder mehr Richtungen untersucht (1690), so weist sie keine Verschiedenheit auf. Da nun die Theilchen in der Masse festliegen, und da die Induction durch sie ihre Richtung ändern muss mit einer Aenderung derselben relativ zur Masse so beweist die Constanz des Effectes, dass sie in jeder Richtung elektrisch polarisirt werden können. Dies steht in Einklang mit der bereits geäusserten Ansicht, dass jedes Theilchen als Ganzes leitend ist (1669), und trägt als eine experimentelle Thatsache zur Bestätigung dieser Ansicht bei.

1689. Allein wiewohl Theilchen sich unter dem Einflusse von Kräften, die wahrscheinlich äusserst mächtig sind (1686), in *jeder* Richtung polarisiren können, so folgt doch hieraus nicht, dass nicht jedes Theilchen sich in der einen Richtung in höherem Maasse oder mit grösserer Leichtigkeit zu polarisiren vermag als in einer anderen, oder dass nicht verschiedenartige Theilchen in dieser Hinsicht specifische Verschiedenheit besitzen, wie sie Verschiedenheiten im Leitungsvermögen oder in anderen Eigenschaften aufweisen (1296, 1326, 1395). Ich suchte mit grossem Bemühen nach einem derartigen Verhalten und wählte deshalb zu meinen mit grosser Sorgfalt angestellten Versuchen krystallisirte Körper, da in ihnen alle Theilchen symmetrisch angeordnet und daher am besten geeignet sind, um eine Wirkung aufzuweisen, die von einer Aenderung der Richtung der Kräfte gegen die Richtung der Theilchen, in denen sie entwickelt werden, abhängen könnte. Insbesondere trieben mich die ausgezeichneten elektrischen Eigenschaften solcher Krystalle, wie Turmalin und Boracit, zu dieser Untersuchung an, und ich hoffte auch eine Beziehung zwischen elektrischer Polarität und der der Krystallisation oder gar der Cohäsion selbst (1316) zu entdecken. Meine Versuche haben jedoch zu keinem Zusammenhange der gesuchten Art geführt. Da es mir aber gleich wichtig erscheint, nachzuweisen, dass eine solche Relation nicht existirt, wie das Gegentheil, will ich einige Versuche kurz beschreiben.

1690. Die Versuchsanordnung war folgende. Eine an dem Ende eines horizontalen Messingstabes, der selbst am Ende eines Messingcylinders sass, befestigte Messingkugel von 0,73 Zoll Durchmesser, war mittelst des Cylinders in vollkommene metallische Communication mit einer grossen Leydener Batterie (291) gesetzt, in der Absicht, die Kugel durch ihre Verbindung mit der geladenen Batterie eine halbe Stunde lang in einem fast völlig gleichförmigen elektrischen Zustande zu erhalten. Diese Kugel war die inducirende; die inducirte war die Probekugel des Torsionselektrometers (1229, 1314), und das Dielektricum zwischen ihnen bildete ein Würfel, so aus einem Krystall geschnitten, dass zwei seiner Seiten senkrecht zur optischen Axe und die übrigen vier parallel zu ihr waren. An der dem Befestigungspunkte des Messingstabes gegenüberliegenden Stelle der inducirenden Kugel sass ein Stückchen Schellack, um einen Contact zwischen der Kugel und dem Krystallwürfel zu verhüten. Auch die Probekugel war auf der dem Würfel zugekehrten Seite mit einer Schellackschicht bekleidet; diese Seite war übrigens diejenige, welche, wenn die

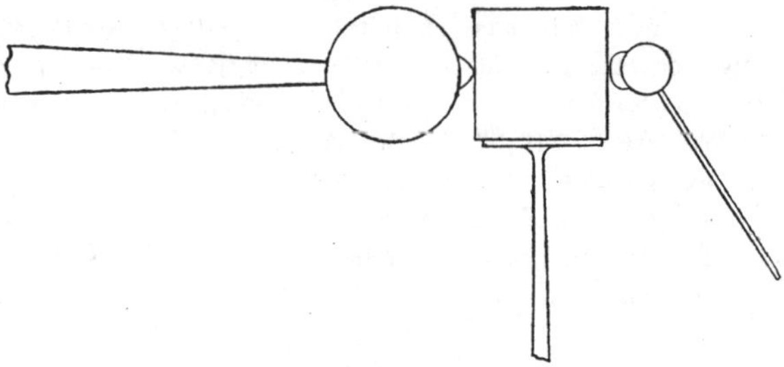

Kugel in das Elektrometer eingesetzt wurde, am weitesten von der abgestossenen Kugel entfernt war. Der Würfel war mit einer dünnen Schicht von Schellack, der in Alkohol gelöst worden war, überzogen, um die Ablagerung der Luftfeuchtigkeit auf seiner Oberfläche zu verhüten. Er lag auf einer kleinen Schellacktafel, die an einer Schellackstange befestigt war; diese war stark genug, um den Würfel zu tragen, und doch in Folge seiner Länge biegsam genug, um als Feder zu wirken und den Würfel in seiner gehörigen Lage gegen den Schellackstift der inducirenden Kugel zu drücken.

1691. So war es leicht, die inducirte Kugel stets auf denselben Abstand von der inducirenden Kugel zu bringen, sie an Ort und Stelle zur Erde abzuleiten, wieder zu isoliren und dann nach Messung der Kraft im Elektrometer (1181) behufs einer zweiten Beobachtung an ihre Stelle der inducirenden Kugel gegenüber zu bringen. Es war auch leicht, durch Drehung des Gestelles, welches den Würfel trug, vier seiner Seiten nach einander der inducirenden Kugel zuzuwenden und so die Kraft zu beobachten für den Fall, dass die Inductionslinien (1304) mit der Richtung der optischen Axe des Krystalls zusammenfielen oder quer zu ihr waren. Gewöhnlich wurden an den vier verticalen Flächen eines Würfels zwanzig bis achtundzwanzig Beobachtungen hinter einander gemacht und so ein Mittelwerth für die Inductionskraft erhalten, der mit ähnlichen, zu anderen Zeiten erlangten Mittelwerthen verglichen wurde; alle Vorsichtsmassregeln waren getroffen, um genaue Resultate zu erlangen.

1692. Zunächst wurde ein Würfel von *Bergkrystall* von 0,7 Zoll Seitenlänge angewandt. Das Mittel aus nicht weniger als 197 Beobachtungen gab die bemerkenswerthe und constante Differenz, dass, wenn man die Zahl 100 für die specifische Inductionscapacität in Richtung der optischen Axe des Würfels annimmt, man 93,59 und 93,31 als Ausdruck derselben für die beiden hierzu senkrechten Richtungen erhält.

1693. Allein ein zweiter Würfel von Bergkrystall von 0,77 Zoll Seitenlänge lieferte keine entsprechenden Resultate. Im Mittel aus vielen Versuchen erhielt ich 100 für die specifische Inductionscapacität in Richtung der optischen Axe, 98,6 und 99,92 für die beiden anderen Richtungen.

1694. Lord Ashley, den ich stets bereit fand, wenn es galt, die Wissenschaft zu fördern, lieh für mich zum Zwecke dieser Untersuchung drei der Herzogin von Sutherland gehörige Kugeln von Bergkrystall. Zwei derselben waren in Folge von Rissen zu diesen Versuchen unbrauchbar (1193, 1698). Die dritte, die viel besser war, lieferte mir keine Anzeichen einer Verschiedenheit der Inductionskraft in verschiedenen Richtungen.

1695. Hierauf wandte ich Würfel von Doppelspat an. Der eine von 0,5 Zoll Durchmesser gab 100 für die Axenrichtung, 98,66 und 95,74 für die beiden hierzu senkrechten Richtungen. Der andere von 0,8 Zoll Seitenlänge gab 100 für die Axenrichtung, 101,73 und 101,86 für die hierzu senkrechten Richtungen.

1696. Ausser diesen Unterschieden zeigten sich andere, die anzuführen ich für unnöthig halte, da der Hauptpunkt sich nicht bestätigt hat. Denn obschon die Versuche mit dem ersten Würfel grosse Erwartungen erregten, so sind sie doch durch die folgenden nicht verallgemeinert worden. Ich hege keinen Zweifel an den mit diesem Würfel erhaltenen Resultaten, allein ich kann sie vorläufig nicht der Krystallisation zuschreiben. Der Würfel enthält einige leicht gefärbte Schichten parallel zur optischen Axe, und es ist möglich, dass die Farbesubstanz einen Einfluss hat; aber die Schichten sind dann auch nahezu parallel einer Querrichtung, und wenn sie überhaupt einen Einfluss ausüben, so mussten sie ihn auch in dieser Richtung zeigen, was sie jedoch nicht thaten.

1697. In einigen Versuchen zeigte die eine Hälfte oder ein Theil des Würfels eine Ueberlegenheit über einen anderen Theil, die ich nicht auf eine von den verschiedenen Theilen aufgenommene Ladung zurückführen konnte. Es ergab sich, dass das Ueberziehen der Würfel mit Firniss jede Mittheilung von Ladung verhinderte, ausgenommen (bei einigen wenigen Versuchen) die eines schwachen negativen Zustandes oder desjenigen, welcher dem der inducirenden Kugel entgegengesetzt war (1564, 1566).

1698. Ich glaube mit Recht sagen zu können, dass, soweit ich sehen konnte, das Isolirungsvermögen der benutzten Würfel vollkommen war, oder wenigstens so nahe vollkommen, dass es einen Vergleich mit Schellack, Glas u. s. w. aushält (1255). Was die Ursache der Verschiedenheiten betrifft, so kann es, abgesehen von der regelmässigen Krystallstructur, deren mehrere geben. So können ganz winzige, dem Auge unwahrnehmbare Risse in dem Krystall so angeordnet sein, dass sie eine merkliche elektrische Differenz hervorbringen (1193). Oder es kann die Krystallisation unregelmässig, oder die Substanz nicht völlig rein sein; und wenn man bedenkt, eine wie geringe Menge einer Substanz im Stande ist, das Leitungsvermögen des Wassers beträchtlich zu ändern, so wird es nicht unwahrscheinlich erscheinen, dass ein wenig durch die ganze Masse des Würfels oder einen Theil desselben zerstreute fremdartige Substanz hinreichen kann, um alle beobachteten Unregelmässigkeiten des Resultates zu erklären.

1699. Eine wichtige Frage in Betreff der elektrischen Polarität der Theilchen eines isolirenden Dielektricums ist die, ob es die Molecüle der betreffenden Substanz oder deren letzte Bestandtheile seien, welche die Rolle von isolirten leitenden sich polarisirenden Theilchen spielen (1669).

1700. Ich bin zu dem Schluss gelangt, dass es die Molecüle der Substanz sind, welche sich als solche polarisiren (1347), und dass, wie complicirt auch die Zusammensetzung eines Körpers sein mag, alle jene Partikelchen oder Atome, welche, durch chemische Affinität zusammengehalten, ein Molecül desselben bilden, beim Auftreten von Inductionserscheinungen und Polarisation in ihm zusammen als eine leitende Masse oder ein leitendes Theilchen wirken.

1701. Dieser Schluss gründet sich auf mehrere Ueberlegungen. So finden wir, was das Isolations- und Leitungsvermögen der als Dielektrica angewandten Elemente betrifft, einige unter ihnen, wie Schwefel, Phosphor, Jod, Chlor u. s. w., deren Theilchen isoliren und sich daher in hohem Maasse polarisiren, während andere, wie die Metalle, diese Fähigkeit kaum in merklichem Grade verrathen (1328), deren Theilchen vielmehr ungehindert von einem zum anderen leiten. Dennoch bilden sie in Verbindungen Substanzen, die anscheinend in dieser Hinsicht keine directe Beziehung zu ihren Elementen haben; denn Wasser, Schwefelsäure und dergleichen aus isolirenden Elementen bestehende Verbindungen leiten verhältnissmässig leicht; während Bleioxyd, Flintglas, Bleiborat und andere Metallverbindungen, die sehr erhebliche Antheile von leitender Substanz enthalten, vorzüglich isoliren. Nehmen wir also zum Beispiel Bleioxyd, so meine ich, dass nicht die Theilchen des Sauerstoffs und Bleies sich bei dem Inductionsvorgang für sich polarisiren, sondern dass dies die Molecüle des Bleioxyds thun, indem alle Elemente eines Theilchens des Körpers durch das Band der chemischen Verwandtschaft, welche nur eine andere Form der elektrischen Kraft ist (918), als Theile eines einzigen leitenden Individuums zusammengehalten werden.

1702. Hinsichtlich der Elektrolyte haben wir noch einen weiteren Grund zu der Annahme, dass dies der wirkliche Sachverhalt sei. Wenn beispielsweise Wasser, Zinnchlorür, Jodblei u. s. w. sich in starrem Zustande zwischen den Elektroden der Volta'schen Batterie befinden, so polarisiren sich ihre Theilchen ebenso wie die irgend eines anderen isolirenden Dielektricums (1164); wenn aber diese Substanzen in den flüssigen Zustand gebracht werden, so halbiren sich die polarisirten Theilchen, und jede der beiden Hälften, mit einer hohen Ladung behaftet, wandert fort, bis sie andere Theilchen mit gleich starker aber entgegengesetzter Ladung treffen, mit denen sie sich unter Neutralisation ihrer chemischen, d. i. ihrer elektrischen Kräfte verbinden und so neue zusammengesetzte Theilchen bilden, die sich ebenfalls als solche polarisiren und halbiren können, um der Reihe nach dasselbe Spiel zu wiederholen (1347).

1703. Wiewohl aber elektrolytische Theilchen sich als Ganze polarisiren, so ist es doch offenbar nicht ganz gleichgiltig, *wie* die Theilchen sich polarisiren (1689), da, wenn sie frei beweglich sind (380 etc.), die Vertheilung der Polaritäten schliesslich von den Elementen bedingt ist, und den Polaritäten äquivalente, der Art und Grösse nach ganz bestimmte Kraftmengen sich gleichsam von einander trennen und mit den elementaren Theilchen fortwandern. Und wenngleich ich nicht behaupte zu wissen, was ein Atom sei, oder wie ein solches mit elektrischer Kraft vereinigt oder behaftet, oder wie diese Kraft in Fällen von Verbindung und Zersetzung angeordnet sei, so wird doch, wie ich hoffe, meine tiefe Ueberzeugung von der elektrischen Polarisation der der Induction ausgesetzten Theilchen, und die Stütze, welche eine solche Vorstellung in den allgemeinen Vorgängen der Induction, sei sie gewöhnlicher oder elektrolytischer Art, findet, mir zur Entschuldigung für einige hypothetische Betrachtungen dienen.

1704. Es scheint, dass bei der Elektrolysirung die polarisirten Theilchen (wegen der allmählichen Aenderung, welche die chemischen, d. h. die elektrischen Kräfte ihrer Elemente erleiden (918)), sich eher spalten, als ohne Spaltung sich gegen einander entladen (1348); denn wenn man ihre Spaltung, d. h. ihre Zersetzung und Wiedervereinigung dadurch verhindert, dass man sie in den starren Zustand versetzt, so isoliren sie vielleicht Elektricität von hundertmal grösserer Intensität, als zu ihrer Elektrolysirung nothwendig ist (419, etc.). Hiernach scheint mir zur directen Leitung in solchen Körpern eine weit höhere Spannung nothwendig zu sein als zur Zersetzung (419, 1164, 1344).

1705. Die merkwürdige Hemmung der elektrolytischen Leitung durch Annahme des starren Zustandes (380, 1358) ist durchaus in Einklang mit diesen Ansichten über die Abhängigkeit dieses Processes von der Polarisation, die allen der Induction ausgesetzten Substanzen gemeinsam ist, obschon sie bei Elektrolyten von so eigenthümlichen elektrochemischen Vorgängen begleitet ist. So lässt sich erwarten, dass die erste Wirkung der Induction auf Wasser in einer solchen Polarisation und Anordnung der Theilchen desselben besteht, dass der positive oder Wasserstoff-Pol eines jeden sich von der positiven Elektrode abwendet und der negativen zukehrt, während der negative oder Sauerstoff-Pol sich entgegengesetzt richtet, und dass, wenn der Sauerstoff und Wasserstoff eines Theilchens sich getrennt und zu anderen Wasserstoff- und Sauerstofftheilchen wandernd sich mit ihnen verbunden haben, diese neuen Wassertheilchen nur durch eine Drehung die zu ihrer erfolgreichen elektrolytischen Polarisation erforderliche Lage annehmen können. Die Erstarrung hindert nun dadurch, dass sie die Wassertheilchen festhält und verhindert, jene vor Allem nothwendige Stellung anzunehmen, auch ihre Elektrolysirung (413), und da auf solche Weise die Kraftübertragung gehemmt ist (1347, 1703), so spielt die Substanz die Rolle eines gewöhnlichen isolirenden Dielektricums (denn aus früheren Versuchen geht hervor (419, 1704), dass die Isolationsspannung höher ist, als die elektrolytische Spannung), die durch sie hin erfolgende Induction steigt höher an, und der Polarisationszustand der Molecüle im Ganzen, obgleich von beträchtlicher Spannung, bleibt doch gesichert.

1706. Ich nehme nicht an, dass, wenn Zersetzung in einem flüssigen Elektrolyt erfolgt, alle in demselben Querschnitt befindlichen Molecüle (1634) auf einmal zerfallen und ihre elektrisirten Theilchen oder Elemente ausgeben. Wahrscheinlich häuft sich die *Entladungskraft* in diesem Querschnitt auf einem oder einigen Theilchen an, welche sich zersetzen, fortwandern, wieder verbinden und so das Gleichgewicht der Kräfte wiederherstellen, ganz ähnlich wie bei einer disruptiven Funkenentladung (1406); denn wie jene Molecüle, welche aus Theilchen hervorgehen, auf die eben Kraft übertragen worden ist, durch ihre Lage (1705) sich in weniger günstigen Umständen befinden als andere, so muss es auch einige geben, die sich in der günstigsten Lage befinden, und die, zuerst nachgebend, zur Zeit die Spannung erniedrigen und Entladung bewirken.

1707. In früheren Untersuchungen über die Wirkung der Elektricität (821, etc.) war an mehreren befriedigenden Beispielen gezeigt worden, dass die Menge des fortgeführten elektrischen Agens in einem festen Verhältniss steht zu einer gegebenen Menge Substanz, die sich als Anion oder Kation in der elektrolytischen Wirkungslinie fortbewegt, und es zeigte sich guter Grund zu der Annahme, dass jedes materielle Theilchen darin mit einem fest bestimmten Betrage von elektrischer Kraft behaftet sei, welcher seine chemische Verwandtschaftskraft ausmacht, indem die chemischen und elektrochemischen Aequivalente eins und dasselbe sind (836). Es ergab sich auch mit wenigen Ausnahmen, und ich darf jetzt vielleicht sagen, ausnahmslos (1341), dass bloss solche Verbindungen, welche aus einfachen Proportionen ihrer Elemente bestehen, die Charaktere und Erscheinungen von Elektrolyten darbieten (697); denn Oxyde, Chloride und andere Körper, welche das elektronegative Element in mehr als einer Proportion enthalten, widerstehen der Zersetzung durch den elektrischen Strom.

1708. Für diese Bedingungen und Beschränkungen ergeben sich aus der Moleculartheorie der Induction wahrscheinliche Gründe. Wenn nämlich ein flüssiges Dielektricum, wie Zinnchlorür, aus Molecülen besteht, deren jedes aus je einem einzigen Partikelchen der Elemente zusammengesetzt ist, so kann, da diese bei ihrer Trennung äquivalente entgegengesetzte Kräfte in entgegengesetzter Richtung fortzuführen vermögen, sowohl Zersetzung als Uebertragung erfolgen. Wenn aber die Molecüle, wie im Zinnchlorid, aus einem Theilchen oder Atom des einen Elementes und aus zweien des anderen bestehen, dann ist die vorausgesetzte Einfachheit der Anordnung und Wirkung der Molecüle gestört. Und wiewohl man sich vorstellen kann, dass, wenn die Molecüle des Zinnchlorids, als Ganze, bei der durch sie hin erfolgenden Induction polarisirt werden, die positive Polarkraft sich an dem einen Zinntheilchen, die negative Polarkraft dagegen sich an den beiden mit ihm verbundenen Chlortheilchen anhäuft, und dass diese respective nach rechts und links wandern, um sich mit anderen zwei Chlortheilchen und einem Zinntheilchen zu vereinigen, analog dem Vorgang bei Verbindungen, die aus einfachen Proportionen bestehen, so ist das doch nicht ganz so einleuchtend oder wahrscheinlich. Denn wenn ein Zinntheilchen sich mit zwei Chlortheilchen verbindet, so ist es schwer zu denken, dass in dem gebildeten Molecül nicht eine der festen Lage analoge Relation der drei Theilchen bestehen sollte, indem etwa das eine Metalltheilchen symmetrisch gegen die beiden Chlortheilchen läge; es ist aber nicht schwer einzusehen, dass solche Theilchen nicht die von ihrer Polarität sowohl als auch von der Relation ihrer Elemente abhängige Lage einnehmen könnten, die das erste Stadium in dem Process der Elektrolysirung zu sein scheint (1345, 1705).

§ 21. *Beziehung zwischen den elektrischen und magnetischen Kräften.*

1709. Ich habe mir bereits einige speculative Betrachtungen gestattet über die wahrscheinliche Beziehung des Magnetismus, als Transversalkraft des Stromes, zu der divergirenden oder transversalen Kraft der Linien der der statischen Elektricität angehörenden Inductionswirkung (1658 etc.).

1710. Bei fernerem Nachdenken über diesen Gegenstand schien es mir von der äussersten Wichtigkeit zu sein, womöglich zu ermitteln, ob jene Seitenwirkung, die wir Magnetismus oder zuweilen Induction elektrischer Ströme nennen (26, 1048 etc.), sich *durch Mitwirkung intermediärer Theilchen* in die Ferne erstrecke, analog der Induction der statischen Elektricität oder den mannigfaltigen von dieser Induction abhängigen Vorgängen, wie Leitung, Entladung u. s. w., oder ob ihre Wirkung in die Ferne von solchen intermediären Theilchen ganz unabhängig sei (1662).

1711. Ich stellte zwei Drahtspiralen mit Eisenkernen Ende gegen Ende auf, zwischen denen ich einen Zwischenraum von $1^3/_4$ Zoll liess, in welchen ich das Ende oder den Pol eines Stabmagnets brachte. Bei der Bewegung des Magnetpoles von dem einen Kern gegen den anderen musste offenbar in beiden Spiralen ein Strom entstehen; in der einen in Folge der Schwächung, in der anderen in Folge der Verstärkung des in den weichen Eisenkernen inducirten Magnetismus. Die beiden Spiralen waren so mit einander und mit einem Galvanometer verbunden, dass die beiden Ströme gleiche Richtung haben und demnach mit vereinter Kraft die Galvanometernadel ablenken mussten. Die ganze Vorrichtung war so wirksam und empfindlich, dass es hinreichte, den Magnetpol ungefähr um ein achtel Zoll zwei- bis dreimal in Perioden, die den Schwingungen der Galvanometernadel entsprachen, hin und her zu bewegen, um beträchtliche Ausschläge der letzteren zu erhalten; so liess sich der Erfolg der Verstärkung des einen Kernes mit seiner Spirale und der Schwächung des anderen durch den Magnet leicht nachweisen.

1712. Hierauf wurden, ohne die Abstände des Magnets von den Kernen, die mit A und B bezeichnet werden mögen, zu ändern, Platten aus verschiedenen Substanzen dazwischen geschoben. So zwar z. B. zwischen dem Magnetpol und A während der Dauer der Bewegung der Nadel in der einen Richtung eine Schellackplatte eingeschoben, die bei der Rückkehr der Nadel fortgezogen wurde, wiederum für eine gleich lange Zeit dazwischen gestellt blieb, um alsdann abermals fortgezogen zu werden, und dies neun- bis zehnmal wiederholt; allein es liess sich nicht der geringste Einfluss auf die Nadel wahrnehmen. In anderen Fällen wurde die Platte abwechselnd während einer Periode zwischen dem Magnet und A, während einer zweiten zwischen dem Magnet und B und während einer dritten wiederum an ihrem früheren Orte gehalten, und so weiter, jedoch ohne dass eine Einwirkung auf die Nadel stattfand.

1713. Zu diesen erfolglosen Versuchen wurden angewandt, *Schellack* in Platten von 0,9 Zoll Dicke, *Schwefel* in einer Platte von gleichfalls 0,9 Zoll Dicke und *Kupfer* in einer Platte von 0,7 Zoll Dicke. Ich schliesse hieraus, dass jene Körper, die hinsichtlich des Isolations- und Leitungsvermögens Extreme bilden und einander so stark entgegengesetzt sind, wie Metalle, Luft und Schwefel, wenigstens unter den beschriebenen Umständen, keine Verschiedenheit in Bezug auf die magnetischen Kräfte zeigen, wenn sie in deren Wirkungslinien gebracht werden.

1714. Dagegen übte eine Platte von Eisen oder selbst ein kleines Stück dieses Metalles, wie ein Nagelkopf, eine deutliche Wirkung aus, und es zeigte sich hierbei, wie empfindlich das Galvanometer, und wie vollkommen die ganze Vorrichtung war.

1715. Ich ordnete die Dinge so an, dass eine 0,2 Zoll dicke und zehn Zoll im Durchmesser haltende Platte von *Kupfer* mit ihrem Rande zwischen dem Magnet und dem Eisenkern sich befand, und liess sie während der den Schwingungen der Nadel entsprechenden Perioden abwechselnd rasch rotiren und wieder stille stehen, jedoch ohne dass die geringste Einwirkung auf die Nadel hervorgebracht worden wäre.

1716. Eine eben so aufgestellte, 0,6 Zoll dicke Schellackplatte übte ebensowenig eine Wirkung aus, mochte sie rotiren oder nicht.

1717. Zuweilen liess ich die Rotationsebene die magnetischen Curven senkrecht, zuweilen so schief als möglich schneiden, änderte auch bei den verschiedenen Versuchen die Rotationsrichtung, aber Alles ohne den geringsten Erfolg.

1718. Ich ersetzte nun die Spiralen mit ihren weichen Eisenkernen durch zwei auf Pappe gewickelte *flache Spiralen* von je zweiundvierzig Fuss mit Seide übersponnenem Kupferdraht, ohne Einschluss von Eisen. Im Uebrigen war die Anordnung der früheren gleich und äusserst empfindlich, denn eine sehr geringe Bewegung des Magnets zwischen den Spiralen hatte einen beträchtlichen Ausschlag der Galvanometernadel zur Folge.

1719. Die Einführung von Platten aus Schellack, Schwefel oder Kupfer zwischen den Magnet und die Spiralen (1713) brachte nicht die geringste Wirkung hervor, die Platten mochten ruhen oder rasch rotiren (1715). Sonach liess sich hier kein Anzeichen von einem Einfluss der intermediären Theilchen erlangen (1710).

1720. Hierauf wurde der Magnet durch eine den beiden früheren entsprechende flache Spirale ersetzt, und alle drei waren einander parallel. Durch die mittlere Spirale konnte nach Belieben ein Volta'scher Strom gesandt werden. Anstatt des früheren Galvanometers wurde eines mit Doppelspulen benutzt, eine der äusseren Spirale mit der einen, die andere mit der anderen Spule so verbunden, dass die durch einen in der mittleren Spirale kreisenden Volta'schen Strom in den äusseren Spiralen erzeugten Inductionsströme (26) entgegengesetzte Richtung in den Galvanometerspulen haben mussten. Durch geringe Abänderung der Abstände konnten diese Inductionsströme genau gleich gemacht werden, so dass die Galvanometernadel, trotzdem dieselben häufig erregt wurden, ruhig blieb. Die mittlere Spirale will ich mit C, die äusseren Spiralen mit A und B bezeichnen.

1721. Zwischen die Spiralen C und B, deren Abstand von einander ungeändert blieb, wurde eine Kupferplatte von 0,7 Zoll Dicke und sechs Quadratzoll Oberfläche gebracht, und ein intermittirender Volta'scher Strom von zwanzig vierzölligen Plattenpaaren durch die Spirale C in solchen Perioden hindurchgesandt, dass eine Einwirkung auf das Galvanometer hätte stattfinden müssen (1712), wenn der Einfluss von C auf A und B irgend verschieden gewesen wäre. Allein trotzdem sich in dem einen Zwischenraum Luft und in dem anderen Kupfer befand, war doch die Inductionswirkung auf die beiden Spiralen genau gleich und so, als ob Luft an beiden Stellen gewesen wäre; und trotz der Leichtigkeit, mit welcher sich in der dicken Kupferplatte Inductionsströme bilden konnten, wurde die Spirale zu ihrer Seite doch von der Spirale C genau so stark beeinflusst, als wenn daselbst kein solcher Leiter wie Kupfer gewesen wäre (65).

1722. Die Ersetzung der Kupferplatte durch eine 0,9 Zoll dicke Platte von Schwefel änderte an dem Resultate nichts, d. h. es fand keine Einwirkung auf das Galvanometer statt.

1723. Es erhellt hieraus, dass, wenn ein Volta'scher Strom in einem Drahte bei seinem Entstehen einen ihm entgegengesetzten, oder bei seinem Verschwinden einen ihm gleichgerichteten Strom in einem benachbarten Drahte inducirt, es nicht den geringsten Unterschied ausmacht, ob der Zwischenraum von isolirenden Körpern, wie Luft, Schwefel und Schellack, oder von Leitern, wie Kupfer und anderen nichtmagnetischen Metalle eingenommen ist.

1724. Ein entsprechendes Resultat ergab sich bei Anwendung der analogen Kräfte eines Magnets. Durch Bewegung eines Magnetpoles in der Nähe einer mit einem Galvanometer verbundenen flachen Spirale (1718) gegen sie hin und von ihr fort, oder durch die Bewegung der Spirale zu dem Magnet hin und von ihm fort wurden Ströme erregt, die sich am Galvanometer zu erkennen gaben.

1725. Als darauf die dicke Kupferplatte (1721) zwischen den Magnetpol und die Spirale eingeschoben, und diese hin und her bewegt wurden, waren die Wirkungen der Richtung und Grösse nach genau dieselben, wie wenn die Kupferplatte nicht vorhanden gewesen wäre. Ebenso wenig zeigte eine in den Zwischenraum eingeschobene Schwefelplatte den geringsten Einfluss auf die durch Bewegung des Magnets oder der Spirale erregten Ströme.

1726. Diese Resultate nebst manchen anderen, deren Beschreibung ich für unnöthig halte, würden zu dem Schluss führen, dass (nach der *Grösse* der Wirkung zu urtheilen, die von den Transversalkräften des elektrischen Stromes, d. h. den magnetischen Kräften in die Ferne ausgeübt werden) die dazwischenliegende Substanz und folglich die dazwischenliegenden Theilchen mit den Erscheinungen nichts zu thun haben; oder mit anderen Worten, dass, wiewohl die Inductionswirkung der statischen Elektricität durch Vermittelung der intermediären Theilchen sich in die Ferne verbreitet (1164, 1666), doch die transversale Inductionskraft der Ströme, welche ebenfalls in die Ferne wirken kann, sich nicht auf ähnliche Weise durch intermediäre Theilchen fortpflanzt.

1727. Es ist jedoch ganz einleuchtend, dass dieser Schluss nicht als bewiesen angesehen werden kann. So wissen wir, dass, wenn Kupfer sich zwischen dem Pol und der Spirale (1715, 1719, 1725) oder zwischen den beiden Spiralen (1721) befindet, seine Theilchen afficirt werden, und dass durch geeignete Vorrichtungen ihr besonderer temporärer Zustand sich in einer Aeusserung elektrischer oder magnetischer Wirkungen offenbaren kann. Es scheint unmöglich, diese Wirkung auf die Theilchen der dazwischenliegenden Substanz als unabhängig anzusehen von der, welche von der inducirenden Spirale C oder dem Magnet auf die Inductionsspirale A oder deren Kern (1715, 1721) ausgeübt wird; denn da der inducirte Körper durch den inducirenden in gleicher Weise beeinflusst wird, ob diese dazwischenliegenden und afficirten Kupfertheilchen zugegen sind oder nicht (1723, 1725), so würde eine solche Annahme besagen, dass die so afficirten Theilchen keine Rückwirkung auf die ursprünglichen inducirenden Kräfte ausüben. Mir scheint daher die Annahme berechtigt zu sein, dass durch diese afficirten Theilchen die Fortpflanzung der Wirkung von dem inducirenden zu dem inducirten Körper erfolgt und gerade diese Uebertragung den Erfolg hat, dass an dem letzteren von der Inductionskraft *nichts verloren geht.*

1728. Man darf dann jedoch fragen, wie sich denn die Theilchen isolirender Substanzen, wie Luft, Schwefel oder Schellack, verhalten, wenn *sie* in die Linie der magnetischen Wirkungen kommen? Die Antwort hierauf kann vorläufig nur als Muthmassung gegeben werden. Ich habe lange geglaubt, dass es für solche Körper einen eigenthümlichen Zustand geben müsse, entsprechend dem, der Ströme in Metallen und anderen Leitern (26, 53, 191, 201, 213) erregt, und wenn man bedenkt, dass diese Körper Isolatoren sind, so liesse sich erwarten, dass das ein Spannungszustand sei. Ich habe mich bemüht, einen solchen Zustand wahrnehmbar zu machen, indem ich nichtleitende Körper in der Nähe von Magnetpolen und diese in der Nähe jener rotiren, sowie auch kräftige Ströme ringsum und neben Isolatoren in verschiedenen Richtungen plötzlich entstehen und verschwinden liess, jedoch ohne Erfolg. Da jedoch ein solcher Zustand wegen der geringen Intensität der zu seiner Erregung benutzten Ströme selbst von äusserst geringer Intensität sein muss, so ist es doch wohl möglich, dass er existirt und, wiewohl ich nicht im Stande war, ihn in die Erscheinung zu rufen, durch einen geschickteren Experimentator nachgewiesen werden wird.

1729. Es erscheint mir demnach möglich und sogar wahrscheinlich, dass magnetische Wirkung durch Vermittelung der dazwischenliegenden Theilchen in die Ferne übertragen wird in einer analogen Weise, wie die Inductionswirkungen der statischen Elektricität sich in die Ferne fortpflanzen (1677), indem die dazwischenliegenden Theilchen mehr oder weniger einen eigenthümlichen Zustand vorübergehend annehmen, den ich (wiewohl auf Grund einer sehr unvollkommenen Vorstellung) mehrmals als *elektrotonischen Zustand* bezeichnet habe (60, 242, 1114, 1661). Hoffentlich wird man dies nicht so verstehen, als hegte ich die feste Meinung, dass dies der wirkliche Sachverhalt sei. Ich habe in der That das Gegentheil bewiesen, dass nämlich magnetische Kräfte gänzlich unabhängig sind von den zwischen den inducirenden und inducirten Körpern liegenden Substanzen, allein ich kann nicht über die Schwierigkeit hinwegkommen, dass Körper, wie Kupfer, Silber, Blei, Gold, Kohle und selbst wässerige Lösungen (201, 213), welche, wiewohl sie, zwischen den aufeinander wirkenden Körpern befindlich, bekanntermassen einen besonderen Zustand annehmen (1727), doch das Endresultat nicht mehr beeinflussen als diejenigen, bei denen bisher eine Besonderheit ihres Zustandes nicht aufgefunden worden ist.

1730. Noch eine für diese ganze Untersuchung wichtige Bemerkung muss ich hier machen. Obschon ich glaube, dass das von mir benutzte und beschriebene Galvanometer (1711, 1720) völlig hinreicht zum Nachweis, dass der schliessliche Betrag der Wirkung auf jede der beiden Spiralen oder jeden der Kerne A und B (1713, 1719) gleich ist, so *mag* doch ein auf einer verschiedenen Wirkung der beiden dazwischen geschobenen Körper beruhender Effect vorhanden sein, den jenes nicht anzeigt. Da die Zeit bei diesen Wirkungen eine wesentliche Rolle spielt[1]) (125), so ist es sehr wohl möglich, dass die Induction auf die Spiralen oder Kerne A und B, wiewohl sie denselben Grad erreicht, gleichviel ob zum Vergleiche Luft und Kupfer, oder Luft und Schellack als Zwischensubstanzen angewandt werden, es dennoch nicht in derselben Zeit thut, und dass dieser Unterschied nur deshalb nicht in die Erscheinung tritt, weil beide Wirkungen ihr Maximum in einer im Vergleich zur Schwingungsdauer der Nadel so kurzen Zeit erreichen, dass sie keinen merklichen Bruchtheil derselben bildet, und daher die Wirkung an dieser sich nicht äussern kann.*)

1731. Wenn sich nachweisen liesse, dass die laterale oder transversale Kraft elektrischer Ströme, oder was dasselbe zu sein scheint, die magnetische Kraft derselben unabhängig von den dazwischenliegenden an einander grenzenden Theilchen in die Ferne wirke, dann würde, wie mir scheint, ein thatsächlicher höchst wichtiger Unterschied zwischen der Natur dieser beiden Kräfte (1654, 1664) constatirt sein. Ich meine hiermit nicht, dass die Kräfte unabhängig von einander wären und getrennt zur Wirkung gelangen könnten, im Gegentheil sind sie wahrscheinlich nothwendig vereint (1654), aber es folgt hieraus keineswegs, dass sie von derselben Natur sind. Bei gewöhnlicher statischer Induction, bei der Leitung und Elektrolysirung sind die an den entgegengesetzten Enden der Theilchen auftretenden Kräfte, welche mit den Wirkungslinien zusammenfallen und gewöhnlich als elektrische bezeichnet werden, polar und wirken, wo eine Reihe an einander stossender Theilchen vorhanden ist, nur auf unmerkliche Entfernungen hin, während diejenigen Kräfte, welche quer zur Richtung dieser Linien sind und magnetische genannt werden, circumferential sind, in die Ferne wirken und, wenn dies nicht durch Vermittelung der dazwischenliegenden Theilchen geschieht, ganz andere Beziehungen zur gewöhnlichen Materie haben als die elektrischen Kräfte, mit denen sie vereinigt sind.

1732. Die Entscheidung dieser Frage über die Identität oder die Verschiedenheit der beiden Kraftformen und die Feststellung ihrer wahren Be-

[1]) Siehe Annales de Chimie, 1833, tom. LI. pp. 422, 428,

*) Analoge Versuche über die Rolle der Isolatoren bei der Induction elektrischer Ströme sind in neuester Zeit mit glänzendem Erfolge von H. Hertz (Sitzungsber. d. Berl. Akademie, 1887, p. 885) angestellt worden, und die Faraday'schen Anschauungen haben keine schönere experimentelle Bestätigung gefunden als durch diese und die darauf folgenden Arbeiten des genannten Physikers (vgl. Sitzungsber. d. Berl. Akad., 1888, p. 197, 1297, und Wied. Ann., 1888, XXXIV, 609). D. Ü.

ziehung wäre von äusserster Wichtigkeit. Die Frage scheint völlig im Bereiche des Versuches zu liegen und verspricht dem, der sie zu lösen unternimmt, einen hohen Lohn.

1733. Ich habe bereits die Hoffnung ausgesprochen, einen Vorgang oder einen Zustand aufzufinden, der der statischen Elektricität gegenüber das wäre, was magnetische Kraft der strömenden Elektricität gegenüber ist (1658). Wenn ich überzeugend hätte nachweisen können, dass magnetische Kräfte durch Vermittelung der dazwischenliegenden Theilchen in einer den elektrischen Kräften analogen Weise in die Ferne wirken, so würde ich geglaubt haben, dass die Seitenspannung der Inductionslinien (1659) oder der so oft erwähnte elektrotonische Zustand (1661, 1662) eben der genannte Zustand der statischen Elektricität sei.

1734. Man kann sagen, dass der Zustand *keiner Seitenwirkung* für die statische oder inducirende Kraft das Aequivalent des *Magnetismus* für die Stromkraft sei; dies kann jedoch nur bei der Ansicht gelten, dass elektrische und magnetische Wirkung ihrem Wesen nach verschieden seien (1664). Stellen sie dieselbe Kraft dar, so dass der ganze Unterschied in den Resultaten die Folge des Unterschiedes der *Richtung* ist, dann würde der normale oder *unentwickelte* Zustand der elektrischen Kraft dem Zustande *keiner Seitenwirkung* der magnetischen Kraftform, der elektrische Strom den gewöhnlich als Magnetismus bezeichneten Seitenwirkungen entsprechen. Allein der Zustand der statischen Induction, welcher zwischen dem normalen Zustande und dem Strom liegt, würde noch einen, seine besonderen Erscheinungen darbietenden lateralen Zustand in der magnetischen Reihe erfordern; denn man kann kaum annehmen, dass beide, der normale elektrische und der Inductions- oder Polarisations-Zustand, die nämliche laterale Beziehung haben können. Stellt Magnetismus eine gesonderte und höhere Relation der entwickelten Kräfte dar, dann würde vielleicht das Argument, welches zur Annahme dieses dritten Zustandes jener Kraft nöthigt, nicht so stark sein.

1735. Ich kann diese allgemeinen Bemerkungen über die Relation der elektrischen und magnetischen Kräfte nicht schliessen, ohne mein Erstaunen über die mit der Kupferplatte erhaltenen Resultate (1721, 1725) auszudrücken. Die Versuche mit den flachen Spiralen stellen einen der einfachsten Fälle von Induction elektrischer Ströme dar (1720); der Effect besteht bekanntlich darin, dass im Augenblick des Entstehens eines Stromes in einem Drahte ein momentaner Strom von entgegengesetzter Richtung in einem ihm parallelen benachbarten Drahte und beim Verschwinden des primären Stromes ein diesem gleichgerichteter Strom von gleichfalls kurzer Dauer erregt wird (26). Demnach erscheint es sehr auffallend, dass der Strom, welcher in der Spirale A inducirt wird, wenn sich zwischen A und C nur Luft befindet (1720), eben so stark sein soll, wie wenn die Luft durch eine grosse Masse eines so vorzüglich leitenden Metalles wie Kupfer ersetzt wird

(1721). Man hätte erwarten sollen, dass diese Masse die Bildung und Entladung von fast jedweder Strommenge, welche die Spirale C in ihr induciren konnte, gestattet, und so die Wirkung auf A einigermassen geschwächt, wenn nicht ganz und gar gehindert haben würde, während thatsächlich, wiewohl kein Zweifel obwalten kann, dass sich in der Kupferplatte momentan unzählige Ströme ausbilden, nicht die geringste Schwächung oder Aenderung der Wirkung auf A eintritt (65). Fast der einzige Weg, dieses Ergebniss mit allgemein angenommenen Vorstellungen in Einklang zu bringen, scheint mir in der Annahme zu bestehen, dass magnetische Wirkung durch Vermittelung der dazwischenliegenden Theilchen übertragen werde (1729, 1733).

1736. Dieser sehr merkwürdige Sachverhalt stimmt vollkommen überein mit den Beobachtungen an Spiralen, die aus fünf bis sechs Lagen von Drahtgewinden bestehen, dass nämlich die Wirkung auf die äusseren Lagen durch die inneren nicht geschwächt wird.

§ 22. Bemerkung über Elektricitätserregung.

1737. Es kann kaum einem Zweifel unterliegen, dass man die verschiedene Art der Elektricitätserregung früher oder später unter ein gemeinsames Gesetz bringen wird, wenngleich wir gegenwärtig genöthigt sind, Unterscheidungen zu machen. Es wird schon ein grosser Gewinn sein, wenn diese Unterscheidungen, wenn auch nicht beseitigt, wenigstens verstanden werden.

1738. Die enge Beziehung der elektrischen und chemischen Kräfte macht die chemische Erregungsart zur lehrreichsten von allen, und der Fall von zwei isolirten sich verbindenden Theichen ist wahrscheinlich der einfachste, den wir kennen. Hier ist jedoch die Wirkung eine örtliche, und es fehlt uns noch ein derartiges auf Elektricität anwendbares Prüfmittel, auf Fälle von strömender Elektricität und statischer Induction. Wenn wir vermöge des vorherigen Verbindungszustandes einiger der wirkenden Theilchen (923) im Stande sind, wie in der Volta'schen Säule, die locale Wirkung auszubreiten oder in einen Strom zu verwandeln, dann können wir die chemische Action in ihrer Mannigfaltigkeit verfolgen bis zur Erzeugung *aller* Erscheinungen der Spannung und des statischen Zustandes, welche in jeder Hinsicht die nämlichen sind, wie sie von den durch Reibung erregten elektrischen Kräften hervorgerufen werden.

1739. Berzelius war, glaube ich, der erste, welcher von der Fähigkeit gewisser Theilchen, in Gegenwart anderer entgegengesetzte Zustände anzunehmen, gesprochen hat (959). Hypothetisch dürfen wir annehmen, dass diese Zustände mit wachsender Annäherung oder durch Wärme u. s. w. an Intensität zunehmen, bis bei einem gewissen Punkte Verbindung eintritt, begleitet von einer solchen Anordnung der Kräfte der beiden Theilchen zwischen denselben als einer Entladung äquivalent ist, wobei zugleich ein Theilchen gebildet wird, welches als Ganzes ein Leiter ist (1700).

1740. Diese Fähigkeit, einen erregten elektrischen Zustand anzunehmen (der wahrscheinlich bei nichtleitenden Substanzen ein polarer ist), scheint eine primäre Thatsache zu sein und zur Natur der Induction zu gehören (1162), denn die Theilchen scheinen nicht im Stande zu sein, ihren besonderen Zustand unabhängig von einander (1177) oder von einer im entgegengesetzten Zustande befindlichen Substanz zu bewahren. Was bei den materiellen Theilchen bestimmt zu sein scheint, ist, dass sie eben ihren *besonderen* Zustand, wie den positiven oder negativen, in Beziehung zu einander, und nicht willkürlich den einen oder den anderen annehmen, und ebenso ist es mit der Aufnahme von Kraft zu einem gewissen Betrage.

1741. Es ist leicht begreiflich, dass dieselbe Kraft, welche eine örtliche Wirkung zwischen zwei freien Theilchen verursacht, als Stromkraft auftreten wird, wenn eins der Theilchen vorher in Verbindung war und einen Bestandtheil eines Elektrolyts bildete (923, 1738). So üben ein Zinktheilchen und ein Sauerstofftheilchen, wenn sie bei einander sind, ihre Inductionskräfte gegen einander aus (1740), die sich schliesslich bis zum Verbindungspunkte steigern. Wenn der Sauerstoff vorher mit Wasserstoff verbunden ist, so wird er durch eine analoge Aeusserung und Anordnung der Kräfte in dieser Verbindung erhalten; und wie die Kräfte des Sauerstoffs und Wasserstoffs für die Dauer der Vereinigung sich gegenseitig binden und festhalten, so kann, wenn die stärkeren Verwandtschaftskräfte zwischen Sauerstoff und Zink in's Spiel treten, die Induction des ersteren, also des Sauerstoffs gegen das Metall nicht aufkommen und zunehmen, ohne dass die Induction gegen den Wasserstoff, mit dem es verbunden ist, in entsprechendem Maasse abnimmt (denn der Kraftbetrag eines Theilchens wird als fest bestimmt angesehen), und die Kraft des letzteren richtet sich daher gegen den Sauerstoff des nächsten Wassertheilchens. Auf solche Weise lässt es sich denken, dass der Effect sich auf merkliche Entfernungen ausbreitet, der Zustand der statischen Induction hervorgerufen wird, dessen durch die Wirkung anderer Theilchen erfolgende Entladung und Aufhebung Ströme erzeugt.

1742. In der gewöhnlichen Volta'schen Batterie entsteht der Strom in Folge des Bestrebens des Zinks, den Sauerstoff des Wassers dem Wasserstoff zu entziehen, und die bestimmende Action geht an dem Orte vor sich, wo der Sauerstoff den Elektrolyt verlässt. Schoenbein hat jedoch eine Batterie construirt, in welcher die bestimmende Action an dem anderen Ende des wesentlichen Theiles des Apparates erfolgt, nämlich da, wo Sauerstoff zu dem Elektrolyt geht.[1] Im ersteren Falle, kann man sagen,

---

[1]) Philosophical Magazine, 1838, XII, 225, 315. Siehe auch De la Rive's Resultate mit Mangansuperoxyd. Annales de Chimie, 1836, LXI, p. 40. — Dec. 1838.

kommt der Strom durch Abtrennung des Sauerstoffs vom Wasserstoff, im letzteren durch Abtrennung des Wasserstoffs vom Sauerstoff in Bewegung. Die Richtung des elektrischen Stromes, bezogen auf die Richtung, in welcher die elementaren Theilchen des Elektrolyts sich bewegen (923, 962), ist in beiden Fällen dieselbe, und beide stimmen gleichermassen überein mit der eben dargelegten hypothetischen Ansicht über die Inductionswirkung dieser Theilchen (1740).

1743. Nach dieser Ansicht über die Volta'sche Erregung lässt sich die Wirkung der Partikelchen in zwei Theile zerlegen, in die Wirkung, welche stattfindet, während die Kraft in einem Sauerstofftheilchen gegen ein darauf wirkendes Zinktheilchen wächst und gegen das mit ihm verbundene Wasserstofftheilchen abnimmt (dies ist die progredirende Periode der Inductionswirkung), und in die, welche erfolgt, wenn die Umwandelung der Verbindung stattfindet, und das Sauerstofftheilchen den Wasserstoff verlässt, um sich mit dem Zink zu verbinden. Die erstere scheint diejenige zu sein, welche den Strom, oder wenn kein Strom da ist, den Spannungszustand an den Enden der Batterie hervorbringt, während die letztere, indem der Einfluss der in Wirksamkeit gewesenen Theilchen zur Zeit seinen Abschluss findet, anderen in's Spiel zu treten gestattet und so den Strom unterhält.

1744. Höchstwahrscheinlich ist die Erregung durch Reibung sehr häufig von gleichem Charakter. Wollaston versuchte die Erregung dieser Art auf chemische Action zurückzuführen[1]); allein wenn man unter chemischer Action die schliessliche Vereinigung der wirkenden Theilchen versteht, so giebt es zahlreiche Fälle, welche dieser Ansicht entgegenstehen. Davy erwähnt einige solche, und ich meinerseits finde keine Schwierigkeit, andere Arten von Elektricitätserregung als chemische Action anzunehmen, besonders wenn unter letzterer eine schliessliche Verbindung der Theilchen verstanden wird.

1745. Davy wies experimentell nach, dass zwei Theilchen von entgegengesetztem chemischen Verhalten entgegengesetzte Zustände annehmen können, wenn sie ganz dicht neben einander gebracht werden, *ohne* dass sie sich verbinden können.[2]) Dies ist, glaube ich, der oben erwähnte erste Theil der Wirkung (1743); aber nach meiner Ansicht kann dadurch kein continuirlicher Strom entstehen, wenn nicht Verbindung erfolgt, so dass successive andere Theilchen in derselben Weise zur Wirkung gelangen können, und auch dann nicht, wenn nicht eine Reihe von Theilchen als Bestandtheil eines Elektrolytes vorhanden ist (923, 963), d. h. bloss ruhender Contact ohne chemische Wirkung erzeugt in solchen Fällen keinen *Strom*.

1746. Doch ist es sehr wohl möglich, dass ein solches Verhältniss

---

1) Philosophical Transactions, 1801, p. 427.

2) Ibid. 1807, p. 34.

eine hohe Ladung erzeugen kann und so zur Elektricitätserregung durch Reibung Veranlassung geben kann. Wenn zwei Körper an einander gerieben werden, um auf gewöhnliche Weise Elektricität zu erregen, so muss wenigstens der eine ein Isolator sein. Während des Reibens müssen die Theilchen entgegengesetzter Art mehr oder weniger dicht zusammengebracht werden, die wenigen, welche sich unter den günstigsten Umständen befinden, werden dabei in so innigen Contact kommen, dass sie nur wenig von dem entfernt sind, welcher die Folge chemischer Verbindung ist. In solchen Momenten mögen sie durch gegenseitige Induction (1740) und theilweise Entladung gegen einander sehr hochgespannte entgegengesetzte Zustände annehmen, und wenn sie unmittelbar darauf bei fortgesetzter Reibung sich von einander entfernen, so werden sie, wenn sie beide Isolatoren sind, diesen Zustand behalten und ihn nach vollzogener Trennung aufweisen.

1747. Alle Umstände bei der Reibung scheinen mir für eine solche Ansicht zu sprechen. In Folge der Unregelmässigkeiten der Gestalt und des Druckes werden die Theilchen der beiden an einander geriebenen Flächen sehr verschiedene Abstände von einander haben und nur wenige werden auf einmal gerade in der innigen Beziehung stehen, welche vermuthlich zur Entwickelung der Kräfte erforderlich ist; ferner werden diejenigen welche zu einer Zeit einander am nächsten sind, zu einer anderen am weitesten von einander entfernt sein, und so werden bei fortgesetzter Reibung nach und nach viele erregt werden. Endlich scheint mir die seitliche Richtung bei der Trennung am geeignetsten zu sein, um viele Paare von Theilchen vor Allem in die innige Nähe zu bringen, welche zur Annahme entgegengesetzter Zustände durch gegenseitige Einwirkung erforderlich ist, und darauf aus dem Bereich ihres gegenseitigen Einflusses unter Beibehaltung ihres Zustandes zu entfernen.

1748. Es würde leicht sein, auf Grund dieser Ansicht, eine hypothetische Erklärung zu geben, wie, wenn einer der reibenden Körper ein Leiter ist, beispielsweise das Amalgam einer Elektrisirmaschine, der Zustand des anderen (als Masse) bei vollzogener Reibung erhöht wird; allein es würde thöricht sein, in solche Speculation weiter einzugehen, ehe die bereits vorgebrachten durch passende experimentelle Nachweise entweder bestätigt oder berichtigt sind. Ich wünsche nicht die Meinung zu erwecken, dass alle Elektrisirung durch Reibung dieser Art sei, im Gegentheil lassen gewisse Versuche mich glauben, dass in vielen Fällen, und vielleicht in allen, Vorgänge thermoelektrischer Natur zu dem Endeffect führen, und sehr wahrscheinlich sind zugleich auch noch andere, bisher nicht erkannte Ursachen elektrischer Störungen wirksam.

Royal Institution,
Juni 1838.

Register.

NB. Ein horizontaler Strich bezieht sich auf die unmittelbar voranstehenden gesperrt gedruckten Worte. Die Zahlen bedeuten, wenn nichts anderes gesagt ist, die Nummern der Artikel, und die Hinweisungen beziehen sich bald ausschliesslich auf den genannten Artikel, bald gleichzeitig auf die folgenden.
Die nur in den Anmerkungen des Uebersetzers vorkommenden Namen sind mit * bezeichnet.

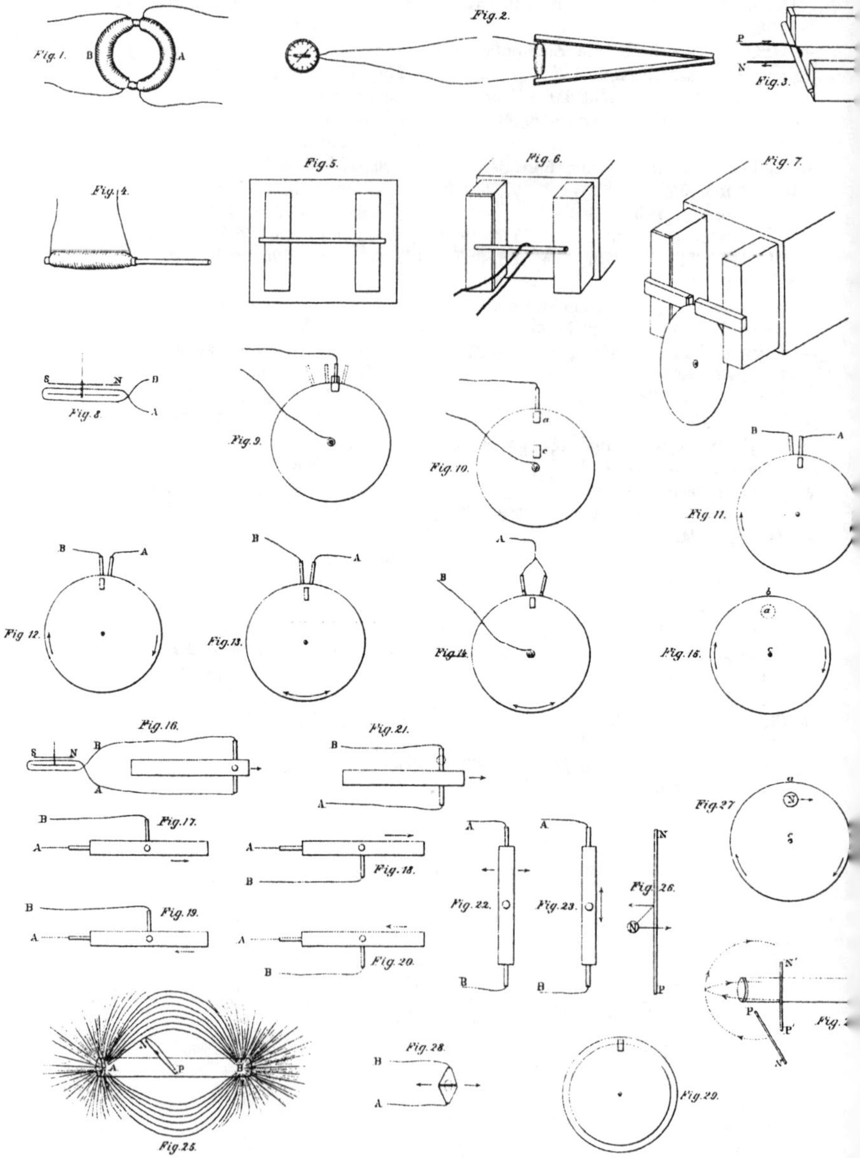

Fig. 1.
B
A
Fig. 2.
P
N
Fig. 3.
Fig. 4.
Fig. 5.
Fig. 6.
Fig. 7.
S
N
D
A
Fig. 8.
Fig. 9.
a
c
Fig. 10.
B
A
Fig. 11.
B
A
Fig. 12.
B
A
Fig. 13.
A
B
Fig. 14.
b
a
Fig. 15.
Fig. 16.
S
N
B
A
Fig. 21.
B
A
B
Fig. 17.
A
A
Fig. 18.
B
B
Fig. 19.
A
A
Fig. 20.
B
A
Fig. 22.
B
A
Fig. 23.
B
N
Fig. 26.
N
P
a
Fig. 27
N
N'
P
P'
Fig.
A
P
B
Fig. 25.
Fig. 28.
B
A
Fig. 29.

Fig. 30.

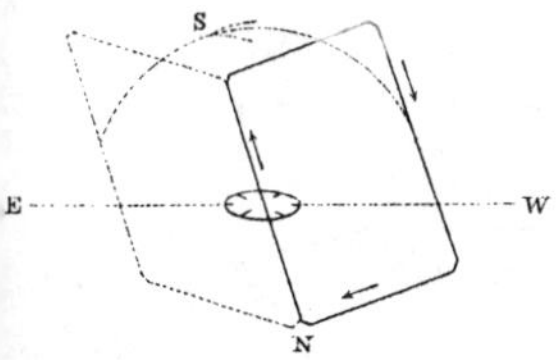

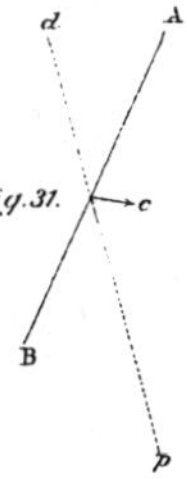

Fig. 31.

Fig. 32.

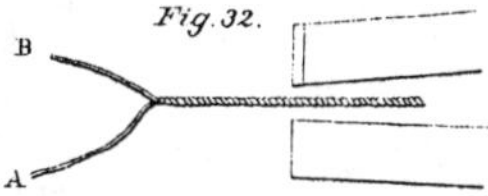

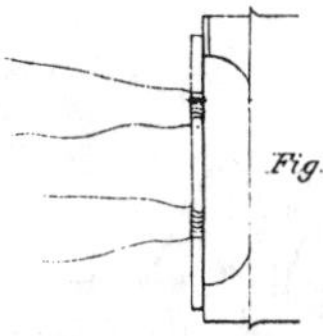

Fig. 33.

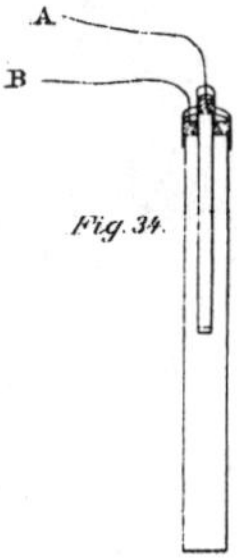

Fig. 34.

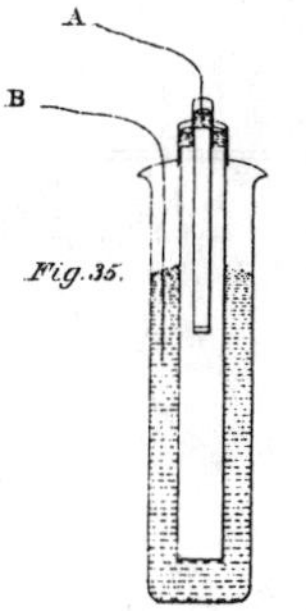

Fig. 35.

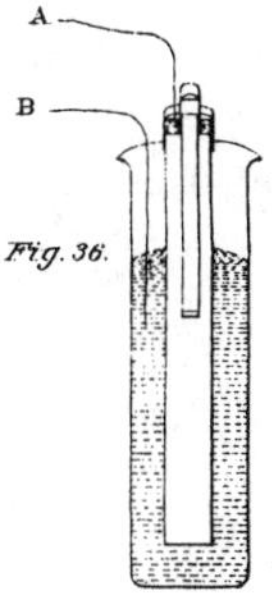

Fig. 36.

Fig. 37.

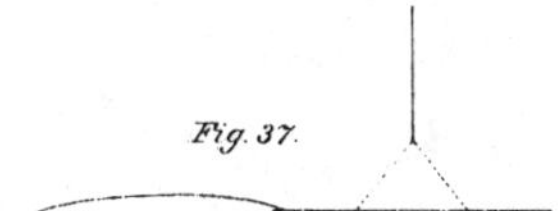

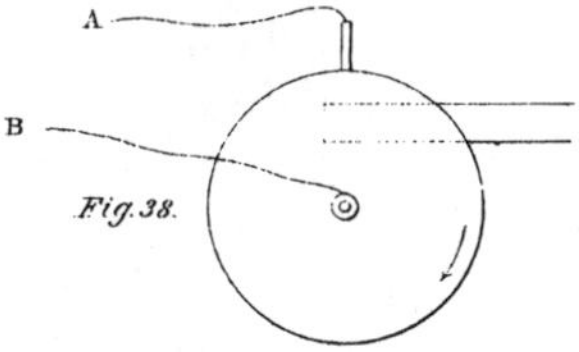

Fig. 38.

Fig. 40. Fig. 41.

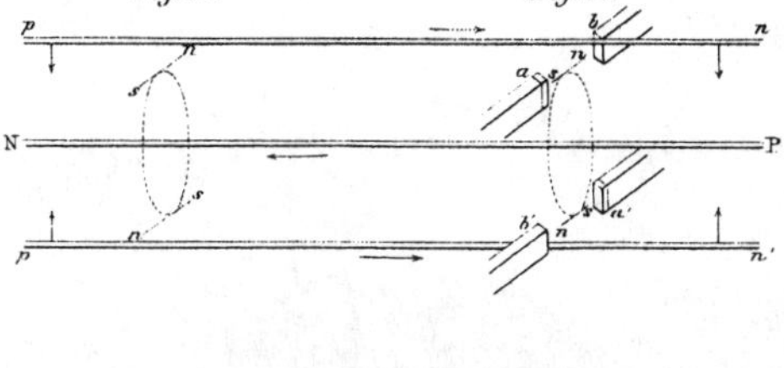

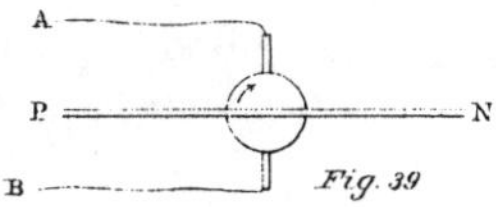

Fig. 39

Fig. 45.

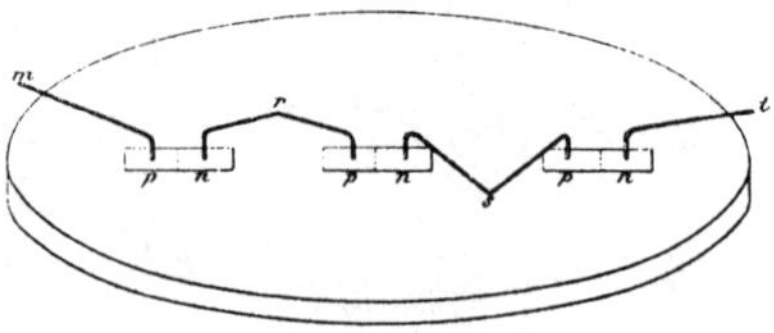

Fig. 43.

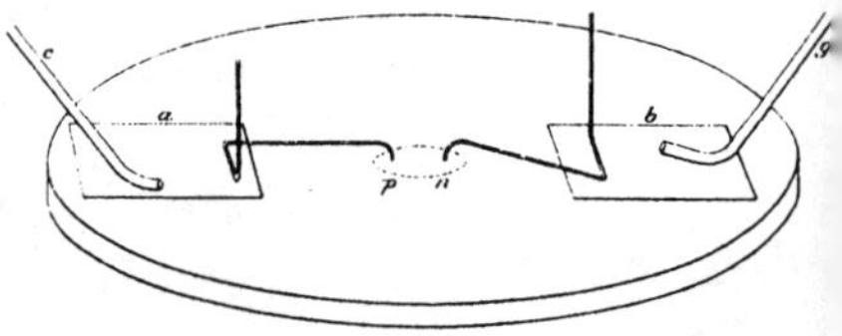

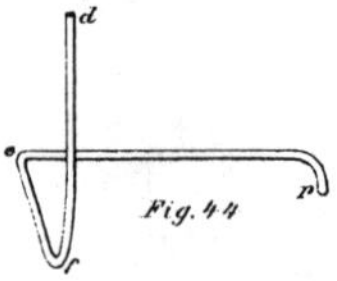

Fig. 44

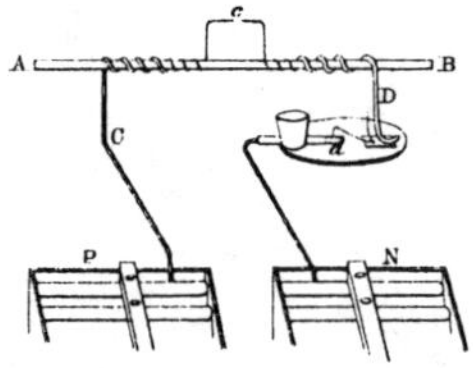

Fig. 46.

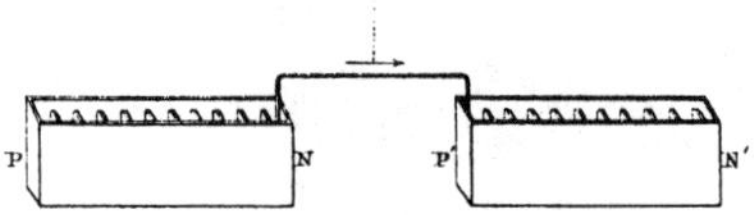

Fig. 42.

Fig. 47.

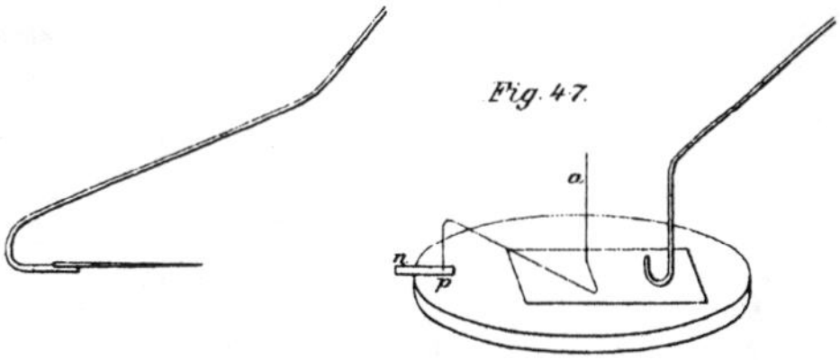

Fig. 48.

Fig. 49.

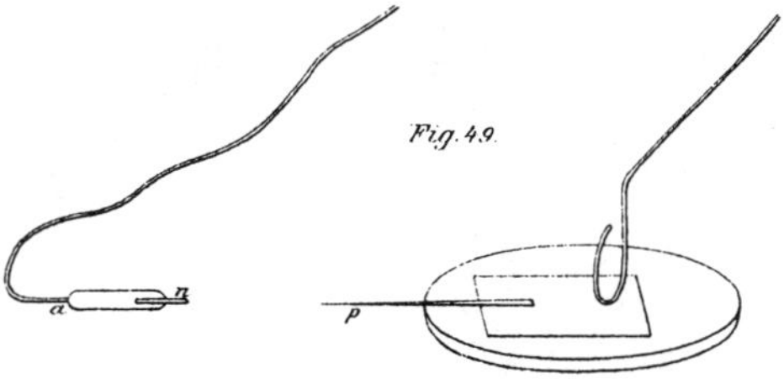

Fig. 50.

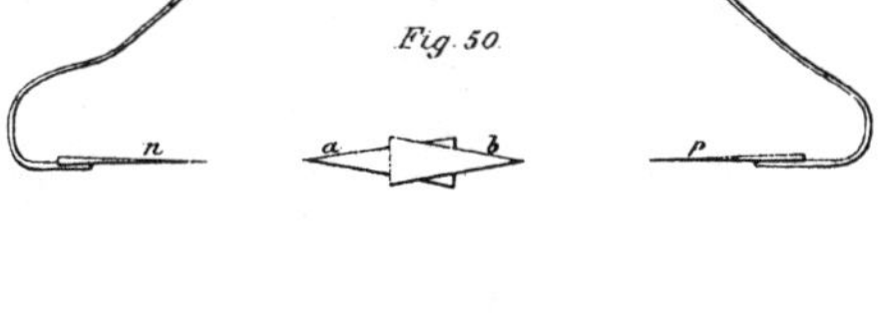

Fig. 51.

Fig. 52.

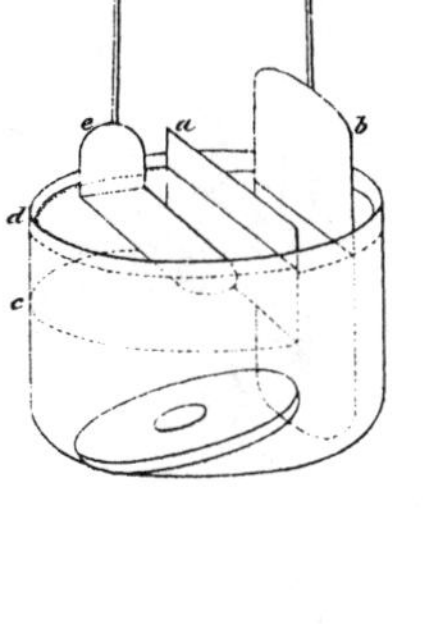

Fig. 53.

Fig. 54.

Fig. 55.

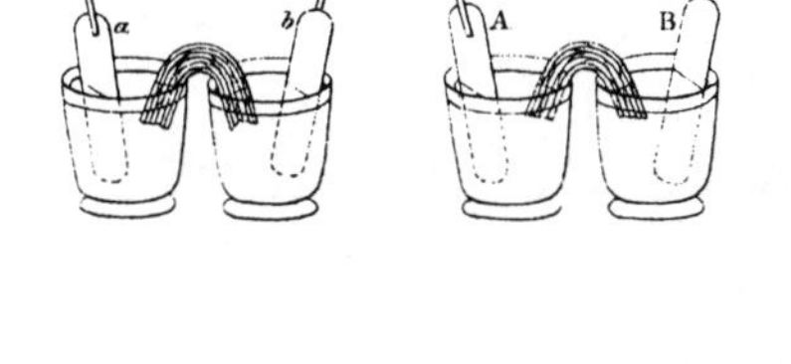

Fig. 56.

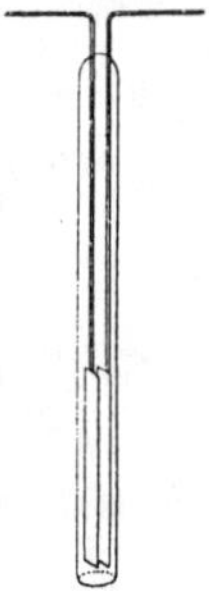

Fig. 58.

Fig. 57.

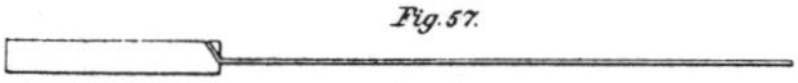

Fig. 59.

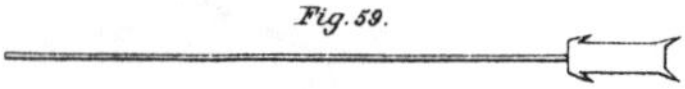

Fig. 60.

Fig. 61.

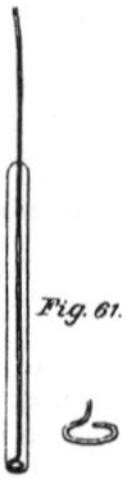

Fig. 63.

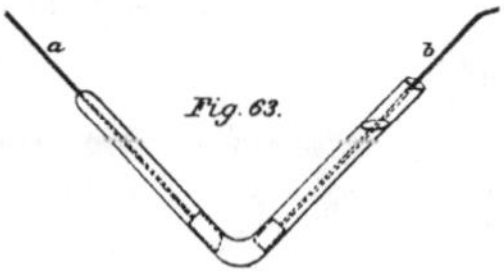

Fig. 62.

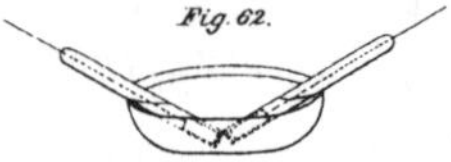

Fig. 64.

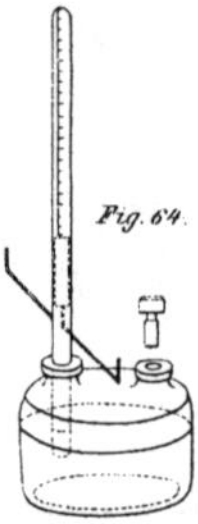

Fig. 65.

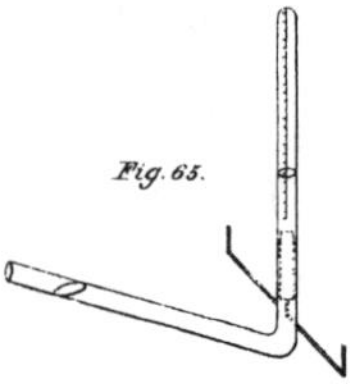

Fig. 66.

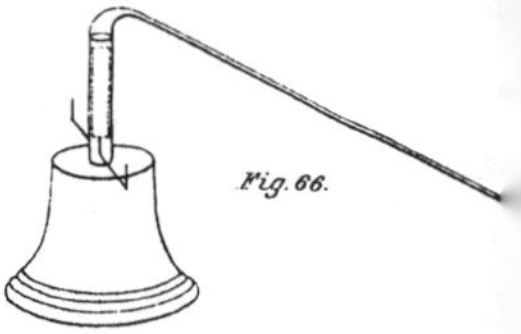

Fig. 67.

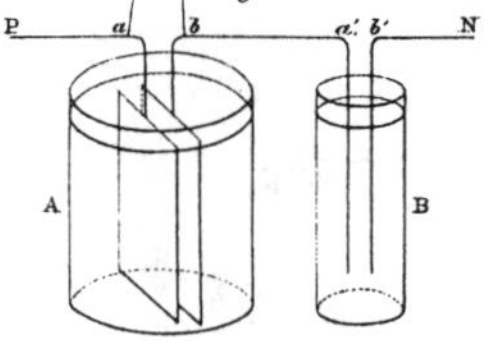

Fig. 68.

Fig. 69.

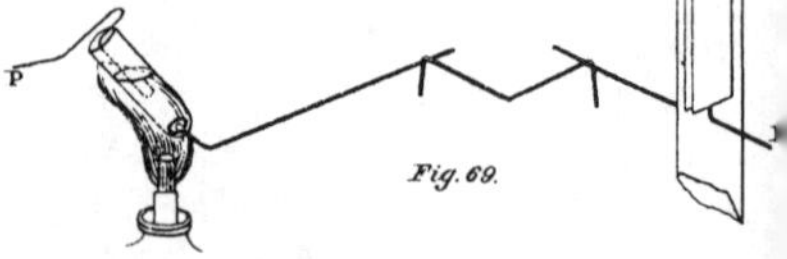

Fig. 70.

Fig. 71.

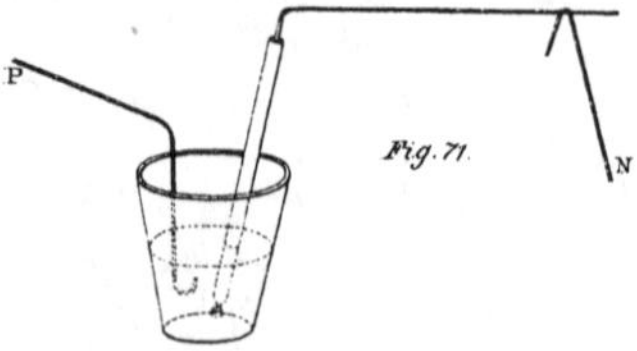

Fig. 72.

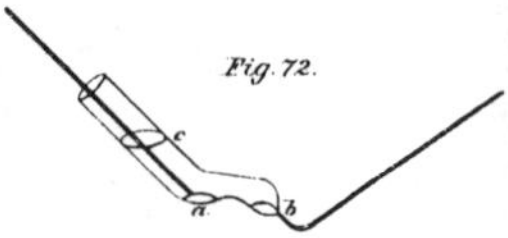

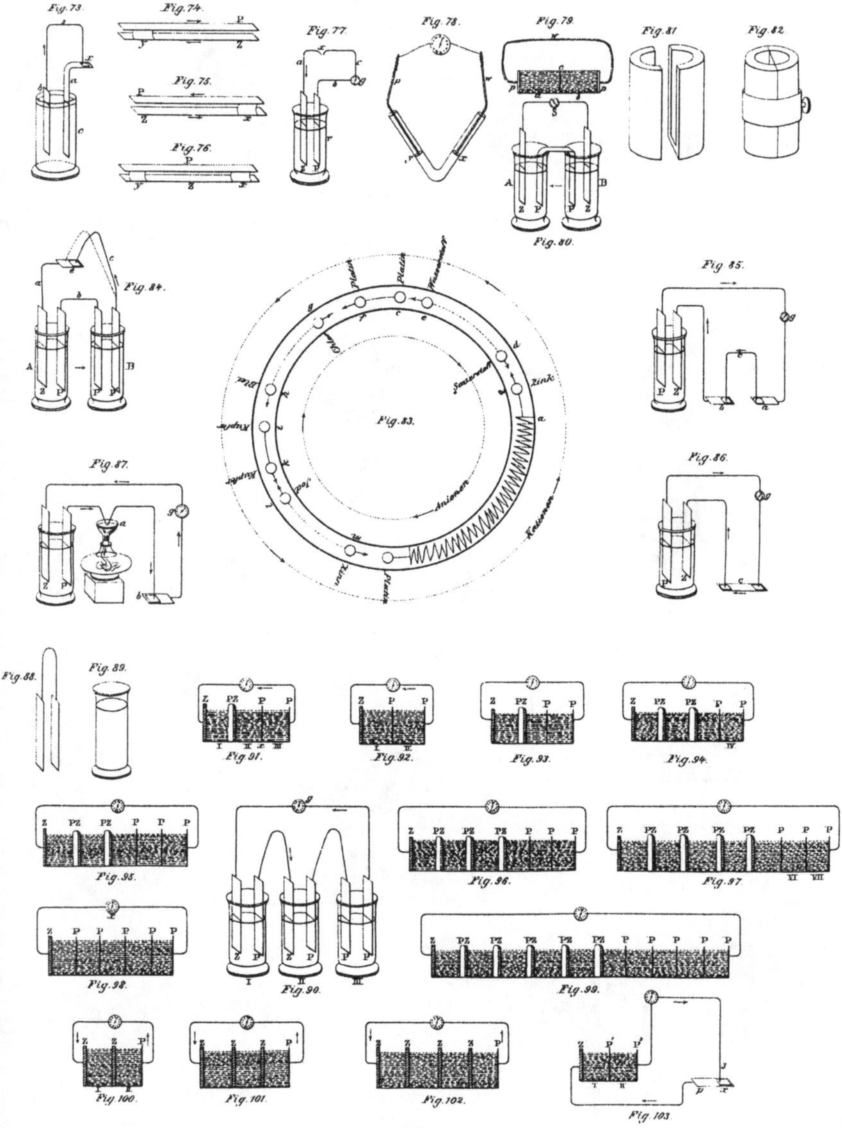
Fig. 73.
Fig. 74.
Fig. 75.
Fig. 76.
Fig. 77.
Fig. 78.
Fig. 79.
Fig. 80.
Fig. 81.
Fig. 82.
Fig. 83.
Platin
Wasserstoff
Sauerstoff
Zink
Anionen
Kationen
Kupfer
Jod
Zinn
Fig. 84.
Fig. 85.
Fig. 86.
Fig. 87.
Fig. 88.
Fig. 89.
Fig. 90.
Fig. 91.
Fig. 92.
Fig. 93.
Fig. 94.
Fig. 95.
Fig. 96.
Fig. 97.
Fig. 98.
Fig. 99.
Fig. 100.
Fig. 101.
Fig. 102.
Fig. 103.

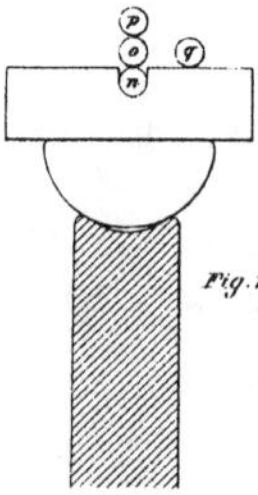

Fig. 112.

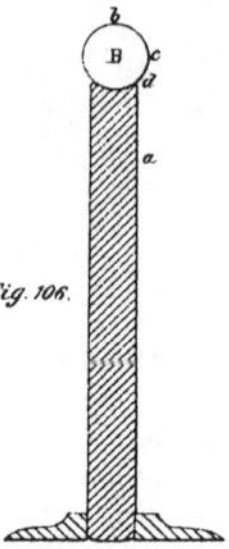

Fig. 106.

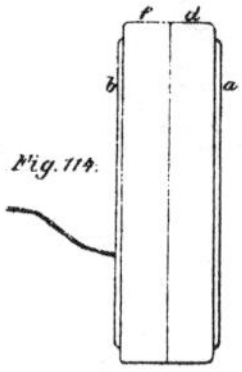

Fig. 114.

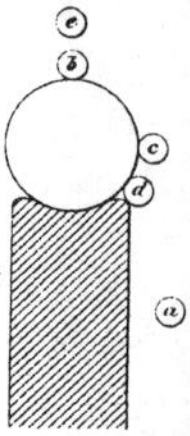

Fig. 107.

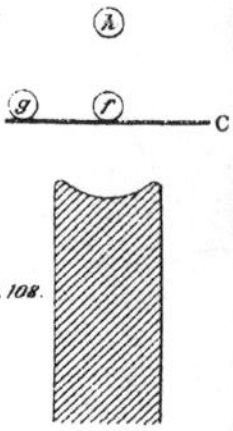

Fig. 108.

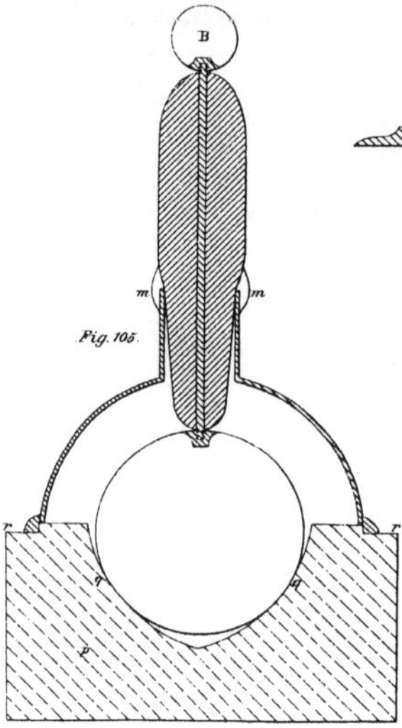

Fig. 105.

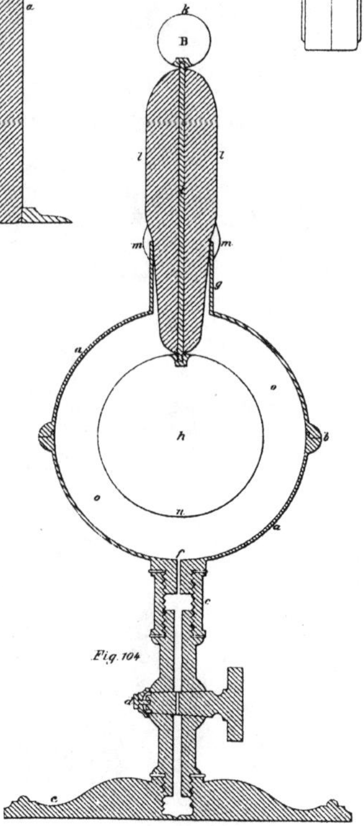

Fig. 104

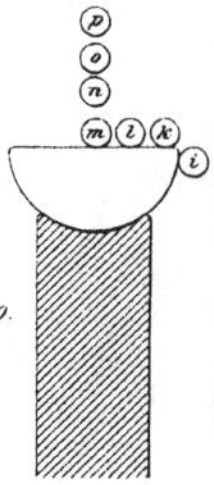

Fig. 110.

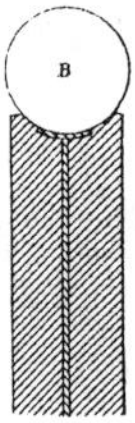

Fig 109.

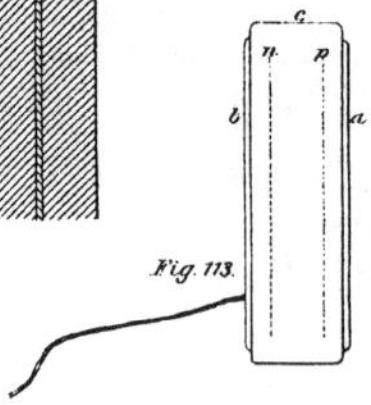

Fig. 113.

Fig. 111.

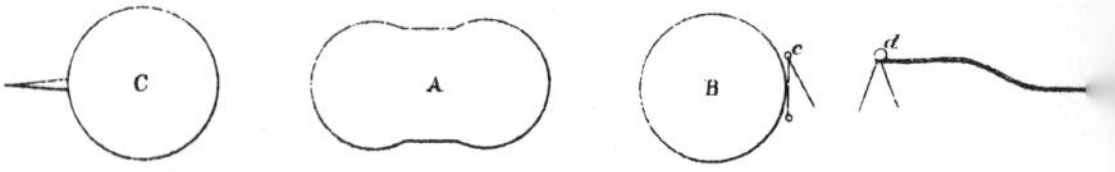

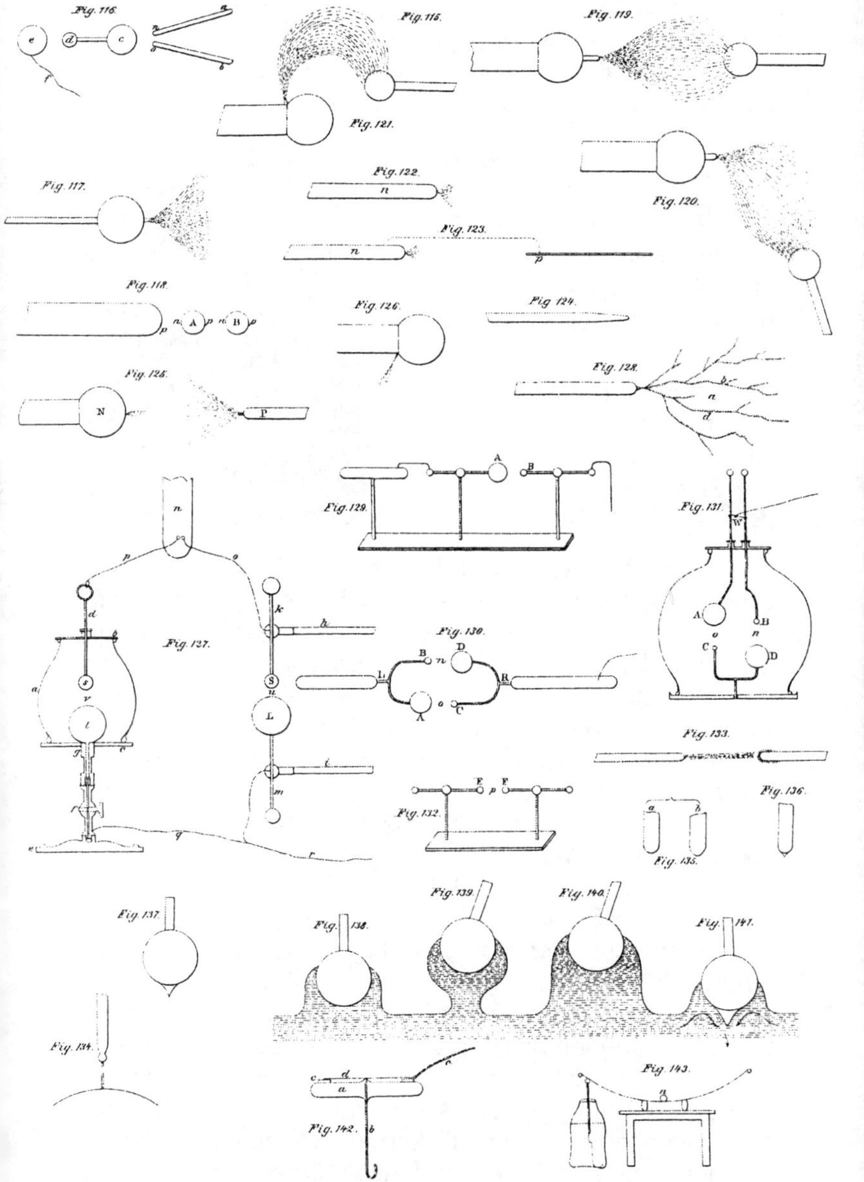
Fig. 116.
Fig. 115.
Fig. 119.
Fig. 121.
Fig. 122.
Fig. 117.
Fig. 120.
Fig. 123.
Fig. 118.
Fig. 126.
Fig. 124.
Fig. 125.
Fig. 128.
Fig. 129.
Fig. 131.
Fig. 127.
Fig. 130.
Fig. 133.
Fig. 132.
Fig. 136.
Fig. 135.
Fig. 137.
Fig. 139.
Fig. 140.
Fig. 138.
Fig. 141.
Fig. 134.
Fig. 143.
Fig. 142.

OSTWALDS KLASSIKER
DER EXAKTEN WISSENSCHAFTEN

Band 69
J.C. MAXWELL
Über Faradays Kraftlinien
Über physikalische Kraftlinien

Reprint der Einzelbände
69 und 102
Hrsg.: L. Boltzmann
276 Seiten, kt.,
ISBN 3-8171-3069-4

„Das Kraftlinienfeld und die Annahme, daß ein bestimmter Zustand des Mediums die wesentliche Vorbedingung für Kraftwirkungen ist, war den führenden Physikern jener Zeit so ungewohnt, daß sie ungeachtet der Anerkennung, die sie dem genialen Experimentator Faraday gezollt haben, in diesen Vorstellungen kein ausreichend sicheres Fundament für eine neue Theorie sehen konnten. Es hat nur einen Andersdenkenden gegeben, der allerdings dann in der Entwicklung der elektromagnetischen Theorie eine entscheidende Wende herbeigeführt hat: James Clerk Maxwell."

(K. Simonyi, Kulturgeschichte der Physik)

Der englische Physiker J. C. Maxwell (1831 - 1879) gilt als der Wegbereiter der modernen Physik und als der bedeutendste theoretische Physiker des 19. Jahrhunderts. Seine Arbeiten auf dem Gebiet der Elektrodynamik und der kinetischen Gastheorie bildeten einen Wendepunkt in der Physikgeschichte. Mit seiner kinetischen Theorie der Gase leitete er den Übergang zur statistischen Physik ein. Seine Abhandlungen zur Formulierung einer allgemeinen elektromagnetischen Feldtheorie sind Inhalt dieses Bandes